# ESPAÑA
# & PORTUGAL

*ATLAS DE CARRETERAS y TURÍSTICO*
*ATLAS RODOVIÁRIO E TURÍSTICO*
*ATLAS ROUTIER et TOURISTIQUE*
*TOURIST and MOTORING ATLAS*
*STRASSEN- und REISEATLAS*
*TOERISTISCHE WEGENATLAS*

**B**

# Sumario / Sumário / Sommaire / Contents / Inhaltsübersicht / Inhoud

Portada interior: Mapa índice
Verso da capa: Quadro de articulação
Intérieur de couverture : Tableau d'assemblage
Inside front cover: Key to map pages
Umschlaginnenseite: Übersicht
Binnenzijde van het omslag: Overzichtskaart

**D - E**

Grandes itinerarios / Grandes itinerários
Grands itinéraires / Route planning
Reiseplanung / Grote verbindingswegen

**F - G**

Cuadro de distancias / Quadro das distâncias
Tableau des distances / Distances
Entfernungstabelle / Afstandstabel

**H - I**

España - Portugal: mapa administrativa
Espagne - Portugal : carte administrative
Spain - Portugal: administrative map
Spanien und Portugal: administrative Karte
Spanje en Portugal: administratieve kaart

**2 - 103**

España - Portugal: 1: 400 000
Espanha - Portugal: 1: 400 000
Espagne - Portugal : 1 / 400 000
Spain - Portugal: 1: 400 000
Spanien - Portugal: 1 : 400 000
Spanje - Portugal: 1: 400 000

**87 / 104 - 106**

Islas Baleares
Baleares
Iles Baléares
Balearic islands
Balearen

**88**

Madeira
Madère

# C

**107**

Islas Azores / Açores
Iles Açores / Azores islands
die Azoren / Azoren

**108 - 132**

Islas Canarias / Canárias
Iles Canaries / Canary islands
Kanarische Inseln / Canarische Eilanden

**133 - 202**

Índice Andorra - España / Índice Andorra - Espanha
Index Andorre - Espagne / Index Andorra - Spain
Register Andorra - Spanien / Register Andorra - Spanje

**203 - 217**

Índice Portugal
Index Portugal / Register Portugal

**218 - 223**

Signos convencionales / Legenda
Légende / Key
Zeichenerklärung / Verklaring van de tekens

## Planos de ciudades / Plantas das cidades / Plans de ville / Town plans / Stadtpläne / Stadsplattegronden

### ESPAÑA
- 134 Albacete
- 136 Alacant / Alicante
- 137 Almería
- 138 Ávila
- 139 Badajoz
- 140 Barcelona (alrededores)
- 141 Barcelona (centro)
- 142 Bilbao
- 144 Burgos
- 145 Cáceres
- 146 Cádiz
- 147 Cartagena
- 148 Castelló de la Plana / Castellón de la Plana
- 150 Ciudad Real
- 151 Córdoba
- 152 A Coruña
- 153 Cuenca

- 154 Donostia-San Sebastián
- 155 Elche
- 157 Gijón
- 158 Girona
- 159 Granada
- 160 Guadalajara
- 161 Huelva
- 162 Jaén
- 163 Jerez de la Frontera
- 163 León
- 164 Lleida
- 165 Logroño
- 165 Lugo
- 166 Madrid (alrededores)
- 167 Madrid (centro)
- 170 Málaga
- 171 Mérida
- 172 Murcia
- 173 Oviedo

- 174 Palencia
- 176 Palma de Mallorca
- 177 Las Palmas de Gran Canaria
- 178 Pamplona
- 179 Pontevedra
- 183 Salamanca
- 185 Santa Cruz de Tenerife
- 186 Santander
- 186 Santiago de Compostela
- 187 Segovia
- 188 Sevilla (alrededores)
- 189 Sevilla (centro)
- 191 Soria
- 192 Tarragona
- 192 Teruel
- 194 Toledo
- 196 València (alrededores)

- 197 València (centro)
- 198 Valladolid
- 199 Vigo
- 200 Vitoria-Gasteiz
- 201 Zamora
- 202 Zaragoza

### PORTUGAL
- 203 Aveiro
- 205 Braga
- 206 Coimbra
- 207 Évora
- 208 Funchal
- 209 Lisboa (arredores)
- 210 Lisboa (centro)
- 212 Porto (arredores)
- 213 Porto (centro)
- 215 Santarém
- 216 Setúbal

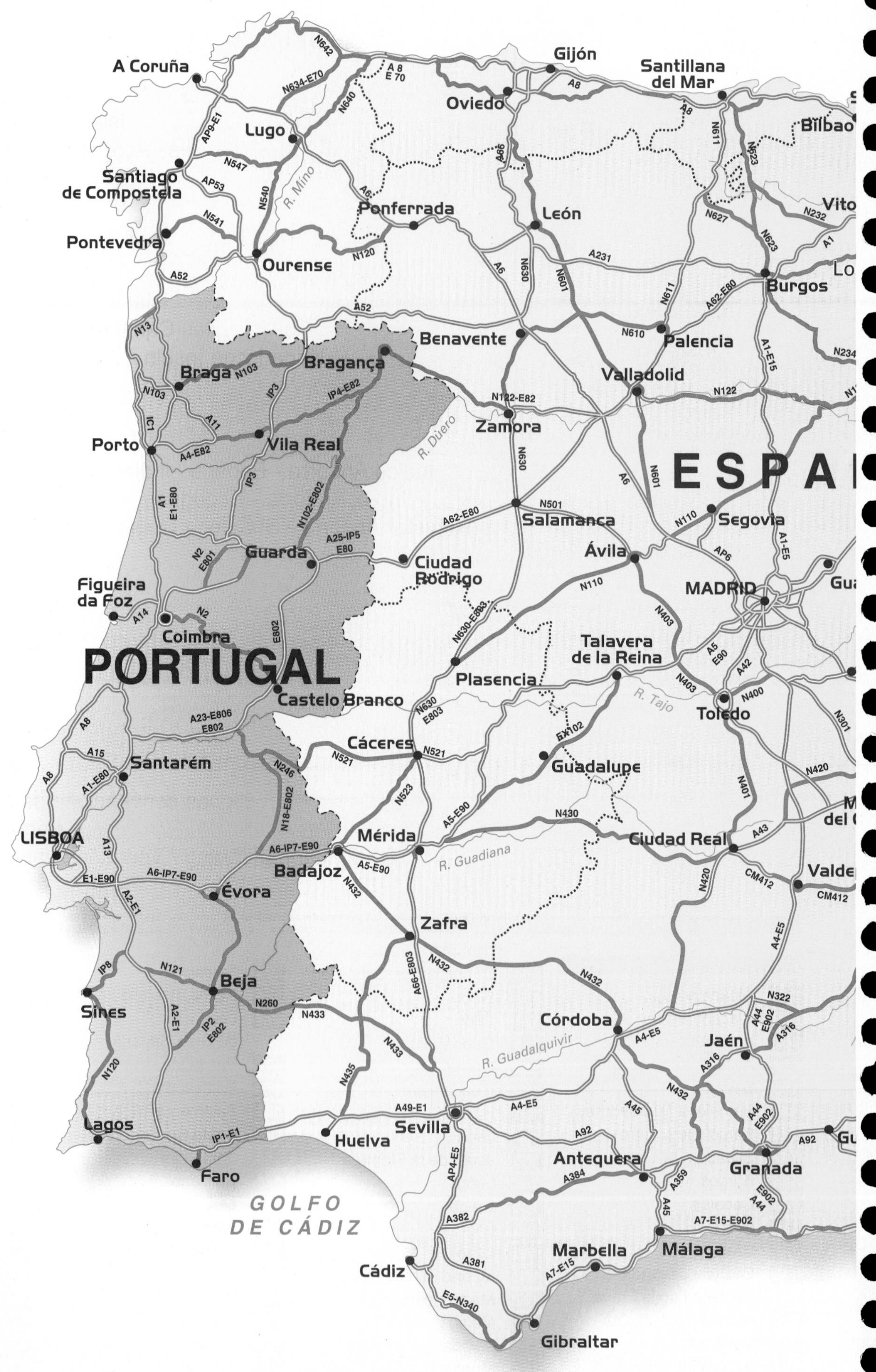

**D**

A Coruña
N642
Gijón
Santillana del Mar
N634-E70
A 8 E 70
Oviedo
A8
A8
A8
Bilbao
Lugo
N640
A66
N611
N623
Vito
Santiago de Compostela
N547
N623
AP53
A6
León
N627
N232
A1
Lo
N541
N550
R. Miño
Ponferrada
N601
Vito
Pontevedra
Ourense
N120
A52
N630
N610
Palencia
A62-E80
Burgos
A52
A52
Benavente
N610
Palencia
A1-E15
N234
N13
Valladolid
N122
N1
Braga
N103
Bragança
N122-E82
Zamora
AP9-E1
N103
IP3
IP4-E82
R. Duero
N630
ESPA
Porto
IC1
A11
Vila Real
N102-E802
A62-E80
Salamanca
N501
N110
Segovia
A4-E82
IP3
A25-IP5
Salamanca
N501
Ávila
AP6
A1-E5
A1
E1-E80
IP3
E80
Ciudad Rodrigo
N110
MADRID
Gua
N2
E301
Guarda
N630-E803
N403
A5
Figueira da Foz
N2
E802
A14
N2
Coimbra
Talavera de la Reina
N403
N400
**PORTUGAL**
Plasencia
R. Tajo
Toledo
N301
Castelo Branco
N630
EX102
A23-E806
E802
Cáceres
N521
Guadalupe
N420
A8
N521
N523
N401
A15
Santarém
N246
A5-E90
N430
M del C
A1-E80
N18-E802
Mérida
R. Guadiana
Ciudad Real
A43
LISBOA
A6-IP7-E90
Badajoz
A5-E90
Valde
A13
A6-IP7-E90
Évora
N432
N420
CM412
E1-E90
A2-E1
Zafra
CM412
IP8
N121
Beja
A66-E803
N432
N322
Sines
A2-E1
N260
N432
Córdoba
A44
IP2
N433
A4-E5
Jaén
A316
E902
E802
N433
R. Guadalquivir
N432
A316
N120
N435
A44
Lagos
A49-E1
A4-E5
A45
E902
IP1-E1
Sevilla
A92
Gu
Faro
Huelva
Antequera
A92
*GOLFO DE CÁDIZ*
AP4-E5
A384
Granada
A359
E902
A382
Marbella
Málaga
A45
A44
Funchal
A381
A7-E15
A7-E15-E902
**MADEIRA**
Cádiz
Gibraltar
E5-N340
*ESTRECHO DE GIBRALTAR*

# Grandes itinerarios / Grandes itinerários
# Grands itinéraires / Route planning
# Reiseplanung / Grote verbindingswegen

Donostia-San Sebastián

ria-Gasteiz

groño

Soria

ÑA

adalajara

Tarancón

lota Cuervo

peñas

adix

Almería

Pamplona

Tudela

Calatayud

Cuenca

Albacete

Lorca

Cartagena

A15

AP 1

N121ª

N240ª

N135

N240

AP68-E804

N111

N122

N234

N111

NII-E90

N330

N211

A23

N330

N420

N400

N320

N420

A3-E901

A31

N322

N322

CM412

N344

A30

A7-E15

A30

AP7

N340A

A92

A7-E15

A7-E15

Huesca

N330
E7

A138

N123

A 22

Lleida

AP2-E90

N420

N211

Tortosa

N232

AP7-E15

Vinaròs

Teruel

N234

A23

Castelló de la Plana/
Castellón de la Plana

València

R. Júca

A3-E901

A3-E901

A35

AP7
E15

Benidorm

Alacant/Alicante

A31

E7

A31

A7-E15

N332

Murcia

Torrevieja

R. Ebro

A15

Zaragoza

AP2-E90

C13

A2

Manresa

Vielha

N230

N260

E9

N152

C25

AP7-E15

AP7-E15

Andorra
la Vella

Girona

N260

Barcelona

Tarragona

Pollença

PALMA

PM27

C713

C715

Manacor

Ciutadella
de Menorca

ME1

Maó

Sant Joan de L.

C733

Eivissa/Ibiza

**ISLAS BALEARES/
ILLES BALEARS**

*MAR*

*MEDITERRÁNEO*

Road distance chart (distances in km). City labels run along the diagonal; each row lists the distances from that city to the cities listed above it.

| City | Distances |
|---|---|
| Alacant / Alicante | — |
| Albacete | 170 |
| Algeciras | 608 610 |
| Almería | 302 366 343 |
| Andorra la Vella | 683 692 1270 965 |
| Aveiro | 947 782 832 1051 1134 |
| Ávila | 541 376 743 667 728 412 |
| Badajoz | 808 643 426 645 1013 405 430 |
| Barcelona | 539 548 1127 821 198 1147 740 1024 |
| Beja | 816 698 403 621 1194 396 611 181 1206 |
| Bilbao | 807 642 1043 945 600 704 419 730 611 911 |
| Braga | 1001 836 935 1127 1139 127 504 509 1150 499 685 |
| Bragança | 781 616 818 907 933 285 283 505 945 660 480 226 |
| Burgos | 654 489 891 794 596 551 266 577 608 759 160 534 328 |
| Cáceres | 678 513 447 665 910 401 310 133 922 315 610 506 385 457 |
| Cádiz | 718 605 127 457 1258 770 682 364 1152 339 982 875 757 829 385 |
| Castellón de la Plana / Castelló de la Plana | 263 272 839 533 426 954 547 820 281 1002 674 1009 789 657 719 875 |
| Castelo Branco | 886 721 603 821 1074 252 352 176 1085 278 644 345 287 490 214 542 886 |
| Ciudad Real | 385 220 526 413 808 724 317 304 695 486 598 779 559 445 311 451 420 478 |
| Coimbra | 940 775 777 996 1127 65 405 350 1139 341 697 171 328 544 346 716 939 226 718 |
| Córdoba | 550 347 292 355 1000 787 509 381 895 356 789 892 751 636 402 264 620 555 192 732 |
| A Coruña | 1019 854 1103 1145 1095 373 522 755 1107 745 548 260 361 489 669 1042 1018 592 797 416 989 |
| Cuenca | 329 164 729 526 621 698 291 564 542 746 554 754 533 401 463 717 267 639 268 691 460 771 |
| Donostia-San Sebastián | 800 697 1099 1026 526 759 474 785 571 967 100 742 535 215 664 1038 635 700 654 752 845 643 608 |
| Évora | 911 746 529 748 1116 352 533 103 1128 81 834 457 479 681 236 469 925 197 408 297 484 701 669 889 |
| Faro | 802 683 382 608 1334 496 750 381 1230 147 1051 602 759 898 454 321 955 462 527 441 341 846 796 1106 287 |
| Girona | 632 641 1220 914 271 1225 818 1102 104 1284 691 1231 1024 688 1001 1244 374 1166 789 1218 987 1187 636 637 1205 1322 |
| Granada | 364 366 261 167 1026 906 534 500 884 475 815 997 776 662 521 371 596 674 281 851 204 1014 486 870 603 455 977 |
| Guadalajara | 449 284 717 604 555 581 174 459 567 640 421 637 416 268 357 705 452 522 256 574 448 654 135 476 561 780 646 473 |
| Guarda | 801 635 733 927 988 159 266 307 1000 367 558 252 194 404 302 672 800 98 579 152 687 497 544 613 288 553 1079 796 432 |
| Huelva | 696 577 275 501 1227 605 644 327 1124 177 945 710 719 792 348 214 849 500 421 550 235 955 689 1000 257 123 1217 350 673 635 |
| Huesca | 578 587 1049 860 261 914 507 792 272 973 323 920 713 377 690 1037 413 855 588 907 780 876 399 249 894 1113 353 805 336 768 1010 |
| Jaén | 409 281 338 225 941 856 449 525 806 500 730 912 691 577 546 408 531 698 196 849 151 929 401 785 627 486 899 95 387 710 383 718 |
| Jerez de la Frontera | 653 573 101 431 1225 738 650 332 1120 307 950 843 725 797 353 35 845 506 417 683 231 1010 686 1005 435 287 1213 307 671 640 185 1003 377 |
| Leiria | 1000 835 718 937 1236 124 514 291 1248 282 806 236 393 653 287 657 1014 167 596 75 672 480 792 861 237 383 1327 785 680 259 481 1014 818 625 |
| León | 766 600 850 891 797 471 269 536 791 718 343 376 193 190 416 789 765 451 544 515 736 321 509 398 639 857 870 761 397 365 755 557 676 757 578 |
| Lisboa | 1035 870 646 872 1241 275 574 227 1252 178 866 367 524 712 361 585 1049 227 532 206 530 611 793 921 134 279 1331 720 686 319 377 1018 676 553 147 681 |
| | 535 544 1120 817 151 985 578 863 178 1044 451 991 784 453 760 1109 277 925 660 978 851 947 471 411 965 1184 257 876 407 839 1078 112 792 1076 1086 641 1090 |
| | 673 616 1018 955 472 679 393 705 484 886 138 662 455 135 584 957 508 619 574 672 764 617 378 166 807 1026 563 789 278 533 923 250 704 925 780 327 840 |
| | 925 760 1010 1051 1002 431 429 696 1013 804 512 319 285 395 575 949 925 516 703 475 895 98 668 603 759 905 1092 920 557 422 914 779 835 916 538 226 670 |
| | 421 255 667 554 615 521 114 405 627 587 403 577 356 250 304 658 423 462 206 514 594 167 458 508 726 706 423 61 375 624 393 339 626 622 350 634 |
| | 480 482 139 203 1142 867 650 461 931 436 931 972 854 778 482 254 712 635 397 812 168 1130 602 986 564 417 1093 134 588 769 314 919 210 229 753 886 682 |
| | 747 555 372 591 953 424 373 61 965 242 673 529 448 521 76 312 761 234 244 369 327 733 505 729 163 380 1043 440 399 326 274 731 472 279 309 489 288 |
| | 85 149 536 230 737 926 519 786 592 750 787 982 761 634 658 647 317 867 364 919 479 999 309 812 889 731 685 293 427 780 628 629 338 583 978 755 996 |
| | 928 763 970 1054 1065 284 432 632 1077 656 612 171 192 459 536 909 927 423 706 327 898 174 671 667 611 757 1156 923 560 328 855 843 838 877 391 309 522 |
| | 873 707 957 999 880 578 376 643 892 825 286 483 300 297 523 896 872 558 651 622 843 290 616 380 746 965 971 868 504 472 862 602 783 864 685 129 779 |
| | 686 521 815 812 683 475 190 501 695 683 247 472 251 94 380 754 686 416 464 468 656 471 429 302 604 822 774 681 318 329 719 461 597 721 576 181 636 |
| | 676 685 1095 958 475 756 470 782 487 963 157 739 532 212 661 1034 511 696 651 749 841 694 497 82 884 1103 566 866 428 610 1000 164 781 1002 856 404 917 |
| | 690 699 1278 972 191 1283 876 1160 162 1342 672 1289 1082 746 1059 1302 432 1224 846 1276 1045 1245 694 576 1263 1380 65 1035 704 1137 1278 410 957 1270 1384 955 1389 |
| | 1041 876 1051 1167 1179 242 545 624 1190 615 644 130 305 572 620 990 1041 462 286 101 1013 785 716 1037 673 367 814 956 952 958 349 416 481 |
| | 842 650 505 723 1047 286 444 78 1059 180 735 391 379 582 129 444 856 96 383 231 459 636 600 790 101 381 1138 572 493 188 410 825 605 411 171 551 227 |
| | 990 825 887 1105 1165 78 455 460 1177 450 712 57 214 559 456 826 989 297 768 121 841 302 733 767 406 551 1256 954 622 202 650 943 900 793 185 409 316 |
| | 640 475 643 766 827 312 105 329 839 511 397 405 175 243 208 582 639 252 418 305 597 461 383 452 432 650 918 635 272 166 548 605 550 549 412 217 473 |
| | 841 676 1010 980 698 670 385 696 709 878 103 620 437 182 575 949 772 611 634 663 851 458 587 197 799 1017 788 849 454 525 915 420 764 917 771 285 831 |
| | 1041 876 673 899 1229 194 507 254 1240 205 798 299 457 645 280 612 1041 159 559 139 558 544 784 853 161 306 1319 748 673 251 405 1006 703 580 79 614 83 |
| | 1028 863 1110 1154 1133 301 531 683 1145 673 586 188 291 527 678 1049 1027 520 806 344 998 76 771 681 629 774 1224 1023 659 425 873 911 938 1016 408 358 539 |
| | 519 353 757 644 706 477 88 474 718 655 355 533 330 201 373 726 518 418 297 470 489 550 262 410 576 795 797 514 150 332 692 484 429 694 578 323 638 |
| | 1001 836 612 1208 1206 296 608 193 1218 144 900 400 558 746 327 551 1015 261 498 240 496 645 759 955 99 245 1297 686 652 353 343 984 642 519 181 715 50 |
| | 608 492 187 413 1143 648 560 242 1040 217 861 753 635 707 263 126 765 416 336 593 151 920 605 916 345 198 1133 262 589 550 95 921 297 94 534 676 463 |
| | 556 464 885 798 452 634 343 627 464 808 237 667 411 144 525 874 391 690 425 677 616 623 271 258 729 948 543 642 172 489 842 230 557 841 851 333 854 |
| | 446 455 1034 727 271 1069 662 947 101 1128 535 1075 868 532 845 1057 188 1010 602 1062 800 1031 449 495 1049 1136 194 790 491 923 1033 227 713 1025 1170 725 1175 |
| | 333 342 908 602 473 825 418 702 443 884 475 881 661 472 601 945 168 766 391 818 561 970 148 434 805 897 536 665 247 680 794 251 502 913 926 680 931 |
| | 423 258 616 503 684 595 188 366 696 547 489 651 431 336 265 604 458 482 119 588 347 668 190 544 468 687 775 372 130 450 584 462 287 572 557 424 594 |
| | 180 188 755 449 497 887 480 753 352 935 652 942 722 590 652 791 77 828 353 880 523 960 200 572 856 869 445 511 383 741 767 389 464 759 945 716 981 |
| | 637 472 766 763 718 426 141 452 729 634 281 423 203 128 331 705 637 367 416 420 607 440 381 336 555 773 808 633 269 281 671 495 548 673 527 196 587 |
| | 1055 890 957 1181 1193 149 574 525 1204 520 739 62 280 586 526 896 1055 367 834 191 911 237 799 794 476 621 1283 1051 687 272 720 970 966 863 255 437 386 |
| | 1023 858 1032 1149 1160 224 526 606 1172 596 670 112 286 553 601 971 1022 443 801 267 993 160 766 762 551 697 1251 1018 654 348 795 938 933 939 331 404 462 |
| | 945 780 913 1071 1083 168 435 486 1094 540 629 109 120 476 482 852 945 277 724 211 867 330 689 684 467 641 1173 941 577 182 739 860 856 819 275 327 406 |
| | 870 705 813 996 1057 86 335 386 1069 461 627 179 205 474 382 752 869 177 648 132 767 414 613 682 367 562 1148 865 502 82 661 835 780 720 196 410 327 |
| | 760 602 1004 932 559 665 379 691 571 872 65 648 441 121 570 943 595 606 560 658 750 604 514 101 793 1012 650 775 380 519 909 264 690 911 766 314 826 |
| | 680 515 710 806 832 371 175 397 843 578 378 339 104 225 276 649 679 312 458 364 650 398 423 433 499 718 922 675 311 225 615 609 590 617 472 154 532 |
| | 509 518 975 791 301 840 433 717 312 898 306 830 623 303 615 963 344 780 514 833 706 786 331 265 819 1038 391 731 261 694 935 74 646 931 941 496 945 |

## Distancias

Las distancias están calculadas desde el centro de la ciudad y por la carretera más práctica para el automovilista, es decir, la que ofrece mejores condiciones de circulación, que no tiene por qué ser la más corta.

## Distâncias

As distâncias são calculadas desde o centro da cidade e pela estrada mais prática para o automobilista mas que não é necessariamente a mais curta.

## Distances

Les distances sont comptées à partir du centre-ville et par la route la plus pratique, c'est à dire celle qui offre les meilleures conditions de roulage, mais qui n'est pas nécessairement la plus courte.

## Distances

Distances are shown in kilometres and are calculated from town/city centres along the most practicable roads, although not necessarily taking the shortest route.

## Entfernungen

Die Entfernungen gelten ab Stadtmitte unter Berücksichtigung der günstigsten, jedoch nicht immer kürzesten Strecke.

## Afstandstabel

De afstanden zijn in km berekend van centrum tot centrum langs de geschickste, dus niet noodzakelijkerwijze de hortste route.

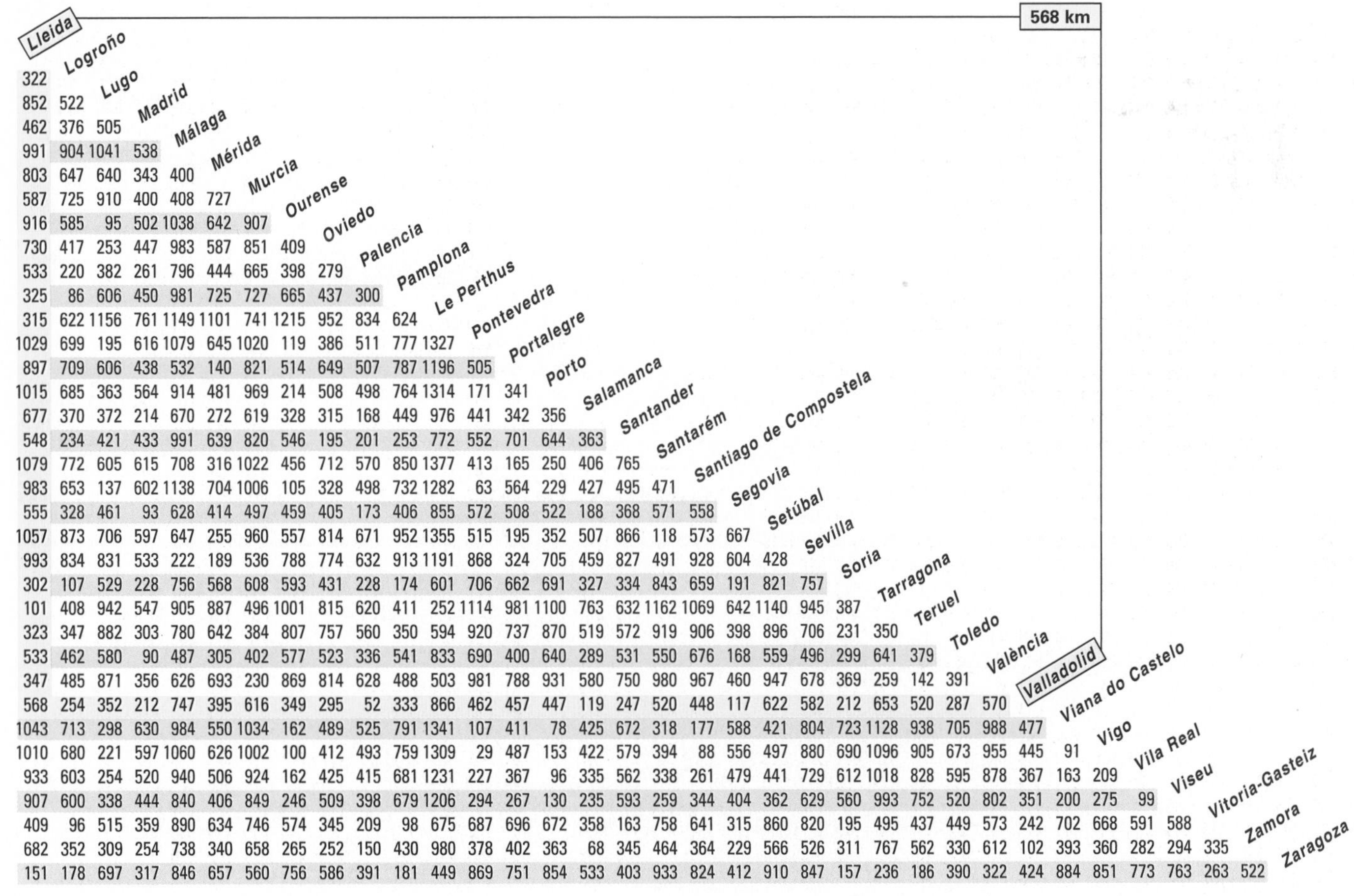

568 km

Distance table (cities along the diagonal): Lleida, Logroño, Lugo, Madrid, Málaga, Mérida, Murcia, Ourense, Oviedo, Palencia, Pamplona, Le Perthus, Pontevedra, Portalegre, Porto, Salamanca, Santander, Santarém, Santiago de Compostela, Segovia, Setúbal, Sevilla, Soria, Tarragona, Teruel, Toledo, València, Valladolid, Viana do Castelo, Vigo, Vila Real, Viseu, Vitoria-Gasteiz, Zamora, Zaragoza.

```
322
852  522
462  376  505
991  904 1041  538
803  647  640  343  400
587  725  910  400  408  727
916  585   95  502 1038  642  907
730  417  253  447  983  587  851  409
533  220  382  261  796  444  665  398  279
325   86  606  450  981  725  727  665  437  300
315  622 1156  761 1149 1101 1215  952  834  624
1029 699  195  616 1079  645 1020  119  386  511  777 1327
897  709  606  438  532  140  821  514  649  507  787 1196  505
1015 685  363  564  914  481  969  214  508  498  764 1314  171  341
677  370  372  214  670  272  619  328  315  168  449  976  441  342  356
548  234  421  433  991  639  820  546  195  201  253  772  552  701  644  363
1079 772  605  615  708  316 1022  456  712  570  850 1377  413  165  250  406  765
983  653  137  602 1138  704 1006  105  328  498  732 1282   63  564  229  427  495  471
555  328  461   93  628  414  497  459  405  173  406  855  572  508  522  188  368  571  558
1057 873  706  597  647  255  960  557  814  671  952 1355  515  195  352  507  866  118  573  667
993  834  831  533  222  189  536  788  774  632  913 1191  868  324  705  459  827  491  928  604  428
302  107  529  228  756  568  608  593  431  228  174  601  706  662  691  327  334  843  659  191  821  757
101  408  942  547  905  887  496 1001  815  620  411  252 1114  981 1100  763  632 1162 1069  642 1140  945  387
323  347  882  303  780  642  384  807  757  560  350  594  920  737  870  519  572  919  906  398  896  706  231  350
533  462  580   90  487  305  402  577  523  336  541  833  690  400  640  289  531  550  676  168  559  496  299  641  379
347  485  871  356  626  693  230  869  814  628  488  503  981  788  931  580  750  980  967  460  947  678  369  259  142  391
568  254  352  212  747  395  616  349  295   52  333  866  462  457  447  119  247  520  448  117  622  582  212  653  520  287  570
1043 713  298  630  984  550 1034  162  489  525  791 1341  107  411   78  425  672  318  177  588  421  804  723 1128  938  705  988  477
1010 680  221  597 1060  626 1002  100  412  493  759 1309   29  487  153  422  579  394   88  556  497  880  690 1096  905  673  955  445   91
933  603  254  520  940  506  924  162  425  415  681 1231  227  367   96  335  562  338  261  479  441  729  612 1018  828  595  878  367  163  209
907  600  338  444  840  406  849  246  509  398  679 1206  294  267  130  235  593  259  344  404  362  629  560  993  752  520  802  351  200  275   99
409   96  515  359  890  634  746  574  345  209   98  675  687  696  672  358  163  758  641  315  860  820  195  495  437  449  573  242  702  668  591  588
682  352  309  254  738  340  658  265  252  150  430  980  378  402  363   68  345  464  364  229  566  526  311  767  562  330  612  102  393  360  282  294  335
151  178  697  317  846  657  560  756  586  391  181  449  869  751  854  533  403  933  824  412  910  847  157  236  186  390  322  424  884  851  773  763  263  522
```

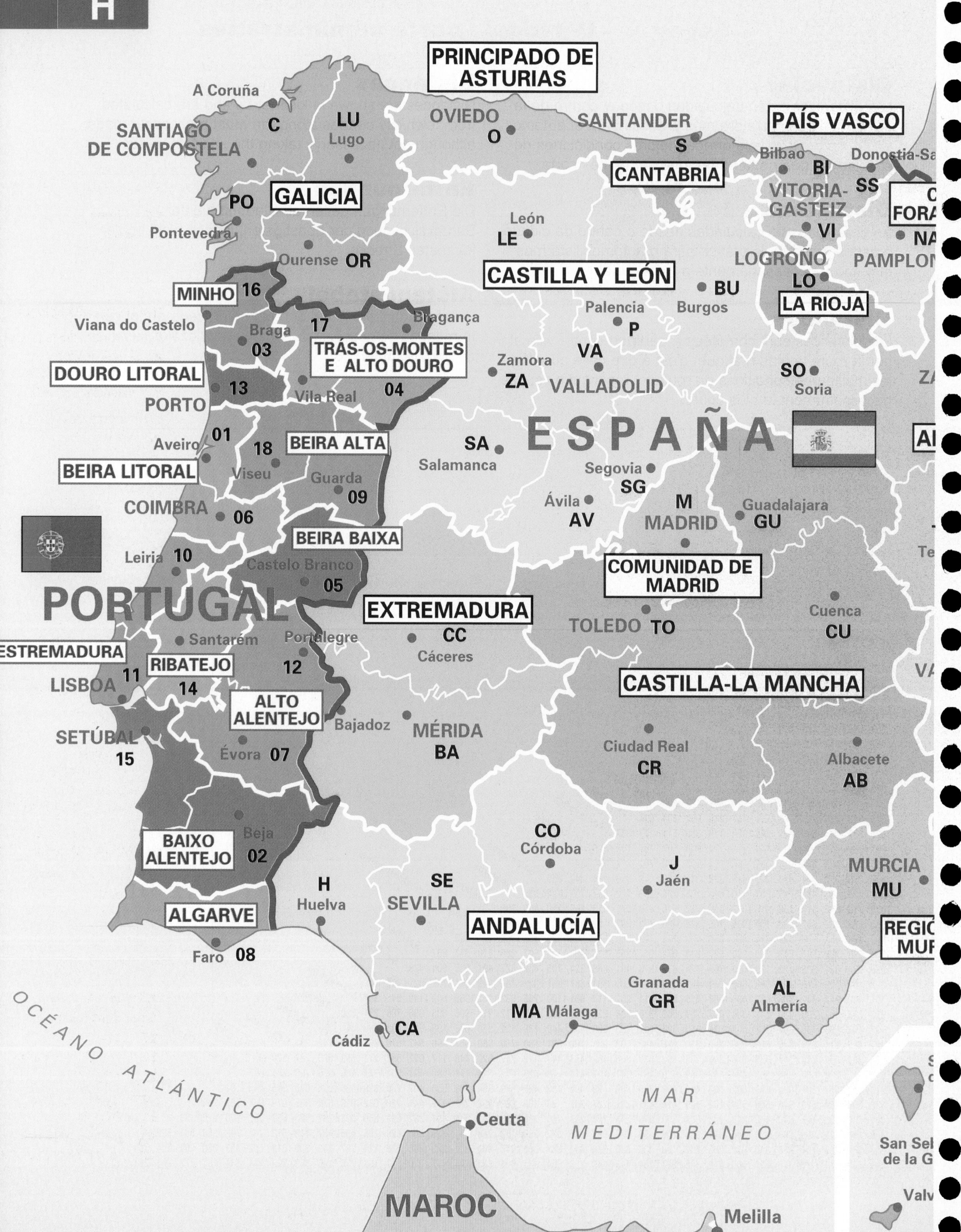

**H**

PRINCIPADO DE ASTURIAS

OVIEDO
O

SANTANDER
S

CANTABRIA

PAÍS VASCO
Bilbao
BI
Donostia-Sa
SS
VITORIA-GASTEIZ
VI

C
FORA
NA

A Coruña
C

LU
Lugo

SANTIAGO DE COMPOSTELA

PO
GALICIA

Pontevedra

Ourense OR

León
LE

CASTILLA Y LEÓN

BU
Burgos

LOGROÑO
LO
LA RIOJA

MINHO 16

Viana do Castelo

Braga
03

17

Bragança

TRÁS-OS-MONTES E ALTO DOURO

Palencia
P

VA
VALLADOLID

SO
Soria

DOURO LITORAL

13

Vila Real

04

Zamora
ZA

ESPAÑA

PORTO

Aveiro
01

18
BEIRA ALTA

SA
Salamanca

Segovia
SG

BEIRA LITORAL

Viseu

Guarda
09

Ávila
AV

M
MADRID

Guadalajara
GU

COIMBRA

06

COMUNIDAD DE MADRID

BEIRA BAIXA

Leiria
10

Castelo Branco

05

EXTREMADURA
CC
Cáceres

TOLEDO TO

Cuenca
CU

PORTUGAL

Santarém

Portalegre
12

CASTILLA-LA MANCHA

VA

ESTREMADURA

RIBATEJO

LISBOA
11
14

ALTO ALENTEJO

Bajadoz

MÉRIDA
BA

Ciudad Real
CR

Albacete
AB

SETÚBAL
15

Évora 07

Beja

BAIXO ALENTEJO
02

H
Huelva

CO
Córdoba

J
Jaén

MURCIA
MU

ALGARVE

Faro 08

SE
SEVILLA

ANDALUCÍA

REGIO
MUR

OCÉANO ATLÁNTICO

Granada
GR

AL
Almería

MA Málaga

CA
Cádiz

Ceuta

MAR MEDITERRÁNEO

San Se
de la G

MAROC

Melilla

Valv

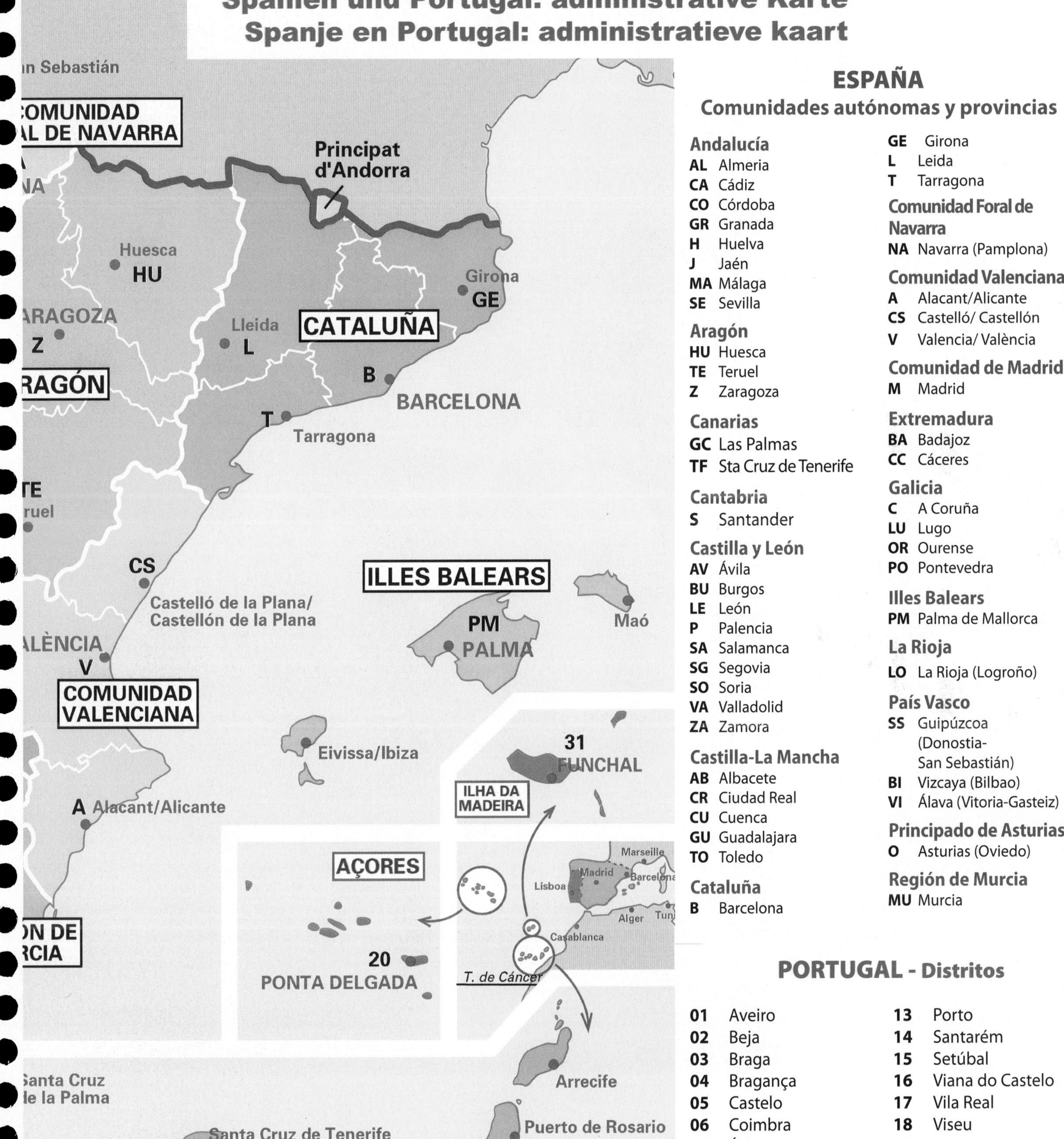

# España - Portugal: mapa administrativa
# Espagne - Portugal : carte administrative
# Spain - Portugal: administrative map
# Spanien und Portugal: administrative Karte
# Spanje en Portugal: administratieve kaart

I

## ESPAÑA
### Comunidades autónomas y provincias

**Andalucía**
AL  Almeria
CA  Cádiz
CO  Córdoba
GR  Granada
H  Huelva
J  Jaén
MA  Málaga
SE  Sevilla

**Aragón**
HU  Huesca
TE  Teruel
Z  Zaragoza

**Canarias**
GC  Las Palmas
TF  Sta Cruz de Tenerife

**Cantabria**
S  Santander

**Castilla y León**
AV  Ávila
BU  Burgos
LE  León
P  Palencia
SA  Salamanca
SG  Segovia
SO  Soria
VA  Valladolid
ZA  Zamora

**Castilla-La Mancha**
AB  Albacete
CR  Ciudad Real
CU  Cuenca
GU  Guadalajara
TO  Toledo

**Cataluña**
B  Barcelona

GE  Girona
L  Leida
T  Tarragona

**Comunidad Foral de Navarra**
NA  Navarra (Pamplona)

**Comunidad Valenciana**
A  Alacant/Alicante
CS  Castelló/ Castellón
V  Valencia/ València

**Comunidad de Madrid**
M  Madrid

**Extremadura**
BA  Badajoz
CC  Cáceres

**Galicia**
C  A Coruña
LU  Lugo
OR  Ourense
PO  Pontevedra

**Illes Balears**
PM  Palma de Mallorca

**La Rioja**
LO  La Rioja (Logroño)

**País Vasco**
SS  Guipúzcoa (Donostia-San Sebastián)
BI  Vizcaya (Bilbao)
VI  Álava (Vitoria-Gasteiz)

**Principado de Asturias**
O  Asturias (Oviedo)

**Región de Murcia**
MU  Murcia

## PORTUGAL - Distritos

01  Aveiro
02  Beja
03  Braga
04  Bragança
05  Castelo
06  Coimbra
07  Évora
08  Faro
09  Guarda
10  Leiria
11  Lisboa
12  Portalegre

13  Porto
14  Santarém
15  Setúbal
16  Viana do Castelo
17  Vila Real
18  Viseu
20  Açores
31  Ilha da Madeira
32  Ilha de Porto Santo

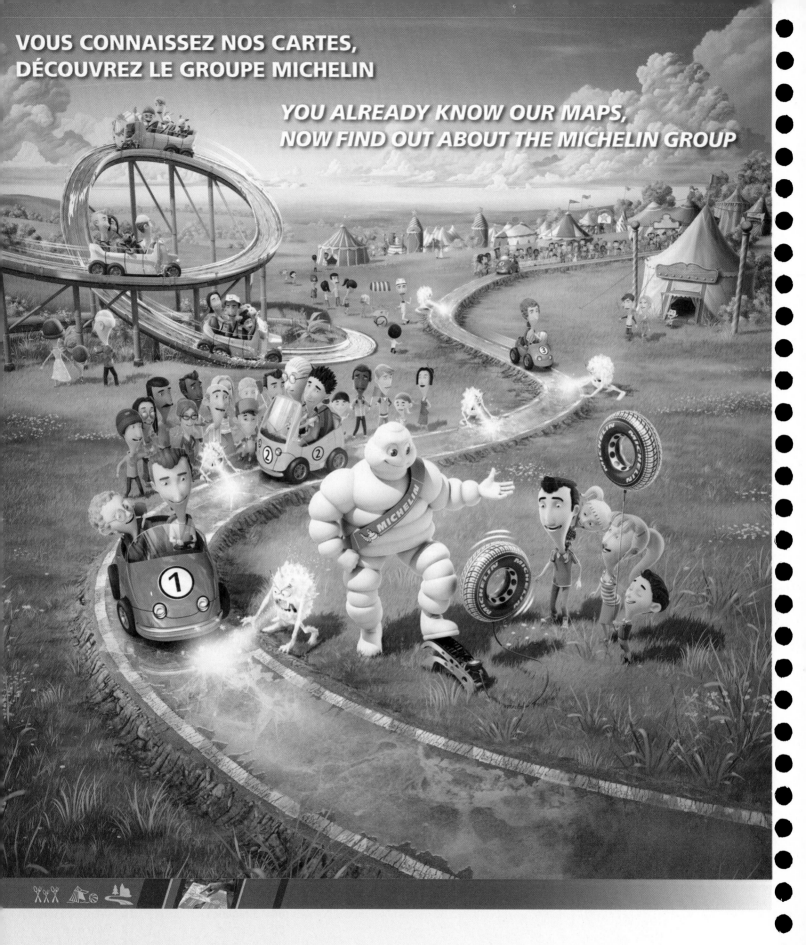

VOUS CONNAISSEZ NOS CARTES,
DÉCOUVREZ LE GROUPE MICHELIN

*YOU ALREADY KNOW OUR MAPS,
NOW FIND OUT ABOUT THE MICHELIN GROUP*

MICHELIN
*Une meilleure façon d'avancer*

# L'aventure Michelin

Tout commence avec des balles en caoutchouc ! C'est ce que produit, vers 1880, la petite entreprise clermontoise dont héritent André et Édouard Michelin. Les deux frères saisissent vite le potentiel des nouveaux moyens de transport. L'invention du pneumatique démontable pour la bicyclette est leur première réussite. Mais c'est avec l'automobile qu'ils donnent la pleine mesure de leur créativité. Tout au long du 20e s., Michelin n'a cessé d'innover pour créer des pneumatiques plus fiables et plus performants, du poids lourd à la Formule 1, en passant par le métro et l'avion.

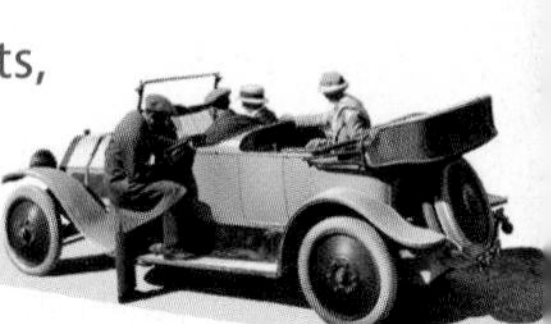

Très tôt, Michelin propose à ses clients des outils et des services destinés à faciliter leurs déplacements, à les rendre plus agréables… et plus fréquents. Dès 1900, le **Guide Michelin** fournit aux chauffeurs tous les renseignements utiles pour entretenir leur automobile, trouver où se loger et se restaurer. Il deviendra la référence en matière de gastronomie. Parallèlement, le Bureau des itinéraires offre aux voyageurs conseils et itinéraires personnalisés.

En 1910, la première collection de **cartes routières** remporte un succès immédiat ! En 1926, un premier guide régional invite à découvrir les plus beaux sites de Bretagne. Bientôt, chaque région de France a son **Guide Vert**. La collection s'ouvre ensuite à des destinations plus lointaines (de New York en 1968… à Taïwan en 2011).

Au 21e s., avec l'essor du numérique, le défi se poursuit pour les cartes et guides Michelin qui continuent d'accompagner le pneumatique. Aujourd'hui comme hier, la mission de Michelin reste l'aide à la mobilité, au service des voyageurs.

# *The Michelin Adventure*

*It all started with rubber balls! This was the product made by a small company based in Clermont-Ferrand that André and Edouard Michelin inherited, back in 1880. The brothers quickly saw the potential for a new means of transport and their first success was the invention of detachable pneumatic tyres for bicycles. However, the automobile was to provide the greatest scope for their creative talents.*

*Throughout the 20th century, Michelin never ceased developing and creating ever more reliable and high-performance tyres, not only for vehicles ranging from trucks to F1 but also for underground transit systems and aeroplanes.*

*From early on, Michelin provided its customers with tools and services to facilitate mobility and make travelling a more pleasurable and more frequent experience. As early as 1900, the **Michelin Guide** supplied motorists with a host of useful information related to vehicle maintenance, accommodation and restaurants, and was to become a benchmark for good food. At the same time, the Travel Information Bureau offered travellers personalised tips and itineraries.*

*The publication of the first collection of roadmaps, in 1910, was an instant hit! In 1926, the first regional guide to France was published, devoted to the principal sites of Brittany, and before long each region of France had its own **Green Guide**. The collection was later extended to more far-flung destinations, including New York in 1968 and Taiwan in 2011.*

*In the 21st century, with the growth of digital technology, the challenge for Michelin maps and guides is to continue to develop alongside the company's tyre activities. Now, as before, Michelin is committed to improving the mobility of travellers.*

| MICHELIN AUJOURD'HUI | MICHELIN TODAY |
|---|---|

### N°1 MONDIAL DES PNEUMATIQUES

- 70 sites de production dans 18 pays
- 111 000 employés de toutes cultures, sur tous les continents
- 6 000 personnes dans les centres de Recherche & Développement

### *WORLD NUMBER ONE TYRE MANUFACTURER*

- *70 production sites in 18 countries*
- *111,000 employees from all cultures and on every continent*
- *6,000 people employed in research and development*

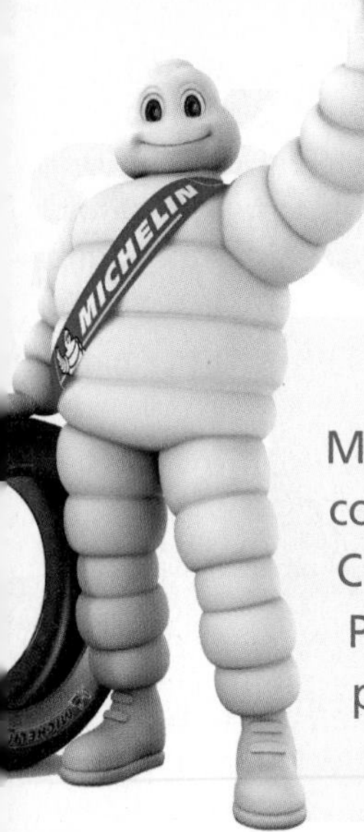

# Avancer ensemble vers un
## *Moving forward together for*

Mieux avancer, c'est d'abord innover pour mettre au point des pneus qui freinent plus court et offrent une meilleure adhérence, quel que soit l'état de la route. C'est aussi aider les automobilistes à prendre soin de leur sécurité et de leurs pneus. Pour cela, Michelin organise partout dans le monde des opérations **Faites le plein d'air** pour rappeler à tous que la juste pression, c'est vital.

| LA JUSTE PRESSION | *CORRECT TYRE PRESSURE* |
|---|---|

• Sécurité

• Longévité

• Consommation de carburant optimale

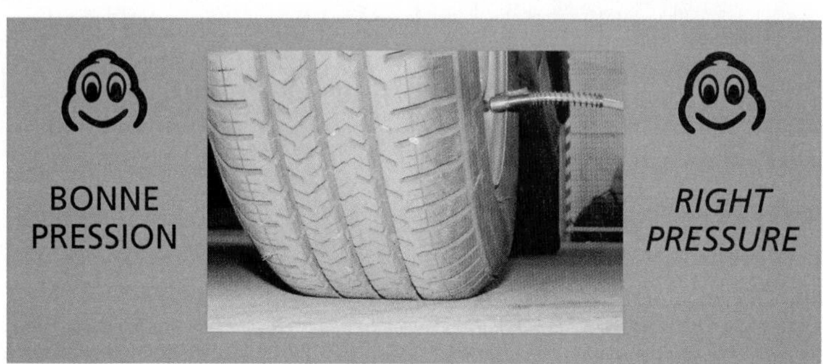

BONNE PRESSION — *RIGHT PRESSURE*

• *Safety*

• *Longevity*

• *Optimum fuel consumption*

• Durée de vie des pneus réduite de 20% (- 8 000 km)

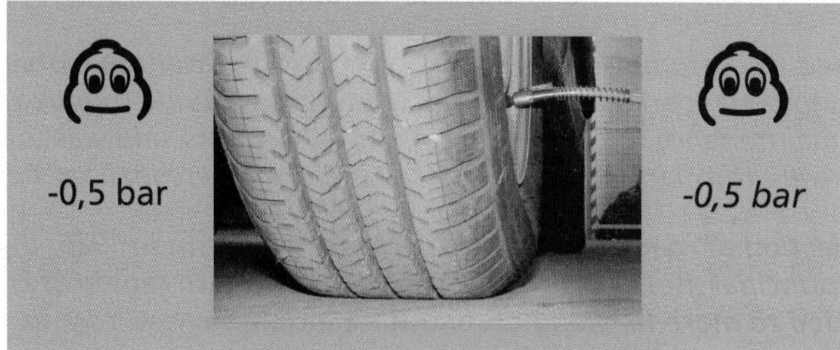

-0,5 bar          -0,5 bar

• *Durability reduced by 20% (- 8,000 km)*

• Risque d'éclatement

• Hausse de la consommation de carburant

• Distance de freinage augmentée sur sol mouillé

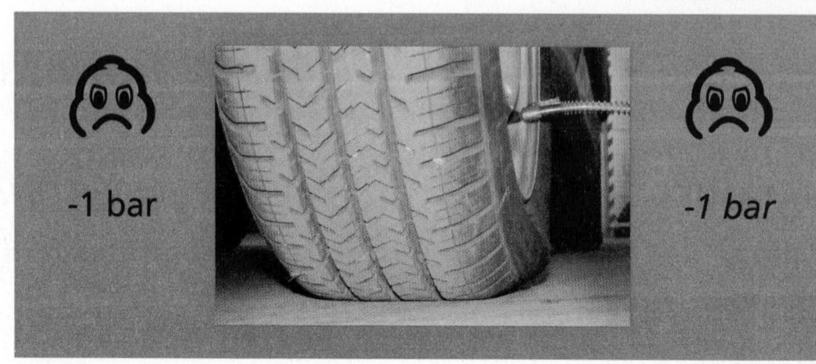

-1 bar          -1 bar

• *Risk of blowouts*

• *Increased fuel consumption*

• *Longer braking distances on wet surfaces*

# monde où la mobilité est plus sûre
## a *world where mobility is safer*

Moving forward means developing tyres with better road grip and shorter braking distances, whatever the state of the road. It also involves helping motorists take care of their safety and their tyres.

To do so, Michelin organises "Fill Up With Air" campaigns all over the world to remind us that correct tyre pressure is vital.

| L'USURE | *WEAR* |
|---|---|

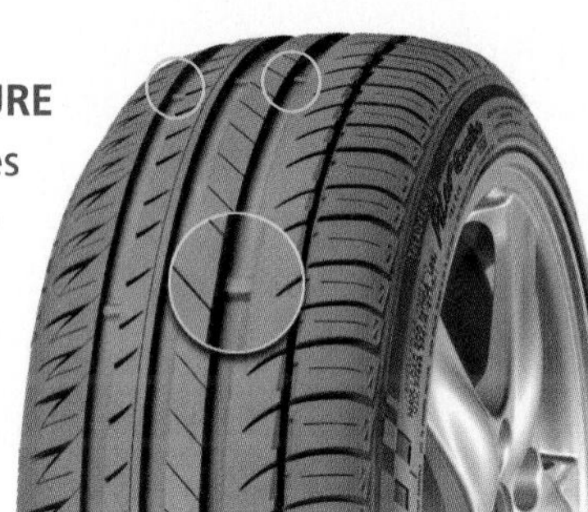

### COMMENT DETECTER L'USURE

La profondeur minimale des sculptures est fixée par la loi à 1,6 mm. Les manufacturiers ont muni les pneus d'indicateurs d'usure. Ce sont de petits pains de gomme moulés au fond des sculptures et d'une hauteur de 1,6 mm.

### *DETECTING TYRE WEAR*

*The legal minimum depth of tyre tread is 1.6 mm.*
*Tyre manufacturers equip their tyres with tread wear indicators, which are small blocks of rubber moulded into the base of the main grooves at a depth of 1.6 mm.*

**LES PNEUMATIQUES CONSTITUENT LE SEUL POINT DE CONTACT ENTRE LE VÉHICULE ET LA ROUTE.**

***TYRES ARE THE ONLY POINT OF CONTACT BETWEEN VEHICLE AND ROAD.***

Ci-dessous, la zone de contact réelle photographiée.

*The photo below shows the actual contact zone.*

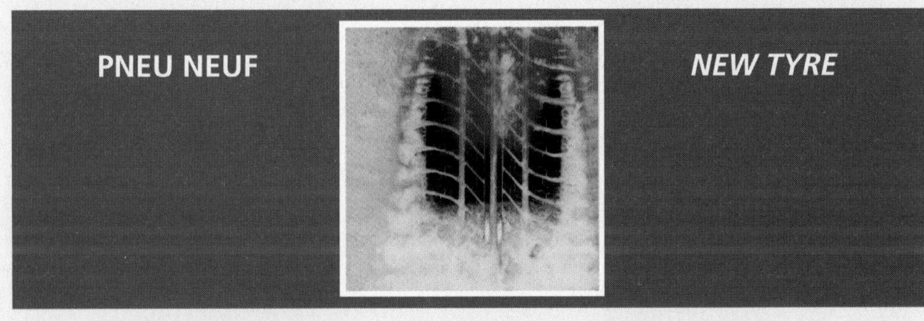

PNEU NEUF — *NEW TYRE*

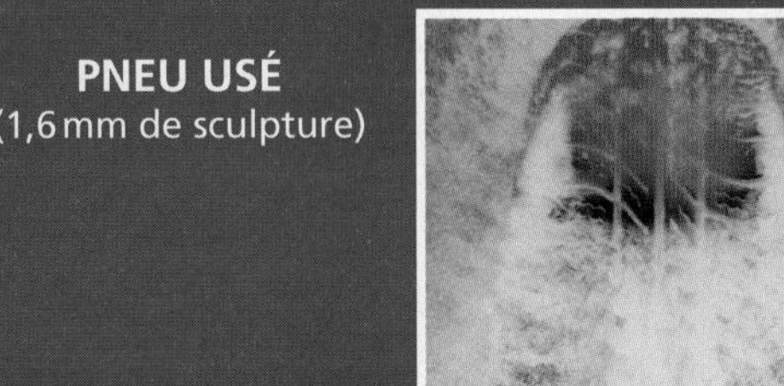

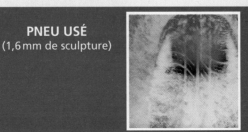

Au-dessous de cette valeur, les pneus sont considérés comme lisses et dangereux sur chaussée mouillée.

PNEU USÉ (1,6 mm de sculpture) — *WORN TYRE (1,6 mm tread)*

*If the tread depth is less than 1.6mm, tyres are considered to be worn and dangerous on wet surfaces.*

# Mieux avancer, c'est développer une mobilité durable

# Moving forward means sustainable mobility

Chaque jour, Michelin innove pour diviser par deux d'ici à 2050 la quantité de matières premières utilisée dans la fabrication des pneumatiques, et développe dans ses usines les énergies renouvelables. La conception des pneus MICHELIN permet déjà d'économiser des milliards de litres de carburant, et donc des milliards de tonnes de CO2.

De même, Michelin choisit d'imprimer ses cartes et guides sur des «papiers issus de forêts gérées durablement». L'obtention de la certification ISO14001 atteste de son plein engagement dans une éco-conception au quotidien.

Un engagement que Michelin confirme en diversifiant ses supports de publication et en proposant des solutions numériques pour trouver plus facilement son chemin, dépenser moins de carburant.... et profiter de ses voyages !

Parce que, comme vous, Michelin s'engage dans la préservation de notre planète.

By 2050, Michelin aims to cut the quantity of raw materials used in its tyre manufacturing process by half and to have developed renewable energy in its facilities. The design of MICHELIN tyres has already saved billions of litres of fuel and, by extension, billions of tonnes of CO2.

Similarly, Michelin prints its maps and guides on paper produced from sustainably managed forests and is diversifying its publishing media by offering digital solutions to make travelling easier, more fuel efficient and more enjoyable!

The group's whole-hearted commitment to eco-design on a daily basis is demonstrated by ISO 14001 certification.

Like you, Michelin is committed to preserving our planet.

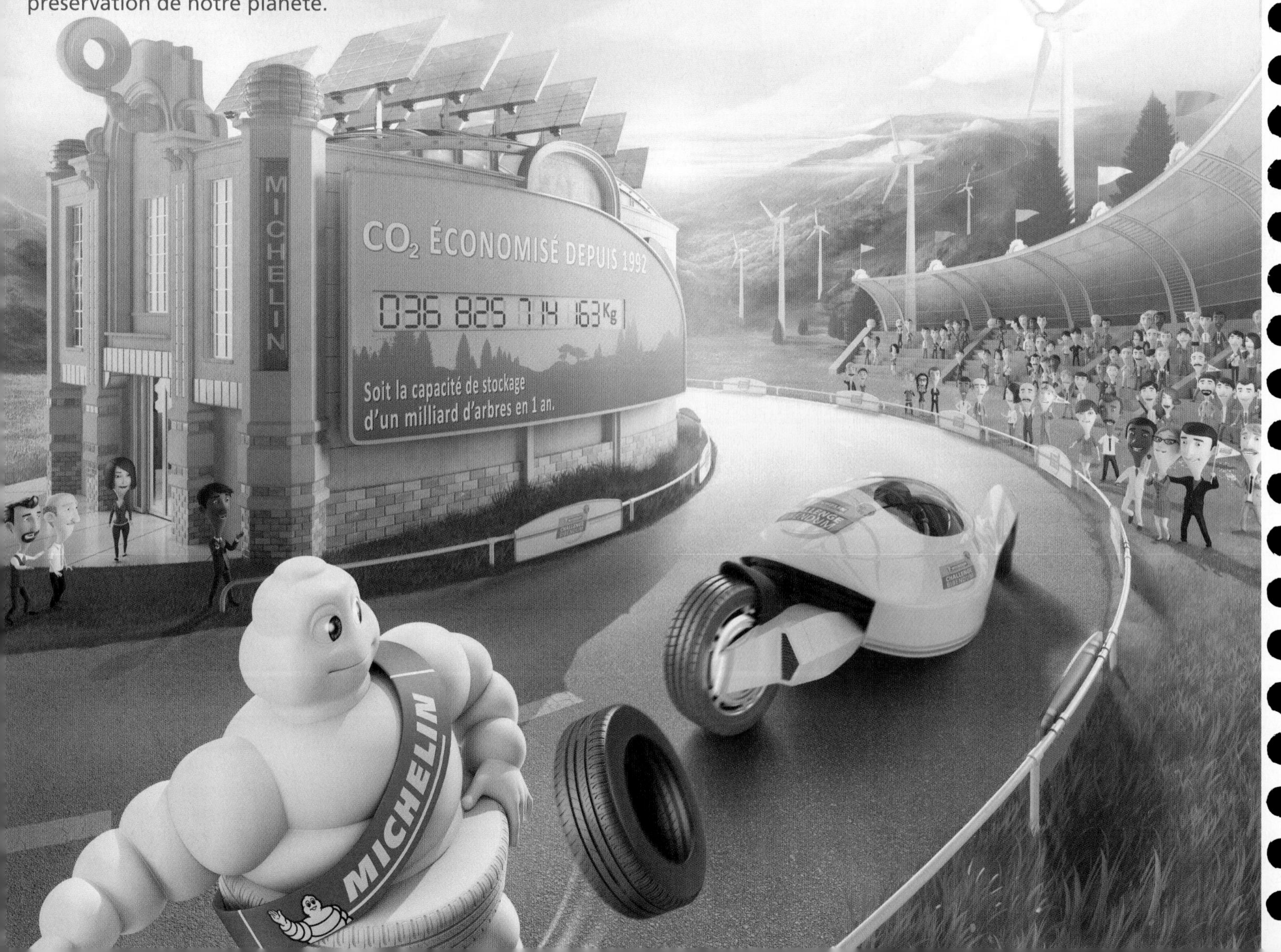

# Chattez avec Bibendum

Rendez-vous sur :
**www.michelin.com/corporate/fr**
Découvrez l'actualité et l'histoire de Michelin.

# Chat with Bibendum

Go to **www.michelin.com/corporate/fr**
*Find out more about
Michelin's history and the
latest news.*

| QUIZZ | QUIZ |
|---|---|

Michelin développe des pneumatiques pour tous les types de véhicules. Amusez-vous à identifier le bon pneu...

*Michelin develops tyres for all types of vehicles.
See if you can match the right tyre with the right vehicle...*

A

1

B

2

C

3

D

4

E

5

F

6

G

7

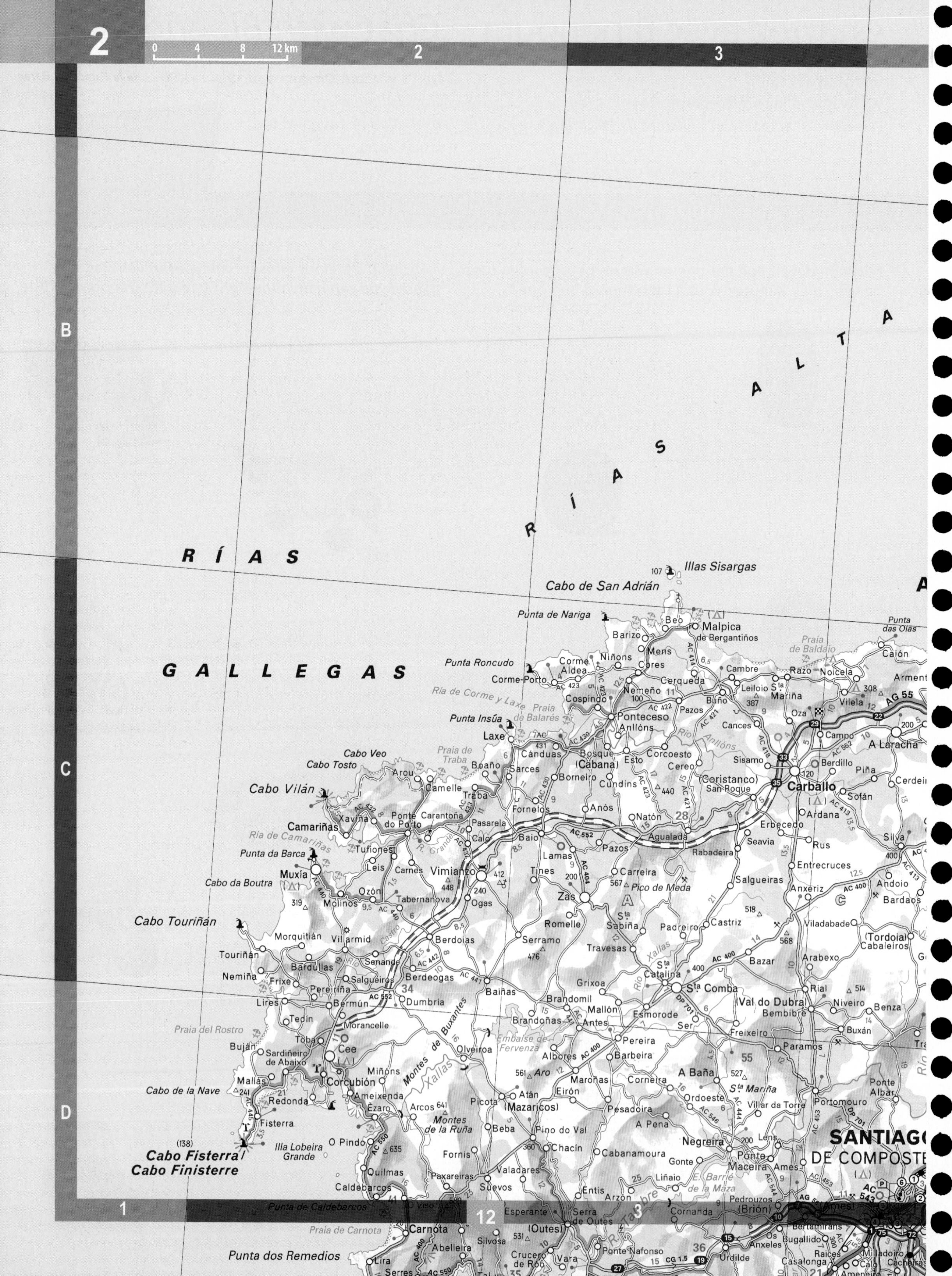
0 4 8 12 km
RÍAS ALTAS
RÍAS GALLEGAS
Illas Sisargas
Cabo de San Adrián
Punta de Nariga
Malpica de Bergantiños
Barizo
Mens
Punta Roncudo
Corme Aldea
Corme-Porto
Niñons
Cores
Cerqueda
Ría de Corme y Laxe
Praia de Balarés
Punta Insúa
Laxe
Cospindo
Nemeño
Ponteceso
Anllóns
Buño
Pazos
Cambre
Leiloio
Sta Mariña
Razo
Noicela
Praia de Baldaio
Caión
Punta das Olas
Arment
Vilela
Oza
Cances
Campo
A Laracha
Cabo Veo
Cabo Tosto
Praia de Traba
Arou
Boaño
Cánduas
Bosque (Cabana)
Esto
Corcoesto
Cereo
Sisamo
Bérdillo
Piña
Cerdeir
Cabo Vilán
Camelle
Traba
Sarces
Borneiro
Cundins
(Coristanco) San Roque
Carballo
Sofán
Camariñas
Xaviña
Ponte do Porto
Carantoña
Fornelos
Anós
Ardana
Ría de Camariñas
Pasarela
Calo
Baio
Natón
Agualada
Erbecedo
Silva
Punta da Barca
Tuffones
Leis
R. Grande
Lamas
Pazos
Rabadeira
Seavia
Rus
Muxía
Carnés
Vimianzo
Tines
Carreira
Salgueiras
Entrecruces
Cabo da Boutra
Ozón
Molinos
Tabernanova
Ogas
Zas
Pico de Meda
Anxeriz
Andoio
Bardaos
Cabo Touriñán
Romelle
Sta Sabiña
Padreiro
Castriz
Viladabade
Morquitián
Villarmid
Berdoias
Serramo
Travesas
Tordoia Cabaleiros
Touriñán
Senande
Nemiña
Bardullas
Berdeogas
Sta Catalina
Bazar
Arabexo
Frixe
Salgueiros
Baíñas
Grixoa
Sta Comba
Rial
Pereiriña
Lires
Bermún
Dumbría
Brandomil
Mallón
Val do Dubra
Bembibre
Niveiro
Benza
Tedín
Morancelle
Brandoñas
Antes
Esmorode
Ser
Freixeiro
Buxán
Praia del Rostro
Toba
Cee
Montes de Buxantes
Embalse de Fervenza
Pereira
Paramos
Buján
Sardiñeiro de Abaixo
Olveiroa
Albores
Barbeira
Miñons
Corcubión
Xallas
Aro
Maroñas
Corneira
A Baña
Sta Mariña
Ponte Albar
Cabo de la Nave
Mallas
Redonda
Ameixenda
Ézaro
Arcos
Atán (Mazaricos)
Eirón
Ordoeste
Villar da Torre
Portomouro
Fisterra
Montes de la Ruña
Picota
Pesadoira
A Pena
Beba
Pino do Val
Negreira
Lens
SANTIAGO DE COMPOSTELA
Cabo Fisterra
Cabo Finisterre
Illa Lobeira Grande
O Pindo
Chacín
Cabanamoura
Gonte
Ponte Maceira
Ames
Fornís
Quilmas
Paxareiras
Valadares
Caldebarcos
Suevos
Entís
Liñaio
E. Barrié de la Maza
Arzón
Punta de Caldebarcos
O Viso
Esperante
Serra de Outes
Cornanda
Pedrouzos (Brión)
Praia de Carnota
Carnota
(Outes)
Bertamiráns
Silvosa
Os Anxeles
Bugallido
Punta dos Remedios
Abelleira
Crucero de Roo
Vara
Ponte Nafonso
Urdilde
Raíces
Milladoiro
Lira
Serres
Casalonga
Calo
Ameneiro
Cacheiras
Muros
Tal
Sabardes
Aguasantas

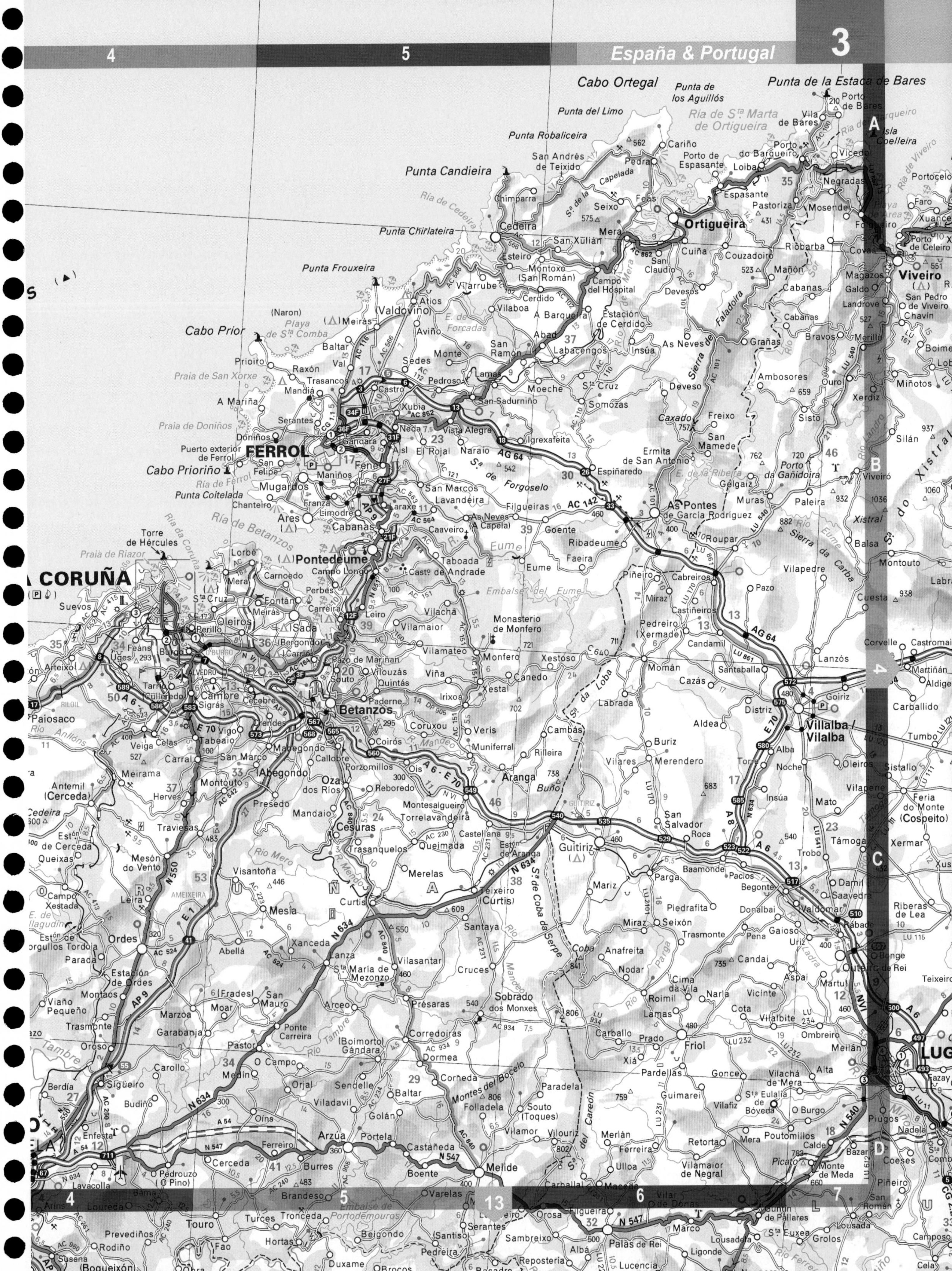

4
5
Cabo Ortegal
Punta de los Aguillós
Punta de la Estaca de Bares
Punta del Limo
Ría de Sta Marta de Ortigueira
Punta Robaliceira
San Andrés de Teixido
Cariño
Porto de Espasante
Punta Candieira
Ría de Cedeira
Ortigueira
Cedeira
Punta Chirlateira
Punta Frouxeira
Viveiro
Valdoviño
Cabo Prior
Praia de San Xorxe
Praia de Doniños
Puerto exterior de Ferrol
FERROL
Cabo Prioriño
Punta Coitelada
Mugardos
Ría de Ferrol
Ría de Betanzos
Torre de Hércules
Praia de Riazor
A CORUÑA
Pontedeume
Embalse del Eume
Monasterio de Monfero
As Pontes de García Rodríguez
Sierra de Faladoira
Sierra da Carba
Xistral
Oleiros
Sada
Cambre
Betanzos
Villalba / Vilalba
Guitiriz
Ordes
Curtis
Sobrado dos Monxes
Friol
Arzúa
Melide
LUG
Montes del Bocelo
Sa de Coba de Serpe
Sa da Loba
A
B
C
D
4
5
13
6
7

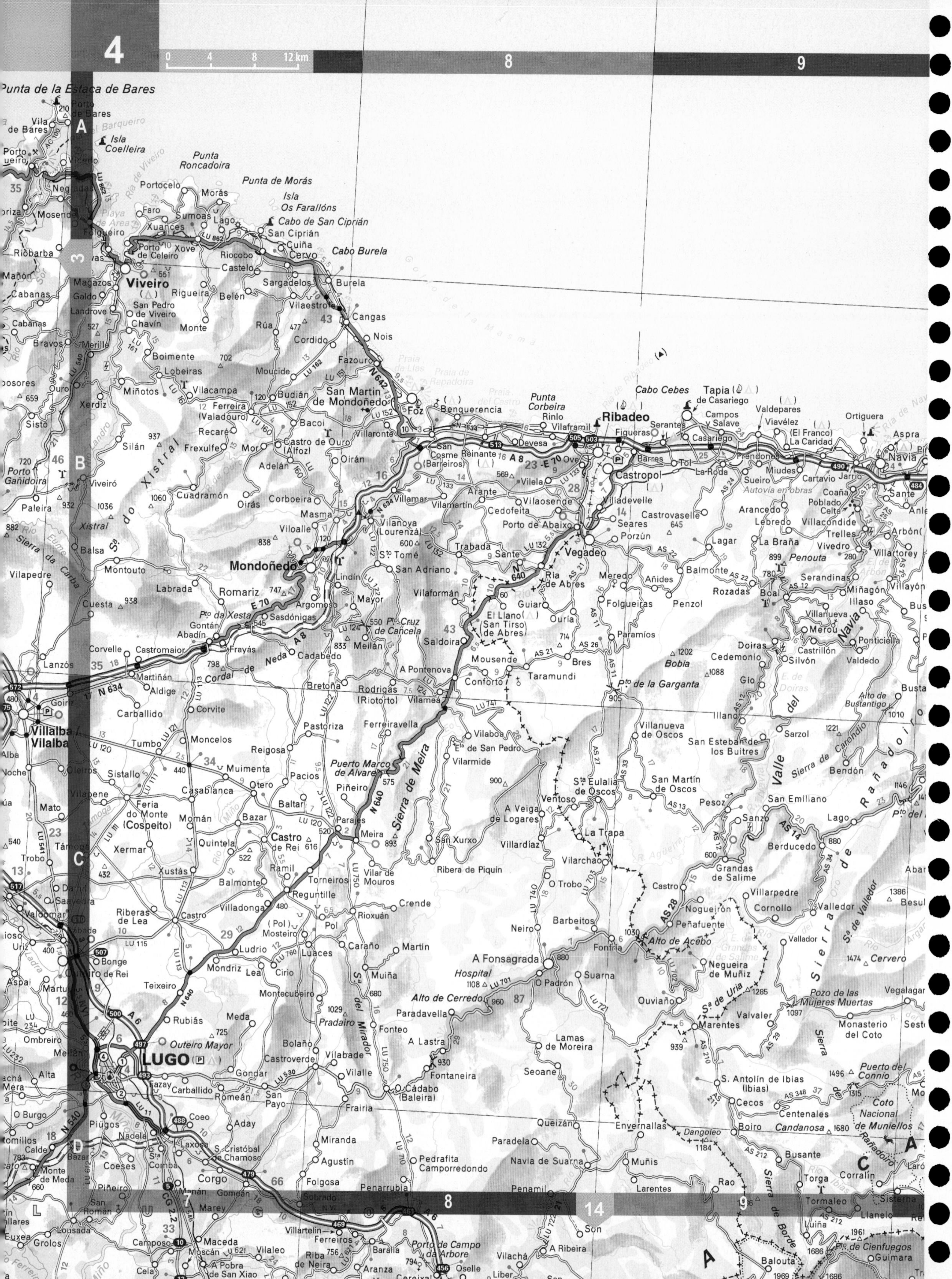
0 4 8 12 km
8
9
Punta de la Estaca de Bares
Isla Coelleira
Punta Roncadoira
Punta de Morás
Isla Os Farallóns
Cabo de San Ciprián
Cabo Burela
Viveiro
Burela
Cangas
Foz
San Martin de Mondoñedo
Cabo Cebes
Tapia de Casariego
Ribadeo
Castropol
Vegadeo
Navia
Mondoñedo
Sierra da Carba
Xistral
Cordal de Neda
Villalba / Vilalba
Sierra de Meira
Puerto Marco de Alvare
Meira
Castro de Rei
A Fonsagrada
Alto de Cerredo
Alto de Acebo
Sª de Uria
Sierra de Rañadoiro
Valle del Navia
Bobia
Pto de la Garganta
Sta Eulalia de Oscos
San Martín de Oscos
Villanueva de Oscos
San Esteban de los Buitres
Grandas de Salime
Puerto del Connio
Coto Nacional de Muniellos
LUGO
Outeiro Mayor
Rábade
Sierra de Borde
Porto de Campo da Arbore
8
14
9

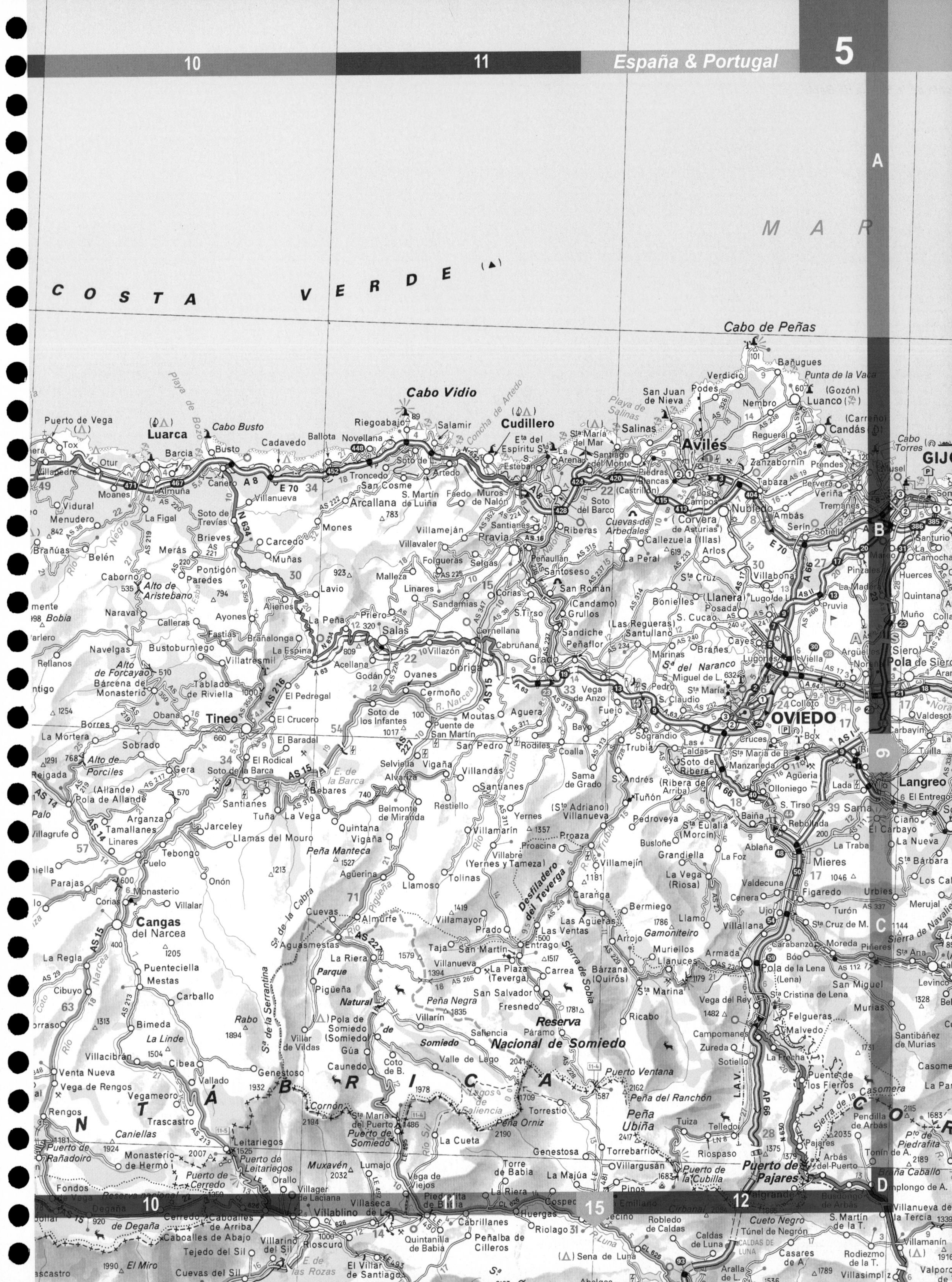
M A R
COSTA VERDE
Cabo de Peñas
Cabo Vidio
Cabo Busto
Luarca
Cudillero
Salinas
Avilés
Luanco
Candás
GIJÓN
Pravia
Salas
Tineo
Grado
OVIEDO
Langreo
Mieres
Pola de Siero
Cangas del Narcea
Pola de Allande
Pola de Lena
Villablino
Puerto de Leitariegos
Puerto de Somiedo
Puerto Ventana
Puerto de la Cubilla
Puerto de Pajares
Peña Ubiña
Peña Manteca
Peña Negra
Peña Orniz
Alto de Aristebano
Alto de Porciles
Alto de Forcayao
Desfiladero del Teverga
Sierra de Sobia
Parque Natural de Somiedo
Reserva Nacional de Somiedo
Lagos de Saliencia
CANTÁBRICA
CORDILLERA
Pola de Somiedo
Sierra de la Casomera
Puerto de Piedrafita
Reserva Nacional de Degaña
Cueto Negro
Túnel de Negrón
A
B
C
D
10
11
12
15

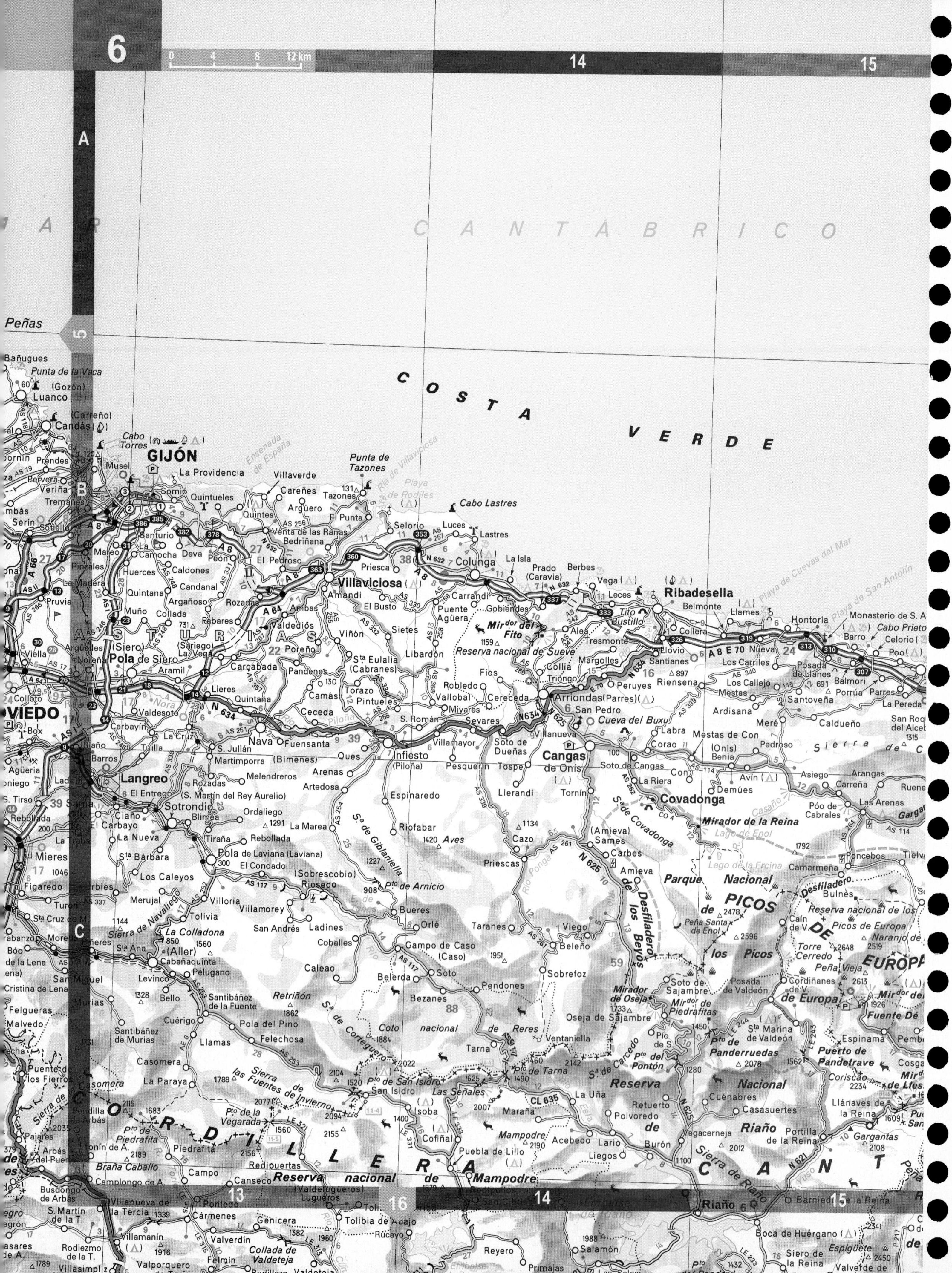
0 4 8 12 km
14
15
A
B
C
5
M A R C A N T Á B R I C O
C O S T A V E R D E
Peñas
Bañugues
Punta de la Vaca
(Gozón)
Luanco
(Carreño)
Candás
Cabo Torres
GIJÓN
Musel
La Providencia
Somió
Ensenada de España
Quintueles
Quintes
Villaverde
Careñes
Argüero
Tazones
Punta de Tazones
Ría de Villaviciosa
Playa de Rodiles
El Puntal
Cabo Lastres
Venta de las Ranas
Bedriñana
Selorio
Luces
Lastres
Prendes
Perlora
Veriña
Tremañes
Serín
Sotiello
Santurio
La Camocha
Deva
Peón
El Pedroso
Mareo
Pinzales
Huerces
Caldones
Candanal
La Madera
Quintana
Argañoso
Pruvia
Muño
Collada
Rozadas
Rábares
Valdediós
Amandi
Ambás
Villaviciosa
Priesca
Colunga
La Isla
Prado (Caravia)
Berbes
Vega
Leces
Ribadesella
Belmonte
Llames
Playa de Cuevas del Mar
Playa de San Antolín
Monasterio de S. A.
Hontoria
Cabo Prieto
Barro
Celorio
Poo
El Busto
Carrandi
Puente Agüera
Gobiendes
Mir<sup>dor</sup> del Fito
Tito Bustillo
Collera
Viella
Argüelles
Noreña
Pola de Siero
(Siero)
Aramil
(Sariego)
La Vega
Poreño
Viñón
Sietes
Libardón
Reserva nacional de Sueve
Alea
Tresmonte
Elovio
Santianes
Nueva
Los Carriles
Posada de Llanes
Balmori
Porrúa
Parres
La Pereda
Sta Eulalia (Cabranes)
Pandenes
Torazo
Pintueles
Camás
Fíos
Robledo
Vallobal
Cereceda
Mivares
Collía
Triongo
Margolles
Peruyes
Riensena
Los Callejo
Mestas
Santoveña
Ardisana
Carçabada
Lieres
Quintana
Valdesoto
OVIEDO
Box
Colloto
Carbayín
La Cruz
S. Julián
Nava
Fuensanta
Ceceda
Piloña
S. Román
Sevares
Villamayor
Soto de Dueñas
Arriondas (Parres)
San Pedro
Cueva del Buxu
Villanueva
Cangas de Onís
Labra
Corao
Mestas de Con
(Onís)
Benia
Pedroso
Meré
Caldueño
San Roque del Acebal
Sierra de C
Riaño
Barros
Agüeria
Langreo
Martimporra
(Bimenes)
Ques
Infiesto (Piloña)
Pesquerín
Tospe
Soto de Cangas
Con
Avín
Demués
Asiego
Arangas
Carreña
Ruenes
Tirso
Sama
El Entrego
Rozadas
(S. Martín del Rey Aurelio)
Melendreros
Arenas
Artedosa
Espinaredo
Llerandi
Tornín
La Riera
Covadonga
Póo de Cabrales
Las Arenas
Rebollada
Ciaño
El Carbayo
Sotrondio
Blimea
Ordaliego
La Marea
Sa de Giblaniella
Riofabar
Cazo
Sa de Covadonga
Mirador de la Reina
Lago de Enol
Casaño
La Nueva
Sta Bárbara
Tiraña
Rebollada
Pola de Laviana (Laviana)
El Condado
Aves
(Amieva)
Sames
Carbes
Amieva
Priescas
Río Ponga
Lago de la Ercina
Camarmeña
Poncebos
Tielve
Mieres
Figaredo
Urbies
Los Caleyos
(Sobrescobio)
Rioseco
Pto de Arnicio
Parque Nacional de PICOS de los Picos DE EUROPA
Desfiladero de los Beyos
Bulnes
Reserva nacional de los Picos de Europa
Turón
Sta Cruz de M.
Merujal
Villoria
Tolivia
Villamorey
San Andrés
Ladines
Bueres
Orlé
E. de Tanes
Taranes
Viego
Beleño
Peña Santa de Enol
Caín de V.
Naranjo de
Torre Cerredo
Peña Vieja
Sierra de Navaliego
La Colladona
(Aller)
Sta Ana
Piñeres
Moreda
Bóo
de la Lena
San Miguel
Cabañaquinta
Pelugano
Levinco
Coballes
Campo de Caso (Caso)
Caleao
Belerda
Soto
Sobrefoz
Soto de Sajambre
Posada de Valdeón
Cordiñanes de V.
Mir<sup>dor</sup> de
Fuente Dé
Mirador de Oseja
Mir<sup>dor</sup> de Piedrafitas
de Europa
Cristina de Lena
Murias
Bello
Santibáñez de la Fuente
Retriñón
Bezanes
Pendones
Felgueras
Malvedo
Santibáñez de Murias
Cuérigo
Pola del Pino
Coto nacional de Reres
Sa de Corteguero
Oseja de Sajambre
Ventaniella
Pío
Sta Marina de Valdeón
Espinama
Llamas
Felechosa
Tarna
Pto de Panderruedas
Puerto de Pandetrave
Puente de los Fierros
Casomera
Pto de Tarna
Sa de Carcedo
Pto del Pontón
Cosgaya
La Paraya
Sierra de las Fuentes de Invierno
Pto de San Isidro
San Isidro
Las Señales
Reserva
Nacional
Coriscao
Mir<sup>dor</sup> de Llesba
Pendilla de Arbás
Sierra de C
Pto de la Vegarada
Isoba
La Uña
Retuerto
Polvoredo
Cuénabres
Casasuertes
Llánaves de la Reina
Pajares
Pto de Piedrafita
Maraña
Riaño
Portilla de la Reina
Arbás del Puerto
Tonín de A.
Piedrafita
Cofiñal
Mampodre
Acebedo
Lario
Burón
Vegacerneja
Sierra de Riaño
Gargantas
Braña Caballo
Redipuertas
Puebla de Lillo
Liegos
Busdongo de Arbás
Camplongo de A.
Campo
Canseco
Reserva nacional de Mampodre
(Valdelugueros)
Lugueros
C O R D I L L E R A C A N T
13
16
Villanueva de la Tercia
Pontedo
Cármenes
S. Martín de la T.
Genicera
Tolibia de Abajo
Redipollos
San Cibrián
Embalse de Riaño
Barniedo de la Reina
Villamanín
Valverdín
Rúcayo
Rodiezmo de la T.
Collada de Valdeteja
Reyero
Salamón
Boca de Huérgano
Espigüete
Villasimpliz
Valporquero de Torío
Felmín
Rodillazo
Valdeteja
Embalse de Porma
Primajas
Las Salas
Pto del Pando
Siero de la Reina
Valverde de

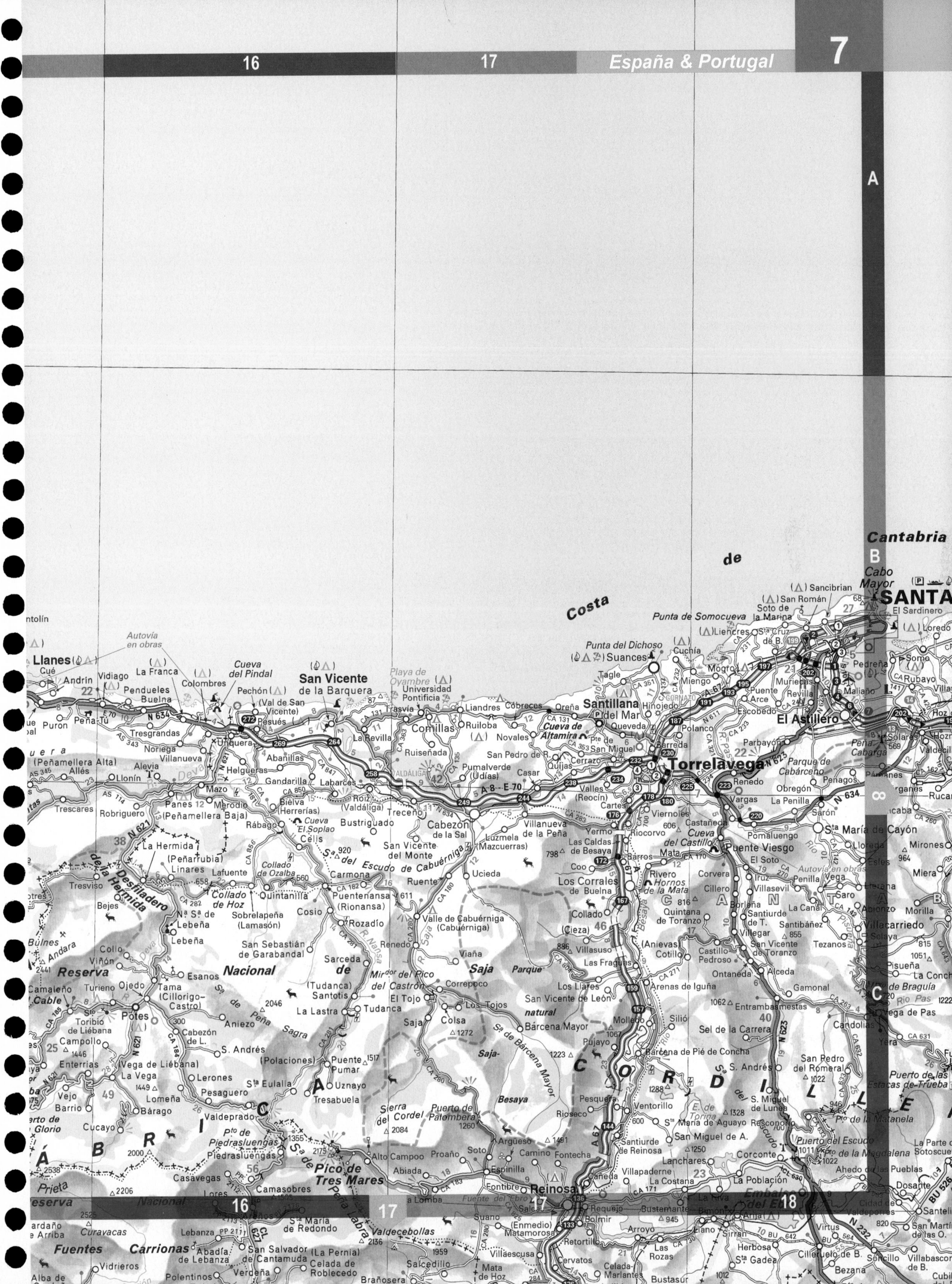
Cantabria
Costa
de
Cabo Mayor
SANTA
El Sardinero
Sancibrian
San Román
Soto de la Marina
Punta de Somocueva
Liencres
Punta del Dichoso
Suances
Cuchía
Llanes
Autovía en obras
Cué
Andrín
Vidiago
La Franca
Colombres
Cueva del Pindal
San Vicente de la Barquera
Playa de Oyambre
Universidad Pontificia
Pendueles
Buelna
Pechón
(Val de San Vicente)
Pesués
Trasvía
Comillas
Liandres
Cóbreces
Oreña
Santillana del Mar
Hinojedo
Miengo
Mogro
Puente Arce
Escobedo
Maliaño
El Astillero
Purón
Peña-Tú
Tresgrandas
Noriega
Villanueva
Unquera
La Revilla
Ruiloba
Ruiseñada
Novales
Cueva de Altamira
Pte de San Miguel
Queveda
Barreda
Polanco
Parbayón
Peña Cabarga
Solares
(Peñamellera Alta)
Alevia
Allés
Llonín
Abanillas
Helgueras
Gandarilla
Pumalverde (Udías)
San Pedro de R.
Cerrazo
Quijas
Casar
Torrelavega
Parque de Cabárceno
Renedo
Penagos
Trescares
Robriguero
Mazo
Panes
(Peñamellera Baja)
Merodio
Labarces
Bielva (Herrerías)
Roiz (Valdáliga)
Treceño
Valles (Reocín)
Cartes
Viernoles
Obregón
La Penilla
Vargas
Sarón
Rábago
Cueva El Soplao
Bustriguado
Cabezón de la Sal
Villanueva de la Peña
Yermo
Riocorvo
Castañeda
Pomaluengo
Sta María de Cayón
La Hermida
(Peñarrubia)
Linares
Desfiladero de la Hermida
Célis
Sa del Escudo de Cabuérniga
San Vicente del Monte
Luzmela (Mazcuerras)
Las Caldas de Besaya
Barros
Mata
Cueva del Castillo
Puente Viesgo
El Soto
Iruz
Lloreda
Esles
Mirones
Tresviso
Lafuente
Collado de Ozalba
Carmona
Ruente
Ucieda
Coo
Los Corrales de Buelna
Rivero
Hornos de la Mata
Corvera
Cillero
Villasevil
Penilla
Vega
Autovía en obras
Miera
Bejes
Collado de Hoz
Quintanilla
Puentenansa (Rionansa)
Cosio
Rozadío
Valle de Cabuérniga (Cabuérniga)
Collado
(Cieza)
Quintana de Toranzo
Borleña
Santiurde de T.
Villegar
La Canal
Saro
Abionzo
Morilla
Nª Sª de Lebeña
Lebeña
Sobrelapeña (Lamasón)
Santibáñez
Villacarriedo
Bulnes
Andara
Colio
Viñón
San Sebastián de Garabandal
Renedo
Villasuso
(Anievas) Cotillo
Castillo Pedroso
San Vicente de Toranzo
Tezanos
Sarceda
Viaña
Las Fraguas
Pisueña
La Concha
Reserva
Nacional
de
Saja
Parque
natural
Ontaneda
Alceda
Camaleño
Turieno
Ojedo
Esanos
Mirdor del Pico del Castrón
(Tudanca)
Santotis
Correpoco
Los Llares
Arenas de Iguña
Gamonal
de Braguía
Cable
Tama (Cillorigo-Castro)
El Tojo
Los Tojos
San Vicente de León
Entrambasmestas
Río Pas
Vega de Pas
Sto Toribio de Liébana
Potes
La Lastra
Tudanca
Saja
Colsa
Bárcena Mayor
Molledo
Silió
Sel de la Carrera
Candolías
Campollo
Cabezón de L.
Aniezo
Sa de Peña Sagra
Sa de Bárcena Mayor
Pujayo
Yera
Enterrías
S. Andrés
(Polaciones)
Puente Pumar
Bárcena de Pié de Concha
San Pedro del Romeral
Puerto de las Estacas de Trueba
(Vega de Liébana)
La Vega
Lerones
Pesaguero
Sta Eulalia
Uznayo
Tresabuela
S. Andrés
Vejo
Barrio
Lomeña
Bárago
Besaya
Pesquera
Ventorrillo
S. Miguel de Luena
Puerto de Glorio
Cucayo
Valdeprado
Sierra del Cordel
Puerto de Palombera
Rioseco
E. de Torina
Sta María de Aguayo
Resconorio
Pto de la Matanela
Pto de Piedrasluengas
Piedrasluengas
Argüeso
Santiurde de Reinosa
San Miguel de A.
Puerto del Escudo
Pto de la Magdalena
La Parte de Sotoscueva
Sa de Pico de Tres Mares
Alto Campoo
Proaño
Soto
Camino
Fontecha
Corconte
Ahedo de las Pueblas
Casavegas
Abiada
Espinilla
Lanchares
Villapaderne
La Costana
La Población
Dosante
Prieta
Camasobres
Lores
Fontibre
Reinosa
Embalse del Ebro
Reserva
Nacional
a Lomba
Fuente del Ebro
Requejo
Bolmir
Bustamante
La Riva
Arija
Cidad de Valdeporres
Santelices
San Martín de las O.
Curavacas
Lebanza
Sta María de Redondo
Suano
(Enmedio) Matamorosa
Retortillo
Arroyo
Llano
Sırran
Virtus
Fuentes
Carrionas
Abadía de Lebanza
San Salvador de Cantamuda
(La Pernía)
Valdecebollas
Villaescusa
Las Rozas
Herbosa
Sta Gadea
Cilleruelo de B.
Soncillo
Villabascones de B.
Vidrieros
Verdeña
Celada de Roblecedo
Salcedillo
Mata de Hoz
Cervatos
Celada-Marlantes
Bezana
Polentinos
Brañosera
Bustasur
Alba de
Cubillo del
C O R D I L L E
C A N T A
C Á B R I C A

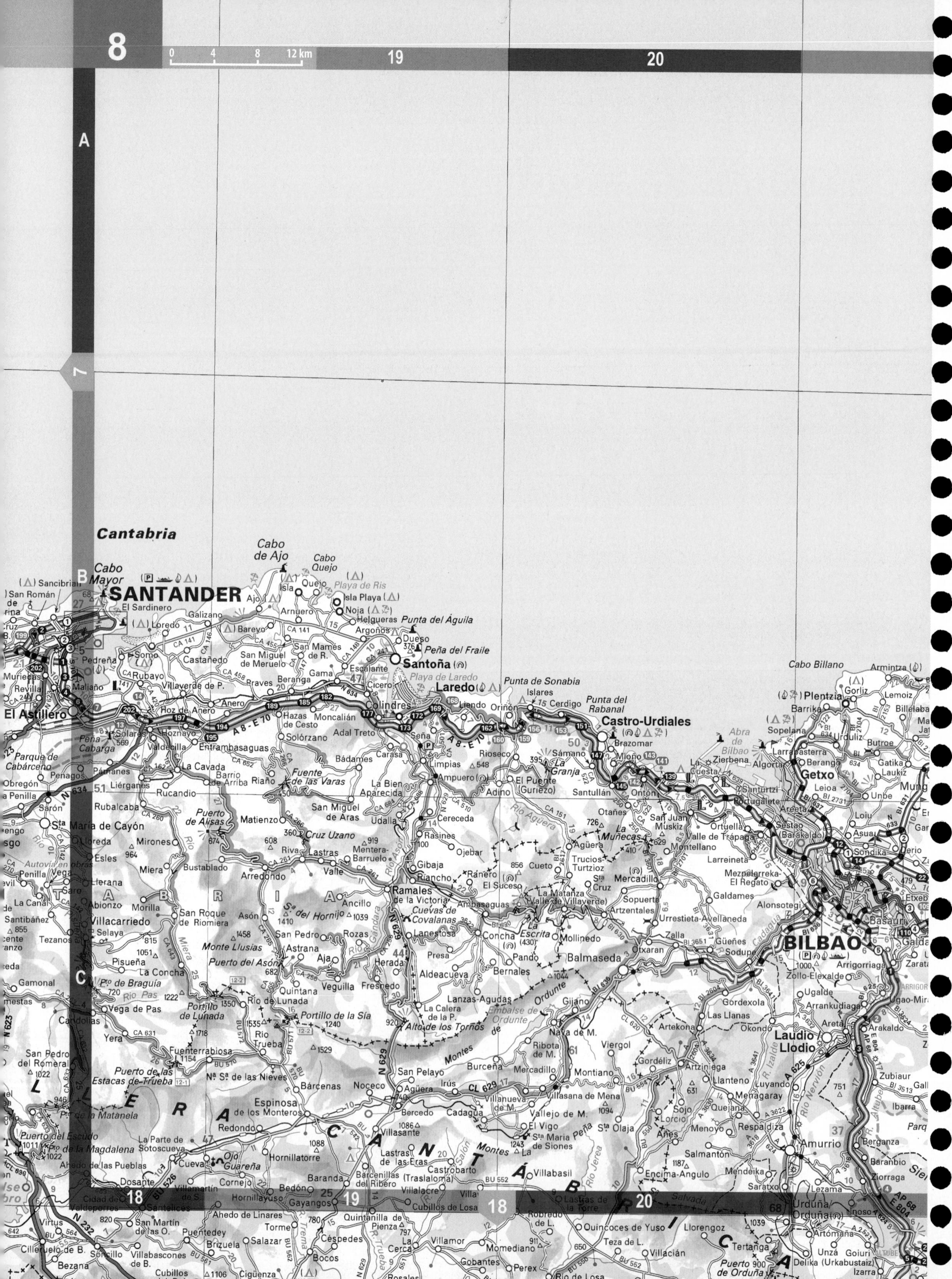

8
0 4 8 12 km
19
20
A
7
B
C
18
19
18
20
Cantabria
Cabo Mayor
SANTANDER
Cabo de Ajo
Cabo Quejo
Sancibrian
San Román
El Sardinero
Loredo
Galizano
Bareyo
Ajo
Isla
Quejo
Playa de Ris
Isla Playa
Noja
Helgueras
Punta del Águila
Argoños
Arnuero
Somo
Pedreña
Castañedo
San Miguel de Meruelo
San Mamés de R.
Dueso
Peña del Fraile
Santoña
Playa de Laredo
Escalante
Gama
Beranga
Praves
Rubayo
Villaverde de P.
Maliaño
Muriedas
Revilla
El Astillero
Hoz de Anero
Anero
Cicero
Colindres
Laredo
Liendo
Oriñón
Punta de Sonabia
Islares
Cerdigo
Punta del Rabanal
Castro-Urdiales
Brazomar
Mioño
Sámano
La Granja
El Puente (Guriezo)
Adino
Rioseco
Santullán
Ontón
Otañes
La Cuesta
Zierbena
Santurtzi
Portugalete
Algorta
Getxo
Leioa
Cabo Billano
Armintza
Plentzia
Gorliz
Barrika
Lemoiz
Sopelana
Urduliz
Larrabasterra
Berango
Butroe
Gatika
Laukiz
Mungia
Unbe
Loiu
Asua
Derio
Sondika
Areeta
Sestao (Barakaldo)
Ortuella
Valle de Trápaga
Larreineta
Mezpelerreka-El Regato
Alonsotegi
Basauri
Etxebarri
BILBAO
Galdakao
Arrigorriaga
Zollo-Elexalde
Ugalde
Arrankudiaga
Aretá
Arakaldo
Laudio Llodio
Zubiaur
Ibarra
Okondo
Gordexola
Las Llanas
Artekona
Luyando
Menagaray
Llanteno
Artziniega
Gordéliz
Respaldiza
Quejana
Menoyo
Amurrio
Salmantón
Mendeika
Saratxo
Lezama
Berganza
Baranbio
Zorrraga
Urduña Orduña
Inoso
Artómaña
Tertanga
Unzá
Goiuri
Delika (Urkabustaiz)
Izarra
Puerto de Orduña
Solares
Hoznayo
Entrambasaguas
Peña Cabarga
Parque de Cabárceno
Penagos
Valdecilla
La Cavada
Barrio de Arriba
Riaño
Pámanes
Liérganes
Rucandio
Obregón
Sarón
Sta María de Cayón
Rubalcaba
Puerto de Alisas
Matienzo
Hazas de Cesto
Moncalián
Solórzano
Adal Treto
Bádames
Carasa
Fuente de las Varas
La Bien Aparecida
Seña
Limpias
Ampuero
San Miguel de Aras
Udalla
Cereceda
Rasines
Ojebar
Cruz Uzano
Lastras
Riva
Mentera-Barruelo
Valle
Arredondo
Gibaja
Riancho
Ranero
El Suceso
Cueto
Trucios-Turtzioz
Sta Cruz
Mercadillo
Agüera
Muskiz
San Juan
Montellano
Sopuerta
Artzentales
La Matanza (Valle de Villaverde)
Urrestieta-Avellaneda
Galdames
Zalla
Güeñes
Sodupe
Otxaran
Balmaseda
Mollinedo
Pando
La Escrita
Concha
Bernales
Ramales de la Victoria
Cuevas de Covalanas
Ambasaguas
Ancillo
Lanestosa
Presa
Aldeacueva
Herada
Fresnedo
Rozas
Astrana
San Pedro
Aja
Veguilla
Quintana
Lanzas-Agudas
La Calera de la P.
Alto de los Tornos
Embalse de Ordunte
Montes de Ordunte
Gijano
Nava de M.
Ribota de M.
Viergol
Montiano
Mercadillo
Burceña
Villasana de Mena
Villanueva de M.
Vallejo de M.
El Vigo
Sta María de Siones
Sta Olaja
Sojo
Lorcio
Añes
Encima-Angulo
Irús
San Pelayo
Agüera
Noceco
Bárcenas
Berceda
Cadagua
Villasante
Espinosa de los Monteros
Redondo
La Parte de Sotoscueva
Ojo Guareña
Cueva
Hornillatorre
Lastras de las Eras
Castrobarto
Bárcenillas del Ribero
Baranda
Villabasil
Villalacre
Cubillos de Losa
Gayangos
Bedón
Cornejo
Hornillayuso
Villamartín de S.
Dosante
Ahedo de las Pueblas
Cidad de C.
Valdeporres
Santelices
Ahedo de Linares
San Martín de las O.
Puentedey
Torme
Quintanilla de Pienza
Céspedes
Cerca
Villamor
Momediano
Robredo de L.
Quincoces de Yuso
Llorengoz
Teza de L.
Villacián
Perex
Rio de Losa
Gobantes
Bocos
Rosales
Salazar
Brizuela
Villabascones de B.
Cubillos del Rojo
Ciguenza
Soncillo
Cilleruelo de B.
Bezana
Virtus
Puerto del Escudo
Pto de la Magdalena
Pto de la Matanela
Puerto de las Estacas de Trueba
Nª Sª de las Nieves
Fuenterrabiosa
Portillo de Lunada
Portillo de la Sía
Río de Lunada
Rio Trueba
Vega de Pas
Yera
Pto de Braguía
Candolias
San Pedro del Romeral
La Concha
Pisueña
Monte Llusías
Puerto del Asón
Sa del Hornijo
San Roque de Riomiera
Asón
Miera
Mirones
Bustablado
Selaya
Villacarriedo
Abionzo
Tezanos
Santibáñez
La Canal
Saro
Vega
Penilla
Esles
Lloreda
Llerana
Gamonal
Morilla
Autovía en obras
C A N T Á B R I C A
A R B R I A
L L E R A

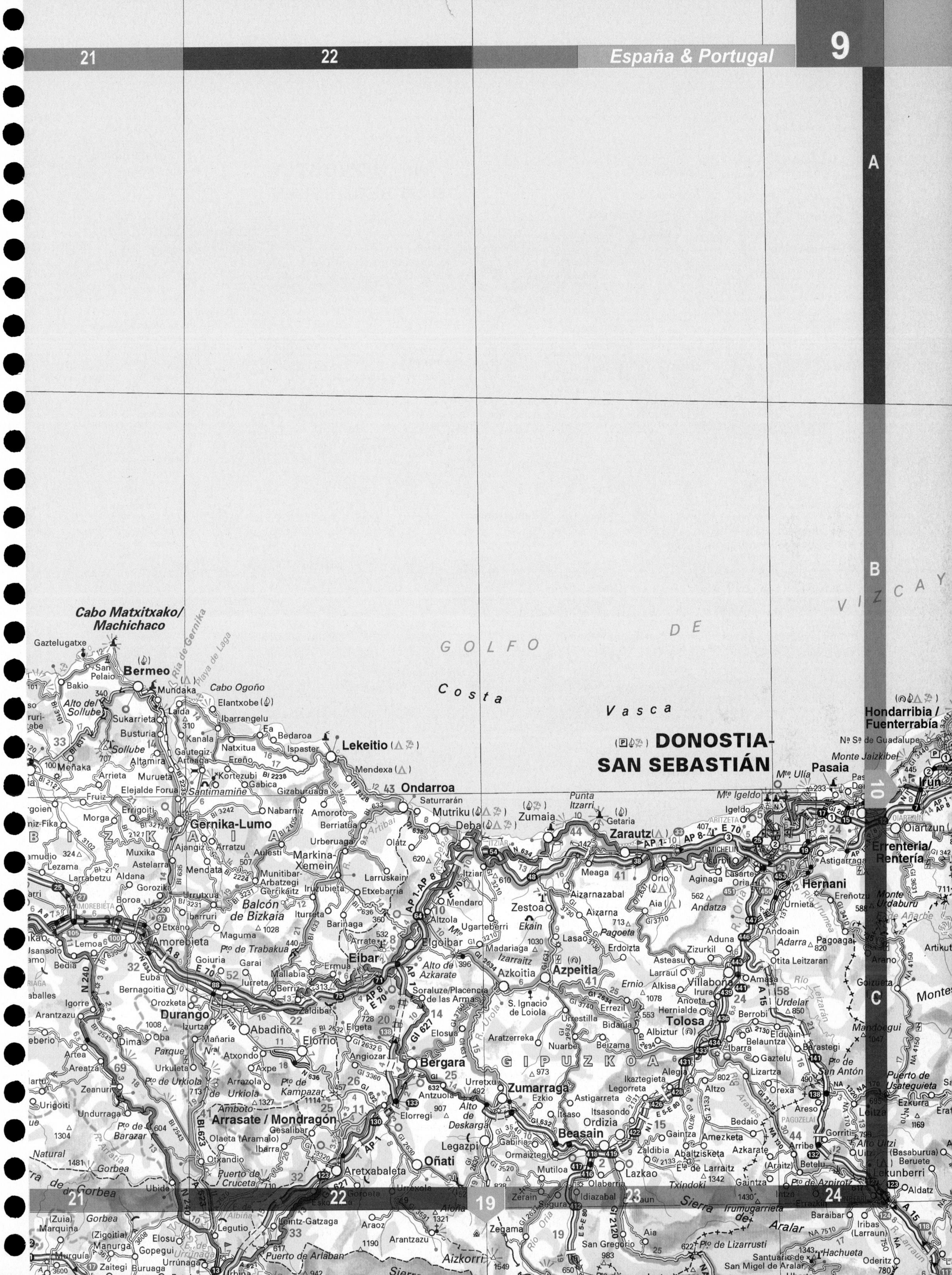

España & Portugal
9
21
22
23
24
19
A
B
C
10
GOLFO DE VIZCAYA
Costa Vasca
Cabo Matxitxako/ Machichaco
Gaztelugatxe
San Pelaio
Bermeo
Bakio
Alto del Sollube
Sollube
Mundaka
Cabo Ogoño
Elantxobe
Ibarrangelu
Sukarrieta
Busturia
Kanala
Gautegiz-Arteaga
Ea
Bedaroa
Ispaster
Lekeitio
Mendexa
Ondarroa
Saturrarán
Mutriku
Deba
Zumaia
Punta Itzarri
Getaria
Zarautz
DONOSTIA-SAN SEBASTIÁN
Mte Ulía
Mte Igeldo
Igeldo
Pasaia
Hondarribia / Fuenterrabía
Nª Sª de Guadalupe
Monte Jaizkibel
Irun
Oiartzun
Errenteria/ Rentería
Astigarraga
Hernani
Usurbil
Lasarte-Oria
Aginaga
Orio
Aia
Andatza
Urnieta
Andoain
Adarra
Pagoaga
Meaga
Zestoa
Ekain
Aizarnazabal
Aizarna
Pagoeta
Lasao
Erdoizta
Azpeitia
Azkoitia
S. Ignacio de Loiola
Madariaga
Izarraitz
Ugarteberri
Altzola
Mendaro
Itziar
Elgoibar
Alto de Azkarate
Soraluze/Placencia de las Armas
Eibar
Ermua
Mallabia
Zaldibar
Berriz
Markina-Xemein
Munitibar-Arbatzegi Gerrikaitz
Balcón de Bizkaia
Pto de Trabakua
Gernika-Lumo
Amorebieta
Durango
Abadiño
Elorrio
Bergara
Elgeta
Angiozar
Arrasate / Mondragón
Aretxabaleta
Oñati
Legazpi
Zumarraga
Urretxu
Ezkio
Beasain
Ordizia
Itsasondo
Lazkao
Tolosa
Villabona
Asteasu
Zizurkil
Aduna
Amasa
Alkiza
Anoeta
Hernialde
Albiztur
Bidania
Errezil
Berrobi
Elduain
Berastegi
Pto de San Antón
Puerto de Usateguieta
Leitza
Lekunberri
Alto Uitzi
Gorriti
Betelu
Areso
Ikaztegieta
Alegia
Altzo
Amezketa
Abaltzisketa
Gaintza
Zaldibia
Txindoki
Sierra de Aralar
Pto de Lizarrusti
Segura
Idiazabal
Zegama
Aizkorri
Puerto de Arlaban
Leintz-Gatzaga
Pto de Urkiola
Pto de Kampazar
Amboto
Alto de Deskarga
Puerto de Cruceta
Gorbea
Pto de Barazar
Zeanuri
Dima
Igorre
Lemoa
Bedia
Otxandio
Ubide
Legutio
Sierra de Gorbea
Arantzazu
Urkiola
Irumugarrieta
Santuario de San Migel de Aralar
Iribas (Larraun)
Oderitz
Aldatz
GIPUZKOA
BIZKAIA

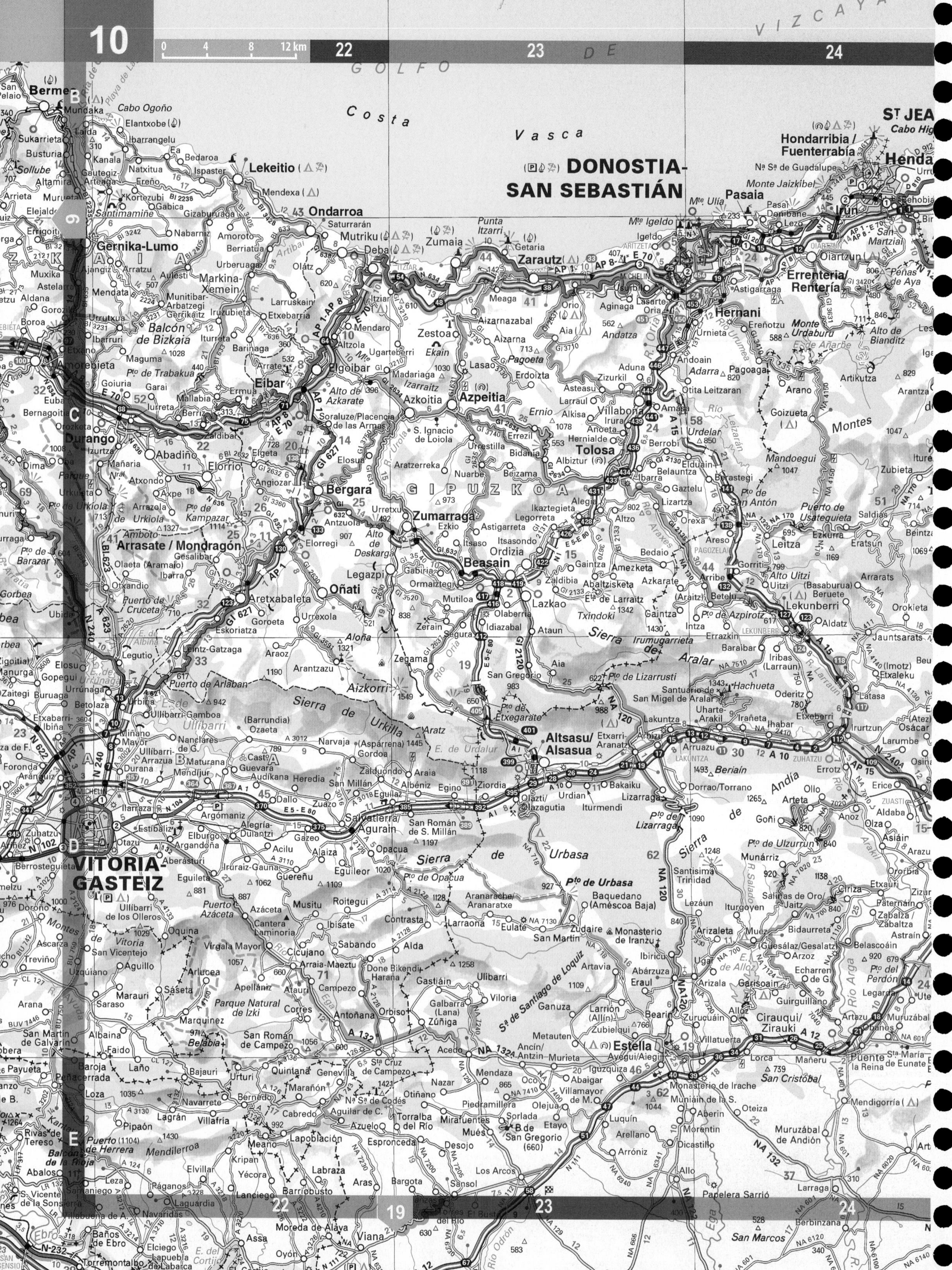
0 4 8 12 km
22
23
24
GOLFO DE VIZCAYA
Costa Vasca
DONOSTIA-
SAN SEBASTIÁN
Hondarribia /
Fuenterrabía
Hendaye
Pasaia
Irun
Oiartzun
Errenteria/
Rentería
Hernani
Zarautz
Getaria
Zumaia
Deba
Mutriku
Ondarroa
Lekeitio
Bermeo
Mundaka
Gernika-Lumo
Markina-
Xemein
Eibar
Elgoibar
Azpeitia
Azkoitia
Zestoa
Tolosa
Villabona
Andoain
Durango
Amorebieta
Abadiño
Elorrio
Bergara
Arrasate / Mondragón
Aretxabaleta
Oñati
Legazpi
Zumarraga
Beasain
Ordizia
Lazkao
Alegia
Leitza
Lekunberri
Betelu
Altsasu/
Alsasua
Salvatierra/
Agurain
VITORIA-
GASTEIZ
Estella
Lizarraga
Sierra de Aralar
Sierra de Urkilla
Sierra de Urbasa
Sierra de Andía
Aizkorri
GIPUZKOA
Montes de Vitoria
Parque Natural de Izki
Sª de Santiago de Loquiz
Santa Cruz de Campezo
Los Arcos
Viana
LOGROÑO
Laguardia
Puente la Reina
Cirauqui/
Zirauki
Lorca
San Cristóbal
Ebro
Río Oria
Río Ega
Río Arga
19

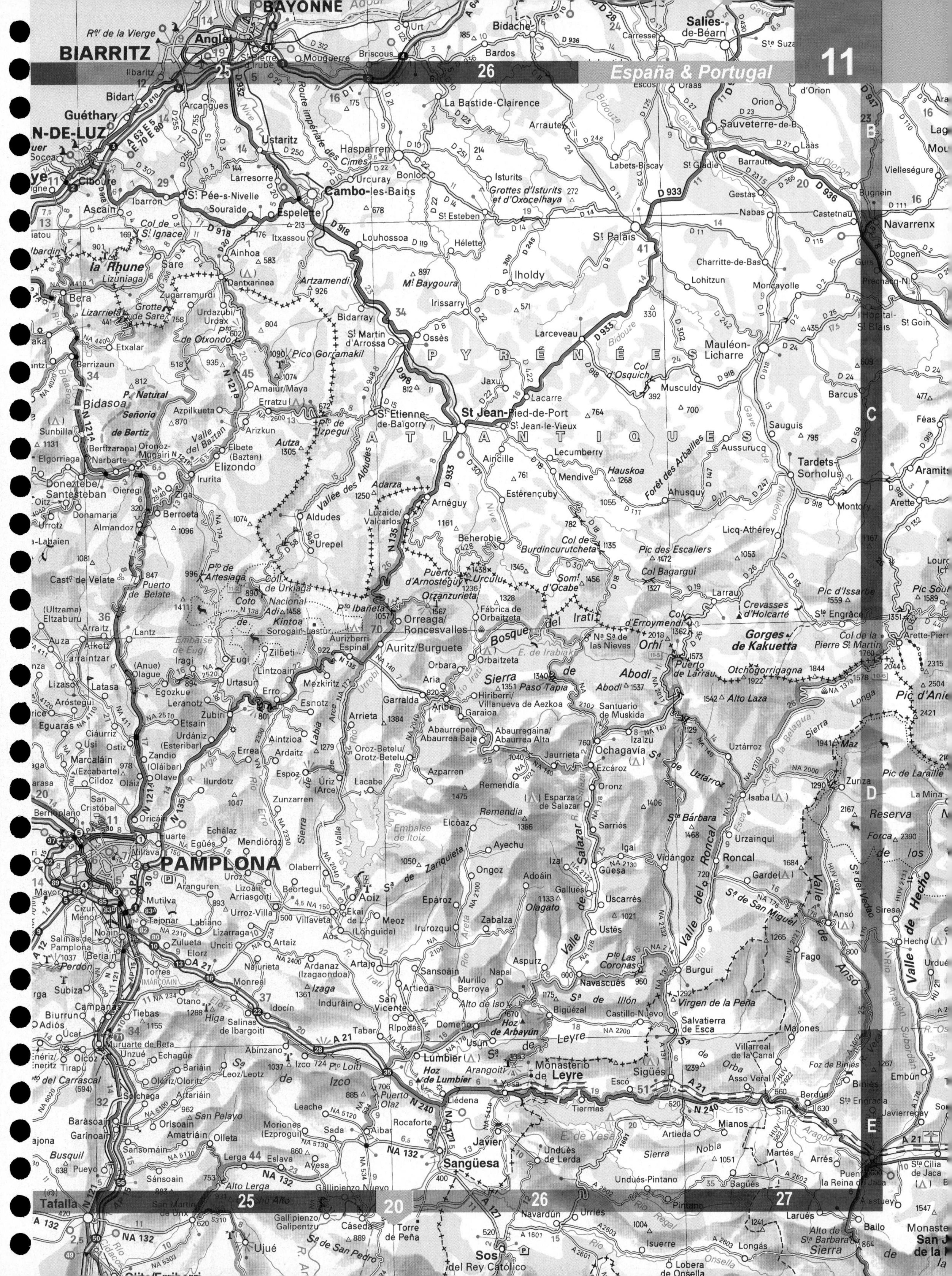
BAYONNE
BIARRITZ
Anglet
Guéthary
Bidart
Ciboure
Ascain
Ustaritz
Hasparren
Cambo-les-Bains
Espelette
St Pée-s-Nivelle
Louhossoa
Bidache
Salies-de-Béarn
Sauveterre-de-B.
St Palais
Navarrenx
Iholdy
La Bastide-Clairence
Grottes d'Isturits et d'Oxocelhaya
Mauléon-Licharre
St Jean-Pied-de-Port
St Etienne-de-Baïgorry
P Y R É N É E S
A T L A N T I Q U E S
Tardets-Sorholus
Larrau
Gorges de Kakuetta
Col de la Pierre St Martin
Ste Engrâce
Arette
Aramits
la Rhune
Sare
Ainhoa
Bera
Elizondo
Valle del Baztan
P. Natural Señorio de Bertiz
Pico Gorramakil
Artzamendi
Mt Baygoura
Vallée des Aldudes
Arnéguy
Puerto de Belate
Orreaga/Roncesvalles
Auritz/Burguete
Pto Ibañeta
Bosque del Irati
Sierra de Abodi
Ochagavía
Valle de Salazar
Isaba
Valle del Roncal
Roncal
Valle de Ansó
Valle de Hecho
Embalse de Eugi
PAMPLONA
Huarte
Villava
Aoiz
Embalse de Itoiz
Sierra de Izco
Monasterio de Leyre
Yesa
Lumbier
Hoz de Lumbier
Hoz de Arbayún
Sangüesa
Javier
E. de Yesa
Tafalla
Ujué
Sos del Rey Católico
Puente la Reina de Jaca
Berdún
Bailo
Sierra de San Pedro
N 135
N 121A
N 240
A 21
D 933
D 918
NA 132
B
C
D
E
25
26
27
20

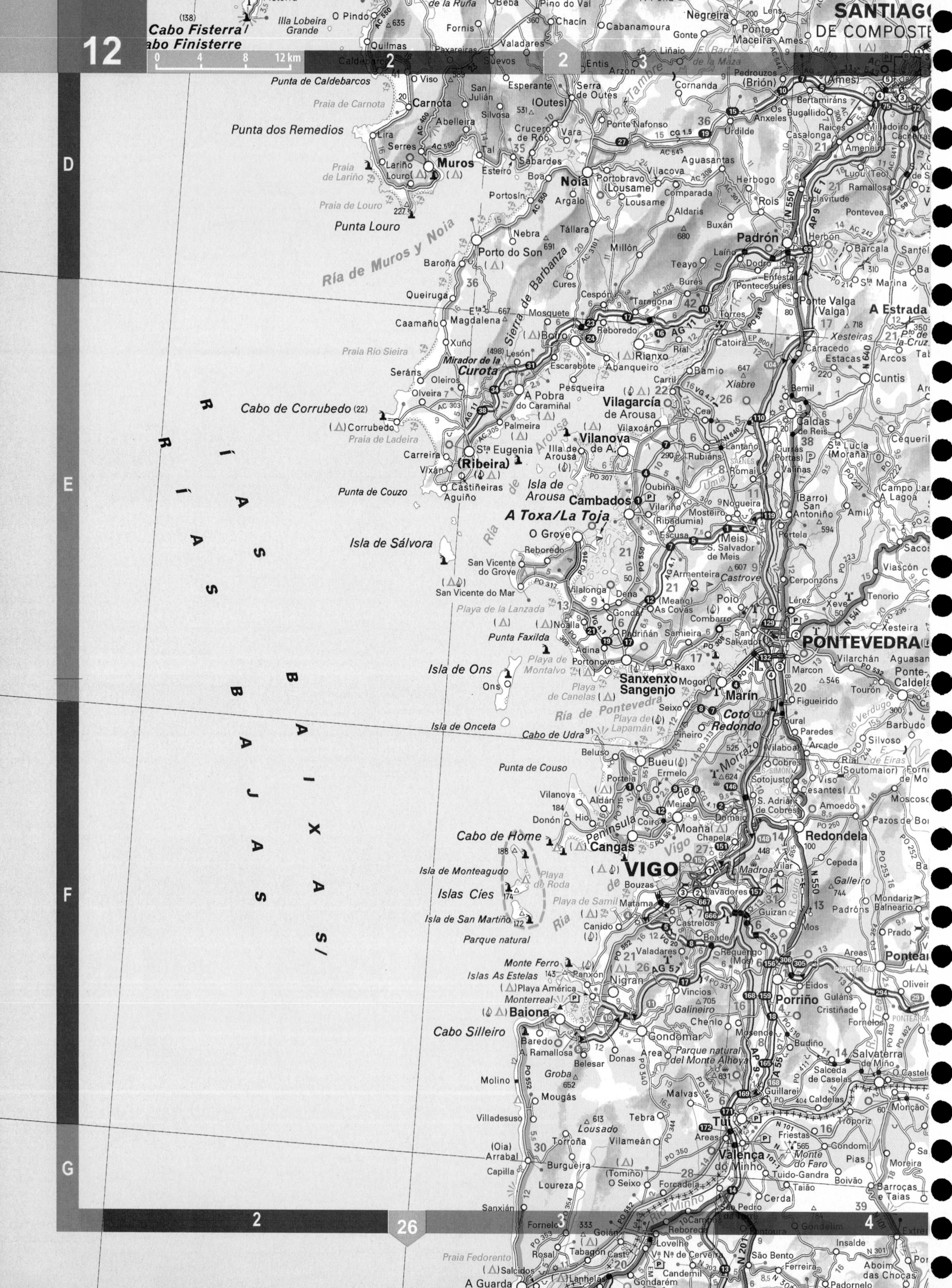
Cabo Fisterra / Cabo Finisterre
Fisterra
Illa Lobeira Grande
O Pindo
Montes de la Ruña
Beba
Pino do Val
A Pena
Negreira
SANTIAGO DE COMPOSTELA
Chacín
Cabanamoura
Fornis
Quilmas
Caldebarcos
Valadares
Suevos
Entis
Arzón
Liñaio
Cornanda
Pedrouzos
(Brión)
Ames
Viso
Punta de Caldebarcos
Praia de Carnota
Carnota
San Julián
Esperante
Serra de Outes
(Outes)
Silvosa
Abelleira
Crucero de Roo
Vara
Ponte Nafonso
Urdilde
Os Anxeles
Bugallido
Bertamiráns
Casalonga
Raices
Milladoiro
Punta dos Remedios
Lira
Serres
Tal
Sabardes
Aguasantas
Praia de Lariño
Lariño
Louro
Muros
Esteiro
Boa
Noia
Portobravo
(Lousame)
Lousame
Vilacova
Comparada
Herbogo
Rois
Esclavitude
Ramallosa
Portosín
Argalo
Aldaris
Praia de Louro
Punta Louro
Nebra
Tállara
Buxán
Padrón
Herbón
Pontevea
Porto do Son
Millón
Teayo
Laíño
Dodro
Barcala
Santeles
Ría de Muros y Noia
Sierra de Barbanza
Baroña
Cures
Burés
Enfesta
(Pontecesures)
Sta Marina
Queiruga
Cespón
Taragona
Ponte Valga
(Valga)
A Estrada
Caamaño
Magdalena
Mosquete
Torres
Xesteiras
Boiro
Reboredo
Catoira
Carracedo
Xuño
Praia Río Sieira
Lesón
Rianxo
Rial
Estacas
Arcos
Mirador de la Curota
Escarabote
Abanqueiro
Bamio
Cuntis
Seráns
Oleiros
Pesqueira
Carril
Xiabre
Olveira
A Pobra do Caramiñal
Vilagarcía de Arousa
Bemil
Cabo de Corrubedo
Corrubedo
Praia de Ladeira
Palmeira
Cea
Caldas de Reis
Vilanova de A.
Vilaxoán
Carreira
Sta Eugenia (Ribeira)
Illa de Arousa
Rubians
Cequeril
Vixán
Lantaño
Currás (Portas)
Sta Lucía (Moraña)
Castiñeiras
Aguiño
Isla de Arousa
Ría de Arousa
Românl
Valiñas
Punta de Couzo
Cambados
Oubiña
Campo Lameiro
Vilariño
Nogueira
(Barro)
San Antoniño
Amil
A Toxa/La Toja
Mosteiro
(Ribadumia)
(Meis)
Portela
O Grove
Escusa
S. Salvador de Meis
Isla de Sálvora
Reboredo
Sacos
San Vicente do Grove
Armenteira
Castrove
Viascón
Cerponzons
San Vicente do Mar
Vilalonga
Dena
Lérez
Tenorio
Playa de la Lanzada
(Meaño)
Poio
Xeve
As Covas
Gondar
Combarro
Xesteira
Noalla
Padriñán
Samieira
San Salvador
PONTEVEDRA
Punta Faxilda
Adina
Vilarchán
Aguasantas
Isla de Ons
Playa de Montalvo
Portonovo
Raxo
Marcon
Ponte-Caldelas
Ons
Playa de Canelas
Sanxenxo
Sangenjo
Mogor
Marín
Figueirido
Tourón
Ría de Pontevedra
Seixo
Coto Redondo
Isla de Onceta
Playa de Lapamán
Cabo de Udra
Pineiro
Paredes
Barbudo
Beluso
Arcade
Silvoso
Bueu
Morrazo
Vilaboa
Punta de Couso
Ermelo
Cobres
Rial
(Soutomaior)
Portela
Sotojusto
Viso
Cesantes
Vilanova
Aldán
S. Adrián de Cobres
Amoedo
Moscoso
Hío
Donón
Península de Morrazo
Meira
Domaio
Coiro
Redondela
Pazos de Borbén
Cabo de Home
Cangas
Moaña
Chapela
Isla de Monteagudo
VIGO
Playa de Roda
Bouzas
Vilar
Cepeda
Islas Cíes
Playa de Samil
Ría de Vigo
Lavadores
Galleiro
Mondariz Balneario
Isla de San Martiño
Matama
Castrelos
Guizan
Padróns
Parque natural
Canido
Beade
Mos
Prado
Valadares
Reguengo (Mos)
Areas
Ponteareas
Monte Ferro
Islas As Estelas
Panxón
Nigrán
Eidos
Oliveira
Playa América
Monterreal
Vincios
Porriño
Guláns
Baiona
Galiñeiro
Cristiñade
Cabo Silleiro
Chenlo
Fornelos
Baredo
Gondomar
Mosende
Budiño
A Ramallosa
Parque natural del Monte Alhoya
Salvaterra de Miño
Belesar
Donas
Area
Molino
Groba
Salceda de Caselas
Mougás
Malvas
Guillarei
Caldelas
Villadesuso
Tebra
Monção
Lousado
Tui
Friestas
Troporiz
(Oia)
Torroña
Vilameán
Areas
Gondomil
Arrabal
Valença do Minho
Monte do Faro
Pias
Moreira
Capilla
Burgueira
(Tomiño)
Tuido-Gandra
O Seixo
Boivão
Loureza
Forcadela
Taião
Barroças e Taias
Cerda
Sanxián
Río Miño
São Pedro da Torre
Fornelos
Goián
Reboreda
Fontoura
Gondelim
Extremo
Insalde
Praia Fedorento
Rosal
Tabagón
Lovelhe
Vª Nª de Cerveira
São Bento
Ferreira
Aboim das Choças
Salcidos
Candemil
Padornelo
A Guarda
Lanhelas
Gondarém
Mentrestido
Seixas
Paredes de Coura
RÍAS BAIXAS / RÍAS BAJAS
0 4 8 12 km
2
3
4
26
D
E
F
G

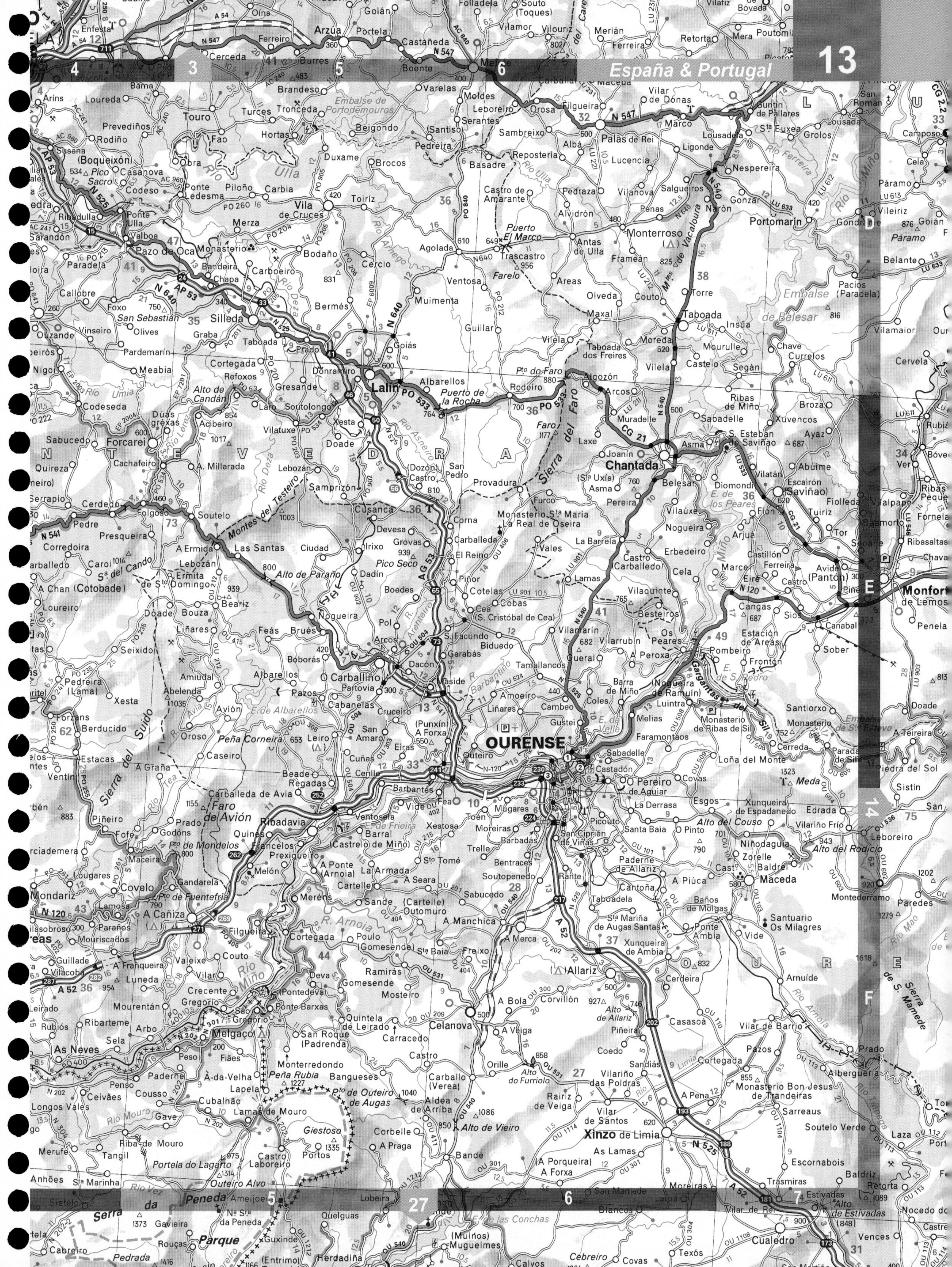
Arzúa
Melide
Palas de Rei
Portomarín
Monterroso
Taboada
Chantada
Lalín
Silleda
Forcarei
Pazo de Oca
Vila de Cruces
Agolada
O Carballiño
Ribadavia
OURENSE
Allariz
Celanova
Xinzo de Limia
Maceda
Monforte de Lemos
A Cañiza
Covelo
Mondariz
Melgaço
As Neves
Cualedro
Bande
Beariz
Boborás
Leiro
Avión
Sierra del Faro
Sierra del Suido
Montes del Testeiro
Embalse de Portodemouros
Embalse de Belesar
Río Ulla
Río Miño
R. Arnoia
Río Limia
Río Sil
Serra da Peneda
Parque
Alto de Estivadas
Alto do Rodicio
Sierra de S. Mamede
Santuario Os Milagres
Monasterio Bon Jesus de Trandeiras
Monasterio de Ribas de Sil
Gargantas del Sil
Puerto de la Rocha
Alto de Paraño
Pico Seco
Faro de Avión
Peña Corneira
Alto de Vieiro
Alto do Furriolo
Peña Rubia
Portela do Lagarto
Alto del Couso
Pto de Fuentefría
Pto de Mondelos
Pto de Outeiro de Augas
Puerto El Marco
N 547
N 640
N 525
N 120
N 541
N 540
AP 53
AG 53
A 52
CG 21

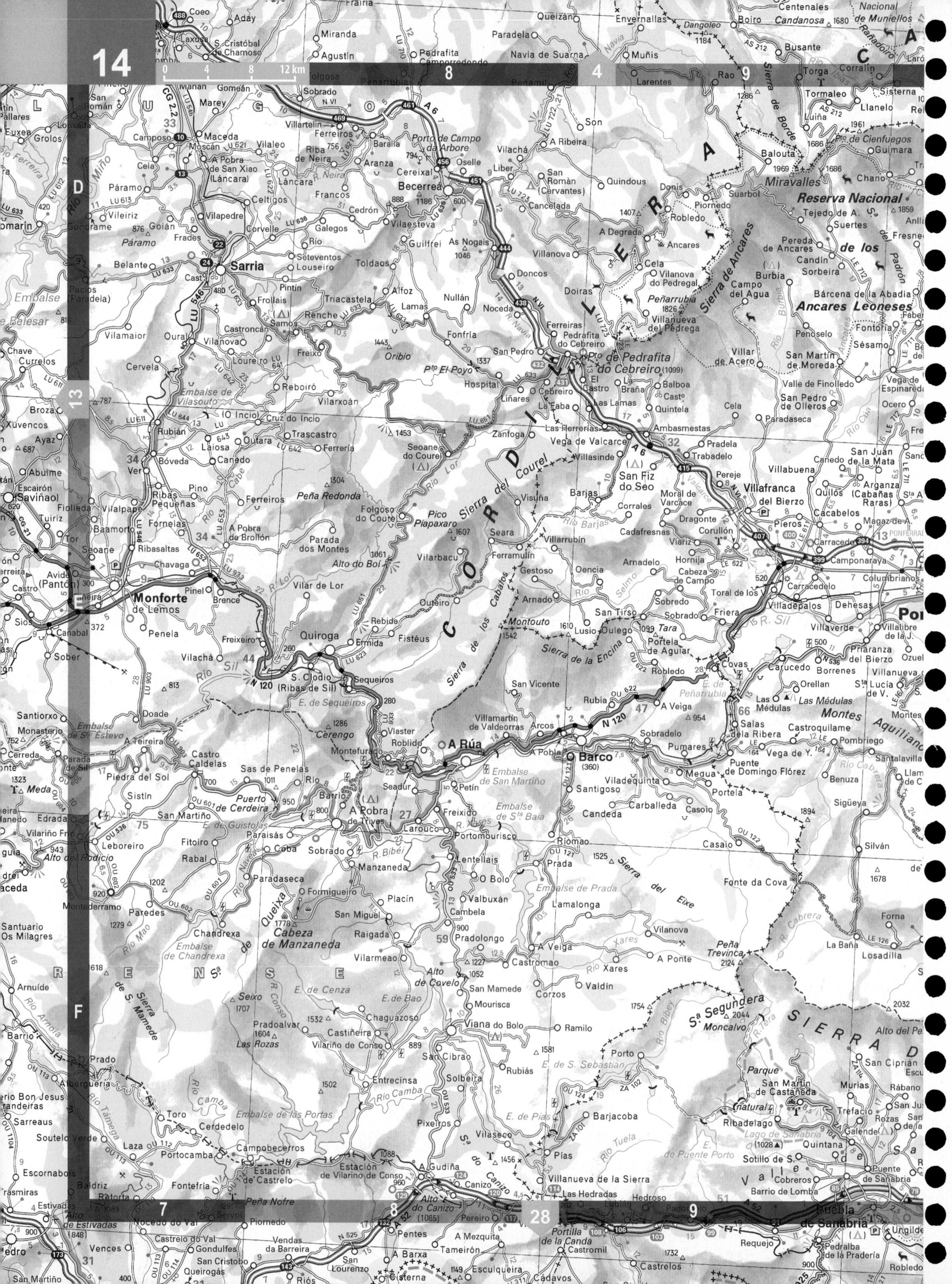

0 4 8 12 km
Sarria
Monforte de Lemos
Becerrea
Quiroga
A Rúa
Barco
Villafranca del Bierzo
Viana do Bolo
A Pobra de Trives
Puebla de Sanabria
Pedrafita do Cebreiro
Pto de Pedrafita do Cebreiro (1099)
Samos
Triacastela
Sierra del Courel
C O R D I L L E R A
Sierra de Ancares
Reserva Nacional de los Ancares Leoneses
Sierra de los Cabalos
Sierra de la Encina
Sierra del Eixe
Peña Trevinca 2124
Cabeza de Manzaneda
Sierra de S. Mamede
Sª Segundera
Parque natural
Lago de Sanabria
Las Médulas
Montes Aquilianos
Embalse de San Martiño
Embalse de Prada
Embalse de las Portas
Embalse de Belesar
Embalse de Chandrexa
Alto do Rodicio
Alto de Covelo
Alto do Canizo (1085)
Alto de Estivadas (848)
Peña Nofre
Puerto de Cerdeira
Peña Redonda
Pico Piapaxaro 1607
Oribio
Pto El Poyo 1337
Porto de Campo da Arbore
Pto de Cienfuegos
Sierra de Borde
Ponferrada
Camponaraya
Cacabelos
Toral de los V.
Carucedo
Covas
Santalla
O Barco
Castro Caldelas
Vilariño de Conso
Chaguazoso
Pentes
A Gudiña
Portocamba
Baldriz
Requejo
Ribadelago
San Martín de Castañeda
Porto
Pías
Villanueva de la Sierra
Las Hedradas
Lubián
Padornelo
N 120
A 6
A 52
N VI

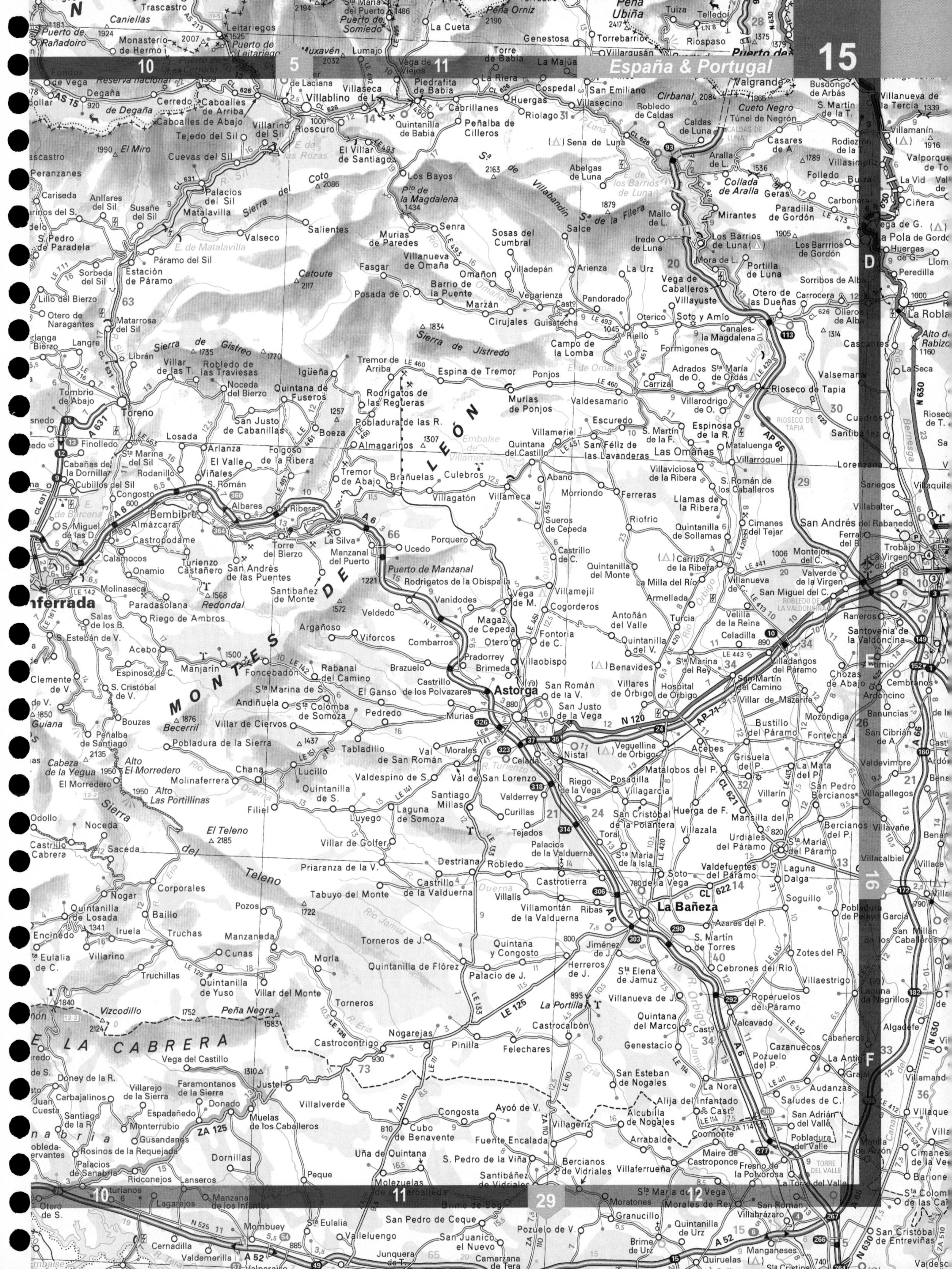
10
5
11
15
España & Portugal
Puerto de Rañadoiro
Leitariegos
Puerto de Leitariegos
Caboalles de Arriba
Caboalles de Abajo
Villablino
Villaseca de Laciana
Piedrafita de Babia
Cabrillanes
Huergas
Riolago
La Majúa
Torre de Babia
La Riera
Cospedal
San Emiliano
Villasecino
Cirbanal
Valgrande
Robledo de Caldas
Caldas de Luna
Cueto Negro
Túnel de Negrón
Busdongo de Arbás
Villanueva de la Tercia
S. Martín de la T.
Torrebarrio
Genestosa
Riospaso
Tuiza
Telledo
La Cueta
Peña Ubiña
Peña Orniz
Puerto de Somiedo
Degaña
Cerredo
Tejedo del Sil
Villarino del Sil
Rioscuro
Quintanilla de Babia
Peñalba de Cilleros
Sena de Luna
Abelgas de Luna
E. de los Barrios de Luna
Aralla de L.
Collada de Aralla
Geras
Casares de A.
Rodiezmo de la T.
Villamanín
Villasimpliz
Folledo
Buiza
Valporquero de Torío
La Vid
Cuevas del Sil
El Miro
E. de las Rozas
El Villar de Santiago
Los Bayos
Pto de la Magdalena
Sa de Villabandín
Sa de la Filera
Sierra del Coto
Palacios del Sil
Matalavilla
Anllares del Sil
Susañe del Sil
Salientes
Valseco
Murias de Paredes
Senra
Villanueva de Omaña
Omañon
Sosas del Cumbral
Villadepán
Salce
Mallo de L.
Irede de Luna
Mirantes
Paradilla de Gordón
Carbonera
Los Barrios de Luna
Los Barrrios de Gordón
La Pola de Gordón
Huergas de G.
Vega de G.
Peranzanes
Cariseda
S. Pedro de Paradela
Sorbeda del Sil
Estación de Páramo
Páramo del Sil
E. de Matalavilla
Catoute
Fasgar
Barrio de la Puente
Posada de O.
Marzán
Vegarienza
Cirujales
Guisatecha
Arienza
La Urz
Mora de L.
Vega de Caballeros
Portilla de Luna
Sorribos de Alba
Otero de las Dueñas
Carrocera
Villayuste
Pandorado
Riello
Otero y Amío
Soto y Amío
Canales-la Magdalena
Olleros de Alba
La Robla
Peredilla
Llombera
Lillo del Bierzo
Otero de Naragantes
Matarrosa del Sil
Langre
Librán
Sierra de Gistredo
Sierra de Jistredo
Campo de la Lomba
Formigones
Adrados de O.
Sta María de Ordás
Carrizal
Villarodrigo de O.
Rioseco de Tapia
Valsemana
La Seca
Cascantes
Alto de Rabizo
Villar de las T.
Robledo de las Traviesas
Noceda del Bierzo
Igüeña
Tremor de Arriba
Espina de Tremor
Pontos
Murias de Ponjos
Valdesamario
E. de Omañas
Tombrio de Abajo
Toreno
Quintana de Fuseros
Rodrigatos de las Regueras
San Justo de Cabanillas
Pobladura de las R.
Boeza
Almagarinos
Embalse de Villameca
Quintana del Castillo
Villameriel
Escuredo
S. Martín de la F.
Espinosa de la R.
Mataluenga
Las Omañas
Villarroquel
Cuadros
Santibáñez
Rioseco de Tapia
Finolledo
Losada
Arlanza
El Valle
Folgoso de la Ribera
Tremor de Abajo
Brañuelas
Culebros
Villameca
Villagatón
Abano
Morriondo
Ferreras
Villaviciosa de la Ribera
S. Román de los Caballeros
Llamas de la Ribera
Sariegos
Villaquilambre
Cabañas de la Dornilla
Cubillos del Sil
Congosto
S. Román
Albares
La Ribera
Bembibre
Almázcara
Castropodame
Torre del Bierzo
La Silva
Ucedo
Porquero
Suero de Cepeda
Riofrío
Quintanilla de Sollamas
Cimanes del Tejar
San Andrés del Rabanedo
Villabalter
Ferral del B.
Trobajo
La Virgen del C.
S. Miguel de las D.
Calamocos
Onamio
Turienzo Castañero
San Andrés de las Puentes
Manzanal del Puerto
Puerto de Manzanal
Castrillo de C.
Quintanilla del Monte
Carrizo de la Ribera
Montejos del C.
Valverde de la Virgen
San Miguel del C.
Ponferrada
Molinaseca
Paradasolana
Redondal
Santibañez de Monte
Rodrigatos de la Obispalia
Vanidodes
Vega de M.
Villamejil
La Milla del Río
Villanueva de C.
Armellada
Cogorderos
Veldedo
Salas de los B.
Riego de Ambros
Argañoso
Viforcos
Combarros
Magaz de Cepeda
Otero
Fontoria de C.
Antoñán del Valle
Quintanilla del V.
Turcia
Velilla de la Reina
Celadilla
Raneros
Santovenia de la Valdoncina
S. Esteban de V.
Acebo
Manjarín
Foncebadón
Rabanal del Camino
Brazuelo
Pradorrey
Brimeda
Villaobispo
Benavides
Sta Marina del Rey
Villadangos del Páramo
Chozas de Abajo
Cembranos
Ardoncino
Clemente de V.
Espinoso de C.
S. Cristóbal de V.
Sta Marina de S.
El Ganso
Castrillo de los Polvazares
Astorga
San Román de la V.
San Justo de la Vega
Villares de Órbigo
Hospital de Órbigo
San Martín del Camino
Villar de Mazarife
Montes de León
Andiñuela
Sta Colomba de Somoza
Pedredo
Murias
Bouzas
Becerril
Villar de Ciervos
Bustillo del Páramo
Fontecha
Mozondiga
Banuncias
San Cibrián de A.
Guiana
Peñalba de Santiago
Pobladura de la Sierra
Tabladillo
Val de San Román
Morales
Nistal
Veguellina de Órbigo
Acebes
Grisuela del P.
La Mata del P.
Valdevimbre
Cabeza de la Yegua
Alto El Morredero
El Morredero
Chana
Lucillo
Celada
Matalobos del P.
Posadilla
San Pedro Bercianos
Villagallegos
Molinaferrera
Valdespino de S.
Val de San Lorenzo
Riego de la Vega
Villagarcía
Villarín
Alto Las Portillinas
Sierra del Teleno
Filiel
Quintanilla de S.
Santiago Millas
Valderrey
Curillas
Luyego
Laguna de Somoza
Tejados
San Cristóbal de la Polantera
Huerga de F.
Mansilla del P.
Bercianos del P.
Villavañe
Odollo
Noceda
El Teleno
Villar de Golfer
Toral
Villazala
Urdiales del Páramo
Sta María del Páramo
Castrillo Cabrera
Saceda
Priaranza de la V.
Destriana
Robledo
Palacios de la Valduerna
Sta María de la Isla
Soto de la Vega
Valdefuentes del Páramo
Laguna Dalga
Villacalbiel
Castrillo de la Valduerna
Castrotierra
Corporales
Nogar
Tabuyo del Monte
Villalís
Soguillo
Quintanilla de Losada
Baillo
Pozos
Villamontán de la Valduerna
Ribas
La Bañeza
Pobladura de Pelayo García
Encinedo
Iruela
Truchas
Manzaneda
Torneros de J.
Quintana y Congosto
Jiménez de J.
Azares del P.
S. Martín de Torres
San Millán de los Caballeros
Eulalia de C.
Villarino
Cunas
Morla
Quintanilla de Flórez
Herreros de J.
Sta Elena de Jamuz
Cebrones del Río
Zotes del P.
Truchillas
Quintanilla de Yuso
Villar del Monte
Palacio de J.
Villanueva de J.
Roperuelos del Páramo
Villaestrigo
Laguna de Negrillos
Vizcodillo
Peña Negra
Torneros
La Portilla
Quintana del Marco
Valcavado
Algadefe
La Cabrera
Castrocontrigo
Nogarejas
Pinilla
Castrocalbón
Felechares
Genestacio
Cabañeros
Cazanuecos
La Antigua
Vega del Castillo
Pozuelo del P.
Grajal
Villamandos
Doney de la R.
Justel
San Esteban de Nogales
La Nora
Audanzas
Carbajalinos
Villarejo de la Sierra
Faramontanos de la Sierra
Donado
Villalverde
Alija del Infantado
Saludes de C.
San Adrián del Valle
Villaquejida
Santiago de la R.
Espadañedo
Monterrubio
Gusandanos
Muelas de los Caballeros
Cubo de Benavente
Congosta
Ayoó de V.
Villageriz
Alcubilla de Nogales
Coomonte
Pobladura del Valle
Matilla de Arzón
Cimanes de la Vega
Rosinos de la Requejada
Dornillas
Uña de Quintana
Fuente Encalada
Arrabalde
Maire de Castroponce
Fresno de la Polvorosa
Barione
Palacios de Sanabria
Rioconejos
Lanseros
Peque
S. Pedro de la Viña
Santibáñez de Vidriales
Bercianos de Vidriales
Villaferrueña
La Torre del Valle
Sta Colomba de las Carabias
Otero de S.
Lagarejos
Manzanal de los Infantes
Carballeda
Brime de Sog
Moratones
Sta María de la Vega
Morales de Rey
San Román
Villabrázaro
Cernadilla
Mombuey
Sta Eulalia
Valleluengo
San Pedro de Ceque
San Juanico el Nuevo
Pozuelo de V.
Granucillo
Brime de Urz
Quintanilla de Urz
Manganeses
San Cristóbal de Entreviñas
Valdemerilla
Valparaíso
Junquera de T.
Camarzana de Tera
Quiruelas
Sta Cristina
Valdescorriel
10
11
29
12
16

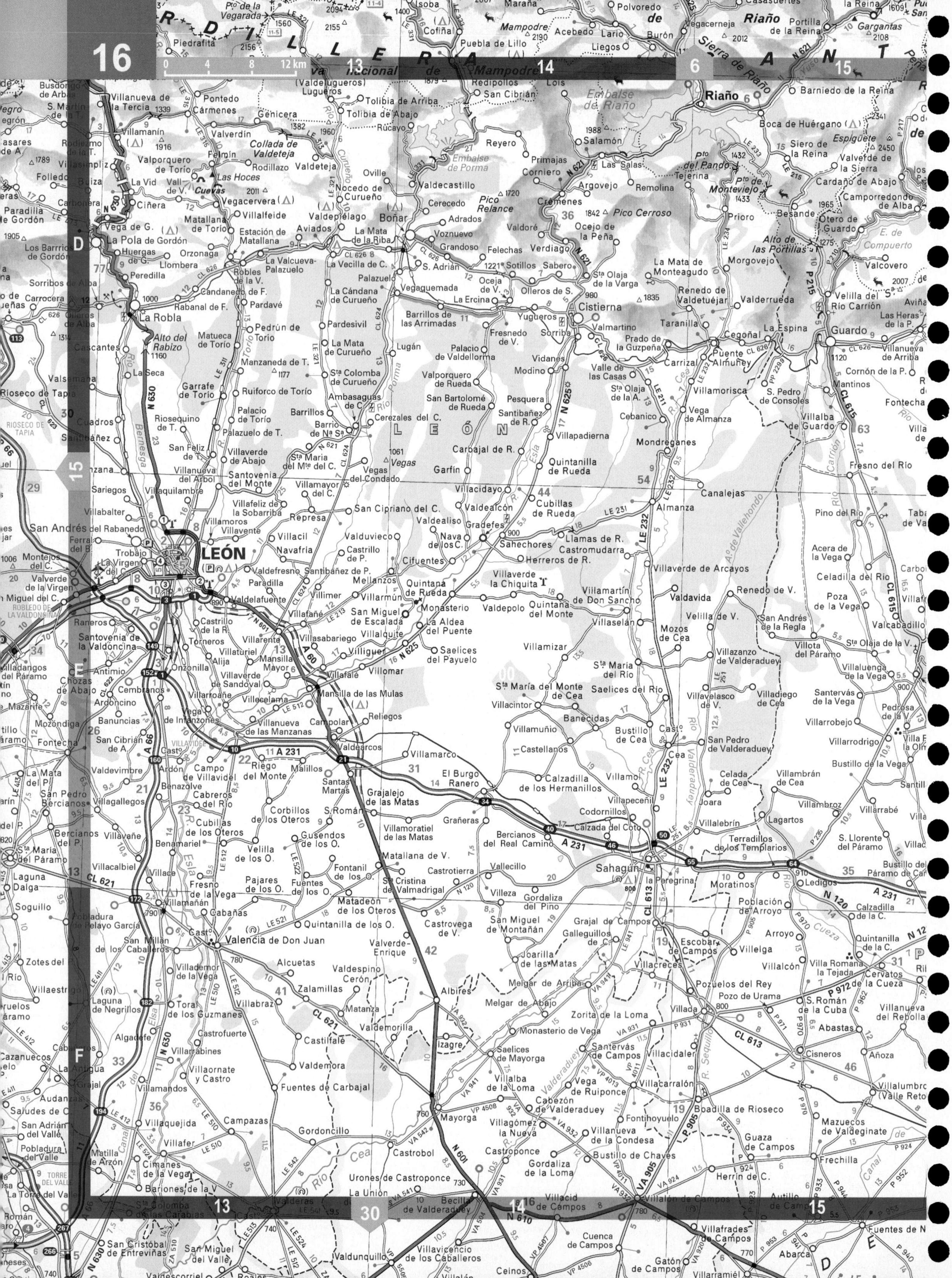

16
0 4 8 12 km
CORDILLERA CANTÁBRICA
13
14
6
15
LEÓN
Riaño
Embalse de Riaño
Embalse de Porma
Boñar
Cistierna
Guardo
La Pola de Gordón
La Robla
Villamanín
Puebla de Lillo
Isoba
Cofiñal
Burón
Lario
Acebedo
Salamón
Las Salas
Crémenes
Pico Cerroso
Pico Relance
Vegacervera
Matallana de Torío
Valdepiélago
Vegaquemada
La Ercina
Sabero
Yugueros
Sorriba
Almanza
Canalejas
Mansilla de las Mulas
Gradefes
Villaverde de Arcayos
Santa María del Monte de Cea
Cea
Sahagún
Grajal de Campos
Calzada del Coto
El Burgo Ranero
Bercianos del Real Camino
Villamarco
Valencia de Don Juan
Villamañán
Gordaliza del Pino
Melgar de Arriba
Melgar de Abajo
Villada
Cisneros
Mayorga
Saelices de Mayorga
Villalón de Campos
Valderas
Becilla de Valderaduey
Castroponce
Fuentes de Carbajal
Villaquejida
Villafer
Cimanes de la Vega
Barriones de la V.
Cervatos de la Cueza
Calzadilla de la C.
Moratinos
Ledigos
Terradillos de los Templarios
Villalumbroso (Valle Retortillo)
Mazuecos de Valdeginate
Guaza de Campos
Frechilla
Fuentes de Nava
Villafrades de Campos
Cuenca de Campos
Villavicencio de los Caballeros
Ceinos
Villalán
Roales
Valdescorriel
San Miguel del Valle
San Cristóbal de Entreviñas
Trobajo
Valverde de la Virgen
San Andrés del Rabanedo
Villaquilambre
Villarente
Puente Villarente
Valdelafuente
Onzonilla
Santovenia de la Valdoncina
Ardón
Benazolve
Villanueva de las Manzanas
Villasabariego
Quintana de Rueda
Cifuentes
Villamizar
Saelices del Río
Bustillo de Cea
Joara
Villalebrín
N 630
N 601
N 621
N 625
N 120
N 610
A 231
A 60
A 66
LE 232
CL 613
CL 615
CL 621
CL 626
P 215
VA 905
30

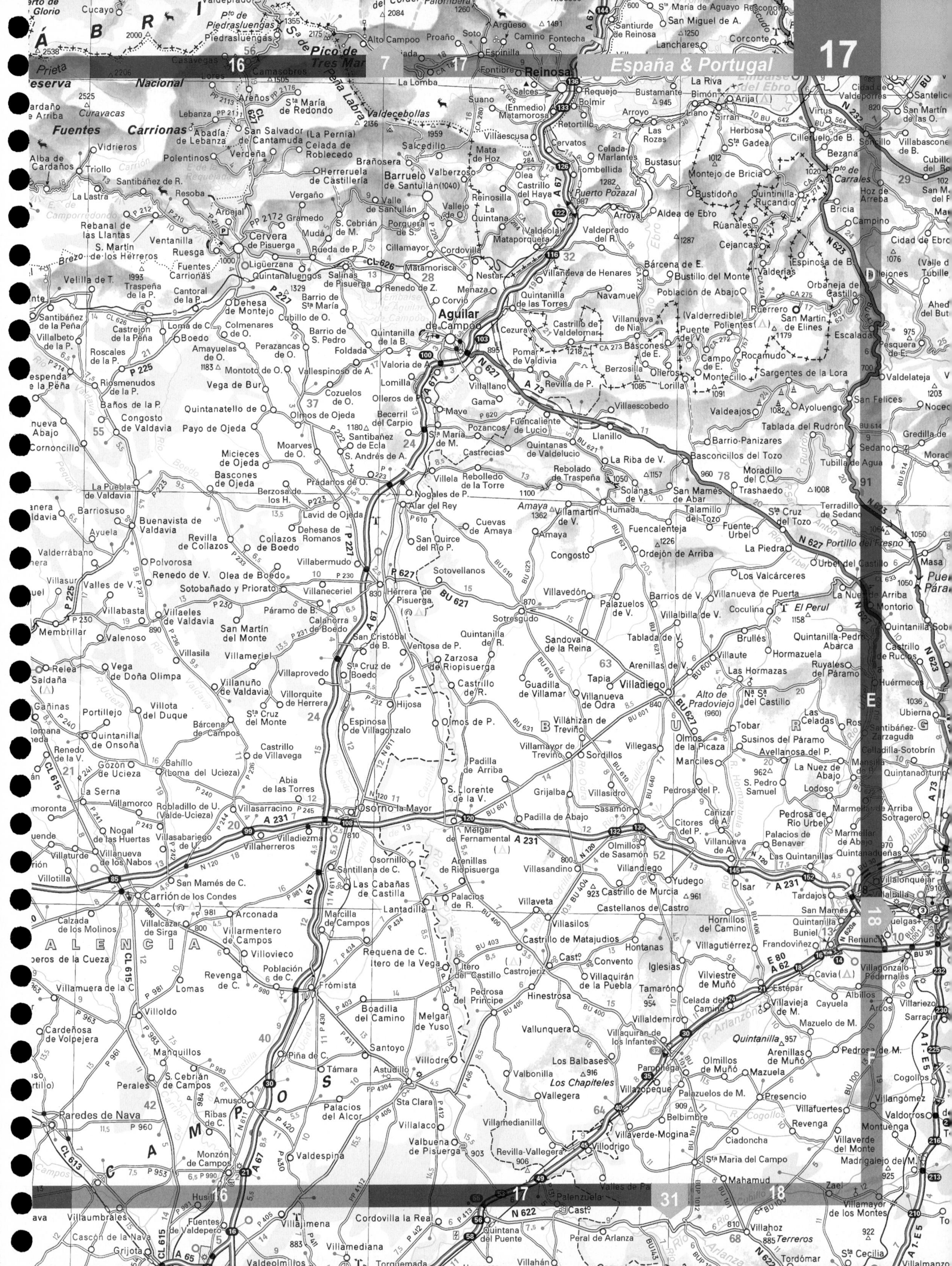
Reserva Nacional
Fuentes Carrionas
Piedrasluengas
Pico de Tres Mares
Peña Labra
Reinosa
Campoo
Valdeprado
Camasobres
Lebanza
San Salvador de Cantamuda
Vidrieros
Triollo
Cervera de Pisuerga
Barruelo de Santullán
Salinas de Pisuerga
Matamorisca
Aguilar de Campoo
Nestar
Mataporquera
Valdeolea
Arroyo
Bustasur
Villanueva de Henares
Cuena
Polientes
Orbaneja del Castillo
Escalada
Pesquera de Ebro
Sargentes de la Lora
San Felices
Basconcillos del Tozo
Villaescobedo
Lomilla
Olleros de Pisuerga
Villallano
Gama
Mave
Pozancos
Quintanas de Valdelucio
Llanillo
Rebolledo de la Torre
Alar del Rey
Nogales de Pisuerga
Prádanos de Ojeda
Olmos de Ojeda
Herrera de Pisuerga
Sotovellanos
Amaya
Humada
Fuencaliente
Villadiego
Sotresgudo
Sandoval de la Reina
Villanueva de Odra
Sordillos
Villegas
Olmos de la Picaza
Manciles
Tobar
Susinos del Páramo
Villamayor de Treviño
Padilla de Abajo
Padilla de Arriba
Sasamón
Melgar de Fernamental
Osorno la Mayor
Abia de las Torres
Villasarracino
Villaherreros
Villadiezma
Carrión de los Condes
San Mamés de C.
Arconada
Villarmentero de Campos
Marcilla de Campos
Requena de C.
Itero de la Vega
Frómista
Boadilla del Camino
Melgar de Yuso
Castrojeriz
Hinestrosa
Villaquirán de la Puebla
Castrillo de Matajudíos
Hontanas
Iglesias
Vilviestre de Muñó
Estépar
Celada del Camino
Villavieja de M.
Pampliega
Villazopeque
Villodrigo
Palazuelos de M.
Presencio
Villafuertes
Santa María del Campo
Mahamud
Tamara
Astudillo
Palacios del Alcor
Valbuena de Pisuerga
Villalaco
Villamedianilla
Revilla-Vallegera
Los Balbases
Vallegera
Los Chapiteles
Paredes de Nava
Perales
Monzón de Campos
Amusco
Ribas de C.
Piña de C.
Santoyo
Valdespina
Villoldo
Cardeñosa de Volpejera
Villamuera de la Cueza
Población de C.
Revenga de C.
Villaumbrales
Fuentes de Valdepero
Husillos
Grijota
Villajimena
Villamediana
Cordovilla la Real
Torquemada
Quintana del Puente
Palenzuela
Peral de Arlanza
Villahoz
Tordómar
Villamayor de los Montes
Zael
Madrigalejo del Monte
Villaverde del Monte
Montuenga
Villangómez
Revenga
Cogollos
Sarracín
Arcos
Villariezo
Albillos
Cavia
Buniel
Tardajos
Villalonquejar
Huérmeces
Ubierna
Sotragero
Quintanilla-Sobresierra
Montorio
Masa
Urbel del Castillo
La Piedra
Fuente-Urbel
Talamillo del Tozo
Sta Cruz del Tozo
Terradillos de Sedano
Sedano
Tubilla de Agua
Valdelateja
Ayoluengo
Valdeajos
Barrio-Panizares
Tablada del Rudrón
Espinosa de Bricia
Cejancas
Rucandio
Quintanilla-Rucandio
Bustidoño
Montejo de Bricia
Arija
Llano
Herbosa
Virtus
Cilleruelo de Bezana
Bezana
Puerto de Carrales
Hoz de Arreba
Bricia
Campino
Cidad de Ebro
Valdeporres
Santelices
San Martín de las Ollas
Villabascones de B.
Cubillo del Rojo
Pto de Piedrasluengas
Puerto Pozazal
Alto de Pradoviejo (960)
El Perul
Portillo del Fresno
Embalse de Aguilar de Campoo
Embalse del Ebro
Páramo de Masa
R. Arlanzón
R. Arlanza
Á B R I
P A L E N C I A
C A M P O S
B U R G O S
N 627
N 623
N 611
N 120
N 622
N 232
A 67
A 73
A 231
A 62
E 80
E 5
CL 626
CL 615
CL 613
BU 627
BU 601
16
17
18
31

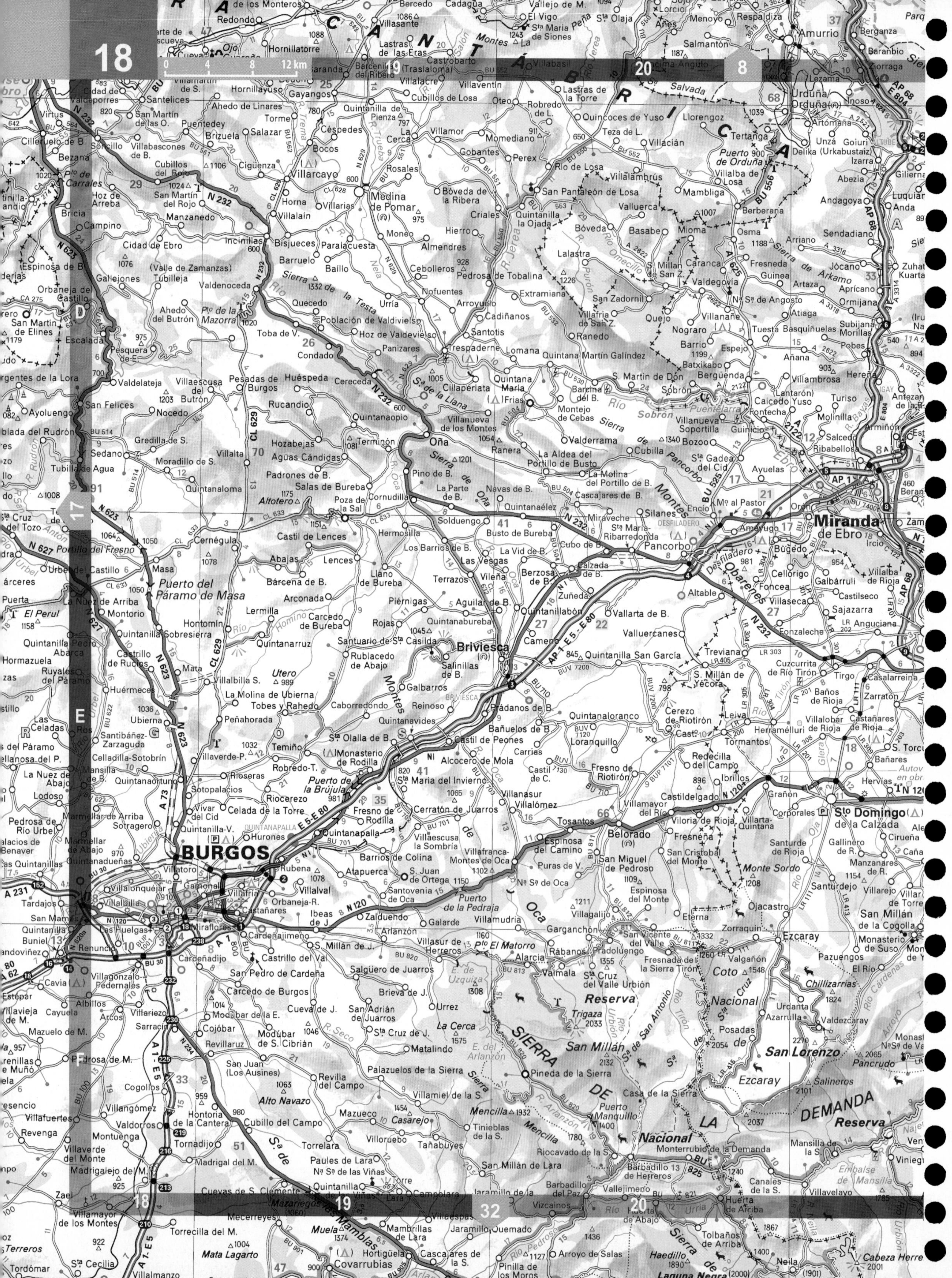
18
0 4 8 12 km
19
20
8
Bercedo
Cadagua
Vallejo de M.
Sta Olaja
Añes
Menoyo
Respaldiza
Amurrio
Redondo
Villasante
Lastras de las Eras
Castrobarto
Hornillatorre
Salmantón
Hornillayuso
Cubillos de Losa
Villaventín
Lastras de la Torre
Salvada
Urduña
Orduña
Santelices
Gayangos
Oteo
Robredo de L.
Quincoces de Yuso
Llorengoz
Ahedo de Linares
Torme
Quintanilla de Pienza
Villamor
Momediano
Teza de L.
Villacián
Tertanga
Artómaña
Unzá
Goiuri
Cilleruelo de B.
Soncillo
Villabascones de B.
Brizuela
Salazar
Céspedes
Bocos
Gobantes
Perex
Puerto de Orduña
Delika (Urkabustaiz)
Bezana
Pto de Carrales
Cubillos del Rojo
Cigüenza
Villarcayo
Rosales
Río de Losa
Villalambrús
Villalba de Losa
Izarra
San Martín del Rojo
Medina de Pomar
Bóveda de la Ribera
San Pantaleón de Losa
Mambliga
Abezia
Hoz de Arreba
Horna
Villarias
Valluerca
Berberana
Andagoya
Luquiar
Anda
Bricia
Manzanedo
Villalaín
Criales
Quintanilla la Ojada
Campino
Bisjueces
Moneo
Hierro
Bóveda
Basabe
Mioma
Osma
Arriano
Sendadiano
Cidad de Ebro
Incinillas
Paralacuesta
Almendres
Lalastra
Caranca
Fresneda
Jócano
Espinosa de B.
Valle de Zamanzas
Tubilleja
Barruelo
Baíllo
Cebolleros
Pedrosa de Tobalina
S. Millán de San Z.
Valdegovía
Guinea
Zuhatza
Kuartango
Gallejones
Valdenoceda
Sierra de la Testa
Nofuentes
Extramiana
Artaza
Aprícano
Orbaneja del Castillo
Quecedo
Urria
Arroyuelo
San Zadornil
Nª Sª de Angosto
Ormijana
Ahedo del Butrón
Pto de la Mazorra
Población de Valdivielso
Cadiñanos
Villafría de San Z.
Quejo
Villanañe
Atiaga
San Martín de Elines
Toba de V.
Hoz de Valdivielso
Santotis
Ranedo
Nograro
Tuesta
Basquiñuelas
Subijana-Morillas
Escalada
Pesquera de E.
Panizares
Trespaderne
Lomana
Barrio
Espejo
Pobes
Condado
Quintana-Martín Galíndez
Batxikabo
Añana
Cillaperlata
Quintana María
Frías
S. Martín de Don
Bergüenda
Villambrosa
Hereña
Valdelateja
Villaescusa del Butrón
Pesadas de Burgos
Huéspeda
Cereceda
Sª de la Llana
Barcina del B.
Sobrón
Lantarón
Caicedo Yuso
Turiso
San Felices
Nocedo
Rucandio
Quintanaopio
Villanueva de los Montes
Montejo de Cebas
Sierra
Puentelarrá
Fontecha
Molinilla
Ayoluengo
Villanueva Soportilla
Guinicio
Salcedo
Rioblada del Rudrón
Gredilla de S.
Hozabejas
Terminón
Oña
Ranera
Valderrama
Bozoo
Ribabellosa
Armiñón
Sedano
Villalta
Aguas Cándidas
Sierra de Oña
La Aldea del Portillo de Busto
Cubilla
Sta Gadea del Cid
Moradillo de S.
Padrones de B.
Pino de B.
La Molina del Portillo de B.
Ayuelas
Tubilla de Agua
Quintanaloma
Salas de Bureba
Cornudilla
La Parte de B.
Navas de B.
Cascajares de B.
Montes
Altotero
Poza de la Sal
Quintanaélez
Mº al Pastor
Miranda de Ebro
Orón
Cruz del Tozo
Castil de Lences
Hermosilla
Solduengo
Busto de Bureba
Miraveche
Silanes
Desfiladero
Ameyugo
Bugedo
Portillo del Fresno
Cernégula
Los Barrios de B.
Sta María-Ribarredonda
Pancorbo
Ircio
Masa
Abajas
Lences
Las Vesgas
La Vid de B.
Cubo de B.
Desfiladero de Obarenes
Urbel del Castillo
Llano de Bureba
Terrazos
Vileña
Berzosa de B.
Calzada de B.
Cellorigo
Galbárruli
Villalba de Rioja
Puerto del Páramo de Masa
Bárcena de B.
Zuñeda
Altable
Foncea
Castilseco
El Perul
La Nuez de Arriba
Montorio
Arconada
Piérnigas
Aguilar de B.
Quintanillabón
Vallarta de B.
Villaseca
Sajazarra
Lermilla
Carcedo de Bureba
Rojas
Quintanabureba
Anguciana
Hontomín
Quintanilla Pedro Abarca
Quintanilla Sobresierra
Quintanarruz
Santuario de Sta Casilda
Briviesca
Cameno
Valluercanes
Fonzaleche
Hormazuela
Castrillo de Rucios
Mata
Rublacedo de Abajo
Salinillas de B.
Quintanilla San García
Treviana
Cuzcurrita de Río Tirón
Tirgo
Casalarreina
Ruyales del Páramo
Villalbilla S.
Utero
La Molina de Ubierna
Galbarros
S. Millán de Yécora
Zarratón
Huérmeces
Tobes y Rahedo
Caborredondo
Reinoso
Prádanos de B.
Baños de Rioja
Ubierna
Peñahorada
Quintanavides
Bañuelos de B.
Quintanaloranco
Cerezo de Riotirón
Leiva
Herramélluri
Villalobar de Rioja
Castañares de Rioja
Las Celadas
Santibáñez-Zarzaguda
Sta Olalla de B.
Castil de Peones
Loranquillo
Castildelgado
Tormantos
Celladilla-Sotobrín
Villaverde-P.
Temiño
Monasterio de Rodilla
Alcocero de Mola
Carrias
Redecilla del Campo
Bañares
Páramo
La Nuez de Abajo
Mansilla de B.
Quintanaortuño
Rioseras
Robredo-T.
Puerto de la Brújula
Sta María del Invierno
Castil de C.
Fresno de Riotirón
Ibrillos
Grañón
Hervías
Lodoso
Sotopalacios
Riocerezo
Fresno de Rodilla
Cerratón de Juarros
Villanasur
Villalómez
Villamayor del Río
Corporales
Sto Domingo de la Calzada
Pedrosa de Río Urbel
Marmellar de Arriba
Sotragero
Vivar del Cid
Celada de la Torre
Quintanapalla
Villaescusa la Sombría
Tosantos
Belorado
Viloria de Rioja
Villarta-Quintana
Santurde de Rioja
Gallinero de R.
Cirueña
Marmellar de Abajo
Quintanilla-V.
Hurones
Villafranca-Montes de Oca
Espinosa del Camino
Fresneña
San Cristóbal del Monte
Manzanares de R.
Quintanadueñas
BURGOS
Rubena
Barrios de Colina
San Miguel de Pedroso
Monte Sordo
Villatoro
Atapuerca
S. Juan de Ortega
Puras de V.
Santurdejo
Villarejo
Villalonquéjar
Gamonal
Villafría
Villalval
Santovenia de Oca
Nª Sª de Oca
Espinosa del Monte
Ojacastro
San Millán de la Cogolla
Tardajos
Villalbilla
Orbaneja-R.
Puerto de la Pedraja
Villamudria
Villagalijo
San Mamés
Castañares
Ibeas de J.
Zalduendo
Galarde
Eterna
Quintanilla
Buniel
Las Huelgas
Miraflores
Cardeñajimeno
Arlanzón
Garganchón
San Vicente del Valle
Zorraquín
Ezcaray
Monasterio de Suso
Renuncio
Castrillo del Val
S. Millán de J.
Villasur de Herreros
Pto El Matorro
Alarcia
Rábanos
Pradoluengo
Valgañón
Pazuengos
Villagonzalo-Pedernales
Cardeñadijo
San Pedro de Cardeña
Salgüero de Juarros
E. de Uzquiza
Valmala
Fresneda de la Sierra Tirón
El Río
Cavia
Estépar
Albillos
Carcedo de Burgos
Brieva de J.
Sta Cruz del Valle Urbión
Coto
Chillizarrias
Villavieja de M.
Cayuela
Arcos
Villariezo
Modúbar de la E.
Cueva de J.
San Adrián de Juarros
Urrez
Reserva
Trigaza
Nacional
Urdanta
Azarrulla
Valdezcaray
Mazuelo de M.
Sarracín
Cojóbar
Modúbar de S. Cibrián
Sta Cruz de J.
La Cerca
Sierra de San Antonio
Posadas
Monasterio
NªSª de Valvanera
Revillarruz
Matalindo
San Millán
de San Lorenzo
Pancrudo
Pedrosa de M.
E. del Arlanzón
Sª de San Lorenzo
San Juan (Los Ausines)
Palazuelos de la Sierra
SIERRA
Pineda de la Sierra
Ezcaray
Salineros
Cogollos
Revilla del Campo
Alto Navazo
DE
Casa de la Sierra
DEMANDA
Reserva
Presencio
Villafuertes
Villangómez
Hontoria de la Cantera
Cubillo del Campo
Mazueco
Villamiel de la S.
Mencilla
Puerto Manquillo
LA
Revenga
Montuenga
Valdorros
Casarejo
Villoruebo
Tinieblas de la S.
Mencilla
Nacional
Mansilla de la S.
Villaverde del Monte
Tornadijo
Torrelara
Tañabueyes
Riocavado de la S.
Monterrubio de la Demanda
Madrigalejo del M.
Madrigal del M.
Paules de Lara
Nª Sª de las Viñas
San Millán de Lara
Barbadillo de Herreros
Embalse de Mansilla
Quintanilla de las Viñas
Torre
Campolara
Barbadillo del Pez
Vallejimeno
Huerta de Arriba
Canales de la S.
Villavelayo
Zael
Cuevas de S. Clemente
Mazariegos
Jaramillo de la
Vizcaínos
Huerta de Abajo
Villamayor de los Montes
Mecerreyes
Las Mamblas
Villaespasa
Jaramillo Quemado
Sierra de
Torrecilla del M.
Muela
Mambrillas de Lara
Tolbaños de Arriba
Terrosos
Mata Lagarto
Hortigüela
Covarrubias
Cascajares de la S.
Arroyo de Salas
Haedillo
Neila
Cabeza Herrera
Sta Cecilia
Tordómar
Villalmanzo
Pinilla de los Moros
Laguna Negra
32
N 232
N 623
N 627
N 120
N 234
AP-1
E 5-E 80
A 1
A 73
AP 68
CL 629
CL 633

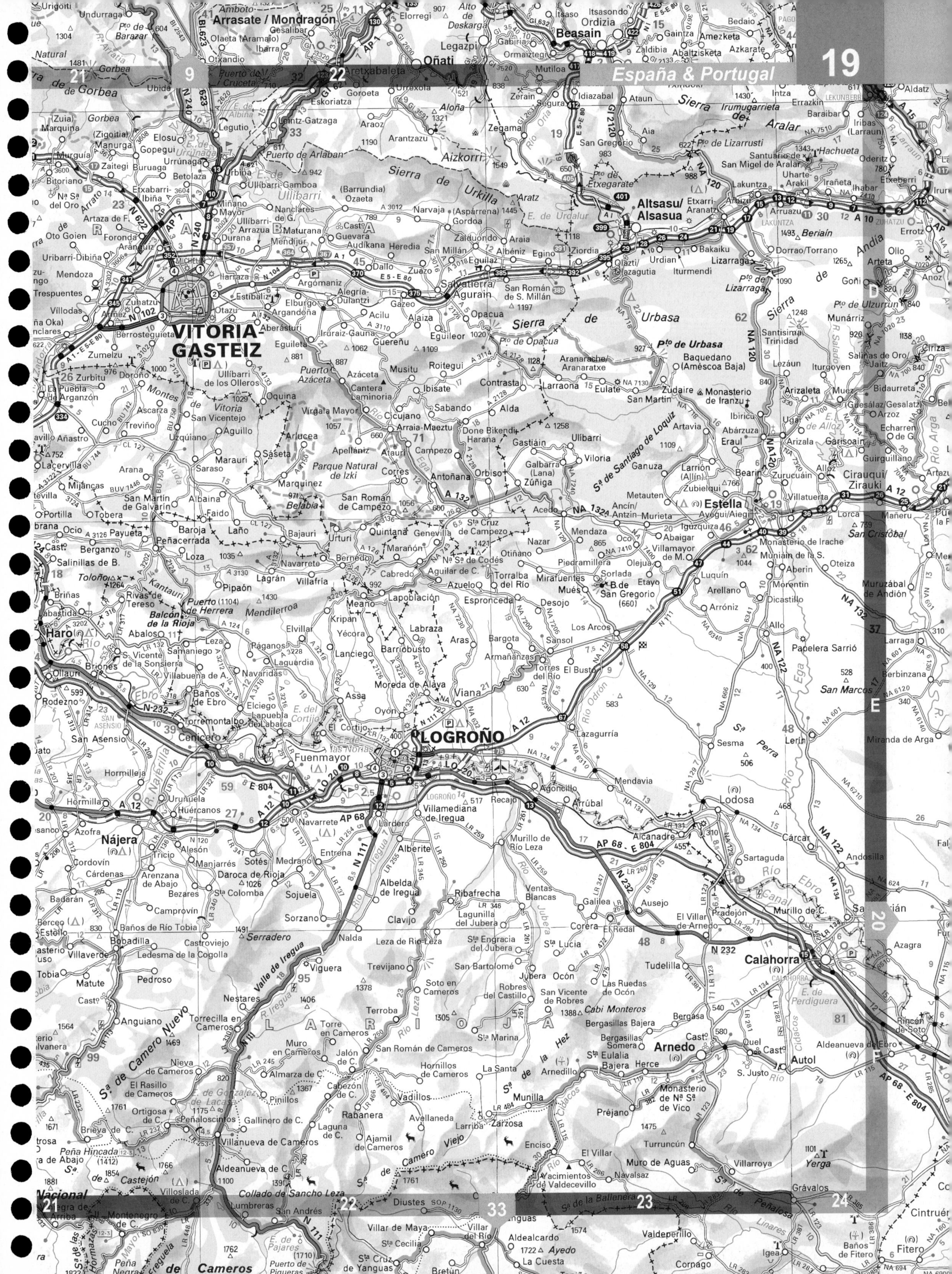
España & Portugal
19
Arrasate / Mondragón
Oñati
Legazpi
Beasain
Ordizia
Sierra de Aralar
Aizkorri
Sierra de Urkilla
Puerto de Arlaban
Altsasu/ Alsasua
Salvatierra/ Agurain
VITORIA-GASTEIZ
Sierra de Urbasa
Pto de Urbasa
Pto de Opacua
Montes de Vitoria
Parque Natural de Izki
Sierra de Andía
Pto de Lizarrusti
Pto de Etxegarate
Pto de Lizarraga
Pto de Ulzurrun
Estella
Monasterio de Irache
Monasterio de Iranzu
Sa de Santiago de Loquiz
Los Arcos
Viana
Haro
Labastida
Balcón de la Rioja
Puerto de Herrera
Mendilerroa
Laguardia
Cenicero
Fuenmayor
LOGROÑO
Navarrete
Nájera
Lodosa
Sesma
Sa Perra
Lerín
Mendavia
Calahorra
Arnedo
Autol
Alcanadre
Sa de la Hez
Valle de Iregua
Sa de Camero Nuevo
Camero Viejo
Sa de la Ballenera
Sa de Peñalosa
Collado de Sancho Leza
Villanueva de Cameros
Torrecilla en Cameros
Nestares
Viguera
Albelda de Iregua
Clavijo
Munilla
Enciso
Yacimientos de Valdecevillo
Yerga
Fitero
Villarroya
Grávalos
Cintruénigo
San Asensio
Briones
Elciego
Lapuebla de Labarca
Oyón
Agoncillo
Arrúbal
Ausejo
Murillo de Río Leza
Ribafrecha
Anguiano
Ezcaray
Aldeanueva de Ebro
Rincón de Soto
Lumbreras
Villoslada de Cameros
Montenegro de Cameros
Puerto de Piqueras
Peña Hincada
Peña Negra
Cameros
Miranda de Arga
Papelera Sarrió
San Cristóbal
Cirauqui/ Zirauki
Salinas de Oro/ Jaitz
Muruzábal de Andión
AP 68 - E 804
N 232
A 12
N 111
A 1 E 5 - E 80
N 240
N 622
NA 132
NA 122
NA 120
LA RIOJA
20
21
22
23
24
33
9

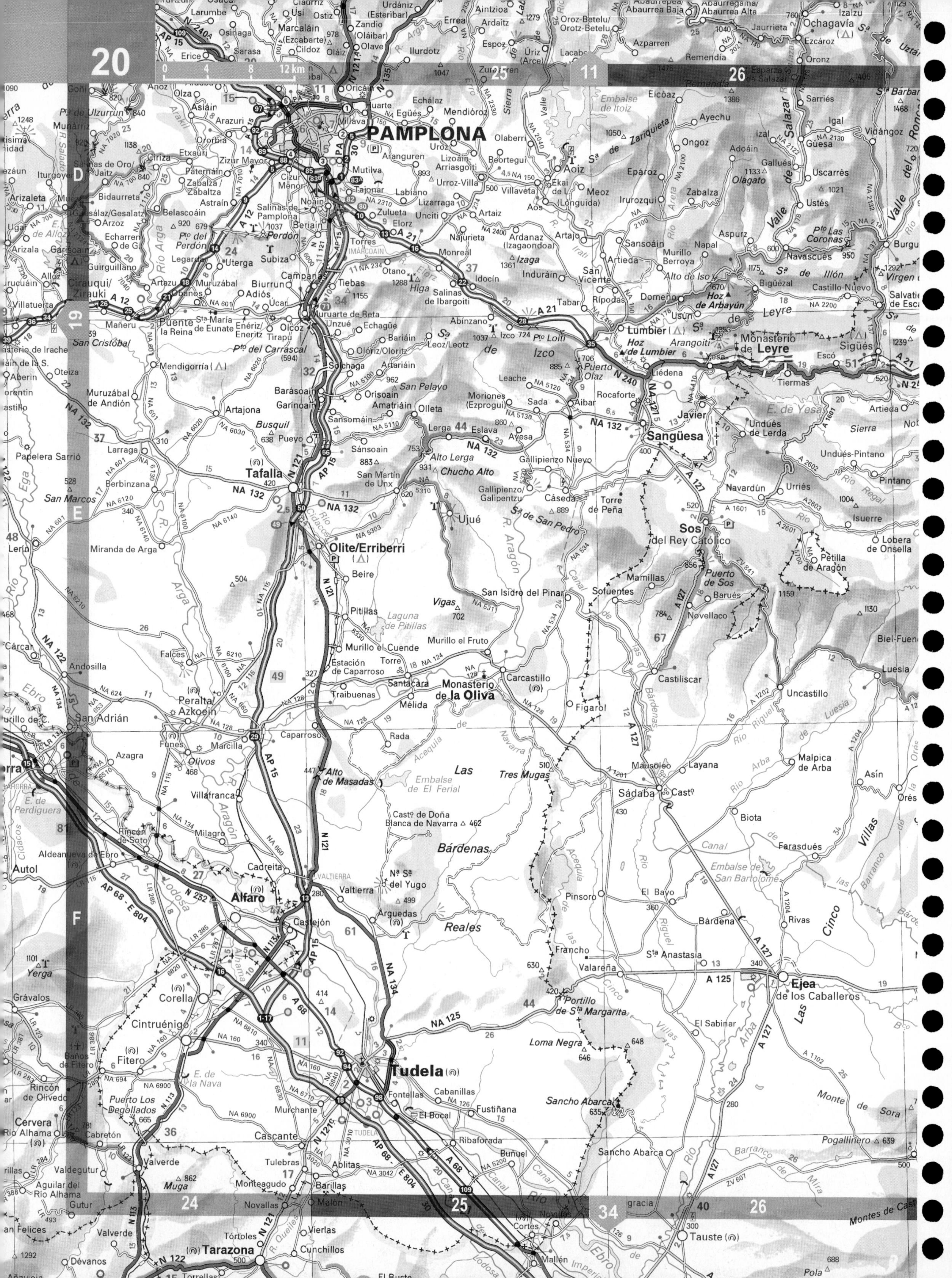

PAMPLONA
Huarte
Villava
Egüés
Aranguren
Mutilva
Noáin
Zizur Mayor
Cizur Menor
Salinas de Pamplona
Beriain
Campanas
Tiebas
Muruarte de Reta
Puente la Reina
Sta María de Eunate
Cirauqui/Zirauki
Villatuerta
San Cristóbal
Mendigorría
Artajona
Larraga
Lerín
Miranda de Arga
Tafalla
Olite/Erriberri
Beire
Pitillas
Laguna de Pitillas
Murillo el Cuende
Murillo el Fruto
Estación de Caparroso
Santacara
Monasterio de la Oliva
Carcastillo
Mélida
Caparroso
Traibuenas
Falces
Peralta/Azkoien
Marcilla
Funes
Andosilla
San Adrián
Azagra
Villafranca
Milagro
Cadreita
Valtierra
Arguedas
Castejón
Alfaro
Corella
Cintruénigo
Fitero
Tudela
Fontellas
Cabanillas
Fustiñana
Ribaforada
Buñuel
Murchante
Cascante
Tulebras
Ablitas
Barillas
Monteagudo
Novallas
Malón
Vierlas
Cunchillos
Tórtoles
Tarazona
Cortes
Mallén
Tauste
Ejea de los Caballeros
Sádaba
Layana
Biota
Malpica de Arba
Uncastillo
Luesia
Castiliscar
Sos del Rey Católico
Sangüesa
Javier
Liédena
Lumbier
Hoz de Lumbier
Monasterio de Leyre
Yesa
Aoiz
Ujué
San Martín de Unx
Cáseda
Gallipienzo/Galipentzu
Bárdenas Reales
Embalse de El Ferial
Tres Mugas
Sancho Abarca
Loma Negra
Portillo de Sta Margarita
Valareña
Pinsoro
El Bayo
Bardena
Sta Anastasia
Embalse de San Bartolomé
Farasdués
Cinco Villas
Ochagavía
Valle de Salazar
Sa de Leyre
Embalse de Yesa
Sa de Izco
Sa de San Pedro
Olagato
Navascués
Burgui
Isaba
Valle del Roncal
AP 15
AP 68 - E 804
A 21
A 12
A 15
A 68
A 125
A 127
N 121
N 232
N 240
NA 132
NA 134

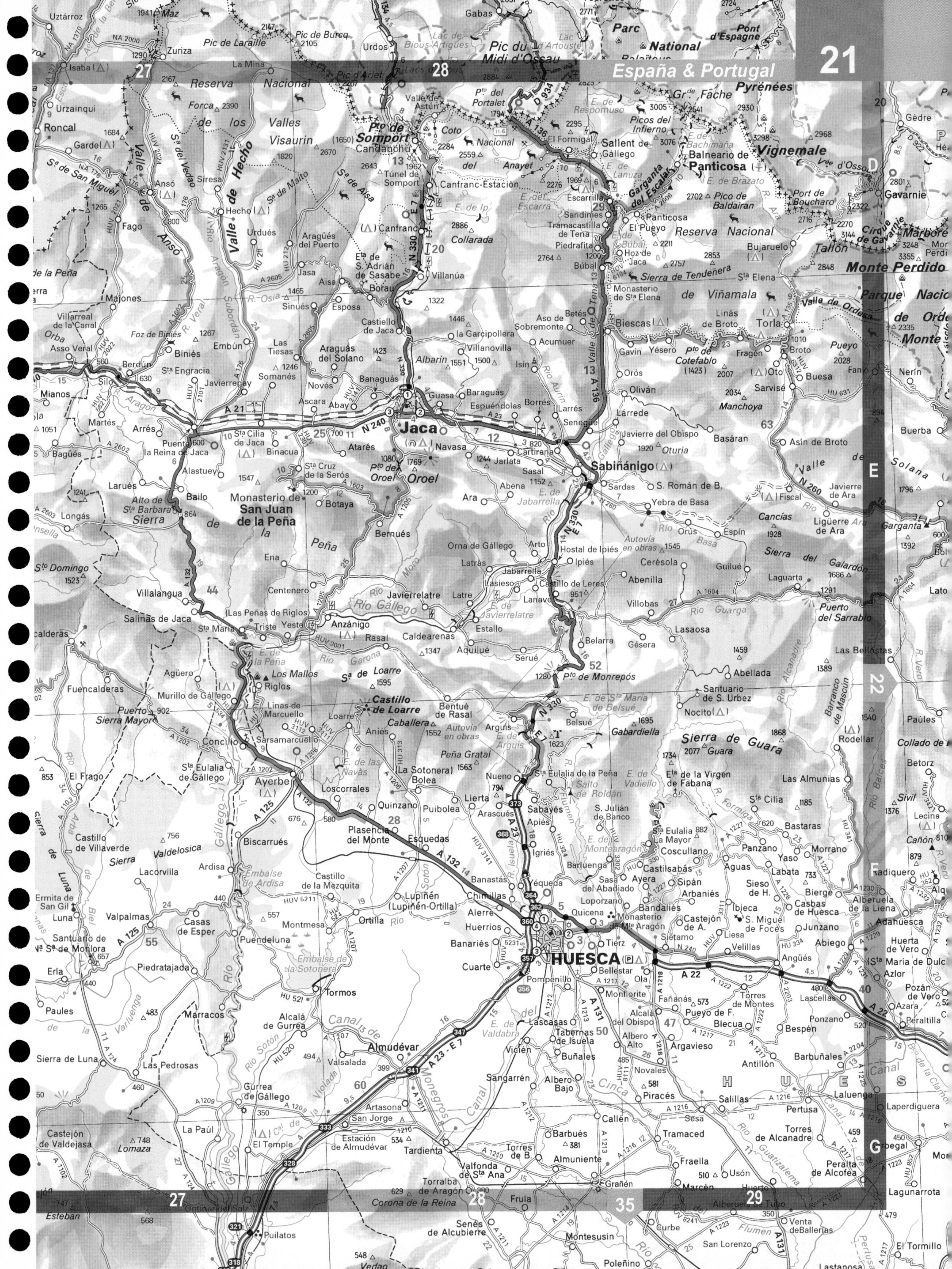
Uztárroz
Isaba
Zuriza
Pic de Laraille
Pic de Burcq
Urdos
Gabas
Pic du Midi d'Ossau
Parc National
Pont d'Espagne
Reserva Nacional de los Valles
Urzainqui
Roncal
Garde
Forca
Visaurin
Pto de Somport
Candanchú
Túnel de Somport
Canfranc-Estación
Coto Nacional del Anayet
El Formigal
Sallent de Gállego
Balneario de Panticosa
Vignemale
Gavarnie
Garganta del Escalar
Escarrilla
Sandiniés
Tramacastilla de Tena
Piedrafita
Búbal
Hoz de Jaca
Panticosa
El Pueyo
Reserva Nacional
Bujaruelo
Cirque de Gavarnie
Marboré
Tallón
Monte Perdido
Ansó
Fago
Hecho
Valle de Hecho
Valle de Ansó
Siresa
Urdués
Aragüés del Puerto
Canfranc
Collarada
Villanúa
Jasa
Aisa
Borau
Esposa
Sinués
Majones
Villarreal de la Canal
Biniés
Embún
Berdún
Sta Engracia
Javierregay
Las Tiesas
Somanés
Araguás del Solano
Castiello de Jaca
la Garcipollera
Villanovilla
Albarín
Acumuer
Isín
Aso de Sobremonte
Biescas
Linás de Broto
Torla
Broto
Fragén
Pto de Cotefablo
Gavín
Yésero
Orós
Oliván
Oto
Buesa
Sarvisé
Fanlo
Nerín
Manchoya
Larrede
Javierre del Obispo
Oturia
Basarán
Asín de Broto
Buerba
Valle de Solana
Mianos
Silo
Martés
Arrés
Puente la Reina de Jaca
Bagüés
Novés
Banaguás
Abay
Ascara
Guasa
Baraguás
Espuéndolas
Borrés
Larrés
Senegüé
Jaca
Navasa
Atarés
Binacua
Sta Cilia de Jaca
Sta Cruz de la Serós
Pto de Oroel
Oroel
Jarlata
Cartirana
Sabiñánigo
Sardas
S. Román de B.
Yebra de Basa
Fiscal
Javierre de Ara
Larués
Alastuey
Bailo
Alto de Sta Barbara
Monasterio de San Juan de la Peña
Botaya
Sierra de la Peña
Longás
Sto Domingo
Bernués
Abena
Sasal
Ara
Arto
Orna de Gállego
Latrás
Hostal de Ipiés
Ipiés
Orús
Espín
Cancías
Ligüerre de Ara
Garganta
Sierra del Galardón
Cerésola
Guilué
Ena
Centenero
Javierrelatre
Latre
Jabarrella
Lasieso
Castillo de Leres
Lanave
Abenilla
Villobas
Laguarta
Puerto del Sarrablo
Lato
Villalangua
Salinas de Jaca
Sta María
Triste
Yeste
Anzánigo
Rasal
Caldearenas
Estallo
Aquilué
Serué
Belarra
Gésera
Lasaosa
Las Bellostas
Abellada
Agüero
Los Mallos
Riglos
Sa de Loarre
Pto de Monrepós
Santuario de S. Urbez
Nocito
Fuencalderas
Murillo de Gállego
Puerto Sierra Mayor
Linas de Marcuello
Loarre
Castillo de Loarre
Caballera
Bentué de Rasal
Arguis
Belsué
Gabardiella
Sierra de Guara
Guara
Rodellar
Paúles
Collado de R.
Concilio
Sarsamarcuello
Aniés
Peña Gratal
El Frago
Sta Eulalia de Gállego
Ayerbe
Loscorrales
Bolea
Quinzano
Puibolea
Nueno
Sta Eulalia de la Peña
Salto de Roldán
Ea de la Virgen de Fabana
Las Almunias
Betorz
Sta Cilia
Lierta
Arascués
Sabayés
S. Julián de Banco
Sivil
Lecina
Castillo de Villaverde
Biscarrués
Plasencia del Monte
Esquedas
Apiés
Sta Eulalia la Mayor
Bastaras
Cañón
Sierra Valdelosica
Igriés
Coscullano
Panzano
Yaso
Morrano
Lacorvilla
Ardisa
Embalse de Ardisa
Castillo de la Mezquita
Banastás
Barluenga
Castilsabás
Aguas
Labata
Radiquero
Yéqueda
Sasa del Abadiado
Ayera
Sipán
Sieso de H.
Bierge
Ermita de San Gil
Luna
Valpalmas
Casas de Esper
Lupiñén (Lupiñén-Ortilla)
Chimillas
Arbaniés
Alberuela de la Liena
Ortilla
Alerre
Loporzano
Bandaliés
Ibieca
Casbas de Huesca
Montmesa
Huerrios
Quicena
Monasterio de Mte Aragón
Castejón de A.
S. Miguel de Foces
Junzano
Adahuesca
Santuario de Na Sa de Monlora
Puendeluna
Banariés
Tierz
Siétamo
Liesa
Velillas
Abiego
Huerta de Vero
Sta María de Dulcis
Azlor
Embalse de la Sotonera
Cuarte
HUESCA
Bellestar
Ola
Angüés
Erla
Piedratajada
Tormos
Pompenillo
Monflorite
Fañanás
Torres de Montes
Lascellas
Pozán de Vero
Azara
Peraltilla
Paules
Marracos
Alcalá de Gurrea
Lascasas
Alcalá del Obispo
Pueyo de F.
Blecua
Ponzano
Bespén
Tabernas de Isuela
Albero Alto
Argavieso
Sierra de Luna
Las Pedrosas
Almudévar
Valsalada
Vicién
Buñales
Antillón
Barbuñales
Sangarrén
Albero Bajo
Novales
Piracés
Salillas
Laluenga
Laperdiguera
Gurrea de Gállego
Artasona
San Jorge
Callén
Sesa
Pertusa
Castejón de Valdejasa
Lomaza
La Paúl
El Temple
Estación de Almudévar
Tardienta
Barbués
Almuniente
Tramaced
Torres de Alcanadre
Grogal
Torres de B.
Valfonda de Sta Ana
Fraella
Usón
Peralta de Alcofea
Lagunarrota
Torralba de Aragón
Grañén
Marcén
Huerto
Esteban
Ontinar del Salz
Corona de la Reina
Frula
Alberuela de Tubo
Venta de Ballerías
Senés de Alcubierre
Montesusín
Curbe
San Lorenzo
El Tormillo
Puilatos
Vedao
Poleñino
Lastanosa
Pyrénées
Gr de Fache
Picos del Infierno
Port de Boucharo
Pico de Baldairan
Sierra de Tendeñera
Sta Elena
Monasterio de Sta Elena
de Viñamala
Valle de Ordesa
Parque Nacional de Ordesa
Monte Perdido
Gèdre
27
28
35
29
22
20

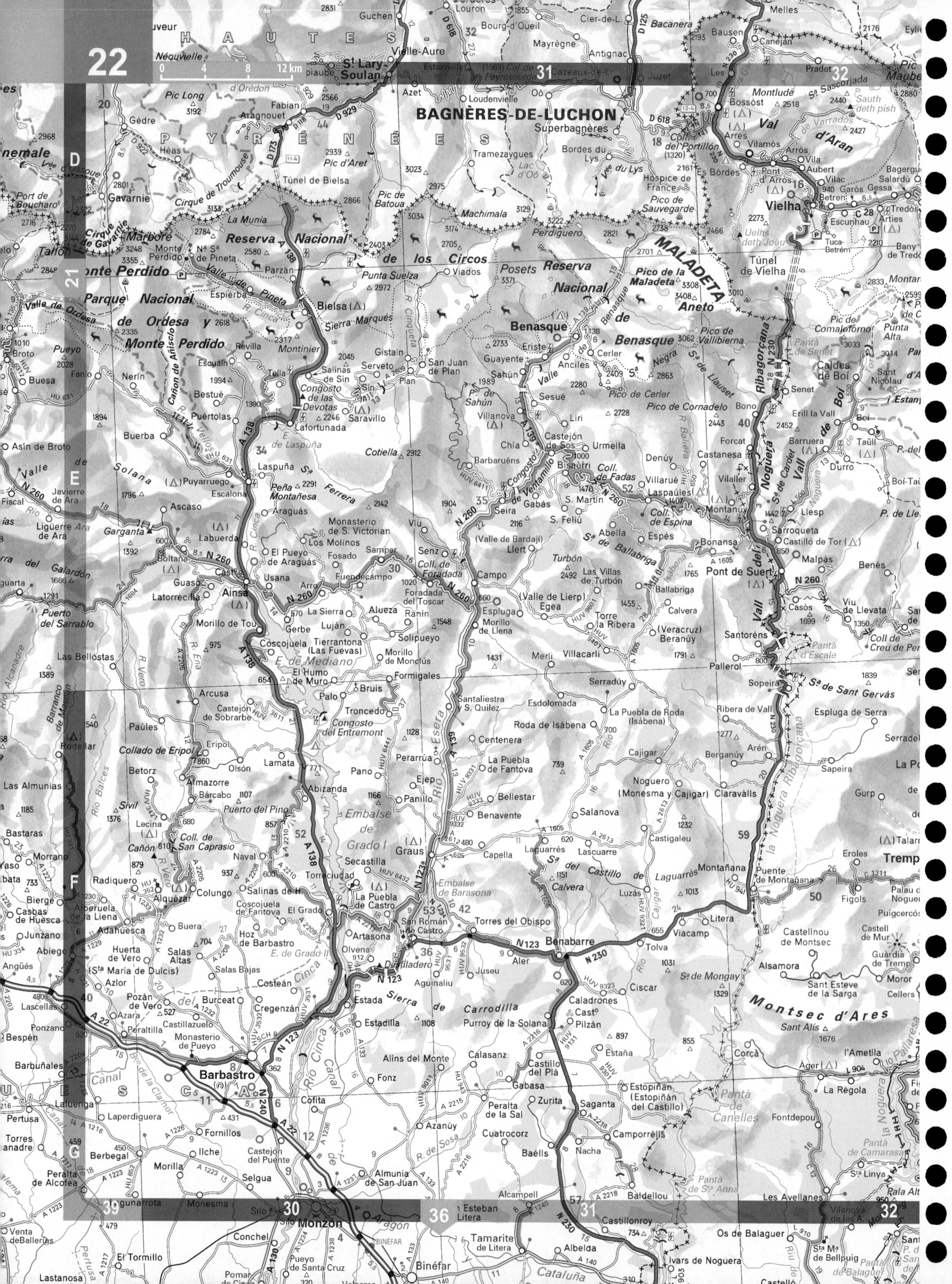

22
HAUTES - PYRÉNÉES
BAGNÈRES-DE-LUCHON
St Lary Soulan
Vielle-Aure
Superbagnères
Gavarnie
Túnel de Bielsa
Cirque de Troumouse
Cirque de Gavarnie
Marboré
Monte Perdido
Reserva Nacional de los Circos
Parque Nacional de Ordesa y Monte Perdido
Bielsa
Sierra Marqués
Posets
Reserva Nacional de Benasque
MALADETA
Pico de la Maladeta
Aneto
Benasque
Val d'Aran
Vielha
Bossòst
Túnel de Vielha
Ribagorçana
Vall de Boí
Caldes de Boí
Pic de Comaloforno
Senet
Vall del Noguera Ribagorçana
Pont de Suert
Sopeira
Sª de Sant Gervás
Pico de Cerler
Pico de Cornadelo
Castejón de Sos
Coll. de Fadas
Coll. de Espina
Sª de Ballabriga
Turbón
Congosto de Ventamillo
Campo
Foradada del Toscar
Peña Montañesa
Sª Ferrera
Cotiella
Laspuña
Lafortunada
Ainsa
Boltaña
Puerto del Sarrablo
Valle de Solana
E. de Mediano
El Humo de Muro
Congosto del Entremont
Graus
Embalse de Grado I
Embalse de Barasona
La Puebla de Castro
Sª del Castillo de Laguarrés
Benabarre
Montsec d'Ares
Sª de Mongay
Tremp
Puente de Montañana
Sierra de Carrodilla
Barbastro
Monzón
Binéfar
Tamarite de Litera
Estadilla
Fonz
Peralta de la Sal
Castillonroy
Alquézar
Colungo
Adahuesca
Coll. de San Caprasio
Puerto del Pino
Collado de Eripol
Canal
Pantà de Canelles
Pantà de Sta Anna
Pantà de Camarasa
Les Avellanes
Àger
Os de Balaguer
Cataluña
Aragón

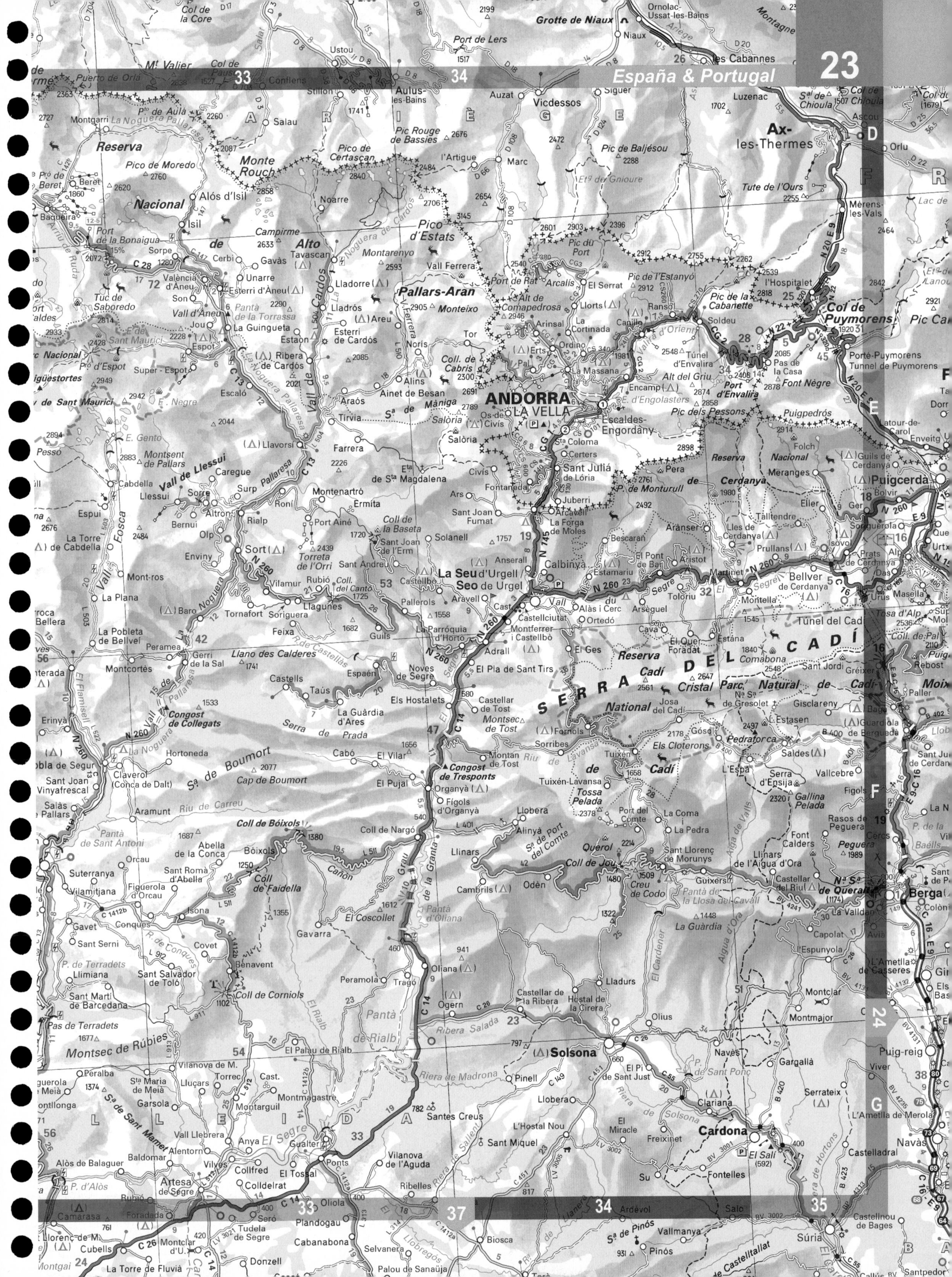

23
España & Portugal
33
34
ANDORRA
LA VELLA
Escaldes-Engordany
Sant Julià de Lòria
La Seu d'Urgell / Seo de Urgel
Puigcerdà
Ax-les-Thermes
Vicdessos
Auzat
Aulus-les-Bains
Grotte de Niaux
Niaux
Les Cabannes
Ornolac-Ussat-les-Bains
Port de Lers
Col de la Core
Mt Valier
Col de Pause
Puerto de Orlá
Conflens
Ustou
Stillom
Luzenac
Col de Chioula
Col de Puymorens
Porté-Puymorens
Tunnel de Puymorens
L'Hospitalet
Mérens-les-Vals
Pic de Baljésou
Étg de Gnioure
Tute de l'Ours
Pic Rouge de Bassies
Pico de Certascan
Monte Rouch
Montgarri
Reserva Nacional
Pico de Moredo
Pla de Beret
Baqueira
Port de la Bonaigua
Alós d'Isil
Isil
Campirme
Alto
Tavascan
Pico d'Estats
Montarenyo
Vall Ferrera
Pallars-Aran
Monteixo
Port de Rat
Arcalís
El Serrat
Pic de l'Estanyó
Pic de la Cabanette
Soldeu
Canillo
Ransol
Túnel d'Envalira
Port d'Envalira
Pas de la Casa
Font Nègre
Alt del Griu
Encamp
Ordino
La Cortinada
Llorts
Arinsal
Erts
La Massana
Pal
Coll. de Cabris
Pic dels Pessons
Puigpedrós
Reserva Nacional de Cerdanya
Sta Coloma
Certers
Juberri
Aixovall
P. de Monturull
Pera
València d'Àneu
Esterri d'Àneu
Unarre
Gavàs
Cerbi
Sorpe
Son
Vall d'Àneu
Pantà de la Torrassa
Jou
La Guingueta
Espot
Super-Espot
Tuc de Saboredo
Sant Maurici
Parc Nacional
Aigüestortes
Pto d'Espot
Lladorre
Lladrós
Areu
Vall de Cardós
Esterri de Cardós
Estaon
Ribera de Cardós
Noris
Tor
Alins
Ainet de Besan
Araós
Sa de Mànìga
Salòria
Os de Civís
Civís
Tírvia
Farrera
Llavorsí
Escaló
E. Negre
E. Gento
Montsent de Pallars
Vall de Llessui
Caregue
Surp
Cabdella
Llessui
Sorre
Altron
Bernui
Rialp
Roní
Montenartró
Ermita
Port Ainé
Coll de la Baseta
Sant Joan de l'Erm
Torreta de l'Orri
Solanell
Anserall
Calbinyà
Estamariu
Bescaran
El Pont de Bar
Aristot
Martinet
Bellver de Cerdanya
Prullans
Lles de Cerdanya
Aránser
Tallténdre
Eller
Ger
Guils de Cerdanya
Meranges
Bolvir
Sort
Olp
Enviny
Espui
La Torre de Cabdella
Vall Fosca
Mont-ros
La Plana
Pobleta de Bellvei
Baro
Noguera
Tornafort
Soriguera
Llagunes
Vilamur
Rubió
Coll. del Cantó
Sant Andreu
Castellbò
La Seu d'Urgell
Aravell
Pallerols
La Parròquia d'Hortó
Montferrer i Castellbò
Castellciutat
Vall
Alàs i Cerc
Ortedó
Arsèguel
Toloriu
Segre
Montellà
Túnel del Cadí
Tosa d'Alp
Masella
Urús
Feixa
Guils
Adrall
El Pla de Sant Tirs
Noves de Segre
Espaén
Castells
Taús
La Guàrdia d'Ares
Els Hostalets
Castellar de Tost
Montsec de Tost
Serra de Prada
Llano des Calderes
Gerri de la Sal
Peramea
Montcortès
Reserva Cadí
El Ges
Cava
El Querforadat
Estana
Comabona
Serra del Cadí
Cristal
Parc Natural de Cadí
Josa del Cadí
Gresolet
Gisclareny
Estasen
Gósol
Pedraforca
Els Cloterons
Fornols
Sorribes
Tuixén
Cadí
Tuixén-Lavansa
Tossa Pelada
Saldes
L'Espà
Serra d'Ensija
Gallina Pelada
Vallcebre
Figols
Rasos de Peguera
Font Calders
Peguera
Port del Comte
La Coma
La Pedra
Sant Llorenç de Morunys
Llinars de l'Aigua d'Ora
Castellar del Riu
Sa de Queralt
Berga
Guixers
Pantà de la Llosa del Cavall
Coll de Jou
Querol
Creu de Codo
Odèn
Cambrils
Llinars
Alinyà
Sa de Port del Comte
Llobera
Erinyà
Congost de Collegats
Hortoneda
Sa de Boumort
Cap de Boumort
Claverol
Pobla de Segur
Sant Joan Vinyafrescal
Salàs de Pallars
Aramunt
Riu de Carreu
Cabó
El Vilar
Montan de Tost
Congost de Tresponts
El Pujal
Organyà
Fígols d'Organyà
Coll de Nargó
Coll de Bòixols
Bòixols
Abella de la Conca
Pantà de Sant Antoni
Orcau
Suterranya
Vilamitjana
Sant Romà d'Abella
Figuerola d'Orcau
Coll de Faidella
Cañon
Isona
Conques
Gavet
Sant Serni
Covet
Benavent
Sant Salvador de Toló
Coll de Corniols
P. de Terradets
Llimiana
Sant Martí de Barcedana
Pas de Terradets
Montsec de Rúbies
El Coscollet
Pantà d'Oliana
Gavarra
Oliana
Peramola
Tragó
Ogern
Castellar de la Ribera
Hostal de la Cirera
Lladurs
Olius
Solsona
Ribera Salada
Pantà de Rialb
El Palau de Rialb
Navès
Gargallà
Montclar
Montmajor
Capolat
L'Espunyola
L'Ametlla de Casseres
Avià
Vilanova de M.
Torrec
Cast.
Peralba
Sta Maria de Meià
Lluçars
Montmagastre
Montarguil
Garsola
Sa de Sant Mamet
Vall Llebrera
Anya
El Segre
Gualter
Alentorn
Vilves
Colldelrat
Artesa de Segre
Ponts
Collfred
El Tossal
Vilanova de l'Aguda
Ribelles
Riera de Madrona
Pinell
Santes Creus
L'Hostal Nou
Sant Miquel
El Pi de Sant Just
Clariana
El Miracle
Freixinet
Cardona
El Salí
Fontelles
Su
Serrateix
Viver
Puig-reig
L'Ametlla de Merola
Navàs
Castelladral
Alòs de Balaguer
Baldomar
Rubió
Foradada
Camarasa
Oliola
Seró
Tudela de Segre
Plandogau
Cabanabona
Montclar d'U.
Cubells
Llorenç de M.
Donzell
La Torre de Fluvià
Montgai
Selvanera
Biosca
Ardèvol
Salo
Sa de Pinós
Vallmanya
Pinós
Súria
Castellnou de Bages
Palou de Sanaüja
Castelltallat
37
24
35

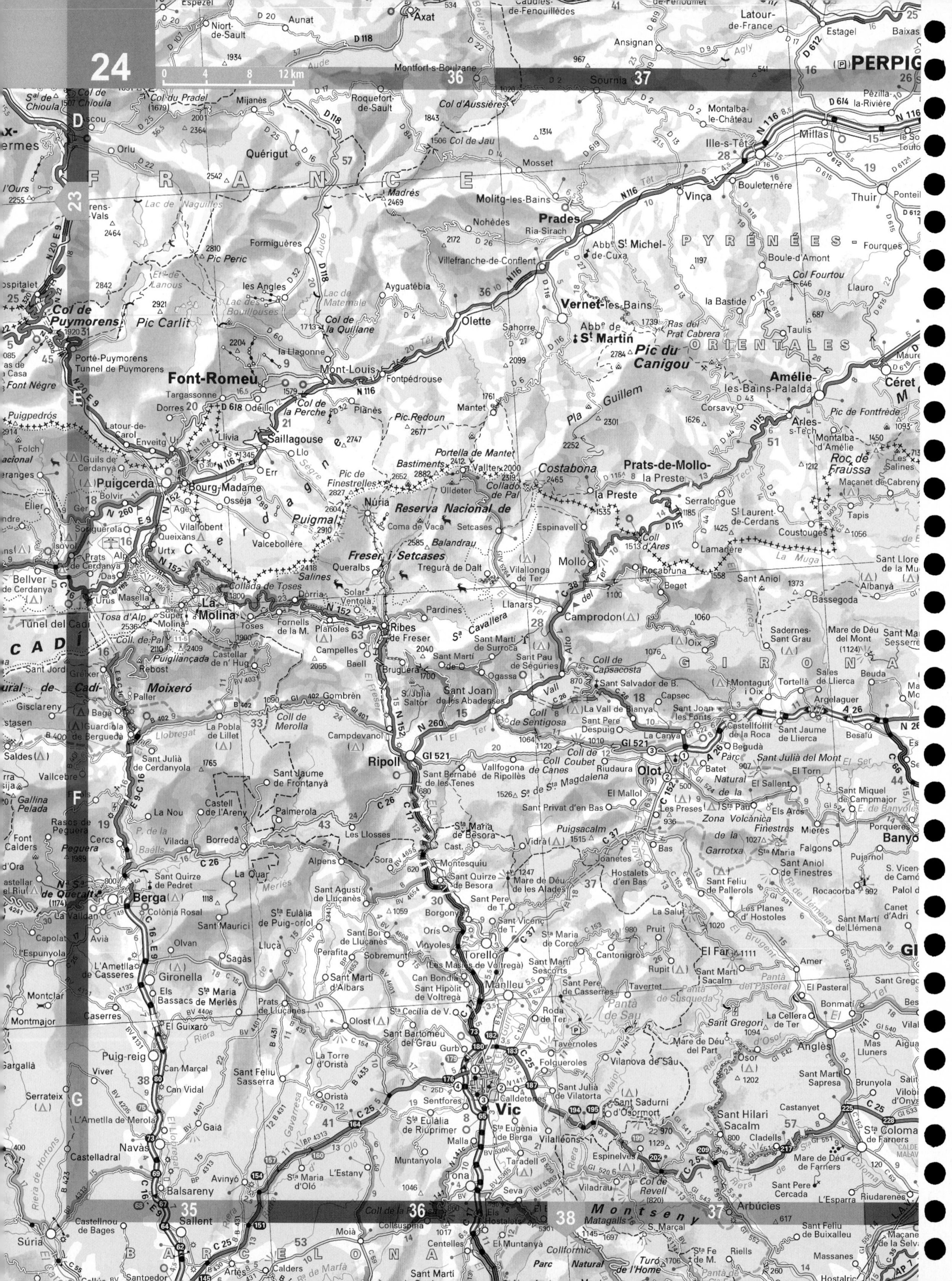

0 4 8 12 km
36
37
23
35
36
38
37
FRANCE
PYRÉNÉES-ORIENTALES
Cerdagne
GIRONA
BARCELONA
Montseny
CADÍ
PERPIG
Espezel
Niort-de-Sault
Aunat
Axat
Caudiès-de-Fenouillèdes
Latour-de-France
Estagel
Baixas
Ansignan
Montfort-s-Boulzane
Sournia
Roquefort-de-Sault
Col d'Aussières
Col de Jau
Pézilla-la-Rivière
Montalba-le-Château
Ille-s-Têt
Millas
Mijanès
Col du Pradel
Col de Chioula
Quérigut
Orlu
Mosset
Bouleternère
Thuir
Madrès
Molitg-les-Bains
Prades
Ria-Sirach
Vinça
Nohèdes
Lac de Naguilles
Formiguères
Pic Peric
Abb^e S^t Michel-de-Cuxa
Villefranche-de-Conflent
Boule-d'Amont
Fourques
Col Fourtou
Llauro
les Angles
Lac de Matemale
Lac des Bouillouses
Ayguatébia
Vernet-les-Bains
la Bastide
Col de Puymorens
Pic Carlit
Col de la Quillane
Olette
Sahorre
Abb^e S^t Martin
Ras del Prat Cabrera
Taulis
Porté-Puymorens
Tunnel de Puymorens
la Llagonne
Pic du Canigou
Font Nègre
Font-Romeu
Mont-Louis
Fontpédrouse
Amélie-les-Bains-Palalda
Céret
Targassonne
Dorres
Odeillo
Col de la Perche
Planès
Mantet
Pla Guillem
Corsavy
Puigpedrós
Latour-de-Carol
Enveitg
Pic Redoun
Arles-s-Tech
Pic de Fontfrède
Montalba-d'Amélie
Llívia
Saillagouse
Llo
Portella de Mantet
Roc de Frausa
Guils de Cerdanya
Err
Bastiments
Vallter 2000
Costabona
Prats-de-Mollo-la Preste
Les Salines
Puigcerdà
Bourg-Madame
Pic de Finestrelles
Ulldeter
Collado de Pal
la Preste
Maçanet de Cabrenys
Osséja
Núria
Reserva Nacional de Freser i Setcases
Serralongue
S^t Laurent-de-Cerdans
Bolvir
Age
Puigmal
Coma de Vaca
Setcases
Espinavell
Coustouges
Tapis
Ger
Sanguerola
Vilallobent
Queixans
Valcebollère
Balandrau
Coll d'Ares
Lamanère
Urtx
Alp
Prats
Isòvol
Queralbs
Tregurà de Dalt
Vilallonga de Ter
Molló
Sant Llorenç de la Muga
Bellver de Cerdanya
Das
Salines
Colladа de Toses
Rocabruna
La Muga
Sant Aniol
Albanyà
Urús
Masella
Solar-Ventolà
Dòrria
Beget
Bassegoda
Túnel del Cadí
Tosa d'Alp
Super Molina
La Molina
Toses
Fornells de la M.
Planoles
Ribes de Freser
Pardines
Llanars
Camprodon
Sadernes-Sant Grau
Mare de Déu del Mont
Coll. de Pal
Puigllançada
Castellar de n' Hug
Campelles
Baell
Sant Martí de Surroca
Sant Martí de O
Sant Pau de Segúries
Oix
Sant Jordi
Greixer
Rebost
Bruguera
Ogassa
Coll de Capsacosta
Sant Salvador de B.
Montagut i Oix
Tortellà
Sales de Llierca
Beuda
Moixeró
Paller
Gombrèn
Sant Julià Saltor
Sant Joan de les Abadesses
Capsec
Argelaguer
Gisclareny
Bagà
Coll de Merolla
Coll de Sentigosa
La Vall de Bianya
Sant Joan les Fonts
Guardiola de Berguedà
La Pobla de Lillet
Campdevànol
Sant Pere Despuig
La Canya
Castellfollit de la Roca
Sant Jaume de Llierca
Besalú
Saldes
Ripoll
Vallfogona de Ripollès
Coll de Canes
Coll Coubet
Riudaura
Olot
Begudà
Sant Julià del Mont
Sant Julià de Cerdanyola
Sant Bernabé de les Tenes
Batet
Parc Natural de la Zona Volcànica de la Garrotxa
El Torn
Vallcebre
Sant Jaume de Frontanyà
S^t de S^ta Magdalena
El Mallol
El Sallent
Sant Miquel de Campmajor
Gallina Pelada
Castell de l'Areny
Palmerola
Sant Privat d'en Bas
Les Presses
S^ta Pau
Els Arcs
La Nou
Rasos de Peguera
Vilada
Les Llosses
S^ta Maria de Besora
Puigsacalm
Finestres
Mieres
Porqueres
Banyoles
Font Calders
Cercs
P. de la Baells
Borredà
Vidrà
Bas
Falgons
Pujarnol
Peguera
Alpens
Sora
Montesquiu
Joanetes
S^ta Maria
Sant Aniol de Finestres
S. Vicenç de Camós
N^a S^a de Queralt
La Quar
Sant Quirze de Pedret
Sant Quirze de Besora
Mare de Déu de les Alades
Hostalets d'en Bas
Sant Feliu de Pallerols
Rocacorba
Palol de R.
Berga
Colònia Rosal
Sant Agustí de Lluçanès
Sant Pere de T.
Les Planes d'Hostoles
La Valldan
S^ta Eulàlia de Puig-oriol
Borgonyà
La Salut
Canet d'Adri
Capolat
Avià
Sant Maurici
Sant Vicenç de T.
Pruit
Sant Martí de Llémena
l'Espunyola
Olvan
Sant Boi de Lluçanès
Orís
S^ta Maria de Corcó
Cantonigròs
El Far
Amer
L'Ametlla de Casseres
Sagàs
Lluçà
Perafita
Sobremunt
Vinyoles
Torelló
(Les Masies de Voltregà)
Rupit
Sant Martí Sacalm
Sant Martí Sescorts
Gironella
Els Bassacs
S^ta Maria de Merlès
Sant Martí d'Albars
Can Bondia
Sant Hipòlit de Voltregà
Manlleu
Sant Pere de Casserres
Tavertet
Pantà de Susqueda
El Pasteral
Sant Gregori
Montclar
Prats de Lluçanès
Bonmatí
Bescanó
Caserres
Montmajor
S^ta Cecília de V.
Olost
Roda de Ter
Pantà de Sau
La Cellera de Ter
El Guixaró
Sant Bartomeu del Grau
Tavèrnoles
Mare de Déu del Part
Anglès
Puig-reig
La Torre d'Oristà
Gurb
Folgueroles
Vilanova de Sau
Osor
Mas Lluners
Gargallà
Viver
Can Marçal
Sant Feliu Sasserra
Brunyola
Can Vidal
Sant Martí Sapresa
Serrateix
Oristà
Sentfores
Calldetenes
Sant Julià de Vilatorta
Sant Sadurní d'Osormort
Vilobí d'Onyar
Castanyet
Vic
L'Ametlla de Merola
S^ta Eulàlia de Riuprimer
S^ta Eugènia de Berga
Vilalleons
Sant Hilari Sacalm
S^ta Coloma de Farners
Gaià
Navàs
Malla
Cladells
Castelladral
Muntanyola
Taradell
Espinelves
Mare de Déu de Farners
S^ta Maria d'Oló
L'Estany
Avinyó
Viladrau
Col de Revell
Sant Pere Cercada
L'Esparra
Riudarenes
Balsareny
Tona
Seva
Arbúcies
Sallent
Coll de la
Els Hostalets
Matagalls
S. Marçal
Sant Feliu de Buixalleu
Maçanet de la Selva
Súria
Castellnou de Bages
Moià
Collsuspina
Centelles
El Muntanyà
Collformic
Parc Natural
Turó de l'Home
S^ta Fe de M.
Riells
Massanes
Hostalric
Artés
Calders
Santpedor
Sant Martí
N 116
N 260
N 152
C 16
C 17
C 25
C 26
C 37
C 38
C 152
GI 521
A 26
E 9

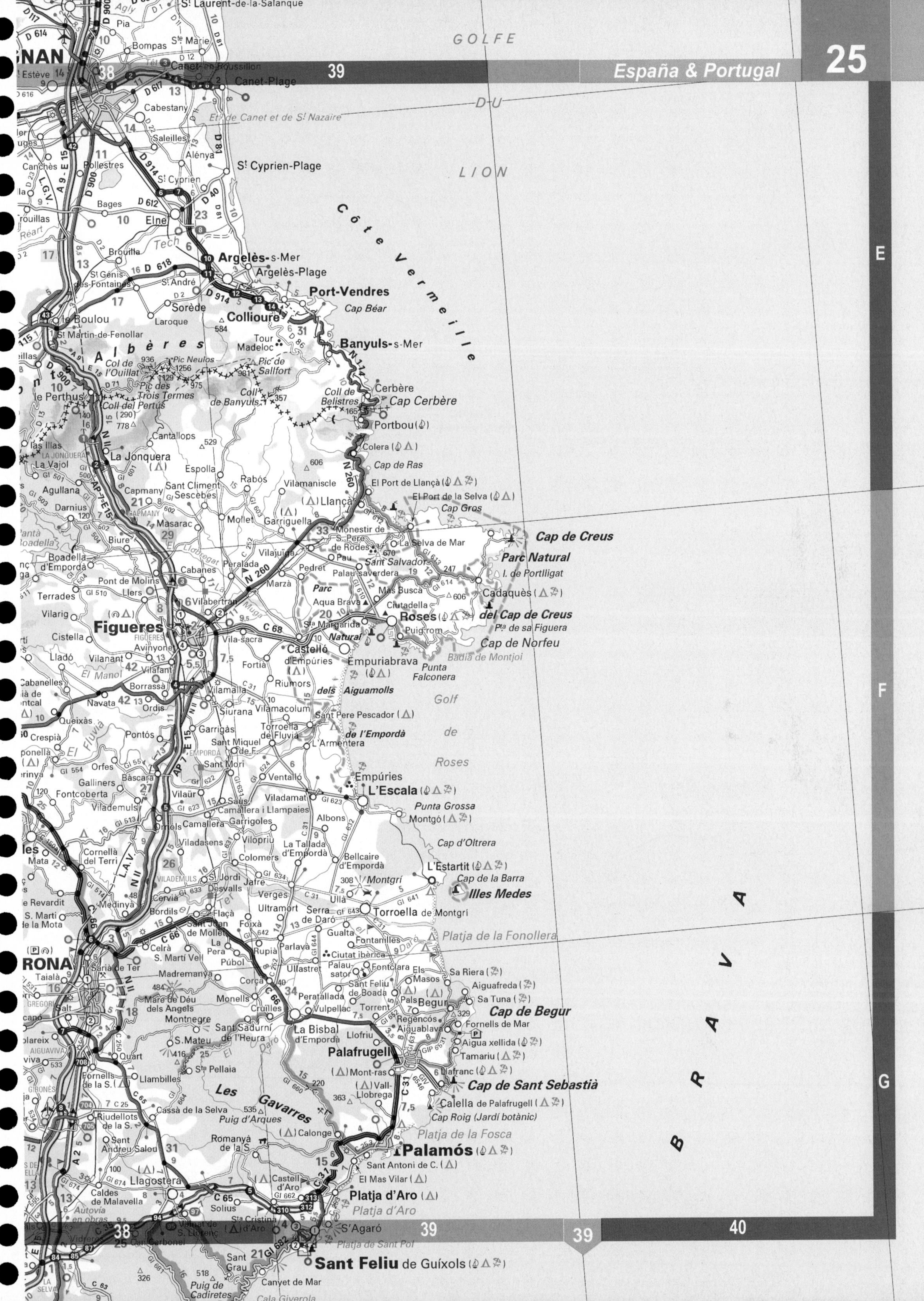
GOLFE
DU
LION
Côte Vermeille
St Laurent-de-la-Salanque
Pia
Bompas
Ste Marie
Canet-en-Roussillon
Canet-Plage
Cabestany
Etg de Canet et de St Nazaire
Saleilles
Alénya
St Cyprien-Plage
St Cyprien
Pollestres
Canohès
Bages
Elne
Trouillas
Brouilla
Tech
Argelès-s-Mer
Argelès-Plage
St Génis-des-Fontaines
St André
Port-Vendres
Cap Béar
Sorède
Laroque
Collioure
Le Boulou
St Martin-de-Fenollar
Tour Madeloc
Banyuls-s-Mer
Albères
Pic Neulos
Col de l'Ouillat
Pic de Sallfort
Pic des Trois Termes
Coll de Banyuls
Le Perthus
Coll del Pertús
Coll de Belistres
Cerbère
Cap Cerbère
Portbou
Colera
Cap de Ras
Cantallops
La Jonquera
Las Illas
La Vajol
Espolla
Rabós
Vilamaniscle
El Port de Llançà
El Port de la Selva
Cap Gros
Agullana
Darnius
Capmany
Sant Climent Sescebes
Llançà
Masarac
Mollet
Garriguella
Monestir de S. Pere de Rodes
La Selva de Mar
Cap de Creus
Parc Natural del Cap de Creus
I. de Portlligat
Biure
Boadella d'Empordà
Vilajuïga
Pau
Sant Salvador
Palau-saverdera
Pedret
Cabanes
Peralada
Marzà
Mas Busca
Cadaquès
Pont de Molins
Terrades
Llers
Vilabertran
Aqua Brava
Ciutadella
Roses
Vilarig
Figueres
Sta Margarida
Puig-rom
Pta de sa Figuera
Cap de Norfeu
Cistella
Avinyonet
Vila-sacra
Castelló d'Empúries
Empuriabrava
Badia de Montjoi
Punta Falconera
Lladó
Vilanant
Vilafant
Fortià
El Manol
Borrassà
Vilamalla
Riumors
Parc Natural dels Aiguamolls de l'Empordà
Golf de Roses
Cabanelles
Navata
Ordis
Siurana
Vilamacolum
Queixàs
Crespià
Pontós
Garrigàs
Sant Pere Pescador
Torroella de Fluvià
Sant Miquel de F.
L'Armentera
El Fluvià
Orfes
Sant Mori
Ventalló
Empúries
Galliners
Bàscara
Fontcoberta
Vilaür
Viladamat
L'Escala
Vilademuls
Saus
Camallera i Llampaies
Albons
Punta Grossa
Montgó
Garrigoles
Orriols
Vilopriu
Viladasens
La Tallada d'Empordà
Cap d'Oltrera
Cornellà del Terri
Colomers
Bellcaire d'Empordà
Mata
St Jordi Desvalls
Jafre
Montgrí
L'Estartit
Cap de la Barra
Illes Medes
Revardit
Medinyà
Cervià
Verges
Ultramort
Ullà
S. Martí de la Mota
Bordils
Flaçà
Sant Joan de Mollet
Foixà
Serra de Daró
Torroella de Montgrí
Platja de la Fonollera
Gualta
Fontanilles
Celrà
S. Martí Vell
La Pera
Rupià
Parlavà
Ciutat ibèrica
Púbol
Ullastret
Palau-sator
Fontclara
Els Masos
Sa Riera
Aiguafreda
Sarià de Ter
Madremanya
Taialà
Corçà
Sant Feliu de Boada
Pals
Begur
Sa Tuna
Mare de Déu dels Àngels
Monells
Peratallada
Cap de Begur
Cruïlles
Vulpellac
Torrent
Regencós
Fornells de Mar
Montnegre
Sant Sadurní de l'Heura
La Bisbal d'Empordà
Llofriu
Aiguablava
Aigua xellida
S. Mateu
Palafrugell
Tamariu
Quart
Sta Pellaia
Mont-ras
Llafranc
Cap de Sant Sebastià
Llambilles
Fornells de la S.
Les Gavarres
Vall-Llobrega
Calella de Palafrugell
Cap Roig (Jardí botànic)
Cassà de la Selva
Puig d'Arques
Riudellots de la S.
Calonge
Platja de la Fosca
Sant Andreu Salou
Romanyà de la S.
Palamós
Sant Antoni de C.
El Mas Vilar
Castell d'Aro
Llagostera
Caldes de Malavella
Platja d'Aro
Solius
Autovía en obras
Sta Cristina d'Aro
S'Agaró
Vidreres
Veïnat de S. Llorenç
Platja de Sant Pol
Sant Grau
Sant Feliu de Guíxols
Puig de Cadiretes
Canyet de Mar
Cala Giverola
COSTA BRAVA
E
F
G
38
39
40

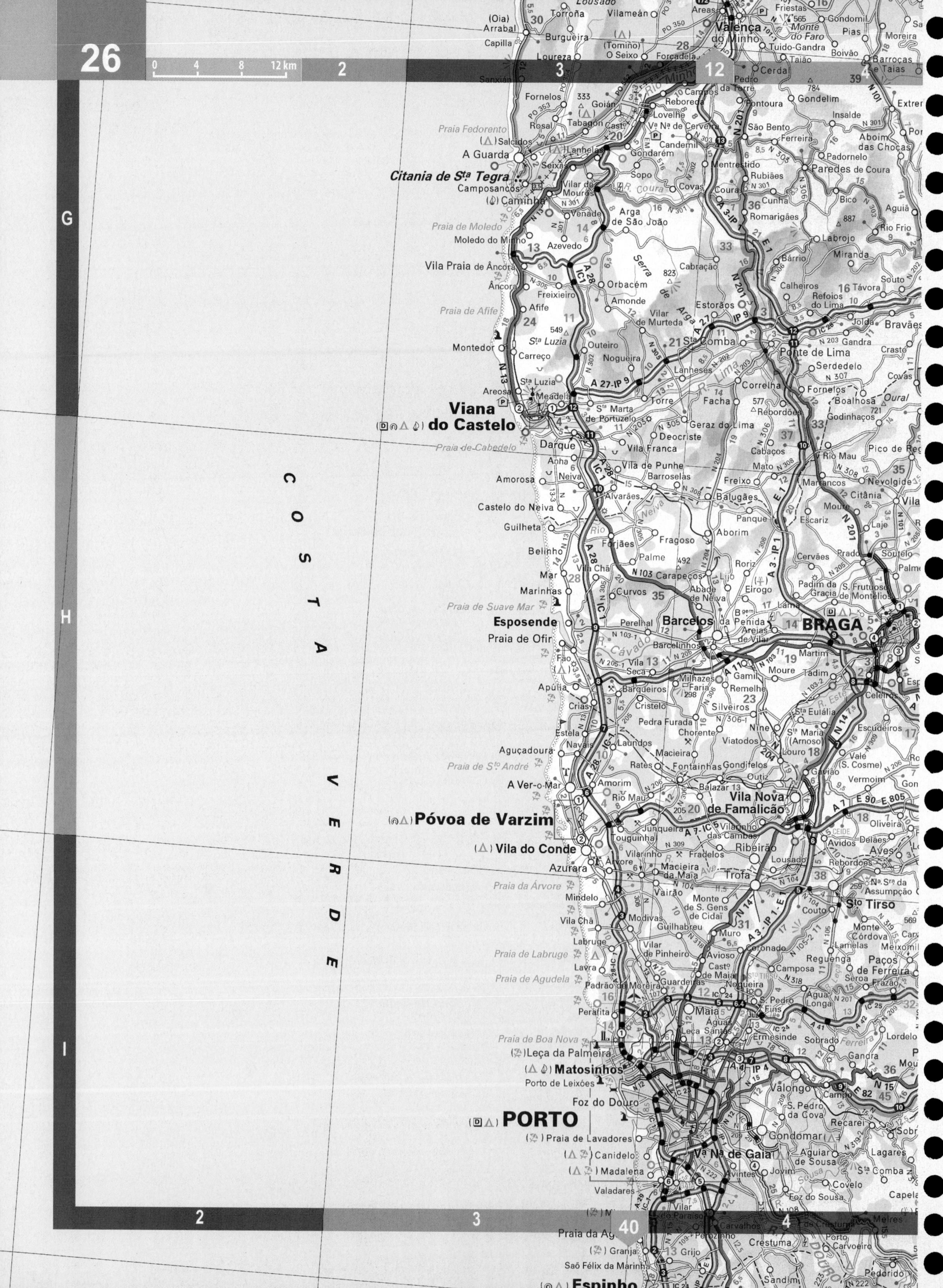

0 4 8 12 km
COSTA VERDE
Valença do Minho
A Guarda
Citania de Sta Tegra
Caminha
Moledo do Minho
Vila Praia de Âncora
Âncora
Afife
Montedor
Serra de Arga
Viana do Castelo
Ponte de Lima
Darque
Amorosa
Castelo do Neiva
Barcelos
Esposende
Praia de Ofir
BRAGA
Apúlia
A Ver-o-Mar
Póvoa de Varzim
Vila do Conde
Vila Nova de Famalicão
Trofa
Sto Tirso
Matosinhos
Maia
Leça da Palmeira
Porto de Leixões
Foz do Douro
PORTO
Valongo
Gondomar
Vª Nª de Gaia
Espinho
Paços de Ferreira
Paredes de Coura
Arcos de Valdevez

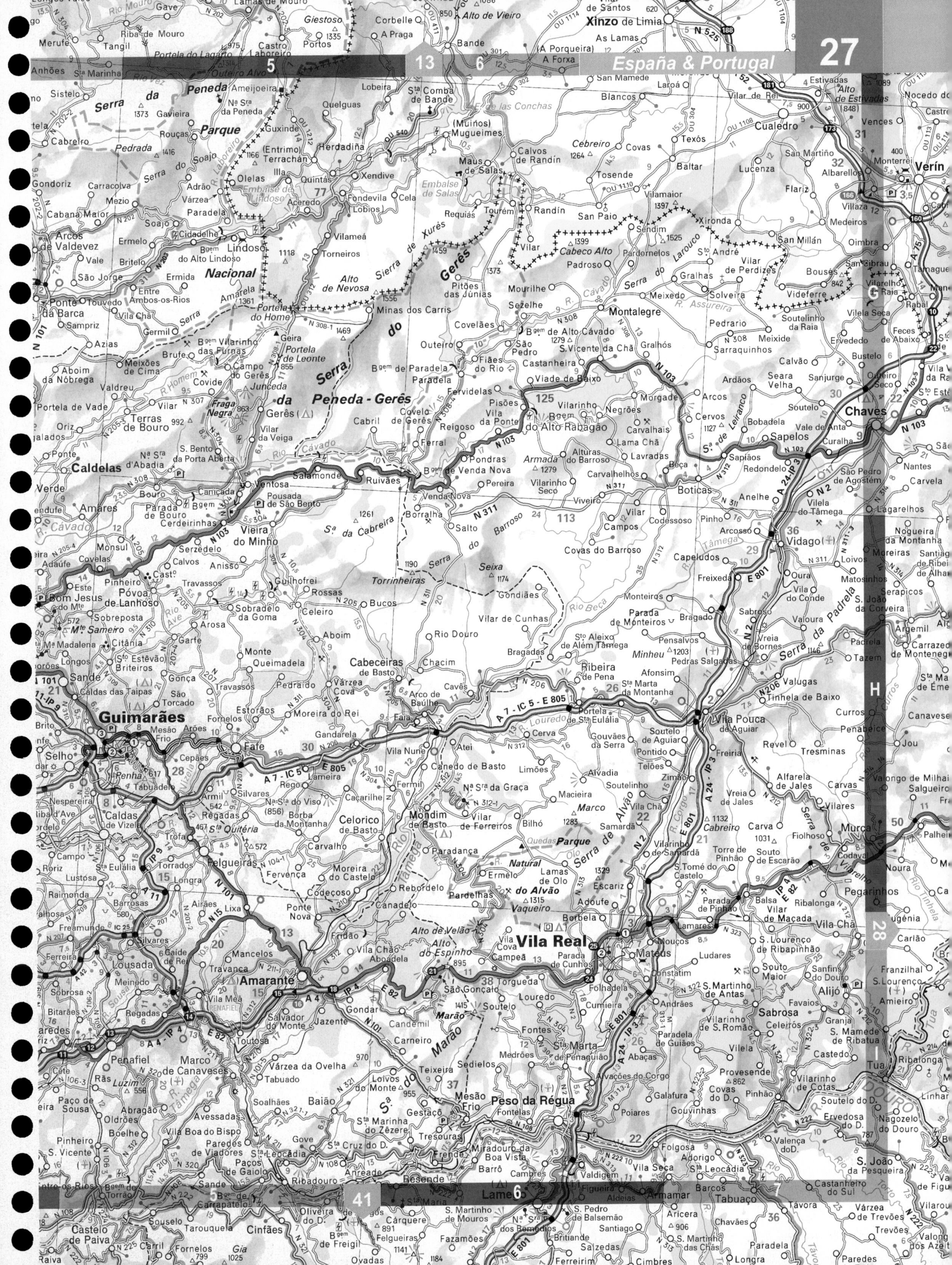
Xinzo de Limia
Verín
Chaves
Montalegre
Cualedro
Caldelas
Guimarães
Fafe
Felgueiras
Amarante
Vila Real
Peso da Régua
Penafiel
Marco de Canaveses
Cabeceiras de Basto
Vieira do Minho
Póvoa de Lanhoso
Terras de Bouro
Ponte da Barca
Arcos de Valdevez
Lindoso
Boticas
Vidago
Vila Pouca de Aguiar
Mondim de Basto
Celorico de Basto
Sabrosa
Alijó
Murça
Lousada
Baião
Cinfães
Resende
Lamego
Armamar
Tabuaço
Serra da Peneda
Parque Nacional da Peneda - Gerês
Serra do Gerês
Serra da Cabreira
Serra do Barroso
Serra do Alvão
Serra do Marão
Serra de Leiranco
Serra do Larouco
Serra da Padrela
Alto de Nevosa
Cabeço Alto
Parque Natural do Alvão
Rio Douro
Rio Cávado
Rio Tâmega
Rio Tua
Rio Corgo

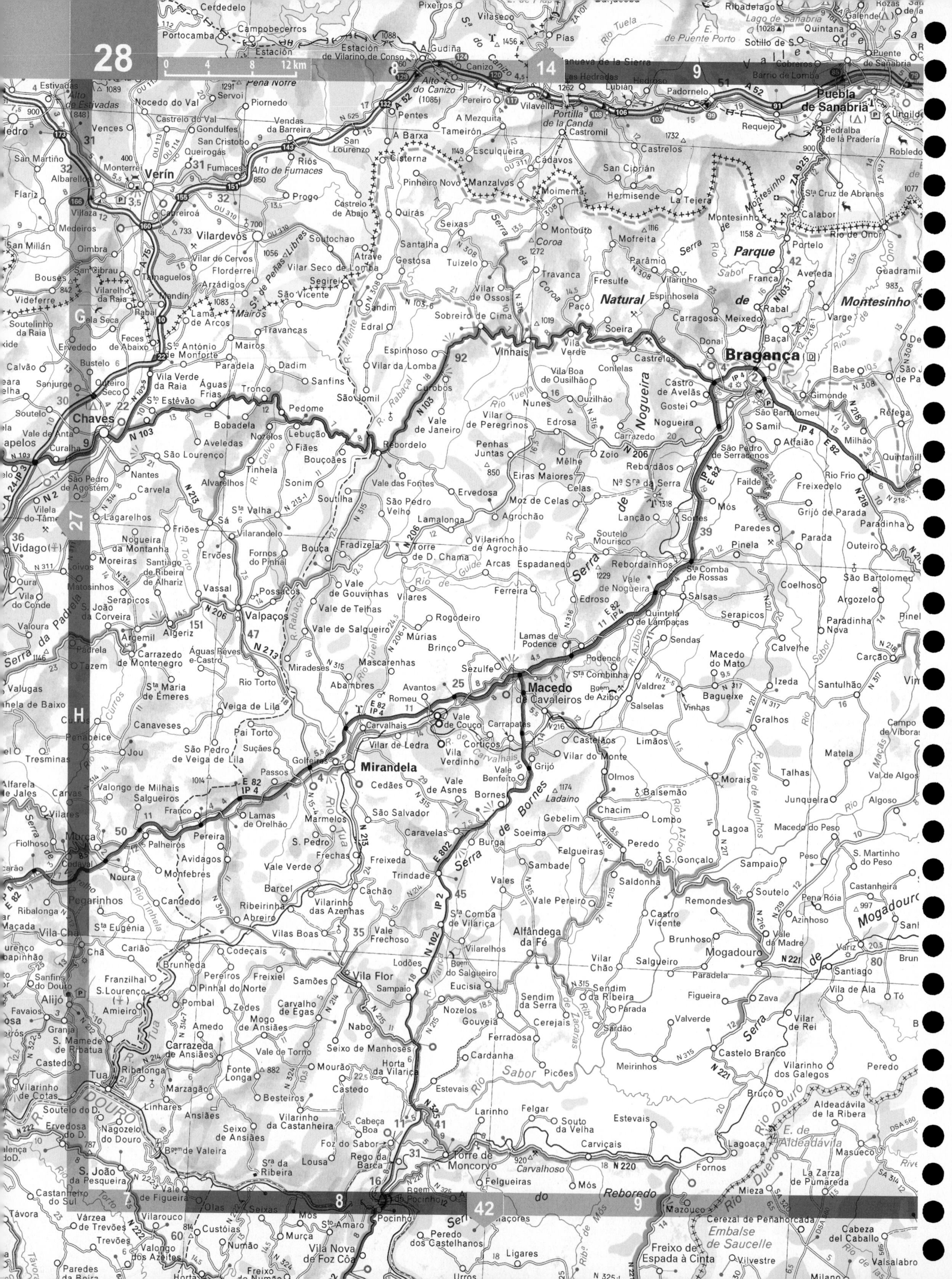
0 4 8 12 km
14
42
27
Verín
Chaves
Bragança
Mirandela
Macedo de Cavaleiros
Puebla de Sanabria
Vinhais
Valpaços
Murça
Alijó
Carrazeda de Ansiães
Vila Flor
Alfândega da Fé
Mogadouro
Torre de Moncorvo
Freixo de Espada à Cinta
Vila Nova de Foz Côa
S. João da Pesqueira
Tua
Parque Natural de Montesinho
Serra da Coroa
Serra de Nogueira
Serra de Bornes
Serra da Padrela
Serra de Mogadouro
Serra de Montesinho
Rio Tuela
Rio Rabaçal
Rio Sabor
Rio Tua
Rio Azibo
Rio Douro
DOURO
Embalse de Saucelle
E. de Aldeadávila
E. de Puente Porto
Lago de Sanabria
Cerdedelo
Campobecerros
Portocamba
Estación de Vilarino de Conso
A Gudiña
Alto do Canizo
Portilla de la Canda
Castromil
Requejo
Pedralba de la Pradería
Robledo
Ribadelago
Galende
Quintana
Sotillo de S.
Barrio de Lomba
Padornelo
Lubián
Hedroso
Las Hedradas
Pías
Vilaseco
Pixeiros
Alto de Estivadas
Estivadas
Nocedo do Val
Servoi
Piornedo
Castrelo do Val
Gondulfes
Vendas da Barreira
San Cristobo
Queirogás
San Lourenzo
Fumaces
Alto de Fumaces
Ríos
Progo
Monterrei
Albarellos
Vences
Castrelo de Abajo
Cisterna
A Barxa
Pentes
A Mezquita
Tameirón
Esculqueira
Cádavos
Castrelos
San Ciprián
Hermisende
La Tejera
Moimenta
Manzalvos
Pinheiro Novo
Vilardevós
Soutochao
Atrave
Vilar Seco de Lomba
Segirei
São Vicente
Mairos
Travancas
Lama de Arcos
Feces de Abaixo
Rabal
Mandín
Arzádigos
Florderrei
Vilar de Cervos
Tamaguelos
San Cibrau
Vilarelho da Raia
Soutelinho da Raia
Ervededo
Bustelo
Calvão
Outeiro Seco
Vila Verde da Raia
Águas Frias
Tronco
Sto Estêvão
Paradela
Dadim
Sanfins
São Jomil
Curopos
Espinhoso
Vilar da Lomba
Edral
Sandim
Sobreiro de Cima
Santalha
Gestosa
Tuizelo
Seixas
Vilar de Ossos
Quirás
Montouto
Coroa
Mofreita
Travanca
Paçó
Fresulfe
Parâmio
Vilarinho
Espinhosela
Soeira
Vila Verde
Vila Boa de Ousilhão
Nunes
Ouzilhão
Edrosa
Conlelas
Castrelos
Castro de Avelãs
Gostei
Nogueira
Carrazedo
Donai
Carragosa
Meixedo
França
Rabal
Portelo
Montesinho
Sta Cruz de Abranes
Calabor
Rio de Onor
Aveleda
Guadramil
Varge
Baçal
Babe
Gimonde
São Bartolomeu
Samil
Alfaião
Milhão
Quintanilha
Réfega
Rio Frio
Failde
Freixedelo
Grijó de Parada
Paradinha
Parada
Paredes
Outeiro
Pinela
Mós
Sortes
Lanção
São Pedro de Serracenos
Rebordãos
Nª Srª da Serra
Zoio
Mêlhe
Celas
Eiras Maiores
Moz de Celas
Agrochão
Penhas Juntas
Vilar de Peregrinos
Vale de Janeiro
Ervedosa
Lamalonga
São Pedro Velho
Vale das Fontes
Soutilha
Sonim
Bouçoães
Fiães
Lebução
Nozelos
Pedome
Rebordelo
Bobadela
Aveledas
São Lourenço
Tinhela
Alvarelhos
Nantes
Carvela
São Pedro de Agostém
Lagarelhos
Sta Valha
Sá
Friões
Vilarandelo
Nogueira da Montanha
Moreiras
Santiago de Ribeira de Alhariz
Ervões
Fornos do Pinhal
Bouça
Fradizela
Torre de D. Chama
Vilarinho de Agrochão
Arcas
Espadanedo
Soutelo Mourisco
Rebordainhos
Sta Comba de Rossas
Salsas
Vale de Nogueira
Ferreira
Edroso
Quintela de Lampaças
Sendas
Serapicos
Coelhoso
Argozelo
Paradinha Nova
Pinelo
Carção
Vimioso
Calvelhe
Macedo do Mato
Bagueixe
Izeda
Santulhão
Vinhas
Valdrez
Salselas
Sta Combinha
Podence
Lamas de Podence
Bgem de Azibo
Vidago
Loivos
Oura
Matosinhos
Vila do Conde
Serapicos
Vassal
Possacos
Vale de Gouvinhas
Vilares
Rogodeiro
Vale de Telhas
Vale de Salgueiro
Múrias
Brinço
Sezulfe
S. João da Corveira
Valoura
Argemil
Algeriz
Águas Reves e Castro
Carrazedo de Montenegro
Padrela
Tazem
Valugas
Sta Maria de Émeres
Rio Torto
Mascarenhas
Miradeses
Abambres
Avantos
Romeu
Vale de Couço
Carvalhais
Vilar de Ledra
Carrapatas
Cortiços
Vila Verdinho
Castelãos
Vilar do Monte
Limãos
Grijó
Vale Benfeito
Bornes
Ladaino
Olmos
Balsemão
Morais
Talhas
Matela
Campo de Víboras
Val de Algoso
Algoso
Junqueira
Macedo do Peso
S. Martinho do Peso
Peso
Sampaio
Lagoa
Lombo
Chacim
Gebelim
Soeima
Burga
Peredo
S. Gonçalo
Felgueiras
Sambade
Saldonha
Vales
Vale Pereiro
Remondes
Soutelo
Pena Róia
Azinhoso
Castanheira
Vale da Madre
Variz
Santiago
Castro Vicente
Brunhoso
Vilar Chão
Salgueiro
Paradela
Sendim da Ribeira
Sendim da Serra
Parada
Figueira
Zava
Vila de Ala
Tó
Vilar de Rei
Valverde
Castelo Branco
Meirinhos
Vilarinho dos Galegos
Peredo
Bruçó
Aldeadávila de la Ribera
Lagoaça
Masueco
Fornos
Mieza
La Zarza de Pumareda
Cerezal de Peñahorcada
Cabeza del Caballo
Valsalabro
Vilvestre
Milano
Mazouco
Carviçais
Estevais
Souto da Velha
Felgar
Larinho
Carvalhoso
Mós
Felgueiras
Picões
Cerejais
Sardão
Cardanha
Ferradosa
Gouveia
Nozelos
Eucísia
Bgem do Salgueiro
Vilarelhos
Sta Comba de Vilariça
Lodões
Sampaio
Samões
Vila Flor
Freixiel
Carvalho de Egas
Mogo de Ansiães
Nabo
Seixo de Manhoses
Horta da Vilariça
Mourão
Fonte Longa
Castedo
Besteiros
Vilarinho da Castanheira
Cabeça Boa
Foz do Sabor
Rego da Barca
Lousa
Sra da Ribeira
Seixo de Ansiães
Ansiães
Linhares
Marzagão
Ribalonga
Amedo
Zedes
Pombal
Pinhal do Norte
Pereiros
Codeçais
Brunheda
Franzilhal
S. Lourenço
Amieiro
Carlão
Chã
Vila Chã
Sta Eugénia
Abreiro
Ribeirinha
Vilarinho das Azenhas
Vilas Boas
Vale Frechoso
Cachão
Trindade
Freixeda
Frechas
Caravelas
S. Pedro
Marmelos
São Salvador
Cedães
Vale de Asnes
Vale Verde
Barcel
Candedo
Monfebres
Avidagos
Palheiros
Pereira
Lamas de Orelhão
Franco
Salgueiros
Valongo de Milhais
Passos
Golfeiras
São Pedro de Veiga de Lila
Suçães
Pai Torto
Jou
Canaveses
Veiga de Lila
Penabeice
Tresminas
Alfarela de Jales
Carvas
Vilares
Fiolhoso
Noura
Pegarinhos
Ribalonga
Maçada
Sanfins do Douro
Favaios
Granja
S. Mamede de Ribatua
Castedo
Vilarinho de Cotas
Soutelo do D.
Ervedosa do D.
Nagozelo do Douro
Bgem de Valeira
S. João da Pesqueira
Castanheiro do Sul
Vale de Figueira
Vilarouco
Várzea de Trevões
Trevões
Valongo dos Azeites
Paredes da Beira
Custóias
Numão
Murça
Sto Amaro
Pocinho
Bgem do Pocinho
Peredo dos Castelhanos
Ligares
Urros
Reboredo
Tábora
Tabuaço
Vila Nova de Foz Côa

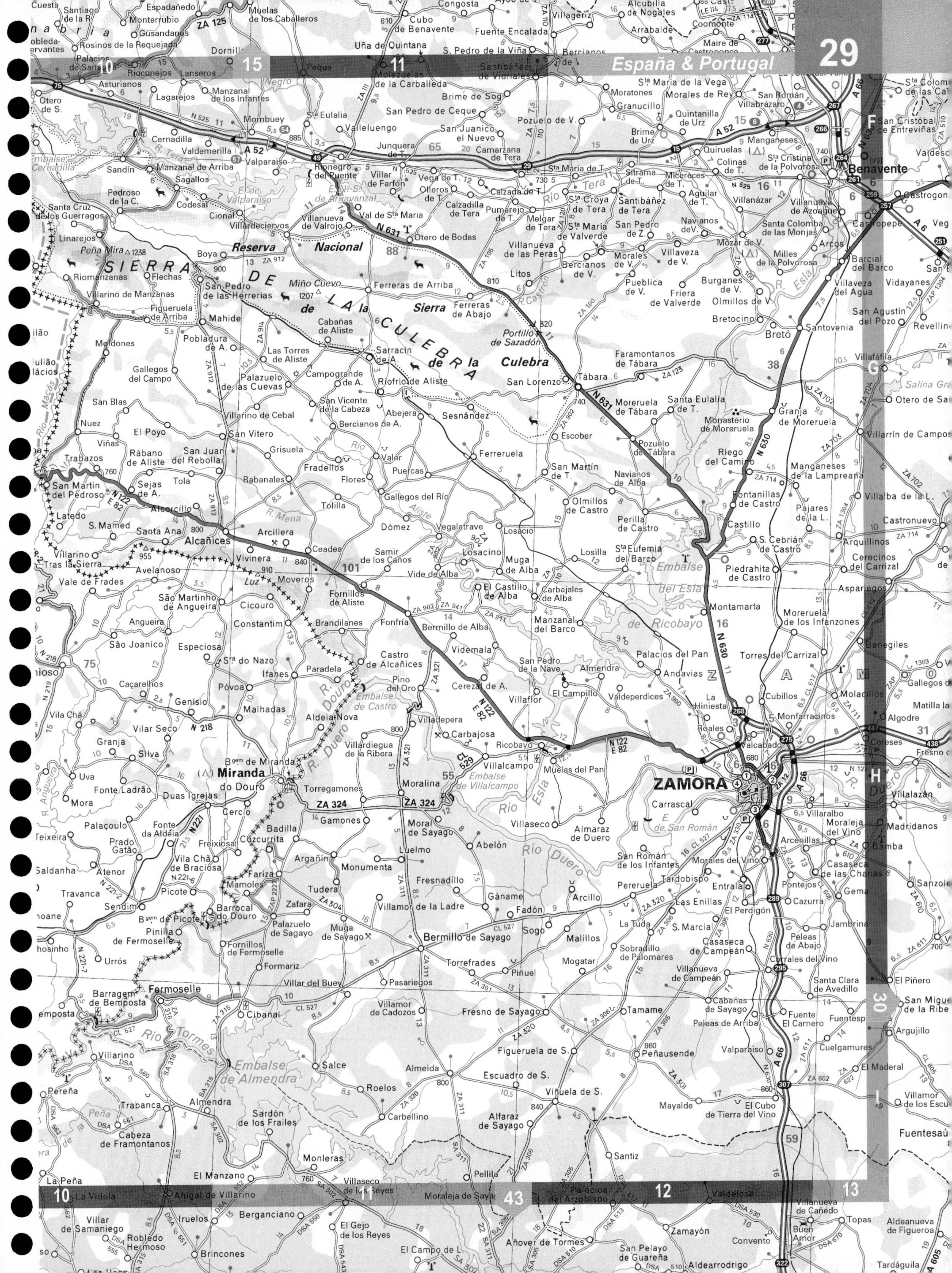

España & Portugal
29
Benavente
ZAMORA
Miranda do Douro
Alcañices
Fermoselle
SIERRA DE LA CULEBRA
Sierra de la Culebra
Reserva Nacional
Embalse del Esla
Embalse de Ricobayo
Embalse de Almendra
Embalse de Castro
Embalse de Villalcampo
Río Duero
Río Esla
Río Tera
Río Tormes
Río Aliste
Tábara
Santovenia
Granja de Moreruela
Monasterio de Moreruela
Montamarta
Bermillo de Sayago
Fresno de Sayago
Alfaraz de Sayago
Muga de Sayago
Fonfría
Villalcampo
Ricobayo
Torregamones
Moralina
Villardiegua de la Ribera
Carbajosa
Moral de Sayago
Gamones
Badilla
Fariza
Zafara
Pinilla de Fermoselle
Fornillos de Fermoselle
Villar del Buey
Cibanal
Villarino
Pereña
Almendra
Sardón de los Frailes
Salce
Almeida
Peñausende
Tamame
Cabañas de Sayago
Fuente El Carnero
El Cubo de Tierra del Vino
Corrales del Vino
Morales del Vino
Arcenillas
Moraleja del Vino
Casaseca de las Chanas
Villaralbo
Villalazán
Madridanos
Coreses
Algodre
Monfarracinos
Molacillos
Cubillos
Andavias
Roales
La Hiniesta
Valcabado
Carrascal
San Román de los Infantes
Almaraz de Duero
Villaseco
Muelas del Pan
Manzanal del Barco
Carbajales de Alba
Muga de Alba
Losacio
Losacino
Vegalatrave
Samir de los Caños
Fornillos de Aliste
Ferreruela
Sesnández
Riofrío de Aliste
San Vitero
Villarino de Manzanas
San Pedro de las Herrerías
Mahide
Figueruela de Arriba
Riomanzanas
Puebla de Sanabria
Mombuey
Sandín
Villanueva de Valrojo
Otero de Bodas
Ferreras de Arriba
Ferreras de Abajo
Portillo de Sazadón
San Lorenzo
Faramontanos de Tábara
Moreruela de Tábara
Pozuelo de Tábara
Santa Eulalia de T.
Riego del Camino
Manganeses de la Lampreana
Fontanillas de Castro
Castillo
Villalba de la L.
Arquillinos
Castronuevo
Piedrahita de Castro
Moreruela de los Infanzones
Torres del Carrizal
Benegiles
Aspariegos
Villafáfila
Otero de Sariegos
Villarrín de Campos
Bretó
Bretocino
Villaveza del Agua
Barcial del Barco
Santa Colomba de las Monjas
Milles de la Polvorosa
Arcos
Villanueva de Azoague
Castrogonzalo
Castropepe
Villabrázaro
Manganeses
Quiruelas
Colinas de T.
Santa Cristina de la Polvorosa
Morales de Rey
Sta María de la Vega
San Román
Granucillo
Brime de Urz
Quintanilla de Urz
Pozuelo de V.
Santibáñez de Vidriales
Congosta
Cubo de Benavente
Uña de Quintana
Fuente Encalada
S. Pedro de la Viña
Molezuelas de la Carballeda
Brime de Sog
San Pedro de Ceque
San Juanico el Nuevo
Junquera de T.
Camarzana de Tera
Rionegro del Puente
Villar de Farfón
Vega de T.
Olleros de T.
Calzadilla de Tera
Pumarejo de T.
Melgar de Tera
Calzada de T.
Sta Croya de Tera
Sta María de Valverde
Santibáñez de Tera
San Pedro de Z.
Navianos de V.
Aguilar de T.
Villanázar
Micereces de T.
Sitrama de T.
Villanueva de las Peras
Bercianos de V.
Morales de V.
Villaveza de V.
Litos
Pueblica de V.
Friera de Valverde
Burganes de V.
Olmillos de V.
Cernadilla
Valdemerilla
Manzanal de Arriba
Sagallos
Codesal
Cional
Villardeciervos
Pedroso de la C.
Santa Cruz de los Guerragos
Linarejos
Peña Mira 1238
Boya
Flechas
Miño Cuevo 1207
Cabañas de Aliste
Las Torres de Aliste
Sarracín de A.
Campogrande de A.
Palazuelo de las Cuevas
Pobladura de A.
Gallegos del Campo
Moldones
San Blas
Nuez
Viñas
El Poyo
Rábano de Aliste
San Juan del Rebollar
Villarino de Cebal
San Vicente de la Cabeza
Bercianos de A.
Abejera
Grisuela
Fradellos
Valer
Puercas
Flores
Rabanales
Gallegos del Río
Tolilla
Dómez
Trabazos
San Martín del Pedroso
Sejas de A.
Tola
Latedo
Alcorcillo
S. Mamed
Santa Ana
Arcillera
Vivinera
Ceadea
Vide de Alba
El Castillo de Alba
Bermillo de Alba
Videmala
Cerezal de A.
Villaflor
El Campillo
Valdeperdices
Almendra
San Pedro de la Nave
Palacios del Pan
Pino del Oro
Castro de Alcañices
Villadepera
Moveros
Brandilanes
Avelanoso
Vale de Frades
Vilarinho
Tras la Sierra
São Martinho de Angueira
Angueira
São Joanico
Cicouro
Constantim
Especiosa
Sra do Nazo
Ifanes
Paradela
Póvoa
Malhadas
Genísio
Caçarelhos
Vila Chã
Vilar Seco
Granja
Silva
Aldeia Nova
Bgem de Miranda
Duas Igrejas
Cércio
Uva
Mora
Fonte Ladrão
Palaçoulo
Prado Gatão
Fonte da Aldeia
Teixeira
Freixiosa
Vila Chã de Braciosa
Cozcurrita
Saldanha
Atenor
Mamoles
Travanca
Picote
Sendim
Bgem de Picote
Barrocal do Douro
Palazuelo de Sagayo
Formariz
Urrós
Barragem de Bemposta
Villamor de la Ladre
Ganame
Fadón
Sogo
Malillos
Arcillo
Pereruela
Las Enillas
El Perdigón
Tardobispo
Entrala
La Tuda
S. Marcial
Sobradillo de Palomares
Casaseca de Campeán
Villanueva de Campeán
Torrefrades
Piñuel
Mogatar
Pasariegos
Villamor de Cadozos
Argañín
Monumenta
Tudera
Luelmo
Fresnadillo
Abelón
Figueruela de S.
Escuadro de S.
Viñuela de S.
Roelos
Carbellino
Trabanca
Cabeza de Framontanos
Monleras
El Manzano
Pellila
Santiz
Mayalde
Valparaíso
Peleas de Arriba
Fuentespreadas
Santa Clara de Avedillo
El Piñero
Peleas de Abajo
Jambrina
Gema
Pontejos
Cazurra
Sanzoles
Bamba
San Miguel de la Ribera
Argujillo
Cuelgamures
El Maderal
Villamor de los Escuderos
Fuentesaúco
Ahigal de Villarino
Villaseco de los Reyes
Moraleja de Sayago
Palacios del Arzobispo
Valdelosa
Villanueva de Cañedo
Topas
Aldeanueva de Figueroa
Villar de Samaniego
Iruelos
Berganciano
El Gejo de los Reyes
Zamayón
Convento
Buen Amor
Añover de Tormes
San Pelayo de Guareña
Aldearrodrigo
Tardáguila
Robledo Hermoso
Brincones
El Campo de L.
La Peña
La Vídola
N 631
N 630
N 122 E 82
N 525
A 52
A 66
A 6
N 221
N 218
ZA 324
CL 527

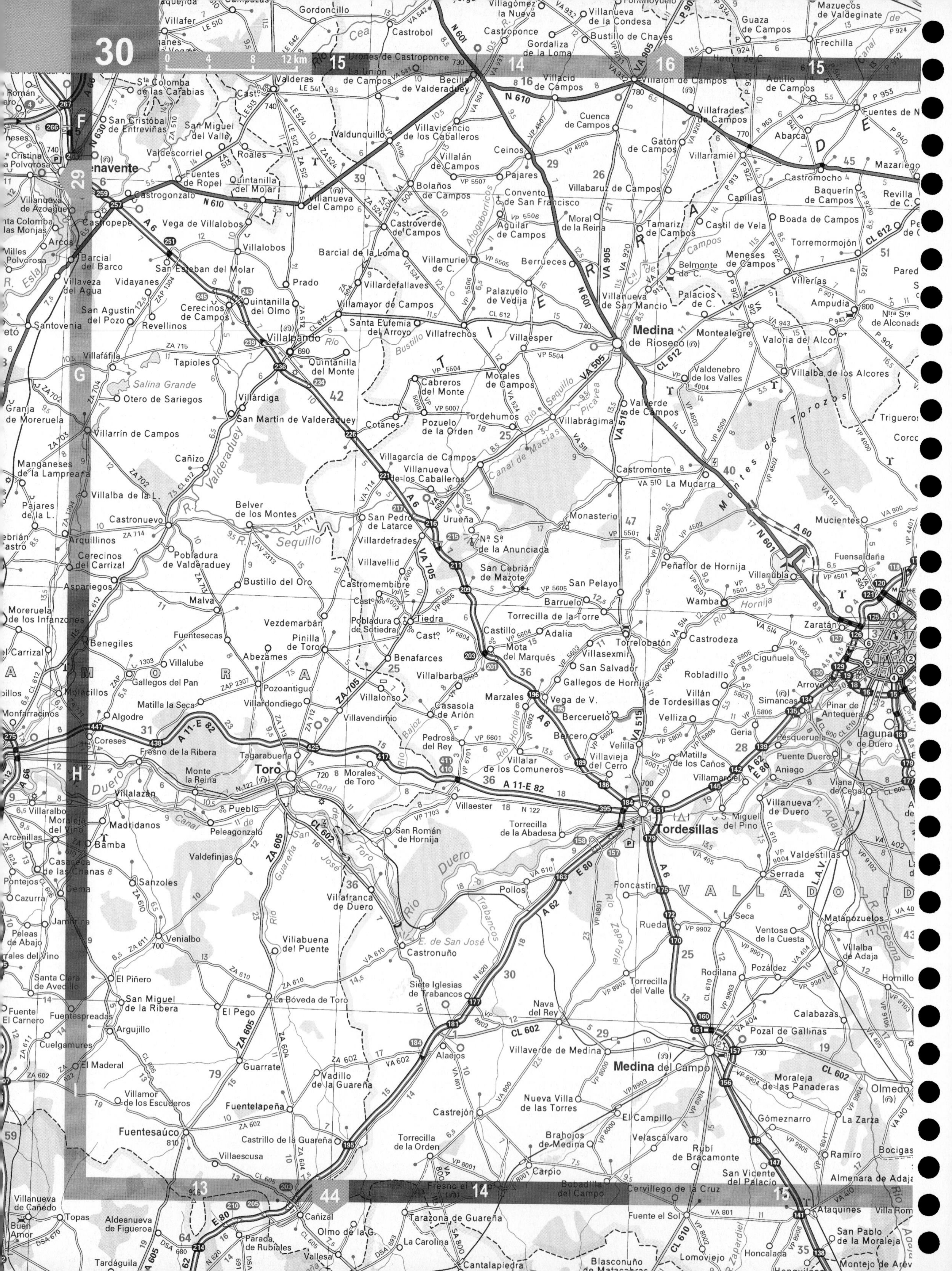
0 4 8 12 km
15
14
16
15
Urones de Castroponce
La Unión de Campos
Becilla de Valderaduey
Villacid de Campos
Villalón de Campos
Autillo de Campos
Gordoncillo
Castrobol
Villagómez la Nueva
Castroponce
Gordaliza de la Loma
Villanueva de la Condesa
Bustillo de Chaves
Guaza de Campos
Mazuecos de Valdeginate
Frechilla
Herrín de C.
Villafer
Valderas
Sta Colomba de las Carabias
Cast.
San Cristóbal de Entreviñas
San Miguel del Valle
Valdescorriel
Roales
Benavente
Fuentes de Ropel
Quintanilla del Molar
Castrogonzalo
Castropepe
Villanueva de Azoague
Sta Colomba las Monjas
Arcos
Milles
Barcial del Barco
San Esteban del Molar
Villaveza del Agua
Vidayanes
Santovenia
San Agustín del Pozo
Revellinos
Cerecinos de Campos
Quintanilla del Olmo
Villalpando
Quintanilla del Monte
Villafáfila
Tapioles
Salina Grande
Otero de Sariegos
Villárdiga
Granja de Moreruela
Villarrín de Campos
San Martín de Valderaduey
Manganeses de la Lampreana
Cañizo
Villalba de la L.
Pajares de la L.
Castronuevo
Arquillinos
Belver de los Montes
Cerecinos del Carrizal
Pobladura de Valderaduey
Bustillo del Oro
Asperiegos
Malva
Moreruela de los Infanzones
Vezdemarbán
Fuentesecas
Benegiles
Pinilla de Toro
Abezames
Villalube
Gallegos del Pan
Molacillos
Pozoantiguo
Matilla la Seca
Villardondiego
Algodre
Coreses
Fresno de la Ribera
Tagarabuena
Toro
Monte la Reina
Morales de Toro
Villalazán
Pueblo
Peleagonzalo
Madridanos
Bamba
Moraleja del Vino
Villaralbo
Arcenillas
Casaseca de las Chanas
Valdefinjas
Sanzoles
Pontejos
Cazurra
Gema
Jambrina
Peleas de Abajo
Venialbo
Villabuena del Puente
Santa Clara de Avedillo
El Piñero
San Miguel de la Ribera
El Pego
La Bóveda de Toro
Fuentespreadas
Argujillo
Cuelgamures
El Maderal
Guarrate
Vadillo de la Guareña
Villamor de los Escuderos
Fuentelapeña
Fuentesaúco
Castrillo de la Guareña
Villaescusa
Villalobos
Vega de Villalobos
Valdunquillo
Villavicencio de los Caballeros
Villalán de Campos
Bolaños de Campos
Villanueva del Campo
Castroverde de Campos
Barcial de la Loma
Villardefallaves
Villamayor de Campos
Santa Eufemia del Arroyo
Villafrechós
Villamuriel de C.
Palazuelo de Vedija
Ceinos
Pajares
Convento de San Francisco
Aguilar de Campos
Cuenca de Campos
Villabaruz de Campos
Moral de la Reina
Berrueces
Villanueva de San Mancio
Medina de Rioseco
Villaesper
Cabreros del Monte
Morales de Campos
Pozuelo de la Orden
Cotanes
Tordehumos
Villabrágima
Valverde de Campos
Villagarcía de Campos
Villanueva de los Caballeros
San Pedro de Latarce
Villardefrades
Villavellid
Castromembibre
Urueña
Nª Sª de la Anunciada
San Cebrián de Mazote
Cast.
Pobladura de Sotiedra
Tiedra
Castillo
Adalia
Benafarces
Mota del Marqués
Villalbarba
Villalonso
Casasola de Arión
Villavendimio
Marzales
Pedrosa del Rey
Villalar de los Comuneros
Villaester
Torrecilla de la Abadesa
San Román de Hornija
Villafranca de Duero
Pollos
Castronuño
Siete Iglesias de Trabancos
E. de San José
Nava del Rey
Alaejos
Villaverde de Medina
Medina del Campo
Nueva Villa de las Torres
Castrejón
Torrecilla de la Orden
Brahojos de Medina
El Campillo
Carpio
Velascálvaro
Rubí de Bracamonte
Villafrades de Campos
Gatón de Campos
Villarramiel
Castromocho
Abarca
Capillas
Baquerín de Campos
Fuentes de N
Mazariego
Revilla de C.
Boada de Campos
Castil de Vela
Tamariz de Campos
Belmonte de C.
Meneses de Campos
Torremormojón
Villerías
Palacios de C.
Ampudia
Montealegre
Valoria del Alcor
Nª Sª de Alconada
Valdenebro de los Valles
Villalba de los Alcores
Trigueros
Castromonte
La Mudarra
Monasterio
Montes de Torozos
Mucientes
Peñaflor de Hornija
Fuensaldaña
Villanubla
San Pelayo
Barruelo
Torrecilla de la Torre
Wamba
Torrelobatón
Castrodeza
Zaratán
Villasexmir
San Salvador
Ciguñuela
Gallegos de Hornija
Robladillo
Vega de V.
Villán de Tordesillas
Arroyo
Simancas
Bercerueló
Velliza
Pinar de Antequera
Bercero
Velilla
Geria
Villavieja del Cerro
Matilla de los Caños
Pesqueruela
Laguna de Duero
Puente Duero
Aniago
Villamarciel
Viana de Cega
Tordesillas
Villanueva de Duero
S. Miguel del Pino
Valdestillas
Serrada
Foncastín
Rueda
La Seca
Matapozuelos
Ventosa de la Cuesta
Villalba de Adaja
Torrecilla del Valle
Rodilana
Pozáldez
Hornillo
Calabazas
Pozal de Gallinas
Moraleja de las Panaderas
Olmedo
Gomeznarro
La Zarza
Ramiro
Bocigas
Almenara de Adaja
San Vicente del Palacio
Cervillego de la Cruz
Ataquines
Fuente el Sol
Villanueva de Campeán
Topas
Aldeanueva de Figueroa
Cañizal
Olmo de la G.
Tarazona de Guareña
La Carolina
Fresno el V.
Bobadilla del Campo
Parada de Rubiales
Vallesa
Tardáguila
Cantalapiedra
Blasconuño
Lomoviejo
Honcalada
San Pablo de la Moraleja
Montejo de Arévalo
Buen Amor
44
13
14
15
V A L L A D O L I D
Z A M O R A
T I E R R A D E C A M P O S
Río Duero
Canal de Macías Picavea
Río Sequillo
Valderaduey
Río Hornija
Río Trabancos
Río Zapardiel
Río Adaja
Río Eresma
Río Guareña
Río Cea
Río Esla
A 6
A 11-E 82
A 62
E 80
N 601
N 610
N 620
N 122
CL 602
CL 612
CL 610
A 60
A 66

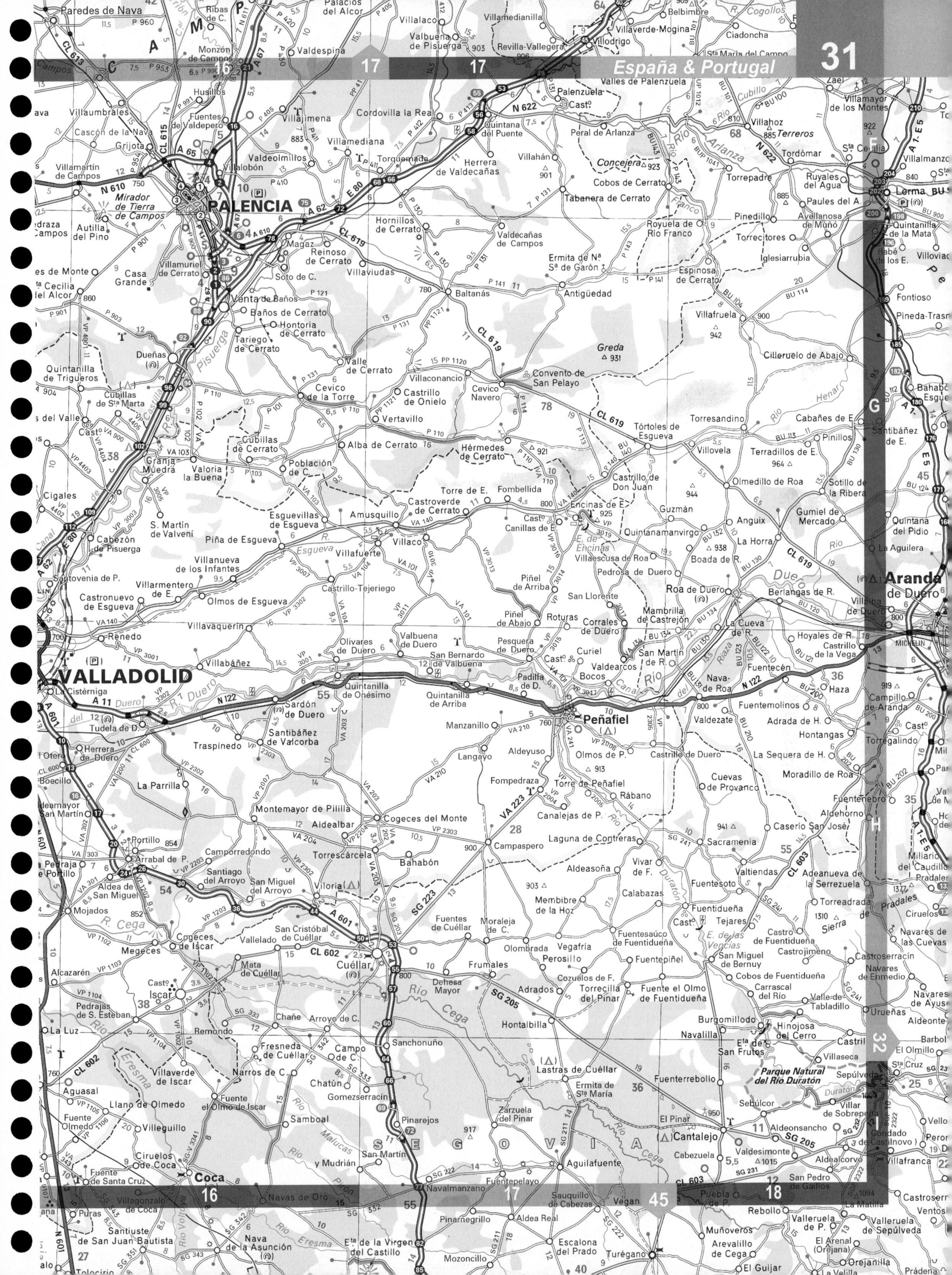

Paredes de Nava
Ribas de C.
Palacios del Alcor
Villalaco
Villamedianilla
Belbimbre
Villaverde-Mogina
Villodrigo
Ciadoncha
Valbuena de Pisuerga
Revilla-Vallegera
Valdespina
Monzón de Campos
Valles de Palenzuela
Palenzuela
Husillos
Villaumbrales
Cordovilla la Real
Villajimena
Quintana del Puente
Peral de Arlanza
Villahoz
Terreros
Villamayor de los Montes
Cascón de la Nava
Fuentes de Valdepero
Villamediana
Torquemada
Herrera de Valdecañas
Villahán
Grijota
Valdeolmillos
Villalobón
Concejera
Tordómar
Sta Cecilia
Villalmanzo
Villamartín de Campos
Cobos de Cerrato
Torrepadre
Ruyales del Agua
Lerma
Mirador de Tierra de Campos
PALENCIA
Tabanera de Cerrato
Paules del A.
Autilla del Pino
Hornillos de Cerrato
Royuela de Río Franco
Pinedillo
Avellanosa de Muñó
Quintanilla de la Mata
Magaz
Valdecañas de Campos
Torrecitores
Villamuriel de Cerrato
Reinoso de Cerrato
Ermita de Na Sa de Garón
Iglesiarrubia
Rabé de los E.
Villoviado
Casa Grande
Villaviudas
Soto de C.
Espinosa de Cerrato
Cecilia del Alcor
Venta de Baños
Baltanás
Antigüedad
Fontioso
Baños de Cerrato
Villafruela
Pineda-Trasmonte
Hontoria de Cerrato
Tariego de Cerrato
Dueñas
Greda
Cilleruelo de Abajo
Valle de Cerrato
Convento de San Pelayo
Quintanilla de Trigueros
Cevico de la Torre
Villaconancio
Castrillo de Onielo
Cevico Navero
Bahabón de Esgueva
Cubillas de Sta Marta
Vertavillo
Torresandino
Cabañes de E.
Tórtoles de Esgueva
Santibáñez de E.
Cubillas de Cerrato
Alba de Cerrato
Hérmedes de Cerrato
Villovela
Terradillos de E.
Pinillos
Granja Muedra
Valoria la Buena
Población de C.
Castrillo de Don Juan
Cigales
Torre de E.
Fombellida
Olmedillo de Roa
Sotillo de la Ribera
Castroverde de Cerrato
Encinas de E.
Guzmán
Gumiel de Mercado
S. Martín de Valvení
Esguevillas de Esgueva
Amusquillo
Canillas de E.
Anguix
Quintana del Pidio
Cabezón de Pisuerga
Piña de Esgueva
Villaco
Quintanamanvirgo
La Horra
La Aguilera
Villafuerte
Villaescusa de Roa
Boada de R.
Villanueva de los Infantes
Pedrosa de Duero
Santovenia de P.
Villarmentero de E.
Castrillo-Tejeriego
Piñel de Arriba
Roa de Duero
Aranda de Duero
Berlangas de R.
Castronuevo de Esgueva
Olmos de Esgueva
San Llorente
Villalba de Duero
Mambrilla de Castrejón
Villavaquerín
Piñel de Abajo
Roturas
Corrales de Duero
La Cueva de R.
Renedo
Olivares de Duero
Valbuena de Duero
Pesquera de Duero
Hoyales de R.
Castrillo de la Vega
VALLADOLID
Villabáñez
San Bernardo de Valbuena
Curiel
San Martín de R.
Valdearcos
Fuentecén
Bocos
Padilla de D.
Nava de Roa
Haza
La Cistérniga
Quintanilla de Onésimo
Quintanilla de Arriba
Campillo de Aranda
Sardón de Duero
Peñafiel
Fuentemolinos
Tudela de D.
Manzanillo
Valdezate
Adrada de H.
Hontangas
Torregalindo
Santibáñez de Valcorba
Traspinedo
Langayo
Aldeyuso
Olmos de P.
Castrillo de Duero
La Sequera de H.
Herrera de Duero
Moradillo de Roa
Boecillo
La Parrilla
Fompedraza
Torre de Peñafiel
Rábano
Cuevas de Provanco
Fuentenebro
Aldehorno
Laguna de Duero
San Martín
Montemayor de Pililla
Aldealbar
Cogeces del Monte
Canalejas de P.
Caserío San José
Portillo
Laguna de Contreras
Sacramenia
Arrabal de P.
Camporredondo
Torrescárcela
Campaspero
Milagros
Bahabón
Vivar de F.
Valtiendas
Adeanueva de la Serrezuela
Santiago del Arroyo
San Miguel del Arroyo
Aldeasoña
Pradales
Aldea de San Miguel
Viloria
Membibre de la Hoz
Calabazas
Fuentesoto
Torreadrada
Mojados
Fuentidueña
Tejares
Ciruelos
Fuentes de Cuéllar
Moraleja de C.
Castro de Fuentidueña
Navares de las Cuevas
Cogeces de Iscar
San Cristóbal de Cuéllar
Vallelado
Fuentesaúco de Fuentidueña
Castrojimeno
Megeces
Olombrada
Vegafría
Castroserracín
Cuéllar
Perosillo
San Miguel de Bernuy
Navares de Enmedio
Alcazarén
Mata de Cuéllar
Frumales
Fuentepiñel
Cobos de Fuentidueña
Iscar
Dehesa Mayor
Cozuelos de F.
Fuente el Olmo de Fuentidueña
Carrascal del Río
Navares de Ayuso
Pedrajas de S. Esteban
Adrados
Torrecilla del Pinar
Valle de Tabladillo
Urueñas
Chañe
Arroyo de C.
Hontalbilla
Burgomillodo
Hinojosa del Cerro
Aldeonte
La Luz
Remondo
Navalilla
Castrillo
Fresneda de Cuéllar
Campo de C.
Sanchonuño
Ea de San Frutos
Villaseca
Villaverde de Iscar
Narros de C.
Lastras de Cuéllar
Fuenterrebollo
Parque Natural del Río Duratón
Sepúlveda
Aguasal
Chatún
Ermita de Sta María
Gomezserracín
Llano de Olmedo
Fuente el Olmo de Iscar
Sebúlcor
Villar de Sobrepeña
Fuente Olmedo
Samboal
Zarzuela del Pinar
Cantalejo
Aldeonsancho
Condado de Castilnovo
Villeguillo
Pinarejos
El Pinar
Valdesimonte
Ciruelos de Coca
San Martín y Mudrián
Aguilafuente
Cabezuela
Aldealcorvo
Villafranca
Fuente de Santa Cruz
Coca
Navalmanzano
Fuentepelayo
San Pedro de Gaíllos
Villagonzalo de Coca
Navas de Oro
Sauquillo de Cabezas
Vegan
Puebla de P.
Castroserracín
Puras
Pinarnegrillo
Aldea Real
Rebollo
Valleruela de P.
Valleruela de Sepúlveda
Santiuste de San Juan Bautista
Nava de la Asunción
Ea de la Virgen del Castillo
Escalona del Prado
Muñoveros
Arevalillo de Cega
El Arenal (Orejana)
Mozoncillo
Turégano
Orejanilla
El Guijar
Tolocirio

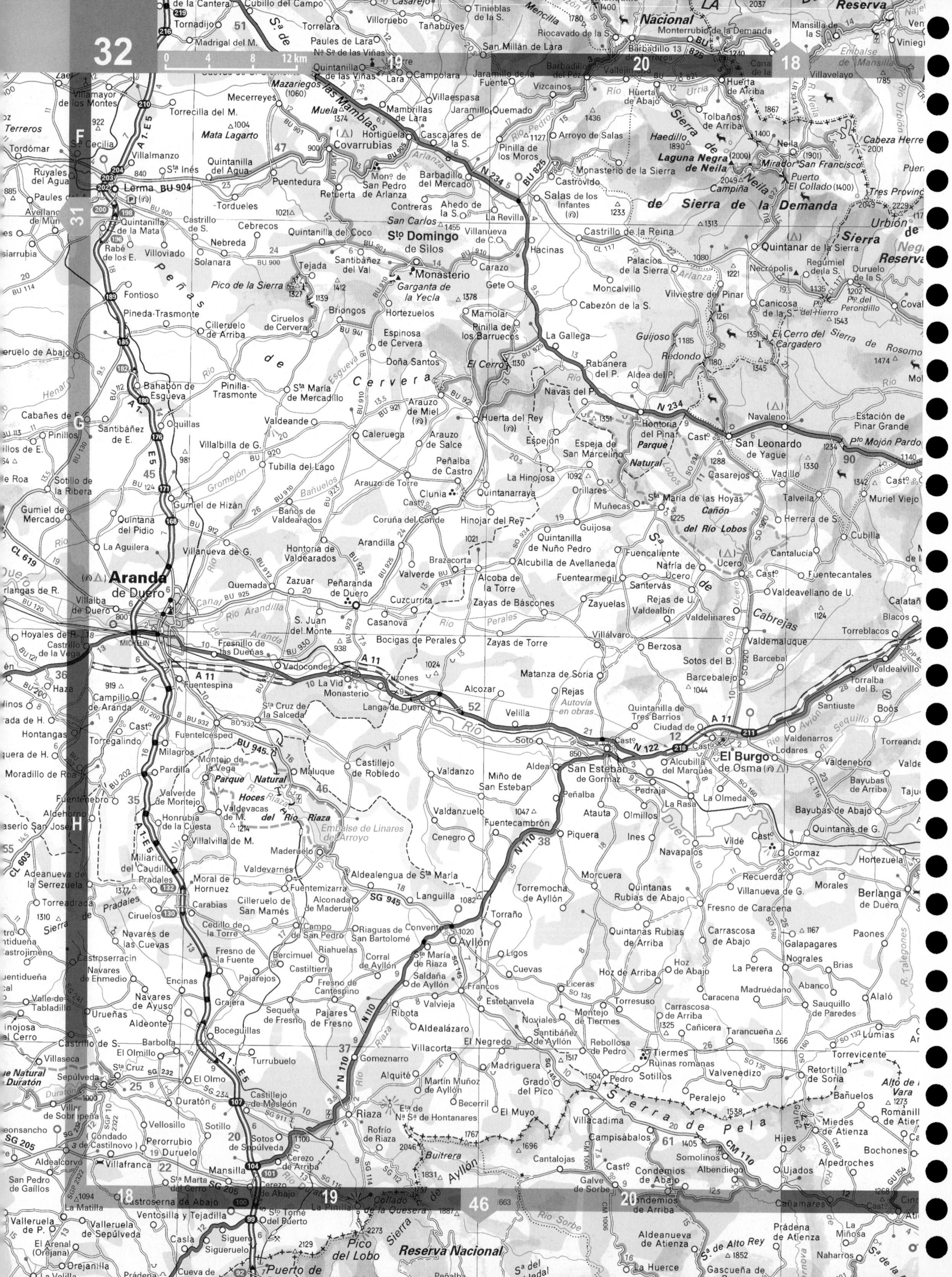

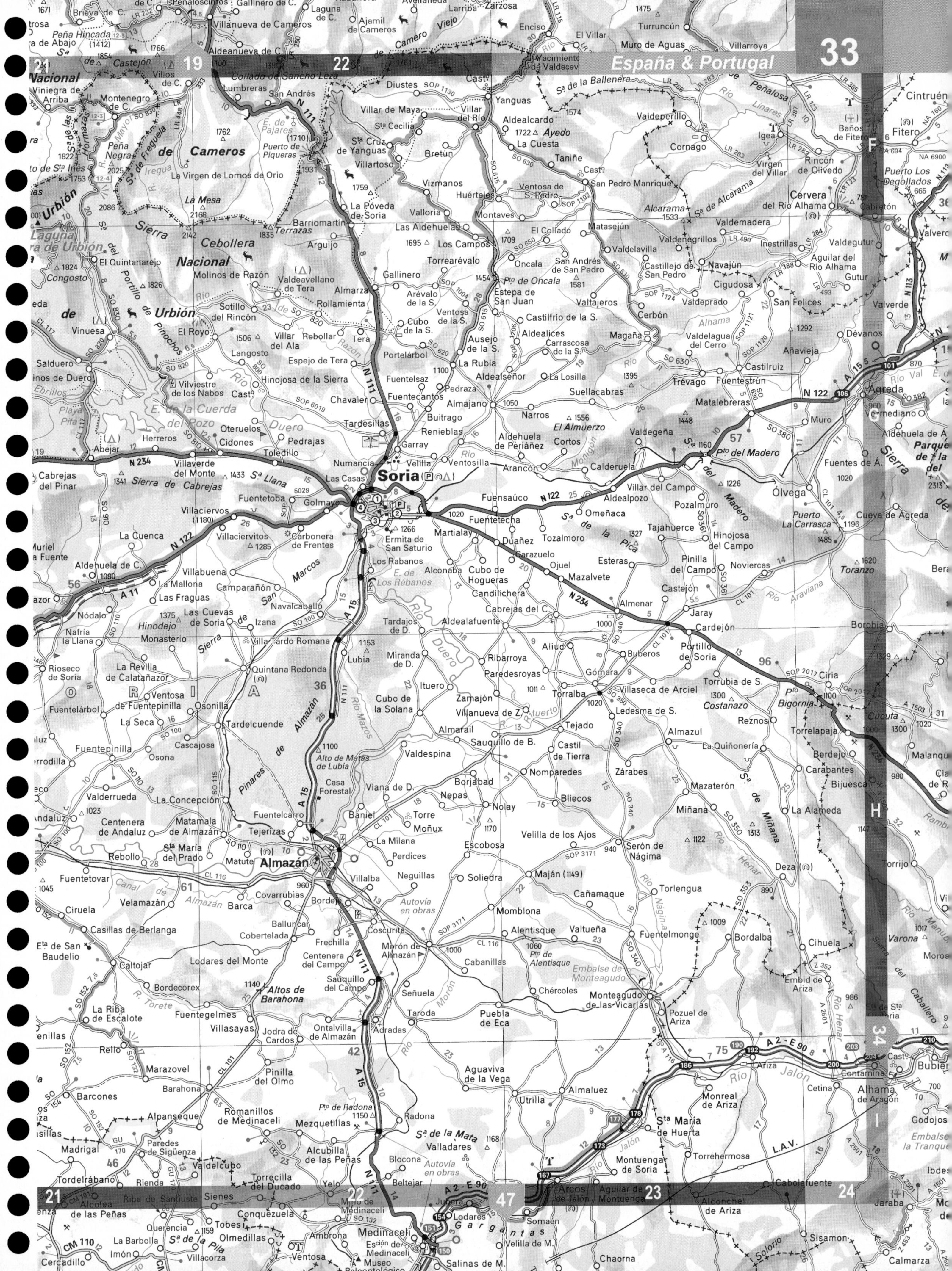
Soria
Almazán
Medinaceli
Ágreda
Sierra Cebollera
Sierra de Urbión
Nacional de Cameros
Pinares de Almazán
Sierra de Cabrejas
Sa de la Pica
Sa de Miñana
Sierra del Madero
Sierra del Caballero
Río Duero
Río Jalón
Embalse de Monteagudo
Monteagudo de las Vicarías
Arcos de Jalón
Sta María de Huerta
Cervera del Río Alhama
Almenar
Gómara
Berlanga
Yanguas
San Pedro Manrique
Villar del Río
Ólvega
19
22
23
24
21
47
34
F
G
H
I

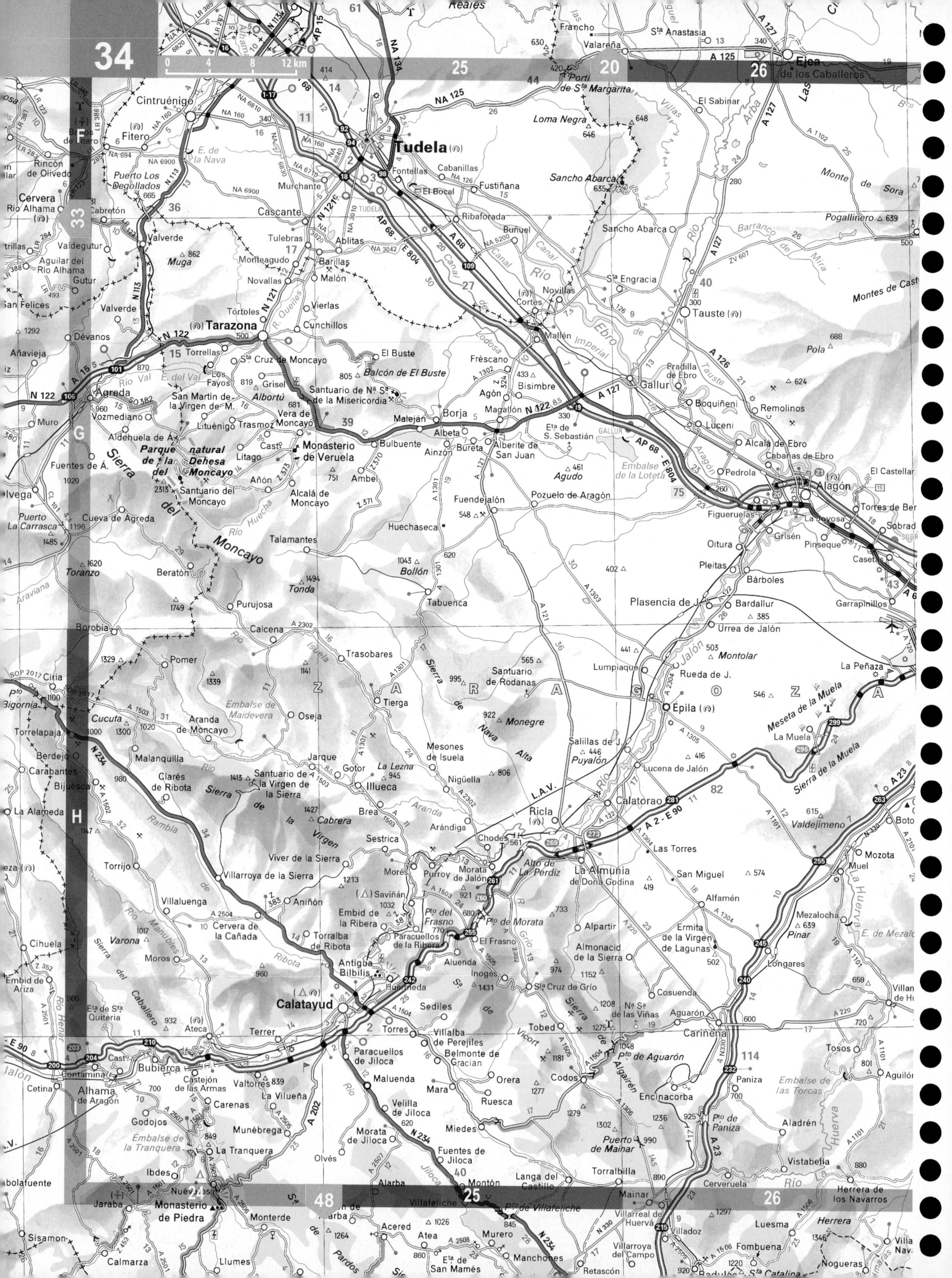
34
25
20
26
33
48
25
26
F
G
H
Tudela
Ejea de los Caballeros
Cintruénigo
Fitero
Tarazona
Ágreda
Borja
Alagón
Tauste
Gallur
Mallén
Cortes
Novillas
Ribaforada
Buñuel
Fontellas
Cabanillas
Fustiñana
Murchante
Cascante
Tulebras
Monteagudo
Ablitas
Barillas
Malón
Novallas
Vierlas
Cunchillos
Tórtoles
Torrellas
Sta Cruz de Moncayo
Los Fayos
Grisel
El Buste
Balcón de El Buste
Santuario de Nª Sª de la Misericordia
Maleján
Albeta
Ainzón
Bureta
Alberite de San Juan
Magallón
Agón
Bisimbre
Fréscano
Vera de Moncayo
Monasterio de Veruela
Bulbuente
Ambel
Alcalá de Moncayo
Añón
Litago
Lituénigo
Trasmoz
San Martín de la Virgen de M.
Vozmediano
Aldehuela de Á.
Parque natural Dehesa del Moncayo
Santuario del Moncayo
Sierra del Moncayo
Cueva de Agreda
Puerto La Carrasca
Beratón
Purujosa
Calcena
Talamantes
Tonda
Bollón
Tabuenca
Huechaseca
Fuendejalón
Pozuelo de Aragón
Agudo
Embalse de la Lotetá
Pedrola
Luceni
Boquiñeni
Pradilla de Ebro
Remolinos
Alcalá de Ebro
Cabañas de Ebro
Figueruelas
Grisén
La Joyosa
Pinseque
Oitura
Pleitas
Bárboles
Plasencia de J.
Bardallur
Urrea de Jalón
Lumpiaque
Rueda de J.
Épila
Montolar
La Peñaza
Meseta de la Muela
La Muela
Sierra de la Muela
Trasobares
Tierga
Santuario de Rodanas
Monegre
Sierra de Nava Alta
Salillas de J.
Puyalón
Lucena de Jalón
Calatorao
Ricla
La Almunia de Doña Godina
Alto de La Perdiz
Las Torres
San Miguel
Alfamén
Almonacid de la Sierra
Alpartir
Cosuenda
Aguarón
Cariñena
Ermita de la Virgen de Lagunas
Longares
Mezalocha
Muel
Mozota
Valdejimeno
Pinar
Tosos
Aguilón
Paniza
Embalse de las Torcas
Aladrén
Vistabella
Herrera de los Navarros
Encinacorba
Pto de Aguarón
Pto de Paniza
Cerveruela
Mainar
Villarreal de Huerva
Villadoz
Luesma
Fombuena
Torralbilla
Puerto de Mainar
Codos
Tobed
Sierra de Algairén
Sta Cruz de Grío
Nª Sª de las Viñas
Langa del Castillo
Pto de Villafeliche
Villafeliche
Montón
Fuentes de Jiloca
Miedes
Morata de Jiloca
Velilla de Jiloca
Maluenda
Paracuellos de Jiloca
Mara
Ruesca
Orera
Belmonte de Gracian
Villalba de Perejiles
Torres
Sediles
Calatayud
Huérmeda
Antigua Bilbilis
Aluenda
Inogés
El Frasno
Pto del Frasno
Pto de Morata
Morata de Jalón
Purroy
Morés
Chodes
Arándiga
Brea
Sestrica
Viver de la Sierra
Illueca
Gotor
Jarque
Mesones de Isuela
Nigüella
La Lezna
Sierra de la Virgen
Cabrera
Santuario de la Virgen de la Sierra
Oseja
Aranda de Moncayo
Embalse de Maidevera
Pomer
Cálcena
Borobia
Ciria
Pto Bigornia
Cucuta
Torrelapaja
Berdejo
Carabantes
Bijuesca
Malanquilla
Clarés de Ribota
La Alameda
Torrijo
Villarroya de la Sierra
Villaluenga
Aniñón
Cervera de la Cañada
Torralba de Ribota
Sierra de Varona
Moros
Paracuellos de la Ribera
Embid de la Ribera
Saviñán
Cihuela
Embid de Ariza
Eta de Sta Quiteria
Ateca
Terrer
Bubierca
Castejón de las Armas
Valtorres
La Vilueña
Contamina
Cetina
Alhama de Aragón
Carenas
Godojos
Munébrega
Embalse de la Tranquera
La Tranquera
Ibdes
Olvés
Nuévalos
Monasterio de Piedra
Jaraba
Monterde
Sisamon
Calmarza
Llumes
Acered
Atea
Murero
Manchones
Eta de San Mamés
Alarba
Villarroya del Campo
Retascón
Badules
Sta Catalina
Nogueras
Cervera Río Alhama
Cabretón
Valverde
Aguilar del Río Alhama
Valdegutur
Gutur
Muga
San Felices
Dévanos
Añavieja
Muro
Fuentes de Á.
Toranzo
Rincón de Olivedo
Puerto Los Degollados
Sancho Abarca
Loma Negra
Porti de Sta Margarita
Valareña
Sta Anastasia
Francho
El Sabinar
Monte de Sora
Pogallinero
Montes de Castejón
Sta Engracia
Pola
Canal Imperial
Río Ebro
Río Jalón
Río Huerva
A 68
AP 68 - E 804
A 2 - E 90
N 122
N 234
N 121
A 23
A 127
A 125
A 126
NA 125
NA 134

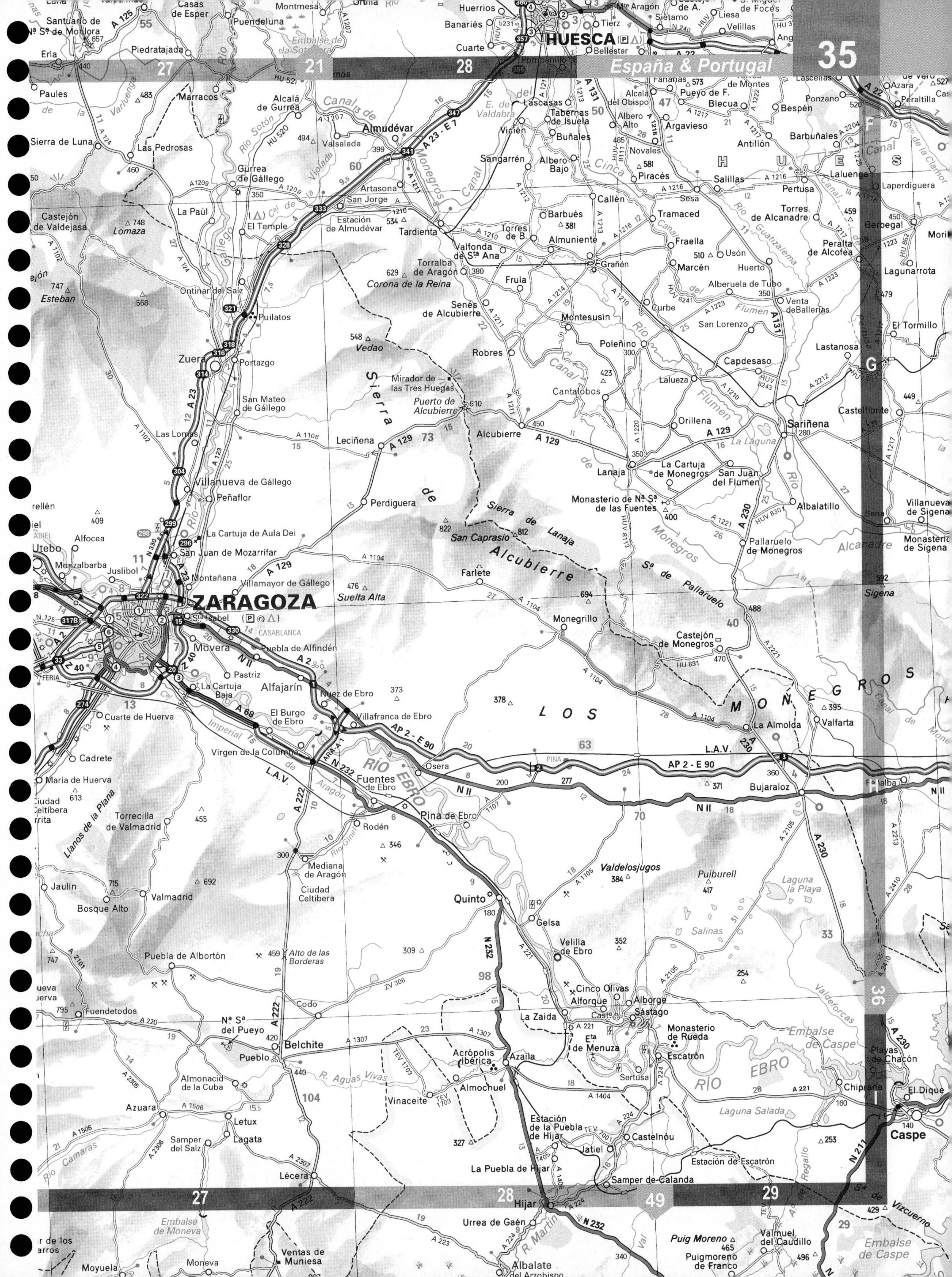
HUESCA
ZARAGOZA
Zuera
Villanueva de Gállego
Almudévar
Tardienta
Grañén
Sariñena
Lanaja
Leciñena
Alcubierre
Sierra de Alcubierre
Sierra de Lanaja
LOS MONEGROS
Bujaraloz
La Almolda
Castejón de Monegros
Monegrillo
Farlete
Perdiguera
Alfajarín
Pina de Ebro
Fuentes de Ebro
Quinto
Gelsa
Velilla de Ebro
Sástago
Escatrón
Caspe
Belchite
Azaila
Híjar
La Puebla de Híjar
Samper de Calanda
Albalate del Arzobispo
Valmadrid
Fuendetodos
Puebla de Albortón
Mediana de Aragón
Lécera
Moyuela
RÍO EBRO
AP 2 - E 90
A 23 - E 7
N II
N 232
A 129
A 230

21
28
27
36
27
28
49
29

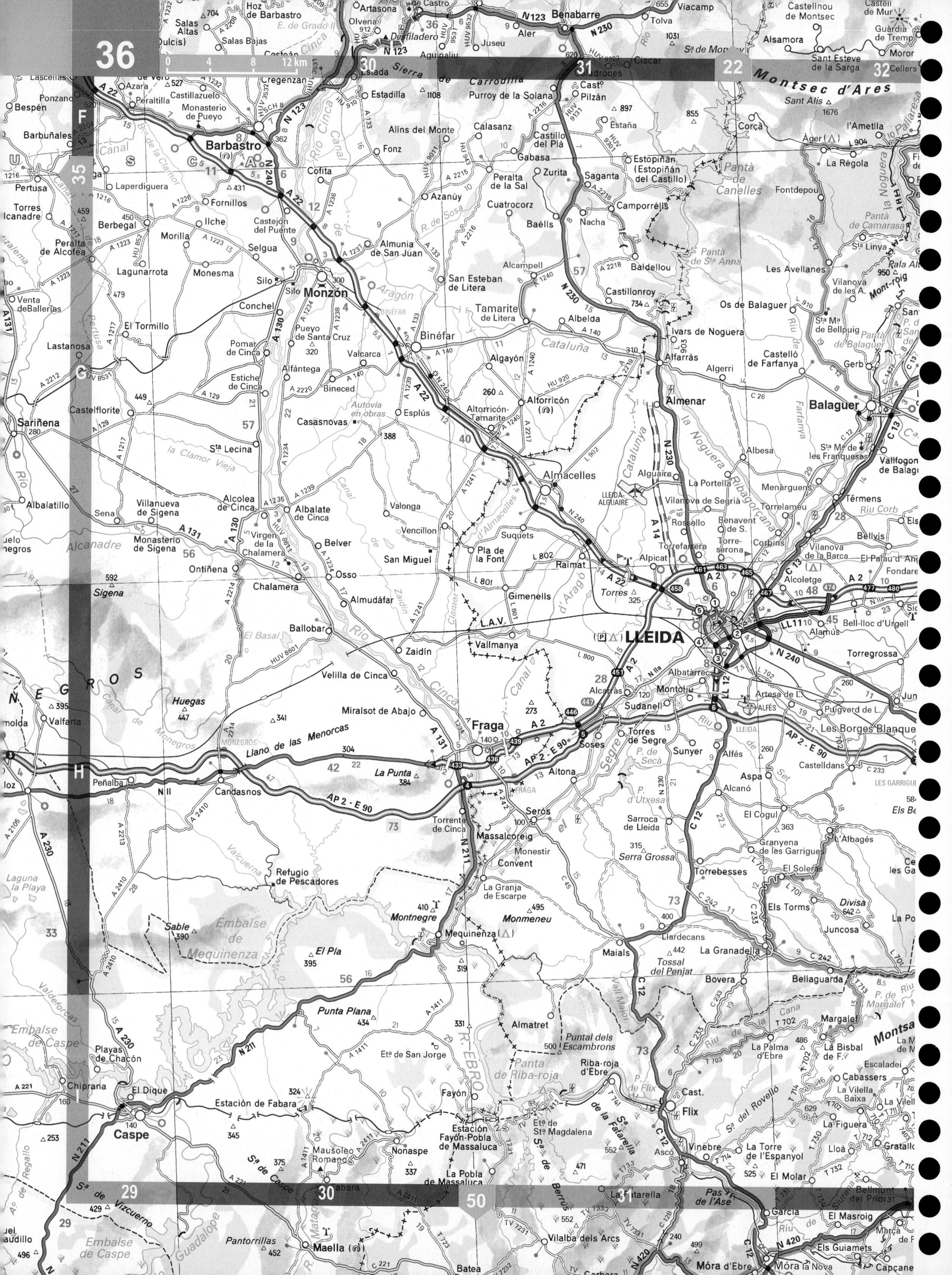
36
0 4 8 12 km
30
31
22
32
F
35
G
H
I
29
30
50
31
Barbastro
Monzón
Binéfar
Tamarite de Litera
Benabarre
Balaguer
Almenar
Alfarràs
Almacelles
LLEIDA
Fraga
Mequinenza
Caspe
Flix
Móra d'Ebre
Maella
Sariñena
Candasnos
Peñalba
Alcarràs
Torres de Segre
Soses
Aitona
Seròs
Massalcoreig
Torrente de Cinca
Llardecans
Maials
La Granadella
Bellaguarda
Les Borges Blanques
Juneda
Bell-lloc d'Urgell
Alcoletge
Torrefarrera
Rosselló
Alguaire
Castillonroy
Baldellou
Camporrélls
Estopiñán (Estopiñán del Castillo)
Alcampell
Peralta de la Sal
Azanúy
Fonz
Estadilla
Castillo del Plá
Gabasa
Zurita
Saganta
Nacha
Baélls
Albelda
Algayón
Altorricón
Esplús
Casasnovas
Valcarca
Alfántega
Pueyo de Santa Cruz
Pomar de Cinca
Estiche de Cinca
Bineced
Albalate de Cinca
Alcolea de Cinca
Belver
Osso
Almudáfar
Ballobar
Zaidín
Velilla de Cinca
Chalamera
Ontiñena
Villanueva de Sigena
Monasterio de Sigena
Castelflorite
Lastanosa
El Tormillo
Conchel
Selgua
Castejón del Puente
Berbegal
Ilche
Fornillos
Morilla
Monesma
Lagunarrota
Peralta de Alcofea
Pertusa
Almunia de San Juan
San Esteban de Litera
Calasanz
Purroy de la Solana
Alins del Monte
Cofita
Salas Altas
Salas Bajas
Hoz de Barbastro
Azara
Castillazuelo
Peraltilla
Monasterio de Pueyo
Ponzano
Bespén
Barbuñales
Laperdiguera
Torres Alcanadre
Albalatillo
Sena
Valonga
Vencillon
San Miguel
Suquets
Pla de la Font
Gimenells
Raimat
Vallmanya
Sudanell
Montoliu
Albatàrrec
Artesa de L.
Puigverd de L.
Castelldans
Aspa
Alcanó
Alfés
Sunyer
Sarroca de Lleida
El Cogul
Granyena de les Garrigues
L'Albagés
Torrebesses
El Soleràs
Els Torms
Juncosa
Bovera
Margalef
La Bisbal de F.
La Palma d'Ebre
Cabassers
La Vilella Baixa
La Figuera
Lloà
Gratallops
La Torre de l'Espanyol
Vinebre
Ascó
El Molar
Garcia
El Masroig
Móra la Nova
Els Guiamets
Capçanes
Bellmunt del Priorat
Riba-roja d'Ebre
Almatret
Fayón
Nonaspe
Vilalba dels Arcs
Batea
La Fatarella
La Pobla de Massaluca
Fabara
Chiprana
El Dique
Playas de Chacón
Estación de Fabara
Estación Fayón-Pobla de Massaluca
Monestir Convent
La Granja de Escarpe
Refugio de Pescadores
Llano de las Menorcas
La Punta
Embalse de Mequinenza
Embalse de Caspe
Montsec d'Ares
Sierra de Carrodilla
Serra Grossa
Tossal del Penjat
Punta Plana
El Pla
Montnegre
Monmeneu
Sage
Sigena
Huegas
Valfarta
Pantà de Canelles
Pantà de Sta Anna
Pantà de Camarasa
Pantà de Riba-roja
Os de Balaguer
Ivars de Noguera
Castelló de Farfanya
Algerri
Albesa
La Portella
Menàrguens
Térmens
Vallfogona de Balaguer
Vilanova de Segrià
Benavent de S.
Torre-serona
Corbins
Vilanova de la Barca
Bellvís
Torregrossa
Alamús
Fondarella
Àger
La Règola
Fontdepou
Les Avellanes
Vilanova de les A.
Sta Linya
Gerb
Corçà
L'Ametlla
Estaña
Pilzán
Sant Esteve de la Sarga
Alsamora
Castellnou de Montsec
Viacamp
Tolva
Aler
Juseu
Olvena
Artasona
Cregenzán
Estada
Aguinaliu
Ciscar
A 22
A 2
AP 2 - E 90
N 240
N 230
N 211
N 123
N 420
A 131
A 130
C 12
C 13
A 14
A 230
N II
LLEIDA-ALGUAIRE
Cataluña
Catalunya
Río Cinca
R. EBRO
Segre
la Noguera Ribagorçana

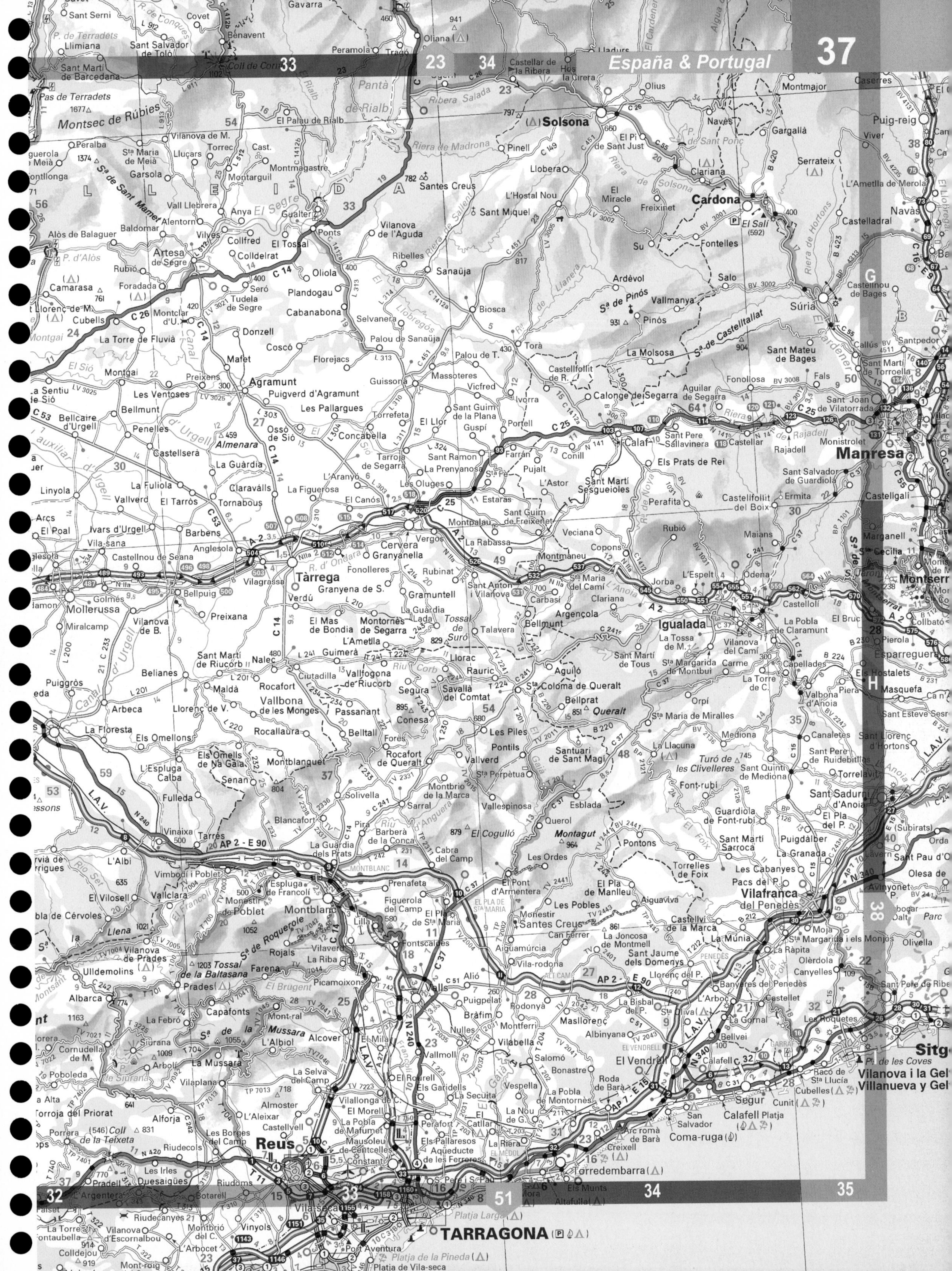
Solsona
Cardona
Manresa
Igualada
Tàrrega
Cervera
Mollerussa
Agramunt
Vilafranca del Penedès
Valls
Reus
TARRAGONA
El Vendrell
Montblanc
Súria
Calaf
Guissona
Ponts
Artesa de Segre
Oliana
Torà
Sant Sadurní d'Anoia
Calafell
Torredembarra
Salou
Montserrat
Sitges
Vilanova i la Geltrú
Villanueva y Geltrú
Montsec de Rúbies
Sª de Roquerole
Tossal de la Baltasana
Sª de la Mussara
Sª de Pinós
Sª de Castelltallat
El Cogulló
Montagut
Queralt
Tossal de Suró
Turó de les Clivelleres
Coll de Comiols
Pantà de Rialb
Riera Salada
Riera de Madrona
El Segre
Llobregós
Canal d'Urgell
Almenara
Canal auxiliar d'Urgell
El Sió
El Francolí
Riu Corb
El Gaià
El Foix
L'Anoia
El Cardener
Riera de Rajadell
Platja Llarga
Platja de la Pineda
Platja de Vila-seca
Port Aventura
Coll de la Teixeta
Sant Salvador
Coma-ruga
Segur
Cunit
Cubelles
Altafulla
Els Munts
El Mèdol
Arc romà de Barà
Creixell
L E I D A
B A
G
H
I
33
23
34
35
51
32
38

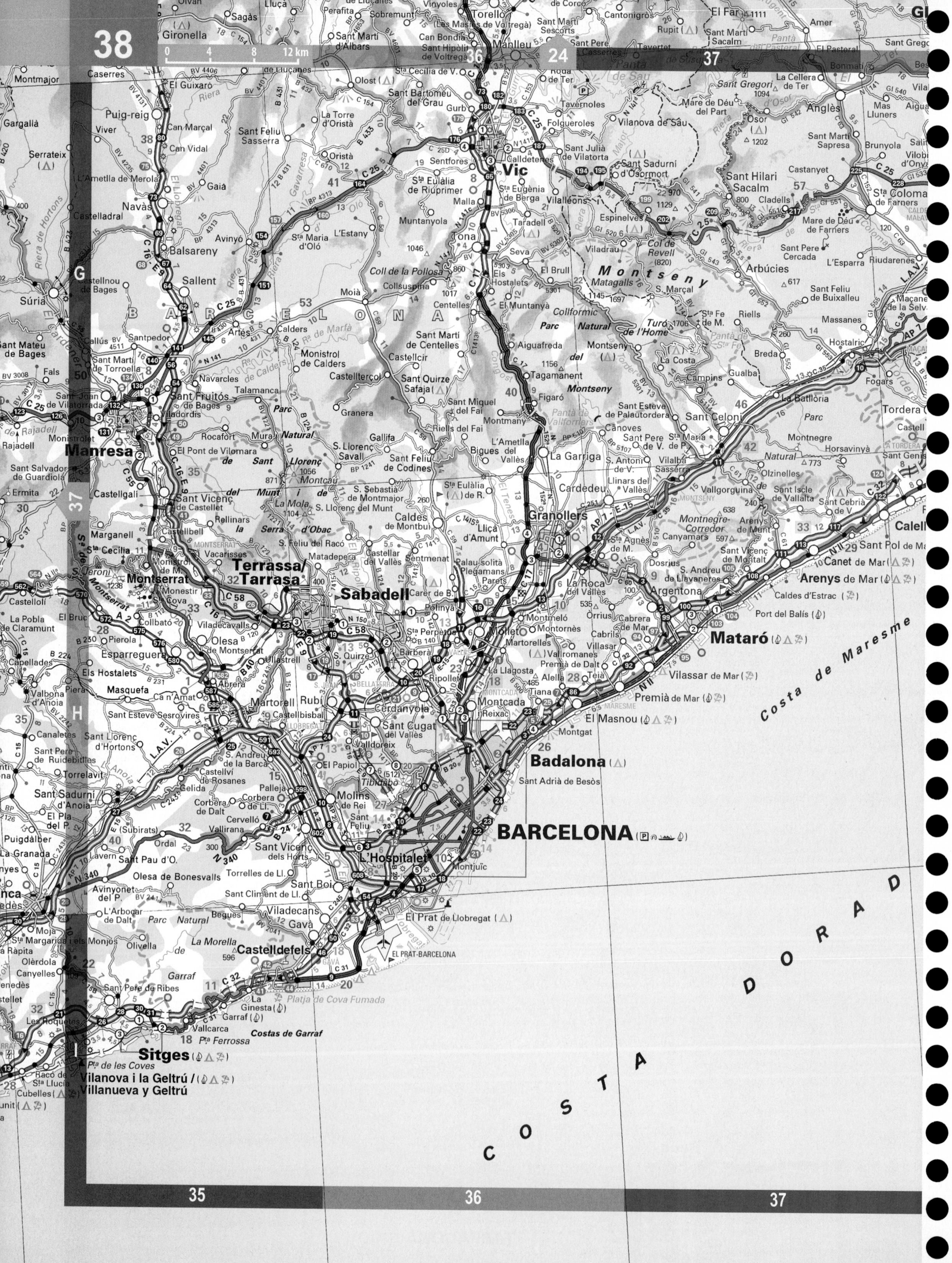

0 4 8 12 km
BARCELONA
Manresa
Vic
Terrassa/Tarrasa
Sabadell
Granollers
Mataró
Badalona
Sitges
Vilanova i la Geltrú / Villanueva y Geltrú
Castelldefels
Gavà
Viladecans
L'Hospitalet
Sant Boi
El Prat de Llobregat
EL PRAT-BARCELONA
Montjuïc
Tibidabo
Molins de Rei
Sant Cugat del Vallès
Cerdanyola
Rubí
Martorell
Montserrat
Olesa de Montserrat
Esparreguera
Sant Sadurní d'Anoia
Sant Vicenç dels Horts
Sant Feliu de Llobregat
Sant Adrià de Besòs
El Masnou
Premià de Mar
Vilassar de Mar
Arenys de Mar
Canet de Mar
Sant Pol de Mar
Calella
Caldes d'Estrac
Port del Balís
Argentona
La Roca del Vallès
Cardedeu
La Garriga
Mollet
Montmeló
Montcada
Ripollet
Barberà
Caldes de Montbui
Sant Celoni
Hostalric
Tordera
Arbúcies
Anglès
Santa Coloma de Farners
Tona
Centelles
Moià
Sallent
Balsareny
Súria
Puig-reig
Navàs
Gironella
Manlleu
Torelló
Montseny
Parc Natural del Montseny
Matagalls
Turó de l'Home
Parc Natural de Sant Llorenç del Munt i de l'Obac
Parc Natural del Garraf
Garraf
Costas de Garraf
Platja de Cova Fumada
Pta de les Coves
Pta Ferrossa
Costa de Maresme
COSTA DORADA
BARCELONA
G
H
I
35
36
37

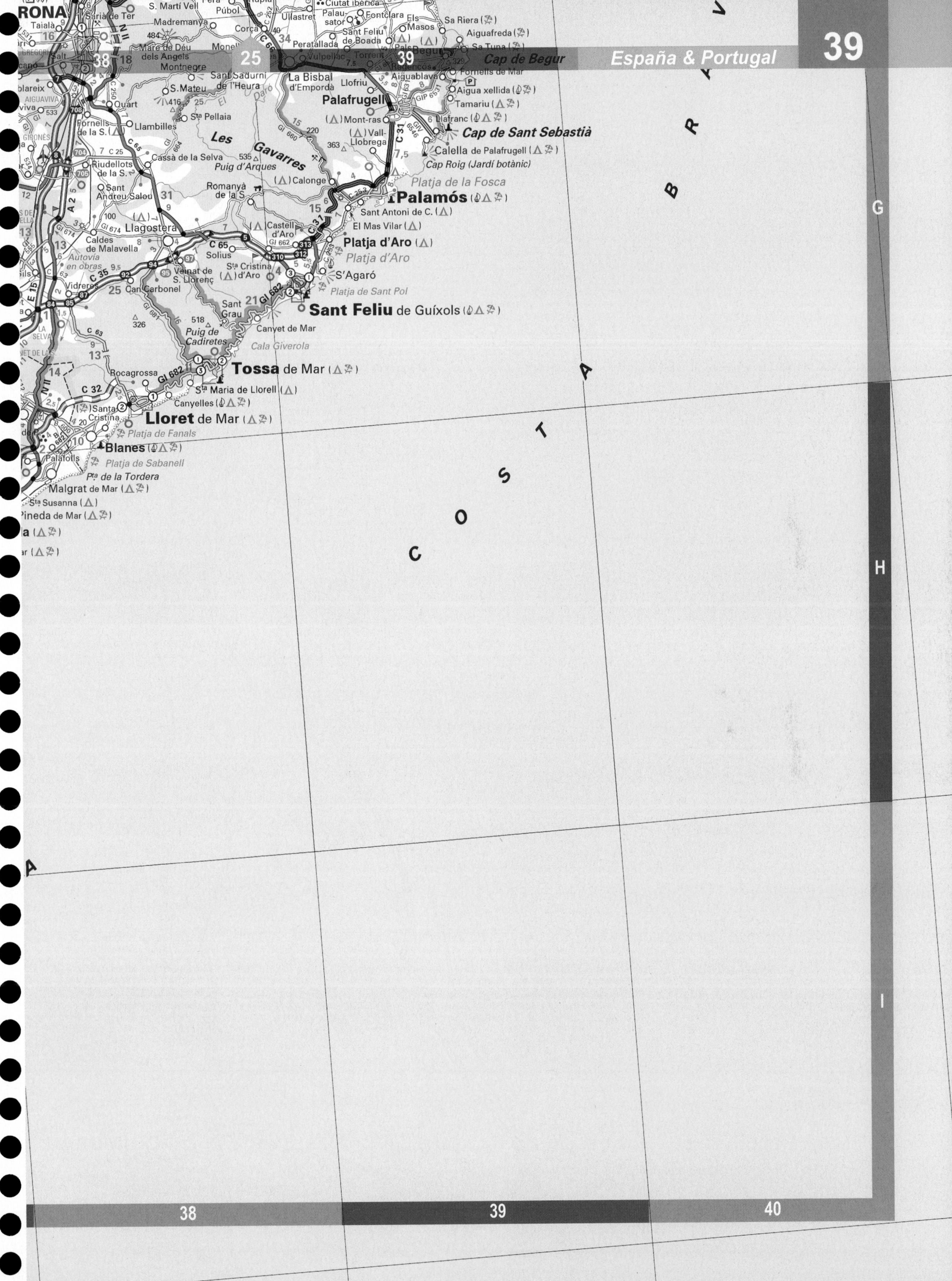
Cap de Begur
Cap de Sant Sebastià
Palafrugell
La Bisbal d'Empordà
Les Gavarres
Puig d'Arques
Palamós
Platja de la Fosca
Sant Antoni de C.
El Mas Vilar
Platja d'Aro
S'Agaró
Platja de Sant Pol
Sant Feliu de Guíxols
Canyet de Mar
Cala Giverola
Tossa de Mar
Sta Maria de Llorell
Canyelles
Lloret de Mar
Platja de Fanals
Blanes
Platja de Sabanell
Pta de la Tordera
Malgrat de Mar
Sta Susanna
Pineda de Mar
Calella de Palafrugell
Cap Roig (Jardí botànic)
Llafranc
Tamariu
Aigua xellida
Aiguablava
Fornells de Mar
Sa Tuna
Aiguafreda
Sa Riera
Caldes de Malavella
Llagostera
Cassà de la Selva
Santa Cristina d'Aro
Puig de Cadiretes
Calonge
Vidreres
COSTA BRAVA
G
H
I
38
39
40

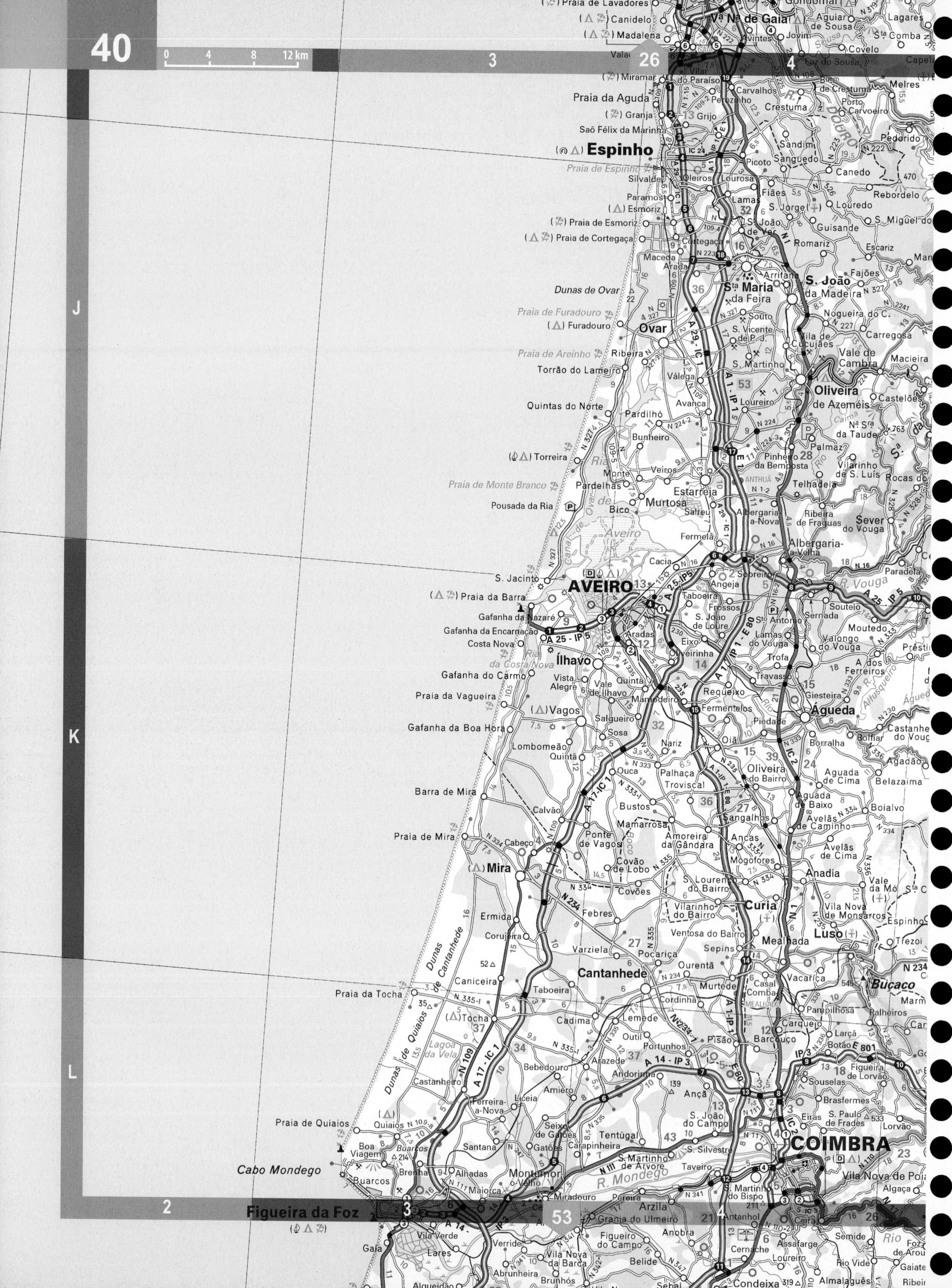
0 4 8 12 km
3
26
4
J
K
L
2
53
Praia de Lavadores
Canidelo
Madalena
Vª Nª de Gaia
Gondomar
Aguiar de Sousa
Lagares
Sª Comba
Jovim
Avintes
Covelo
Foz do Sousa
Vilar do Paraíso
Miramar
Praia da Aguda
Granja
Grijó
Perozinho
Carvalhos
Crestuma
Melres
Bgem de Crestuma
Porto Carvoeiro
R. Douro
São Félix da Marinha
Espinho
Praia de Espinho
Silvalde
Oleiros
Lourosa
Sandim
Sanguedo
Picoto
Canedo
Pedorido
Rebordelo
Paramos
Esmoriz
Lamas
Fiães
S. Jorge
Louredo
Praia de Esmoriz
Praia de Cortegaça
Cortegaça
S. João de Ver
Guisande
S. Miguel do
Romariz
Escariz
Maceda
Arada
Arrifana
S. João da Madeira
Fajões
Sta Maria da Feira
Dunas de Ovar
Praia de Furadouro
Furadouro
Ovar
Souto
S. Vicente de P. J.
Nogueira do C.
Carregosa
Praia de Areinho
Ribeira
Torrão do Lameiro
S. Martinho
Vila de Cucujães
Vale de Cambra
Macieira
Válega
Oliveira de Azeméis
Quintas do Norte
Pardilhó
Avanca
Loureiro
Castelões
Bunheiro
Nª Sra da Taude
Torreira
Palmaz
Pinheiro da Bemposta
Vilarinho de S. Luís
Praia de Monte Branco
Monte
Veiros
Pardelhas
Estarreja
Telhadela
Rocas do
Murtosa
Salreu
Albergaria-a-Nova
Ribeira de Fráguas
Sever do Vouga
Pousada da Ria
Bico
Ria de Aveiro
Canal de Ovar
Fermelã
Albergaria-a-Velha
Cacia
S. Jacinto
AVEIRO
Sobreiro
Angeja
Paradela
R. Vouga
Praia da Barra
Taboeira
Frossos
Soutelo
Gafanha da Nazaré
Gafanha da Encarnação
S. João de Loure
Stº António
Sernada
Costa Nova
Aradas
Lamas do Vouga
Valongo do Vouga
Mouteda
Eixo
Oliveirinha
Trofa
Préstimo
Ria da Costa Nova
Ílhavo
A dos Ferreiros
Gafanha do Carmo
Vista Alegre
Vale de Ílhavo
Quintã
Travasso
Requeixo
Praia da Vagueira
Mamodeiro
Giesteira
Vagos
Salgueiro
Fermentelos
Águeda
Gafanha da Boa Hora
Sosa
Piedade
Castanheira do Vouga
Lombomeão
Nariz
Óis
Bolfiar
Quintã
Borralha
Agadão
Ouca
Palhaça
Oliveira do Bairro
Aguada de Cima
Belazaima
Troviscal
Barra de Mira
Bustos
Aguada de Baixo
Boialvo
Calvão
Avelãs de Caminho
Mamarrosa
Praia de Mira
Cabeço
Ponte de Vagos
Amoreira da Gândara
Ancas
Sangalhos
Avelãs de Cima
Covão do Lobo
Mogofores
Mira
Anadia
S. Lourenço do Bairro
Vale da Mó
Covões
Febres
Vilarinho do Bairro
Curia
Vila Nova de Monsarros
Ermida
Espinho
Corujeira
Ventosa do Bairro
Mealhada
Luso
Trezói
Dunas de Cantanhede
Varziela
Pocariça
Sepins
Ourentã
Cantanhede
Vacariça
Buçaco
Caniceira
Murtede
Casal Comba
Praia da Tocha
Taboeira
Cordinhã
Pampilhosa
Palheiros
Tocha
Cadima
Lemede
Carqueijo
Larçã
Lagoa da Vela
Outil
Pisão
Barcouço
Botão
Portunhos
Dunas de Quiaios
Arazede
Figueira de Lorvão
Bebedouro
Andorinha
Souselas
Castanheiro
Amiero
Ançã
Brasfemes
Ferreira-a-Nova
Liceia
S. Paulo de Frades
Eiras
Lorvão
Quiaios
S. João do Campo
Praia de Quiaios
Seixo de Gatões
Tentúgal
COIMBRA
Boa Viagem
Buarcos
Santana
Gatões
Carapinheira
S. Silvestre
Cabo Mondego
S. Martinho de Árvore
Brenha
Alhadas
Montemor-o-Velho
Taveiro
Vila Nova de Poiares
Buarcos
Maiorca
R. Mondego
S. Martinho do Bispo
Algaça
Miradouro
Pereira
Figueira da Foz
Arzila
Granja do Ulmeiro
Antanhol
Ceira
Vila Verde
Verride
Figueiro do Campo
Anobra
Semide
Gala
Assafarge
Lares
Vila Nova da Barca
Belide
Cernache
Loureiro
Rio Vide
Abrunheira
Gaiate
Alqueidão
Brunhós
Vila Nova
Sebal
Condeixa-a-Nova
Almalaguês

Lamego

Montemuro
S.ª de Montemuro
Serra de Bigorne

Castro Daire

S.ª de Leomil
Moimenta da Beira
Penedono

Serra da Lapa
Aguiar da Beira

**Viseu**

S. Pedro do Sul

Caramulo
Caramulinho
Cabeço da Neve

Tondela

Mangualde

Nelas

Seia

Gouveia

Oliveira do Hospital

Manteigas

SERRA DA ESTRELA
Torre △1993
Parque Natural

Covilhã

Belmonte

Arganil

Penacova

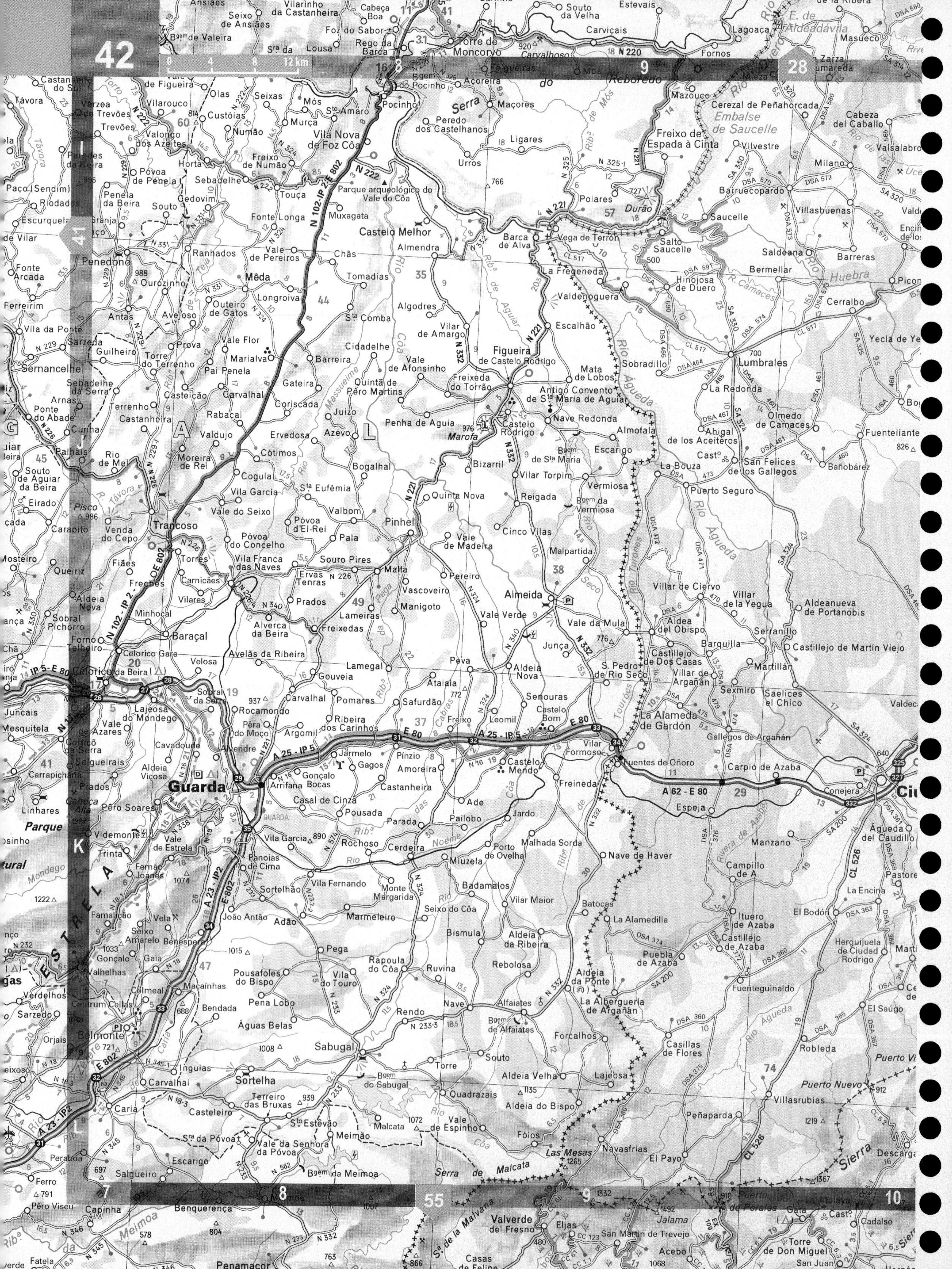

42
0 4 8 12 km
Ansiães
Seixo de Ansiães
Vilarinho da Castanheira
Cabeça Boa
Foz do Sabor
Rego da Barca
Lousa
Bgem de Valeira
Torre de Moncorvo
Carvalhoso
Souto da Velha
Estevais
Carviçais
Lagoaça
E. de Aldeadávila
de la Ribera
Masueco
Fornos
N 220
Felgueiras
Mós
Reboredo
Açoreira
Bgem do Pocinho
Pocinho
Serra do Reboredo
Maçores
Peredo dos Castelhanos
Ligares
Urros
Mazouco
Cerezal de Peñahorcada
Embalse de Saucelle
Rio Duero
Mieza
Zarza Pumareda
Cabeza del Caballo
Freixo de Espada à Cinta
Vilvestre
Valsalabroso
Milano
Barruecopardo
Villasbuenas
Saucelle
Salto Saucelle
Poiares
Durão
Castanheiro do Sul
Távora
Várzea de Trevões
Trevões
Vilarouco
Custóias
Olas
Seixas
Mós
Sto Amaro
Murça
Numão
Vila Nova de Foz Côa
Valongo dos Azeites
Paredes da Beira
Freixo de Numão
Horta
Sebadelhe
Póvoa de Penela
Penela da Beira
Paço (Sendim)
Riodades
Souto
Gedovim
Touça
Parque arqueológico do Vale do Côa
Muxagata
Fonte Longa
Escurquela
Granja
de Vilar
Castelo Melhor
Almendra
Barca de Alva
Vega de Terrón
Saldeana
Barreras
Ranhados
Vale de Pereiros
Chãs
Penedono
Mêda
Tomadias
Ourozinho
Fonte Arcada
Longroiva
Outeiro de Gatos
Aveloso
Antas
Ferreirim
Vila da Ponte
Sarzeda
Guilheiro
Sernancelhe
Prova
Vale Flor
Marialva
Torre do Terrenho
Pai Penela
Algodres
Sta Comba
Vilar de Amargo
Figueira de Castelo Rodrigo
Escalhão
La Fregeneda
Valdenoguera
Hinojosa de Duero
Bermellar
Cerralbo
Picon
Sobradillo
Lumbrales
Yecla de Yeltes
Cidadelhe
Barreira
Vale de Afonsinho
Freixeda do Torrão
Quinta de Pêro Martins
Gateira
Mata de Lobos
Antigo Convento de Sta Maria de Aguiar
La Redonda
Olmedo de Camaces
Sebadelhe da Serra
Arnas
Ponte do Abade
Castanheira
Terrenho
Casteição
Carvalhal
Rabaçal
Coriscada
Juizo
Azevo
Penha de Aguia
Marofa
Castelo Rodrigo
Nave Redonda
Almofala
Ahigal de los Aceiteros
Fuenteliante
Cunha
Valdujo
Ervedosa
Escarigo
Bgem de Sta Maria
Bizarril
Vilar Torpim
San Felices de los Gallegos
Bañobárez
La Bouza
Puerto Seguro
Rio de Mel
Moreira de Rei
Cótimos
Bogalhal
Cogula
Vermiosa
Souto de Aguiar da Beira
Sta Eufémia
Quinta Nova
Reigada
Bgem da Vermiosa
Vila Garcia
Eirado
Pisco
Vale do Seixo
Valbom
Póvoa d'El-Rei
Pinhel
Cinco Vilas
Carapito
Venda do Cepo
Trancoso
Póvoa do Concelho
Pala
Vale de Madeira
Malpartida
Vila Franca das Naves
Souro Pires
Torres
Fiães
Ervas Tenras
Malta
Pereiro
Mosteiro
Queiriz
Freches
Carnicões
Vascoveiro
Almeida
Villar de Ciervo
Villar de la Yegua
Aldeanueva de Portanobis
Aldeia Nova
Vilares
Prados
Manigoto
Vale Verde
Aldea del Obispo
Vale da Mula
Sobral Pichorro
Minhocal
Alverca da Beira
Lameiras
Freixedas
Serranillo
Baraçal
Junça
Barquilla
Castillejo de Martin Viejo
Forno Telheiro
Celorico Gare
Avelãs da Ribeira
Castillejo de Dos Casas
Celorico da Beira
Velosa
Lamegal
Peva
Aldeia Nova
S. Pedro de Rio Seco
Villar de Argañan
Martillán
Gouveia
Sobral da Serra
Atalaia
Sexmiro
Saelices el Chico
Juncais
Lajeosa do Mondego
Carvalhal
Pomares
Safurdão
Senouras
Castelo Bom
Vale de Azares
Rocamondo
Ribeira dos Carinhos
Freixo
Leomil
La Alameda de Gardón
Mesquitela
Corticó da Serra
Pêra do Moço
Argomil
Gallegos de Argañán
Salgueirais
Cavadoude
Alvendre
Jarmelo
Pínzio
Vilar Formoso
Fuentes de Oñoro
Carpio de Azaba
Carrapichana
Aldeia Viçosa
Gagos
Amoreira
Castelo Mendo
Freineda
Ciudad Rodrigo
Prados
Guarda
Gonçalo Bocas
Arrifana
Castanheira
Conejera
Espeja
Linhares
Cabeça Alta
Pêro Soares
Casal de Cinza
Ade
Pousada
Parada
Pailobo
Jardo
Águeda del Caudillo
Parque
Videmonte
Vale de Estrela
Vila Garcia
Rochoso
Cerdeira
Porto de Ovelha
Malhada Sorda
Manzano
Trinta
Panoias de Cima
Miuzela
Nave de Haver
Campillo de A.
Fernão Joanes
Vila Fernando
Monte Margarida
Badamalos
Pastores
Mondego
Sortelhão
La Encina
Famalicão
João Antão
Adão
Marmeleiro
Seixo do Côa
Vilar Maior
Batocas
Ituero de Azaba
El Bodón
Vela
Seixo Amarelo
Benespera
Bismula
La Alamedilla
Gonçalo
Gaia
Pega
Aldeia da Ribeira
Castillejo de Azaba
Herguijuela de Ciudad Rodrigo
ESTRELA
Valhelhas
Pousafoles do Bispo
Vila do Touro
Rapoula do Côa
Ruvina
Rebolosa
Puebla de Azaba
Verdelhos
Colmeal
Maçainhas
Aldeia da Ponte
Fuenteguinaldo
Sarzedo
Centrum Cellas
Bendada
Pena Lobo
Rendo
Nave
Alfaiates
La Alberguería de Argañán
El Saugo
Belmonte
Águas Belas
Bgem de Alfaiates
Forcalhos
Orjais
Sabugal
Casillas de Flores
Robleda
Inguias
Souto
Torre
Sortelha
Bgem do Sabugal
Aldeia Velha
Lajeosa
Puerto Nuevo
Carvalhal
Quadrazais
Aldeia do Bispo
Villasrubias
Caria
Terreiro das Bruxas
Casteleiro
Sto Estêvão
Malcata
Vale de Espinho
Peñaparda
Sra da Póvoa
Vale da Senhora da Póvoa
Meimão
Fóios
Navasfrias
Peraboa
Escarigo
Las Mesas
El Payo
Sierra
Descargamaría
Ferro
Salgueiro
Bgem da Meimoa
Serra de Malcata
Puerto de Perales
Pêro Viseu
Capinha
Benquerença
55
Valverde del Fresno
Eljas
San Martín de Trevejo
Jalama
La Atalaya
Gata
Cadalso
Torre de Don Miguel
San Juan
Acebo
Casas de Felipe
Penamacor
Fatela
Meimoa
S. de la Malvana
A 25 - IP 5
E 80
A 62 - E 80
A 23 - IP2
E 802
N 102 - IP 2 - E 802

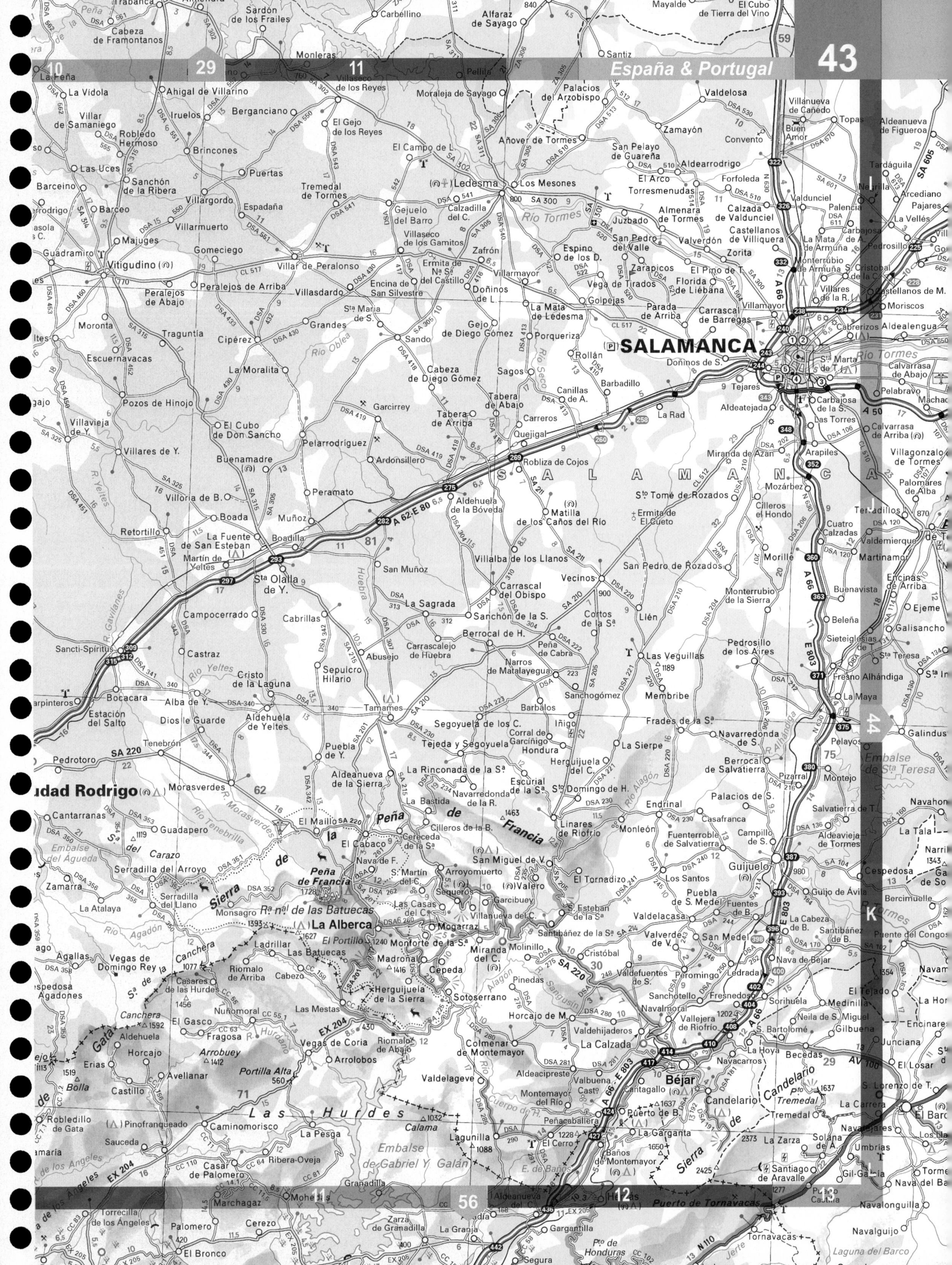
España & Portugal
43
SALAMANCA
Ledesma
Vitigudino
Ciudad Rodrigo
Béjar
Guijuelo
La Alberca
Peña de Francia
Sierra de la Peña de Francia
Sierra de Gata
Las Hurdes
Río Tormes
Río Yeltes
Río Alagón
Embalse de Gabriel y Galán
Embalse de Sta Teresa
Sierra de Candelario
Puerto de Tornavacas
Candelario
Alba de Tormes
Villamayor
Carbajosa de la Sa
Tamames
Sancti-Spíritus
Martín de Yeltes
Matilla de los Caños del Río
Vecinos
San Pedro de Rozados
Monterrubio de la Sierra
Linares de Riofrío
Mogarraz
Miranda del C.
Cepeda
Sotoserrano
Herguijuela de la Sierra
Las Mestas
Nuñomoral
Caminomorisco
Pinofranqueado
Casar de Palomero
Ribera-Oveja
Vegas de Coria
Riomalo de Abajo
Lagunilla
Baños de Montemayor
Puerto de B.
La Calzada
Valdelageve
Colmenar de Montemayor
El Cerro
Hervás
A 62-E 80
A 66
E 803
A 50
N 630
SA 220
EX 204
29
56
44
10
11
12
13
I
J
K
L

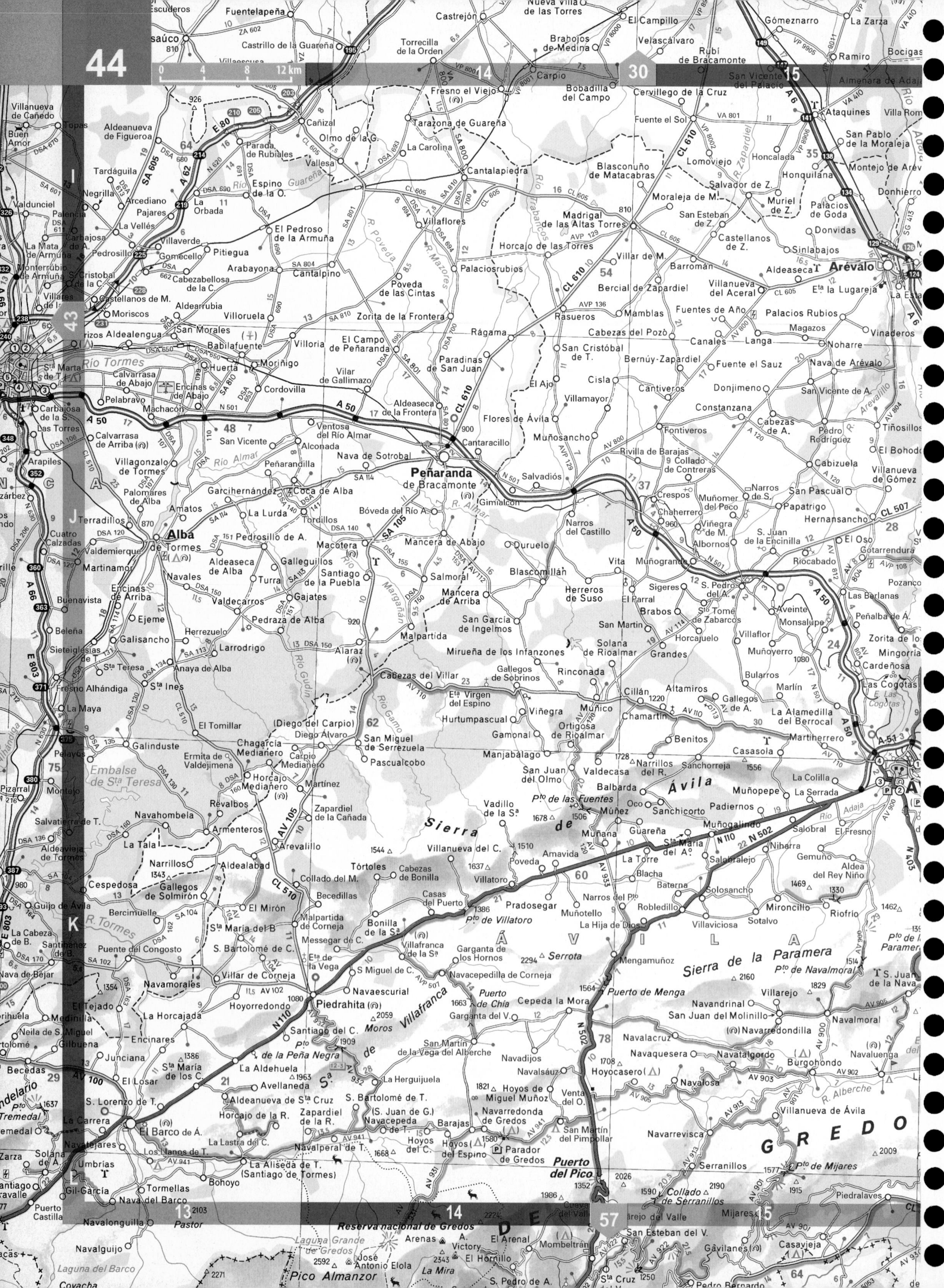

Escuderos
Fuentelapeña
Castrejón
Nueva Villa de las Torres
El Campillo
Gómeznarro
La Zarza
Sauzo
Castrillo de la Guareña
Torrecilla de la Orden
Brahojos de Medina
Velascálvaro
Rubí de Bracamonte
Ramiro
Bocigas
0 4 8 12 km
14
Carpio
30
15
Bobadilla del Campo
San Vicente del Palacio
Almenara de Adaja
Fresno el Viejo
Cervillego de la Cruz
Villanueva de Cañedo
Topas
Buen Amor
Aldeanueva de Figueroa
Cañizal
Tarazona de Guareña
Fuente el Sol
Ataquines
Olmo de la G.
Parada de Rubiales
La Carolina
San Pablo de la Moraleja
Tardáguila
Vallesa
Lomoviejo
Honcalada
Cantalapiedra
Blasconuño de Matacabras
Honquilana
Montejo de Arévalo
Negrilla
Arcediano
Espino de la O.
La Orbada
Moraleja de M.
Salvador de Z.
Muriel de Z.
Donhierro
Valdunciel
Palencia
Pajares
Madrigal de las Altas Torres
San Esteban de Z.
Palacios de Goda
La Vellés
Villaflores
Donvidas
Carbajosa de A.
El Pedroso de la Armuña
Castellanos de Z.
Sinlabajos
La Mata de Armuña
Pedrosillo
Villaverde
Gomecello
Pitiegua
Horcajo de las Torres
Villar de M.
Monterrubio de Armuña
S. Cristobal de la C.
Arabayona
Cantalpino
Palaciosrubios
Barromán
Aldeaseca
Arévalo
Cabezabellosa de la C.
Poveda de las Cintas
Bercial de Zapardiel
Villanueva del Aceral
Eta la Lugareja
Castellanos de M.
Aldearrubia
Villoruela
Zorita de la Frontera
Rasueros
Mamblas
Fuentes de Año
Palacios Rubios
Moriscos
Aldealengua
San Morales
Rágama
Cabezas del Pozo
Canales
Langa
Magazos
Vinaderos
Noharre
Babilafuente
Villoria
El Campo de Peñaranda
San Cristóbal de T.
Bernuy-Zapardiel
Fuente el Sauz
Nava de Arévalo
Río Tormes
Sta Marta de T.
Huerta
Moriñigo
Paradinas de San Juan
Calvarrasa de Abajo
Encinas de Abajo
Cordovilla
Vilar de Gallimazo
El Ajo
Cisla
Cantiveros
Donjimeno
San Vicente de A.
Pelabravo
Machacón
Aldeaseca de la Frontera
Villamayor
Constanzana
Carbajosa de la S.
Flores de Ávila
Cabezas de A.
Pedro Rodríguez
Tiñosillos
Las Torres
Calvarrasa de Arriba
San Vicente
Ventosa del Río Almar
Cantaracillo
Muñosancho
Fontiveros
El Bohodón
Arapiles
Alconada
Nava de Sotrobal
Rivilla de Barajas
Collado de Contreras
Villagonzalo de Tormes
Peñarandilla
Peñaranda de Bracamonte
Río Almar
Salvadiós
Cabizuela
Villanueva de Gómez
Palomares de Alba
Garcihernández
Coca de Alba
Gimialcón
Crespos
Muñomer del Peco
Narros de S.
San Pascual
Amatos
La Lurda
Tordillos
Bóveda del Río A.
Chaherrero
Papatrigo
Terradillos
Narros del Castillo
Viñegra de M.
Hernansancho
Cuatro Calzadas
Alba de Tormes
Pedrosillo de A.
Macotera
Mancera de Abajo
Duruelo
Albornos
S. Juan de la Encinilla
El Oso
Valdemierque
Gotarrendura
Martinamor
Aldeaseca de Alba
Galleguillos
Vita
Muñogrande
Riocabado
Santiago de la Puebla
Turra
Salmoral
Blascomillán
Sigeres
S. Pedro del A.
Pozanco
Encinas de Arriba
Navales
Buenavista
Valdecarros
Gajates
Mancera de Arriba
Herreros de Suso
El Parral
Las Berlanas
Brabos
Sto Tomé de Zabarcos
Aveinte
Peñalba de A.
Ejeme
Pedraza de Alba
San García de Ingelmos
Monsalupe
Beleña
Herrezuelo
Malpartida
San Martín
Villaflor
Galisancho
Larrodrigo
Alaraz
Mirueña de los Infanzones
Solana de Rioalmar
Horcajuelo
Zorita de los Molinos
Sieteiglesias de T.
Muñoyerro
Mingorría
Grandes
Sta Teresa
Anaya de Alba
Gallegos de Sobrinos
Rinconada
Cardeñosa
Bularros
Fresno Alhándiga
S. Ines
Cabezas del Villar
Las Cogotas
Eta Virgen del Espino
Cillán
Altamiros
Marlín
La Maya
Gallegos de A.
El Tomillar
Viñegra
Muñico
Chamartín
La Alamedilla del Berrocal
Hurtumpascual
(Diego del Carpio)
Diego Álvaro
Gamonal
Ortigosa de Rioalmar
Benitos
Martiherrero
Galinduste
Chagarcía Medianero
San Miguel de Serrezuela
Casasola
Pelayos
Ermita de Valdejimena
Carpio Medianero
Pascualcobo
Manjabálago
Narrillos del R.
Sanchorreja
Embalse de Sta Teresa
Horcajo Medianero
San Juan del Olmo
Valdecasa
La Colilla
Pizarral
Montejo
Martínez
Balbarda
Ávila
Muñopepe
La Serrada
Revalbos
Pto de las Fuentes
Vadillo de la Sa
Oco
Sanchicorto
Padiernos
Navahombela
Zapardiel de la Cañada
Múñez
Salvatierra de T.
Armenteros
Sierra de Ávila
Guareña
Muñogalindo
Salobral
El Fresno
Aldeavieja de Tormes
La Tala
Arevalillo
Villanueva del C.
Muñana
Sta María del Ao
La Torre
Niharra
Gemuño
Narrillos
Aldealabad
Tórtoles
Cabezas de Bonilla
Poveda
Amavida
Salobralejo
Aldea del Rey Niño
Cespedosa
Gallegos de Solmirón
Collado del M.
Villatoro
Blacha
Baterna
Guijo de Ávila
Becedillas
Casas del Puerto
Narros del Pto
Solosancho
Bercimuelle
El Mirón
Pradosegar
Muñotello
Robledillo
Mironcillo
Riofrío
La Cabeza de B.
Sta María del B
Malpartida de Corneja
Bonilla de la Sa
Pto de Villatoro
La Hija de Dios
Villaviciosa
Sotalvo
Santibáñez de B.
Puente del Congosto
S. Bartolomé de C.
Messegar de C.
Villafranca de la Sa
Garganta de los Hornos
Serrota
Mengamuñoz
Sierra de la Paramera
Pto de Navalmoral
S. Juan de la Nava
Nava de Béjar
Villar de Corneja
Eta de la Vega
S Miguel de C.
Navacepedilla de Corneja
Navamorales
Navaescurial
Puerto de Chía
Puerto de Menga
Villarejo
El Tejado
Hoyorredondo
Piedrahita
Cepeda la Mora
Navandrinal
Medinilla
La Horcajada
Santiago del C.
Moros
Villafranca
Garganta del V.
San Juan del Molinillo
Navarredondilla
Navalmoral
Neila de S. Miguel
Gilbuena
Encinares
San Martín de la Vega del Alberche
Navalacruz
Junciana
Pto de la Peña Negra
Navadijos
Navaquesera
Navatalgordo
Burgohondo
Navaluenga
Becedas
Sta María de los C.
La Aldehuela
Sa de
La Herguijuela
Navalsáuz
Hoyocasero
Navalosa
El Losar
Avellaneda
Hoyos de Miguel Muñoz
Venta del O.
R. Alberche
Candelario
Pto Tremedal
S. Lorenzo de T.
Aldeanueva de Sta Cruz
S. Bartolomé de T.
(S. Juan de G.)
Navarredonda de Gredos
Villanueva de Ávila
La Carrera
El Barco de Á.
Horcajo de la R.
Zapardiel de la R.
Navacepeda de T.
Barajas
San Martín del Pimpollar
Navarrevisca
GREDOS
Navatejares
La Lastra del C.
Hoyos del C.
Hoyos del Espino
Parador de Gredos
Zarza
Solana de Á.
Los Llanos de T.
Navalperal de T.
Puerto del Pico
Umbrías
La Aliseda de T. (Santiago de Tormes)
Serranillos
Pto de Mijares
Gil-García
Tormellas
Bohoyo
Collado de Serranillos
Puerto Castilla
Nava del Barco
Piedralaves
13
Pastor
14
57
Mijares
15
Navalonguilla
Reserva nacional de Gredos
Laguna Grande de Gredos
Arenas
Victory
El Arenal
Mombeltrán
San Esteban del V.
Navalguijo
José Antonio Elola
El Hornillo
Gavilanes
Casavieja
Laguna del Barco
Pico Almanzor
La Mira
S. Pedro de A.
Sta Cruz
Pedro Bernardo
Covacha
43
44

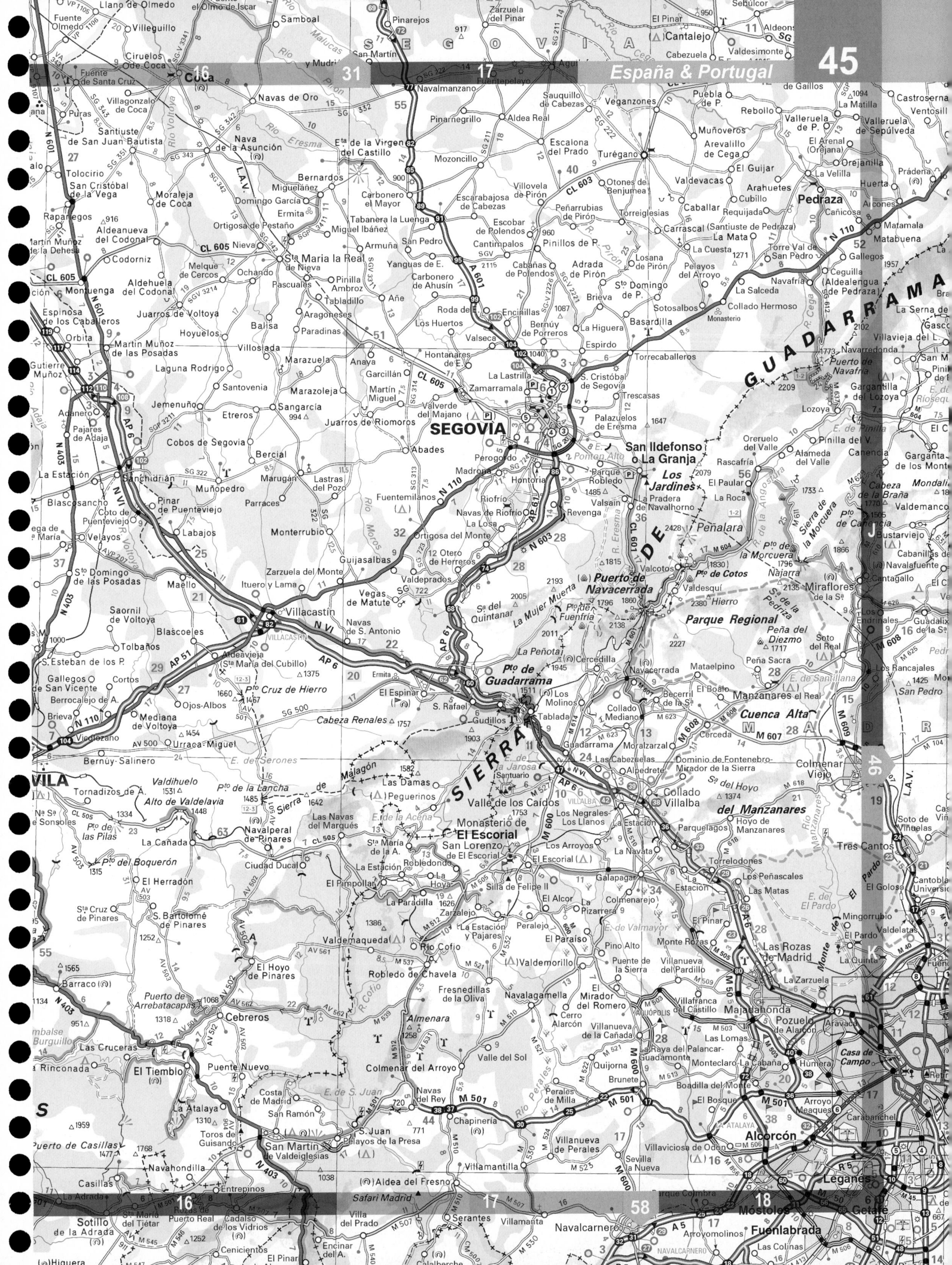
SEGOVIA
SIERRA
DE
GUADARRAMA
Parque Regional
del Manzanares
Cuenca Alta
Puerto de Navacerrada
Pto de Guadarrama
Pto de Cotos
Peñalara
Los Jardines
San Ildefonso o La Granja
Monasterio de El Escorial
San Lorenzo de El Escorial
Valle de los Caídos
Collado Villalba
Majadahonda
Pozuelo de Alarcón
Alcorcón
Móstoles
Fuenlabrada
Leganés
Getafe
Las Rozas de Madrid
Tres Cantos
Colmenar Viejo
Pedraza
Turégano
Cantalejo
Coca
Santa María la Real de Nieva
Villacastín
El Espinar
Guadarrama
Navacerrada
Manzanares el Real
Torrelodones
Galapagar
Cebreros
El Tiemblo
San Martín de Valdeiglesias
Navalcarnero
Villaviciosa de Odón
Boadilla del Monte
Brunete
Colmenar del Arroyo
Robledo de Chavela
Navas del Rey
Chapinería
Pelayos de la Presa
Sotillo de la Adrada
Cadalso de los Vidrios
Rozas de Puerto Real
Las Navas del Marqués
Navalperal de Pinares
El Hoyo de Pinares
Sanchidrián
Labajos
Maello
Navas de Oro
Nava de la Asunción
Villacastín
Riofrío
Revenga
Palazuelos de Eresma
Torrecaballeros
Sotosalbos
Rascafría
El Paular
Lozoya
Navafría
Gargantilla del Lozoya
Miraflores de la Sierra
Soto del Real
Mataelpino
El Boalo
Cerceda
Moralzarzal
Becerril de la Sierra
Collado Mediano
Los Molinos
Cercedilla
Alpedrete
Hoyo de Manzanares
Las Matas
Villanueva del Pardillo
Villanueva de la Cañada
Valdemorillo
Navalagamella
Fresnedillas de la Oliva
Zarzalejo
Santa María de la Alameda
Peguerinos
Las Damas
Ojos-Albos
Mediana de Voltoya
Urraca-Miguel
Bernuy-Salinero
Tornadizos de Á.
Pto de la Lancha
Alto de Valdelavia
Pto del Boquerón
Puerto de Arrebatacapas
Puerto de Casillas
Pto Cruz de Hierro
Cabeza Renales
La Mujer Muerta
Sa del Quintanar
La Peñota
Pto de Fuenfría
Peña del Diezmo
Sa de la Pedriza
Sierra de la Morcuera
Pto de la Morcuera
Pto de Navafría
Pto de Canencia
Monte de El Pardo
Casa de Campo
El Pardo
Aravaca
Húmera
Carabanchel
Safari Madrid
Aldea del Fresno
Villamanta
Villamantilla
Sevilla la Nueva
Villanueva de Perales
Serantes
Villa del Prado
Arroyomolinos
Navahondilla
Casillas
Entrepinos
Cenicientos
Valdemaqueda
Río Cofio
El Herradón
Sta Cruz de Pinares
S. Bartolomé de Pinares
Ciudad Ducal
La Cañada
Las Cruceras
La Rinconada
La Atalaya
Toros de Guisando
Costa de Madrid
San Ramón
Valle del Sol
Quijorna
Almenara
Peralejo
El Paraíso
Pino Alto
Puente de la Sierra
Monte Rozas
Villafranca del Castillo
Los Peñascales
El Goloso
Mingorrubio
Valdelatas
La Quinta
La Zarzuela
Abades
Otero de Herreros
Ortigosa del Monte
Navas de Riofrío
La Losa
Valsaín
Trescasas
La Lastrilla
Zamarramala
Hontanares de E.
Valseca
Espirdo
Basardilla
Valdevacas
Arcones
Matabuena
Gallegos
Canencia
Garganta de los Montes
Valdemanco
Bustarviejo
Cabanillas de la Sierra
Navalafuente
Guadalix de la Sierra
Los Rancajales
San Pedro
Segovia
Ávila

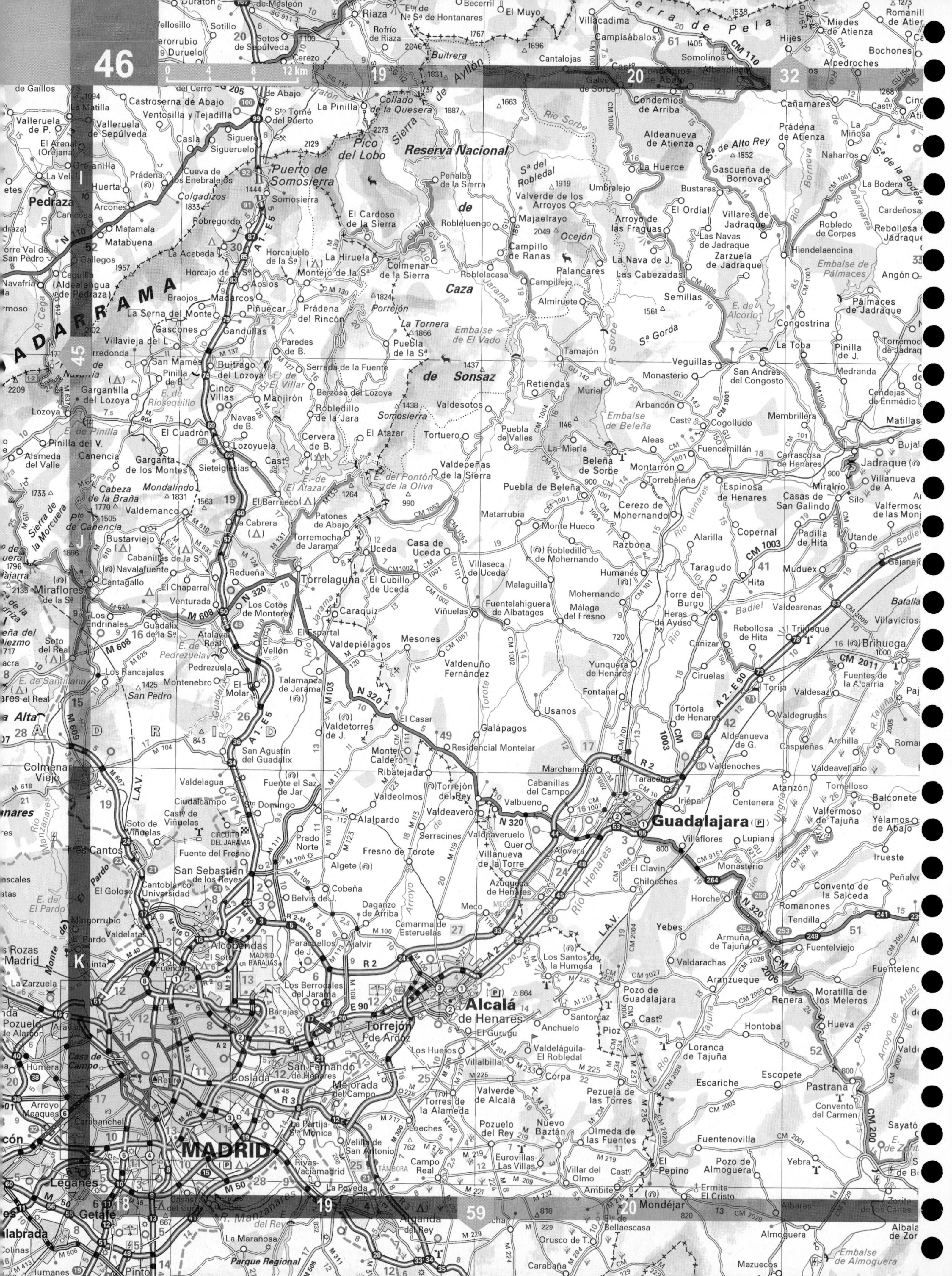

46
45
Riaza
Rofrío de Riaza
Sotos de Sepúlveda
Cerezo de Abajo
Buitrera
Collado de la Quesera
Sierra de Ayllón
Pico del Lobo
Reserva Nacional
Sierra de Pela
Villacadima
Campisábalos
Cantalojas
Somolinos
Albendiego
Hijes
Miedes de Atienza
Romanillos de Atienza
Bochones
Alpedroches
Galve de Sorbe
Condemios de Abajo
Condemios de Arriba
Cañamares
Prádena de Atienza
Aldeanueva de Atienza
Sa de Alto Rey
La Huerce
Gascueña de Bornova
La Miñosa
Naharros
Sa de la Bodera
La Bodera
Cardeñosa
Robledo de Corpes
Rebollosa de Jadraque
Castroserna de Abajo
Ventosilla y Tejadilla
Sto Tomé del Puerto
La Pinilla
Valleruela de P.
Valleruela de Sepúlveda
El Arenal (Orejana)
Orejanilla
Casla
Siguero
Sigueruelo
Puerto de Somosierra
Somosierra
Cueva de los Enebralejos
Colgadizos
La Velilla
Prádena
Huerta
Pedraza
Arcones
Cañicosa
Matamala
Matabuena
Robregordo
Peñalba de la Sierra
Sa del Robledal
Umbralejo
Bustares
Valverde de los Arroyos
Majaelrayo
Robleluengo
El Cardoso de la Sierra
Ocejón
Arroyo de las Fraguas
El Ordial
Villares de Jadraque
Las Navas de Jadraque
Zarzuela de Jadraque
Hiendelaencina
Embalse de Pálmaces
Angón
La Acebeda
Horcajuelo de la Sa
La Hiruela
Montejo de la Sa
Colmenar de la Sierra
Campillo de Ranas
Palancares
La Nava de J.
Las Cabezadas
Semillas
Gallegos
Navafría
Horcajo de la Sa
Aoslos
Roblelacasa
Campillejo
Almiruete
E. de Alcorlo
Pálmaces de Jadraque
Congostrina
GUADARRAMA
Braojos
Madarcos
Piñuécar
Prádena del Rincón
Porrejón
Caza
La Serna del Monte
Gascones
Gandullas
La Tornera
Embalse de El Vado
Sa Gorda
Tamajón
La Toba
Pinilla de J.
Villavieja del L.
Paredes de B.
Puebla de la Sa
Buitrago del Lozoya
San Mamés
Serrada de la Fuente
de Sonsaz
Veguillas
San Andrés del Congosto
Monasterio
Medranda
Gargantilla del Lozoya
Pinilla de B.
Cinco Villas
E. de El Villar
Manjirón
Berzosa del Lozoya
Retiendas
Muriel
Arbancón
Cendejas de Enmedio
Lozoya
E. de Riosequillo
Robledillo de la Jara
Somosierra
Valdesotos
Embalse de Beleña
Cogolludo
Membrillera
Matillas
E. de Pinilla
El Cuadrón
Navas de B.
Lozoyuela
Cervera de B.
El Atazar
Tortuero
Puebla de Valles
La Mierla
Aleas
Fuencemillán
Carrascosa de Henares
Bujalaro
Jadraque
Pinilla del V.
Alameda del Valle
Canencia
Garganta de los Montes
Sieteiglesias
Valdepeñas de la Sierra
Beleña de Sorbe
Montarrón
Torrebeleña
Espinosa de Henares
Villanueva de A.
Miralrío
Mondalindo
Cabeza de la Braña
E. de El Atazar
E. del Pontón de la Oliva
Puebla de Beleña
Cerezo de Mohernando
Casas de San Galindo
Silo
Valfermoso de las Monjas
Sierra de la Morcuera
Pto de Canencia
Valdemanco
El Berrueco
Patones de Abajo
Matarrubia
Monte Hueco
Copernal
Padilla de Hita
Utande
La Cabrera
Bustarviejo
Torremocha de Jarama
Uceda
Casa de Uceda
Robledillo de Mohernando
Razbona
Alarilla
Cabanillas de la Sa
Navalafuente
Redueña
Torrelaguna
El Cubillo de Uceda
Villaseca de Uceda
Humanes
Taragudo
Hita
Muduex
Gajanejos
Miraflores de la Sa
Cantagallo
El Chaparral
Venturada
Malaguilla
Mohernando
Torre del Burgo
Batalla
Los Cotos de Monterey
Caraquiz
Viñuelas
Fuentelahiguera de Albatages
Málaga del Fresno
Heras de Ayuso
Badiel
Valdearenas
Villaviciosa
Los Endrinales
Guadalix de la Sa
Atalaya Real
El Vellón
El Espartal
Valdepiélagos
Mesones
Rebollosa de Hita
Trijueque
Brihuega
Soto del Real
E. de Pedrezuela
Valdenuño Fernández
Cañizar
Pedrezuela
El Molar
Talamanca de Jarama
Yunquera de Henares
Ciruelas
Torija
Fuentes de la Alcarria
Los Rancajales
E. de Santillana
Montenebro
San Pedro
Fontanar
Valdesaz
Tórtola de Henares
Valdegrudas
Usanos
Valdetorres de J.
El Casar
Galápagos
Aldeanueva de G.
Caspueñas
Archilla
Romancos
MADRID
San Agustín del Guadalix
Monte Calderón
Residencial Montelar
Marchamalo
Valdenoches
Colmenar Viejo
Ribatejada
Cabanillas del Campo
Taracena
Atanzón
Valdeavellano
Tomellosa
Valdelagua
Fuente el Saz de Jar
Torrejón del Rey
Valbueno
Iriépal
Centenera
Balconete
Ciudalcampo
Sto Domingo
Valdeolmos
Guadalajara
Valfermoso de Tajuña
Yélamos de Abajo
Soto de Viñuelas
Castº de Viñuelas
Alalpardo
Valdeaveruelo
Villaflores
Lupiana
Circuito del Jarama
Prado Norte
Serracines
Quer
Alovera
Irueste
Tres Cantos
Fuente del Fresno
Fresno de Torote
Villanueva de la Torre
El Clavín
Monasterio
San Sebastián de los Reyes
Algete
Azuqueca de Henares
Chiloeches
Peñalver
Cantoblanco Universidad
Cobeña
Convento de la Salceda
E. de El Pardo
Belvis de J.
Horche
Romanones
Daganzo de Arriba
Meco
Tendilla
Mingorrubio
El Pardo
Monte de El Pardo
Valdelatas
Alcobendas
Camarma de Esteruelas
Yebes
Armuña de Tajuña
Fuentelviejo
Las Rozas de Madrid
Paracuellos de J.
Ajalvir
Los Santos de la Humosa
Valdarachas
Fuentelencina
El Soto
Madrid Barajas
La Zarzuela
Fuencarral
Los Berrocales del Jarama
Alcalá de Henares
Pozo de Guadalajara
Aranzueque
Renera
Moratilla de los Meleros
Pozuelo de Alarcón
Aravaca
Barajas
Torrejón de Ardoz
El Gurugu
Anchuelo
Santorcaz
Pioz
Hontoba
Hueva
Húmera
Casa de Campo
Retiro
San Fernando de Henares
Coslada
Los Hueros
Villalbilla
Valdelaguila-El Robledal
Loranca de Tajuña
Corpa
Escariche
Escopete
Pastrana
Mejorada del Campo
Torres de la Alameda
Valverde de Alcalá
Pezuela de las Torres
Convento del Carmen
Arroyo Meaques
Carabanchel
La Partija-Sta Mónica
Loeches
Pozuelo del Rey
Nuevo Baztán
Olmeda de las Fuentes
Sayatón
Velilla de San Antonio
Eurovillas-Las Villas
Fuentenovilla
Rivas-Vaciamadrid
Campo Real
Villar del Olmo
El Pepino
Pozo de Almoguera
Yebra
Leganés
La Poveda
Ambite
Ermita El Cristo
Mondéjar
Albares
Zorita de los Canes
Getafe
Casas del Cura
Arganda del Rey
R. Manzanares
Estremera de Bellaescasa
Fuenlabrada
La Marañosa
Orusco de T.
Almoguera
Albalate de Zorita
Parque Regional
Humanes
Pinto
Carabaña
Mazuecos
Embalse de Almoguera
19
20
32
59

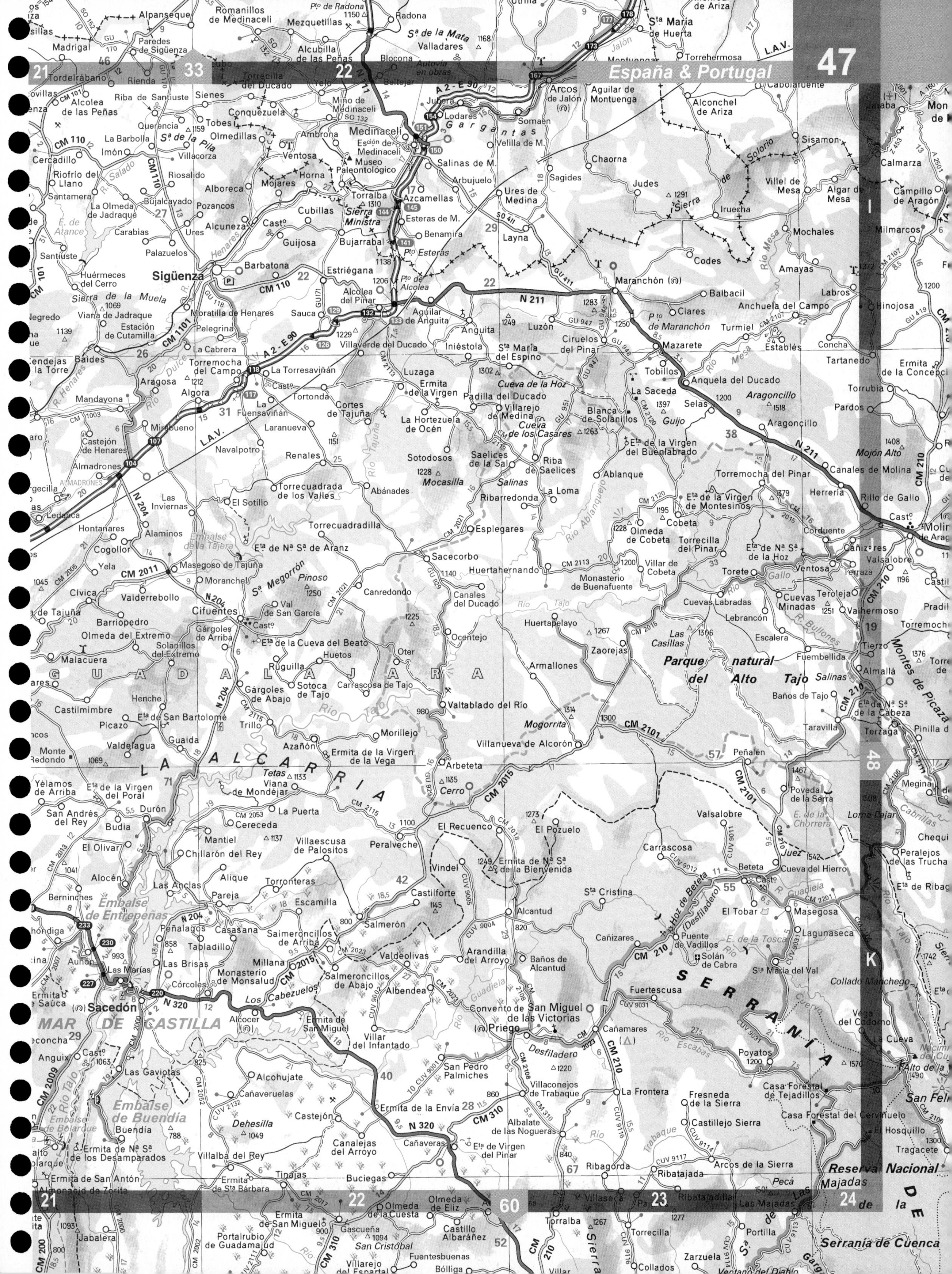
Romanillos de Medinaceli
Alpanseque
Radona
Mezquetillas
Sª de la Mata
Valladares
Sta María de Huerta
Torrehermosa
Madrigal
Paredes de Sigüenza
Alcubilla de las Peñas
Blocona
Autovía en obras
L.A.V.
Tordelrábano
Torrecilla del Ducado
Beltejar
Arcos de Jalón
Aguilar de Montuenga
Alconchel de Ariza
Alcolea de las Peñas
Riba de Santiuste
Sienes
Conquezuela
Miño de Medinaceli
Jubera
Lodares
Somaén
Querencia
Tobes
Sª de la Pila
Olmedillas
Medinaceli
Garganta
Velilla de M.
Sisamón
Calmarza
La Barbolla
Imón
Cercadillo
Villacorza
Ventosa
Ambrona
Museo Paleontológico
Salinas de M.
Chaorna
Riofrío del Llano
Riosalido
Horna
Mojares
Alboreca
Arbujuelo
Sagides
Jubes
Villel de Mesa
Algar de Mesa
Campillo de Aragón
Santamera
La Olmeda de Jadraque
Bujalcayado
Pozancos
Torralba
Sierra Ministra
Azcamellas
Ures de Medina
Sierra de Solorio
Iruecha
E. de Atance
Carabias
Cubillas
Alcuneza
Castº
Esteras de M.
Layna
Mochales
Milmarcos
Ures
Guijosa
Bujarrabal
Benamira
Pto Esteras
Codes
Amayas
Santiuste
Palazuelos
Henares
Barbatona
Sigüenza
Estriégana
Alcolea del Pinar
Pto de Alcolea
Maranchón
Balbacil
Labros
Huérmeces del Cerro
Sierra de la Muela
Viana de Jadraque
Moratilla de Henares
Sauca
Aguilar de Anguita
Anguita
N 211
Clares
Pto de Maranchón
Turmiel
Anchuela del Campo
Hinojosa
Estación de Cutamilla
Pelegrina
La Cabrera
Villaverde del Ducado
Iniéstola
Luzón
Ciruelos del Pinar
Mazarete
Establés
Concha
Tartanedo
Ermita de la Concepción
Baides
Torremocha del Campo
La Torresaviñán
Luzaga
Sta María del Espino
Tobillos
Anquela del Ducado
Aragosa
Castº
Tortonda
Ermita de la Virgen
Cueva de la Hoz
Padilla del Ducado
La Saceda
Aragoncillo
Torrubia
Mandayona
Algora
La Fuensaviñán
Cortes de Tajuña
La Hortezuela de Océn
Villarejo de Medina
Blanca de Solanillos
Guijo
Selas
Pardos
Mirabueno
Laranueva
Cueva de los Casares
Eta de la Virgen del Buenlabrado
Castejón de Henares
L.A.V.
Navalpotro
Renales
Sotodosos
Saelices de la Sal
Riba de Saelices
Mojón Alto
Canales de Molina
Almadrones
Mocasilla
Salinas
Ablanque
Torremocha del Pinar
Las Inviernas
Torrecuadrada de los Valles
Abánades
Ribarredonda
La Loma
Eta de la Virgen de Montesinos
Herrería
Rillo de Gallo
El Sotillo
Cobeta
Castº
Hontanares
Torrecuadradilla
Esplegares
Olmeda de Cobeta
Torrecilla del Pinar
Corduente
Molina
Alaminos
Embalse de la Tajera
Eta de Nª Sª de Aranz
Eta de Nª Sª de la Hoz
Cañizares
Cogollor
Sacecorbo
Yela
Masegoso de Tajuña
Huertahernando
Villar de Cobeta
Ventosa
Valsalobre
CM 2011
Moranchel
Sª Megorrón
Pinoso
Monasterio de Buenafuente
Torete
Terraza
Cívica
Valderrebollo
Canredondo
Canales del Ducado
Teroleja
Castilnuevo
Cifuentes
Val de San García
Cuevas Labradas
Cuevas Minadas
Valhermoso
Barriopedro
Huertapelayo
Lebrancón
Escalera
Torremocha
Gárgoles de Arriba
Eta de la Cueva del Beato
Ocentejo
Las Casillas
Olmeda del Extremo
Solanillos del Extremo
Zaorejas
Parque natural del Alto Tajo
Fuembellida
Tierzo
Malacuera
Ruguilla
Huetos
Oter
Armallones
Almallá
Montes de Picaza
G U A D A L A J A R A
Sotoca de Tajo
Carrascosa de Tajo
Baños de Tajo
Henche
Gárgoles de Abajo
Valtablado del Río
Castilmimbre
Eta de San Bartolomé
Trillo
Mogorrita
Eta de Nª Sª de la Cabeza
Picazo
Taravilla
Pinilla de
Terzaga
Gualda
Morillejo
Villanueva de Alcorón
CM 2101
Valdelagua
Azañón
Ermita de la Virgen de la Vega
Peñalén
Monte Redondo
LA ALCARRIA
Arbeteta
Tetas
Viana de Mondéjar
Yélamos de Arriba
Eta de la Virgen del Poral
Cerro
Poveda de la Sierra
Megina
Durón
La Puerta
San Andrés del Rey
Budia
Cereceda
Valsalobre
E. de la Chorrera
Loma Pajar
Cabrillas
Peralveche
El Recuenco
El Pozuelo
Chequilla
Mantiel
Villaescusa de Palositos
Carrascosa
Juez
Peralejos de las Truchas
El Olivar
Chillarón del Rey
Vindel
Ermita de Nª Sª de la Bienvenida
Alocén
Aliques
Torronteras
Beteta
Cueva del Hierro
Eta de Ribagorda
Las Anclas
Castilforte
Sta Cristina
Hoz de Beteta (Desfiladero)
Berninches
Embalse de Entrepeñas
Pareja
Escamilla
Castº
Masegosa
Peñalagos
Casasana
Salmerón
Alcantud
El Tobar
Saimeroncillos de Arriba
Cañizares
Puente de Vadillos
E. de la Tosca
Lagunaseca
Tabladillo
Solán de Cabra
Auñón
Las Brisas
Millana
Valdeolivas
Arandilla del Arroyo
Baños de Alcantud
Sta María del Val
SERRANÍA
Las Marías
Monasterio de Monsalud
Salmeroncillos de Abajo
Collado Manchego
Córcoles
Albendea
Fuertescusa
Ermita de Saúca
Sacedón
Los Cabezuelos
Convento de San Miguel de las Victorias
Vega del Codorno
MAR DE CASTILLA
Alcocer
Ermita de San Miguel
Priego
Cañamares
La Cueva
Villar del Infantado
Desfiladero
Poyatos
Anguix
Castº
Alto de la
San Pedro Palmiches
Las Gaviotas
Alcohujate
Villaconejos de Trabaque
Casa Forestal de Tejadillos
Cañaveruelas
Embalse de Buendía
Ermita de la Envía
La Frontera
Fresneda de la Sierra
San Felipe
Dehesilla
Castejón
Albalate de las Nogueras
Casa Forestal del Cervinuelo
Buendía
N 320
El Hosquillo
Castillejo Sierra
Ermita de Nª Sª de los Desamparados
Canalejas del Arroyo
Cañaveras
Eta de Virgen del Pinar
Tragacete
Villalba del Rey
Ribagorda
Arcos de la Sierra
Reserva Nacional
Ermita de San Antón
Tinajas
Ermita de Sta Bárbara
Buciegas
Ribatajada
Majadas
Almonacid de Zorita
Pecá
Las Majadas
Olmeda de la Cuesta
Olmeda de Eliz
Villaseca
Ribatajadilla
Ermita de San Miguel
Gascueña
Castillo Albaráñez
Torralba
Torrecilla
Portilla
Jabalera
Portalrubio de Guadamajud
San Cristóbal
Serranía de Cuenca
Fuentesbuenas
Zarzuela
Villarejo del Espartal
Bólliga
Collados
Ventano del Diablo

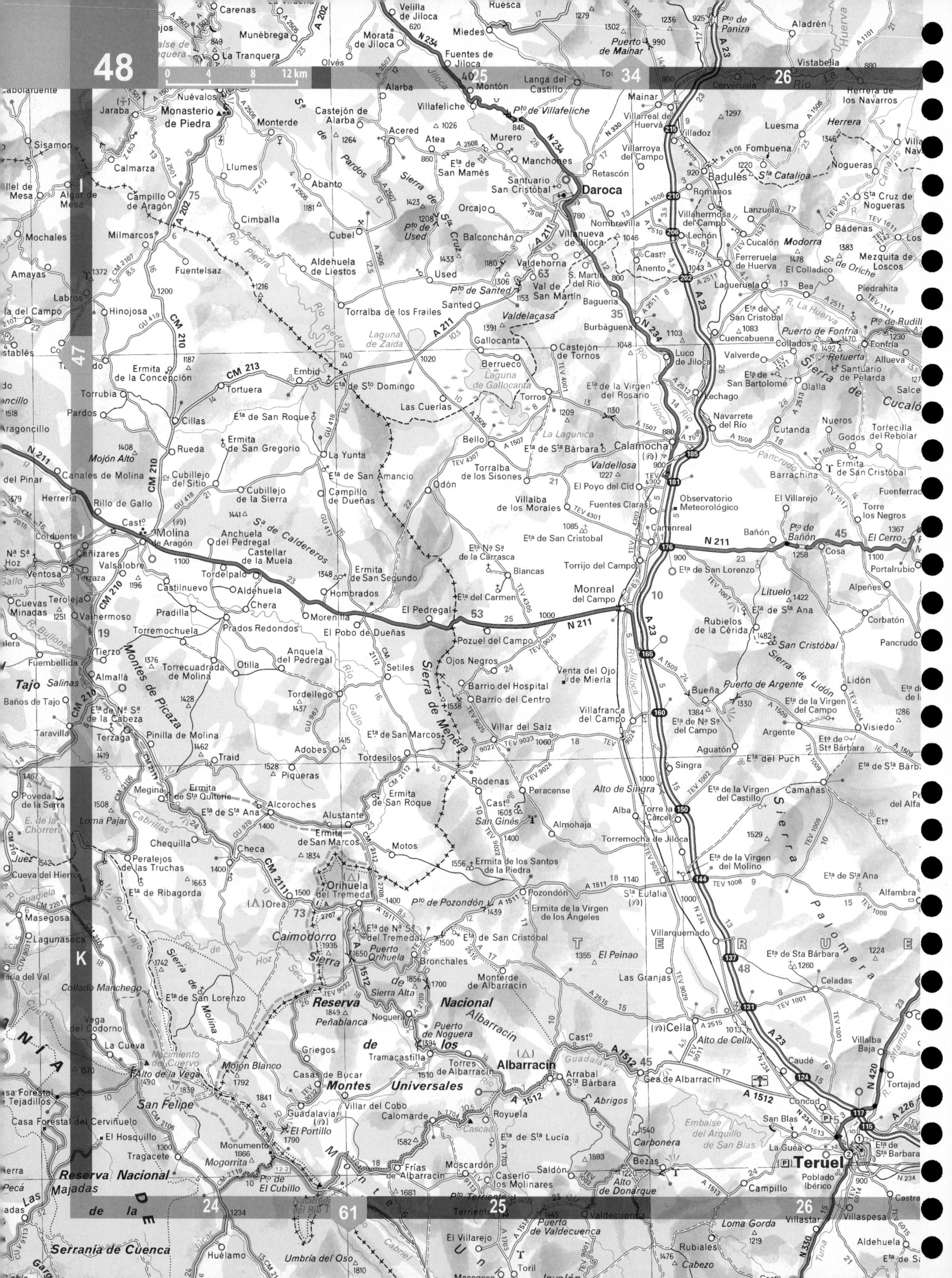
48
0 4 8 12 km
47
K
Velilla de Jiloca
Ruesca
Carenas
Munébrega
La Tranquera
Morata de Jiloca
Miedes
Fuentes de Jiloca
Olvés
Pto de Paniza
Aladrén
Puerto de Mainar
Vistabella
Herrera de los Navarros
Nuévalos
Monasterio de Piedra
Jaraba
Alarba
Montón
Langa del Castillo
Mainar
Cerveruela
Castejón de Alarba
Villafeliche
Pto de Villafeliche
Villarreal de Huerva
Monterde
Acered
Atea
Murero
Villadoz
Luesma
Herrera
Sisamon
Manchones
Villarroya del Campo
Fombuena
Calmarza
Llumes
Santuario San Cristóbal
Retascón
Badules
Sta Catalina
Nogueras
Abanto
Daroca
Romanos
Campillo de Aragón
Orcajo
Villahermosa del Campo
Lanzuela
Sta Cruz de Nogueras
Cimballa
Nombrevilla
Bádenas
Mochales
Milmarcos
Cubel
Pto de Used
Balconchán
Villanueva de Jiloca
Lechón
Cucalón
Modorra
Mezquita de Loscos
Aldehuela de Liestos
Valdehorna
Castº
Anento
Ferreruela de Huerva
El Colladico
Amayas
Fuentelsaz
Used
S. Martín del Río
Lagueruela
Bea
Piedrahita
Pto de Santed
Val de San Martín
Labros
Hinojosa
Santed
Baguena
Torralba de los Frailes
Valdelacasa
Eta de San Cristobal
Burbáguena
Puerto de Fonfría
Laguna de Zaida
Gallocanta
Castejón de Tornos
Cuencabuena
Collados
Fonfría
Valverde
Retuerta
Allueva
Luco de Jiloca
Santuario de Pelarda
Ermita de la Concepción
Embid
Berrueco
Laguna de Gallocanta
Eta de S. Bartolomé
Olalla
Tortuera
Eta de Sto Domingo
Eta de la Virgen del Rosario
Torrubia
Torros
Lechago
Sierra de Cucalón
Pardos
Las Cuerlas
Navarrete del Río
Cillas
Eta de San Roque
La Lagunica
Cutanda
Nueros
Torrecilla del Rebolar
Aragoncillo
Ermita de San Gregorio
Bello
Eta de Sta Bárbara
Calamocha
Godos
Rueda
La Yunta
Mojón Alto
Valdellosa
Eta de San Amancio
Torralba de los Sisones
Canales de Molina
Cubillejo del Sitio
El Poyo del Cid
Barrachina
Ermita de San Cristóbal
Cubillejo de la Sierra
Campillo de Dueñas
Odón
Herrería
Rillo de Gallo
Villalba de los Morales
Fuentes Claras
Observatorio Meteorológico
El Villarejo
Fuenferrada
Torre los Negros
Molina de Aragón
Corduente
Anchuela del Pedregal
Sa de Caldereros
Caminreal
Bañón
Pto de Bañón
El Cerro
Cañizares
Valsalobre
Castellar de la Muela
Eta de San Cristobal
Eta Na Sa de la Carrasca
Torrijo del Campo
Eta de San Lorenzo
Cosa
Portalrubio
Ventosa
Terraza
Tordelpalo
Blancas
Ermita de San Segundo
Castilnuevo
Aldehuela
Hombrados
Eta del Carmen
Monreal del Campo
Lituelo
Alpeñes
Cuevas Minadas
Teroleja
Valhermoso
Pradilla
Chera
Morenilla
El Pedregal
Eta de Sta Ana
Corbatón
Torremochuela
Prados Redondos
El Pobo de Dueñas
Rubielos de la Cérida
Pancrudo
San Cristóbal
Pozuel del Campo
Tierzo
Anquela del Pedregal
Ojos Negros
Sierra de Lidón
Fuembellida
Torrecuadrada de Molina
Otilla
Setiles
Venta del Ojo de Mierla
Lidón
Almallá
Salinas
Tajo
Montes de Picaza
Barrio del Hospital
Barrio del Centro
Bueña
Puerto de Argente
Baños de Tajo
Tordellego
Sierra de Menera
Villafranca del Campo
Eta de la Virgen del Campo
Visiedo
Eta de Na Sa de la Cabeza
Eta de Na Sa del Campo
Argente
Taravilla
Terzaga
Pinilla de Molina
Eta de San Marcos
Villar del Salz
Adobes
Tordesilos
Aguatón
Eta del Puch
Traid
Piqueras
Singra
Ródenas
Poveda de la Sierra
Megina
Ermita de Sta Quiteria
Alcoroches
Ermita de San Roque
Peracense
Alto de Singra
Eta de la Virgen del Castillo
Camañas
Loma Pajar
Eta de Sta Ana
Alustante
Castº
San Ginés
Alba
Torre la Cárcel
Sierra
E. de la Chorrera
Chequilla
Ermita de San Marcos
Almohaja
Torremocha de Jiloca
Juez
Peralejos de las Truchas
Checa
Motos
Eta de la Virgen del Molino
Cueva del Hierro
Ermita de los Santos de la Piedra
Eta de Sta Ana
Eta de Ribagorda
Orihuela del Tremedal
Pozondón
Sta Eulalia
Alfambra
Masegosa
Orea
Pto de Pozondón
Ermita de la Virgen de los Angeles
Palomera
Caimodorro
Eta de Na Sa del Tremedal
Eta de San Cristóbal
Villarquemado
Lagunaseca
Puerto Orihuela
Sierra
Bronchales
El Peinao
Eta de Sta Bárbara
Sierra de Molina
Collado Manchego
Eta de San Lorenzo
Monterde de Albarracín
Las Granjas
Celadas
Reserva Nacional
Sierra Alta
Peñablanca
Noguera
Puerto de Noguera
Albarracín
Vega del Codorno
Cella
Alto de Cella
La Cueva
Nacimiento del Cuervo
Griegos
Tramacastilla
Villalba Baja
Mojón Blanco
Torres de Albarracín
Casas de Búcar
Montes Universales
Arrabal Sta Bárbara
Gea de Albarracín
Caudé
Tortajada
Alto de la Vega
Casa Forestal Tejadillos
San Felipe
Abrigos
Concud
Guadalaviar
Villar del Cobo
Calomarde
Royuela
Casa Forestal del Cerviñuelo
El Portillo
Cascada
Eta de Sta Lucía
Carbonera
Embalse del Arquillo de San Blas
San Blas
El Hosquillo
Monumento
La Guea
Eta de Sta Bárbara
Tragacete
Mogorrita
Frías de Albarracín
Moscardón
Saldón
Bezas
Teruel
Reserva Nacional
Pto de El Cubillo
Caserío los Molinares
Alto de Dornaque
Poblado Ibérico
Majadas
Pto Terriente
Terriente
Valdecuenca
Campillo
Castralvo
Villastar
Villaspesa
Nacimiento del Río Tajo
Puerto de Valdecuenca
Loma Gorda
El Villarejo
Rubiales
Aldehuela
Serranía de Cuenca
Huélamo
Umbría del Oso
Cabezo
Toril
Jiloca
Río Piedra
Río Jiloca
Pancrudo
Guadalaviar
Río Gallo
Río Tajo
Cuervo
A 23
N 234
N 211
N 330
N 420
A 1512
A 211
A 202
CM 210
CM 213
CM 2111
24
61
25
26
34
40

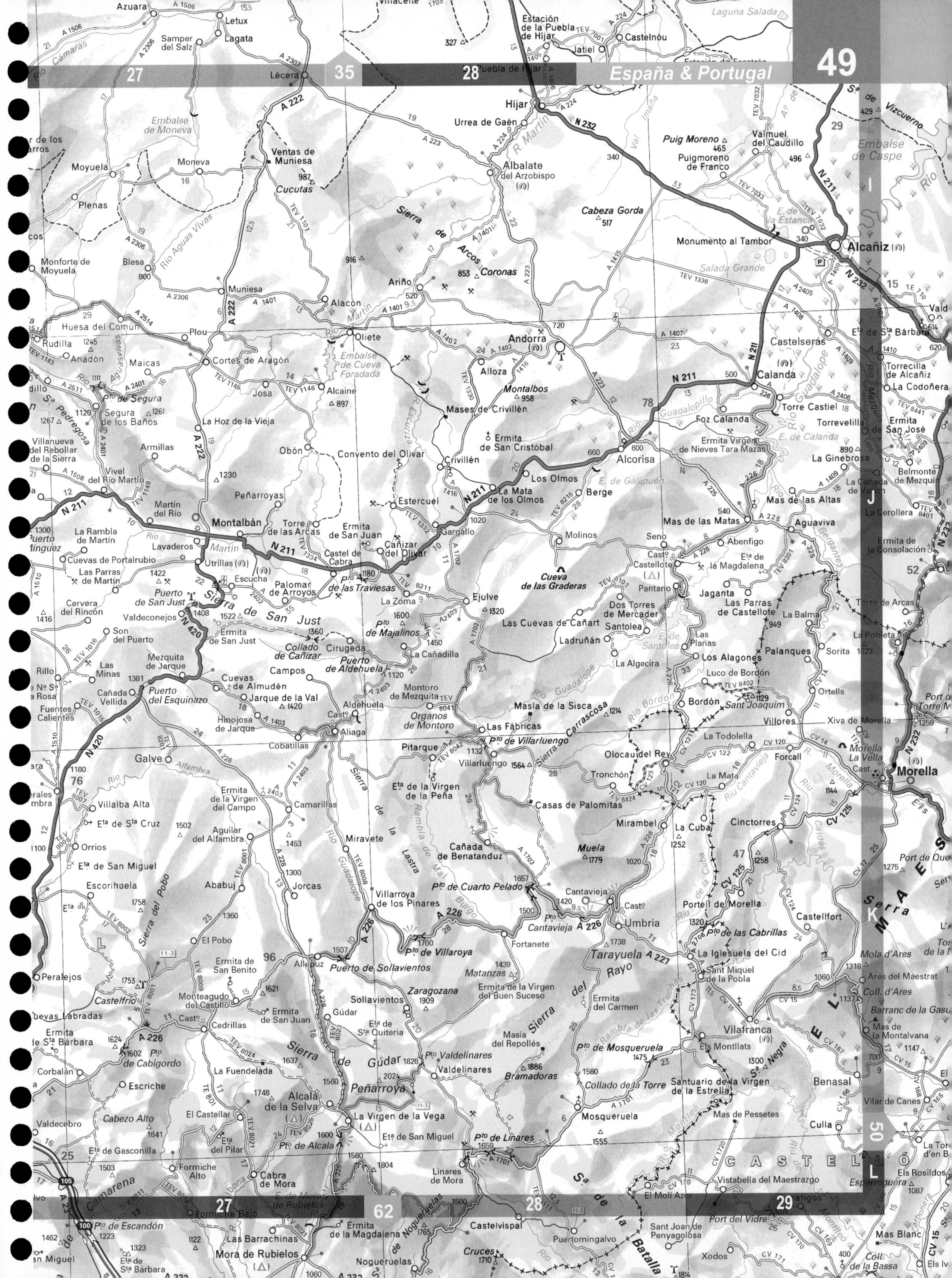
Azuara
Letux
Samper del Salz
Lagata
Lécera
Estación de la Puebla de Híjar
Castelnou
Jatiel
Puebla de Híjar
Laguna Salada
Híjar
Urrea de Gaén
Embalse de Moneva
Ventas de Muniesa
Moyuela
Moneva
Cucutas
Albalate del Arzobispo
Puig Moreno
Puigmoreno de Franco
Valmuel del Caudillo
Embalse de Caspe
Plenas
Sierra de Arcos
Cabeza Gorda
Monumento al Tambor
Alcañiz
Monforte de Moyuela
Blesa
Coronas
Salada Grande
Muniesa
Ariño
Alacón
Huesa del Común
Oliete
Andorra
Castelserás
Rudilla
Anadón
Maicas
Cortes de Aragón
Embalse de Cueva Foradada
Alloza
Calanda
Torrecilla de Alcañiz
La Codoñera
Pto de Segura
Josa
Alcaine
Montalbos
Segura de los Baños
Torre Castiel
Foz Calanda
Torrevelilla
La Hoz de la Vieja
Mases de Crivillén
Ermita de San Cristóbal
Ermita Virgen de Nieves Tara Mazas
Ermita de San José
E. de Calanda
Villanueva del Rebollar de la Sierra
Armillas
Obón
Convento del Olivar
Crivillén
Alcorisa
La Ginebrosa
Vivel del Río Martín
Los Olmos
E. de Gallipuén
Belmonte de Mezquín
La Cañada de Verich
Peñarroyas
La Mata de los Olmos
Berge
Mas de las Altas
Martín del Río
Estercuel
Montalbán
Torre de las Arcas
Ermita de San Juan
Gargallo
Mas de las Matas
Aguaviva
La Cerollera
La Rambla de Martín
Puerto Mínguez
Lavaderos
Cañizar del Olivar
Molinos
Seno
Abenfigo
Cuevas de Portalrubio
Utrillas
Castel de Cabra
Castellote
Eta de la Magdalena
Ermita de la Consolación
Las Parras de Martín
Escucha
Palomar de Arroyos
Pto de las Traviesas
Cueva de las Graderas
Pantano
Jaganta
Cervera del Rincón
Puerto de San Just
Sierra de San Just
La Zoma
Ejulve
Dos Torres de Mercader
Las Parras de Castellote
Torre de Arcas
Valdeconejos
Pto de Majalinos
Las Cuevas de Cañart
Santolea
La Balma
Son del Puerto
Ermita de San Just
Collado de Cañizar
Cirugeda
La Cañadilla
Ladruñán
E. de Santolea
Las Planas
La Pobleta
Las Minas
Mezquita de Jarque
Puerto de Aldehuela
Los Alagones
Palanques
Sorita
Rillo
Campos
La Algecira
Luco de Bordón
Cuevas de Almudén
Montoro de Mezquita
Ortells
Cañada Vellida
Puerto del Esquinazo
Jarque de la Val
Bordón
Sant Joaquim
Fuentes Calientes
Hinojosa de Jarque
Aldehuela
Organos de Montoro
Masía de la Sisca
Sierra Carrascosa
Villores
Xiva de Morella
Cobatillas
Aliaga
Las Fábricas
Pto de Villarluengo
La Todolella
Morella la Vella
Galve
Pitarque
Villarluengo
Olocau del Rey
Forcall
Morella
Sierra de la Lastra
Eta de la Virgen de la Peña
Tronchón
La Mata
Ermita de la Virgen del Campo
Camarillas
Casas de Palomitas
Villalba Alta
Eta de Sta Cruz
Aguilar del Alfambra
Mirambel
La Cuba
Cinctorres
Orrios
Miravete
Rambla de Mal Burgo
Cañada de Benatanduz
Muela
Eta de San Miguel
Escorihuela
Ababuj
Jorcas
Pto de Cuarto Pelado
Cantavieja
Portell de Morella
Port de Querol
Villarroya de los Pinares
Pto Cantavieja
Umbría
Castellfort
Sierra del Pobo
El Pobo
Pto de Villaroya
Fortanete
Pto de las Cabrillas
Tarayuela
Sierra del Rayo
La Iglesuela del Cid
Mola d'Ares
Peralejos
Ermita de San Benito
Allepuz
Puerto de Sollavientos
Matanzas
Sant Miquel de la Pobla
Ares del Maestrat
Castelfrío
Monteagudo del Castillo
Ermita de San Juan
Zaragozana
Ermita de la Virgen del Buen Suceso
Ermita del Carmen
Coll. d'Ares
Cuevas Labradas
Cedrillas
Sollavientos
Gúdar
Eta de Sta Quiteria
Vilafranca
Barranc de la Gasulla
Ermita de Sta Bárbara
Masía del Repollés
Rambla de las Truchas
Els Montllats
Mas de la Montalvana
Pto de Cabigordo
Sierra de Gúdar
Pto Valdelinares
Valdelinares
Pto de Mosqueruela
Sa Negra
Corbalán
La Fuendelada
Bramadoras
Collado de la Torre
Santuario de la Virgen de la Estrella
Benasal
Escriche
Peñarroya
Alcalá de la Selva
Mosqueruela
Mas de Pessetes
Vilar de Canes
Cabezo Alto
El Castellar
La Virgen de la Vega
Culla
Valdecebro
Eta del Pilar
Pto de Alcala
Eta de San Miguel
Pto de Linares
Eta de Gasconilla
Formiche Alto
Linares de Mora
Sa de la Batalla
Castelló
Cabra de Mora
Sa de Camarena
E. de Mora de Rubielos
Vistabella del Maestrazgo
Esparreguera
Els Rosildos
El Molí Azor
Formiche Bajo
Pto de Escandón
Ermita de la Magdalena
Pto de Nogueruelas
Castelvispal
Puertomingalvo
Port del Vidre
Sant Joan de Penyagolosa
Mas Blanc
Las Barrachinas
Mora de Rubielos
Eta de Sta Bárbara
Nogueruelas
Cruces
Xodos
Coll de la Bassa
N 211
N 232
N 420
A 222
A 226
A 227
A 1702
CV 125
27
35
28
29
62
50
I
J
K
L

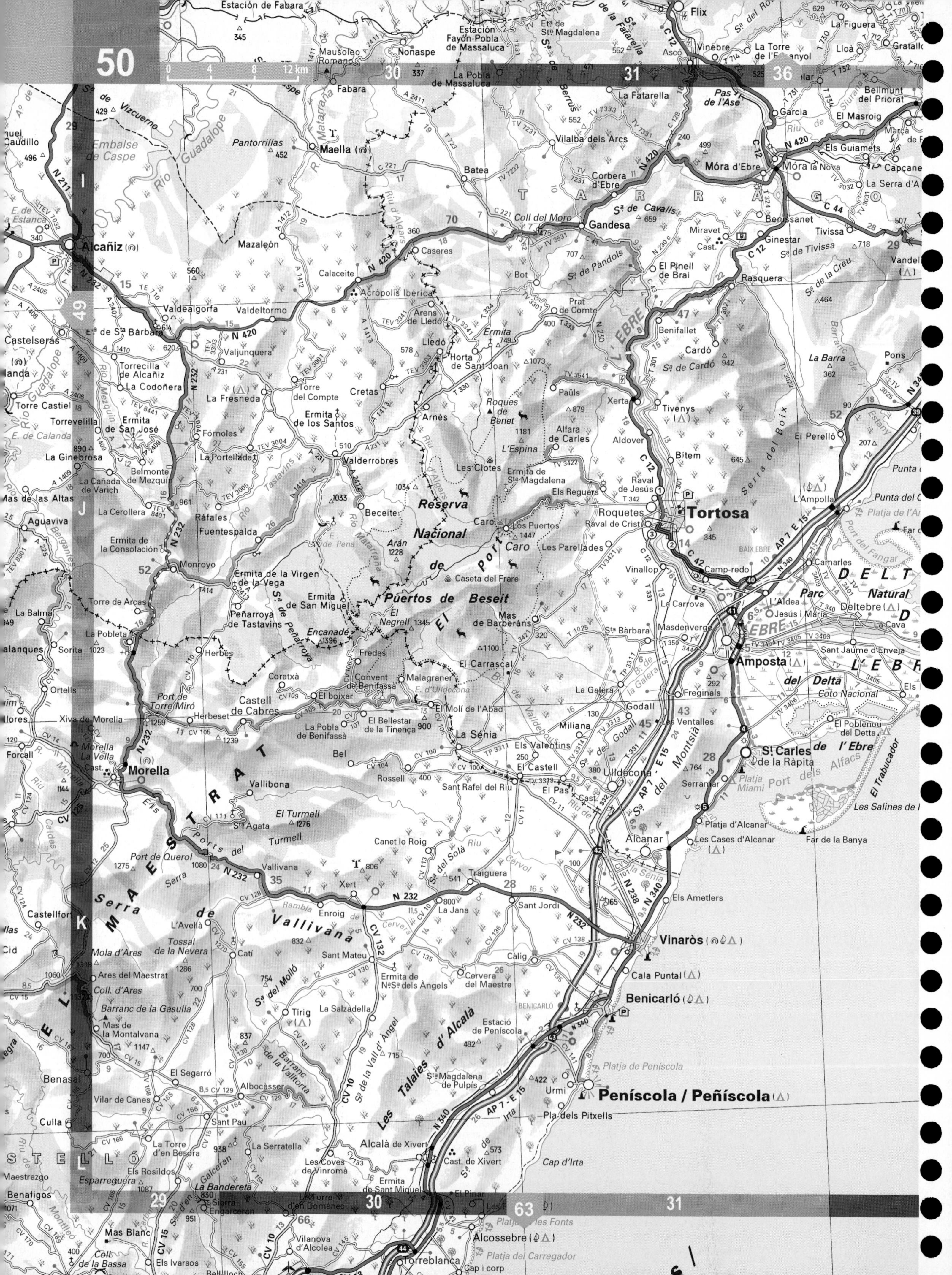
0 4 8 12 km
Estación de Fabara
Estación Fayón-Pobla de Massaluca
Flix
La Figuera
Gratallops
Nonaspe
Mausoleo Romano
Fabara
La Pobla de Massaluca
La Fatarella
Vinebre
Ascó
La Torre de l'Espanyol
Lloà
Pas de l'Ase
Garcia
Bellmunt del Priorat
El Masroig
Vilalba dels Arcs
Embalse de Caspe
Pantorrillas
Maella
Río Guadalope
Caudillo
Batea
Corbera d'Ebre
Móra d'Ebre
Móra la Nova
Els Guiamets
Capçanes
La Serra d'Almos
S.ª de Cavalls
Benissanet
Tivissa
Gandesa
Coll del Moro
Miravet
Ginestar
S.ª de Tivissa
Vandellòs
Alcañiz
Mazaleón
Caseres
S.ª de Pandols
El Pinell de Brai
Rasquera
S.ª de la Creu
Calaceite
Acrópolis Ibérica
Bot
Valdealgorta
Valdeltormo
Arens de Lledó
Prat de Comte
Benifallet
Castelserás
E.ª de S.ª Bárbara
Lledó
Horta de Sant Joan
Ermita
Cardó
S.ª de Cardó
La Barra
Pons
Torrecilla de Alcañiz
La Codoñera
Valjunquera
Torre del Compte
Cretas
Roques de Benet
Paüls
Xerta
Tivenys
Torre Castiel
Torrevelilla
Ermita de San José
La Fresneda
Ermita de los Santos
Arnes
Alfara de Carles
Aldover
El Perelló
La Ginebrosa
Fórnoles
La Portellada
Valderrobres
L'Espina
Bítem
Belmonte de Mezquín
La Cañada de Varich
Mas de las Altas
Les Clotes
Ermita de S.ta Magdalena
Raval de Jesús
Els Reguers
Serra del Boix
L'Ampolla
La Cerollera
Ráfales
Beceite
Reserva Nacional
Roquetes
Tortosa
Raval de Crist
Aguaviva
Fuentespalda
Caro
Los Puertos
Ermita de la Consolación
Arán
Port Caro
Les Parellades
BAIX EBRE
Camarles
Monroyo
Ermita de la Virgen de la Vega
Caseta del Frare
Vinallop
Camp-redo
DELTA
Parc Natural
L'Aldea
Jesús i Maria
Deltebre
Torre de Arcas
Peñarroya de Tastavins
Ermita de San Miguel
Puertos de Beseit
El Negrell
Mas de Barberàns
La Carrova
Masdenverge
La Cava
La Balma
La Pobleta
Encanadé
S.ª de Peñarroya
S.ta Bàrbara
Sant Jaume d'Enveja
Palanques
Sorita
Herbés
Fredes
El Carrascal
Amposta
L'EBRE
del Delta
Coto Nacional
Ortells
Coratxà
Convent de Benifassà
Malagraner
E. d'Ulldecona
La Galera
Freginals
Port de Torre Miró
Castell de Cabres
El boixar
El Molí de l'Abad
Godall
Xiva de Morella
Herbeset
La Pobla de Benifassà
El Bellestar de la Tinença
Les Ventalles
El Poblenou del Delta
Forcall
Morella La Vella
Morella
La Sénia
Miliana
Els Valentins
S.ª de Godall
Bel
Rossell
El Castell
Ulldecona
S.ª del Montsià
St. Carles de la Ràpita
Vallibona
Sant Rafel del Riu
El Pas
Serramar
Platja Miami
Port dels Alfacs
El Trabucador
Les Salines de la Trinitat
Sta Àgata
El Turmell
Turmell
Platja d'Alcanar
Alcanar
Les Cases d'Alcanar
Far de la Banya
Port de Querol
Ports del
Canet lo Roig
Vallivana
Serra
S.ª del Solà
Traiguera
Xert
Els Ametlers
Serra de Vallivana
Enroig
La Jana
Sant Jordi
Castellfort
L'Avellà
Vinaròs
Tossal de la Nevera
Catí
Sant Mateu
Càlig
Mola d'Ares
Ares del Maestrat
Ermita de N.ª S.ª dels Àngels
Cervera del Maestre
Cala Puntal
Coll. d'Ares
S.ª del Molló
Benicarló
Barranc de la Gasulla
Tirig
La Salzadella
Estació de Peníscola
Mas de la Montalvana
Barranc de la Valltorta
S.ª de la Vall d'Àngel
Les Talaies d'Alcalà
Platja de Peníscola
Benasal
El Segarró
Albocàsser
S.ta Magdalena de Pulpís
Urmi
Peníscola / Peñíscola
Vilar de Canes
Pla dels Pitxells
Culla
Sant Pau
Irta
La Torre d'en Besora
La Serratella
Alcalà de Xivert
Cast. de Xivert
Cap d'Irta
Els Rosildos
Les Coves de Vinromà
Maestrazgo
Esparreguera
La Bandereta
Ermita de Sant Miquel
Benafigos
Sierra Engarceran
La Torre d'en Domènec
El Pinar
Platja les Fonts
Mas Blanc
Vilanova d'Alcolea
Alcossebre
Coll de la Bassa
Els Ivarsos
Torreblanca
Platja del Carregador
Cap i corp
MAESTRAT
TARRAGONA
CASTELLÓ
N 420
N 232
N 211
N 340
AP 7 - E 15
C 12
C 42
C 44

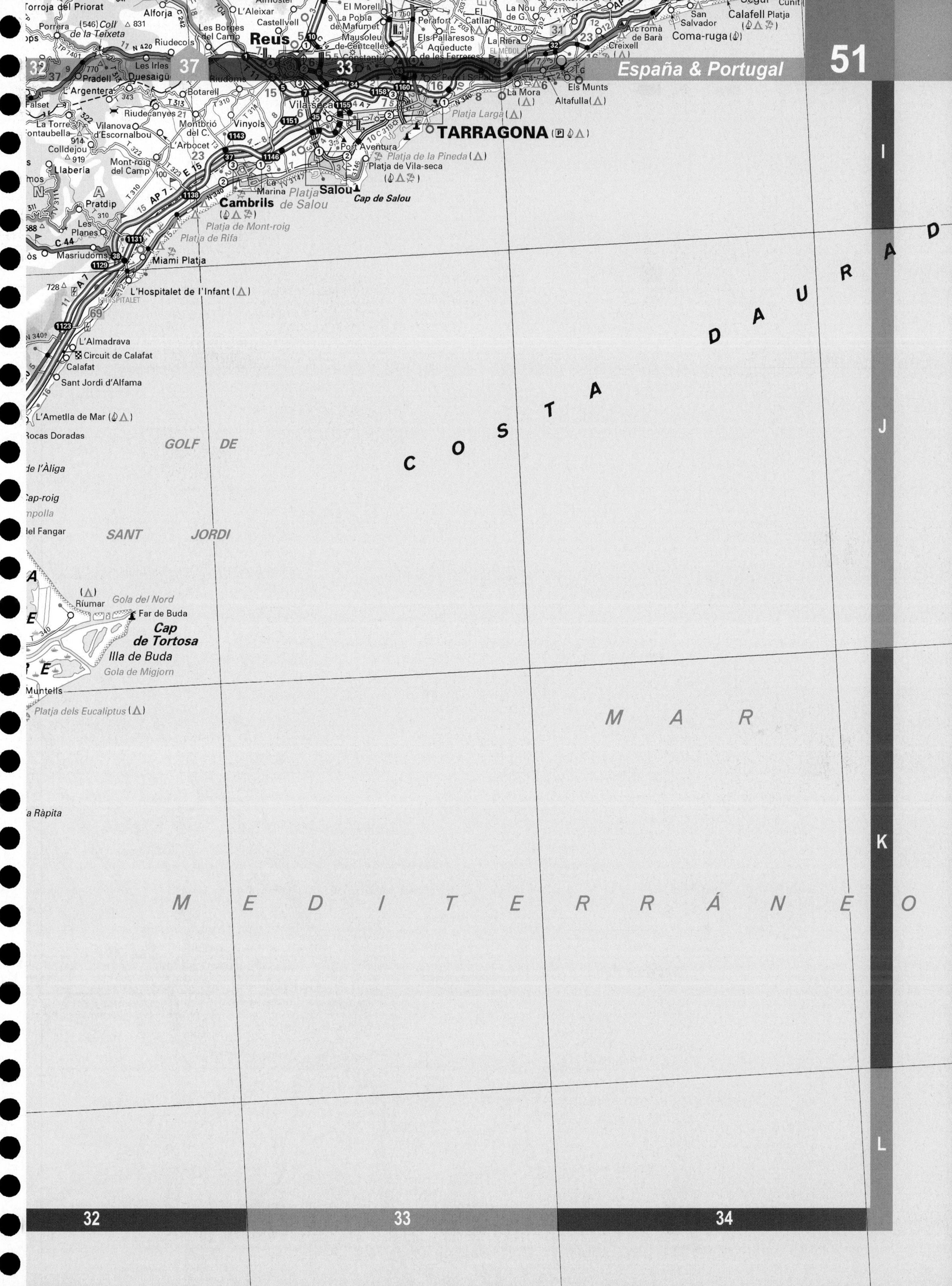
Reus
Tarragona
Cambrils
Salou
Cap de Salou
Vila-seca
Port Aventura
Platja de la Pineda
Platja de Vila-seca
Platja Larga
La Mora
Altafulla
Els Munts
Calafell Platja
Coma-ruga
Arc romà de Barà
Creixell
San Salvador
Segur
Cunit
La Nou de G.
La Riera
El Catllar
Perafort
Els Pallaresos
Aqüeducte de les Ferreres
La Pobla de Mafumet
El Morell
Mausoleu de Centcelles
Constantí
Castellvell
Almoster
L'Aleixar
Alforja
Les Borges del Camp
Riudecols
Les Irles
Duesaigües
Riudoms
Botarell
Riudecanyes
Vilanova d'Escornalbou
Montbrió del C.
Vinyols
L'Arbocet
Mont-roig del Camp
Colldejou
Llaberia
Pratdip
Les Planes
Masriudoms
Miami Platja
Platja de Mont-roig
Platja de Rifa
L'Hospitalet de l'Infant
L'Almadrava
Circuit de Calafat
Calafat
Sant Jordi d'Alfama
L'Ametlla de Mar
Rocas Doradas
Cap-roig
Riumar
Gola del Nord
Far de Buda
Cap de Tortosa
Illa de Buda
Gola de Migjorn
Muntells
Platja dels Eucaliptus
La Marina
Platja de Salou
Torroja del Priorat
Porrera
Coll de la Teixeta
Pradell
L'Argentera
Falset
La Torre de Fontaubella
GOLF DE SANT JORDI
COSTA DAURADA
MAR MEDITERRÁNEO
I
J
K
L
32
33
34
37

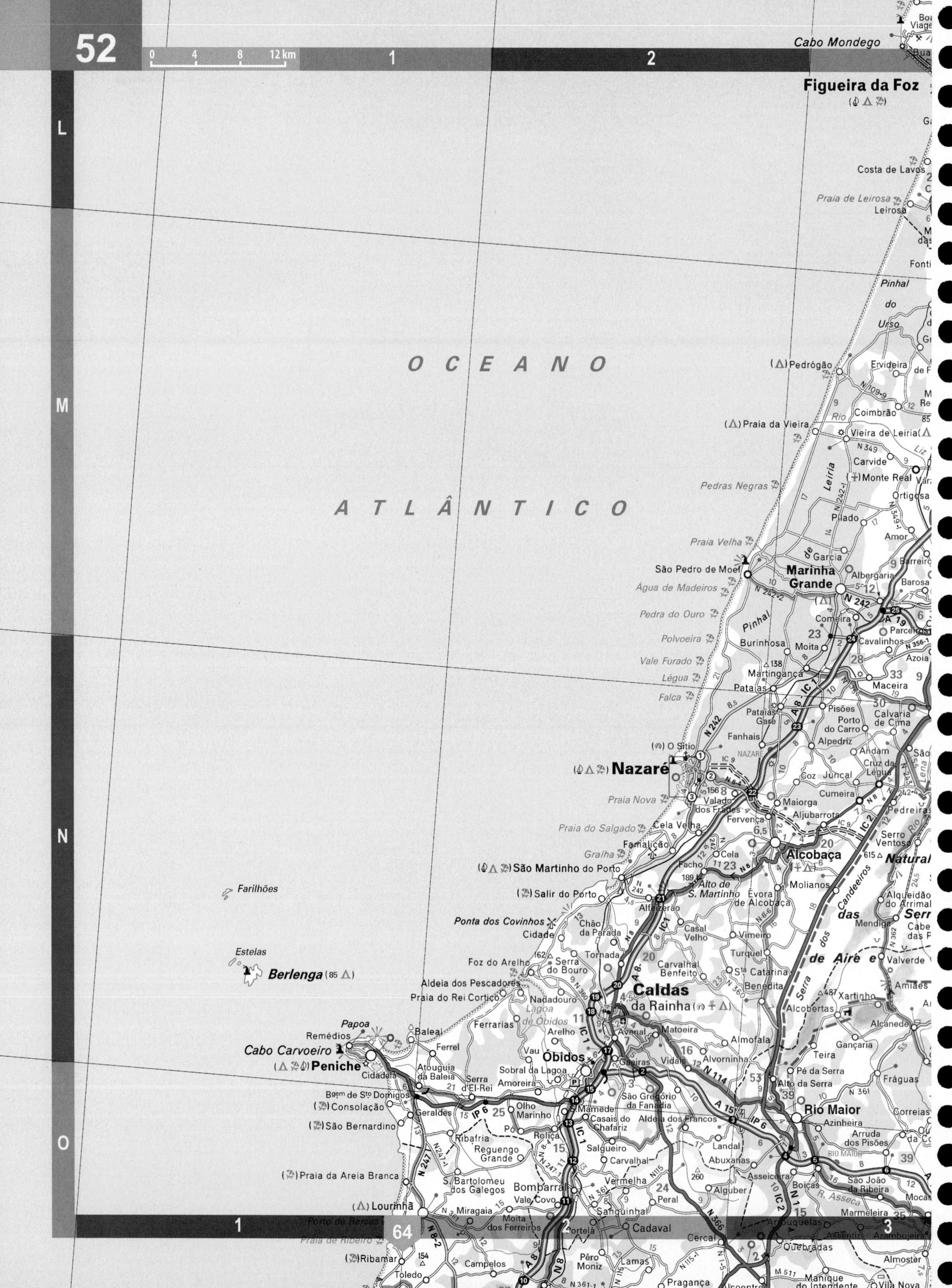
0 4 8 12 km
1
2
3
L
M
N
O
64
OCEANO
ATLÂNTICO
Praia de Quiaios
Cabo Mondego
Figueira da Foz
Costa de Lavos
Praia de Leirosa
Leirosa
Pinhal do Urso
Pedrógão
Ervideira
Coimbrão
Praia da Vieira
Vieira de Leiria
Carvide
Monte Real
Pedras Negras
Ortigosa
Pilado
Amor
Praia Velha
Garcia
São Pedro de Moel
Marinha Grande
Albergaria
Barosa
Água de Madeiros
Pedra do Ouro
Pinhal
Comeira
Parceiros
Polvoeira
Burinhosa
Moita
Cavalinhos
Azoia
Vale Furado
Martingança
Légua
Maceira
Falca
Pataias
Pataias Gare
Pisões
Porto do Carro
Calvaria de Cima
Fanhais
Alpedriz
O Sítio
Nazaré
Andam
Cruz da Légua
Coz
Juncal
Cumeira
Praia Nova
Valado dos Frades
Maiorga
Aljubarrota
Pedreiras
Fervença
Praia do Salgado
Cela Velha
Serro Ventoso
Famalicão
Alcobaça
Gralha
Cela
Facho
Natural
São Martinho do Porto
Alto de S. Martinho
Évora de Alcobaça
Molianos
Farilhões
Salir do Porto
Alfeizerão
Alqueidão do Arrimal
Ponta dos Covinhos
Chão da Parada
Casal Velho
das
Mendiga
Cidade
Vimeiro
Estelas
Tornada
Turquel
de Aire e
Valverde
Foz do Arelho
Serra do Bouro
Carvalhal Benfeito
Sta Catarina
Berlenga (85 Δ)
Caldas da Rainha
Benedita
Amiães
Aldeia dos Pescadores
Praia do Rei Cortiço
Nadadouro
Xartinho
Alcobertas
Alcanede
Papoa
Remédios
Lagoa de Óbidos
Ferrarias
Arelho
Avenal
Matoeira
Almofala
Gançaria
Cabo Carvoeiro
Baleal
Ferrel
Vau
Óbidos
Alvorninha
Teira
Peniche
Cidadela
Atouguia da Baleia
Serra d'El-Rei
Sobral da Lagoa
Amoreira
Gaeiras
Vidais
Pé da Serra
Alto da Serra
Fráguas
Bgem de Sto Domingos
Consolação
Geraldes
Olho Marinho
S. Mamede
São Gregório da Fanadia
Casais do Chafariz
Aldeia dos Francos
Rio Maior
Azinheira
Correias
São Bernardino
Ribafria
Rolica
Arruda dos Pisões
Reguengo Grande
Salgueiro
Landal
Carvalhal
Abuxanas
Praia da Areia Branca
S. Bartolomeu dos Galegos
Bombarral
Vermelha
Asseiceira
Boiças
São João da Ribeira
Vale Covo
Peral
Alguber
R. Asseca
Lourinhã
Miragaia
Moita dos Ferreiros
Sanguinhal
Marmeleira
Porto de Barcas
Praia de Ribeiro
Portela
Cadaval
Cercal
Arrouquelas
Azambujeira
Ribamar
Quebradas
Campelos
Pêro Moniz
Lamas
Almoster
Toledo
Praia do Porto Novo
Vimeiro
Pragança
Alcoentre
Manique do Intendente
Vila Nova de São Pedro
Outeiro
Vilar

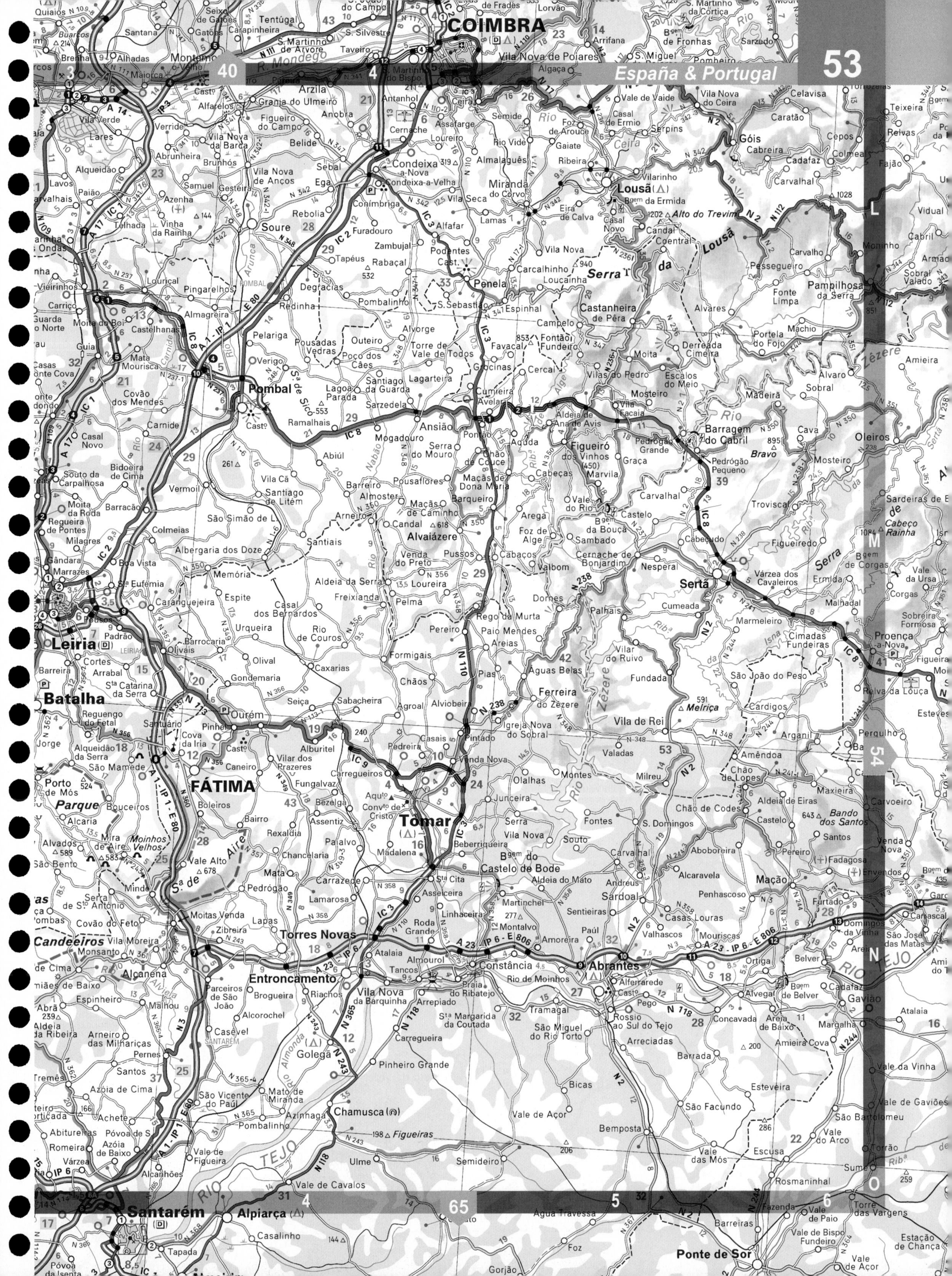
COIMBRA
Lousã
Pombal
Leiria
Batalha
FÁTIMA
Ourém
Tomar
Sertã
Abrantes
Torres Novas
Entroncamento
Santarém
Alpiarça
Golegã
Chamusca
Constância
Figueiró dos Vinhos
Alvaiázere
Ansião
Penela
Soure
Condeixa-a-Nova
Miranda do Corvo
Castanheira de Pêra
Pedrógão Grande
Vila de Rei
Proença-a-Nova
Mação
Sardoal
Ferreira do Zêzere
Oleiros
Góis
Pampilhosa da Serra
Ponte de Sor
Gavião
Serra da Lousã
Rio Tejo
Rio Zêzere

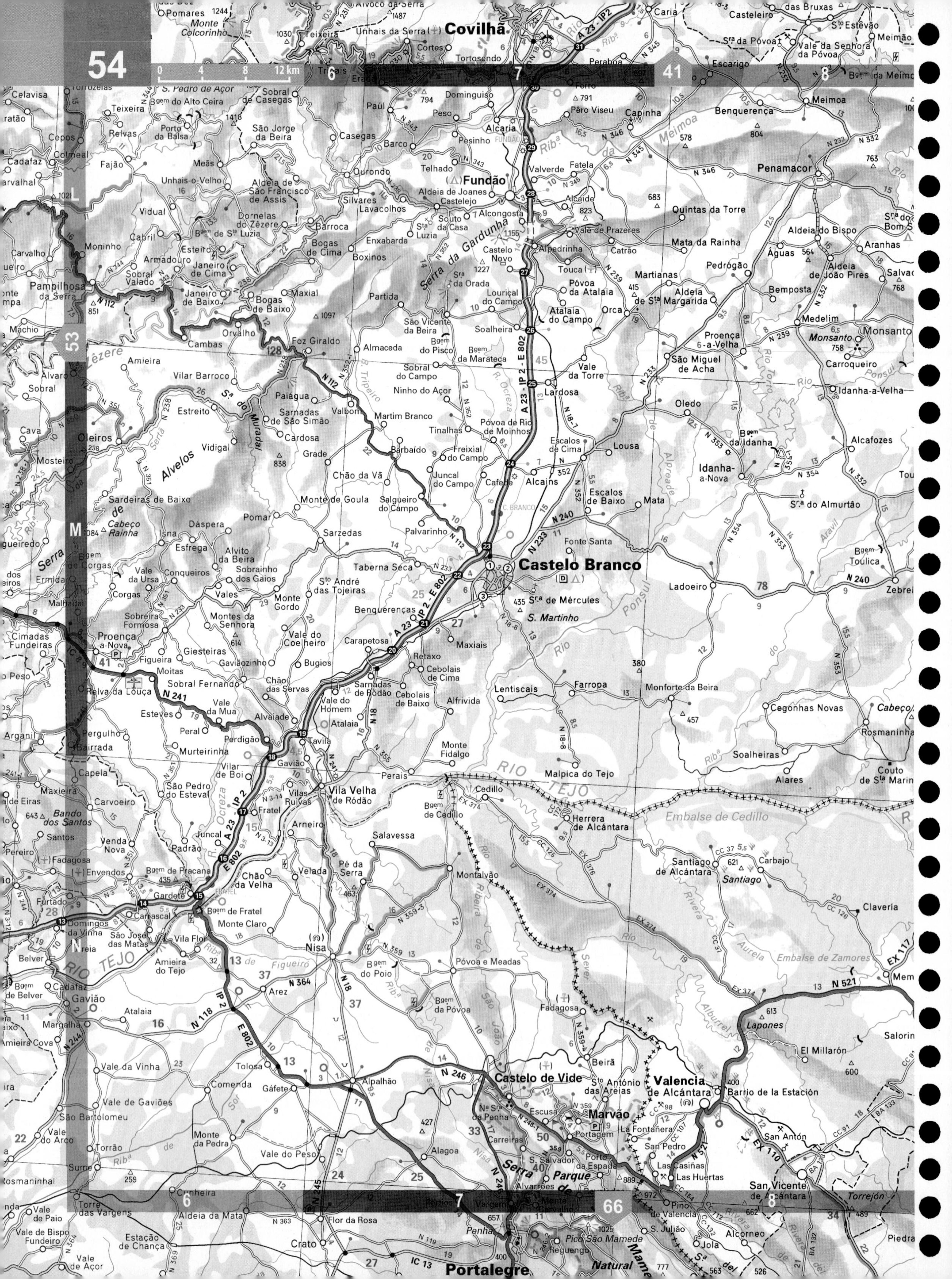
54
0 4 8 12 km
Covilhã
Fundão
Castelo Branco
Penamacor
Monsanto
Idanha-a-Nova
Idanha-a-Velha
Alpedrinha
Serra da Gardunha
Oleiros
Proença-a-Nova
Vila Velha de Ródão
Nisa
Gavião
Castelo de Vide
Marvão
Valencia de Alcántara
Portalegre
Crato
RIO TEJO
Embalse de Cedillo
Cedillo
Herrera de Alcántara
Santiago de Alcántara
Monforte da Beira
Rosmaninhal
Ladoeiro
Alcains
Sarzedas
Alpalhão
Pampilhosa da Serra
Sertã
Serra do Muradal
Alvelos
Parque Natural
Serra de São Mamede
San Vicente de Alcántara
Medelim
Pedrógão
Aldeia do Bispo
Salvaterra do Extremo
Malpica do Tejo
Lardosa
Lousa
Alcafozes
Escalos de Cima
Escalos de Baixo
Alpreade
Embalse de Zamores
53
41
66
L
M
N

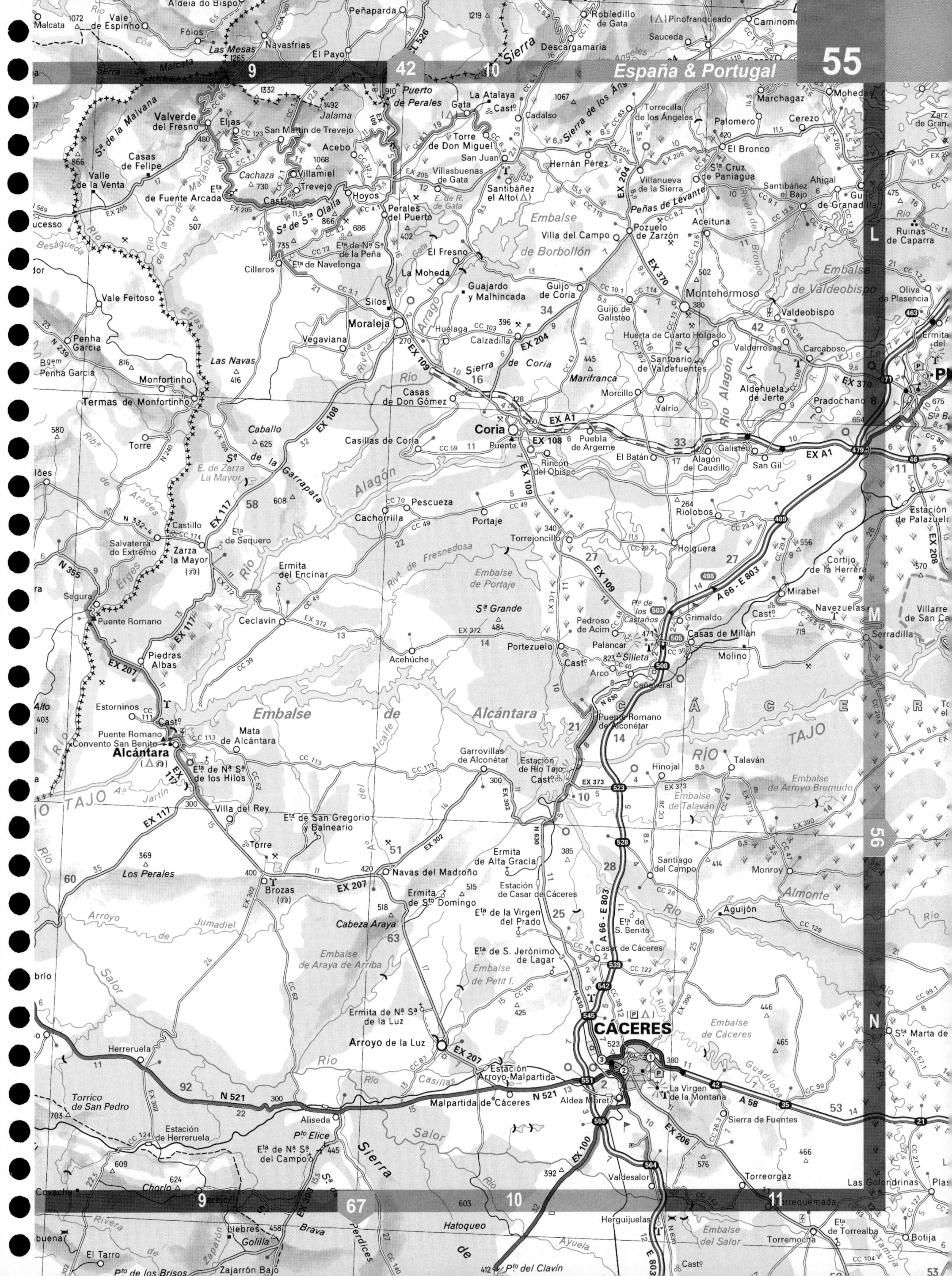

55
España & Portugal
42
9
10
11
56
67
L
M
N
Malcata
Vale de Espinho
Fóios
Las Mesas
Navasfrias
El Payo
Peñaparda
Robledillo de Gata
Descargamaría
Pinofranqueado
Caminomorisco
Sauceda
Mohedas
Marchagaz
Torrecilla de los Ángeles
Palomero
Cerezo
Valverde del Fresno
Eljas
San Martín de Trevejo
Acebo
Villamiel
Trevejo
Hoyos
Casas de Felipe
Valle de la Venta
Eta de Fuente Arcada
Cachaza
Puerto de Perales
Gata
La Atalaya
Castº
Cadalso
Torre de Don Miguel
San Juan
Villasbuenas de Gata
Santibáñez el Alto
Hernán Pérez
Villanueva de la Sierra
Sta Cruz de Paniagua
El Bronco
Santibáñez el Bajo
Ahigal
Guijo de Granadilla
Ruinas de Caparra
Sierra de Gata
Sa de Sta Olalla
Sa de la Malvana
Jalama
Perales del Puerto
Eta de Nª Sª de la Peña
Eta de Navelonga
Cilleros
El Fresno
La Moheda
Embalse de Borbollón
Villa del Campo
Pozuelo de Zarzón
Aceituna
Peñas de Levante
Rivera del Bronco
Embalse de Valdeobispo
Oliva de Plasencia
Valdeobispo
Montehermoso
Guijo de Coria
Guijo de Galisteo
Guajardo y Malhincada
Moraleja
Silos
Vegaviana
Huélaga
Calzadilla
Huerta de Cuarto Holgado
Santuario de Valdefuentes
Valderrosas
Carcaboso
Aldehuela de Jerte
Pradochano
Sierra de Coria
Marifranca
Morcillo
Valrío
Río Alagón
Vale Feitoso
Penha Garcia
Bgem Penha Garcia
Las Navas
Monfortinho
Termas de Monfortinho
Casas de Don Gómez
Coria
Puente
Puebla de Argeme
Galisteo
San Gil
Alagón del Caudillo
El Batán
Rincón del Obispo
Casillas de Coria
Caballo
Sa de la Garrapata
E. de Zarza La Mayor
Torre
Pescueza
Cachorrilla
Portaje
Torrejoncillo
Riolobos
Holguera
Castillo
Salvaterra do Extremo
Zarza la Mayor
Eta de Sequero
Ermita del Encinar
Riva de Fresnedosa
Embalse de Portaje
Cortijo de la Herrera
Mirabel
Navezuelas
Villarreal de San Carlos
Estación de Palazuelo
Segura
Puente Romano
Ceclavín
Sa Grande
Pedroso de Acim
Pº de los Castaños
Grimaldo
Casas de Millán
Serradilla
Palancar
Silleta
Portezuelo
Acehúche
Arco
Cañaveral
Molino
Piedras Albas
Estorninos
Embalse de Alcántara
Puente Romano de Alconétar
Convento San Benito
Alcántara
Mata de Alcántara
Eta de Nª Sª de los Hilos
Garrovillas de Alconétar
Estación de Río Tajo
Hinojal
Talaván
Embalse de Talaván
Embalse de Arroyo Bremudo
Río Tajo
Villa del Rey
Eta de San Gregorio y Balneario
Santiago del Campo
Monroy
Los Perales
Brozas
Navas del Madroño
Ermita de Alta Gracia
Estación de Casar de Cáceres
Ermita de Sto Domingo
Eta de la Virgen del Prado
Eta de S. Benito
Río Almonte
Aguijón
Cabeza Araya
Arroyo de Jumadiel
Embalse de Araya de Arriba
Eta de S. Jerónimo de Lagar
Embalse de Petit I.
Casar de Cáceres
Ermita de Nª Sª de la Luz
Arroyo de la Luz
CÁCERES
Embalse de Cáceres
Sta Marta de Magasca
Herreruela
Estación Arroyo-Malpartida
Malpartida de Cáceres
Aldea Moret
La Virgen de la Montaña
Sierra de Fuentes
Torrico de San Pedro
Estación de Herreruela
Aliseda
Pto Elice
Eta de Nª Sª del Campo
Sierra de San Pedro
Valdesalor
Torreorgaz
Las Golondrinas
Covacha
Tarejo
Liebres
Golilla
Hatoqueo
Herguijuelas
Embalse del Salor
Torremocha
Eta de Torrealba
Botija
El Tarro
Pto de los Brisos
Zajarrón Bajo
Pto del Clavín
Torrequemada
EX 109
EX 108
EX 204
EX 370
EX A1
EX 117
EX 207
EX 372
EX 373
EX 390
EX 302
EX 206
EX 100
A 66 - E 803
A 58
N 521
N 630

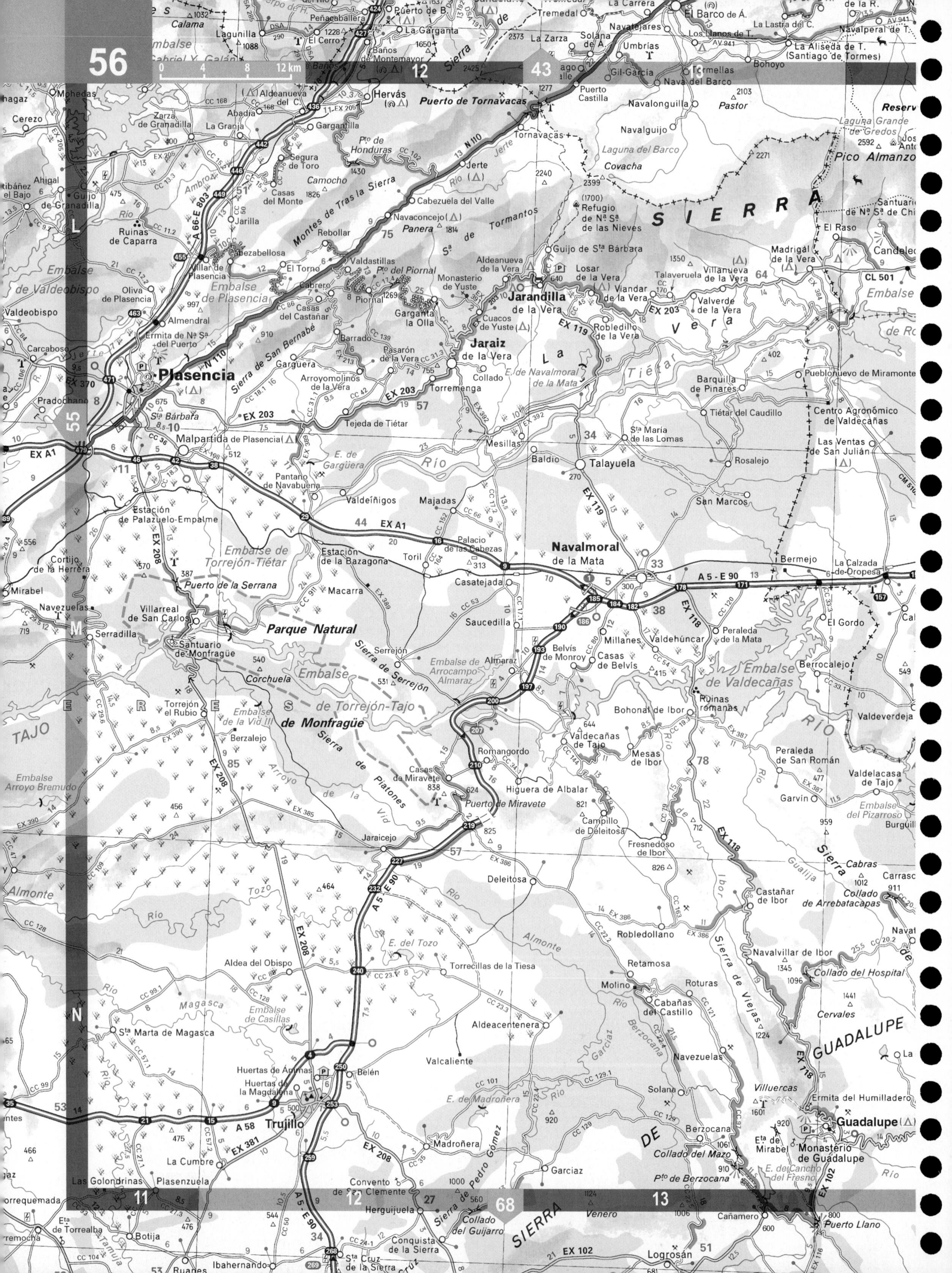

0 4 8 12 km
12
43
13
Calama
Lagunilla
Peñacaballera
El Cerro
Puerto de Béjar
La Garganta
Baños de Montemayor
Tremedal
La Zarza
Solana de Á.
Navatejares
El Barco de Á.
Los Llanos de T.
Umbrías
La Carrera
La Lastra del C.
Navalperal de T.
La Aliseda de T. (Santiago de Tormes)
Bohoyo
Gil-García
Ermellas
Nava del Barco
Puerto Castilla
Navalonguilla
Pastor
Navalguijo
Laguna Grande de Gredos
Pico Almanzor
Laguna del Barco
Covacha
SIERRA
Mohedas
Aldeanueva del C.
Abadía
Hervás
Puerto de Tornavacas
Tornavacas
Cerezo
Zarza de Granadilla
La Granja
Gargantilla
Pto de Honduras
Segura de Toro
Camocho
Casas del Monte
Jerte
Ahigal
Gujo de Granadilla
Jarilla
Ruinas de Caparra
Montes de Tras la Sierra
Cabezuela del Valle
Navaconcejo
Panera
Rebollar
Sa de Tormantos
Refugio de Nª Sª de las Nieves
Guijo de Sta Bárbara
Santuario de Nª Sª de Chi
El Raso
Candeleda
Madrigal de la Vera
Villanueva de la Vera
Talaveruela
Losar de la Vera
Viandar de la Vera
Valverde de la Vera
Aldeanueva de la Vera
Monasterio de Yuste
Jarandilla de la Vera
Cuacos de Yuste
Robledillo de la Vera
La Vera
Embalse de Valdeobispo
Villar de Plasencia
Cabezabellosa
El Torno
Valdastillas
Pto del Piornal
Oliva de Plasencia
Embalse de Plasencia
Cabrero
Piornal
Casas del Castañar
Garganta la Olla
Valdeobispo
Almendral
Ermita de Nª Sª del Puerto
Sierra de San Bernabé
Barrado
Pasarón de la Vera
Jaraiz de la Vera
Carcaboso
Plasencia
Garguera
Arroyomolinos de la Vera
Collado
E. de Navalmoral de la Mata
Tiétar
Barquilla de Pinares
Pueblonuevo de Miramonte
Pradochano
Sta Bárbara
EX 203
Torremenga
Tejeda de Tiétar
Tiétar del Caudillo
Centro Agronómico de Valdecañas
Malpartida de Plasencia
Mesillas
Sta María de las Lomas
Las Ventas de San Julián
EX A1
E. de Gargüera
Baldío
Talayuela
Rosalejo
Pantano de Navabuena
Valdeíñigos
Majadas
San Marcos
Estación de Palazuelo-Empalme
Palacio de las Cabezas
Navalmoral de la Mata
Cortijo de la Herrera
Embalse de Torrejón-Tiétar
Estación de la Bazagona
Toril
Bermejo
La Calzada de Oropesa
Mirabel
Puerto de la Serrana
Macarra
Casatejada
A5 - E 90
Navezuelas
Villarreal de San Carlos
Parque Natural
Saucedilla
El Gordo
Serradilla
Santuario de Monfragüe
Serrejón
Almaraz
Millanes
Valdehúncar
Peraleda de la Mata
Belvís de Monroy
Casas de Belvís
Embalse de Valdecañas
Berrocalejo
Corchuela
Embalse de Torrejón-Tajo
Sierra de Serrejón
Embalse de Arrocampo-Almaraz
Ruinas romanas
TAJO
Torrejón el Rubio
Embalse de la Vid III
Monfragüe
Bohonal de Ibor
Valdeverdeja
Berzalejo
Valdecañas de Tajo
Mesas de Ibor
Sierra de Piatones
Romangordo
Casas de Miravete
Higuera de Albalar
Peraleda de San Román
Valdelacasa de Tajo
Embalse Arroyo Bremudo
Puerto de Miravete
Campillo de Deleitosa
Garvín
Embalse del Pizarroso
Jaraicejo
Fresnedoso de Ibor
Arroyo de la Vid
Sierra de Cabras
Deleitosa
Castañar de Ibor
Collado de Arrebatacapas
Almonte
Tozo
Robledollano
E. del Tozo
Navalvillar de Ibor
Aldea del Obispo
Torrecillas de la Tiesa
Retamosa
Collado del Hospital
Molino
Roturas
Cabañas del Castillo
Cervales
Magasca
Embalse de Casillas
Sierra de Viejas
Sta Marta de Magasca
Aldeacentenera
GUADALUPE
Valcaliente
Navezuelas
Huertas de Ánimas
Huertas de la Magdalena
Belén
Villuercas
Solana
Ermita del Humilladero
E. de Madroñera
Trujillo
A 58
EX 381
Guadalupe
Madroñera
Berzocana
Eta de Mirabel
Monasterio de Guadalupe
DE
Collado del Mazo
La Cumbre
EX 208
Garciaz
Pto de Berzocana
E. de Cancho del Fresno
Las Golondrinas
Plasenzuela
Convento de San Clemente
Sierra de Pedro Gómez
Herguijuela
Collado del Guijarro
SIERRA
Venero
Cañamero
Puerto Llano
Eta de Torrealba
Botija
Conquista de la Sierra
Ruanes
Ibahernando
Sta Cruz de la Sierra
Logrosán
EX 102

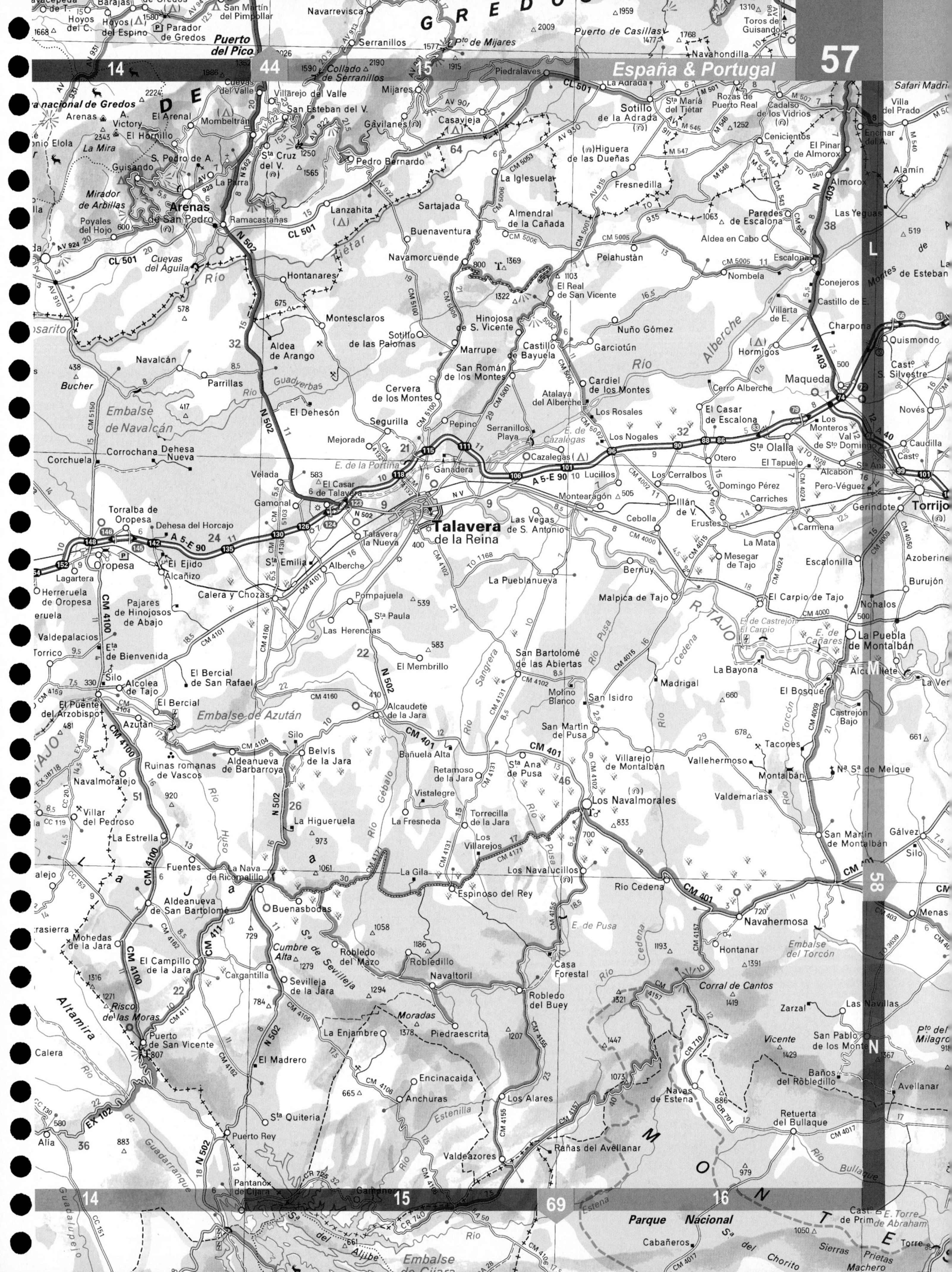
57
España & Portugal
14
44
15
64
32
24
22
26
46
38
51
36
58
69
16
GREDOS
Puerto del Pico
Collado de Serranillos
Pto de Mijares
Puerto de Casillas
Parador de Gredos
Hoyos del Espino
Barajas
San Martín del Pimpollar
Navarrevisca
Serranillos
Navahondilla
Toros de Guisando
Piedralaves
La Adrada
Sotillo de la Adrada
Sta María del Tiétar
Rozas de Puerto Real
Cadalso de los Vidrios
Cenicientos
El Pinar de Almorox
Almorox
Villarejo del Valle
Mijares
San Esteban del V.
Gavilanes
Casavieja
Mombeltrán
Cuevas del Valle
El Arenal
El Hornillo
Arenas
Victory
Elola
La Mira
Guisando
Mirador de Arbillas
S. Pedro de A.
Sta Cruz del V.
Pedro Bernardo
La Parra
Arenas de San Pedro
Ramacastañas
Poyales del Hojo
Lanzahita
Higuera de las Dueñas
Fresnedilla
La Iglesuela
Almendral de la Cañada
Sartajada
Buenaventura
Paredes de Escalona
Aldea en Cabo
Escalona
Las Yeguas
Cuevas del Aguila
Río Tiétar
Hontanares
Navamorcuende
Pelahustán
Nombela
El Real de San Vicente
Conejeros
Castillo de E.
Montes de Toledo
Montesclaros
Aldea de Arango
Sotillo de las Palomas
Hinojosa de S. Vicente
Marrupe
Castillo de Bayuela
Nuño Gómez
Garciotún
Villarta de E.
Hormigos
Charpona
Quismondo
Casto S. Silvestre
Maqueda
Río Alberche
Navalcán
Parrillas
Bucher
Río Guadyerbas
Embalse de Navalcán
El Dehesón
Cervera de los Montes
San Román de los Montes
Cardiel de los Montes
Atalaya del Alberche
Cerro Alberche
El Casar de Escalona
Los Rosales
Los Nogales
E. de Cazalegas
Serranillos Playa
Pepino
Segurilla
Mejorada
Corchuela
Corrochana
Dehesa Nueva
E. de la Portiña
Velada
El Casar de Talavera
Gamonal
Ganadera
Cazalegas
Lucillos
Los Cerralbos
Otero
Sta Olalla
El Tapuelo
Los Monteros
Val de Sto Domingo
Alcabón
Pero-Véguez
Caudilla
Casto
Domingo Pérez
Carriches
Montearagón
Illán de V.
Cebolla
Erustes
Gerindote
Torrijos
Carmena
Novés
Torralba de Oropesa
Dehesa del Horcajo
Talavera de la Reina
Talavera la Nueva
Las Vegas de S. Antonio
Oropesa
El Ejido
Alcañizo
Lagartera
Sta Emilia
Alberche
La Mata
Mesegar de Tajo
Escalonilla
Azoberine
Burujón
Herreruela de Oropesa
Calera y Chozas
La Pueblanueva
Bernuy
Malpica de Tajo
El Carpio de Tajo
Nohalos
Pompajuela
Pajares de Hinojosos de Abajo
Sta Paula
Las Herencias
R. Tajo
E. de Castrejón
El Carpio
E. de Cañares
La Puebla de Montalbán
Valdepalacios
Torrico
Eta de Bienvenida
El Membrillo
San Bartolomé de las Abiertas
La Bayona
Madrigal
El Bercial de San Rafael
Alcolea de Tajo
Silo
El Puente del Arzobispo
El Bercial
Azután
Embalse de Azután
Alcaudete de la Jara
Molino Blanco
San Isidro
El Bosque
Castrejón Bajo
San Martín de Pusa
Belvís de la Jara
Bañuela Alta
Tacones
Aldeanueva de Barbarroya
Ruinas romanas de Vascos
Retamoso de la Jara
Sta Ana de Pusa
Villarejo de Montalbán
Vallehermoso
Nª Sª de Melque
Montalbán
Navalmoralejo
Vistalegre
Los Navalmorales
Valdemarías
Villar del Pedroso
La Higueruela
La Fresneda
Torrecilla de la Jara
La Estrella
Los Villarejos
San Martín de Montalbán
Gálvez
Fuentes
La Nava de Ricomalillo
La Gila
Los Navalucillos
Rio Cedena
Aldeanueva de San Bartolomé
Buenasbodas
Espinoso del Rey
Navahermosa
Menasalbas
Mohedas de la Jara
Sa de Sevilleja
Cumbre de Alta
Robledo del Mazo
Robledillo
Hontanar
Embalse del Torcón
El Campillo de la Jara
Cargantilla
Sevilleja de la Jara
Navaltoril
Casa Forestal
Corral de Cantos
Risco de las Moras
Altamira
Moradas
Robledo del Buey
Las Navillas
Zarzal
Puerto de San Vicente
La Enjambre
Piedraescrita
San Pablo de los Montes
Vicente
Pto del Milagro
Calera
El Madrero
Encinacaida
Anchuras
Baños del Robledillo
Avellanar
Los Alares
Navas de Estena
Sta Quiteria
Retuerta del Bullaque
Alía
Puerto Rey
Valdeazores
Rañas del Avellanar
Pantano de Cijara
Gamonal
Parque Nacional
Cabañeros
Cast. de Prim
E. Torre de Abraham
Sierras Prietas
Embalse de Cijara
MONTES
N 502
N 403
N V
A 5-E 90
CL 501
CM 4100
CM 401
CM 4000
CM 411
EX 102

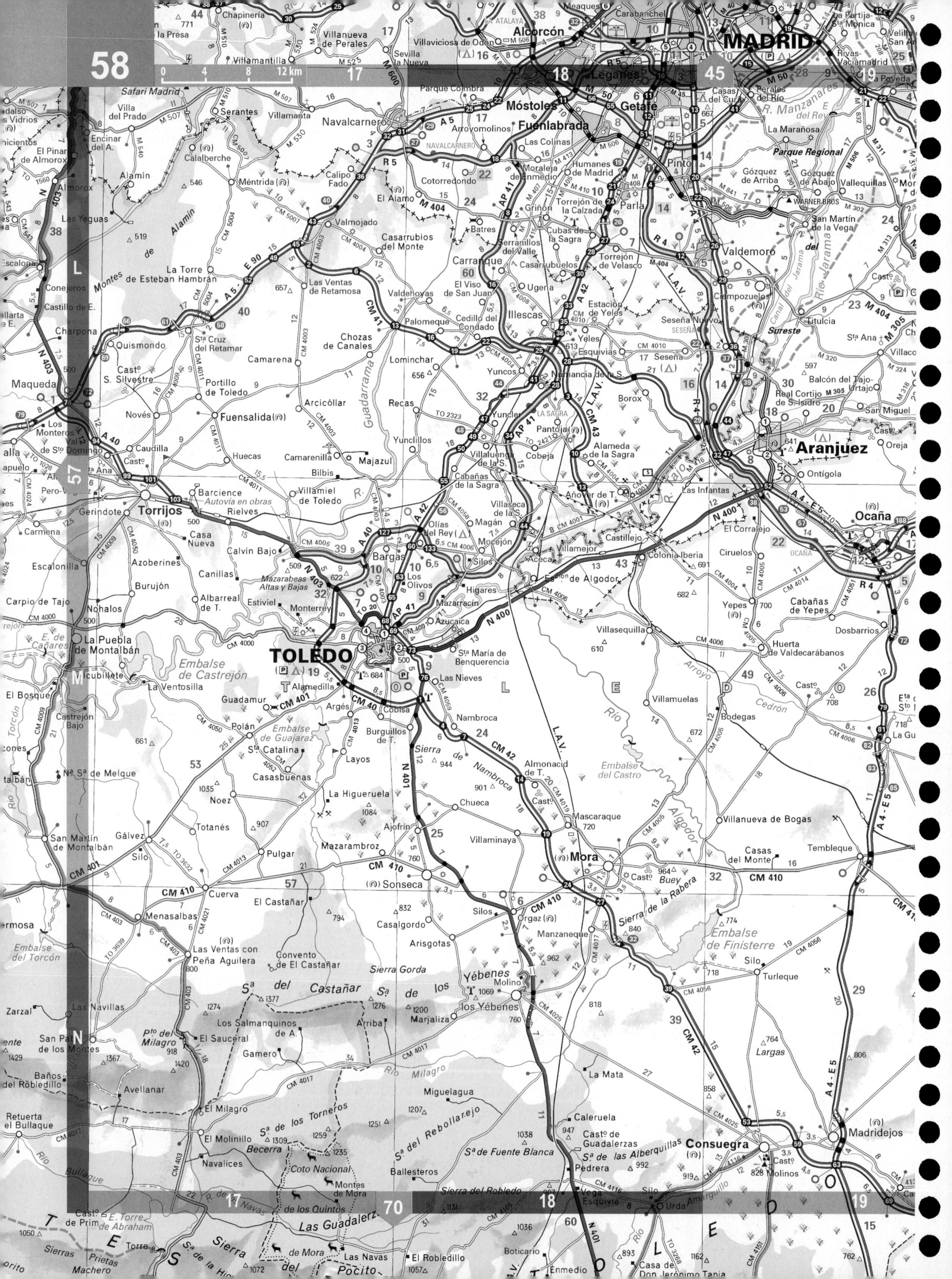

58
0 4 8 12 km
MADRID
Alcorcón
Carabanchel
Villaviciosa de Odón
Villanueva de Perales
Villamantilla
Chapinería
Sevilla la Nueva
Leganés
Móstoles
Getafe
Fuenlabrada
Parque Coimbra
Casas del Cura
Perales del Río
R. Manzanares
Rivas-Vaciamadrid
La Poveda
Safari Madrid
Villa del Prado
Serantes
Villamanta
Navalcarnero
Arroyomolinos
Las Colinas
Encinar del A.
Calalberche
El Pinar de Almorox
Alamín
Méntrida
Calipo Fado
Cotorredondo
El Álamo
Moraleja de Enmedio
Humanes de Madrid
Pinto
La Marañosa
Parque Regional
Gózquez de Arriba
Gózquez de Abajo
Vallequillas
Almorox
Las Yeguas
Valmojado
Casarrubios del Monte
Batres
Griñón
Torrejón de la Calzada
Parla
Serranillos del Valle
Cubas de la Sagra
Torrejón de Velasco
Valdemoro
San Martín de la Vega
Montes de Alamín
La Torre de Esteban Hambrán
Las Ventas de Retamosa
Carranque
Casarrubuelos
El Viso de San Juan
Ugena
Ciempozuelos
Titulcia
Conejeros
Castillo de E.
Valdeverdejos
Palomeque
Cedillo del Condado
Illescas
Estación de Yeles
Seseña Nuevo
Sureste
Charpona
Quismondo
Sta Cruz del Retamar
Chozas de Canales
Camarena
Lominchar
Yeles
Esquivias
Seseña
Maqueda
Castº S. Silvestre
Portillo de Toledo
Recas
Yuncos
Numancia de la S.
Borox
Balcón del Tajo-Urtajo
Real Cortijo de S. Isidro
Novés
Fuensalida
Arcicóllar
Yuncler
Pantoja
Los Monteros
Val de Sto Domingo
Caudilla
Yunclillos
Villaluenga de la S.
Cobeja
Alameda de la Sagra
Aranjuez
Oreja
Huecas
Camarenilla
Majazul
Bilbis
Cabañas de la Sagra
Ontígola
Barcience
Villamiel de Toledo
Añover de T.
Las Infantas
Torrijos
Rielves
Autovía en obras
Gerindote
Carmena
Villaseca de la S.
Magán
Mocejón
Olías del Rey
Castillejo
El Corralejo
Ocaña
Casa Nueva
Calvin Bajo
Bargas
Villamejor
Colonia Iberia
Ciruelos
Escalonilla
Azoberines
Canillas
Los Olivos
Aceca
Estación de Algodor
Burujón
Mazarabeas Altas y Bajas
Higares
Carpio de Tajo
Nohalos
Albarreal de T.
Estiviel
Monterrey
Mazarracín
Yepes
Cabañas de Yepes
Dosbarrios
La Puebla de Montalbán
E. de Cañares
Azucaica
Villasequilla
TOLEDO
Sta María de Benquerencia
Huerta de Valdecarábanos
Embalse de Castrejón
Cubillete
La Ventosilla
Las Nieves
Alamedilla
El Bosque
Guadamur
Argés
Cobisa
Nambroca
Villamuelas
Bodegas
Arroyo Cedrón
Río Algodor
Castrejón Bajo
Polán
Embalse de Guajaraz
Burguillos de T.
Sierra de Nambroca
Almonacid de T.
Sta Catalina
Layos
Casasbuenas
Embalse del Castro
Nª Sª de Melque
Noez
La Higueruela
Chueca
Mascaraque
San Martín de Montalbán
Gálvez
Totanés
Ajofrín
Villaminaya
Villanueva de Bogas
Pulgar
Mazarambroz
Mora
Casas del Monte
Tembleque
Sonseca
Castº Buey
Sierra de la Rabera
Cuerva
El Castañar
Silos
Orgaz
Menasalbas
Casalgordo
Manzaneque
Embalse de Finisterre
Embalse del Torcón
Las Ventas con Peña Aguilera
Arisgotas
Convento de El Castañar
Sierra Gorda
Silo
Turleque
Yébenes
Molino
Los Yébenes
Sª del Castañar
Sª de los
Las Navillas
Marjaliza
Arriba
Zarzal
Los Salmanquinos de A.
San Pablo de los Montes
Pto del Milagro
El Saucedal
Largas
Gamero
Baños del Robledillo
Río Milagro
La Mata
Avellanar
Miguelagua
El Milagro
Retuerta el Bullaque
Sª de los Torneros
Sª del Rebollarejo
Caleruela
Madridejos
El Molinillo
Becerra
Castº de Guadalerzas
Consuegra
Sª de Fuente Blanca
Sª de las Alberquillas
Navalices
Coto Nacional
Montes de Mora
Ballesteros
Pedrera
Molinos
Sierra del Robledo
Vega
Esquivia
Urda
de los Quintos
Castº de Prim
E. Torre de Abraham
Las Guadalerzas
Sierras Prietas
Machero
Sierra
de Mora
Las Navas
El Robledillo
Boticario
Enmedio
Casa de Don Jerónimo Tapia
Pocito
TOLEDO

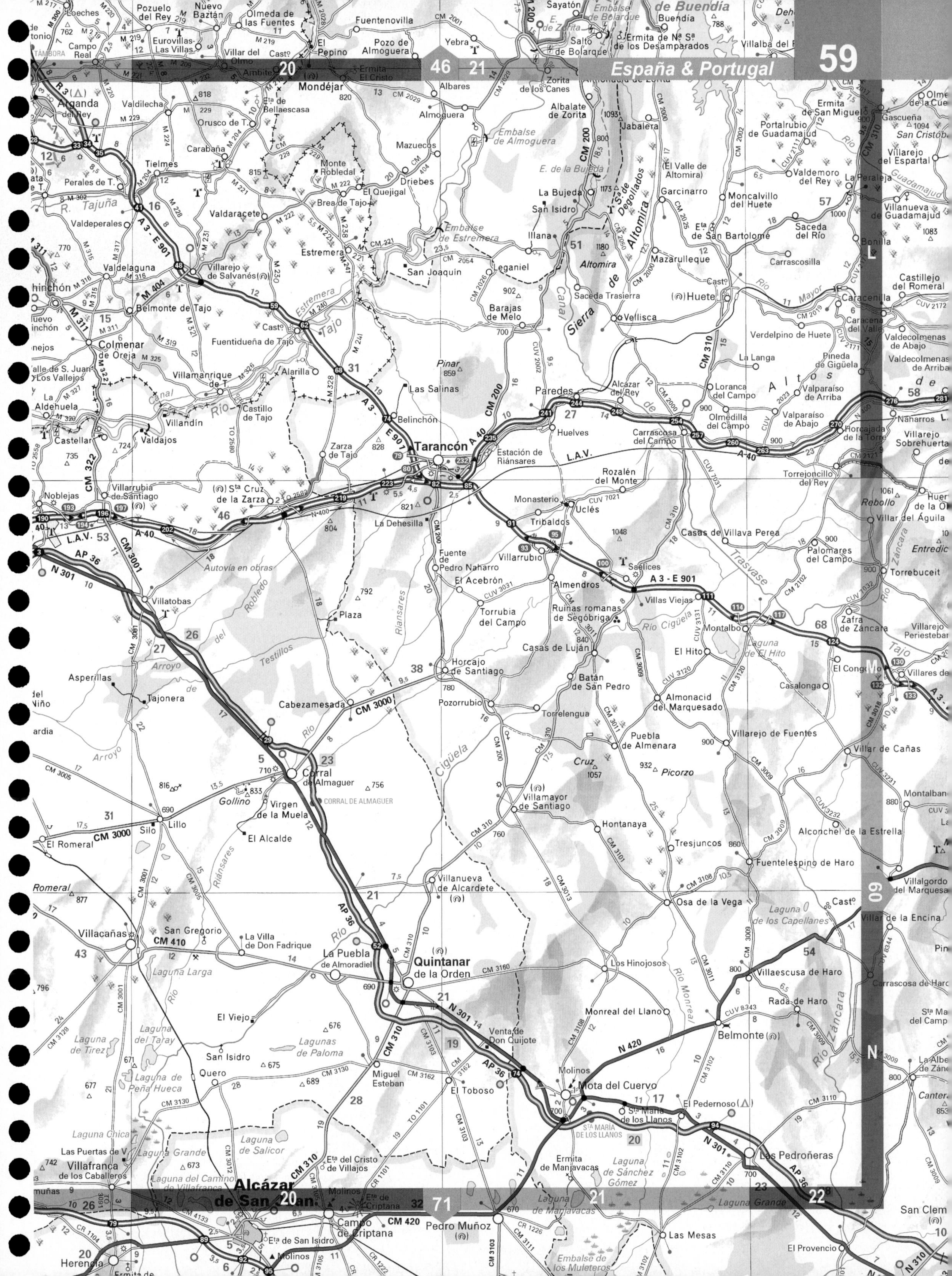

59
España & Portugal
46
20
21
71
Loeches
Pozuelo del Rey
Nuevo Baztán
Olmeda de las Fuentes
Fuentenovilla
Sayatón
Embalse de Buendía
Buendía
Ermita de Nª Sª de los Desamparados
Villalba del Rey
Campo Real
Eurovillas-Las Villas
Villar del Olmo
Ambite
Pepino
Pozo de Almoguera
Yebra
Salto de Bolarque
Mondéjar
Albares
Zorita de los Canes
Arganda del Rey
Valdilecha
Orusco de Tajuña
Almoguera
Albalate de Zorita
Jabalera
Portalrubio de Guadamajud
Ermita de San Miguel
Gascueña
Olmeda de la Cuesta
Villarejo del Espartal
Carabaña
Tielmes
Monte Robledal
Mazuecos
Embalse de Almoguera
E. de la Bujeda
El Valle de Altomira
Valdemoro del Rey
La Peraleja
Perales de Tajuña
Driebes
El Quejigal
Brea de Tajo
La Bujeda
San Isidro
Garcinarro
Moncalvillo del Huete
Villanueva de Guadamajud
Valdeperales
Valdaracete
Embalse de Estremera
Illana
Sª de Degollados
Altomira
Ermita de San Bartolomé
Saceda del Río
Bonilla
Estremera
San Joaquín
Leganiel
Mazarulleque
Carrascosilla
Castillejo del Romeral
Valdelaguna
Villarejo de Salvanés
Chinchón
Saceda Trasierra
Huete
Caracenilla
Belmonte de Tajo
Barajas de Melo
Sierra de Altomira
Vellisca
Verdelpino de Huete
Valdecolmenas de Abajo
Valdecolmenas de Arriba
Colmenar de Oreja
Fuentidueña de Tajo
Pinar
La Langa
Pineda de Gigüela
Villamanrique de Tajo
Alarilla
Las Salinas
Paredes
Alcázar del Rey
Loranca del Campo
Valparaíso de Arriba
Valparaíso de Abajo
Olmedilla del Campo
Altos de Cabrejas
Naharros
Villarejo Sobrehuerta
Castillo de Tajo
Villandín
Belinchón
Huelves
Carrascosa del Campo
Horcajada de la Torre
Castellar
Valdajos
Zarza de Tajo
Tarancón
Estación de Riánsares
L.A.V.
Rozalén del Monte
Torrejoncillo del Rey
Villarrubia de Santiago
Sta Cruz de la Zarza
Noblejas
Monasterio
Uclés
Rebollo
Villar del Águila
La Dehesilla
Tribaldos
Casas de Villava Perea
Palomares del Campo
Fuente de Pedro Naharro
Villarrubio
Saelices
Trasvase
Torrebuceit
Autovía en obras
El Acebrón
Almendros
A 3 - E 901
Villas Viejas
Villatobas
Plaza
Torrubia del Campo
Ruinas romanas de Segóbriga
Río Cigüela
Montalbo
Zafra de Záncara
Villarejo Periesteban
Laguna de El Hito
El Hito
El Congosto
Villares del Saz
Casas de Luján
Horcajo de Santiago
Batán de San Pedro
Casalonga
Asperillas
Tajonera
Cabezamesada
Pozorrubio
Almonacid del Marquesado
Torrelengua
Villarejo de Fuentes
Puebla de Almenara
Villar de Cañas
Corral de Almaguer
Cruz
Picorzo
CORRAL DE ALMAGUER
Gollino
Virgen de la Muela
Villamayor de Santiago
Montalbanejo
Lillo
Silo
El Romeral
El Alcalde
Hontanaya
Alconchel de la Estrella
Tresjuncos
Fuentelespino de Haro
Romeral
Villanueva de Alcardete
Villalgordo del Marquesado
Osa de la Vega
Laguna de los Capellanes
Villar de la Encina
Villacañas
San Gregorio
La Villa de Don Fadrique
La Puebla de Almoradiel
Quintanar de la Orden
Los Hinojosos
Villaescusa de Haro
Carrascosa de Haro
Laguna Larga
Rada de Haro
Sta María del Campo
El Viejo
Monreal del Llano
Río Monreal
Belmonte
Laguna de Tirez
Laguna del Taray
Lagunas de Paloma
Venta de Don Quijote
Río Záncara
San Isidro
La Alberca de Záncara
Laguna de Peña Hueca
Quero
Miguel Esteban
El Toboso
Molinos
Mota del Cuervo
El Pedernoso
Sta María de los Llanos
Cantera
Laguna Chica
Las Puertas de V.
Laguna Grande
Laguna de Salicor
Ermita de Manjavacas
Laguna de Sánchez Gómez
Las Pedroñeras
Villafranca de los Caballeros
Laguna del Camino de Villafranca
Ermita del Cristo de Villajos
Alcázar de San Juan
Ermita de Criptana
Campo de Criptana
Pedro Muñoz
Laguna de Manjavacas
Laguna Grande
San Clemente
Ermita de San Isidro
Herencia
Las Mesas
El Provencio
Embalse de los Muleteros

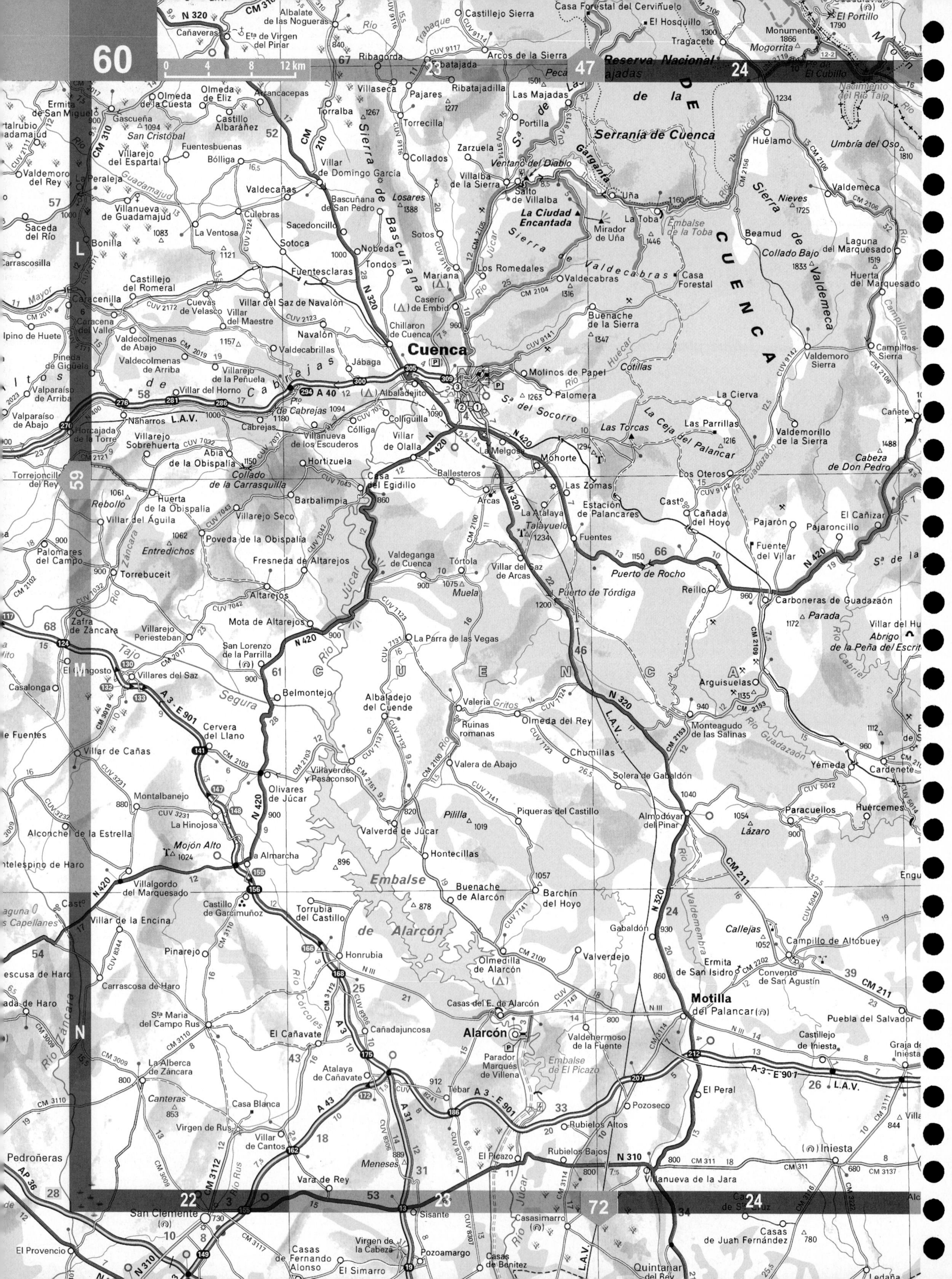

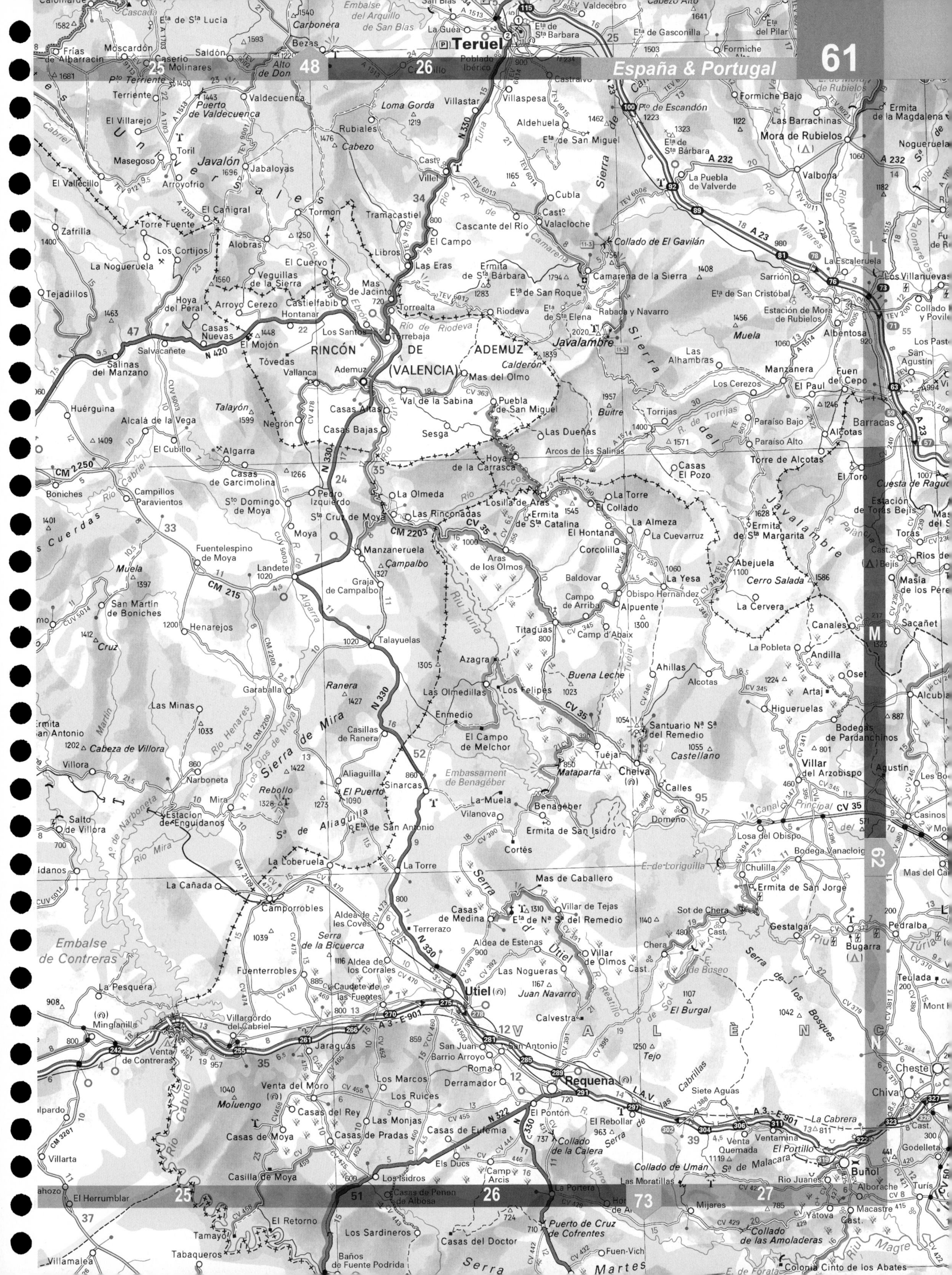

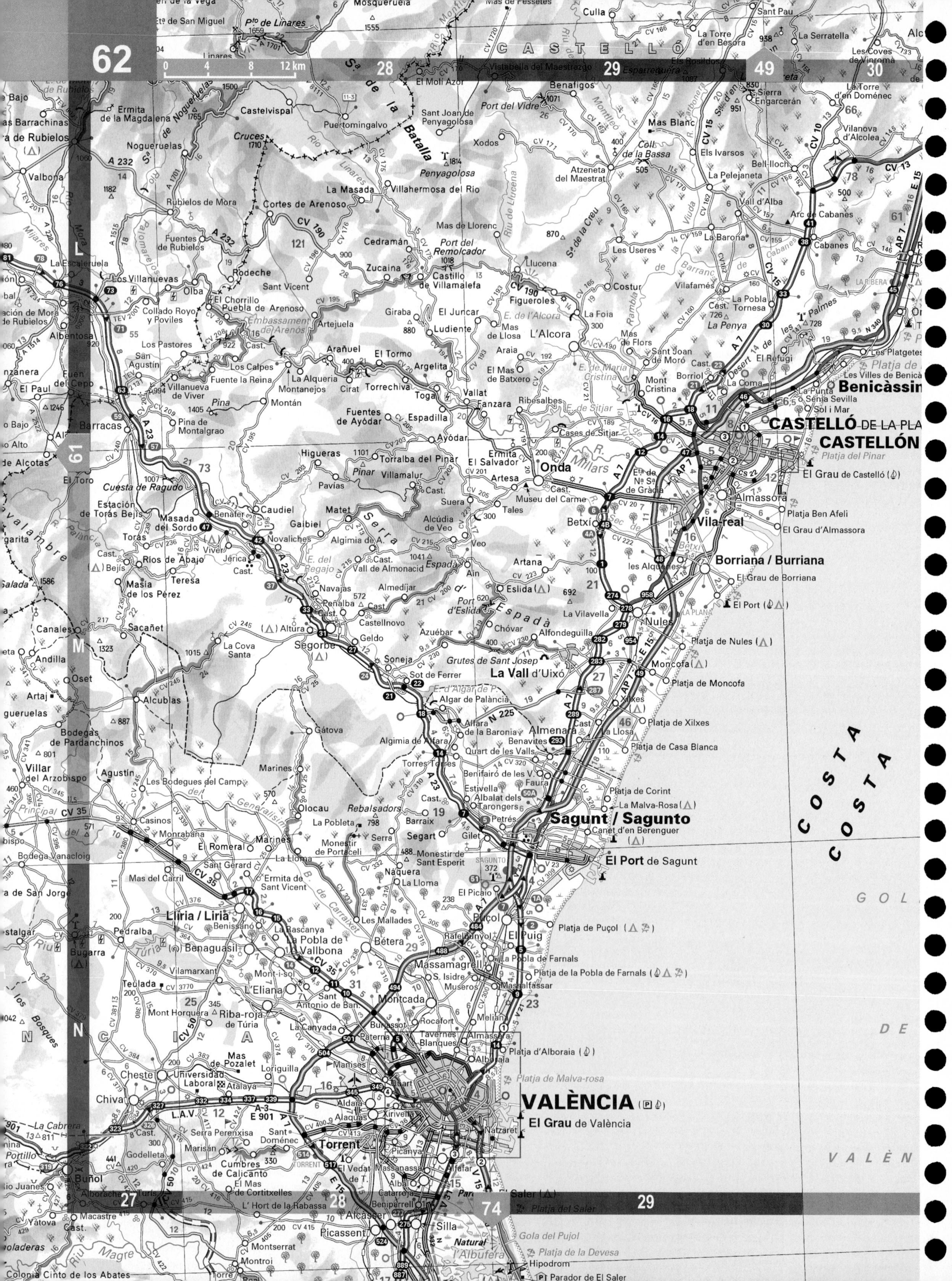

62
0 4 8 12 km
28
29
49
30
CASTELLÓ
Sa de la Batalla
Mosqueruela
Pto de Linares
Linares
Culla
Sant Pau
La Serratella
La Torre d'en Besora
Les Coves de Vinromà
Vistabella del Maestrazgo
Esparreguera
Els Rosildos
El Moll Azor
Benafigos
Sierra Engarcerán
La Torre d'en Doménec
Ermita de la Magdalena
Castelvispal
Puertomingalvo
Sant Joan de Penyagolosa
Port del Vidre
Mas Blanc
Vilanova d'Alcolea
Rubielos
Nogueruelas
Cruces
Penyagolosa
Xodos
Coll de la Bassa
Els Ivarsos
Bell-lloch
Valbona
Atzeneta del Maestrat
La Pelejaneta
La Masada
Villahermosa del Rio
Rubielos de Mora
Cortes de Arenoso
Vall d'Alba
Arc de Cabanes
Mas de Llorenc
Fuentes de Rubielos
Cedramán
Port del Remolcador
Les Useres
La Barona
Cabanes
La Escaleruela
Zucaina
Castillo de Villamalefa
Llucena
Rodeche
Los Villanuevas
Olba
Sant Vicent
Costur
Vilafamés
La Pobla Tornesa
El Chorrillo
Puebla de Arenoso
Collado Royo y Poviles
Figueroles
Embassament de Arenós
Artejuela
Giraba
El Juncar
La Foia
Albentosa
Ludiente
Mas de Llosa
L'Alcora
La Penya
Los Pastores
San Agustín
Arañuel
El Tormo
Argelita
Mas de Flors
Sant Joan de Moró
El Refugi
Les Platgetes
Los Calpes
La Alqueria
Fuente la Reina
Montanejos
Cirat
Torrechiva
El Mas de Batxero
E. de Maria Cristina
Mont Cristina
Borriol
La Coma
Platja de
Les Villes de Benicàssim
Benicàssim
El Paul
Fuen del Cepo
Villanueva de Viver
Pina
Montán
Toga
Vallat
Fanzara
Ribesalbes
La Punta
Senia Sevilla
Sol i Mar
Barracas
Pina de Montalgrao
Fuentes de Ayódar
Espadilla
Ayódar
E. de Sitjar
Cases de Sitjar
CASTELLÓ DE LA PLANA
CASTELLÓN
Platja del Pinar
Alcotas
El Toro
Higueras
Torralba del Pinar
Ermita El Salvador
Onda
Millars
Ermita de Nª Sª de Gràcia
El Grau de Castelló
Almassora
Cuesta de Ragudo
Villamalur
Pinar
Pavías
Artesa
Museu del Carme
Suera
Tales
Platja Ben Afeli
El Grau d'Almassora
Estación de Torás Bejís
Masada del Sordo
Benafer
Caudiel
Matet
Serra
Alcúdia de Veo
Betxí
Vila-real
Torás
Galbiel
Novaliches
Algimia de A.
Veo
Ríos de Abajo
Viver
Jérica
E. del Regajo
Vall de Almonacid
Espadà
Artana
les Alqueries
Borriana / Burriana
El Grau de Borriana
Bejís
Masía de los Pérez
Teresa
Navajas
Almedíjar
Aín
Eslida
Port d'Eslida
El Port
Peñalba
Castellnovo
La Vilavella
Nules
Canales
Sacañet
Altura
Chóvar
Alfondeguilla
Andilla
La Cova Santa
Segorbe
Geldo
Azuébar
Platja de Nules
Oset
Soneja
Grutes de Sant Josep
La Vall d'Uixó
Moncofa
Artaj
Sot de Ferrer
Platja de Moncofa
Alcublas
E. d'Algar de P.
Algar de Palància
Xilxes
Platja de Xilxes
Alfara de la Baronia
Almenara
La Llosa
Bodegas de Pardanchinos
Gàtova
Algimia de Alfara
Benavites
Quart de les Valls
Platja de Casa Blanca
Villar del Arzobispo
Torres Torres
Benifairó de les V.
Faura
Agustín
Les Bodegues del Camp
Marines
Estivella
Albalat dels Tarongers
Platja de Corint
La Malva-Rosa
Principal
Olocau
Rebalsadors
Casinos
La Pobleta
Barraix
Petrés
Sagunt / Sagunto
Canet d'en Berenguer
Monrabana
Serra
Segart
Gilet
El Romeral
Marines
Monestir de Portaceli
COSTA
Bodega Vanacloig
La Lloma
Monestir de Sant Esperit
El Port de Sagunt
Sant Gerard
Ermita de Sant Vicent
Mas del Carril
Nàquera
La Lloma
de San Jorge
El Picaio
GOL
Llíria / Liria
Benissanó
La Rascanya
Les Mallades
Puçol
Pedralba
La Pobla de Vallbona
Bétera
Rafelbunyol
El Puig
Platja de Puçol
Bugarra
Benaguasil
Túria
Massamagrell
La Pobla de Farnals
Platja de la Pobla de Farnals
Vilamarxant
Mont-i-sol
S. Isidre
Museros
Massalfassar
Teulada
L'Eliana
Sant Antonio de Ben.
Montcada
Mont Horquera
Riba-roja de Túria
Rocafort
Meliana
DE
Los Bosques
La Canyada
Paterna
Tavernes Blanques
Almàssera
Platja d'Alboraia
Mas de Pozalet
Alboraia
Loriguilla
Manises
Cheste
Universidad Laboral
Atalaya
Quart
Platja de Malva-rosa
Chiva
Aldaia
VALÈNCIA
Alaquàs
Xirivella
El Grau de València
La Cabrera
Serra Perenxisa
Sant Doménec
Natzaret
Torrent
Picanya
Portillo
Godelleta
Marisan
VALÈN
Cumbres de Calicanto
El Vedat de T.
Massanassa
Alfafar
Buñol
El Mas de Cortitxelles
Alba
Alborache
Turís
Catarroja
El Saler
L' Hort de la Rabassa
Benifarrell
Platja del Saler
74
Macastre
Alcàsser
Yátova
Picassent
Silla
Gola del Pujol
Natural
Platja de la Devesa
Montserrat
l'Albufera
Montroi
Hipodrom
Colonia Cinto de los Abates
Parador de El Saler
L
M
N
61

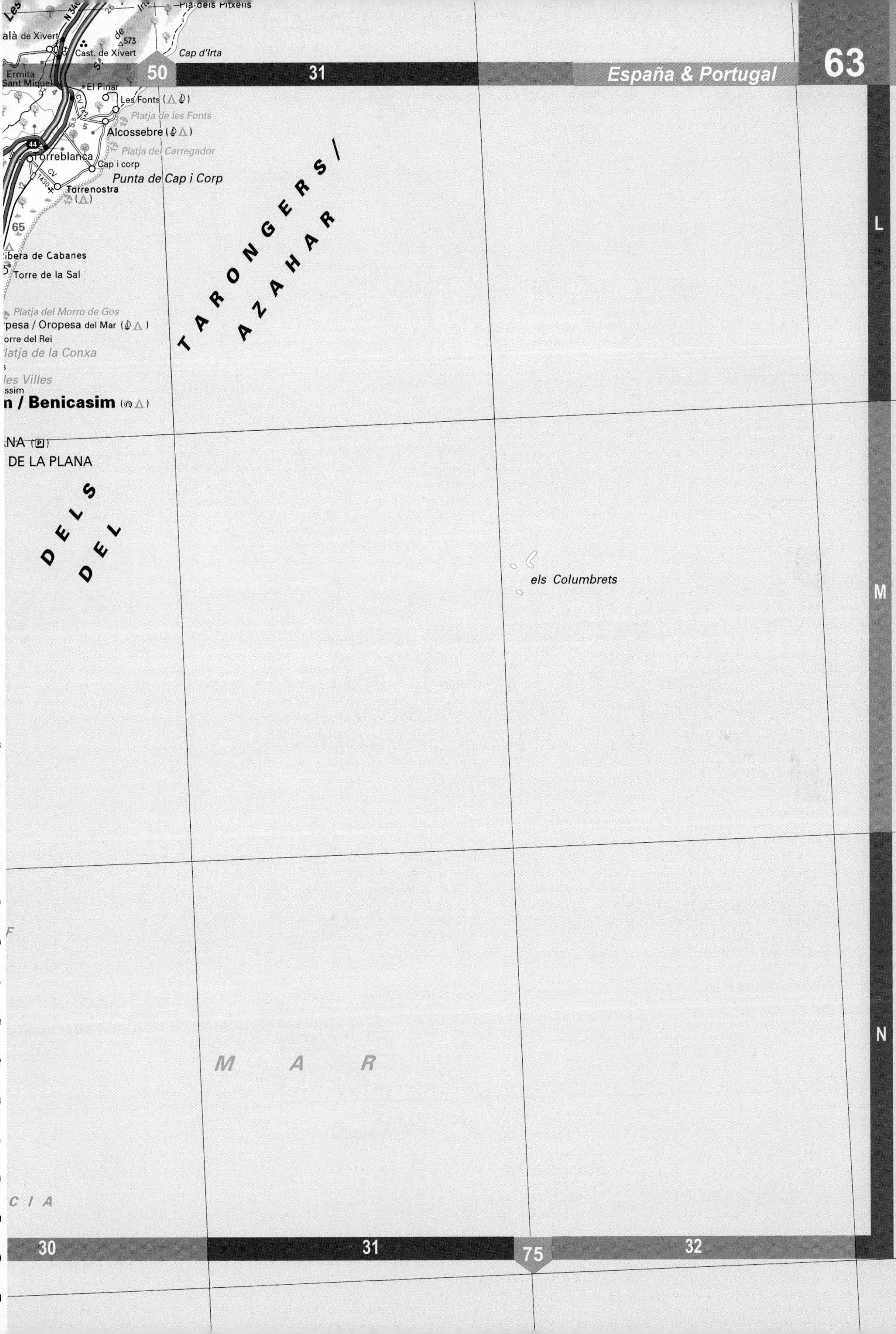

Pla dels Pitxells

alà de Xivert
Cast. de Xivert
573
Cap d'Irta
Ermita
Sant Miquel
El Pinar
Les Fonts (△ ☼)
Platja de les Fonts
Alcossebre (☼ △)
Platja del Carregador
Torreblanca
Cap i corp
Punta de Cap i Corp
Torrenostra
(△)

65

ibera de Cabanes
Torre de la Sal

Platja del Morro de Gos
pesa / Oropesa del Mar (☼ △)
orre del Rei
latja de la Conxa

les Villes
ssim
n / **Benicasim** (☊ △)

L

NA (P)
DE LA PLANA

**T A R O N G E R S /**
**A Z A H A R**

**D E L S**
**D E L**

els Columbrets

M

F

**M A R**

N

C I A

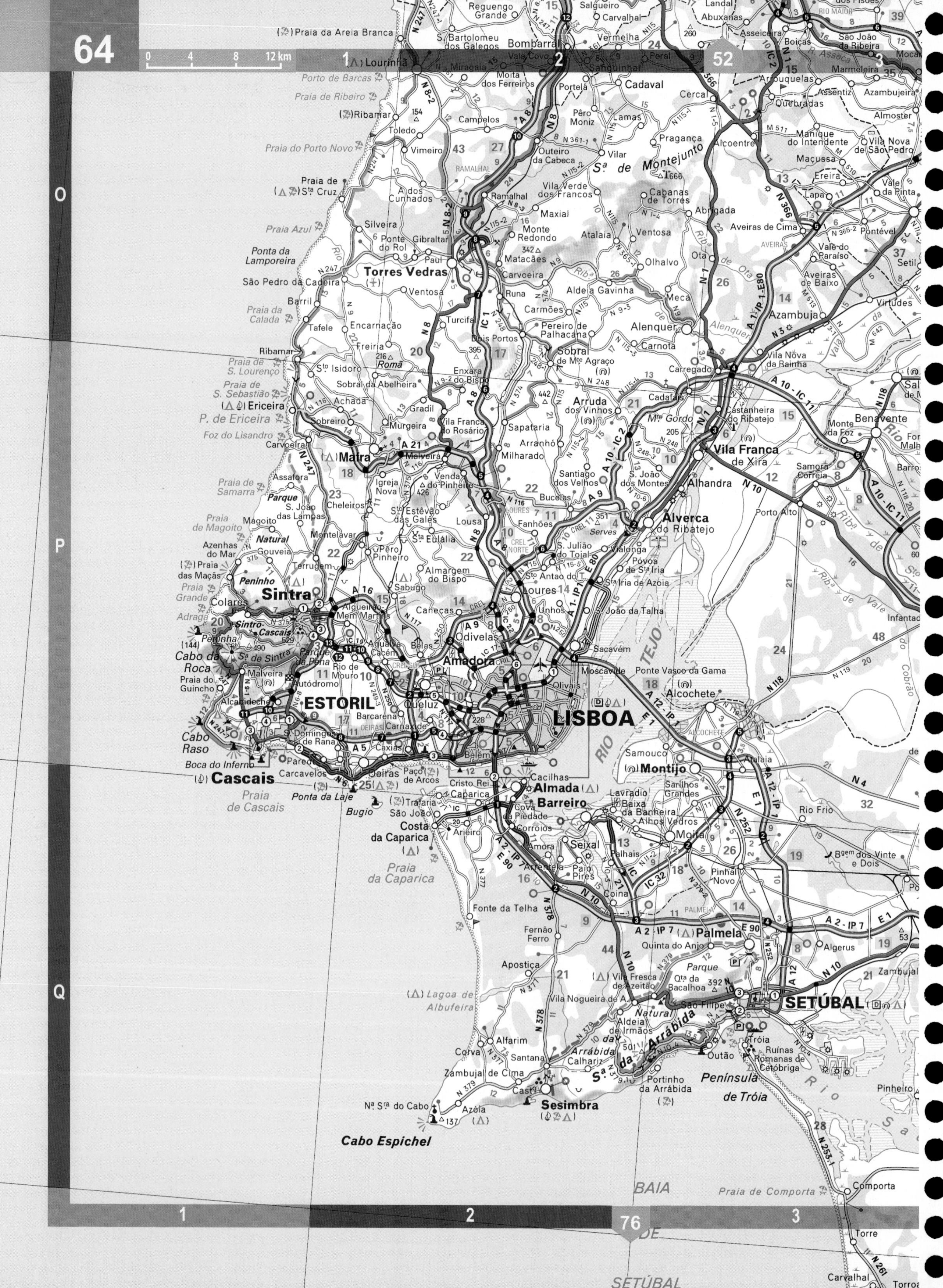
0 4 8 12 km
52
Praia da Areia Branca
Lourinhã
Porto de Barcas
Praia de Ribeiro
Ribamar
Praia do Porto Novo
Praia de Sta Cruz
Praia Azul
Ponta da Lamporeira
São Pedro da Cadeira
Barril
Praia da Calada
Ribamar
Praia de S. Lourenço
Praia de S. Sebastião
Ericeira
P. de Ericeira
Foz do Lisandro
Carvoeira
Praia de Samarra
Praia de Magoito
Azenhas do Mar
Praia das Maçãs
Praia Grande
Adraga
Cabo da Roca
Praia do Guincho
Cabo Raso
Boca do Inferno
Cascais
Praia de Cascais
Ponta da Laje
Bugio
Costa da Caparica
Praia da Caparica
Lagoa de Albufeira
Cabo Espichel
Nª Srª do Cabo
Sesimbra
Portinho da Arrábida
Península de Tróia
Praia de Comporta
BAIA DE SETÚBAL
Ribafria
Reguengo Grande
S. Bartolomeu dos Galegos
Bombarral
Salgueiro
Carvalhal
Vermelha
Landal
Abuxanas
Asseiceira
Boiças
São João da Ribeira
Moita dos Ferreiros
Cadaval
Cercal
Arrouquelas
Quebradas
Azambujeira
Almoster
Manique do Intendente
Vila Nova de São Pedro
Maçussa
Toledo
Vimeiro
Campelos
Outeiro da Cabeça
Pêro Moniz
Lamas
Vilar
Pragança
Alcoentre
Sa de Montejunto
Cabanas de Torres
Abrigada
Aveiras de Cima
Pontével
Ramalhal
Maxial
Vila Verde dos Francos
A dos Cunhados
Silveira
Ponte do Rol
Gibraltar
Monte Redondo
Matacães
Atalaia
Ventosa
Olhalvo
Ota
Torres Vedras
Carvoeira
Runa
Aldeia Gavinha
Meca
Azambuja
Ventosa
Carmões
Pereiro de Palhacana
Alenquer
Carnota
Tafele
Encarnação
Turcifal
Dois Portos
Sobral de Mte Agraço
Vila Nova da Rainha
Freiria
Romã
Sto Isidoro
Enxara do Bispo
Sobral da Abelheira
Carregado
Cadafais
Arruda dos Vinhos
Castanheira do Ribatejo
Benavente
Achada
Gradil
Sobreiro
Murgeira
Vila Franca do Rosário
Sapataria
Arranhó
Milharado
Mte Gordo
Vila Franca de Xira
Mafra
Malveira
Assafora
Igreja Nova
Venda do Pinheiro
Santiago dos Velhos
S. João dos Montes
Alhandra
Samora Correia
Parque Natural
S. João das Lampas
Cheleiros
Sto Estêvão das Galés
Bucelas
Fanhões
Alverca do Ribatejo
Porto Alto
Magoito
Gouveia
Montelavar
Lousa
Pêro Pinheiro
Sta Eulália
S. Julião do Tojal
Vialonga
Póvoa de Sta Iria
Terrugem
Almargem do Bispo
Sto Antão do Tojal
Sta Iria de Azoia
Peninho
Sintra
Sabugo
Loures
Colares
Algueirão-Mem Martins
Caneças
Unhos
S. João da Talha
Sintra-Cascais
Peninha
Sa de Sintra
Parque da Pena
Agualva-Cacém
Belas
Odivelas
Sacavém
Malveira
Rio de Mouro
Autódromo
Amadora
Moscavide
Ponte Vasco da Gama
Alcochete
Infantado
Alcabideche
ESTORIL
Queluz
Barcarena
Carnaxide
LISBOA
RIO TEJO
S. Domingos de Rana
Caxias
Parede
Carcavelos
Oeiras
Paço de Arcos
Belém
Samouco
Montijo
Atalaia
Cristo Rei
Cacilhas
Almada
Caparica
Trafaria
São João
Barreiro
Lavradio
Baixa da Banheira
Sarilhos Grandes
Rio Frio
Cova da Piedade
Alhos Vedros
Moita
Arieiro
Corroios
Amora
Seixal
Arrentela
Palhais
Paio Pires
Pinhal Novo
Bgem dos Vinte e Dois
Fonte da Telha
Coina
Fernão Ferro
Palmela
Quinta do Anjo
Algerus
Aposticа
Vila Fresca de Azeitão
Qta da Bacalhoa
Parque Natural
Zambujal
Vila Nogueira de Azeitão
SETÚBAL
São Filipe
Aldeia de Irmãos
Sa da Arrábida
Alfarim
Corva
Santana
Calhariz
Outão
Tróia
Ruínas Romanas de Cetóbriga
Zambujal de Cima
Castelo
Azóia
Pinheiro
Comporta
Torre
Carvalhal
O
P
Q
1
2
3
76

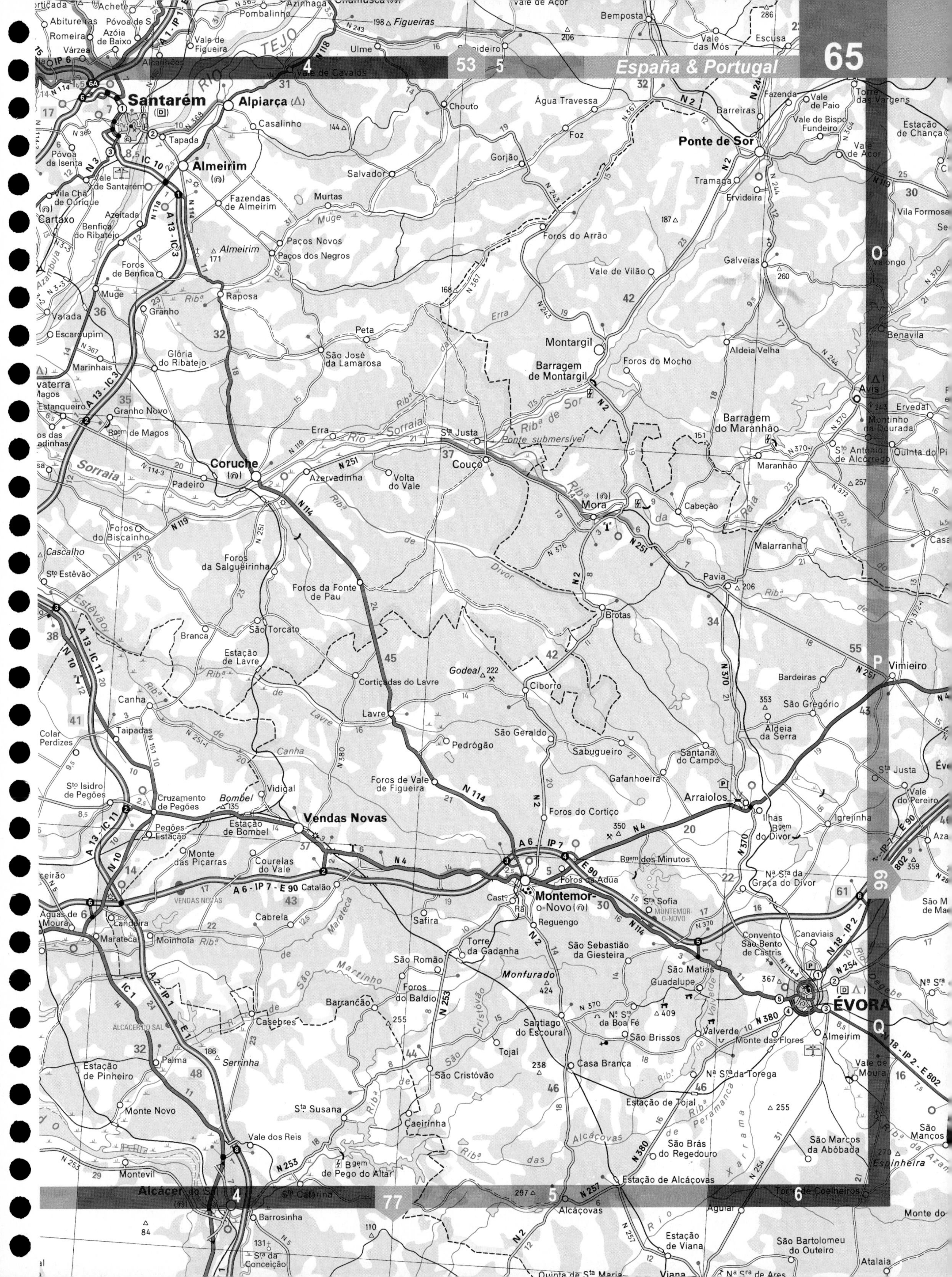

Santarém
Alpiarça
Almeirim
Cartaxo
Benfica do Ribatejo
Fazendas de Almeirim
Muge
Raposa
Glória do Ribatejo
Salvaterra de Magos
Coruche
Couço
Mora
Montargil
Barragem de Montargil
Ponte de Sor
Galveias
Avis
Barragem do Maranhão
Pavia
Brotas
Lavre
Vendas Novas
Montemor-o-Novo
Arraiolos
Vimieiro
ÉVORA
Alcácer do Sal
Santiago do Escoural
Casa Branca
Alcáçovas
São Cristóvão
Cabrela
Torre da Gadanha
Ciborro
Sorraia
RIO TEJO
Rio Sorraia
Ribª de Sor
Ribª de Divor
Ribª da Raia
Ribª de Lavre
Ribª de Canha
Ribª de São Martinho
Ribª das Alcáçovas
Rio Xarrama

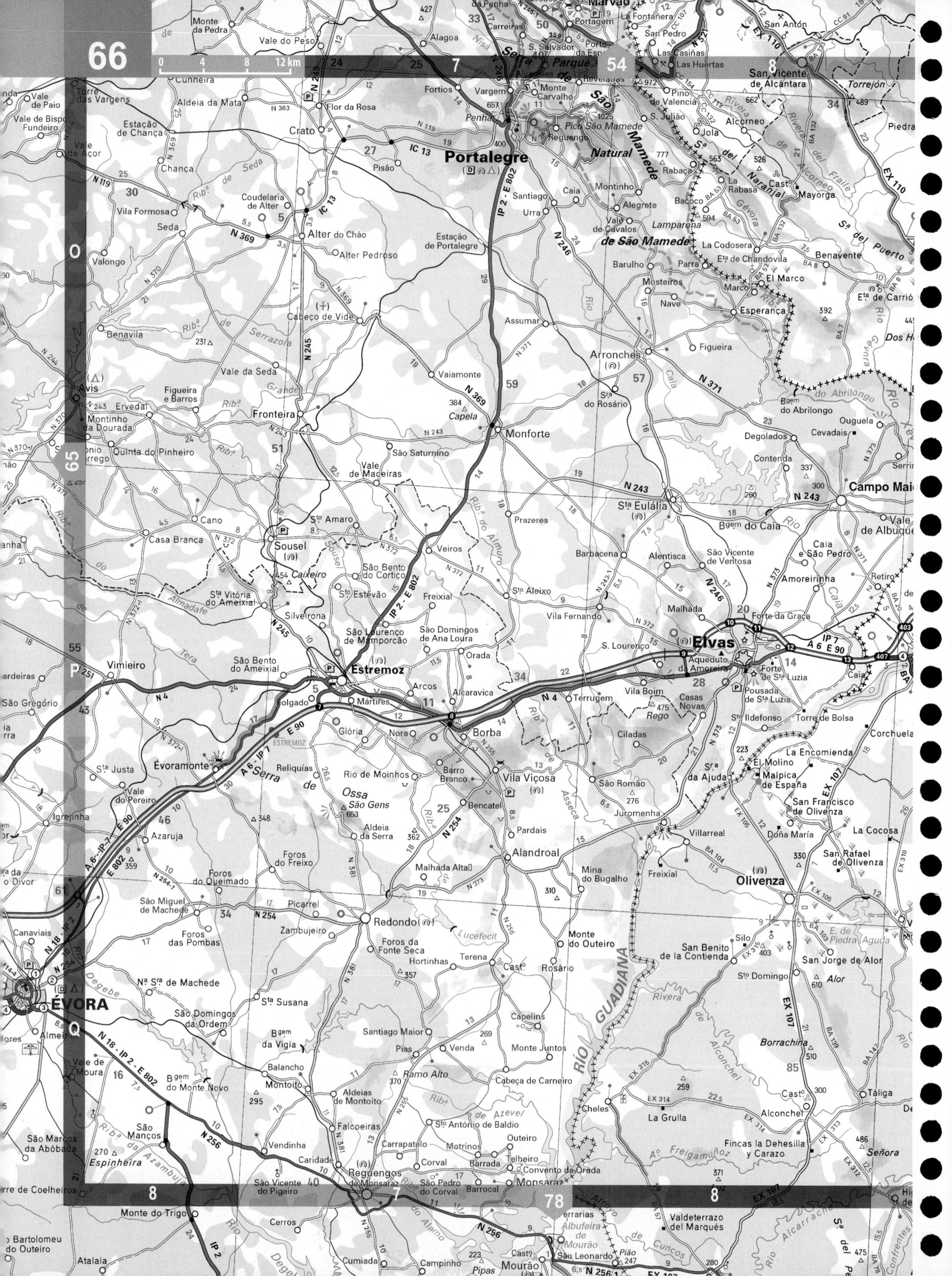

66
54
65
78
Portalegre
Parque Natural de São Mamede
Serra de São Mamede
Marvão
Castelo de Vide
Crato
Alter do Chão
Alter Pedroso
Fronteira
Avis
Sousel
Monforte
Arronches
Elvas
Campo Maior
Estremoz
Borba
Vila Viçosa
Alandroal
Redondo
Évora
Reguengos de Monsaraz
Monsaraz
Mourão
Olivenza
Alconchel
Cheles
Villarreal
Badajoz
San Vicente de Alcántara
Valencia
Mayorga
Alcorneo
La Codosera
Benavente
Esperança
Figueira
Degolados
Ouguela
Vila Boim
Terrugem
Barbacena
Santa Eulália
Serra de Ossa
São Gens
Evoramonte
Glória
Orada
Arcos
Alcaraviça
Juromenha
Terena
Santiago Maior
Monte do Trigo
Valdeterrazo del Marqués
Táliga
Río Guadiana
IP 2 - E 802
A 6 - IP 7 - E 90
N 18 - IP 2 - E 802
N 4
N 243
N 245
N 246
N 254
N 256
N 369
N 371
N 372
N 373
EX 107
EX 110
0 4 8 12 km

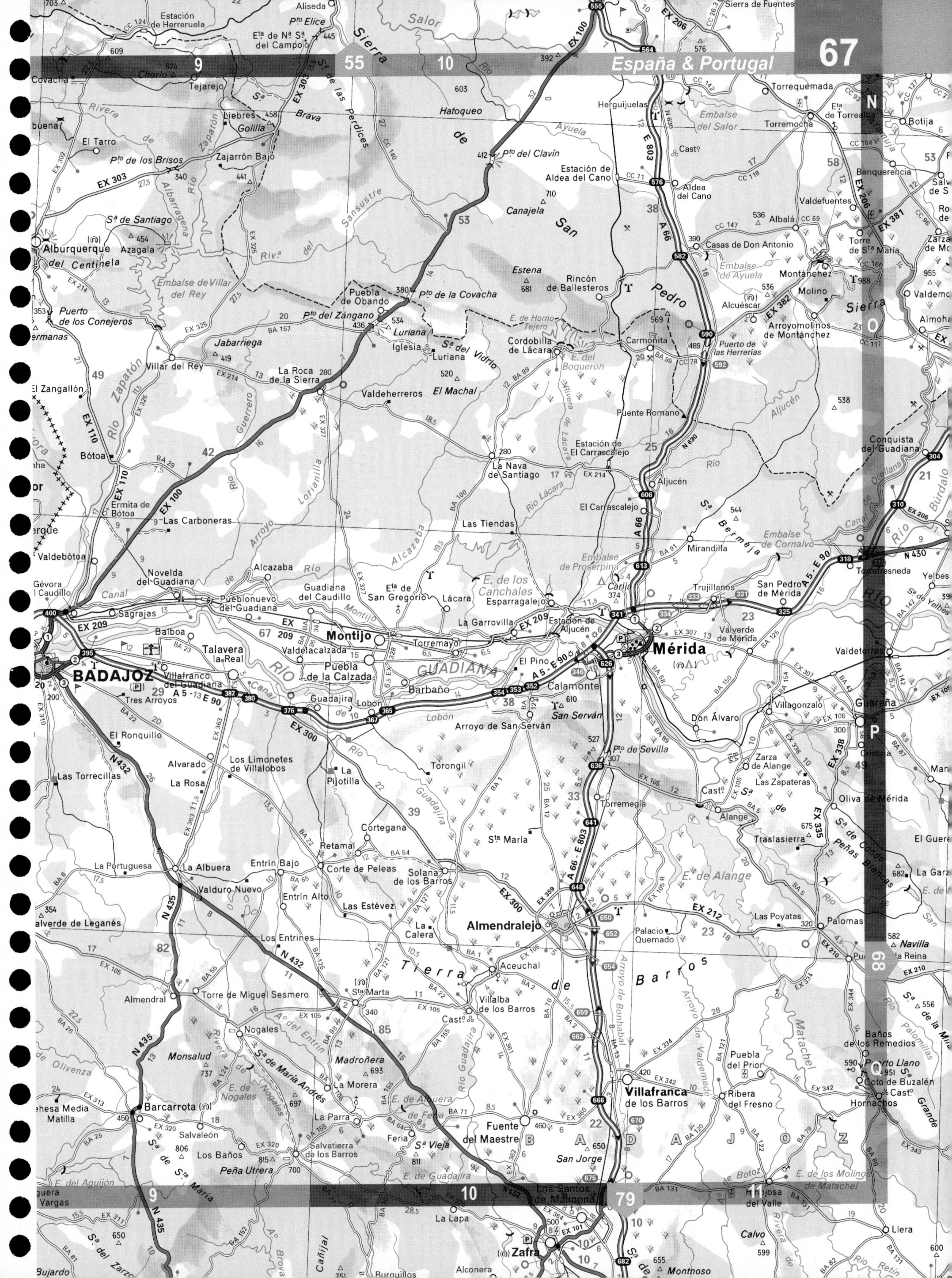
Sierra de San Pedro
Sierra de las Perdices
Alburquerque
Azagala
Villar del Rey
La Roca de la Sierra
Puebla de Obando
Luriana
Cordobilla de Lácara
Carmonita
Aldea del Cano
Casas de Don Antonio
Montánchez
Alcuéscar
Arroyomolinos de Montánchez
Torremocha
Torrequemada
Botija
Benquerencia
Valdefuentes
Albalá
La Nava de Santiago
Aljucén
El Carrascalejo
Mirandilla
Trujillanos
San Pedro de Mérida
Mérida
Calamonte
Esparragalejo
La Garrovilla
Torremayor
Montijo
Puebla de la Calzada
Lobón
Talavera la Real
BADAJOZ
Gévora
Sagrajas
Pueblonuevo del Guadiana
Novelda del Guadiana
Valdebótoa
Bótoa
Alcazaba
Lácara
Guadiana del Caudillo
Valdelacalzada
Barbaño
Guadajira
Villafranco del Guadiana
Arroyo de San Serván
San Serván
Don Álvaro
Villagonzalo
Valverde de Mérida
Guareña
Zarza de Alange
Alange
Oliva de Mérida
La Zarza
Torremegía
Almendralejo
Aceuchal
Villalba de los Barros
Santa Marta
Solana de los Barros
Corte de Peleas
Entrín Bajo
Entrín Alto
La Albuera
Valverde de Leganés
Almendral
Torre de Miguel Sesmero
Nogales
La Morera
La Parra
Feria
Salvatierra de los Barros
Barcarrota
Salvaleón
Fuente del Maestre
Villafranca de los Barros
Puebla del Prior
Ribera del Fresno
Hornachos
Palomas
Puebla de la Reina
Hinojosa del Valle
Los Santos de Maimona
Zafra
Tierra de Barros
BADAJOZ
Río Guadiana
A 5 - E 90
A 66 - E 803
N 432
N 435
EX 100
EX 209
EX 300
EX 212

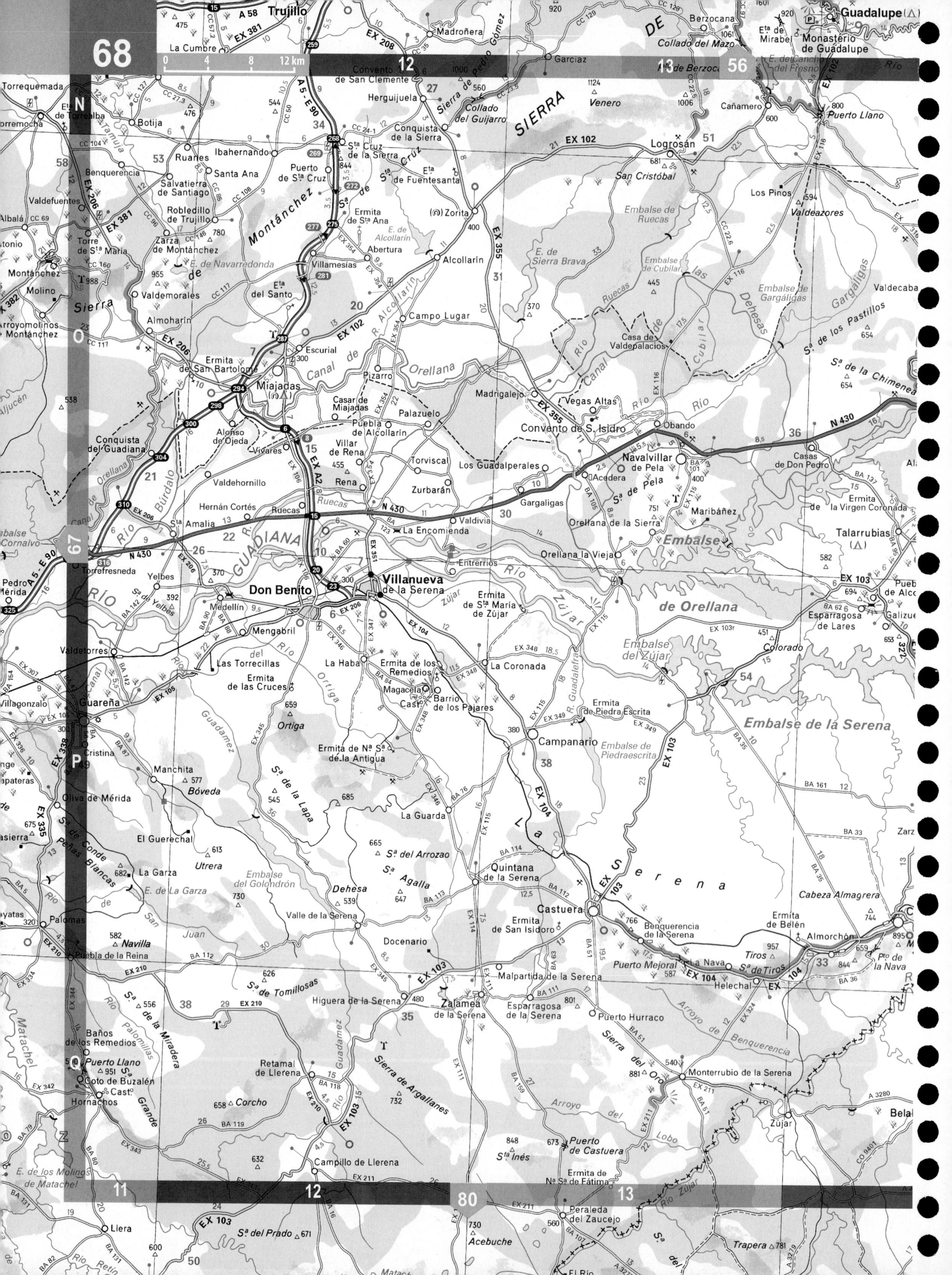
Trujillo
La Cumbre
Madroñera
Berzocana
Guadalupe (△)
Monasterio de Guadalupe
Collado del Mazo
Garciaz
Convento de San Clemente
Herguijuela
Sierra de Pedro Gómez
Collado del Guijarro
SIERRA DE
Venero
Cañamero
Puerto Llano
Torrequemada
Torremocha
Botija
Conquista de la Sierra
Sta Cruz de la Sierra
Logrosán
San Cristóbal
Ruanes
Ibahernando
Santa Ana
Benquerencia
Salvatierra de Santiago
Puerto de Sta Cruz
Eta de Fuentesanta
Los Pinos
Valdeazores
Valdefuentes
Robledillo de Trujillo
Zorita
Embalse de Ruecas
Montánchez
Zarza de Montánchez
Ermita de Sta Ana
Abertura
Alcollarín
Torre de Sta María
E. de Navarredonda
Villamesías
E. de Sierra Brava
Embalse de Cubilar
Embalse de Gargáligas
Valdecaballeros
Molino
Valdemorales
Eta del Santo
Campo Lugar
Sierra
Arroyomolinos de Montánchez
Almoharín
Escurial
Casa de Valdepalacios
Sa de los Pastillos
Sa de la Chimenea
Ermita de San Bartolomé
Miajadas
Canal de Orellana
Pizarro
Madrigalejo
Vegas Altas
Casar de Miajadas
Palazuelo
Convento de S. Isidro
Obando
Conquista del Guadiana
Alonso de Ojeda
Vivares
Puebla de Alcollarín
Villar de Rena
Navalvillar de Pela
Casas de Don Pedro
Torviscal
Los Guadalperales
Acedera
Valdehornillo
Rena
Zurbarán
Sa de Pela
Ermita de la Virgen Coronada
Hernán Cortés
Ruecas
Gargáligas
Maribáñez
Sta Amalia
La Encomienda
Valdivia
Orellana de la Sierra
Talarrubias
Embalse
GUADIANA
Entrerríos
Orellana la Vieja
Torrefresneda
Yelbes
Villanueva de la Serena
Don Benito
Medellín
Ermita de Sta María de Zújar
de Orellana
Esparragosa de Lares
Galizuela
Mengabril
Embalse del Zújar
Colorado
Valdetorres
Las Torrecillas
La Haba
Ermita de los Remedios
La Coronada
Ermita de las Cruces
Magacela
Barrio de los Pajares
Guareña
Villagonzalo
Ermita de Piedra Escrita
Ortiga
Embalse de la Serena
Campanario
Embalse de Piedraescrita
Cristina
Ermita de Na Sa de la Antigua
Manchita
Bóveda
Sa de la Lapa
Oliva de Mérida
La Guarda
El Guerechal
Sa del Arrozao
La Serena
Utrera
Quintana de la Serena
La Garza
Embalse del Golondrón
Sa Agalla
E. de La Garza
Dehesa
Castuera
Cabeza Almagrera
Valle de la Serena
Ermita de San Isidoro
Benquerencia de la Serena
Ermita de Belén
Almorchón
Palomas
Navilla
Docenario
Tiros
Puebla de la Reina
Puerto Mejoral
La Nava
Sa de Tiros
Pto de la Nava
Sa de Tomillosas
Malpartida de la Serena
Helechal
Sa de la Miradera
Higuera de la Serena
Zalamea de la Serena
Esparragosa de la Serena
Puerto Hurraco
Baños de los Remedios
Sierra de Argallanes
Sierra del Oro
Arroyo de Benquerencia
Puerto Llano
Retamal de Llerena
Coto de Buzalén
Monterrubio de la Serena
Hornachos
Corcho
Zújar
Puerto de Castuera
Sta Inés
Campillo de Llerena
E. de los Molinos de Matachel
Ermita de Na Sa de Fátima
Peraleda del Zaucejo
Llera
Sa del Prado
Acebuche
Trapera
El Río

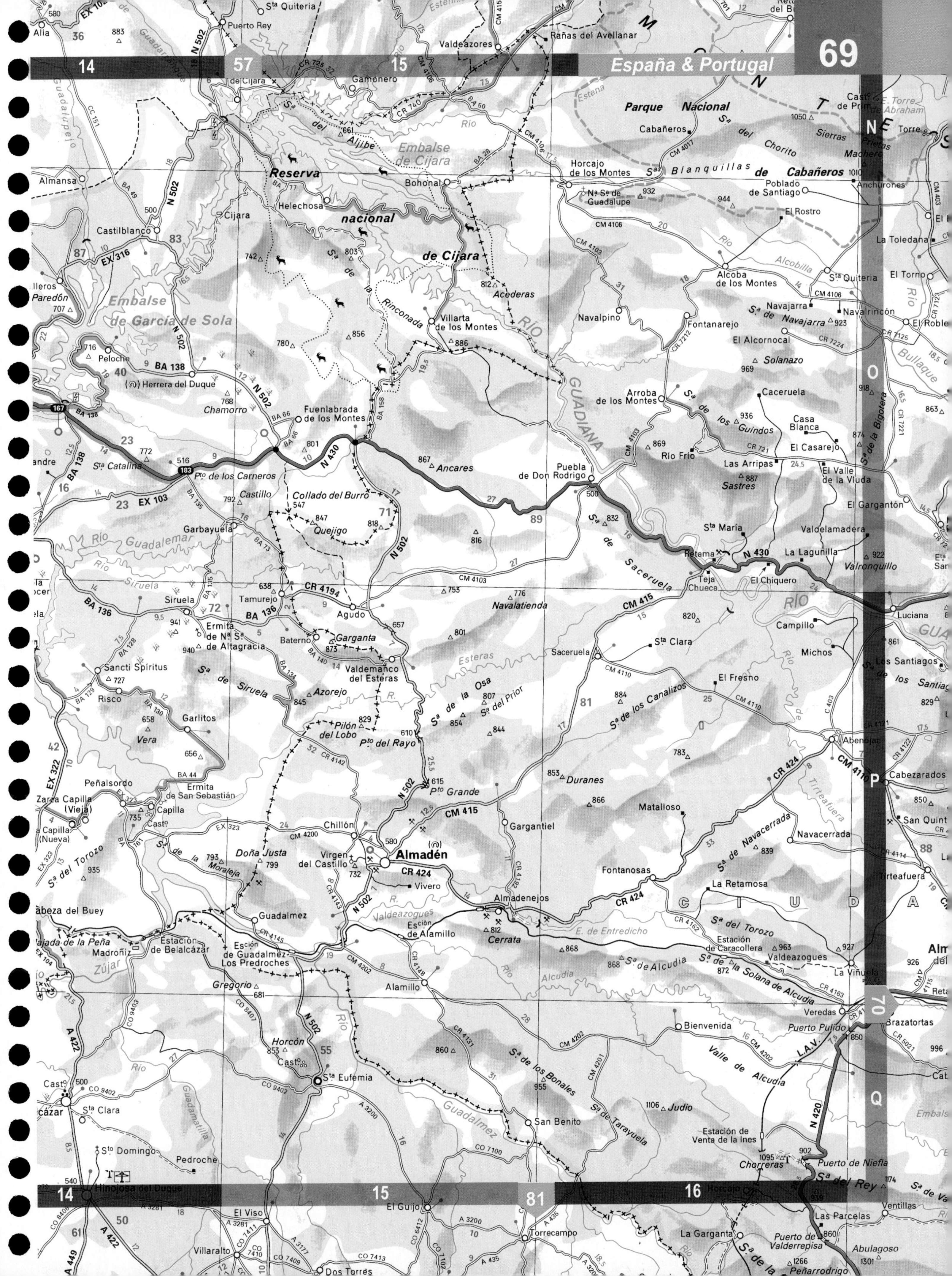
Parque Nacional de Cabañeros
Reserva nacional de Cijara
Embalse de Cijara
Embalse de García de Sola
Puerto Rey
Valdeazores
Rañas del Avellanar
Gamonero
Cabañeros
Horcajo de los Montes
Bohonal
Helechosa
Cijara
Castilblanco
Almansa
Peloche
Herrera del Duque
Chamorro
Fuenlabrada de los Montes
Villarta de los Montes
Acederas
Navalpino
Fontanarejo
Alcoba de los Montes
Arroba de los Montes
Puebla de Don Rodrigo
Ancares
Pto de los Carneros
Sta Catalina
Castillo
Collado del Burro
Quejigo
Garbayuela
Siruela
Tamurejo
Agudo
Baterno
Garganta
Valdemanco del Esteras
Ermita de Nª Sª de Altagracia
Sancti Spíritus
Risco
Garlitos
Vera
Peñalsordo
Zarza Capilla (Vieja)
Capilla
Chillón
Almadén
Virgen del Castillo
Doña Justa
Vivero
Almadenejos
Cerrata
Guadalmez
Esción de Alamillo
Estación de Belalcázar
Esción de Guadalmez Los Pedroches
Alamillo
Gregorio
Horcón
Sta Eufemia
San Benito
Judío
Hinojosa del Duque
El Viso
El Guijo
Torrecampo
Villaralto
Dos Torres
Pedroche
Sto Domingo
Navacerrada
Fontanosas
Gargantiel
Duranes
Matalloso
Saceruela
Sta Clara
El Fresno
Abenójar
Cabezarados
Tirteafuera
La Retamosa
Estación de Caracollera
Valdeazogues
La Viñuela
Veredas
Brazatortas
Puerto Pulido
Bienvenida
Valle de Alcudia
Estación de Venta de la Ines
Chorreras
Puerto de Niefla
Sª del Rey
Horcajo
La Garganta
Las Parcelas
Puerto de Valderrepisa
Abulagoso
Luciana
Campillo
Michos
Los Santiagos
Retama
El Chiquero
La Lagunilla
Valronquillo
Valdelamadera
Sta María
Sastres
Las Arripas
Río Frío
Caceruela
Casa Blanca
El Casarejo
El Valle de la Viuda
El Gargantón
Solanazo
El Alcornocal
Navajarra
Navalrincón
Sta Quiteria
El Torno
La Toledana
El Rostro
Poblado de Santiago
Anchurones
Nª Sª de Guadalupe
RÍO GUADIANA
N 430
N 502
CR 424
CM 415

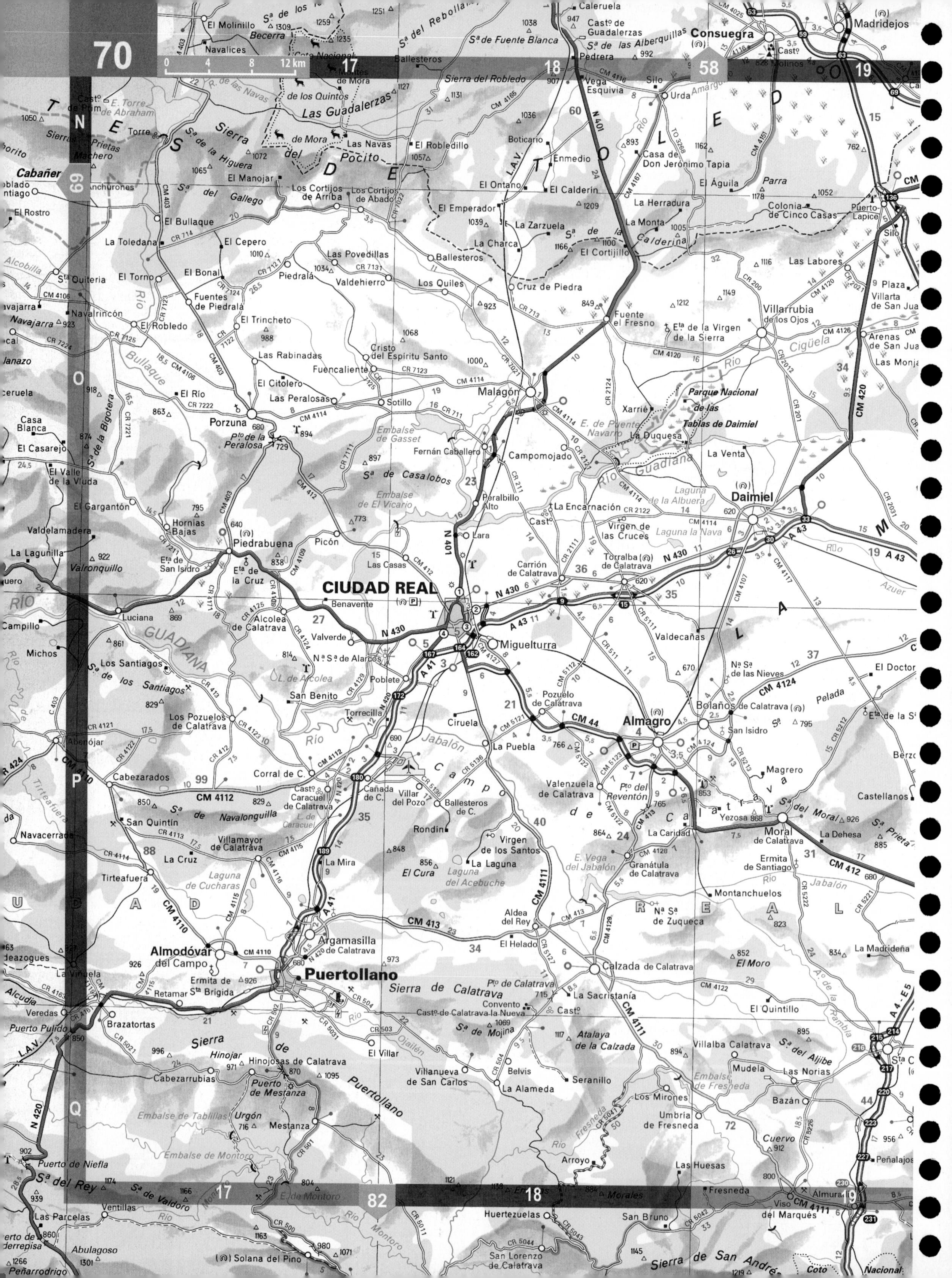
70
17
18
58
19
69
82
CIUDAD REAL
Puertollano
Daimiel
Almagro
Consuegra
Madridejos
Malagón
Porzuna
Piedrabuena
Miguelturra
Almodóvar del Campo
Argamasilla de Calatrava
Calzada de Calatrava
Bolaños de Calatrava
Moral de Calatrava
Villarrubia de los Ojos
Fuente el Fresno
Carrión de Calatrava
Torralba de Calatrava
Pozuelo de Calatrava
Valenzuela de Calatrava
Granátula de Calatrava
Aldea del Rey
Alcolea de Calatrava
Luciana
Abenójar
Cabezarados
Corral de C.
Villamayor de Calatrava
Tirteafuera
Fernán Caballero
Peralbillo Alto
Picón
Valverde
Poblete
Ciruela
La Puebla
Ballesteros de C.
Villar del Pozo
Cañada de C.
Hinojosas de Calatrava
Cabezarrubias
Mestanza
Villanueva de San Carlos
La Alameda
Brazatortas
Veredas
Retamar
Solana del Pino
San Lorenzo de Calatrava
Huertezuelas
Fresneda
Viso del Marqués
Almuradiel
Las Labores
Puerto Lápice
Arenas de San Juan
Villarta de San Juan
Urda
Los Cortijos de Arriba
Los Cortijos de Abajo
El Robledo
Fuente de Piedralá
Las Peralosas
Fuencaliente
Parque Nacional de las Tablas de Daimiel
Sierra de Calatrava
Sierra de Puertollano
Campo de Calatrava
Sierra del Robledo
Las Guadalerzas
Río Guadiana
Río Jabalón
Río Bullaque
Embalse de Gasset
Embalse de El Vicario
N 430
N 401
N 420
A 41
A 43
A 4 - E 5
CM 412
CM 413
CM 4111
CM 4110
CM 4112
CM 4114
CM 44
L.A.V.
0 4 8 12 km

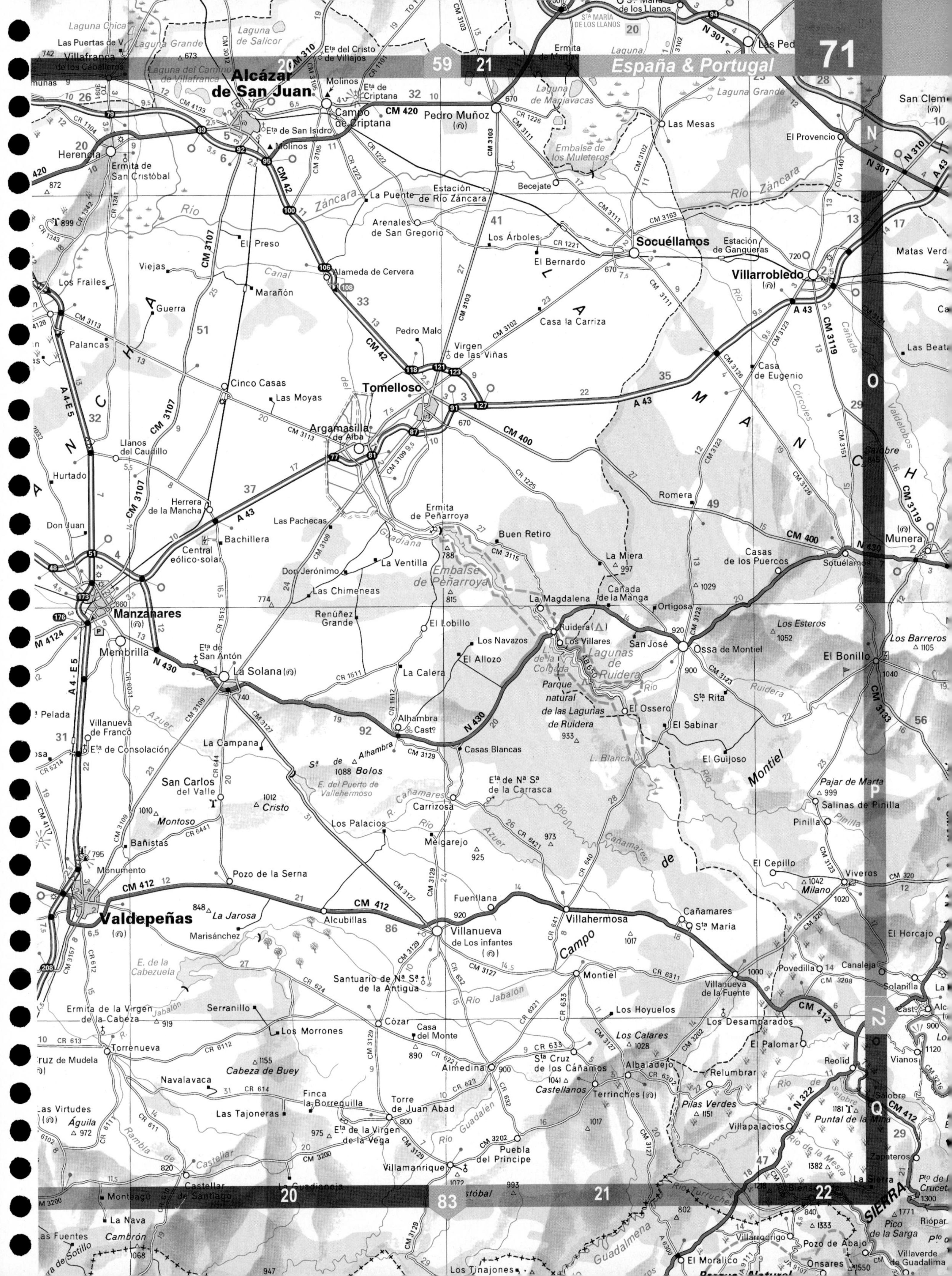
Laguna Chica
Las Puertas de V.
Laguna Grande
Laguna de Salicor
Villafranca de los Caballeros
Laguna del Camino de Villafranca
Alcázar de San Juan
Eta del Cristo de Villajos
Molinos
Eta de Criptana
Campo de Criptana
CM 420
Pedro Muñoz
Ermita de Manjav
Laguna de Manjavacas
Laguna Grande
Sta María de los Llanos
Las Ped
San Clem
El Provencio
Las Mesas
Embalse de los Muleteros
Herencia
Ermita de San Cristóbal
Eta de San Isidro
Molinos
CM 42
Becejate
Río Záncara
La Puente
Estación de Río Záncara
Arenales de San Gregorio
Los Árboles
El Bernardo
Socuéllamos
Estación de Gangueras
Villarrobledo
Matas Verd
El Preso
Viejas
Alameda de Cervera
Canal
Los Frailes
Marañón
Guerra
Casa la Carriza
Palancas
Pedro Malo
Virgen de las Viñas
Las Beat
Cinco Casas
Tomelloso
Casa de Eugenio
Las Moyas
Argamasilla de Alba
A 43
CM 400
Llanos del Caudillo
Hurtado
Herrera de la Mancha
Ermita de Peñarroya
Romera
Don Juan
Las Pachecas
Buen Retiro
Munera
Bachillera
Central eólico-solar
La Ventilla
Embalse de Peñarroya
La Miera
Casas de los Puercos
Sotuélamos
Don Jerónimo
Las Chimeneas
La Magdalena
Cañada de la Manga
Ortigosa
Manzanares
Renúñez Grande
El Lobillo
Ruidera
Los Esteros
Los Barreros
Membrilla
Eta de San Antón
Los Navazos
Los Villares
San José
Ossa de Montiel
El Bonillo
N 430
La Solana
El Allozo
Lagunas de Ruidera
La Calera
Parque natural de las Lagunas de Ruidera
Sta Rita
Pelada
Villanueva de Franco
Alhambra Castº
El Ossero
El Sabinar
Eta de Consolación
La Campana
Casas Blancas
Sa de Alhambra
Bolos
El Guijoso
Montiel
E. del Puerto de Vallehermoso
San Carlos del Valle
Eta de Na Sa de la Carrasca
Pajar de Marta
Salinas de Pinilla
Cristo
Carrizosa
Montoso
Los Palacios
Pinilla
Bañistas
Melgarejo
Monumento
Pozo de la Serna
El Cepillo
Viveros
Milano
CM 412
Fuenllana
Valdepeñas
La Jarosa
Alcubillas
Villahermosa
Cañamares
Sta María
Marisánchez
Villanueva de Los infantes
El Horcajo
Campo
E. de la Cabezuela
Santuario de Na Sa de la Antigua
Montiel
Povedilla
Canaleja
Solanilla
Villanueva de la Fuente
Ermita de la Virgen de la Cabeza
Serranillo
Río Jabalón
Los Hoyuelos
Cózar
Los Morrones
Casa del Monte
Los Calares
Los Desamparados
Torrenueva
El Palomar
Cruz de Mudela
Cabeza de Buey
Almedina
Sta Cruz de los Cáñamos
Albaladejo
Reolid
Vianos
Navalavaca
Castellanos
Terrinches
Relumbrar
Finca la Borreguilla
Torre de Juan Abad
Pilas Verdes
Salobre
Las Virtudes
Águila
Las Tajoneras
Villapalacios
Puntal de la Mina
Eta de la Virgen de la Vega
Río Guadalén
Puebla del Principe
Zapateros
Castellar de Santiago
Villamanrique
La Guadianeja
La Sierra
Monteagú
Villarrodrigo
Pozo de Abajo
Pico de la Sarga
Riópar
La Nava
Cambrón
Las Fuentes
El Moralico
Onsares
Los Tinajones
Villaverde de Guadalima
Guadalmena
SIERRA
20
21
22
59
83
72

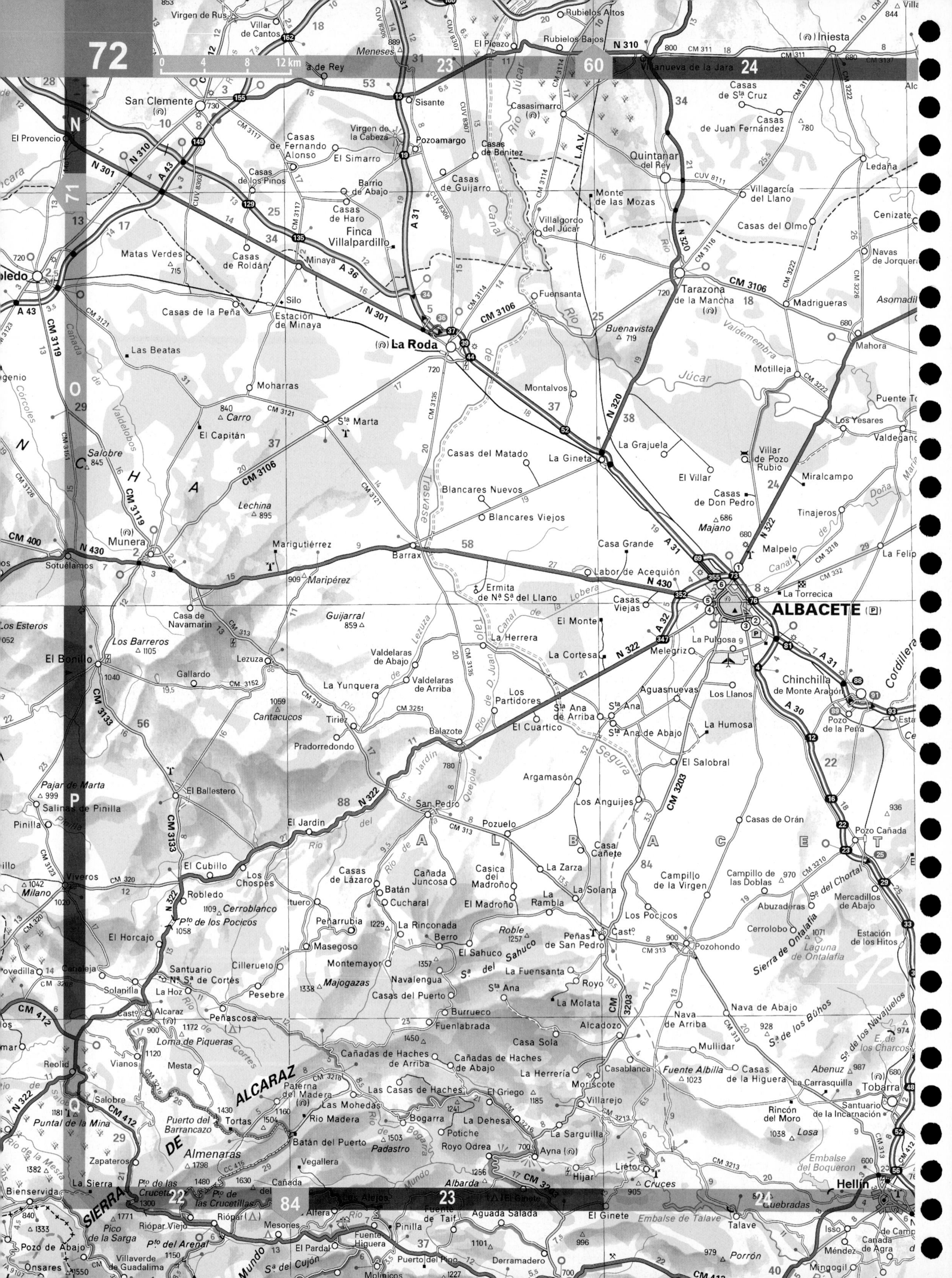

72
0 4 8 12 km
60
71
84
22
23
24
N
O
P
Q
MANCHA
ALBACETE
SIERRA DE ALCARAZ
Virgen de Rus
Villar de Cantos
Rubielos Altos
Rubielos Bajos
El Picazo
Meneses
Iniesta
Villanueva de la Jara
San Clemente
El Provencio
Sisante
Casasimarro
Casas de Sta Cruz
Casas de Juan Fernández
Virgen de la Cabeza
Pozoamargo
Casas de Fernando Alonso
El Simarro
Casas de Benítez
Quintanar del Rey
Ledaña
Casas de los Pinos
Barrio de Abajo
Casas de Guijarro
Monte de las Mozas
Villagarcía del Llano
Casas de Haro
Finca Villalpardillo
Villalgordo del Júcar
Casas del Olmo
Cenizate
Matas Verdes
Casas de Roldán
Minaya
Tarazona de la Mancha
Navas de Jorquera
Madrigueras
Asomadilla
Casas de la Peña
Silo
Estación de Minaya
Fuensanta
Buenavista
La Roda
Mahora
Las Beatas
Motilleja
Júcar
Moharras
Montalvos
Puente Torres
Carro
El Capitán
Sta Marta
La Grajuela
Los Yesares
Valdeganga
Salobre
Casas del Matado
La Gineta
Villar de Pozo Rubio
El Villar
Miralcampo
Lechina
Blancares Nuevos
Blancares Viejos
Casas de Don Pedro
Majano
Tinajeros
Munera
Sotuélamos
Marigutiérrez
Barrax
Casa Grande
Malpelo
La Felipa
Maripérez
Labor de Acequión
La Torrecica
Ermita de Nª Sª del Llano
Casas Viejas
Casa de Navamarin
Los Esteros
Guijarral
El Monte
Los Barreros
La Herrera
La Pulgosa
El Bonillo
Lezuza
Valdelaras de Abajo
La Cortesa
Melegriz
Gallardo
Valdelaras de Arriba
La Yunquera
Los Partidores
Aguasnuevas
Los Llanos
Chinchilla de Monte Aragón
Cantacucos
Tiriez
Sta Ana de Arriba
Sta Ana
El Cuartico
Sta Ana de Abajo
La Humosa
Pozo de la Peña
Balazote
Pradorredondo
El Salobral
Argamasón
Pajar de Marta
Salinas de Pinilla
El Ballestero
Los Anguijes
Pinilla
San Pedro
Pozuelo
Casas de Orán
El Jardín
Pozo Cañada
Casal Cañete
El Cubillo
Viveros
Milano
Los Chospes
Robledo
Casas de Lázaro
Cañada Juncosa
Casica del Madroño
La Zarza
La Solana
Campillo de la Virgen
Campillo de las Doblas
Sª del Chortal
Batán
Cucharal
El Madroño
La Rambla
Abuzaderas
Mercadillos de Abajo
Cerroblanco
Pto de los Pocicos
Peñarrubia
La Rinconada
Los Pocicos
Cerrolobo
El Horcajo
Berro
Roble
Peñas de San Pedro
Castº
Pozohondo
Estación de los Hitos
Masegoso
El Sahuco
Sierra de Ontalafia
Laguna de Ontalafia
Cilleruelo
Montemayor
Sª del Sahuco
Santuario Nª Sª de Cortés
Majogazas
Navalengua
La Fuensanta
Royo
Solanilla
La Hoz
Pesebre
Sta Ana
La Molata
Casas del Puerto
Nava de Abajo
Alcaraz
Peñascosa
Burrueco
Nava de Arriba
Loma de Piqueras
Fuenlabrada
Alcadozo
Sª de los Búhos
Sª de los Navajuelos
Casa Sola
Mullidar
Reolid
Vianos
Mesta
Cañadas de Haches de Arriba
Cañadas de Haches de Abajo
La Herrería
Casablanca
Fuente Albilla
Casas de la Higuera
Abenuz
Tobarra
La Carrasquilla
Morisecote
Salobre
Paterna del Madera
Las Casas de Haches
El Griego
Villarejo
Santuario de la Incarnación
Rincón del Moro
Punta de la Mina
Puerto del Barrancazo
Tortas
Las Mohedas
Rio Madera
Bogarra
La Dehesa
La Sarguilla
Losa
Almenaras
Batán del Puerto
Padastro
Potiche
Royo Odrea
Ayna
Zapateros
Vegallera
Liétor
Embalse del Boquerón
La Sierra
Pto de las Crucetas
Pto de las Crucetillas
Cañada
Albarda
Hijar
Cruces
Hellín
Bienservida
Los Alejos
El Ginete
Cuebradas
Pico de la Sarga
Riópar Viejo
Riópar
Alfera
Fuente de Taif
Aguada Salada
El Ginete
Embalse de Talave
Talave
Pozo de Abajo
Pto del Arenal
Mesones
Pinilla
El Pardal
Fuente Higuera
Isso
Cañada de Agra
Villaverde de Guadalima
Onsares
Sª del Cujón
Mundo
Puerto del Pino
Derramadero
Porrón
Méndez
Minogil
Molinicos
N 310
N 301
N 320
N 430
N 322
A 31
A 43
A 36
A 32
A 30
CM 3106
CM 3119
CM 3121
CM 3133
CM 313
CM 3203
CM 412

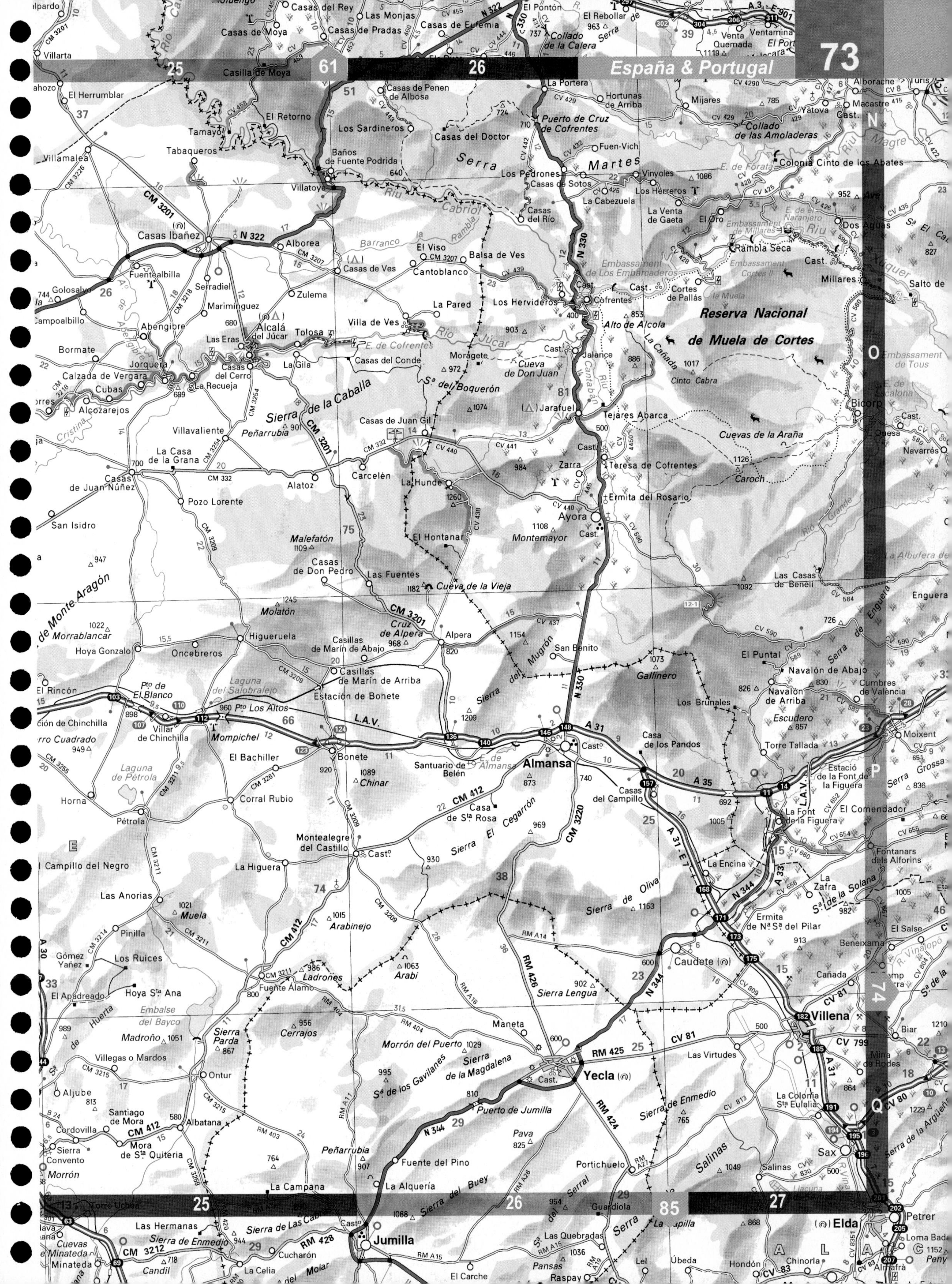
Casas Ibañez
Alcalá del Júcar
Reserva Nacional de Muela de Cortes
Cofrentes
Ayora
Almansa
Caudete
Villena
Yecla
Jumilla
Elda
Sax
Petrer
Bonete
Alpera
Higueruela
Pétrola
Montealegre del Castillo
Sierra de la Caballa
Serra Martes
Sierra del Mugrón
Sierra de Oliva
Sierra Lengua
Sierra de la Magdalena
Sa de los Gavilanes
Cueva de la Vieja
Moixent
La Font de la Figuera
Fontanars dels Alforins
Bicorp
Millares
Cortes de Pallás
Jarafuel
Jalance
Teresa de Cofrentes
Zarra
Carcelén
Fuente Álamo
Ontur
Albatana
Pinilla
Hoya Gonzalo
Villavaliente
Jorquera
Casas de Ves
Villatoya
Cuevas de la Araña
Caroch
Navalón de Abajo
Enguera
Cumbres de València
Mijares
Yátova
Macastre
Dos Aguas

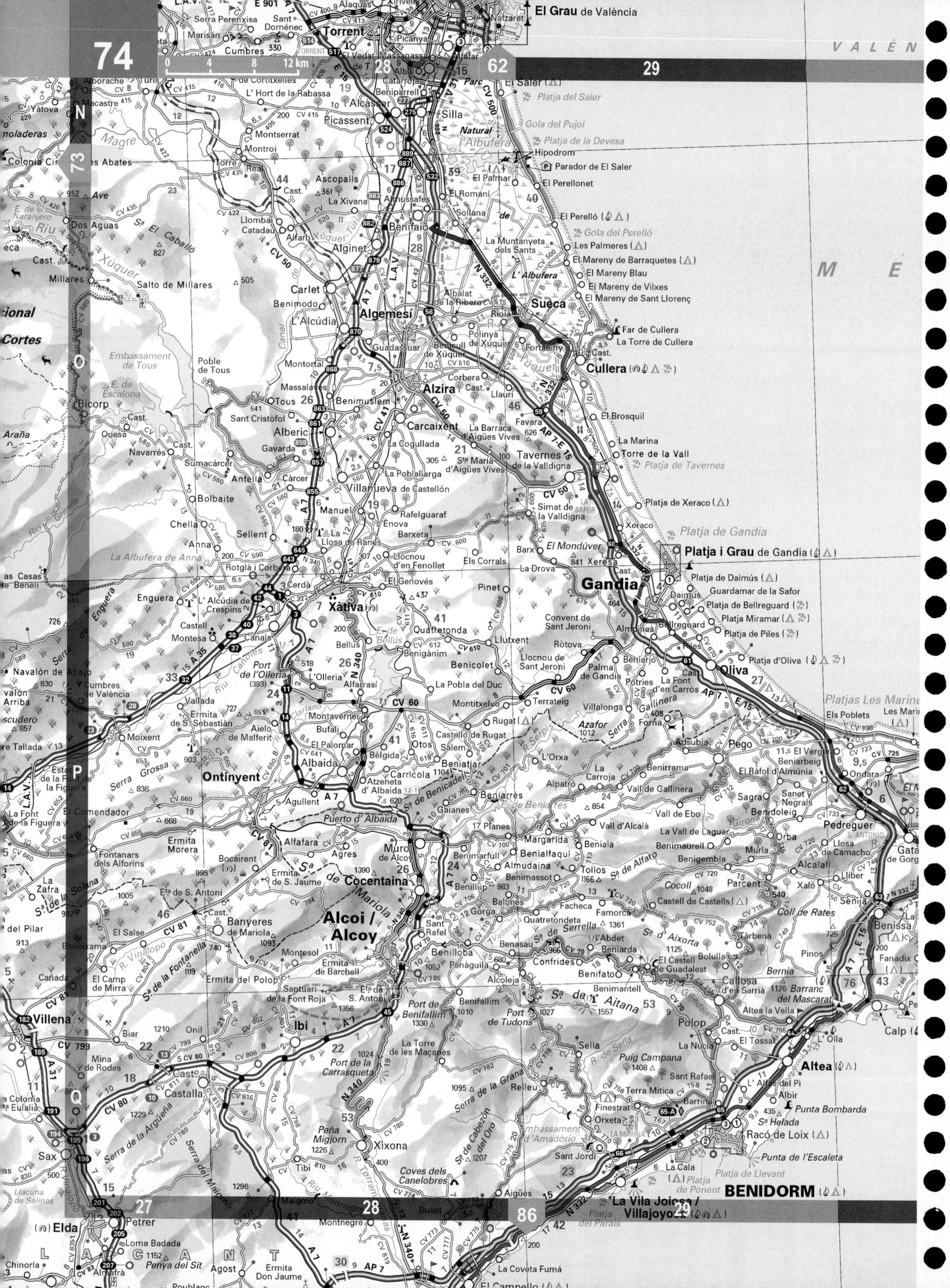

El Grau de València
VALÈN
62
29
28
73
N
O
P
Q
0 4 8 12 km
Torrent
Picassent
Alcàsser
Silla
Parc Natural
L'Albufera
Platja del Saler
Gola del Pujol
Platja de la Devesa
Hipodrom
Parador de El Saler
El Perellonet
El Palmar
Sollana
Benifaió
Almussafes
Alginet
Carlet
L'Alcúdia
Algemesí
Sueca
El Perelló
Gola del Perelló
Les Palmeres
El Mareny de Barraquetes
El Mareny Blau
El Mareny de Vilxes
El Mareny de Sant Llorenç
Far de Cullera
La Torre de Cullera
Cullera
M E
Embassament de Tous
Poble de Tous
Tous
Alzira
Carcaixent
Alberic
Riola
Fortaleny
Polinyà de Xúquer
Benicull de Xúquer
Corbera
Llaurí
Favara
El Brosquil
La Marina
Torre de la Vall
Platja de Tavernes
Tavernes de la Valldigna
La Barraca d'Aigües Vives
Sta María d'Aigües Vives
Villanueva de Castellón
Manuel
Rafelguaraf
Barxeta
Simat de la Valldigna
Platja de Xeraco
Xeraco
Platja de Gandia
Platja i Grau de Gandia
Gandia
Xeresa
El Mondúver
Barx
La Drova
Platja de Daimús
Guardamar de la Safor
Platja de Bellreguard
Platja Miramar
Platja de Piles
Platja d'Oliva
Oliva
Bellreguard
Piles
Almoines
Xàtiva
Canals
Montesa
Enguera
L'Alcúdia de Crespins
Cerdà
El Genovés
Llocnou d'en Fenollet
La Llosa de Ranes
Quatretonda
Bellús
Benigànim
Llutxent
Pinet
Convent de Sant Jeroni
Ròtova
Palma de Gandia
Benicolet
Terrateig
Montitxelvo
La Pobla del Duc
L'Olleria
Port de l'Olleria
Alfarrasí
Montaverner
Bufali
Albaida
Ontinyent
Moixent
Castelló de Rugat
Rugat
Salem
Beniatjar
Otos
Bèlgida
Carrícola
Atzeneta d'Albaida
Agullent
Puerto d'Albaida
L'Orxa
Azafor
Forna
Adsubia
Pego
Els Poblets
Platjas Les Marines
El Verger
Ondara
Beniarbeig
El Ràfol d'Almúnia
Sanet y Negrals
Pedreguer
Benidoleig
Orba
Vall de Gallinera
Vall de Ebo
Vall d'Alcalà
Planes
Beniarrés
Gaianes
Muro de Alcoy
Agres
Alfafara
Bocairent
Cocentaina
Alcoi / Alcoy
Banyeres de Mariola
Sa de Mariola
Benilloba
Sant Rafel
Gorga
Balones
Benimassot
Tollos
Facheca
Famorca
Castell de Castells
Coll de Rates
Parcent
Alcalalí
Xaló
Lliber
Senija
Benissa
Llosa de Camacho
Murla
Benigembla
Benimaurell
La Vall de Laguar
Benialfaquí
Almudaina
Quatretondeta
Sa de Serrella
Sa d'Aixorta
Tàrbena
Bolulla
Callosa d'en Sarrià
Bernia
Pinos
Fanadix
Calp
Altea
Altea la Vella
L'Alfàs del Pi
Albir
Punta Bombarda
Sa Helada
Racó de Loix
Punta de l'Escaleta
Platja de Llevant
BENIDORM
La Cala
Platja de Ponent
La Vila Joiosa / Villajoyosa
Finestrat
Orxeta
Terra Mítica
Puig Campana
Sant Rafael
La Nucía
Polop
Sella
Relleu
Benimantell
Confrides
Benasau
Penàguila
Alcoleja
Benifallim
Port de Benifallim
Port de Tudons
Sa de Aitana
Santuari de la Font Roja
Ibi
Onil
Biar
Castalla
Villena
Sax
Elda
Petrer
Xixona
Tibi
Peña Migjorn
Coves dels Canelobres
Busot
Aigües
Montnegre
Agost
El Campello
La Coveta Fumá
Embassament d'Amadorio
Sant Jordi
Platja del Paraís
Serra Grossa
Serra de la Argüeña
El Camp de Mirra
Cañada
Fontanars dels Alforins
Ermita Morera
La Font de la Figuera
El Comendador
Vallada
Cumbres de València
Navalón de Abajo
Bolbaite
Chella
Anna
Sellent
La Albufera de Anna
Gavarda
Antella
Sumacàrcer
Navarrés
Quesa
Bicorp
Dos Aguas
Millares
Salto de Millares
Yátova
Macastre
Montserrat
Montroi
Real
Torre
Llombai
Catadau
Alfarb
La Xivana
Ascopalls
Picanya
Alaquàs
Sant Doménec
Serra Perenxisa
Marisán
Cumbres
El Vedat de T.
Massanassa
Alfafar
Albal
Catarroja
Beniparrell
Loma Badada
Penya del Sit
Almafrà
Chinorla
Ermita Don Jaume

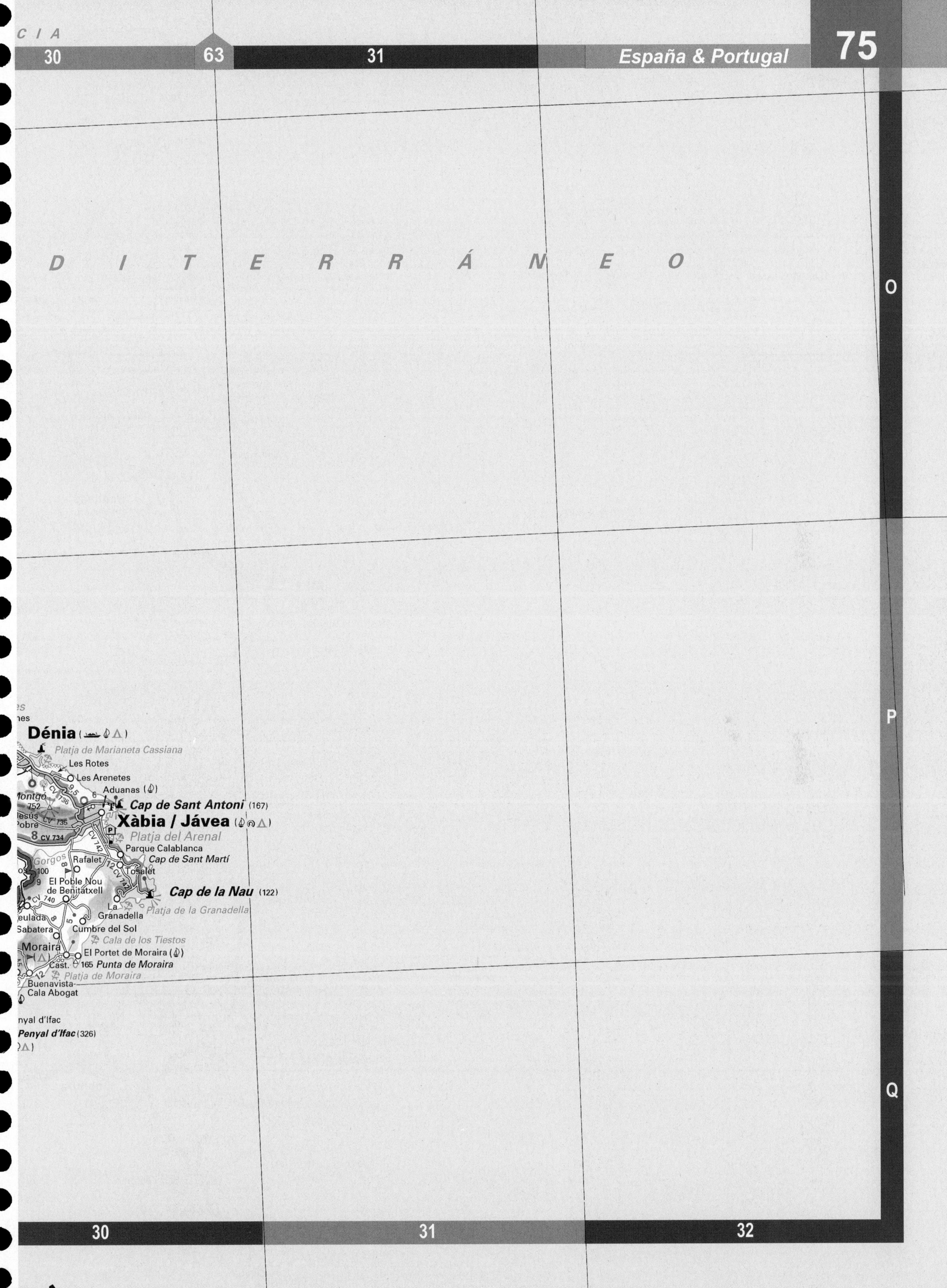
D I T E R R Á N E O
O
P
Q
Dénia
Platja de Marianeta Cassiana
Les Rotes
Les Arenetes
Aduanas
Montgó
752
Cap de Sant Antoni (167)
Xàbia / Jávea
Platja del Arenal
Parque Calablanca
Cap de Sant Martí
Rafalet
Tosalet
El Poble Nou de Benitàtxell
Cap de la Nau (122)
La Granadella
Platja de la Granadella
Cumbre del Sol
Sabatera
Cala de los Tiestos
Moraira
El Portet de Moraira
Cast.
165 Punta de Moraira
Platja de Moraira
Buenavista-Cala Abogat
Penyal d'Ifac
Penyal d'Ifac (326)
30 31 32

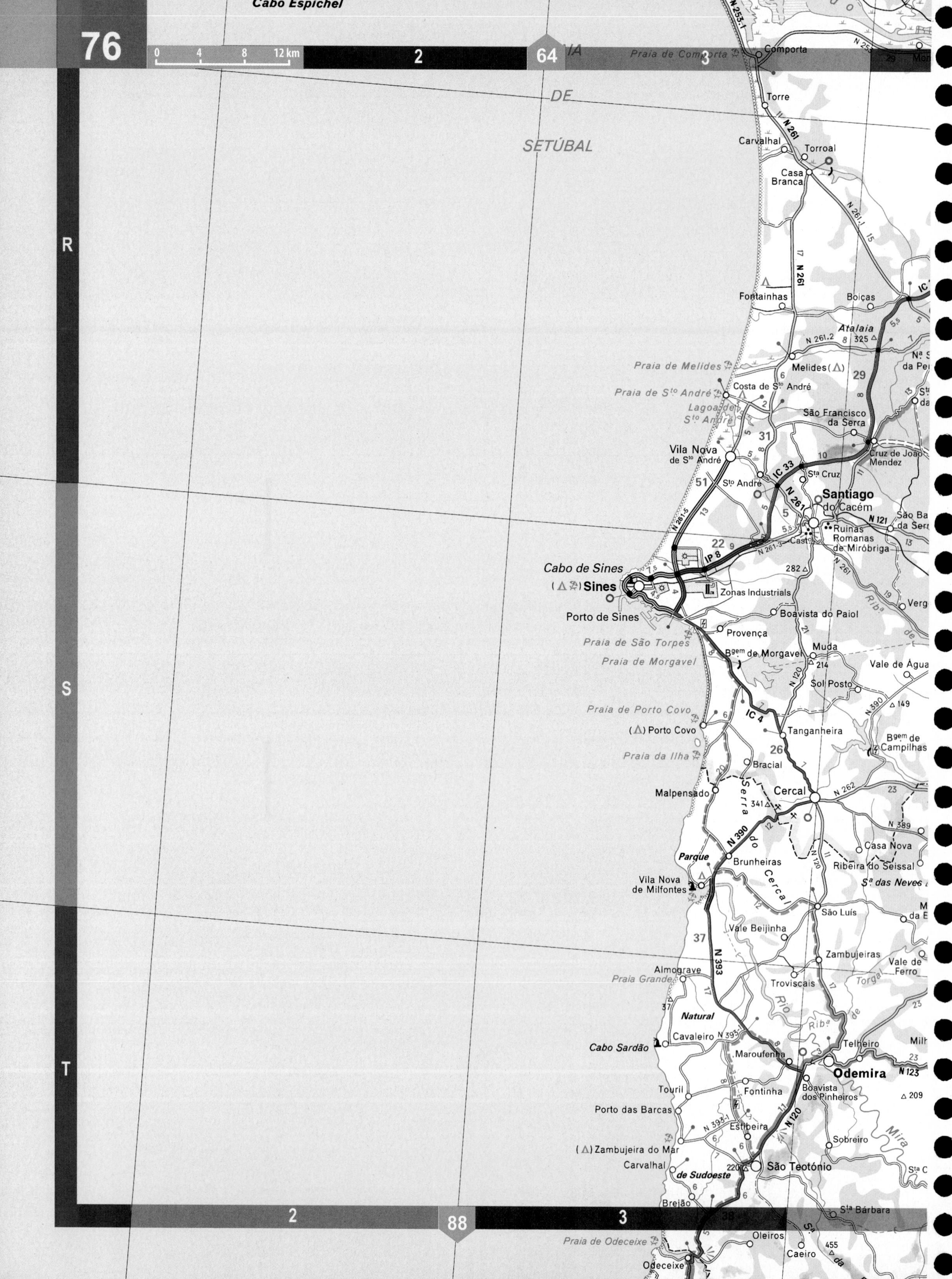
Cabo Espichel
0 4 8 12 km
2
64
3
Praia de Comporta
Comporta
Torre
DE
SETÚBAL
Carvalhal
Torroal
Casa Branca
N 261
Fontainhas
Boiças
Atalaia
Praia de Melides
Melides
Costa de Sto André
Praia de Sto André
Lagoa de Sto André
São Francisco da Serra
Vila Nova de Sto André
Cruz de João Mendez
Sta Cruz
Sto André
IC 33
Santiago do Cacém
Ruinas Romanas de Miróbriga
São Ba da Serr
Cabo de Sines
Sines
IP 8
Zonas Industriais
Porto de Sines
Boavista do Paiol
Provença
Praia de São Torpes
Praia de Morgavel
Bgem de Morgavel
Muda
Vale de Água
Sol Posto
Praia de Porto Covo
Porto Covo
IC 4
Tanganheira
Bgem de Campilhas
Praia da Ilha
Bracial
Malpensado
Cercal
Serra do Cercal
N 390
Parque
Brunheiras
Casa Nova
Ribeira do Seissal
Vila Nova de Milfontes
Sa das Neves
São Luís
Vale Beijinha
N 393
Zambujeiras
Vale de Ferro
Almograve
Praia Grande
Troviscais
Natural
Cabo Sardão
Cavaleiro
Maroufenha
Telheiro
Odemira
N 123
Touril
Fontinha
Boavista dos Pinheiros
Porto das Barcas
Estibeira
N 120
Sobreiro
Zambujeira do Mar
Carvalhal
de Sudoeste
São Teotónio
Brejão
Sta Bárbara
2
88
3
Praia de Odeceixe
Oleiros
Caeiro
Odeceixe

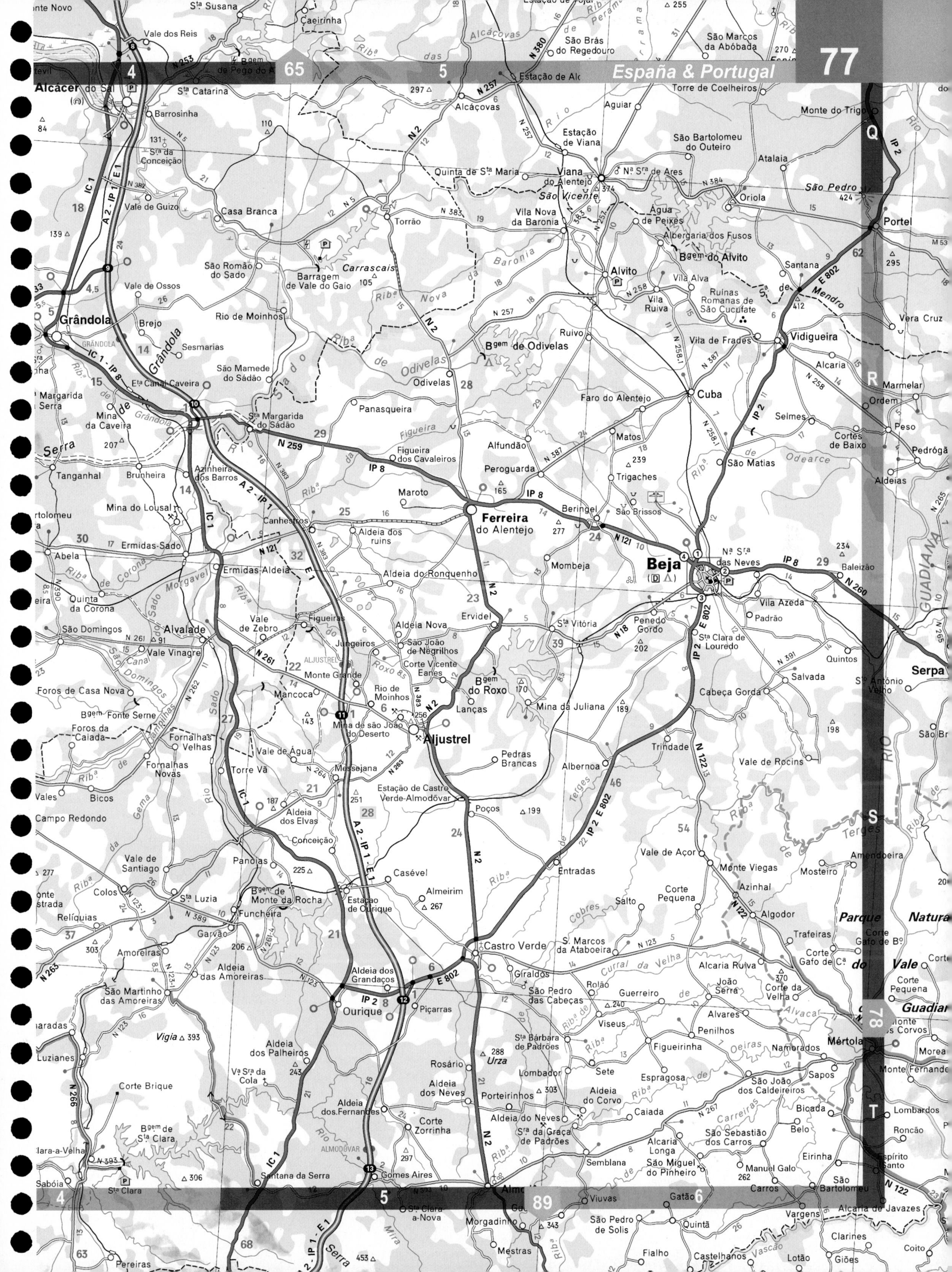
Alcácer do Sal
Grândola
Serra de Grândola
Vale dos Reis
Caeirinha
Sta Susana
Sta Catarina
Barrosinha
Sta da Conceição
Vale de Guizo
Casa Branca
Torrão
São Romão do Sado
Carrascais
Barragem de Vale do Gaio
Vale de Ossos
Brejo
Sesmarias
Rio de Moinhos
São Mamede do Sádão
Eta Canal Caveira
Mina da Caveira
Sta Margarida do Sádão
Tanganhal
Brunheira
Azinheira dos Barros
Mina do Lousal
Canhestros
Aldeia dos ruins
Abela
Ermidas-Sado
Ermidas Aldeia
Quinta da Corona
São Domingos
Alvalade
Vale Vinagre
Foros de Casa Nova
Bgem Fonte Serne
Foros da Caiada
Fornalhas Velhas
Fornalhas Novas
Vales
Bicos
Campo Redondo
Vale de Santiago
Colos
Relíquias
Amoreiras
Aldeia das Amoreiras
São Martinho das Amoreiras
Vigia
Luzianes
Corte Brique
Bgem de Sta Clara
Sta Clara
Sabóia
Pereiras
Alcáçovas
Estação de Alc
São Brás do Regedouro
São Marcos da Abóbada
Torre de Coelheiros
Aguiar
Estação de Viana
Viana do Alentejo
São Vicente
Quinta de Sta Maria
Vila Nova da Baronia
São Bartolomeu do Outeiro
Atalaia
Monte do Trigo
Nª Srª de Ares
Oriola
São Pedro
Portel
Água de Peixes
Albergaria dos Fusos
Bgem do Alvito
Alvito
Vila Alva
Vila Ruiva
Ruínas Romanas de São Cucufate
Santana
Vidigueira
Vera Cruz
Bgem de Odivelas
Odivelas
Ruivo
Vila de Frades
Cuba
Alcaria
Marmelar
Faro do Alentejo
Panasqueira
Figueira dos Cavaleiros
Alfundão
Peroguarda
Matos
Trigaches
Selmes
Peso
Pedrógão
Cortes de Baixo
São Matias
Aldeias
Maroto
Ferreira do Alentejo
Beringel
São Brissos
Beja
Nª Srª das Neves
Baleizão
Mombeja
Aldeia do Ronquenho
Ervidel
Sta Vitória
Penedo Gordo
Vila Azeda
Padrão
Sta Clara de Louredo
Quintos
Serpa
Aldeia Nova
São João de Negrilhos
Figueiras
Vale de Zebro
Jungeiros
Monte Grande
Corte Vicente Eanes
Mancoca
Rio de Moinhos
Bgem do Roxo
Lanças
Mina da Juliana
Cabeça Gorda
Salvada
Mina de São João do Deserto
Aljustrel
Pedras Brancas
Albernoa
Trindade
Vale de Rocins
Vale de Água
Torre Vã
Messejana
Estação de Castro Verde-Almodôvar
Aldeia dos Elvas
Poços
Conceição
Panóias
Casével
Almeirim
Bgem de Monte da Rocha
Sta Luzia
Estação de Ourique
Funcheira
Garvão
Entradas
Vale de Açor
Monte Viegas
Mosteiro
Amendoeira
Azinhal
Algodor
Salto
Corte Pequena
Trafeiras
Castro Verde
S. Marcos da Ataboeira
Giraldos
São Pedro das Cabeças
Rolão
Guerreiro
João Serra
Alcaria Ruiva
Corte da Velha
Aldeia dos Grandaços
Ourique
Piçarras
Viseus
Alvares
Penilhos
Mértola
Parque Natural do Vale do Guadiana
Aldeia dos Palheiros
Vª Srª da Cola
Rosário
Urza
Sta Bárbara de Padrões
Lombador
Sete
Figueirinha
Namorados
Espragosa
São João dos Caldeireiros
Sapos
Aldeia dos Neves
Porteirinhos
Aldeia do Corvo
Caiada
Aldeia dos Fernandes
Corte Zorrinha
Aldeia de Neves
Sta da Graça de Padrões
Bicada
Belo
Lombardos
Roncão
São Sebastião dos Carros
Alcaria Longa
Semblana
São Miguel do Pinheiro
Eirinha
Manuel Galo
Carros
São Bartolomeu
Espírito Santo
Santana da Serra
Gomes Aires
Almodôvar
Sta Clara a-Nova
Viuvas
Gatão
Vargens
Alcaria de Javazes
São Pedro de Solis
Quintã
Morgadinho
Mestras
Fialho
Castelhanos
Lotão
Gióes
Clarines
Coito
Rio Guadiana
Rio Sado
Serra
España & Portugal
77
65
89
78

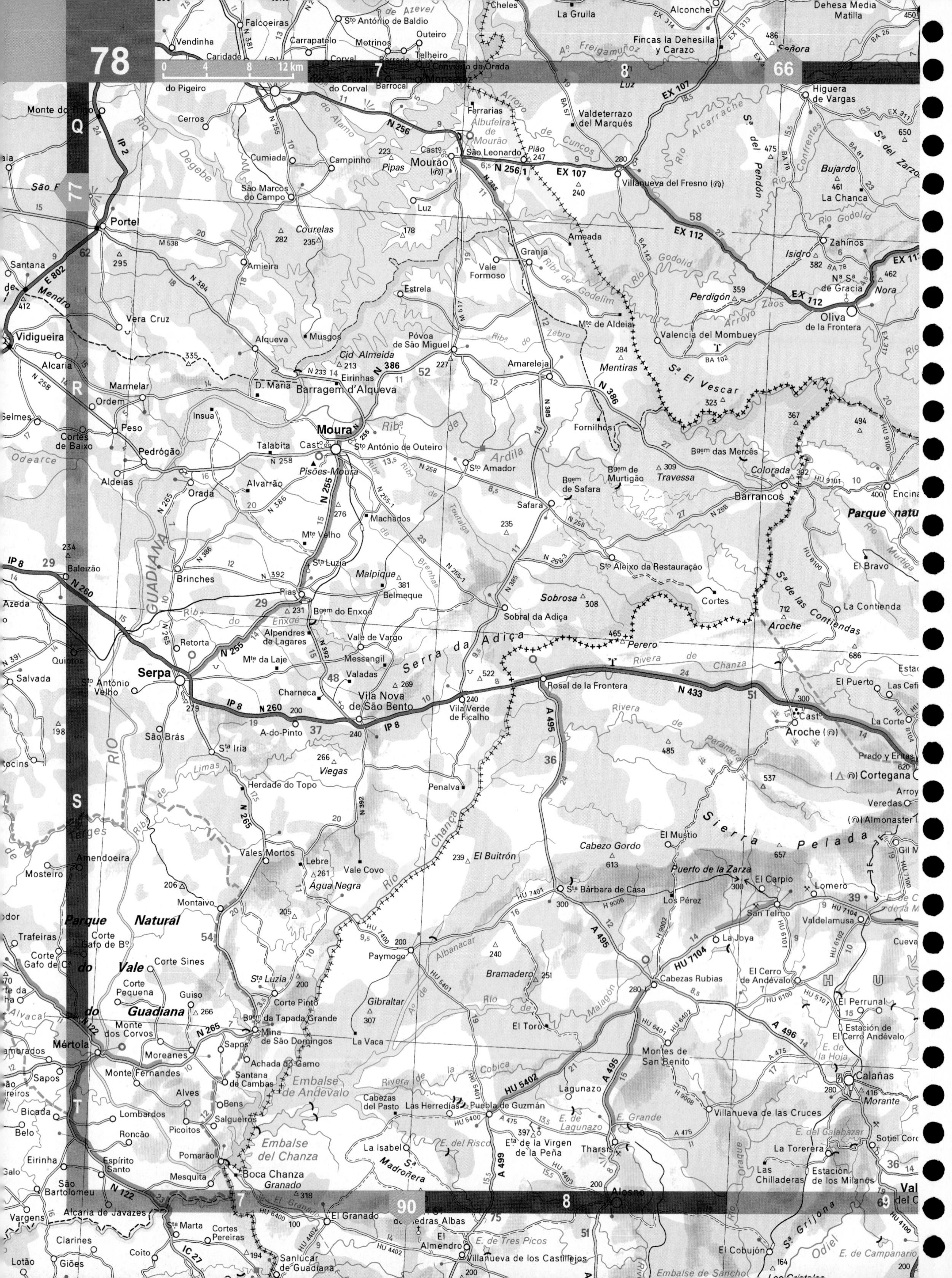

0 4 8 12 km
Falcoeiras
Sto António de Baldio
Vendinha
Carrapatelo
Motrinos
Outeiro
Telheiro
Caridade
Corval
Barrada
Convento da Orada
Monsaraz
do Pigeiro
do Corval
Barrocal
Cheles
La Grulla
Alconchel
Dehesa Media
Matilla
Fincas la Dehesilla y Carazo
Señora
Monte do Trigo
Cerros
Ferrarias
Albufeira de Mourão
Valdeterrazo del Marqués
Higuera de Vargas
Luz
Cumiada
Campinho
Pipas
Mourão
Castº
São Leonardo
Pião
Villanueva del Fresno
Bujardo
La Chanca
São Marcos do Campo
Luz
Portel
Courelas
Ameada
Zahinos
Isidro
Santana
Amieira
Granja
Vale Formoso
Nª Sª de Gracia
Nora
Perdigón
Oliva de la Frontera
Estrela
Mendro
Vera Cruz
Vidigueira
Alqueva
Musgos
Póvoa de São Miguel
Mte de Aldeia
Valencia del Mombuey
Cid Almeida
Mentiras
Alcaria
Eirinhas
Amareleja
Sª El Vescar
Marmelar
Ordem
D. Maria
Barragem d'Alqueva
Insua
Fornilhos
Peso
Cortes de Baixo
Moura
Talabita
Sto António de Outeiro
Ardila
Bgem das Mercês
Pedrógão
Pisões-Moura
Sto Amador
Bgem de Murtigão
Travessa
Colorada
Odearce
Aldeias
Alvarrão
Orada
Bgem de Safara
Barrancos
Encina
Safara
Parque natu
Machados
Mte Velho
Baleizão
Sta Luzia
Sto Aleixo da Restauração
El Bravo
Brinches
Malpique
Belmeque
Cortes
Pias
Bgem do Enxoé
Sobrosa
La Contienda
Azeda
Sobral da Adiça
Aroche
Sª de las Contiendas
Alpendres de Lagares
Vale de Vargo
Perero
Retorta
Mte da Laje
Messangil
Serra da Adiça
Quintos
Salvada
Serpa
Valadas
Rivera de Chanza
Sto António Velho
Charneca
Rosal de la Frontera
El Puerto
Las Cefi
Vila Nova de São Bento
Vila Verde de Ficalho
La Corte
Castº
Aroche
A-do-Pinto
São Brás
Sta Iria
Viegas
Prado y Eritas
Cortegana
Rio Guadiana
Herdade do Topo
Penalva
Veredas
Almonaster
Sierra Pelada
Terges
Amendoeira
Vales Mortos
Lebre
El Buitrón
Cabezo Gordo
El Mustio
Mosteiro
Água Negra
Vale Covo
Gil M
Puerto de la Zarza
El Carpio
Lomero
Montaivo
Sta Bárbara de Casa
Los Pérez
San Telmo
Valdelamusa
Parque Natural do Vale do Guadiana
Corte Gafo de Bº
Trafeiras
Corte Gafo de Cª
Paymogo
Albanacar
La Joya
Cueva
Corte Sines
Corte Pequena
Sta Luzia
Bramadero
Cabezas Rubias
El Cerro de Andévalo
Guiso
Corte Pinto
Gibraltar
El Perrunal
Bgem da Tapada Grande
Monte dos Corvos
Mina de São Domingos
La Vaca
El Toro
Estación de El Cerro Andévalo
Mértola
Moreanes
Sapos
Achada do Gamo
Montes de San Benito
Monte Fernandes
Santana de Cambas
Embalse de Andevalo
Rivera de la Cobica
Calañas
Alves
Bens
Cabezas del Pasto
Las Herredias
Puebla de Guzmán
Lagunazo
Morante
Bicada
Lombardos
Salgueiros
E. de Lagunazo
E. Grande
Villanueva de las Cruces
Belo
Roncão
Picoitos
Embalse del Chanza
La Isabel
E. del Risco
Eta de la Virgen de la Peña
Tharsis
E. del Calabazar
Sotiel Coro
La Torerera
Pomarão
Sª Madroñera
Eirinha
Espírito Santo
Mesquita
Boca Chanza
Granado
Las Chilladeras
Estación de los Milanos
São Bartolomeu
Alosno
Val del C
Alcaria de Javazes
Vargens
El Granado
de Piedras Albas
Sta Marta
Cortes Pereiras
Clarines
El Almendro
E. de Tres Picos
Sª Grijona
Odiel
Coito
Villanueva de los Castillejos
El Cobujón
E. de Campanario
Lotão
Giões
Sanlucar de Guadiana
Embalse de Sancho

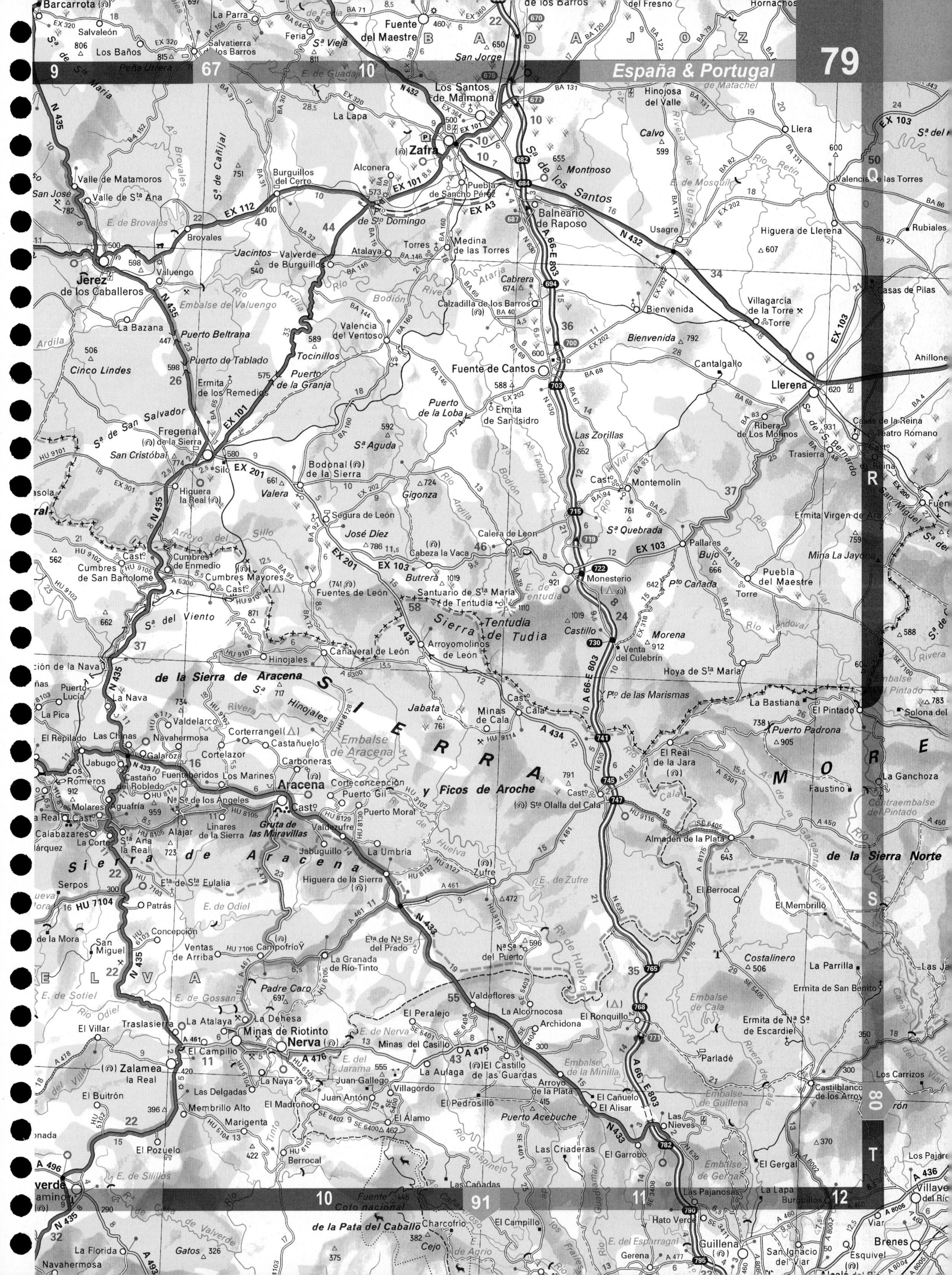

79
España & Portugal
9
67
10
Barcarrota
Salvaleón
Los Baños
Salvatierra de los Barros
La Parra
Feria
Sª Vieja
Fuente del Maestre
San Jorge
B A D A J O Z
Hornachos
Los Santos de Maimona
Hinojosa del Valle
La Lapa
Zafra
Calvo
Llera
Sª de los Santos
Montnoso
Alconera
Burguillos del Cerro
Puebla de Sancho Pérez
Valle de Matamoros
Valle de Sta Ana
San José
Sª de Cañijal
Balneario de Raposo
Valencia de las Torres
Usagre
Rubiales
Higuera de Llerena
E. de Brovales
Brovales
de Sto Domingo
Torres
Medina de las Torres
Jacintos
Valverde de Burguillos
Atalaya
Jerez de los Caballeros
Valuengo
Embalse de Valuengo
Cabrera
Calzadilla de los Barros
Bienvenida
Villagarcía de la Torre
Torre
Casas de Pilas
La Bazana
Puerto Beltrana
Valencia del Ventoso
Tocinillos
Puerto de Tablado
Cinco Lindes
Puerto de la Granja
Fuente de Cantos
Cantalgallo
Llerena
Ahillones
Ermita de los Remedios
Puerto de la Loba
Ermita de San Isidro
Sª de San Salvador
Fregenal de la Sierra
Sª Aguda
Las Zorillas
Casas de la Reina
Teatro Romano
Ribera de Los Molinos
Trasierra
Sª de S. Bernardo
San Cristóbal
Silo
Bodonal de la Sierra
Higuera la Real
Valera
Gigonza
Montemolín
Segura de León
José Díez
Sª Quebrada
Calera de León
Pallares
Bujo
Ermita Virgen de Ara
Mina La Jayona
Cumbres de Enmedio
Cumbres de San Bartolomé
Cumbres Mayores
Cabeza la Vaca
Monesterio
Butrera
Pto Cañada
Puebla del Maestre
Fuentes de León
Santuario de Sta María de Tentudía
E. de Tentudía
Sª del Viento
Sierra de Tudia
Tentudía
Arroyomolinos de León
Castillo
Morena
Venta del Culebrín
Hinojales
Cañaveral de León
Hoya de Sta María
de la Sierra de Aracena
Hinojales
Pto de las Marismas
Puerto Lucía
La Nava
La Pica
S I E R R A
Jabata
Minas de Cala
Cala
La Bastiana
El Pintado
Embalse del Pintado
Solona del
Valdelarco
Corterrangel
El Repilado
Las Chinas
Navahermosa
Castañuelo
Embalse de Aracena
Puerto Padrona
M O R E
Jabugo
Galaroza
Cortelazor
Los Romeros
Castaño del Robledo
Fuenteheridos
Los Marines
Carboneras
El Real de la Jara
La Ganchoza
Aracena
Corteconcepción
y Picos de Aroche
Faustino
Molares
Aguafría
Nª Sª de los Angeles
Puerto Gil
Sta Olalla del Cala
Contraembalse del Pintado
Calabazares
Linares de la Sierra
Alájar
Gruta de las Maravillas
Puerto Moral
Valdezufre
La Corte
Sta Ana la Real
Almadén de la Plata
Jabuguillo
La Umbría
de la Sierra Norte
Sierra de Aracena
Serpos
Eta de Sta Eulalia
Higuera de la Sierra
Zufre
E. de Zufre
El Berrocal
Patrás
E. de Odiel
El Membrillo
Concepción
San Miguel
de la Mora
Ventas de Arriba
Campofrío
La Granada de Río-Tinto
Eta de Nª Sª del Prado
Nª Sª del Puerto
Costalinero
La Parrilla
E. de Sotiel
E. de Gossan
Padre Caro
Ermita de San Benito
Valdeflores
Embalse de Cala
El Peralejo
La Alcornocosa
El Ronquillo
Ermita de Nª Sª de Escardiel
Traslasierra
La Atalaya
La Dehesa
El Villar
Minas de Riotinto
E. de Nerva
Minas del Casillo
Archidona
El Campillo
Nerva
Zalamea la Real
E. del Jarama
Embalse de la Minilla
Parladé
La Naya
Juan Gallego
La Aulaga
El Castillo de las Guardas
Las Delgadas
Juan Antón
Villagordo
Arroyo de la Plata
El Cañuelo
El Alisar
Castilblanco de los Arroyos
Los Carrizos
El Buitrón
Membrillo Alto
El Madroño
El Pedrosillo
Embalse de Guillena
Marigenta
El Álamo
Puerto Acebuche
Las Nieves
El Pozuelo
Berrocal
Las Criaderas
El Garrobo
El Gergal
Los Pajares
E. de Sililios
Las Cañadas
Las Pajanosas
La Lapa
Burguillos
Villaverde del Río
10
91
11
12
Fuente
Coto nacional
de la Pata del Caballo
Charcofrío
El Campillo
Hato Verde
Brenes
Cejo
E. del Esparragal
Guillena
San Ignacio del Viar
Esquivel
La Florida
Navahermosa
Gatos
Gerena

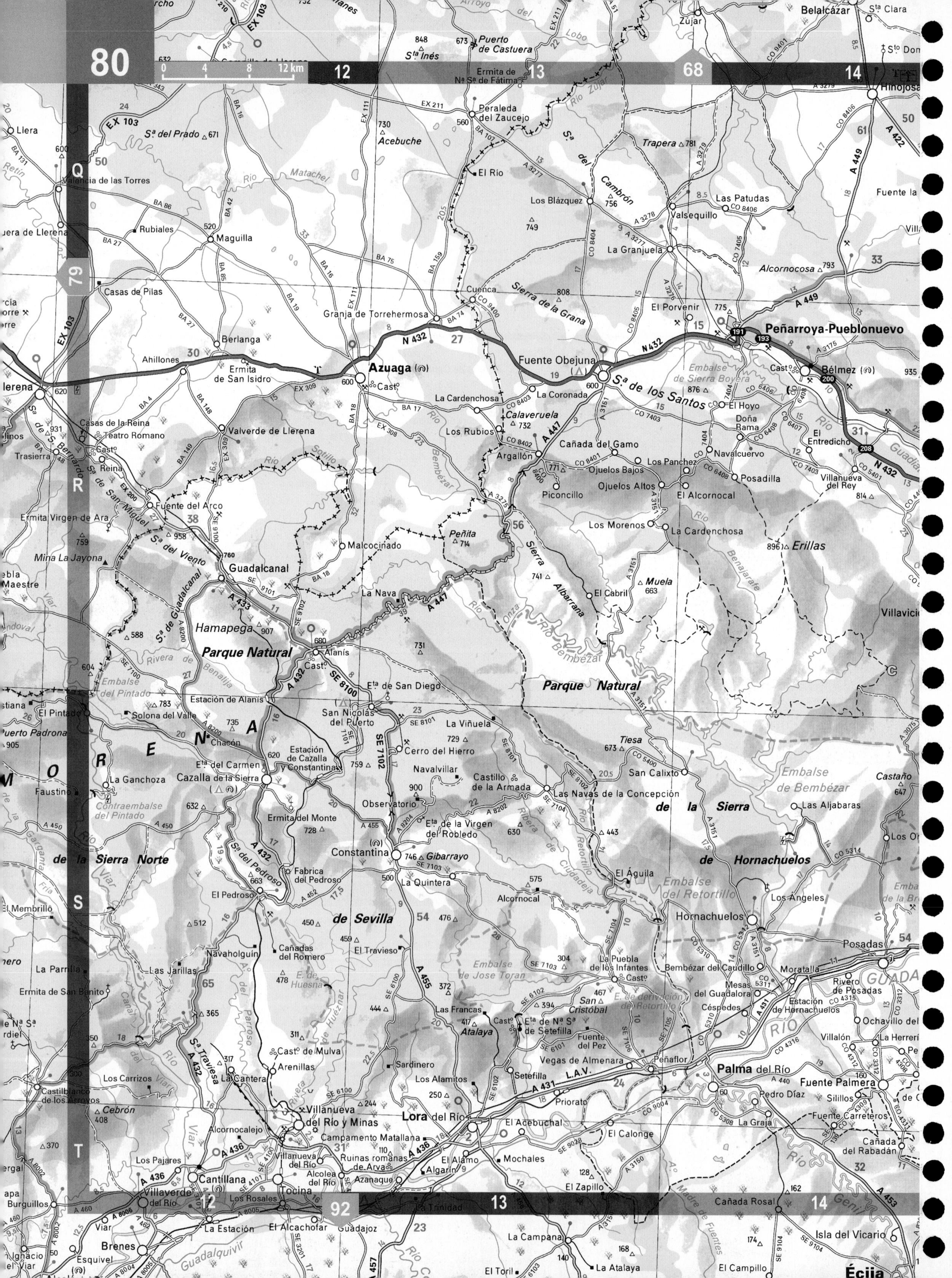

12
13
68
14
79
92
0 4 8 12 km
Q
R
S
T
Belalcázar
Sta Clara
Zújar
Puerto de Castuera
Sta Inés
Ermita de Nª Sª de Fátima
Hinojosa
Peraleda del Zaucejo
Llera
Sª del Prado
Acebuche
Sª del Cambrón
Trapera
Valencia de las Torres
Río Matachel
El Río
Los Blázquez
Las Patudas
Valsequillo
Fuente la
Rubiales
Maguilla
La Granjuela
Alcornocosa
Casas de Pilas
Cuenca
Sierra de la Grana
El Porvenir
Granja de Torrehermosa
Peñarroya-Pueblonuevo
Berlanga
Ahillones
Ermita de San Isidro
Azuaga
Fuente Obejuna
Bélmez
Llerena
Embalse de Sierra Boyera
Sª de los Santos
La Cardenchosa
La Coronada
El Hoyo
Calaveruela
Doña Rama
Casas de la Reina
Teatro Romano
Valverde de Llerena
Los Rubios
Cañada del Gamo
Navalcuervo
Reina
Trasierra
Argallón
Los Panchez
El Entredicho
Ojuelos Bajos
Posadilla
Ojuelos Altos
Villanueva del Rey
Piconcillo
El Alcornocal
Fuente del Arco
Sª de San Miguel
Ermita Virgen de Ara
Los Morenos
La Cardenchosa
Peñita
Malcocinado
Erillas
Mina La Jayona
Sª del Viento
Guadalcanal
Sierra Albarrana
Muela
El Cabril
La Nava
Sª de Guadalcanal
Hamapega
Río Bembézar
Villavicio
Parque Natural
Alanís
Embalse del Pintado
Eta de San Diego
Parque Natural
El Pintado
Estación de Alanís
Solona del Valle
San Nicolás del Puerto
La Viñuela
Puerto Padrona
Chacón
Tiesa
Eta del Carmen
Estación de Cazalla y Constantina
Cerro del Hierro
San Calixto
La Ganchoza
Cazalla de la Sierra
Navalvillar
Castillo de la Armada
Embalse de Bembézar
Castaño
Faustino
Las Navas de la Concepción
de la Sierra
Las Aljabaras
Contraembalse del Pintado
Observatorio
Ermita del Monte
Eta de la Virgen del Robledo
Los Or
de la Sierra Norte
Constantina
Gibarrayo
de Hornachuelos
Sª del Pedroso
Fabrica del Pedroso
La Quintera
El Águila
Embalse del Retortillo
El Pedroso
Alcornocal
Los Ángeles
El Membrillo
de Sevilla
Hornachuelos
Posadas
Cañadas del Romero
El Travieso
Navaholguín
La Puebla de los Infantes
Bembézar del Caudillo
Moratalla
La Parrilla
Las Jarillas
Embalse de Jose Toran
Mesas del Guadalora
Rivero de Posadas
Ermita de San Benito
E. de Huesna
Estación de Hornachuelos
Las Francas
San Cristóbal
Céspedes
Ochavillo del
Atalaya
Eta de Nª Sª de Setefilla
Castº de Mulva
Fuente del Pez
Villalón
La Herrerí
Sª Traviesa
Arenillas
Vegas de Almenara
Peñaflor
Palma del Río
La Cantera
Sardinero
Los Alamitos
Setefilla
Fuente Palmera
Los Carrizos
L.A.V.
Pedro Díaz
Castilblanco de los Arroyos
Priorato
Silillos
Cebrón
Villanueva del Río y Minas
Lora del Río
El Acebuchal
Fuente Carreteros
Alcornocalejo
El Calonge
La Graja
Campamento Matallana
Cañada del Rabadán
Los Pajares
Villanueva del Río
Ruinas romanas de Arva
El Álamo
Mochales
Cantillana
Alcolea del Río
Azanaque
Algarín
El Zapillo
Villaverde del Río
Los Rosales
Tocina
Cañada Rosal
Burguillos
Trinidad
Viar
La Estación
El Alcachofar
Guadajoz
Brenes
La Campana
Isla del Vicario
Esquivel
Río Guadalquivir
El Toril
La Atalaya
El Campillo
Écija
Río Genil

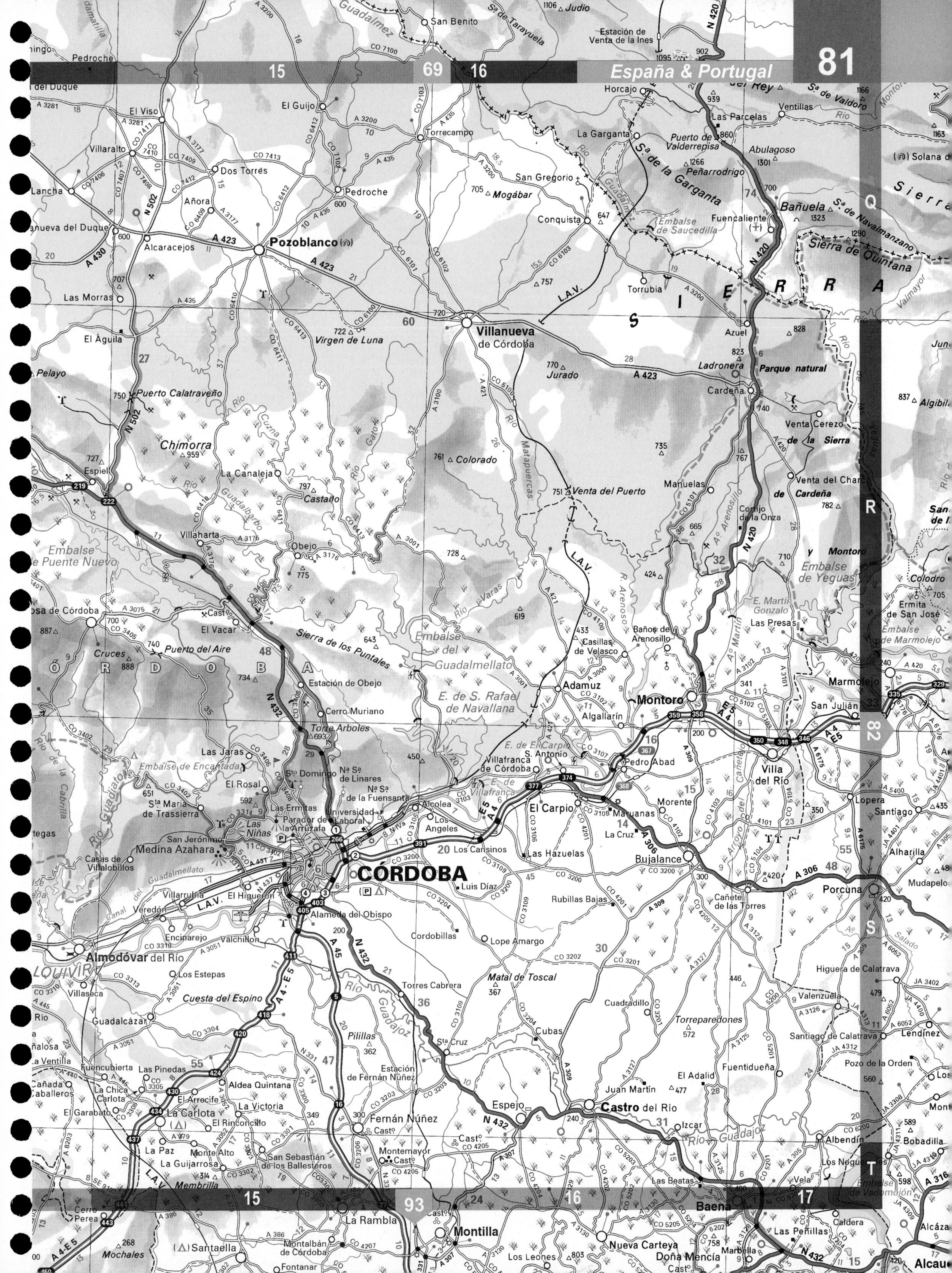
15
69
16
17
93
82
Q
R
S
T
SIERRA
CÓRDOBA
Pozoblanco
Villanueva de Córdoba
San Benito
Sa de Tarayuela
Estación de Venta de la Ines
Horcajo
El Viso
El Guijo
Torrecampo
Villaralto
Dos Torres
Pedroche
Añora
San Gregorio
Mogábar
Conquista
Sa de la Garganta
La Garganta
Puerto de Valderrepisa
Peñarrodrigo
Abulagoso
Las Parcelas
Ventillas
Sa de Valdoro
Solana
Bañuela
Sa de Navalmanzano
Sierra de Quintana
Fuencaliente
Embalse de Saucedilla
Alcaracejos
Las Morras
Torrubia
Azuel
El Águila
Virgen de Luna
Ladronera
Parque natural
Cardeña
Jurado
Pelayo
Puerto Calatraveño
Chimorra
Colorado
Venta Cerezo
de la Sierra
Venta del Charco
de Cardeña
y Montoro
Algibillo
Espiel
La Canaleja
Castaño
Venta del Puerto
Manuelas
Cortijo de la Onza
Villaharta
Obejo
Embalse de Puente Nuevo
Embalse de Yeguas
Colodro
E. Martín Gonzalo
Las Presas
Ermita de San José
Embalse de Marmolejo
Cruces
El Vacar
Puerto del Aire
Sierra de los Puntales
Embalse del Guadalmellato
Casillas de Velasco
Baños de Arenosillo
E. de S. Rafael de Navallana
Estación de Obejo
Cerro Muriano
Torre Arboles
Adamuz
Algallarín
Montoro
Marmolejo
San Julián
Las Jaras
Embalse de Encantada
Sto Domingo
Na Sa de Linares
Na Sa de la Fuensanta
El Rosal
Sta María de Trassierra
Las Ermitas
Parador de la Arruzafa
Universidad Laboral
Alcolea
Los Ángeles
Villafranca de Córdoba
S. Antonio
E. de El Carpio
E. de Villafranca
Pedro Abad
Villa del Río
Lopera
Santiago
El Carpio
Maruanas
Morente
La Cruz
Las Hazuelas
Los Cansinos
Bujalance
San Jerónimo
Medina Azahara
Casas de Villalobillos
Villarrubia
El Higuerón
Veredón
Luis Díaz
Rubillas Bajas
Cañete de las Torres
Porcuna
Alharilla
Mudapelo
Alameda del Obispo
Encinarejo
Valchillón
Cordobillas
Lope Amargo
Almodóvar del Río
Los Estepas
Villaseca
Cuesta del Espino
Torres Cabrera
Matal de Toscal
Cuadradillo
Torreparedones
Valenzuela
Higuera de Calatrava
Santiago de Calatrava
Lendínez
Pozo de la Orden
Guadalcázar
Pilillas
Sta Cruz
Cubas
Fuentidueña
La Ventilla
Fuencubierta
Las Pinedas
Aldea Quintana
Estación de Fernán Núñez
El Adalid
Juan Martín
Cañada de Caballeros
La Chica Carlota
El Arrecife
La Victoria
El Garabato
La Carlota
El Rinconcillo
Fernán Núñez
Espejo
Castro del Río
Izcar
Albendín
Bobadilla
La Paz
Monte Alto
San Sebastián de los Ballesteros
Montemayor
Los Nogueras
Vela
La Guijarrosa
Membrilla
Las Beatas
Cerro Perea
La Rambla
Montilla
Baena
Caldera
Las Peñillas
Alcázar
Mochales
Santaella
Montalbán de Córdoba
Nueva Carteya
Doña Mencía
Los Leones
Marbella
Fontanar
A 423
A 430
N 502
A 432
N 432
N 420
A 306
A 45
A 4-E5
L.A.V.

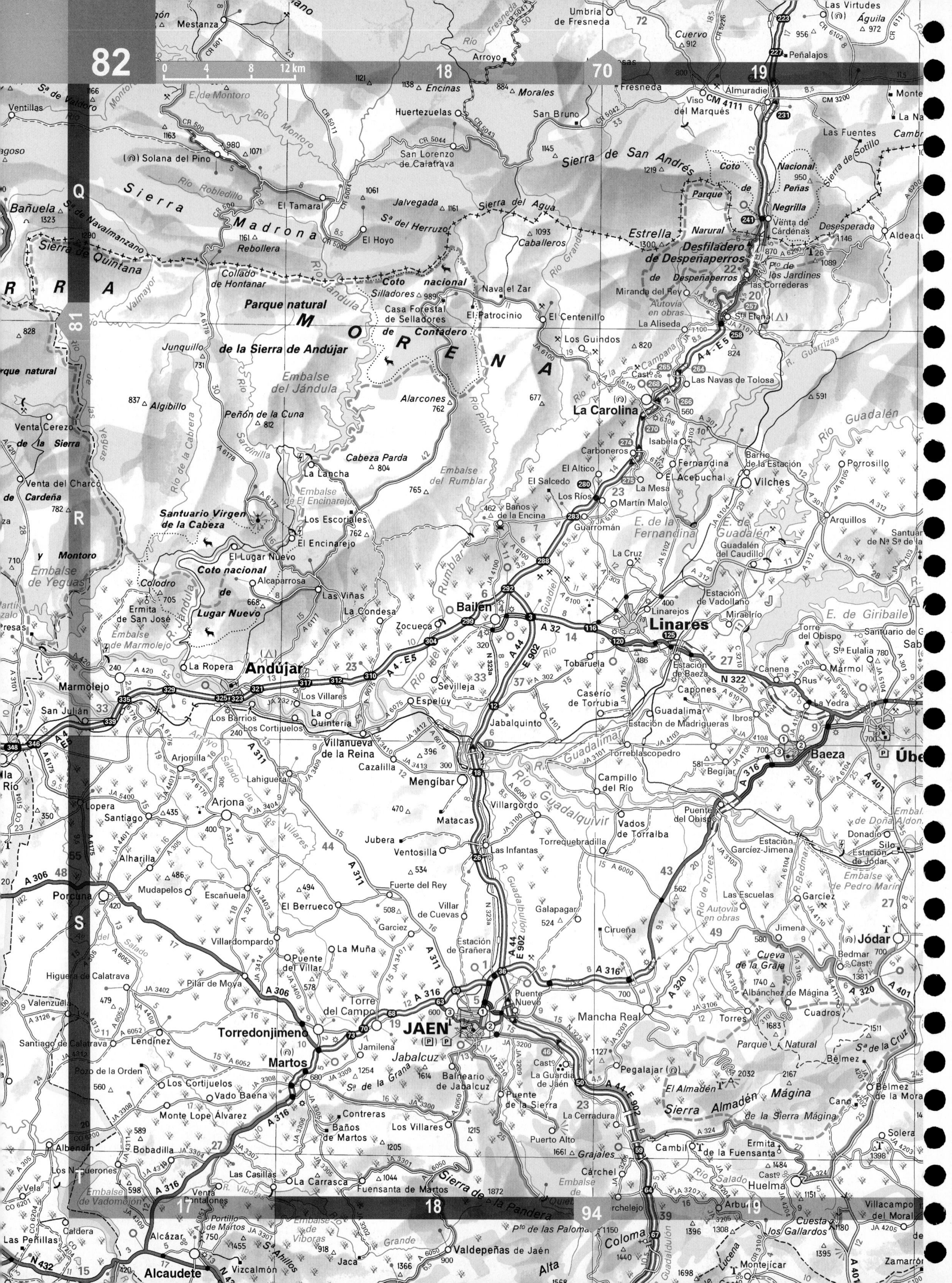

0 4 8 12 km
18
70
19
Mestanza
Umbría de Fresneda
Las Virtudes
Águila
Cuervo
Peñalajos
Arroyo
Río Fresneda
Encinas
Morales
Fresneda
Almuradiel
Viso del Marqués
Monte
CM 4111
CR 5044
CR 5043
Ventillas
Sa de Valdoro
E. de Montoro
Río Montoro
Huertezuelas
San Bruno
Las Fuentes
San Lorenzo de Calatrava
Sierra de San Andrés
Solana del Pino
Río Robledillo
Sierra
Madrona
Bañuela
Sa de Navalmanzano
Sierra de Quintana
El Tamaral
Jalvegada
Sa del Herruzo
Sierra del Agua
El Hoyo
Rebollera
Caballeros
Estrella
Coto
Parque
Nacional
Peñas
de
Negrilla
Narural
Venta de Cárdenas
Desesperada
Aldeaq
Desfiladero de Despeñaperros
de Despeñaperros
Pto de los Jardines
las Correderas
Collado de Hontanar
Valmayor
Río Jándula
Coto nacional
Silladores
Nava el Zar
Casa Forestal de Selladores
de Contadero
El Patrocinio
El Centenillo
Miranda del Rey
Autovía en obras
Sta Elena
La Aliseda
Parque natural
de la Sierra de Andújar
M
O
R
E
N
A
Junquillo
Los Guindos
Embalse del Jándula
Alarcones
Campana
Casto
Las Navas de Tolosa
La Carolina
R. Guarrizas
Algibillo
Peñón de la Cuna
Venta Cerezo
de la Sierra
Río Pinto
Isabela
Carboneros
Río Guadalén
Barrio de la Estación
Fernandina
El Acebuchal
Porrosillo
Vilches
La Lancha
Cabeza Parda
Embalse del Rumblar
El Altico
El Salcedo
La Mesa
Los Ríos
Martín Malo
Venta del Charco
de Cardeña
Embalse de El Encinarejo
Santuario Virgen de la Cabeza
Los Escoriales
Baños de la Encina
Guarromán
E. de la Fernandina
E. de Guadalén
Guadalén del Caudillo
Arquillos
Santuar de Nª Sª de la
El Encinarejo
El Lugar Nuevo
Coto nacional
de
Lugar Nuevo
y Montoro
Embalse de Yeguas
Alcaparrosa
Colodro
Ermita de San José
Las Viñas
La Condesa
La Cruz
Estación de Vadollano
E. de Giribaile
Bailén
Linarejos
Linares
Mirαelrío
Torre del Obispo
Santuario de G
Sta Eulalia
Embalse de Marmolejo
Zocueca
Río Rumblar
Río Guadiel
Marmolejo
La Ropera
Andújar
Tobaruela
Estación de Baeza
Canena
Mármol
Rus
San Julián
Los Villares
Sevilleja
Casería de Torrubia
Capones
La Yedra
Los Barrios
Los Cortijuelos
La Quintería
Espelúy
Jabalquinto
Guadalimar
Estación de Madrigueras
Ibros
Úbe
Arroyo Salado
Villanueva de la Reina
Torreblascopedro
Río Guadalimar
Baeza
Arjonilla
Lopera
Cazalilla
Mengíbar
Campillo del Río
Begíjar
Río Guadalquivir
Arjona
Santiago
Villargordo
Puente del Obispo
Matacas
Vados de Torralba
Embal. de Doña Aldon
Donadío
Silo
Jubera
Torrequebradilla
Estación Garcíez-Jimena
Estación de Jódar
Ventosilla
Las Infantas
Alharilla
Embalse de Pedro Marín
Porcuna
Mudapelos
Escañuela
Fuerte del Rey
El Berrueco
Las Escuelas
Garcíez
Villar de Cuevas
Galapagar
Ciruela
Autovía en obras
Jimena
Jódar
Villardompardo
Estación de Grañera
Bedmar
Cueva de la Graja
Higuera de Calatrava
Puente del Villar
La Muña
Pilar de Moya
Albánchez de Mágina
Valenzuela
Torre del Campo
Puente Nuevo
Mancha Real
Torres
Cuadros
Santiago de Calatrava
Lendínez
Torredonjimeno
JAEN
Jamilena
Parque Natural
Sa de la Cruz
Martos
Jabalcuz
Pozo de la Orden
Sa de la Grana
Balneario de Jabalcuz
Casto
La Guardia de Jaén
Pegalajar
El Almadén
Sierra Almadén
Mágina
de la Sierra Mágina
Bélmez
Bélmez de la Mora
Los Cortijuelos
Vado Baena
Puente de la Sierra
Cano
Monte Lope Álvarez
Contreras
La Cerradura
Baños de Martos
Los Villares
Albendín
Bobadilla
Puerto Alto
Solera
Grajales
Cambil
Ermita de la Fuensanta
Los Noguerones
Las Casillas
La Carrasca
Fuensanta de Martos
Cárchel
Huelma
Vela
Embalse de Vadomojón
Venta Pontalones
Sierra de la Pandera
Embalse de
Río Salado
Arbu
Villacampo del Moral
17
18
94
19
Caldera
Portillo de Martos
Embalse de Víboras
Pto de las Palomas
Coloma
Cuesta los Gallardos
Las Peñillas
Alcázar
Sa Ahillos
Grande
Valdepeñas de Jaén
Montejícar
Zamarro
Alcaudete
Vizcalmón
Jaca
Alta
Lucena
Guadahortuna
Q
R
S
T
81
A 4-E5
A 32
A 44
E 902
N 322
A 316
A 306
A 311
A 320
A 401
N 432
N 323a

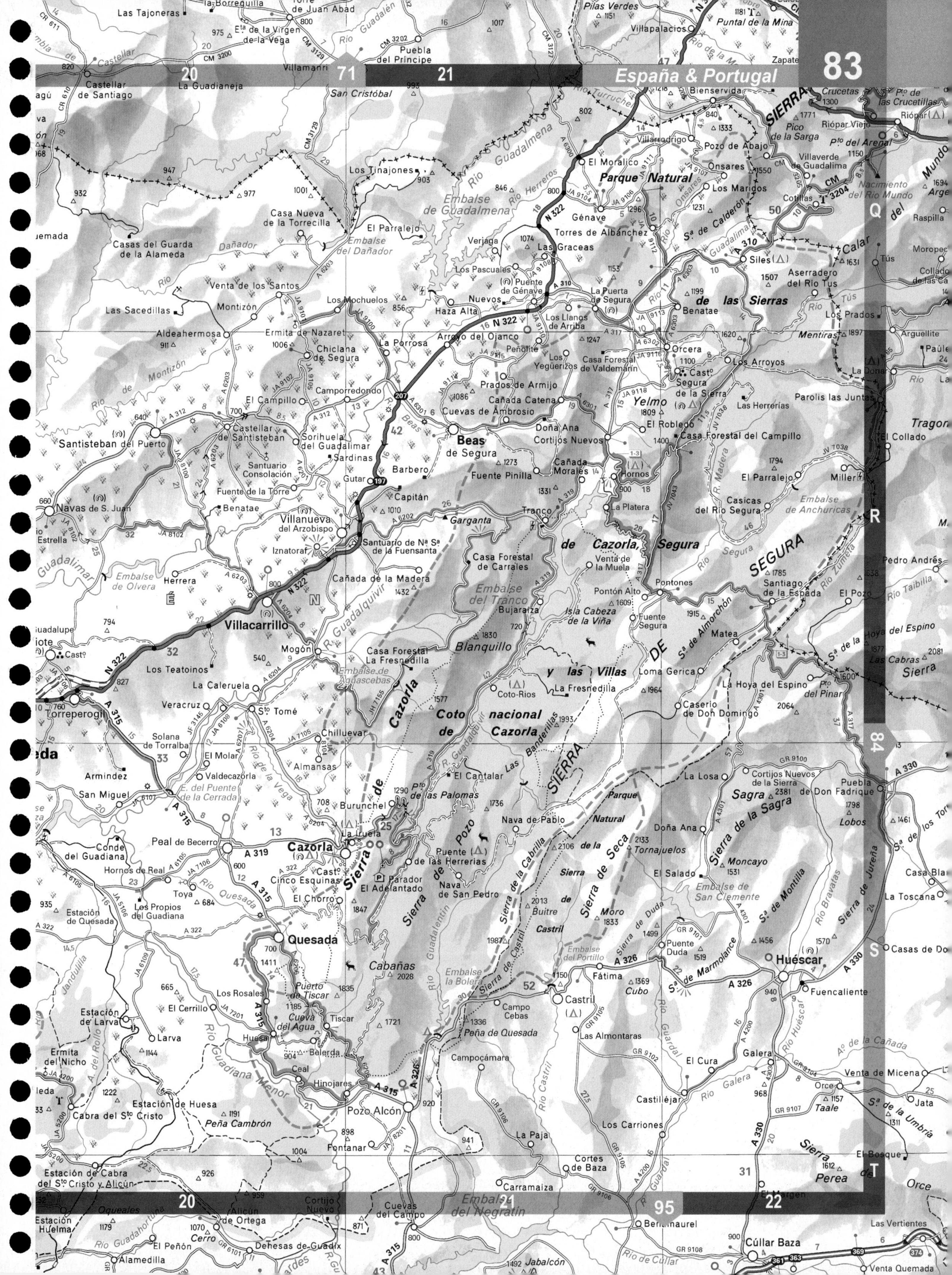

Las Tajoneras
Torre de Juan Abad
Eta de la Virgen de la Vega
Puebla del Príncipe
Villamanrique
Pilas Verdes
Villapalacios
Puntal de la Mina
Castellar de Santiago
La Guadianeja
San Cristóbal
Bienservida
Crucetas
Pto de las Crucetillas
Riópar Viejo
Riópar
Pico de la Sarga
Pto del Arenal
Villaverde de Guadalima
Nacimiento del Río Mundo
SIERRA
Villarrodrigo
Pozo de Abajo
Onsares
Los Tinajones
El Moralico
Parque Natural
Los Marinos
Embalse de Guadalmena
Río Guadalmena
Río Herreros
Génave
Torres de Albánchez
Sa de Calderón
Cotillas
Casa Nueva de la Torrecilla
El Parralejo
Embalse del Dañador
Casas del Guarda de la Alameda
Verjaga
Las Graceas
Siles
Calar del Mundo
Tús
Moropeche
Collado de las Ca
Aserradero del Río Tus
Los Pascuales
Puente de Génave
La Puerta de Segura
Venta de los Santos
Montizón
Los Mochuelos
Haza Alta
Nuevos
de las Sierras
Benatae
Las Sacedillas
Los Prados
Mentiras
Arguellite
Los Llanos de Arriba
Aldeahermosa
Ermita de Nazaret
Arroyo del Ojanco
Peñolite
Orcera
Chiclana de Segura
La Porrosa
Los Yeguerizos
Casa Forestal de Valdemarín
Los Arroyos
La Donal
Río de Montizón
Prados de Armijo
Castº Segura de la Sierra
El Campillo
Camporredondo
Cañada Catena
Yelmo
Parolis las Juntas
Tragon
Cuevas de Ambrosio
Las Herrerías
Castellar de Santisteban
Sorihuela del Guadalimar
Beas de Segura
Doña Ana
Cortijos Nuevos
El Robledo
Casa Forestal del Campillo
El Collado
Santisteban del Puerto
Santuario Consolación
Sardinas
Barbero
Cañada Morales
Hornos
El Parralejo
Miller
Fuente Pinilla
Gutar
Fuente de la Torre
Capitán
La Platera
Casicas del Río Segura
Embalse de Anchuricas
Navas de S. Juan
Benatae
Villanueva del Arzobispo
Tranco
Garganta
Estrella
Iznatoraf
Santuario de Nª Sª de la Fuensanta
de Cazorla, Segura
Casa Forestal de Carrales
Venta de la Muela
SEGURA
Pedro Andrés
Guadalimar
Embalse de Olvera
Herrera
Cañada de la Madera
Pontones
Santiago de la Espada
El Pozo
Río Taibilla
Embalse del Tranco
Bujaraiza
Pontón Alto
Isla Cabeza de la Viña
Fuente Segura
Sa de Almorchón
Villacarrillo
Río Guadalquivir
Blanquillo
Matea
Sa de la Hoya del Espino
Las Cabras
Sierra
Mogón
Casa Forestal La Fresnedilla
DE
Los Teatoinos
y las Villas
Loma Gerica
La Caleruela
Embalse de Aguascebas
Coto-Ríos
La Fresnedilla
La Hoya del Espino
Pto del Pinar
Veracruz
Sto Tomé
Torreperogil
Cazorla
Coto nacional de Cazorla
Caserío de Don Domingo
Solana de Torralba
Chilluevar
El Molar
Almansas
Valdecazorla
Las Banderillas
SIERRA
Armíndez
El Cantalar
La Losa
Cortijos Nuevos de la Sierra
Puebla de Don Fadrique
E. del Puente de la Cerrada
Río de la Vega
Sagra
San Miguel
Burunchel
Pto de las Palomas
Parque Natural
Lobos
Sierra de la Sagra
Nava de Pablo
Doña Ana
Sa de los Tor
Conde del Guadiana
Peal de Becerro
Cazorla
La Iruela
de la
Tornajuelos
Puente de las Herrerías
Sierra de Seca
Moncayo
Hornos de Real
Castº
Sierra de Pozo
Sierra de la Cabrilla
El Salado
Casa Bla
Cinco Esquinas
Parador El Adelantado
Nava de San Pedro
Toya
Río Quesada
Embalse de San Clemente
Sa de Montilla
Sierra de Jureña
La Toscana
Los Propios del Guadiana
El Chorro
Buitre
Estación de Quesada
Moro
Castril
Río Bravatas
Quesada
Sierra de Duda
Casas de Do
Puente Duda
Cabañas
Embalse del Portillo
Huéscar
Puerto de Tíscar
Embalse la Bolera
Fátima
Cubo
Sa de Marmolance
Los Rosales
Sierra de Castril
Castril
Fuencaliente
Estación de Larva
El Cerrillo
Cueva del Agua
Campo Cebas
Tíscar
Larva
Peña de Quesada
Las Almontaras
Río Guardal
Río Huéscar
Ermita del Nicho
Huesa
Belerda
Campocámara
Aº de la Cañada
Río Guadiana Menor
Ceal
El Cura
Galera
Venta de Micena
Hinojares
Orce
Cabra del Sto Cristo
Estación de Huesa
Pozo Alcón
Castilléjar
Río Galera
Jata
Taale
Peña Cambrón
Los Carriones
Sa de la Umbría
Fontanar
La Paja
Sierra Perea
El Bosque
Estación de Cabra del Sto Cristo y Alicún
Cortes de Baza
Carramaiza
El Margen
Orce
Cortijo Nuevo
Alicún de Ortega
Cuevas del Campo
Embalse del Negratín
Benamaurel
Las Vertientes
Estación Huelma
Cerro
El Peñón
Dehesas de Guadix
Cúllar Baza
Alamedilla
Jabalcón
Río de Cúllar
Venta Quemada

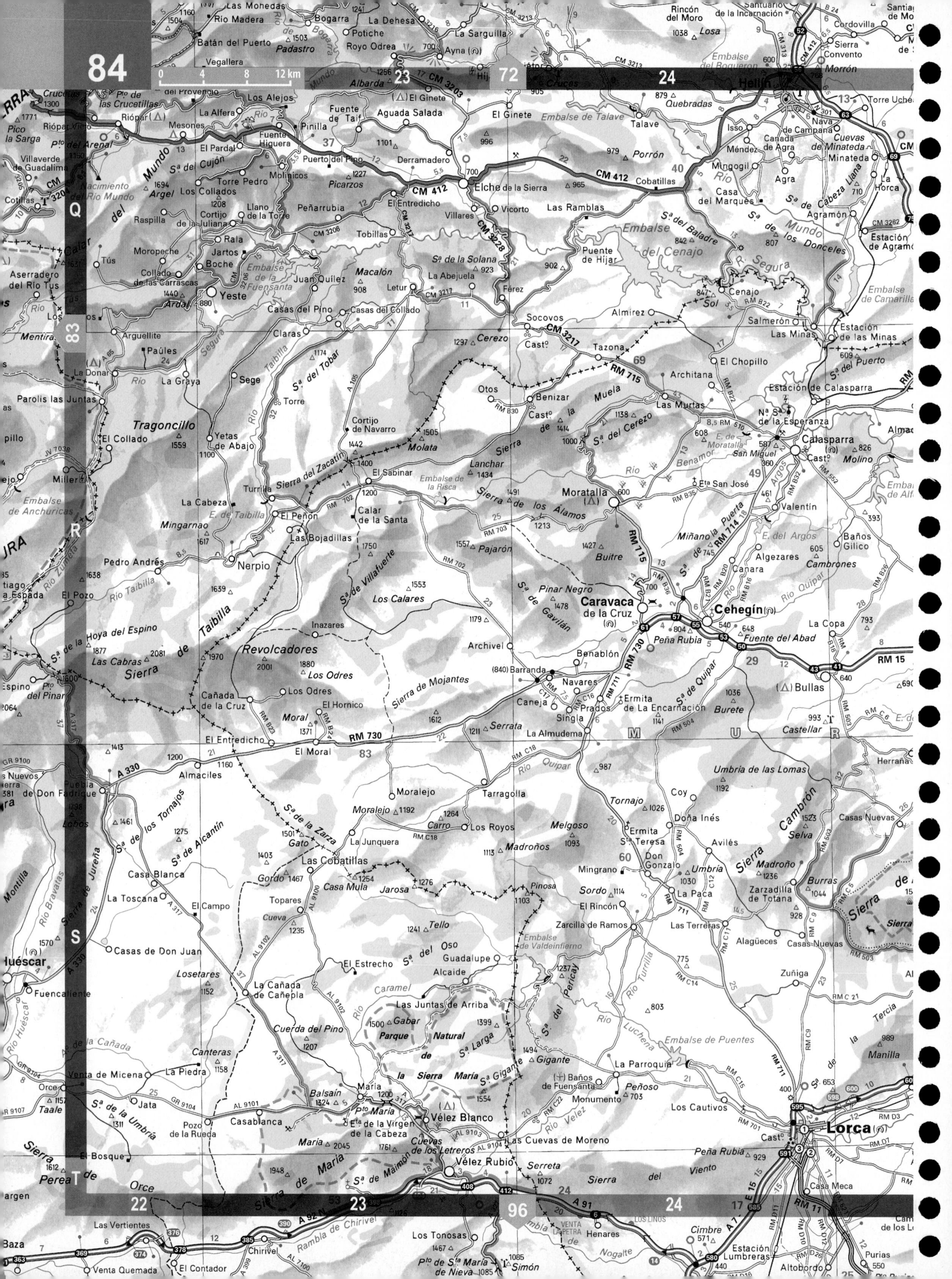

84
0 4 8 12 km
72
24
23
83
96
22
Las Mohedas
Río Madera
Batán del Puerto
Vegallera
Bogarra
Potiche
Royo Odrea
La Dehesa
Padastro
Ayna
La Sarguilla
Albarda
Rincón del Moro
de la Incarnación
Losa
Embalse del Boquerón
Hellín
Cordovilla
Sierra Convento
Morrón
Cruces
Crucetillas
Pº de las Crucetillas
del Provencio
Los Alejos
La Alfera
Riópar
Mesones
Pico la Sarga
Pº del Arenal
Villaverde de Guadalima
Cotillas
Nacimiento del Río Mundo
Fuente de Taif
Aguada Salada
El Ginete
Pinilla
Fuente Higuera
El Pardal
Sª del Cujón
Mundo
Puerto del Pino
Derramadero
Picarzos
Molinicos
Torre Pedro
Argel
Los Collados
Llano de la Torre
Peñarrubia
El Entredicho
Elche de la Sierra
Vicorto
Las Ramblas
CM 412
Cobatillas
Porrón
Embalse de Talave
Talave
Quebradas
Torre Uchea
Isso
Nava de Campana
Cuevas de Minateda
Cañada de Agra
Méndez
Minateda
Mingogil
Agra
Casa del Marqués
Sª de Cabeza Llana
La Horca
Agramón
Sª de los Donceles
Estación de Agramón
Raspilla
Cortijo de la Juliana
Rala
Tobillas
Villares
Sª del Baladre
Embalse del Cenajo
R. Segura
Moropeche
Jartos
Boche
Sª de la Solana
La Abejuela
Puente de Híjar
Calar del Mundo
Tús
Aserradero del Río Tus
Collado de las Carrascas
Embalse de la Fuensanta
Macalón
Juan Quílez
Letur
Férez
Cenajo
Sol
Embalse de Camarillas
Yeste
Ardal
Casas del Pino
Casas del Collado
Socovos
Almirez
Salmerón
Las Minas
Estación de las Minas
Mentira
Arguellite
Claras
Cerezo
Castº
Tazona
El Chopillo
Sª del Puerto
Paúles
La Donar
La Graya
Sege
Sª del Tobar
Torre
Otos
Benizar
RM 715
Archiana
Las Murtas
Estación de Calasparra
Nª Sª de la Esperanza
Parolis las Juntas
Tragoncillo
Yetas de Abajo
Cortijo de Navarro
Molata
Sierra de la Muela
Sª del Cerezo
Calasparra
Molino
San Miguel
Benamor
E. de Moratalla
El Collado
Miller
Sierra del Zacatín
Lanchar
El Sabinar
Embalse de la Risca
Sierra de los Álamos
Moratalla
Eta San José
Valentín
Embalse de Anchuricas
Turrilla
La Cabeza
E. de Taibilla
El Peñon
Calar de la Santa
Mingarnao
Las Bojadillas
Pajarón
Buitre
Miñano
Sª de la Puerta
E. del Argos
Baños Gilico
Algezares
Cambrones
Canara
Pedro Andrés
Nerpio
Río Zumeta
Río Taibilla
El Pozo
Sª de Villafuerte
Los Calares
Pinar Negro
Sª de Gavilán
Caravaca de la Cruz
Cehegín
Río Quípar
La Copa
Peña Rubia
Fuente del Abad
RM 15
Sª de la Hoya del Espino
Las Cabras
Sierra de Taibilla
Inazares
Revolcadores
Los Odres
Archivel
Benablón
Bullas
Pº del Pinar
Sierra de Mojantes
Barranda
Navares
Caneja
Prados
Ermita de La Encarnación
Sª de Quípar
Burete
Singla
Cañada de la Cruz
El Hornico
Moral
Serrata
La Almudema
Castellar
El Entredicho
El Moral
RM 730
Almaciles
Puebla de Don Fadrique
A 330
Herrana
Umbría de las Lomas
Moralejo
Tarragolla
Coy
Sª de los Tornajos
Sª de Alcantín
Sª de la Zarza
La Junquera
Carro
Los Royos
Tornajo
Melgoso
Ermita Sta Teresa
Doña Inés
Sierra Cambrón
Selva
Casas Nuevas
Gato
Las Cobatillas
Madroños
Avilés
Don Gonzalo
Mingrano
Umbría
Madroño
Casa Blanca
Gordo
Casa Mula
Jarosa
Pinosa
Sordo
La Paca
Zarzadilla de Totana
Burras
La Toscana
El Campo
Topares
El Rincón
Cueva
Tello
Zarcilla de Ramos
Las Terreras
Alagüeces
Casas Nuevas
Embalse de Valdeinfierno
Casas de Don Juan
Huéscar
Sª del Oso
Guadalupe
El Estrecho
Alcaide
Zúñiga
Losetares
Fuencaliente
La Cañada de Cañepla
Caramel
Sª del Pericay
Río Turrilla
Las Juntas de Arriba
Gabar
Parque Natural de la Sierra María
Sª Larga
Río Luchena
Embalse de Puentes
Tercia
Manilla
Cuerda del Pino
Canteras
Sª Gigante
Gigante
La Parroquia
Venta de Micena
La Piedra
Baños de Fuensanta
Peñoso
Monumento
Orce
Balsain
María
Pº María
Vélez Blanco
Los Cautivos
Lorca
Taale
Jata
Sª de la Umbría
Pozo de la Rueda
Casablanca
Eta de la Virgen de la Cabeza
Cuevas de los Letreros
Las Cuevas de Moreno
Castº
Peña Rubia
Sierra Perea
El Bosque
Sª de Maimón
Vélez Rubio
Serreta
Sierra del Viento
Casa Meca
Sierra de María
Orce
A 91
A 92 N
A 7
E 15
RM 11
Las Vertientes
Rambla de Chirivel
Los Tonosas
Venta la Petra
Henares
Los Linos
Cimbre
Estación Lumbreras
Baza
Chirivel
El Contador
Venta Quemada
Pº de Sª María de Nieva
Simón
Nogalte
Altobordo
Purias

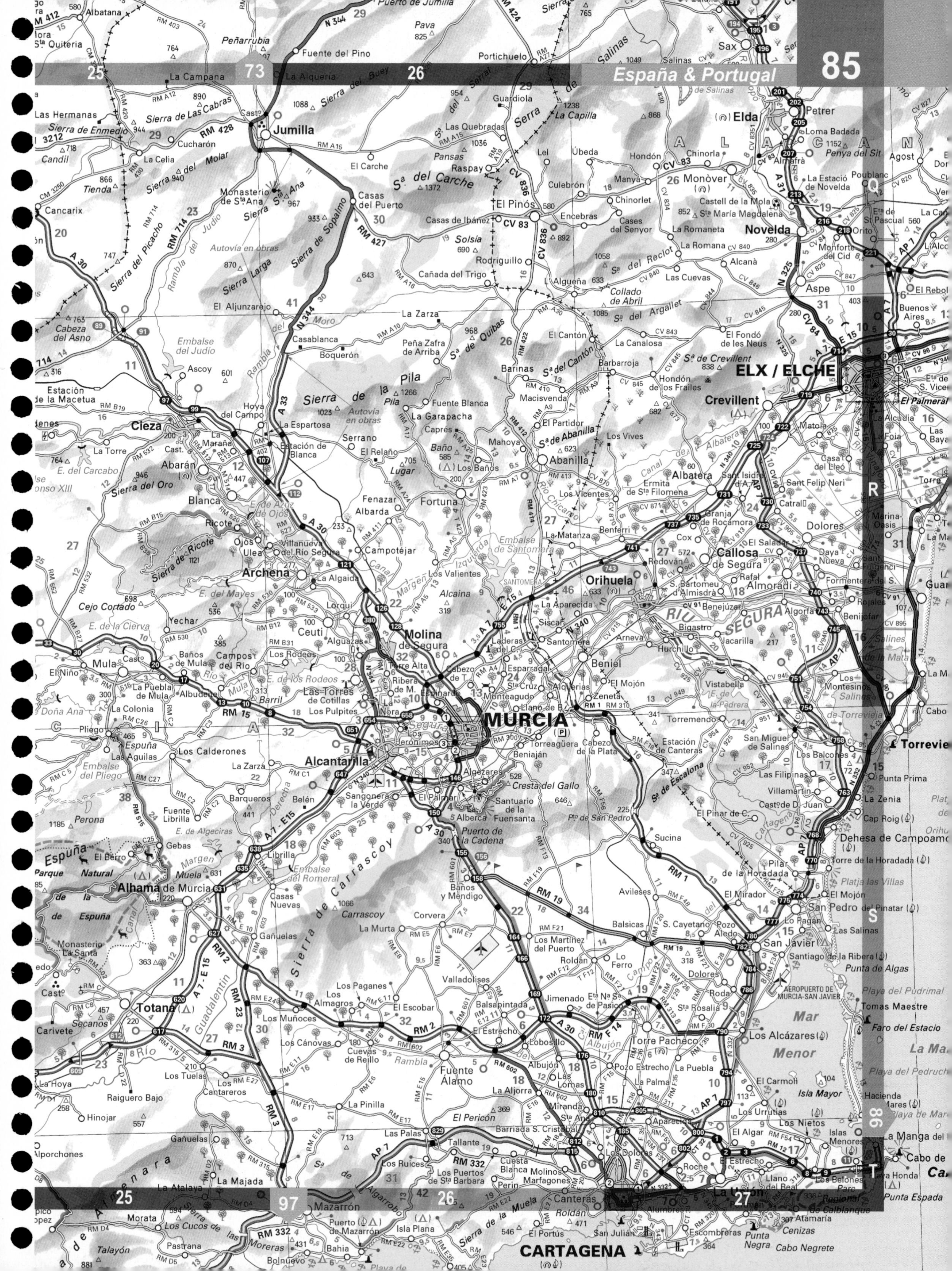

España & Portugal
85
Jumilla
Fuente del Pino
Peñarrubia
La Campana
Las Hermanas
Sierra de Enmedio
Sierra de Las Cabras
Cucharón
La Celia
Candil
Tienda
Sierra del Molar
Cancarix
Monasterio de Sta Ana
Casas del Puerto
Sierra de Sopalmo
Sierra del Picacho
Sierra Larga
Autovía en obras
Cabeza del Asno
Embalse del Judío
Ascoy
El Aljunzarejo
Casablanca
Boquerón
La Zarza
Peña Zafra de Arriba
Sa de Quibas
Sierra de la Pila
Fuente Blanca
La Garapacha
Hoya del Campo
La Espartosa
Estación de Blanca
Estación de la Macetua
Cieza
Abarán
Blanca
La Torre
E. del Carcabo
Sierra del Oro
Ricote
Ojós
Ulea
Villanueva del Río Segura
Sierra de Ricote
Archena
La Algaida
Campotéjar
Los Valientes
Cejo Cortado
Yechar
E. de la Cierva
Lorquí
Ceutí
Alguazas
Molina de Segura
Mula
El Niño
Baños de Mula
Campos del Río
Los Rodeos
La Puebla de Mula
Albudeite
La Colonia
Doña Ana
Pliego
Espuña
Las Águilas
Los Calderones
Embalse del Pliego
Barril
Las Torres de Cotillas
Los Pulpites
Ribera de M.
Torre Alta
La Nora
MURCIA
Los Jerónimos
Alcantarilla
Sangonera la Verde
El Palmar
La Alberca
Santuario de la Fuensanta
Cresta del Gallo
Algezares
Beniaján
Torreagüera
Cabezo de la Plata
Puerto de la Cadena
Barqueros
Belén
Fuente Librilla
La Zarza
Perona
E. de Algeciras
Gebas
Librilla
Embalse del Romeral
Sierra de Carrascoy
Carrascoy
Parque Natural
Sierra de Espuña
El Berro
Alhama de Murcia
Casas Nuevas
Baños y Mendigo
Corvera
La Murta
Gañuelas
Monasterio La Santa
Totana
Carivete
Secanos
Los Paganes
Los Almagros
El Escobar
Los Muñoces
Los Cánovas
Cuevas de Reillo
Fuente Álamo
Valladolises
Balsapintada
El Estrecho
Lobosillo
Albujón
Las Lomas
La Aljorra
Miranda
Los Martínez del Puerto
Roldán
Lo Ferro
Jimenado
Eta Na Sa de Pasico
Torre Pacheco
Pozo Estrecho
La Palma
La Puebla
Los Tuelas
La Hoya
Raiguero Bajo
Cantareros
Hinojar
La Pinilla
El Pericón
Las Palas
Tallante
Los Ruices
Los Puertos de Sta Barbara
Cuesta Blanca
Molinos Marfagones
Perín
Barriada S. Cristóbal
Alporchones
La Atalaya
La Majada
Mazarrón
Puerto de Mazarrón
Isla Plana
Bahía
Bolnuevo
Morata
Los Cucos
Pastrana
Talayón
Sierra de la Muela
El Portús
Canteras
CARTAGENA
San Julián
Escombreras
Alumbres
La Unión
Punta Negra
Cabo Negrete
Atamaría
Cenizas
Parque Regional de Calblanque
Portmán
Los Dolores
Aparecida
El Algar
Roche
El Estrecho
Llano del Beal
Los Belones
Islas Menores
Los Nietos
Los Urrutias
Hacienda Mares
Isla Mayor
El Carmolí
Punta Espada
Cabo de Palos
La Manga del Mar Menor
Mar Menor
Los Alcázares
Playa del Pedruchillo
Faro del Estacio
Tomás Maestre
Playa del Pudrimal
Punta de Algas
Aeropuerto de Murcia-San Javier
Roda
Sta Rosalía
Dolores
San Javier
Santiago de la Ribera
Las Salinas
San Pedro del Pinatar
Lo Pagán
El Mojón
El Mirador
Pozo Aledo
Balsicas
S. Cayetano
Avileses
Sucina
RM 19
El Pinar de C.
Pilar de la Horadada
Torre de la Horadada
Platja las Villas
Dehesa de Campoamor
Cap Roig
La Zenia
Punta Prima
Torrevieja
Los Balcones
Villamartín
Cast. de D. Juan
Las Filipinas
San Miguel de Salinas
Sa de Escalona
Estación de Canteras
Torremendo
Vistabella
Los Montesinos
Salinas de Torrevieja
Salinas de la Mata
La Mata
Cabo
Jacarilla
Bigastro
Benejúzar
Algorfa
Benijófar
Rojales
Formentera del S.
Almoradí
Rafal
Daya Nueva
Callosa de Segura
Redován
Orihuela
S. Bartomeu d'Almisdrà
Río Segura
Arneva
Hurchillo
Beniel
El Mojón
Zeneta
Llano de B.
Monteagudo
Sta Cruz
Esparragal
Cabezo de T.
Alquerías
Santomera
Siscar
La Aparecida
Laderas del C.
Embalse de Santomera
La Matanza
Benferri
Cox
El Saladar
Granja de Rocamora
Dolores
Catral
Sant Felip Neri
Albatera
Ermita de Sta Filomena
Sant Isidre d'Albatera
Los Vicentes
Abanilla
Sa de Abanilla
El Partidor
Mahoya
Macisvenda
Barinas
Sa del Cantón
Barbarroja
Hondón de los Frailes
Los Vives
Crevillent
Sa de Crevillent
El Fondó de les Neus
La Canalosa
El Cantón
Sa del Argallet
Collado de Abril
L'Algueña
Las Cuevas
Aspe
Alcanà
La Romana
La Romaneta
Sa del Reclot
Cañada del Trigo
Rodriguillo
Solsía
Casas de Ibáñez
El Pinós
Encebras
Cases del Senyor
Culebrón
Chinorlet
Manyà
Hondón
Monòver
Chinorla
Castell de la Mola
Sta María Magdalena
Novelda
Monforte del Cid
Orito
Agost
Elda
Petrer
Loma Badada
Penya del Sit
Almafrà
La Estació de Novelda
Poublanc
Sax
Salinas
Sierra de Salinas
La Capilla
Serra del Serral
Guardiola
Sa Las Quebradas
Pansas
Raspay
El Carche
Sa del Carche
Lel
Úbeda
Portichuelo
Pava
Albatana
Sta Quiteria
Puerto de Jumilla
Fortuna
Fenazar
Albarda
Baño
Los Baños
Lugar
El Relaño
Serrano
Caprés
Alcaina
Mahoya
ELX / ELCHE
El Palmeral
Buenos Aires
El Rebollo
Matola
La Alcudia
La Foia
Casa del Lleó
Marina-Oasis

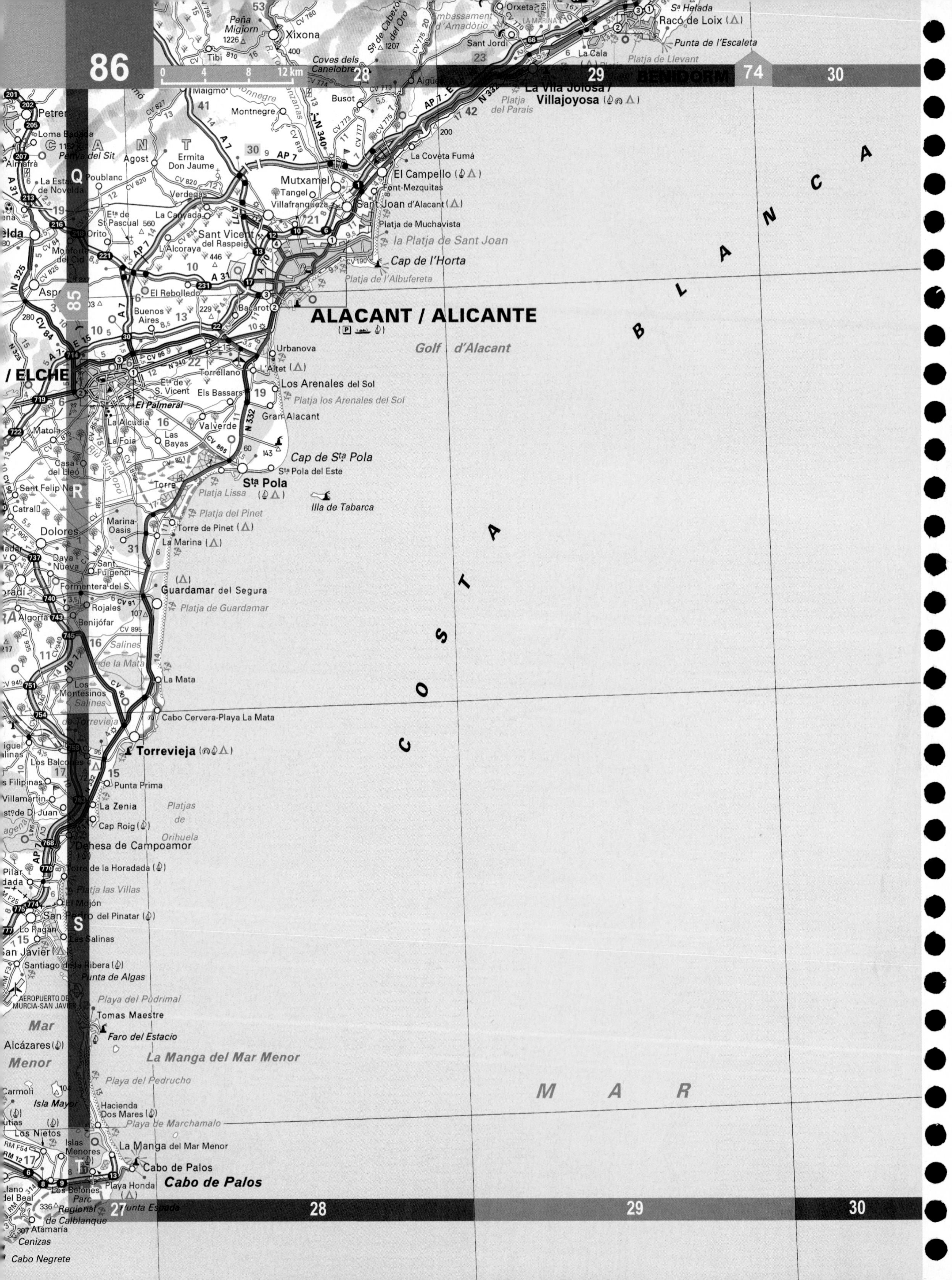

ALACANT / ALICANTE
Golf d'Alacant
COSTA BLANCA
MAR
La Vila Joiosa / Villajoyosa
BENIDORM
Xixona
El Campello
Sant Joan d'Alacant
Cap de l'Horta
Sant Vicent del Raspeig
Mutxamel
/ ELCHE
El Palmeral
Sta Pola
Cap de Sta Pola
Illa de Tabarca
Guardamar del Segura
Torrevieja
La Mata
Dehesa de Campoamor
San Pedro del Pinatar
La Manga del Mar Menor
Cabo de Palos
Mar Menor
Alcázares
Santiago de la Ribera
Punta de Algas
Racó de Loix
Punta de l'Escaleta
Los Arenales del Sol
Gran Alacant
Platja de Guardamar
Platjas de Orihuela

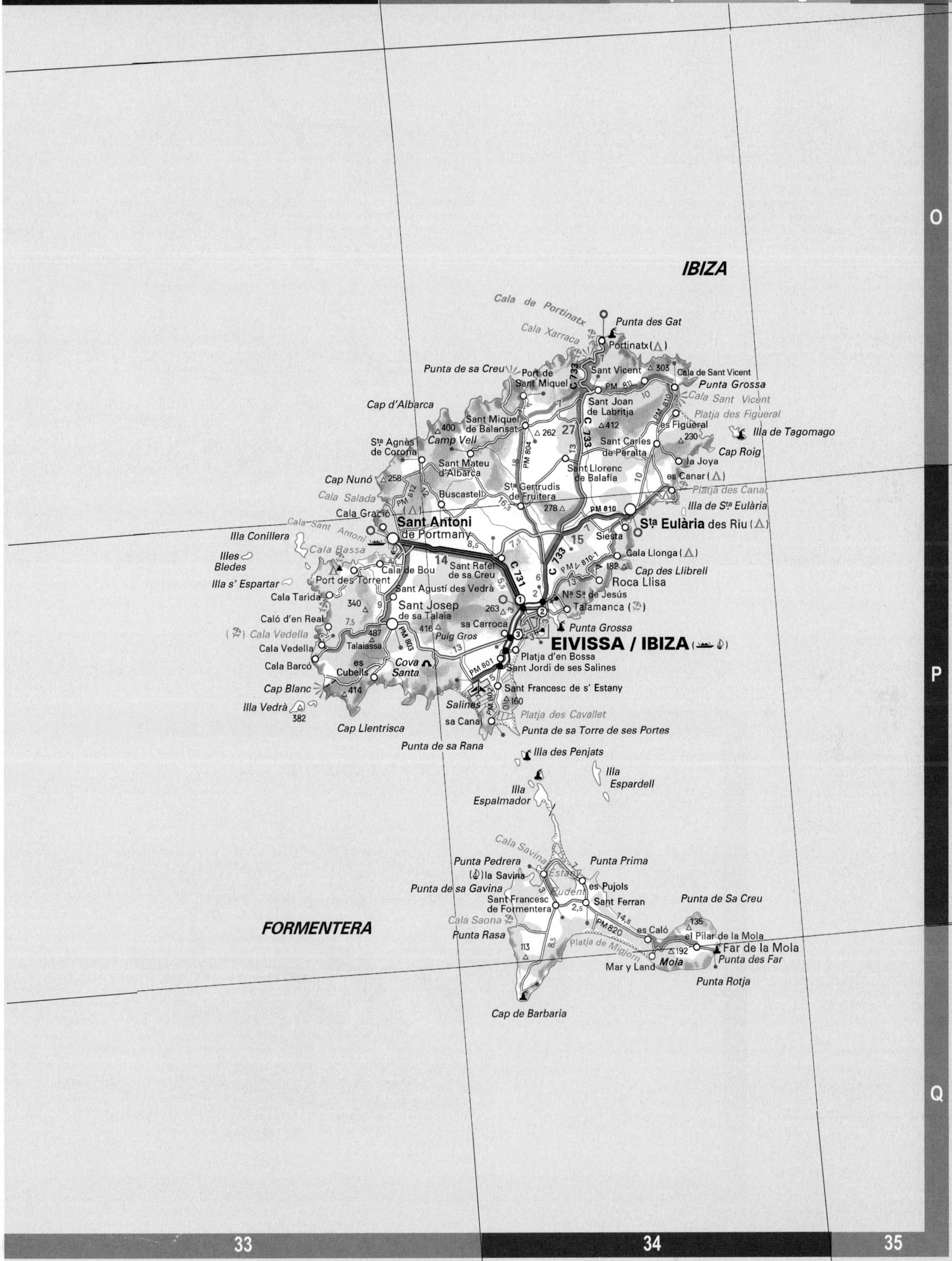

O

**IBIZA**

*Cala de Portinatx*
*Cala Xarraca*
Punta des Gat
Portinatx (△)

Punta de sa Creu
Port de Sant Miquel
Sant Vicent   △ 303   Cala de Sant Vicent
C 733   PM 811   *Punta Grossa*
*Cap d'Albarca*
Sant Joan de Labritja   *Cala Sant Vicent*
Sant Miquel de Balansat   △ 412   *Platja des Figueral*
△ 400   es Figueral
Sta Agnès de Corona   Camp Vell   △ 262   **27**   △ 230   *Illa de Tagomago*
PM 804   Sant Carles de Peralta
Sant Mateu d'Albarca   *Cap Roig*
*Cap Nunó*   △ 258   Sant Llorenc de Balafia   la Joya
*Cala Salada*   PM 812   Buscastell   Sta Gertrudis de Fruitera   es Canar (△)
Cala Gració   278 △   PM 810   *Platja des Canar*
*Illa Conillera*   **Sant Antoni de Portmany**   Illa de Sta Eulària
*Cala-Sant Antoni*   **Sta Eulària** des Riu (△)
*Illes Bledes*   *Cala Bassa*   Siesta
*Illa s' Espartar*   **14**   Sant Rafel de sa Creu   **15**   Cala Llonga (△)
Port des Torrent   Cala de Bou   Sant Agustí des Vedrà   C 731   C 733   PM 810-1   182   *Cap des Llibrell*
Cala Tarida   340   **Sant Josep** de sa Talaia   Roca Llisa
Caló d'en Real   7,5   263 △   Na Sta de Jesús
(🛥) Cala Vedella   416 △   sa Carroca   Talamanca (🛥)
Cala Vedella   △ 487   PM 803   Puig Gros   *Punta Grossa*
Cala Barcó   Talaiassa   13   **EIVISSA / IBIZA**
es Cubells   Cova Santa   Platja d'en Bossa
*Cap Blanc*   △ 414   PM 801   Sant Jordi de ses Salines
*Illa Vedrà*   382   Sant Francesc de s' Estany
*Cap Llentrisca*   Salines   △ 160
sa Canal   *Platja des Cavallet*
Punta de sa Rana   Punta de sa Torre de ses Portes

*Illa des Penjats*

*Illa Espardell*
*Illa Espalmador*

*Cala Savina*
Punta Pedrera   Punta Prima
(🛥) la Savina   *Estany*   es Pujols
Punta de sa Gavina   Sant Ferran   *Punta de Sa Creu*
Sant Francesc de Formentera   2,5   14,5
*Cala Saona*   PM 820   es Caló   135
**FORMENTERA**   Punta Rasa   el Pilar de la Mola
*Platja de Migjorn*   △ 192   **Far de la Mola**
113   8,5   *Mola*   *Punta des Far*
Mar y Land   Punta Rotja

*Cap de Barbaria*

P

Q

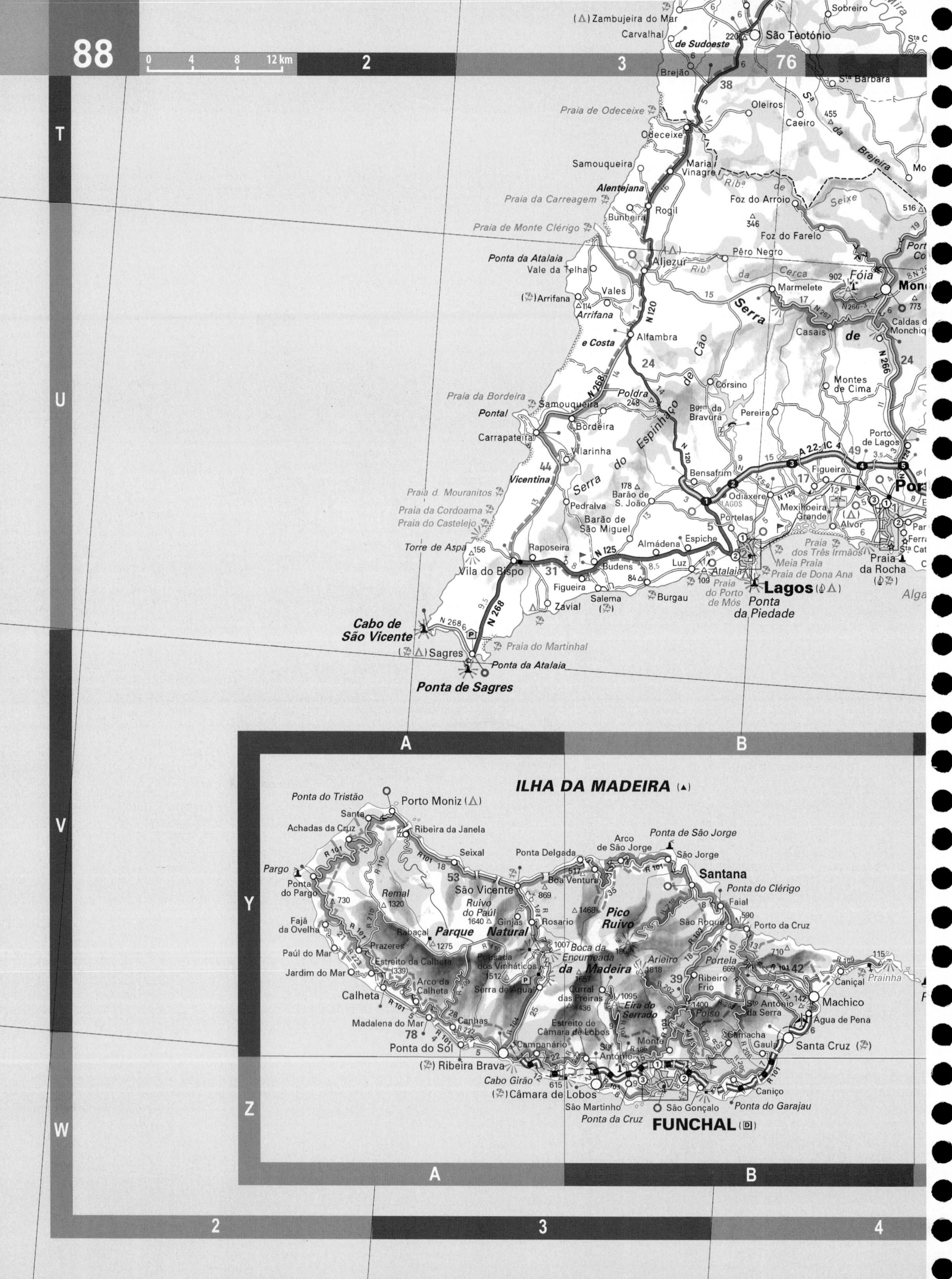

ILHA DA MADEIRA
FUNCHAL
Lagos
Cabo de São Vicente
Ponta de Sagres
Sagres
Vila do Bispo
Aljezur
Odeceixe
São Teotónio
Serra de Espinhaço de Cão
Santana
Machico
Santa Cruz
Câmara de Lobos
Ribeira Brava
São Vicente
Porto Moniz
Pico Ruivo
Parque Natural
Calheta
Ponta do Sol

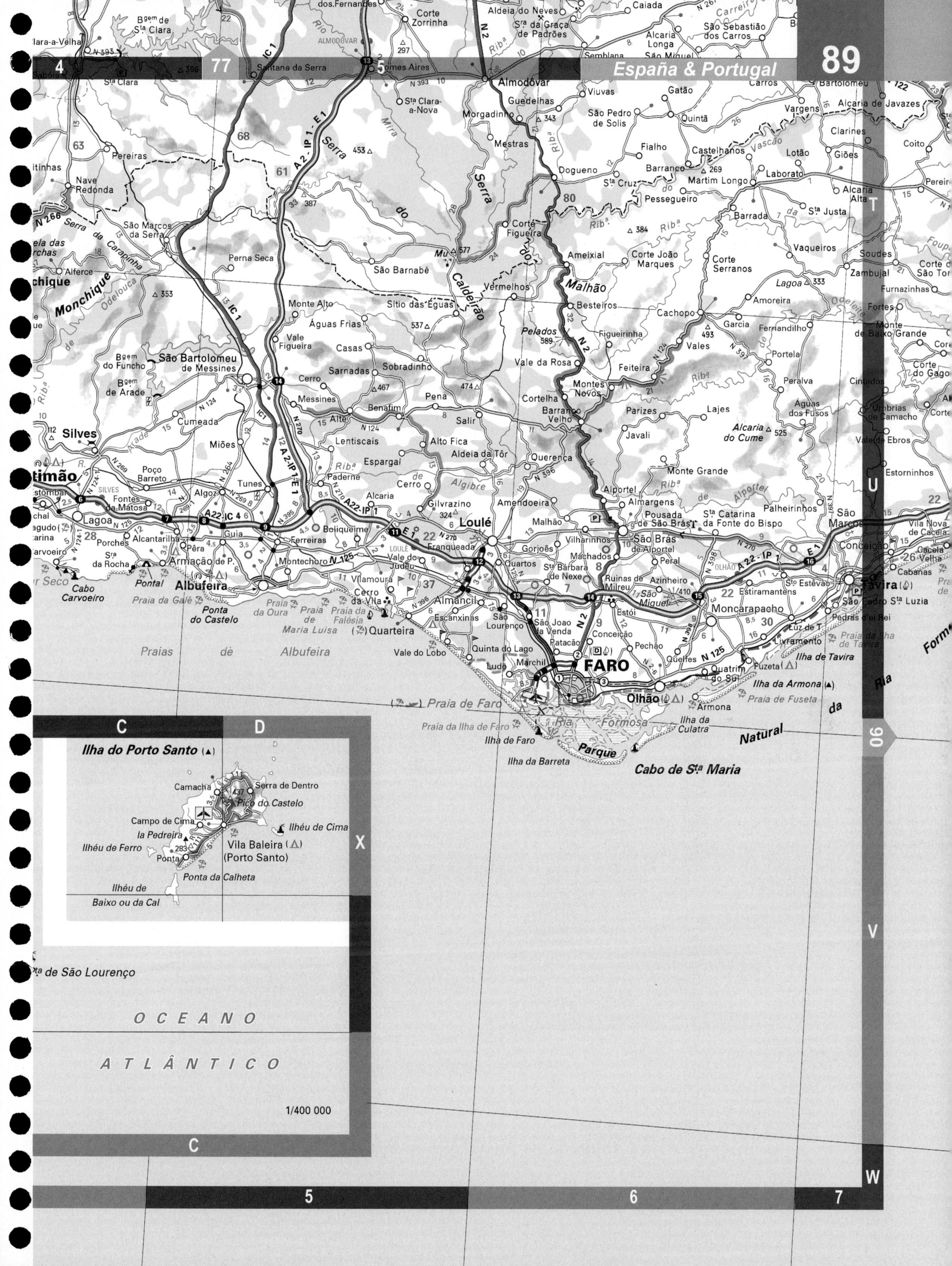
77
España & Portugal
89
Almodôvar
Santana da Serra
Gomes Aires
Corte Zorrinha
Aldeia do Neves
Sra da Graça de Padrões
Caiada
Alcaria Longa
São Sebastião dos Carros
Semblana
São Miguel
Sta Clara-a-Nova
Guedelhas
Morgadinho
Mestras
Viuvas
Gatão
São Pedro de Solis
Quintã
Vargens
Alcaria de Javazes
Clarines
Coito
Fialho
Castelhanos
Lotão
Giões
Barranco
Martim Longo
Laborato
Dogueno
Sta Cruz
Pessegueiro
Alcaria Alta
Barrada
Sta Justa
Pereiras
Nave Redonda
São Marcos da Serra
Serra da Carapinha
Alferce
Monchique
Perna Seca
São Barnabé
Serra do Caldeirão
Corte Figueira
Ameixial
Malhão
Corte João Marques
Corte Serranos
Vaqueiros
Soudes
Zambujal
Lagoa
Amoreira
Furnazinhas
Vermelhos
Monte Alto
Sítio das Éguas
Águas Frias
Vale Figueira
Besteiros
Cachopo
Garcia
Fernandilho
Fortes
Monte de Baixo Grande
Pelados
Figueirinha
Vales
Portela
São Bartolomeu de Messines
Bgem do Funcho
Bgem de Arade
Casas
Sarnadas
Sobradinho
Cerro
Messines
Vale da Rosa
Feiteira
Montes Novos
Peralva
Corte do Gago
Cintados
Pena
Cortelha
Barranco Velho
Benafim
Alte
Salir
Parizes
Lajes
Águas dos Fusos
Umbrias de Camacho
Silves
Cumeada
Miões
Lentiscais
Alto Fica
Javali
Alcaria do Cume
Vale de Ebros
Aldeia da Tôr
Querença
Espargal
Paderne
Monte Grande
Estorninhos
Portimão
Poço Barreto
Tunes
Algoz
Alcaria
Cerro
Alportel
Almargens
Palheirinhos
São Marcos
Estômbar
Fontes da Matosa
Lagoa
Gilvrazino
Amendoeira
Pousada de São Brás
Sta Catarina da Fonte do Bispo
Vila Nova de Cacela
Porches
Alcantarilha
Guia
Ferreiras
Boliqueime
Loulé
Malhão
Vilharinhos
São Brás de Alportel
Conceição
Cacela Velha
Carvoeiro
Sta da Rocha
Pêra
Armação de P.
Montechoro
Vale do Judeu
Franqueada
Gorjões
Machados
Peral
Cabanas
Cabo Carvoeiro
Pontal
Albufeira
Vilamoura
Cerro da Vila
Quartos
Sta Bárbara de Nexe
Ruínas de Milreu
Azinheiro
Estiramantens
Sto Estêvão
Tavira
Praia da Galé
Ponta do Castelo
Praia da Oura
Praia de Maria Luísa
Praia da Falésia
Quarteira
Almancil
Escanxinas
São Lourenço
São João da Venda
Estói
Moncarapacho
São Pedro
Sta Luzia
Pedras d'el Rei
Praias de Albufeira
Vale do Lobo
Quinta do Lago
Patacão
Conceição
Pechão
Luz de T.
Livramento
Praia da Ilha de Tavira
Ilha de Tavira
Ludo
Marchil
FARO
Quelfes
Quatrim do Sul
Fuzeta
Ilha da Armona
Praia de Faro
Olhão
Armona
Praia de Fuseta
Praia da Ilha de Faro
Ria Formosa
Ilha da Culatra
Ilha de Faro
Parque Natural da Ria Formosa
Ilha da Barreta
Cabo de Sta Maria
Ilha do Porto Santo
Camacha
Serra de Dentro
Pico do Castelo
Campo de Cima
la Pedreira
Ilhéu de Cima
Ilhéu de Ferro
Vila Baleira
(Porto Santo)
Ponta
Ponta da Calheta
Ilhéu de Baixo ou da Cal
Pta de São Lourenço
OCEANO
ATLÂNTICO
1/400 000
C
D
X
C
T
U
V
W
4
5
6
7
90

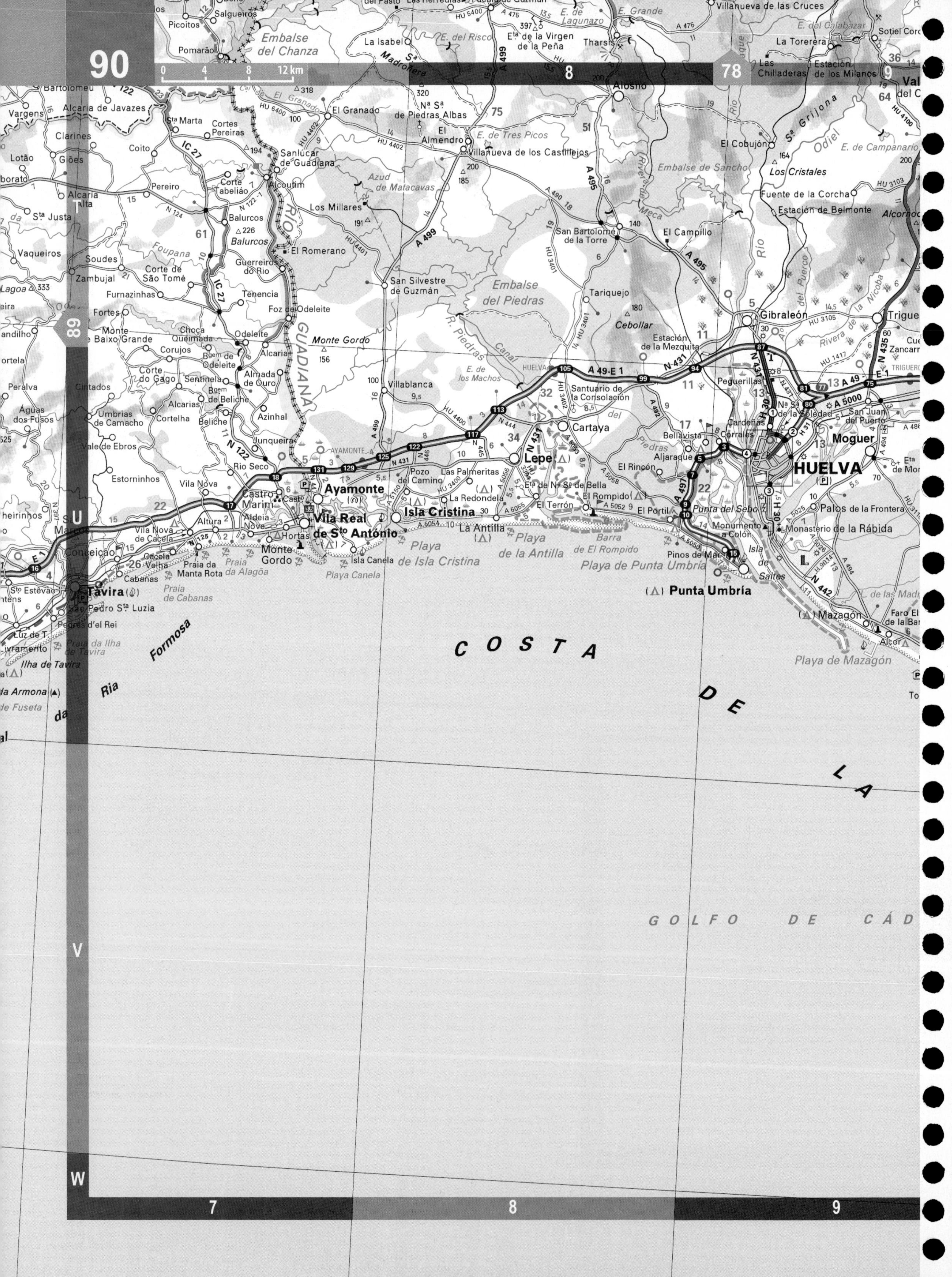
0 4 8 12 km
78
Embalse del Chanza
Pomarão
Picoitos
Salgueiros
La Isabel
E. del Risco
Eta de la Virgen de la Peña
Tharsis
E. de Lagunazo
E. Grande
Villanueva de las Cruces
E. del Calabazar
La Torerera
Sotiel Coronada
Las Chilladeras
Estación de los Milanos
Alosno
El Granado
Nª Sª de Piedras Albas
El Almendro
E. de Tres Picos
Villanueva de los Castillejos
Embalse de Sancho
El Cobujón
Sª Grijona
Odiel
E. de Campanario
Los Cristales
Fuente de la Corcha
Estación de Belmonte
Alcoutim
Sanlúcar de Guadiana
Azud de Matacavas
Los Millares
Balurcos
Río Guadiana
El Romerano
San Bartolomé de la Torre
El Campillo
Embalse del Piedras
San Silvestre de Guzmán
Tariquejo
Cebollar
Estación de la Mezquita
Gibraleón
Trigueros
Monte Gordo
Villablanca
E. de los Machos
Santuario de la Consolación
Peguerillas
Cartaya
Lepe
Bellavista
Aljaraque
Corrales
San Juan del Puerto
Moguer
HUELVA
Ayamonte
Vila Real de Sto António
Isla Cristina
La Redondela
Pozo del Camino
Las Palmeritas
El Rompido
El Terrón
El Portil
Punta del Sebo
Monumento a Colón
Monasterio de la Rábida
Palos de la Frontera
La Antilla
Playa de la Antilla
Playa de Isla Cristina
Isla Canela
Playa Canela
Barra de El Rompido
Playa de Punta Umbría
Pinos de Mar
Isla de Saltes
Punta Umbría
Mazagón
Playa de Mazagón
Castro Marim
Altura
Monte Gordo
Vila Nova de Cacela
Conceição
Cabanas
Tavira
Praia da Manta Rota
Praia de Cabanas
São Pedro Sta Luzia
Ilha de Tavira
Ria Formosa
COSTA DE LA
GOLFO DE CÁD
7
8
9

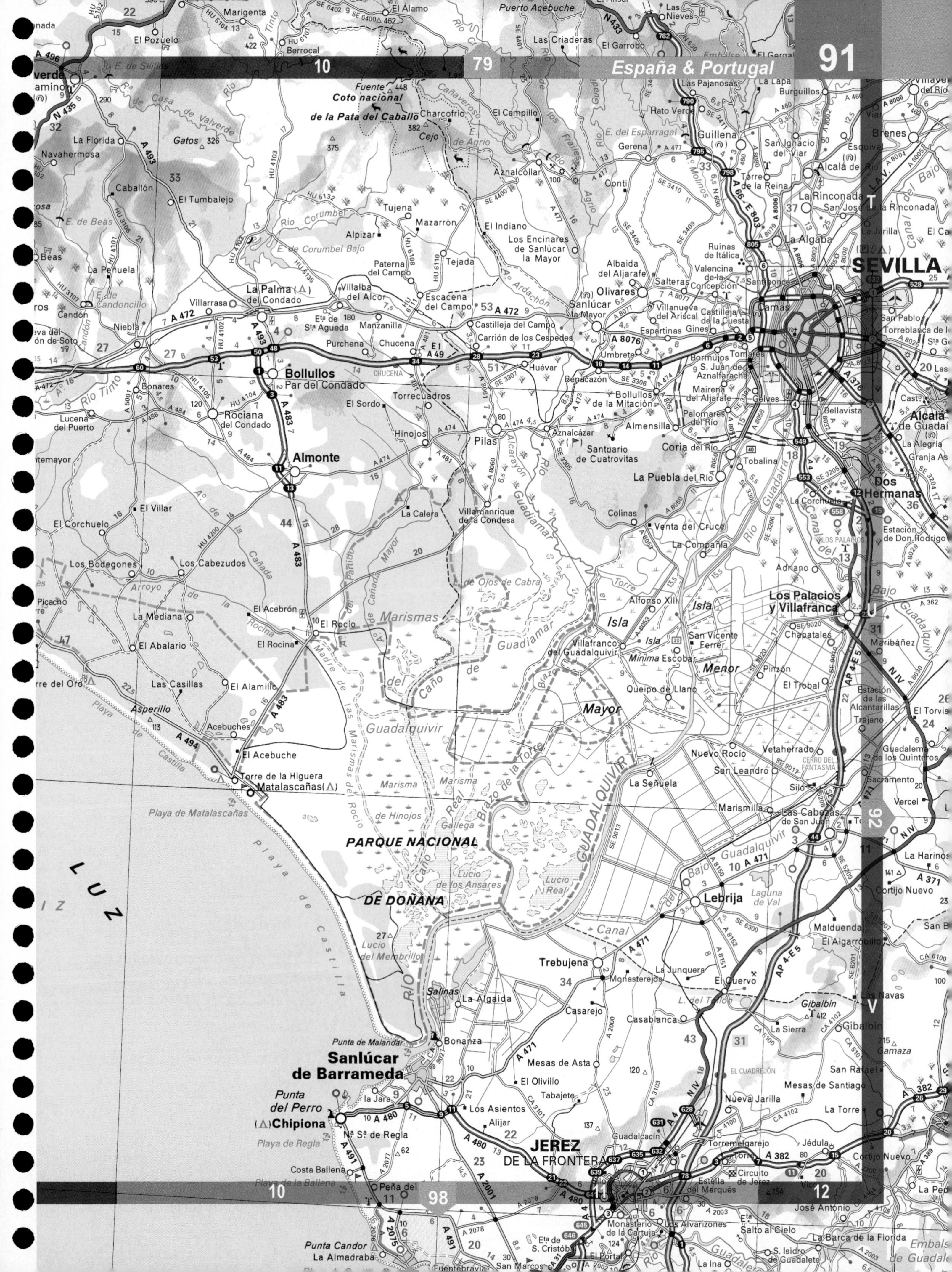

SEVILLA
Alcalá de Guadaíra
Dos Hermanas
Los Palacios y Villafranca
Lebrija
Trebujena
Sanlúcar de Barrameda
Chipiona
JEREZ DE LA FRONTERA
Almonte
Bollullos Par del Condado
La Palma del Condado
Rociana del Condado
Pilas
Olivares
Sanlúcar la Mayor
Aznalcóllar
Gerena
Guillena
La Rinconada
La Algaba
Camas
Coria del Río
La Puebla del Río
Villamanrique de la Condesa
Hinojos
Niebla
El Rocío
Matalascañas
Torre de la Higuera
El Acebuche
Villafranco del Guadalquivir
Las Cabezas de San Juan
El Cuervo
Bonanza
Costa Ballena
PARQUE NACIONAL DE DOÑANA
Coto nacional de la Pata del Caballo
Marismas del Guadalquivir
Lucio de los Ansares
Lucio del Membrillo
Lucio Real
Playa de Castilla
Playa de Matalascañas
Playa de Regla
Playa de la Ballena
Punta del Perro
Punta de Malandar
Punta Candor
La Almadraba
Isla Mayor
Isla Menor
Brazo de la Torre
Caño Real
GUADALQUIVIR
Río Tinto
Río Guadiamar
LUZ
A 49
A 472
A 483
A 494
A 4-E 5
AP 4-E 5
N IV
A 471
A 480
A 382
10
79
98
11
12
92
T
U
V

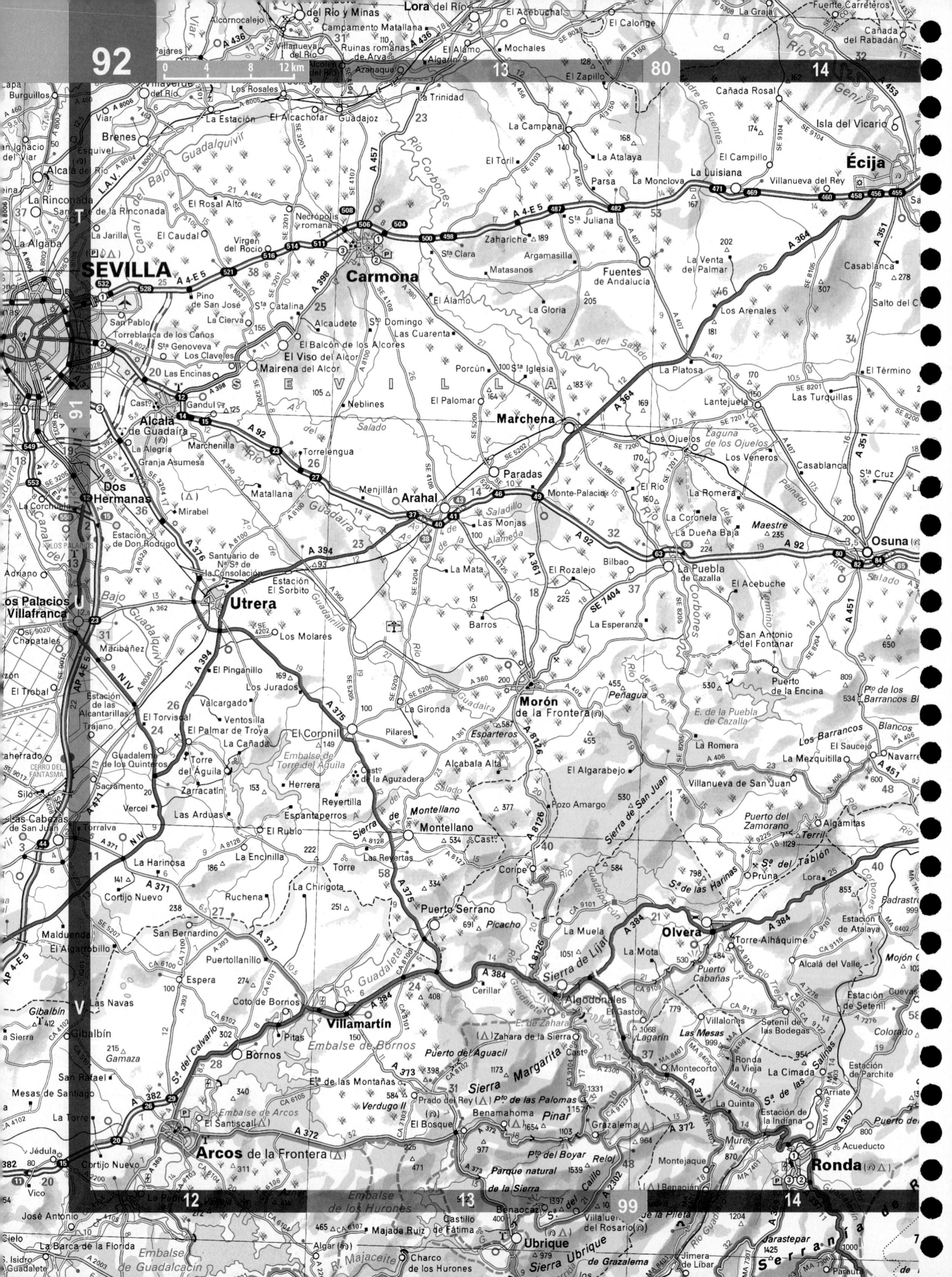
92
0 4 8 12 km
13
80
14
12
13
99
14
91
T
U
V
del Río y Minas
Lora del Río
El Acebuchal
La Graja
Fuente Carreteros
Alcornocalejo
Campamento Matallana
El Calonge
Cañada del Rabadán
Villanueva del Río
Ruinas romanas de Arva
El Álamo
Mochales
Alcolea del Río
Azanaque
Algarín
El Zapillo
Villaverde del Río
Los Rosales
Burguillos
La Trinidad
Cañada Rosal
Viar
La Estación
El Alcachofar
Guadajoz
Genil
Brenes
La Campana
Isla del Vicario
San Ignacio del Viar
Esquivel
Guadalquivir
Río Corbones
La Atalaya
El Toril
El Campillo
Alcalá del Río
Canal del Bajo
La Luisiana
Écija
Parsa
La Monclova
Villanueva del Rey
La Rinconada
San José de la Rinconada
El Rosal Alto
Necrópolis romana
La Jarilla
El Caudal
Virgen del Rocío
Sta Juliana
Zahariche
La Algaba
Sta Clara
Argamasilla
La Venta del Palmar
Casablanca
SEVILLA
Carmona
Matasanos
Fuentes de Andalucía
Pino de San José
Sta Catalina
El Álamo
Los Arenales
Salto del C
La Gloria
La Cierva
San Pablo
Alcaudete
Sto Domingo
Las Cuarenta
Torreblanca de los Caños
Sta Genoveva
El Balcón de los Alcores
Los Claveles
El Viso del Alcor
Aº del Salado
Las Encinas
Mairena del Alcor
Porcún
Sta Iglesia
La Platosa
El Término
SEVILLA
Castº
Gandul
Neblines
El Palomar
Las Turquillas
Alcalá de Guadaíra
Marchena
Lantejuela
Salado
La Alegría
Marchenilla
Laguna de los Ojuelos
Los Ojuelos
Granja Asumesa
Torrelengua
Los Veneros
Casablanca
Sta Cruz
Paradas
Dos Hermanas
Matallana
Menjillán
Arahal
Monte-Palacio
El Río
La Romera
Peinado
Mirabel
La Corchuela
Saladillo
La Coronela
Las Monjas
La Dueña Baja
Maestre
Estación de Don Rodrigo
Guadaira
Alameda
Osuna
Los Palacios
Santuario de Nª Sª de la Consolación
La Mata
El Rozalejo
Bilbao
La Puebla de Cazalla
Adriano
Estación El Sorbito
El Acebuche
Los Palacios y Villafranca
Utrera
Barros
Corbones
Término
La Esperanza
Chapatales
Los Molares
San Antonio del Fontanar
Maribáñez
Guadairilla
El Pinganillo
Puerto de la Encina
Los Jurados
Peñagua
Pto de los Barrancos Bl
El Trobal
Estación de las Alcantarillas
Valcargado
Morón de la Frontera
Ventosilla
La Gironda
E. de la Puebla de Cazalla
Trajano
El Torviscal
El Palmar de Troya
El Coronil
Esparteros
Pilares
Blancos
La Cañada
Los Barrancos
El Saucejo
Guadalema de los Quinteros
Embalse de Torre del Águila
La Romera
Navarre
Torre del Águila
Castº de la Aguzadera
Alcabala Alta
La Mezquitilla
El Algarabejo
Villanueva de San Juan
Sacramento
Zarracatín
Herrera
Reyertilla
Silo
Vercel
Espantaperros
Montellano
Pozo Amargo
Las Arduas
Sierra de San Juan
Puerto del Zamorano
Algámitas
Las Cabezas de San Juan
Torralva
El Rubio
Sierra de Montellano
Castº
Terril
La Encinilla
Las Reyertas
Sª del Tablón
La Harinosa
Coripe
Torre
Pruna
Lora
La Chirigota
Sª de las Harinas
Cortijo Nuevo
Ruchena
Puerto Serrano
Picacho
Olvera
Padrastro
Malduenda
San Bernardino
La Muela
Torre-Alháquime
Estación de Atalaya
El Algarrobillo
La Mota
Mojón
Puertollanillo
Sierra de Lijar
Puerto Cabañas
Alcalá del Valle
Espera
Cerillar
R. Guadalete
Algodonales
Estación de Setenil
El Gastor
Las Navas
Coto de Bornos
Villamartín
Villalones
Setenil de las Bodegas
Colorado
Gibalbín
E. de Zahara
Zahara de la Sierra
Lagarín
Las Mesas
Gibalbín
Pitas
Embalse de Bornos
Puerto del Aguacil
Sierra Margarita
Montecorto
Ronda la Vieja
La Cimada
Estación de Parchite
Gamaza
Bornos
San Rafael
Sª del Calvario
Eta de las Montañas
Mesas de Santiago
Prado del Rey
Pto de las Palomas
Arriate
Verdugo II
Benamahoma
Pinar
La Quinta
Estación de la Indiana
Puerto de
La Torre
Embalse de Arcos
El Santiscal
El Bosque
Grazalema
Mures
Acueducto
Jédula
Arcos de la Frontera
Cortijo Nuevo
Pto del Boyar
Reloj
Montejaque
Ronda
Vico
Parque natural de la Sierra
Sª del Caíllo
Benaojan
Embalse de los Hurones
José Antonio
Benaocaz
Villaluenga del Rosario
Majada Ruiz
Castillo de Fátima
Ubrique
La Barca de la Florida
Algar
Sierra Ubrique
Jarastepar
Serranía de Ronda
Embalse de Guadalcacín
R. Majaceite
Charco de los Hurones
de Grazalema
Jimera de Líbar
S. Isidro Guadalete
Parauta

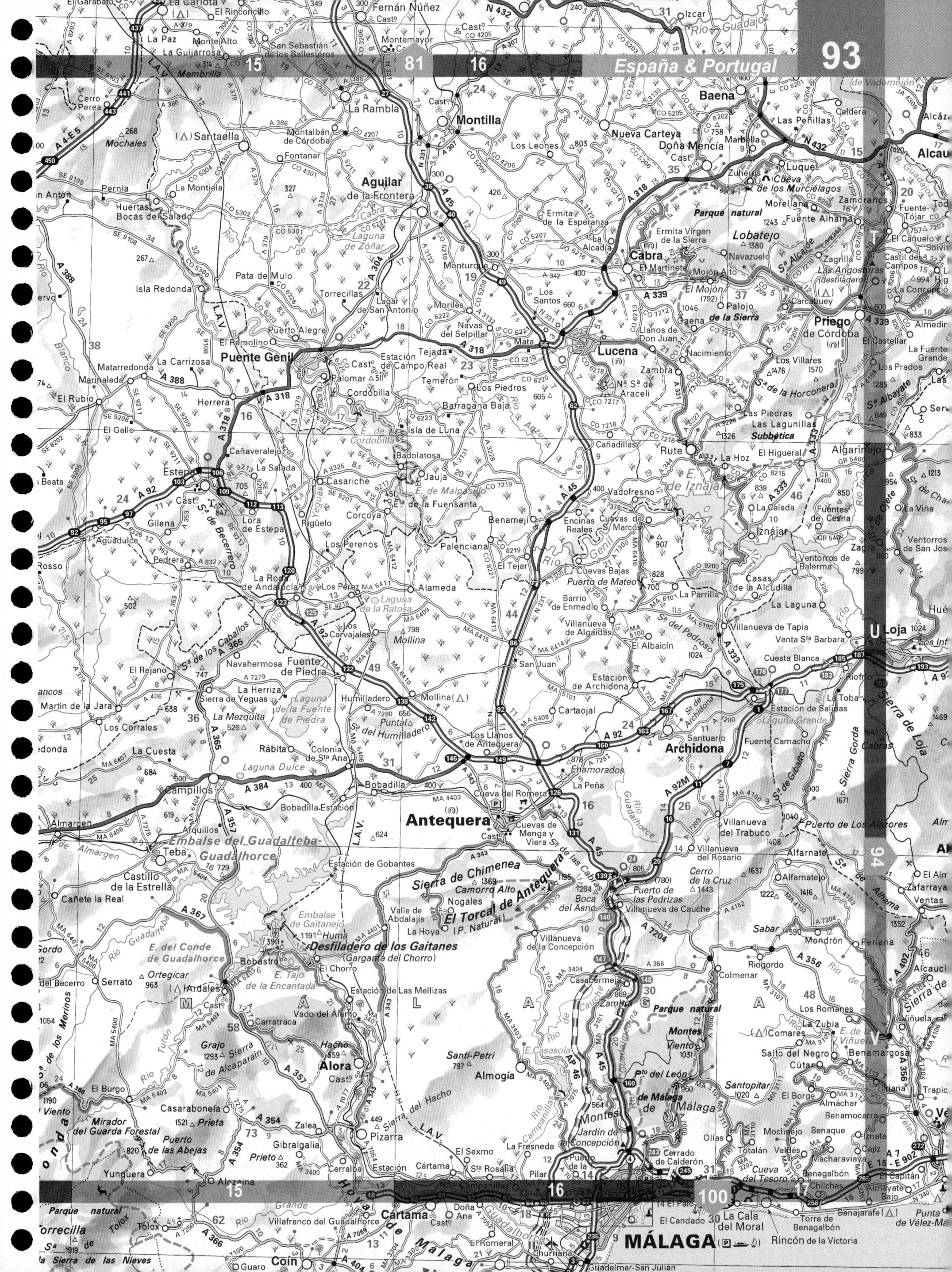

81
15
16
Montilla
Baena
Aguilar de la Frontera
Cabra
Lucena
Puente Genil
Priego de Córdoba
Rute
Estepa
Antequera
Archidona
Loja
Álora
Cártama
MÁLAGA
Campillos
Teba
Fuente de Piedra
Mollina
Benamejí
Iznájar
El Torcal de Antequera (P. Natural)
Desfiladero de los Gaitanes
Embalse del Guadalteba-Guadalhorce
Sierra de Chimenea
Sierra de Loja
Parque natural
Subbética
Montes de Málaga
Hoya de Málaga
Laguna de la Fuente de Piedra
Laguna Dulce
94
100

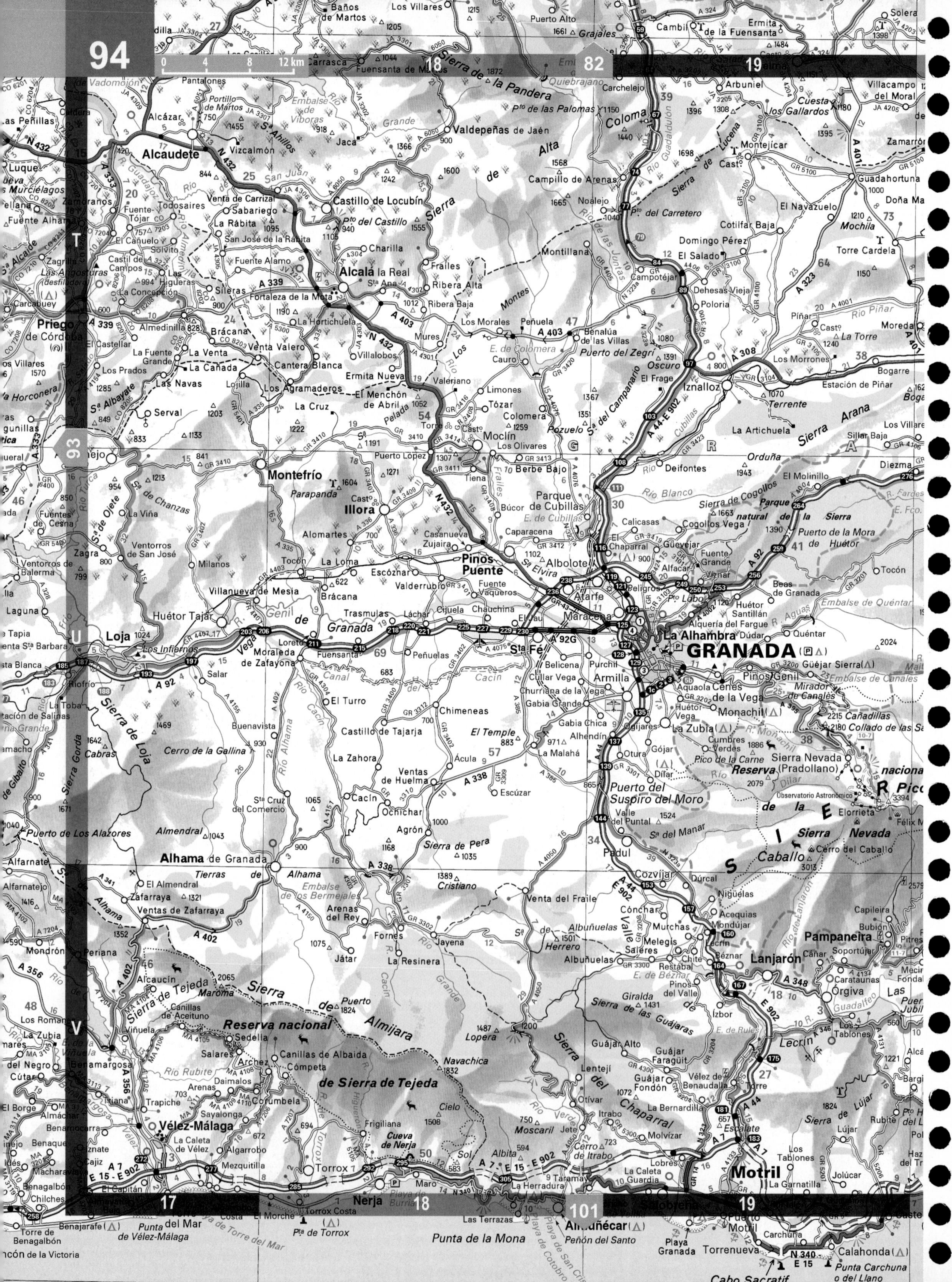
Alcaudete
Alcalá la Real
Priego de Córdoba
Montefrío
Illora
Pinos Puente
Loja
Alhama de Granada
Vélez-Málaga
Nerja
Torrox
Almuñécar
Motril
Lanjarón
Órgiva
GRANADA
La Alhambra
Sierra Nevada
Iznalloz
Valdepeñas de Jaén
Castillo de Locubín
Sierra de la Pandera
Sierra de Almijara
Sierra de Tejeda
Reserva nacional de Sierra de Tejeda
Sierra Arana
Sierra de Loja
Puerto del Suspiro del Moro
Padul
Sta Fé
Huétor Tajar
Salobreña

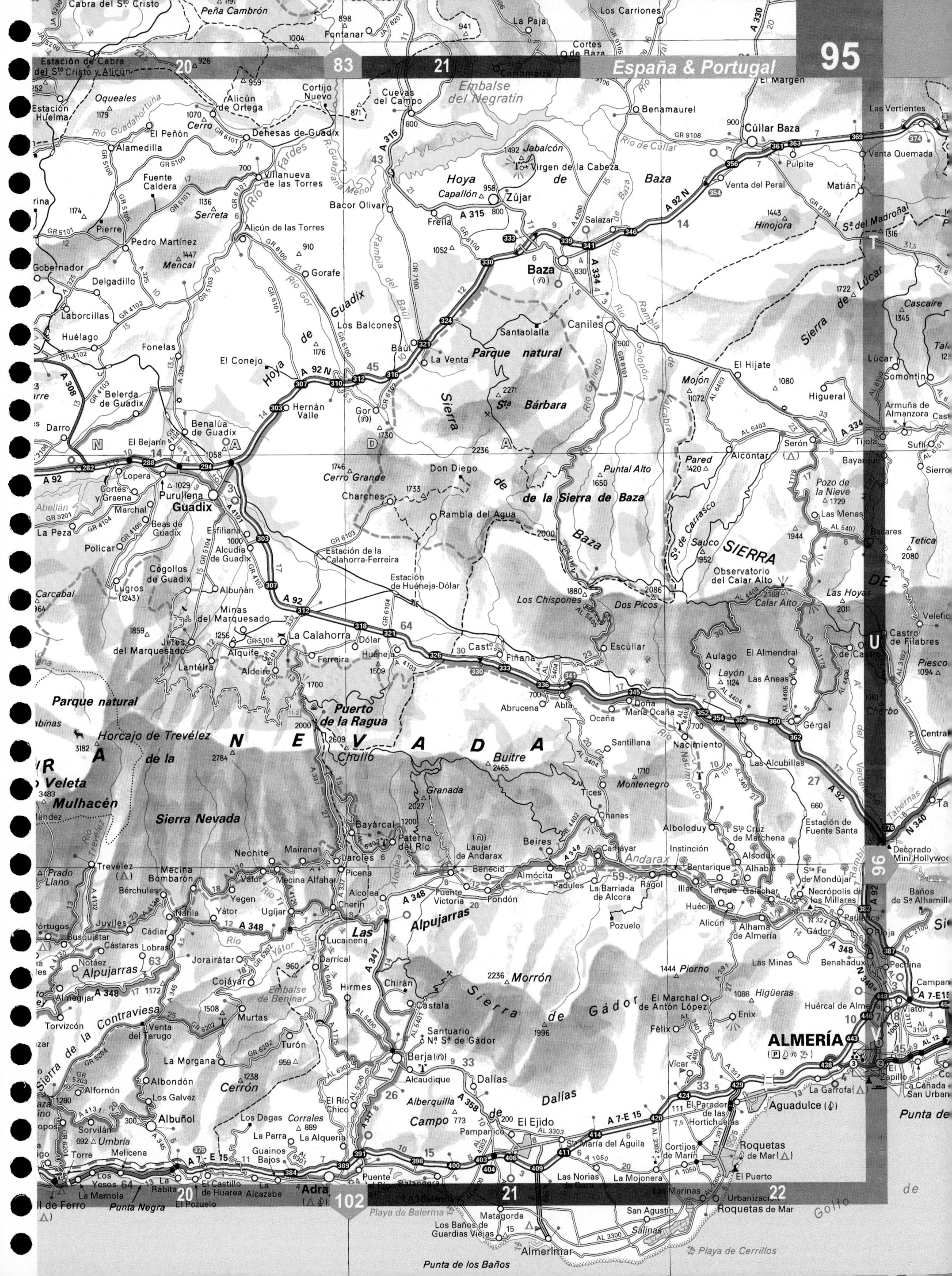
83
21
20
Embalse del Negratín
Cúllar Baza
Hoya de Baza
Zújar
Baza
Guadix
Hoya de Guadix
Parque natural de la Sierra de Baza
Sierra de Baza
Sierra de Lúcar
SIERRA DE LOS FILABRES
Calar Alto
Sierra Nevada
Parque natural
N E V A D A
Mulhacén
Puerto de la Ragua
La Calahorra
Alpujarras
Las Alpujarras
Sierra de la Contraviesa
Sierra de Gádor
Campo de Dalías
El Ejido
Roquetas de Mar
Aguadulce
ALMERÍA
Berja
Adra
Albuñol
Trevélez
Laujar de Andarax
Tabernas
Golfo de
Punta de los Baños
Playa de Cerrillos
102
96
22

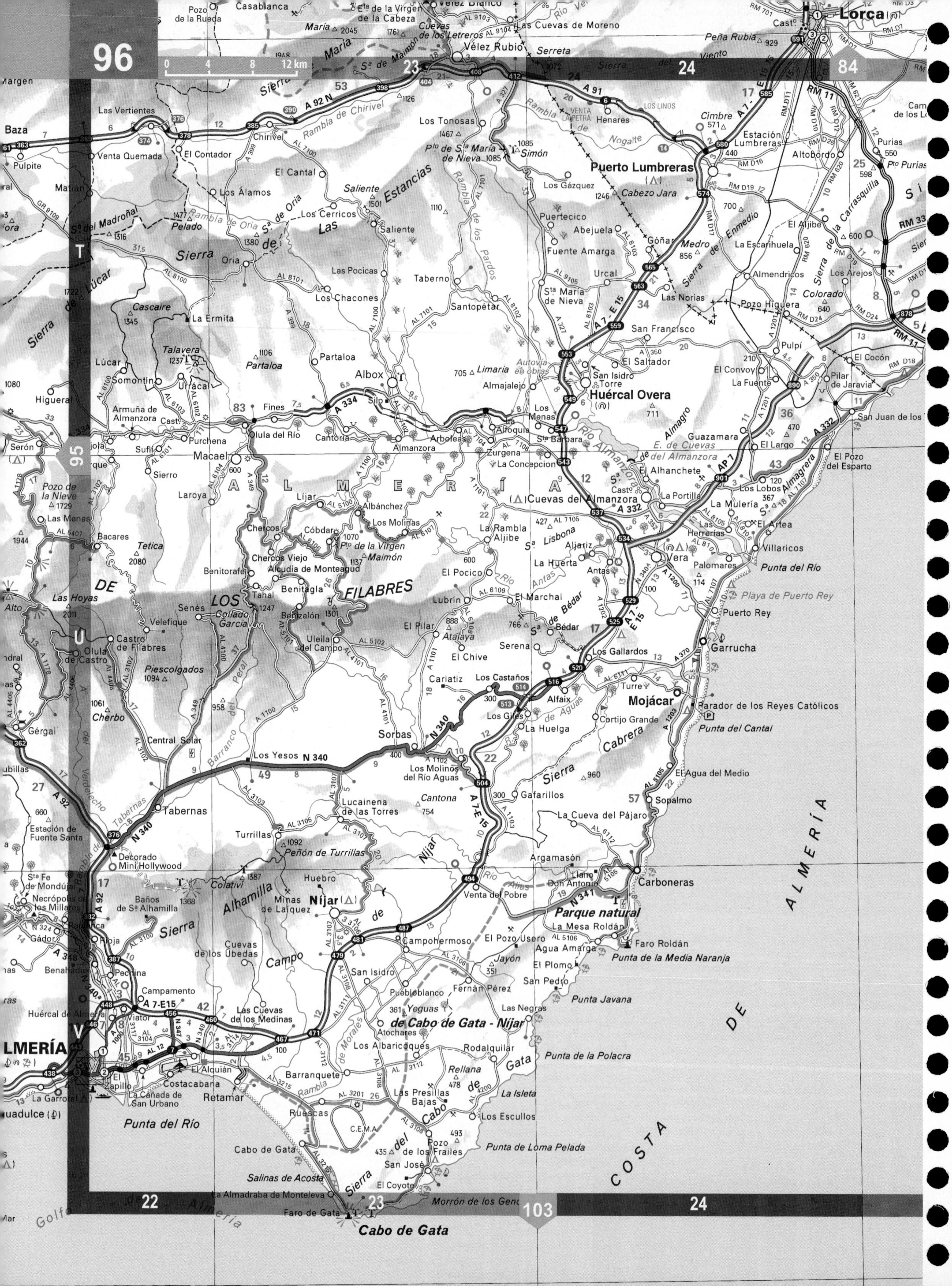

96
0 4 8 12 km
84
95
103
Lorca
Vélez Rubio
Vélez Blanco
Las Cuevas de Moreno
Cuevas de los Letreros
Sª de Maimón
Sierra María
Casablanca
Pozo de la Rueda
Serreta
Peña Rubia
Henares
Puerto Lumbreras
Estación Lumbreras
Cimbre
Altobordo
Purias
Pto Purias
Baza
Las Vertientes
Chirivel
El Contador
Venta Quemada
Pulpite
Matián
Rambla de Chirivel
Los Tonosas
Pto de Sta María de Nieva
Simón
El Cantal
Los Álamos
Saliente
Sierra de Las Estancias
Los Cerricos
Los Gázquez
Cabezo Jara
Puertecico
Abejuela
Fuente Amarga
Góñar
Medro
Sierra de Enmedio
Sierra de la Carrasquilla
El Aljibe
La Escarihuela
Almendricos
Los Arejos
Colorado
Sª del Madroñal
Pelado
Sª de Oria
Oria
Sierra de Lúcar
Las Pocicas
Taberno
Los Chacones
Santopétar
Urcal
Sta María de Nieva
Las Norias
Pozo Higuera
San Francisco
Cascaire
La Ermita
Talavera
Partaloa
Lúcar
Somontín
Urrácal
Higueral
Albox
Limaria
Almajalejo
El Saltador
San Isidro
Torre
Huércal Overa
El Convoy
La Fuente
Pulpí
El Cocón
Pilar de Jaravía
San Juan de los Terreros
Armuña de Almanzora
Fines
Olula del Río
Cantoria
Arboleas
Almanzora
Alfoquia
Los Menas
Zurgena
Sta Bárbara
La Concepción
Río Almanzora
Almagro
E. de Cuevas del Almanzora
Guazamara
El Largo
El Pozo del Esparto
Serón
Purchena
Suflí
Macael
Sierro
Laroya
Pozo de la Nieve
Las Menas
Bacares
Tetica
A L M E R Í A
Líjar
Albánchez
Los Molinas
Cóbdar
Pto de la Virgen
Maimón
Chercos
Chercos Viejo
Alcudia de Monteagud
Benitorafe
Tahal
Benitagla
La Rambla
Aljibe
Sª Lisbona
Cuevas del Almanzora
Sª Cast°
El Alhanchete
La Portilla
La Mulería
Los Lobos
Sª Almagrera
Las Herrerías
El Artea
Villaricos
Aljariz
La Huerta
Antas
Vera
Palomares
Punta del Río
El Pocico
El Marchal
Lubrín
Sª de Bédar
Bédar
Playa de Puerto Rey
Puerto Rey
Las Hoyas
Sierra de Los Filabres
Senés
Collado García
Velefique
Benizalón
Castro de Filabres
Olula de Castro
Uleila del Campo
El Pilar
Atalaya
El Chive
Serena
Los Gallardos
Garrucha
Piescolgados
Cariatiz
Los Castaños
Alfaix
Turre
Mojácar
Parador de los Reyes Católicos
Punta del Cantal
Cortijo Grande
Los Giles
La Huelga
Sierra Cabrera
Cherbo
Gérgal
Central Solar
Barranco del Peral
Sorbas
Los Yesos
Los Molinos del Río Aguas
Gafarillos
El Agua del Medio
Sopalmo
Tabernas
Estación de Fuente Santa
Lucainena de las Torres
Cantona
La Cueva del Pájaro
Turrillas
Peñón de Turrillas
Decorado Mini Hollywood
Argamasón
Colativí
Sierra Alhamilla
Huebro
Níjar
Minas de Lajquez
Venta del Pobre
Llano Don Antonio
Carboneras
Sta Fe de Mondújar
Necrópolis de los Millares
Baños de Sª Alhamilla
Parque natural
La Mesa Roldán
Faro Roldán
Punta de la Media Naranja
Gádor
Rioja
Cuevas de los Úbedas
Campo de Níjar
Campohermoso
El Pozo Usero
Agua Amarga
Jayón
El Plomo
San Pedro
Punta Javana
Benahadux
Pechina
San Isidro
Pueblo Blanco
Fernán Pérez
Campamento
Huércal de Almería
Las Cuevas de los Medinas
Yeguas
de Cabo de Gata - Níjar
Las Negras
Atochares
Los Albaricoques
Rodalquilar
Punta de la Polacra
ALMERÍA
Viator
El Alquián
Barranquete
Rellana
Sierra de Cabo de Gata
La Isleta
El Zapillo
Costacabana
La Cañada de San Urbano
Retamar
La Garrofa
Las Presillas Bajas
Ruescas
Los Escullos
Punta del Río
C.E.M.A.
Cabo de Gata
Pozo de los Frailes
Punta de Loma Pelada
San José
Salinas de Acosta
El Coyote
La Almadraba de Monteleva
Morrón de los Genoveses
Faro de Gata
Cabo de Gata
Golfo de Almería
COSTA DE ALMERÍA
A 92 N
A 91
A 7 - E 15
AP 7
A 334
A 332
N 340
N 341
A 92

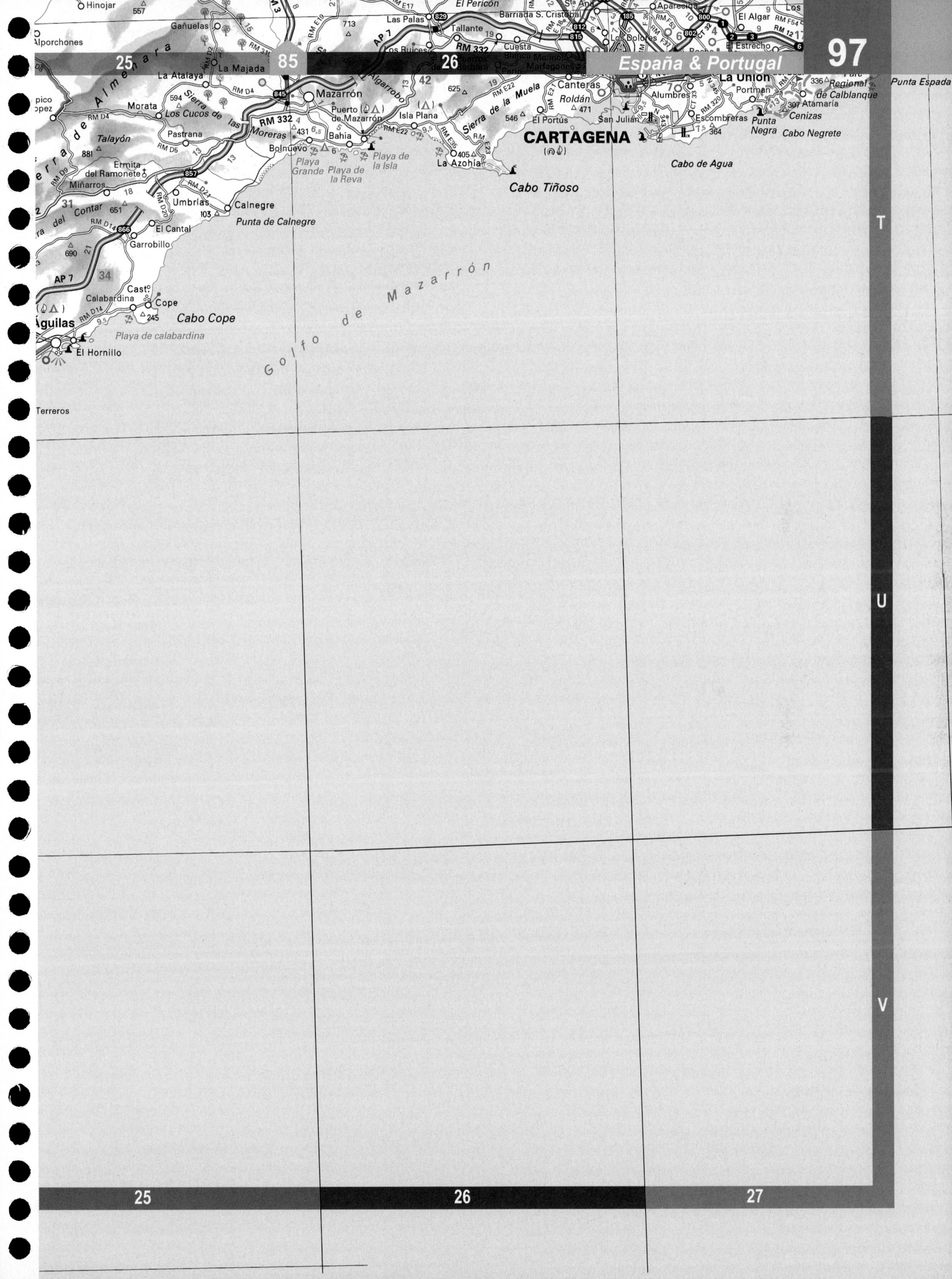
Hinojar
Gañuelas
Alporchones
La Majada
La Atalaya
Mazarrón
Morata
Los Cucos
Talayón
Pastrana
Sierra de las Moreras
Ermita del Ramonete
Miñarros
Umbrías
Calnegre
Punta de Calnegre
El Cantal
Garrobillo
Calabardina
Cope
Cabo Cope
Águilas
Playa de calabardina
El Hornillo
Terreros
Puerto de Mazarrón
Bahía
Bolnuevo
Playa Grande
Playa de la Reva
Playa de la Isla
Isla Plana
La Azohía
Cabo Tiñoso
Sierra de la Muela
El Portús
Canteras
Roldán
CARTAGENA
San Julián
Alumbres
Escombreras
Cabo de Agua
La Unión
Portmán
Atamaría
Cenizas
Punta Negra
Cabo Negrete
Punta Espada
El Pericón
Las Palas
Tallante
Barriada S. Cristóbal
Los Dolores
El Algar
El Estrecho
Golfo de Mazarrón
T
U
V
25
26
27

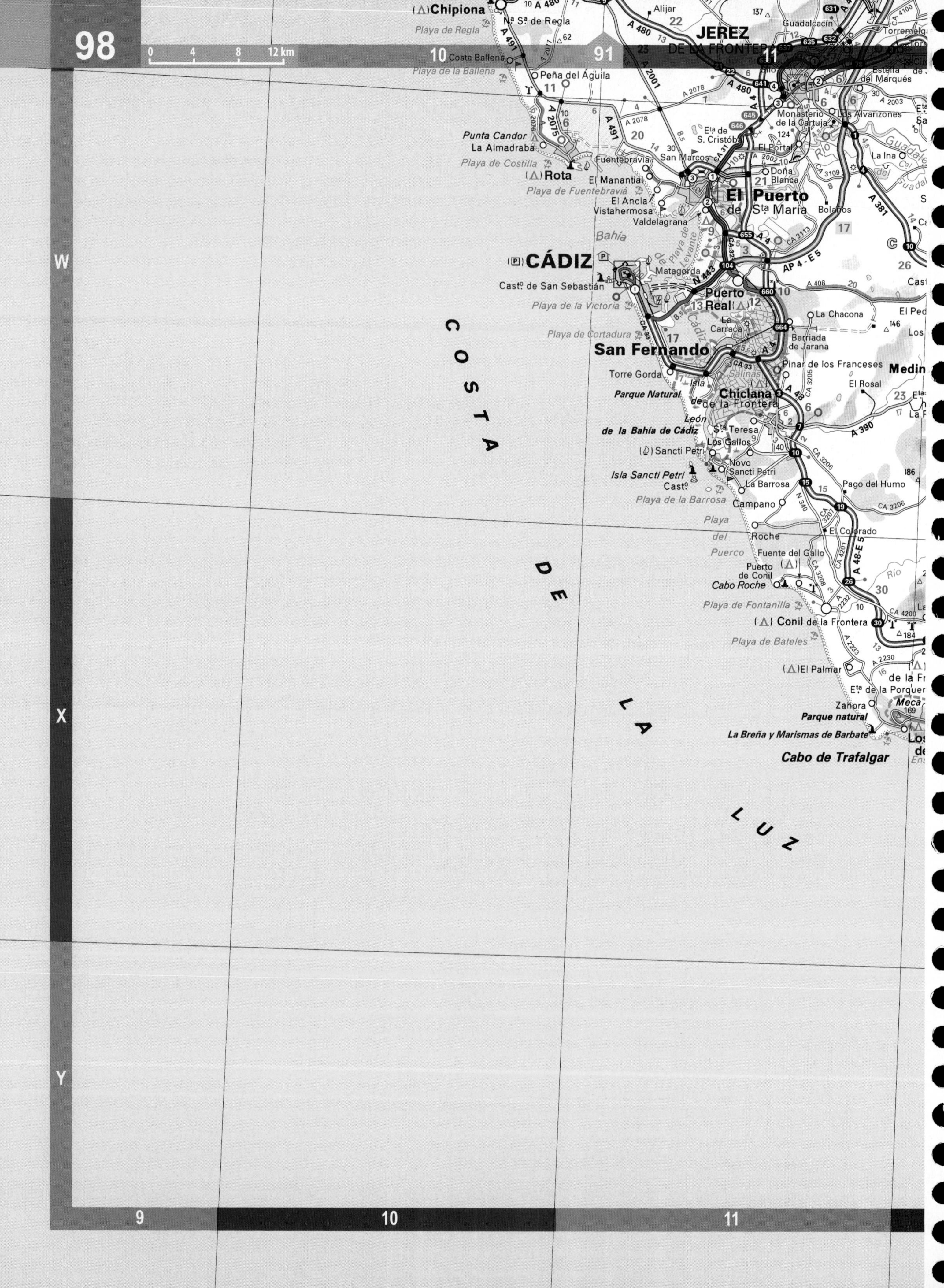

0  4  8  12 km

del Perro
(△)**Chipiona**

Los Asientos
Alijar
Guadalcacín
Torremelg

N ª Sª de Regla
A 480

**JEREZ**
DE LA FRONTERA  **11**

Playa de Regla

10 Costa Ballena
Playa de la Ballena

Peña del Águila

**11**

Costa Ballena

Punta Candor
La Almadraba
Playa de Costilla  (△)**Rota**

Fuentebravia

El Manantial

Playa de Fuentebraviá

El Ancla
Vistahermosa
Valdelagrana

Bahía

Monasterio
de la Cartuja

El Portal

San Marcos

Doña
Blanca

**El Puerto**
de Stª María

La Ina

La Alvarizones

Estela de
del Marqués

**17**

A 381

**W**

Playa de Levante

(P) **CÁDIZ**

Castº de San Sebastián

Matagorda

**Puerto**
**13 Real** (△)**12**

La Chacona

El Ped
Los

Playa de la Victoria

La
Carraca

Barriada
de Jarana

Playa de Cortadura  **17**

**San Fernando**

Pinar de los Franceses  **Medin**

Torre Gorda

Parque Natural

León
de la Bahía de Cádiz

Isla
de la Frontera

**Chiclana** 3
de la Frontera

El Rosal  **23**  Etª
La F

**C O S T A**

(△) Sancti Petri

Isla Sancti Petri
Castº

Stª Teresa
Los Gallos
Novo
Sancti Petri
La Barrosa

Pago del Humo

Playa de la Barrosa

Campano

Roche

Playa
del
Puerco

Fuente del Gallo

El Colorado

**D E**

Puerto
de Conil  (△)
Cabo Roche

Playa de Fontanilla

A 48-E 5

30

**X**

(△) **Conil** de la Frontera  30

Playa de Bateles

184

**L A**

(△)El Palmar
de la Fr
Etª de la Porquer

Zahora

**Meca**
169

Parque natural

**La Breña y Marismas de Barbate**

Los
de

**Cabo de Trafalgar**

Ens

**L U Z**

**Y**

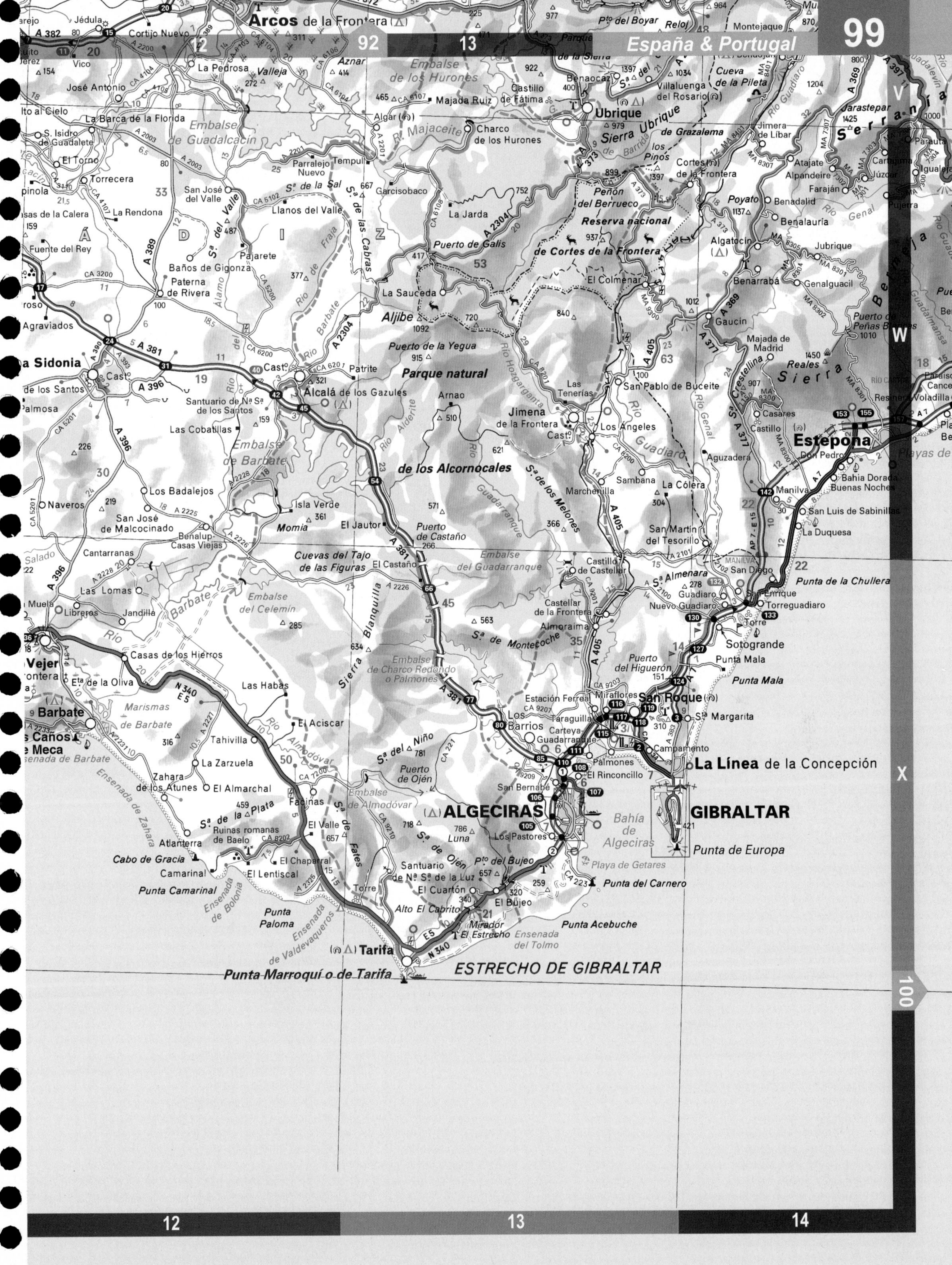

Arcos de la Frontera
El Bosque
Grazalema
El Santiscal
La Torre
Jédula
Cortijo Nuevo
Vico
La Pedrosa
Valleja
Aznar
Embalse de los Hurones
Benaocaz
Villaluenga del Rosario
Cueva de la Pileta
Castillo de Fátima
Majada Ruiz
Ubrique
Sierra Ubrique
José Antonio
La Barca de la Florida
Embalse de Guadalcacín
Algar
Charco de los Hurones
S. Isidro de Guadalete
El Torno
Torrecera
Parralejo Nuevo
Tempul
Garcisobaco
Cortes de la Frontera
Jimera de Líbar
Serranía de Ronda
Atajate
Alpandeire
Faraján
Júzcar
Igualeja
Parauta
Cartajima
Pujerra
Benadalid
Benalauría
Algatocín
Jubrique
Genalguacil
Benarrabá
Gaucín
San José del Valle
Llanos del Valle
La Rendona
La Jarda
Peñón del Berrueco
Reserva nacional de Cortes de la Frontera
Puerto de Galis
Sª de la Sal
Sª de las Cabras
Baños de Gigonza
Pajarete
Paterna de Rivera
Fuente del Rey
La Sauceda
Aljibe
El Colmenar
Agraviados
Medina Sidonia
Puerto de la Yegua
Parque natural de los Alcornocales
Patrite
Alcalá de los Gazules
Arnao
Jimena de la Frontera
Las Tenerías
San Pablo de Buceite
Los Ángeles
Majada de Madrid
Reales
Sierra Bermeja
Puerto de Peñas Blancas
Casares
Castillo
Estepona
Don Pedro
Playas de Estepona
Bahía Dorada
Buenas Noches
Manilva
San Luis de Sabinillas
La Duquesa
Santuario de Nª Sª de los Santos
Las Cobatillas
Embalse de Barbate
Los Badalejos
Naveros
San José de Malcocinado
Benalup-Casas Viejas
Isla Verde
Momia
El Jautor
Puerto de Castaño
Sambana
La Cólera
Marchenilla
Sª de los Melones
Aguzadera
San Martín del Tesorillo
Cantarranas
Las Lomas
Libreros
Jandilla
Cuevas del Tajo de las Figuras
El Castaño
Embalse del Guadarranque
Castillo de Castellar
Castellar de la Frontera
Almoraima
Sª Almenara
Guadiaro
Nuevo Guadiaro
San Diego
San Enrique
Torreguadiaro
Punta de la Chullera
Sotogrande
Punta Mala
Embalse del Celemín
Sierra Blanquilla
Sª de Montecoche
Puerto del Higuerón
Vejer de la Frontera
Casas de los Hierros
Eta de la Oliva
Las Habas
Embalse de Charco Redondo o Palmones
Estación Férrea
Miraflores
San Roque
Sª Margarita
Taraguilla
Los Barrios
Carteya-Guadarranque
Campamento
La Línea de la Concepción
Barbate
Marismas de Barbate
Los Caños de Meca
Tahivilla
El Aciscar
Sª del Niño
Puerto de Ojén
Palmones
El Rinconcillo
San Bernabé
La Zarzuela
Zahara de los Atunes
El Almarchal
Facinas
Embalse de Almodóvar
ALGECIRAS
GIBRALTAR
Sª de la Plata
Ruinas romanas de Baelo
Atlanterra
El Valle
Sª de Fates
Luna
Sª de Ojén
Los Pastores
Bahía de Algeciras
Punta de Europa
Cabo de Gracia
Camarinal
El Chaparral
El Lentiscal
Santuario de Nª Sª de la Luz
Pto del Bujeo
Playa de Getares
Punta del Carnero
Punta Camarinal
Ensenada de Bolonia
Torre
El Cuartón
El Bujeo
Alto El Cabrito
Mirador El Estrecho
Punta Acebuche
Punta Paloma
Ensenada de Valdevaqueros
Ensenada del Tolmo
Tarifa
Punta Marroquí o de Tarifa
ESTRECHO DE GIBRALTAR
Ensenada de Zahara
A 382
A 372
A 373
A 369
A 397
A 381
A 396
A 389
A 390
A 393
A 2304
A 405
A 377
A 7
AP 7 - E 15
N 340
E 5

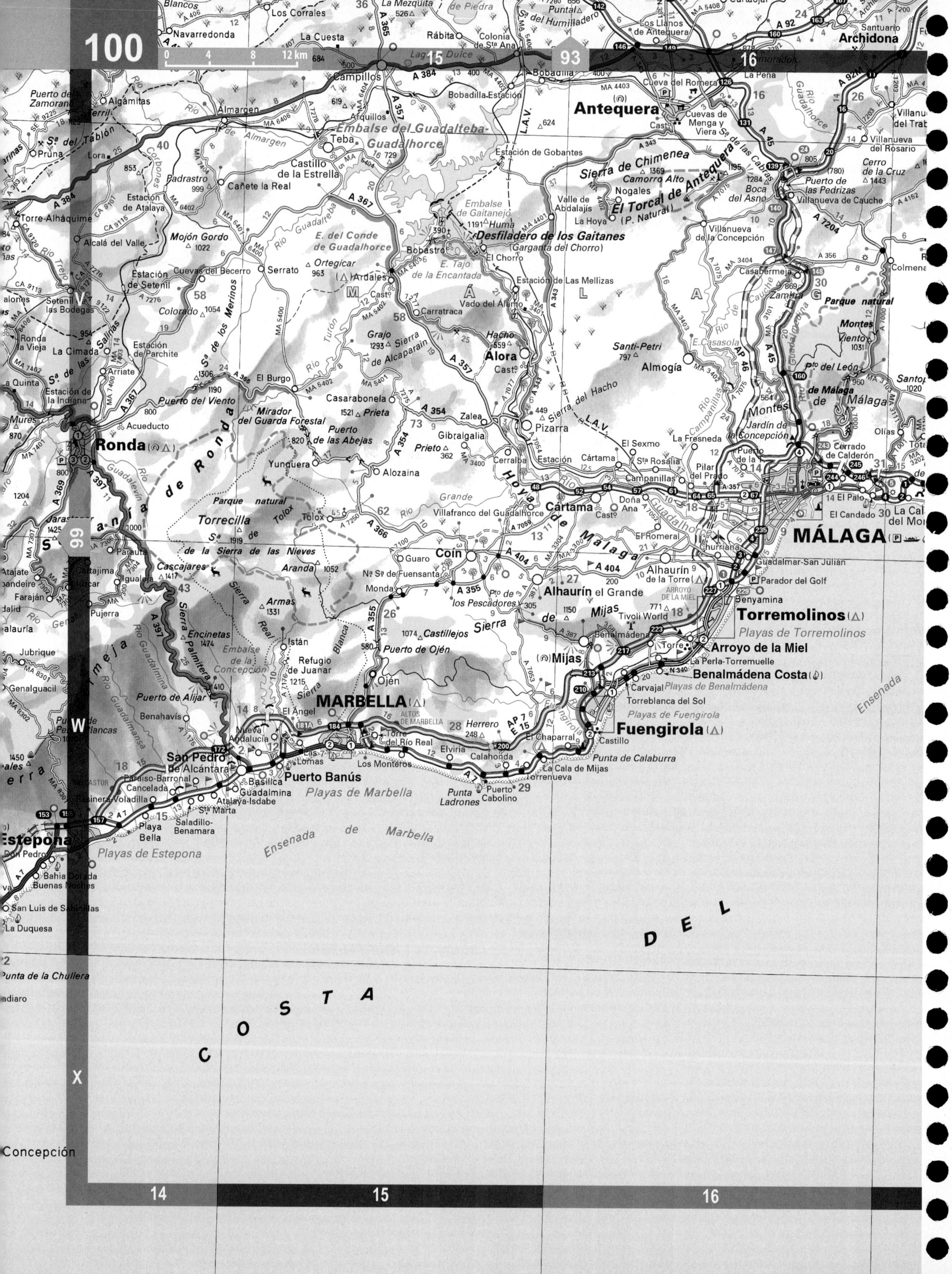

Ronda
Antequera
MÁLAGA
MARBELLA
Torremolinos
Fuengirola
Benalmádena Costa
Arroyo de la Miel
San Pedro de Alcántara
Puerto Banús
Estepona
Álora
Coín
Alhaurín el Grande
Mijas
Cártama
Pizarra
Campillos
Archidona
Teba
Ardales
El Burgo
Yunquera
Tolox
Alozaina
Monda
Ojén
Istán
Benahavís
El Torcal de Antequera
Sierra de Chimenea
Desfiladero de los Gaitanes
Parque natural Torrecilla
Sierra de las Nieves
Sierra Blanca
Sierra Bermeja
Playas de Marbella
Playas de Estepona
Playas de Torremolinos
Playas de Benalmádena
Playas de Fuengirola
Ensenada de Marbella
COSTA DEL

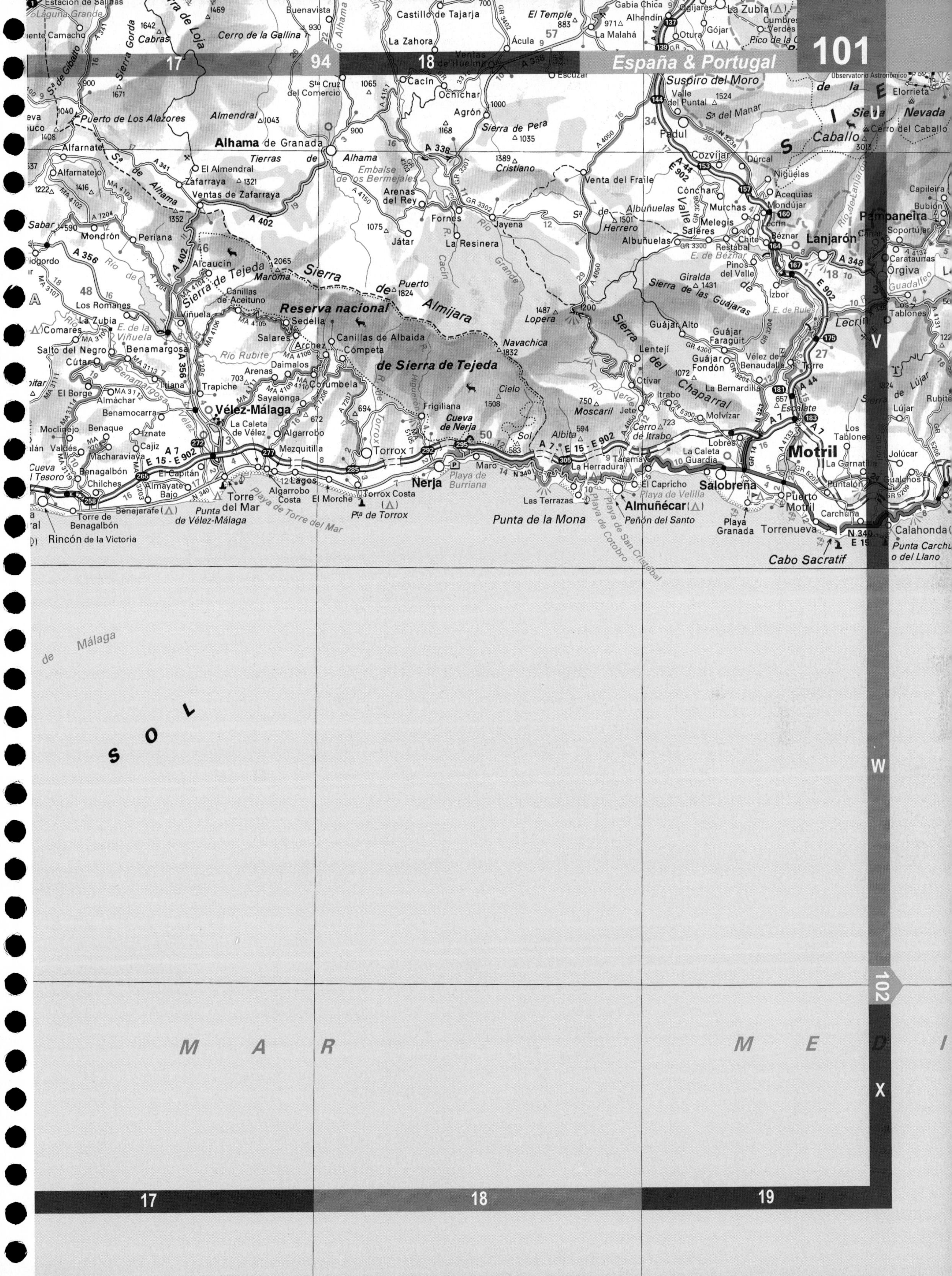

Estación de Salinas
Buenavista
Castillo de Tajarja
El Temple
Gabia Chica
La Zubia
Cerro de la Gallina
La Zahora
Ácula
La Malahá
Alhendín
Gójar
Otura
Cumbres Verdes
17
94
18
Ventas de Huelma
Escúzar
Sta Cruz del Comercio
Cacín
Ochíchar
Agrón
Suspiro del Moro
Valle del Puntal
Sa del Manar
Padul
Elorrieta
Sierra Nevada
Cerro del Caballo
Caballo
Puerto de Los Alazores
Almendral
Alhama de Granada
Sierra de Pera
Alfarnate
Alfarnatejo
Tierras de Alhama
Embalse de los Bermejales
Cristiano
Venta del Fraile
Cozvíjar
Dúrcal
Nigüelas
El Almendral
Zafarraya
Ventas de Zafarraya
Arenas del Rey
Fornes
Jayena
Albuñuelas
Valle
Murchas
Melegís
Saleres
Acequias
Mondújar
Lecrín
Béznar
Lanjarón
Capileira
Bubión
Pampaneira
Cáñar
Soportújar
Sa de Alhama
Mondrón
Periana
Játar
La Resinera
Sa de Herrero
Restábal
Chite
Pinos del Valle
Carataunas
Órgiva
Alcaucín
Sierra de Tejeda
Maroma
Sierra de Almijara
Puerto
Giralda
Sierra de las Guájaras
Ízbor
Los Romanes
Canillas de Aceituno
Viñuela
Reserva nacional
de Sierra de Tejeda
Sedella
Salares
Archez
Canillas de Albaida
Cómpeta
Lopera
Navachica
Guájar Alto
Guájar Faraguit
Guájar Fondón
Vélez de Benaudalla
Torre
Lecrín
Los Tablones
La Zubia
Comares
Salto del Negro
Benamargosa
Cútar
Río Rubite
Daimalos
Arenas
Corumbela
Sayalonga
Iriana
Trapiche
El Borge
Almáchar
Benamocarra
Vélez-Málaga
La Caleta de Vélez
Algarrobo
Frigiliana
Cueva de Nerja
Cielo
Sierra del Chaparral
Lentejí
Otívar
Itrabo
Moscaril
Jete
Molvízar
La Bernardilla
Escalate
Lújar
Rubite
Moclinejo
Benaque
Iznate
Cajiz
Macharaviaya
Mezquitilla
Torrox
Cerro de Itrabo
Lobres
Motril
Los Tablones
Jolúcar
La Garnatilla
Cueva del Tesoro
Benagalbón
Chilches
El Capitán
Almayate Bajo
Lagos
Algarrobo Costa
El Morche
Torrox Costa
Nerja
Playa de Burriana
Maro
Taramay
La Herradura
La Caleta Guardia
El Capricho
Playa de Velilla
Salobreña
Puerto Motril
Gualchos
Puntalón
Carchuna
Torre de Benagalbón
Benajarafe
Torre del Mar
Punta de Vélez-Málaga
Playa de Torre del Mar
Pta de Torrox
Las Terrazas
Punta de la Mona
Playa de Cotobro
Playa de San Cristóbal
Almuñécar
Peñón del Santo
Playa Granada
Torrenueva
Cabo Sacratif
Calahonda
Punta Carchuna o del Llano
Rincón de la Victoria
de Málaga
S O L
M A R
M E D I
17
18
19
V
W
X
102

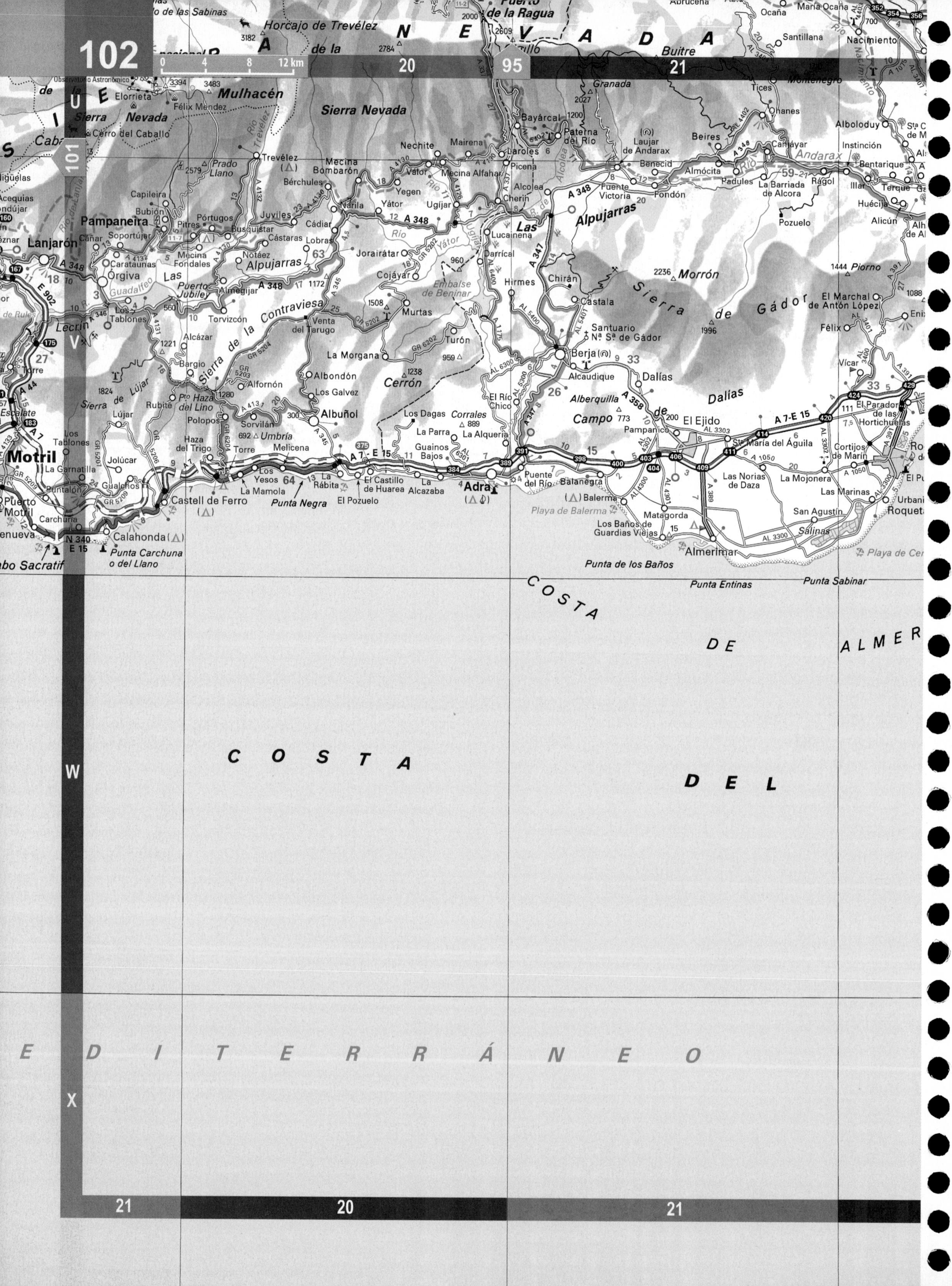

Puerto de la Ragua
Horcajo de Trevélez
N E V A D A
Mulhacén
Sierra Nevada
Elorrieta
Félix Méndez
Cerro del Caballo
Granada
Bayárcal
Paterna del Río
Laujar de Andarax
Beires
Canjáyar
Ohanes
Tices
Ocaña
María Ocaña
Santillana
Nacimiento
Alboloduy
Instinción
Bentarique
Trevélez
Mecina Bombarón
Nechite
Mairena
Laroles
Válor
Mecina Alfahar
Picena
Yegen
Bérchules
Prado Llano
Capileira
Bubión
Pampaneira
Pitres
Pórtugos
Busquístar
Juviles
Cádiar
Nárila
Yátor
Ugíjar
Cherín
Alcolea
Fuente Victoria
Fondón
Benecid
Almócita
Padules
La Barriada de Alcora
Rágol
Illar
Terque
Huécija
Alicún
Pozuelo
Las Alpujarras
Lanjarón
Soportújar
Cáñar
Carataunas
Mecina Fondales
Notáez
Cástaras
Lobras
Jorairátar
Lucainena
Darrícal
Cojáyar
Órgiva
Las Alpujarras
Puerto Jubiley
Almegíjar
Embalse de Benínar
Hirmes
Chirán
Castala
Morrón
Sierra de Gádor
Piorno
El Marchal de Antón López
Félix
Los Tablones
Torvizcón
Sierra de la Contraviesa
Venta del Tarugo
Murtas
Turón
Santuario Nª Sª de Gádor
Berja
Alcaudique
Dalías
Vícar
Lecrín
Alcázar
Bargio
La Morgana
Albondón
Alfornón
Los Galvez
Cerrón
Torre
Sierra de Lújar
Rubite
Pto Haza del Lino
Polopos
Sorvilán
Umbría
Albuñol
Los Dagas
Corrales
La Parra
La Alquería
El Río Chico
Alberquilla
Campo de Dalías
Pampanico
El Ejido
Sta María del Águila
El Parador de las Hortichuelas
Cortijos de Marín
Lújar
Escalate
Motril
Los Tablones
Haza del Trigo
Torre
Melicena
Guainos Bajos
Jolúcar
La Garnatilla
Gualchos
Puntalón
Los Yesos
La Mamola
La Rábita
El Castillo de Huarea
La Alcazaba
Adra
Puente del Río
Balanegra
Las Norias de Daza
La Mojonera
Las Marinas
Puerto Motril
Carchuna
Castell de Ferro
Punta Negra
El Pozuelo
Balerma
Playa de Balerma
Matagorda
San Agustín
Los Baños de Guardias Viejas
Salinas
Almerimar
Roquetas
Urbanización
El Puerto
Calahonda
Punta Carchuna o del Llano
Cabo Sacratif
Punta de los Baños
Punta Entinas
Punta Sabinar
Playa de Cerrillos
COSTA DE ALMERÍA
COSTA DEL
MEDITERRÁNEO
A 348
A 347
A 358
A 7-E 15
N 340 E 15
0 4 8 12 km
95
101
20
21
U
V
W
X

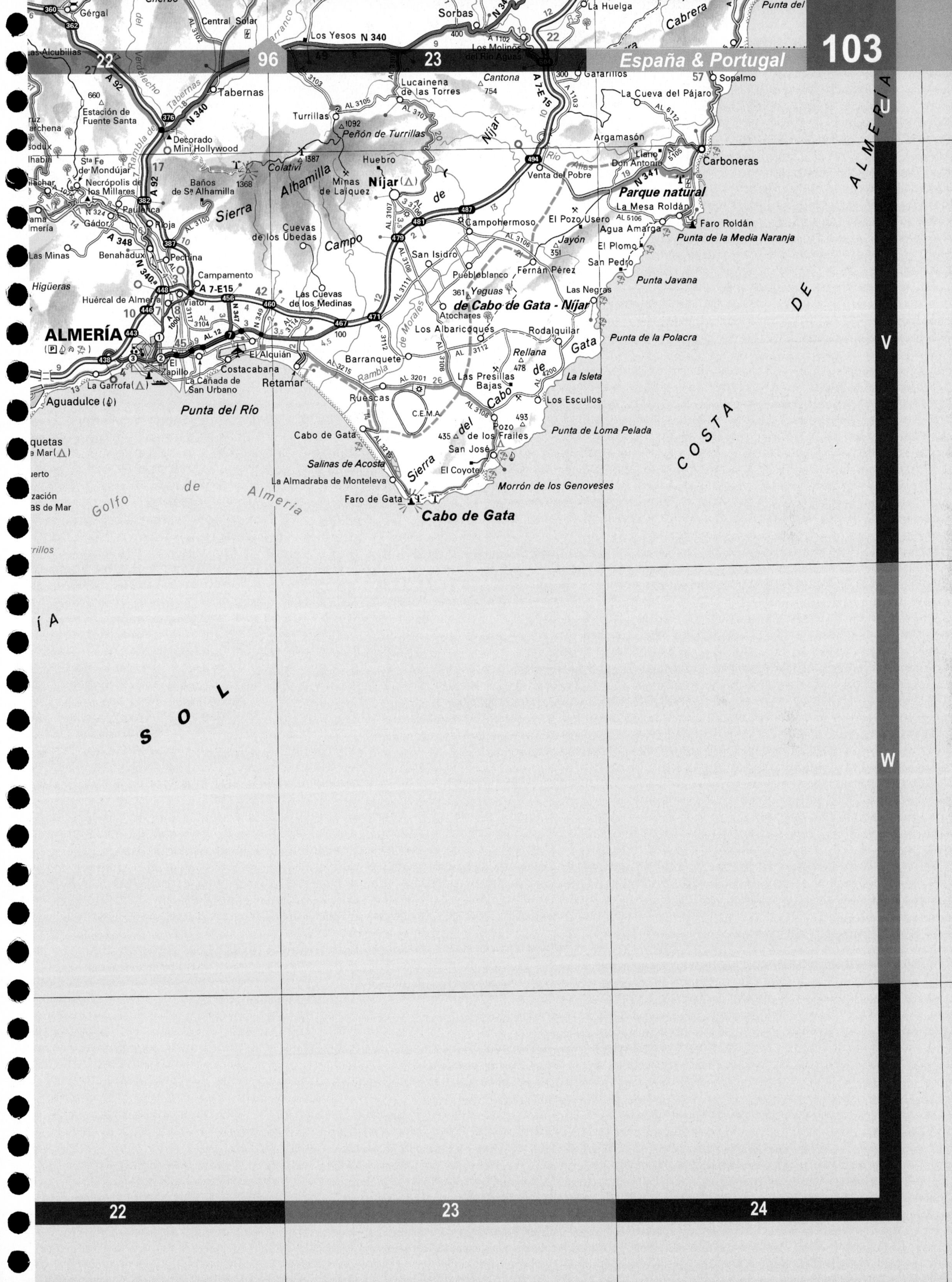
ALMERÍA
Tabernas
Sorbas
Níjar
Carboneras
Gérgal
Los Yesos
Lucainena de las Torres
Turrillas
Peñón de Turrillas
Sierra Alhamilla
Campo de Níjar
Huebro
Minas de Lajquez
Colativí
Baños de Sª Alhamilla
Decorado Mini Hollywood
Estación de Fuente Santa
Necrópolis de los Millares
Sta Fe de Mondújar
Gádor
Rioja
Pechina
Benahadux
Huércal de Almería
Viator
Campamento
Las Cuevas de los Medinas
Cuevas de los Úbedas
Las Minas
Aguadulce
La Garrofa
La Cañada de San Urbano
Costacabana
El Alquián
Retamar
Punta del Río
El Zapillo
Golfo de Almería
Cabo de Gata
Faro de Gata
La Almadraba de Monteleva
Salinas de Acosta
Sierra del Cabo de Gata
San José
El Coyote
Morrón de los Genoveses
Pozo de los Frailes
Los Escullos
Punta de Loma Pelada
La Isleta
Rodalquilar
Punta de la Polacra
Las Presillas Bajas
Rellana
Ruescas
C.E.M.A.
Barranquete
Los Albaricoques
Atochares
de Cabo de Gata - Níjar
Parque natural
Yeguas
Puebloblanco
Fernán Pérez
San Isidro
Campohermoso
El Pozo Usero
Jayón
Agua Amarga
El Plomo
San Pedro
Las Negras
Punta Javana
La Mesa Roldán
Faro Roldán
Punta de la Media Naranja
Venta del Pobre
Llano Don Antonio
Argamasón
La Cueva del Pájaro
Sopalmo
Gafarillos
Cantona
Los Molinos del Río Aguas
La Huelga
Cortijo Grande
Cabrera
Punta del
Central Solar
Cherbo
COSTA DE ALMERÍA
SOL
22
23
24
U
V
W

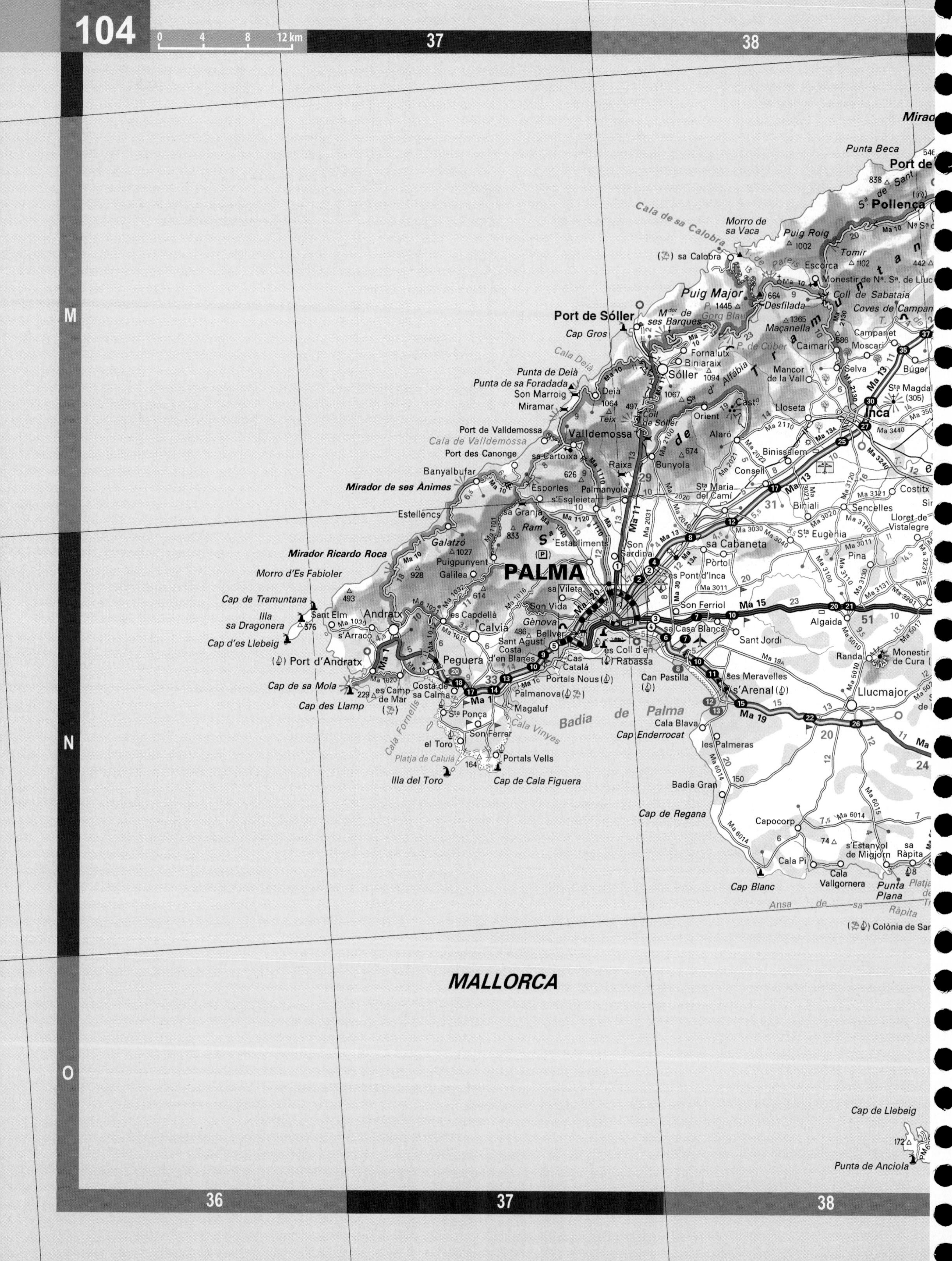

0  4  8  12 km

M

Mirad

Punta Beca
Port de
838  de  S<sup>ant</sup>  546
S<sup>a</sup> Pollença

Cala de sa Calobra
Morro de
sa Vaca
Puig Roig
△ 1002
(⚓) sa Calobra          Tomir
△ 1102  442 △
Escorca
Monestir de N<sup>a</sup>. S<sup>a</sup>. de Lluc
Puig Major
P. 1445 △  664  9
Desfilada
M<sup>dor</sup> de
ses Barques
Coves de Campan
△ 1365          Ma 10  Ma 10
Port de Sóller          Maçanella
Cap Gros          P. de Cúber          Caimari          586  Moscari
Campanet
Cala Deià          Fornalutx
Biniaraix
Punta de Deià          Sóller  1094          Selva          Búger
Punta de sa Foradada          Mancor
de la Vall
Son Marroig          Deià  1067          S<sup>ta</sup> Magdal
Miramar          1064  497  Cast°  Orient          (305)
Teix          Coll  de  Lloseta          Inca
Port de Valldemossa          de Sóller  Alaró          Ma 2110
Cala de Valldemossa          Valldemossa          Ma 13a
Port des Canonge          Binissalem
sa-Cartoixa          674
Banyalbufar          626  Raixa          Bunyola          Consell
Mirador de ses Ànimes          Palmanyola          S<sup>ta</sup> Maria
Esporles          del Camí          Costitx
s'Esgleieta          Binlali  Sencelles
Estellencs          Ram          Lloret de
S<sup>a</sup>  S<sup>a</sup> Granja          833          Vistalegre
Galatzó          S<sup>ta</sup> Eugènia
Mirador Ricardo Roca          △ 1027          (P) Establiments          sa Cabaneta          Pina
Morro d'Es Fabioler          Puigpunyent          Son          Pòrtol
928          Sardina
Cap de Tramuntana          Galilea          PALMA          es Pont d'Inca
Illa          493          Son Ferriol          Algaida          51
sa Dragonera          Sant Elm          sa Vileta          Ma 15  23
576          Andratx          Son Vida          Casa Blanca          Randa
Cap d'es Llebeig          s'Arracó          es Capdellà          Gènova          Monestir
Calvià          486          Bellver          Sant Jordi          de Cura
(⚓) Port d'Andratx          Costa          Sant Agustí          es Coll d'en
Peguera          d'en Blanes          Cas          Rabassa          Llucmajor
Cap de sa Mola          es Camp          Costa de          Catalá
de Mar          sa Calma          Portals Nous (⚓)          Can Pastilla          ses Meravelles
Cap des Llamp          (⚓)          Ma 1          Palmanova (⚓)          s'Arenal (⚓)
S<sup>ta</sup> Ponça          Magaluf          Cala Blava          Ma 19
Cala Fornells          el Toro          Son Ferrer          Badia  de  Palma          Cap Enderrocat          les Palmeras
Portals Vells          Cala Vinyes
Platja de Caluià          164          Cap de Regana          Badia Gran
Illa del Toro          Cap de Cala Figuera          Capocorp          Ma 6014
74 △  s'Estanyol
Cala Pi          de Migjorn  sa
N          Ràpita
Cap Blanc          Cala          Punta
Ansa  de  sa  Ràpita          Vallgornera          Plana

(⚓) Colònia de San

*MALLORCA*

O

Cap de Llebeig

172 △
Punta de Anciola

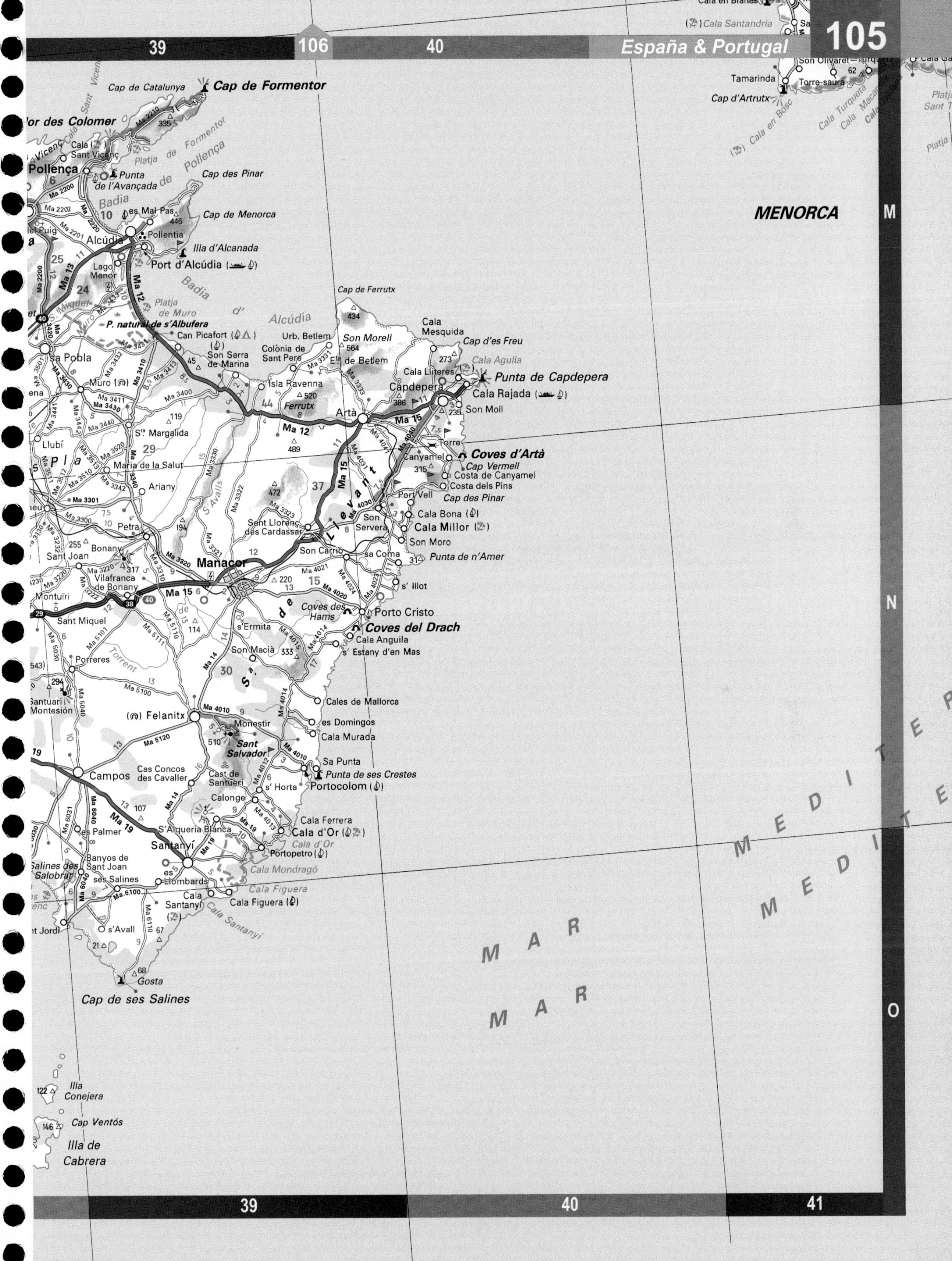
Cap de Formentor
Cap de Catalunya
Pollença
Punta de l'Avançada
Cap des Pinar
Badia de Pollença
Platja de Formentor
Cap de Menorca
Alcúdia
Pollentia
Illa d'Alcanada
Port d'Alcúdia
Badia d' Alcúdia
Lago Menor
P. natural de s'Albufera
Can Picafort
Son Serra de Marina
Sa Pobla
Muro
Urb. Betlem
Colònia de Sant Pere
Son Morell
Cap de Ferrutx
Cala Mesquida
Cap d'es Freu
Cala Agulla
Cala Lliteres
Punta de Capdepera
Capdepera
Cala Rajada
Son Moll
Isla Ravenna
Ferrutx
Artà
Sta Margalida
Llubí
Maria de la Salut
Ariany
Coves d'Artà
Canyamel
Cap Vermell
Costa de Canyamel
Costa dels Pins
Port Vell
Cap des Pinar
Cala Bona
Cala Millor
Son Servera
Son Moro
Sant Llorenç des Cardassar
Petra
Bonany
Sant Joan
Vilafranca de Bonany
Manacor
Son Carrió
sa Coma
Punta de n'Amer
s' Illot
Montuïri
Sant Miquel
Coves des Hams
Porto Cristo
Coves del Drach
Cala Anguila
s' Estany d'en Mas
s'Ermita
Son Macià
Porreres
Santuari Montesión
Felanitx
Cales de Mallorca
es Domingos
Cala Murada
Monestir
Sant Salvador
Sa Punta
Punta de ses Crestes
Portocolom
Campos
Cas Concos des Cavaller
Cast de Santueri
s' Horta
Calonge
Cala Ferrera
Cala d'Or
es Palmer
S'Alqueria Blanca
Santanyí
Portopetro
Cala Mondragó
Banyos de Sant Joan
Salines des Salobrar
ses Salines
es Llombards
Cala Figuera
Cala Santanyí
s'Avall
Gosta
Cap de ses Salines
Illa Conejera
Cap Ventós
Illa de Cabrera
MENORCA
Cala en Blanes
Cala Santandria
Son Olivaret
Tamarinda
Torre-saura
Cap d'Artrutx
Cala en Bosc
Cala Turqueta
Cala Macarella
MAR MEDITERRÁNEO

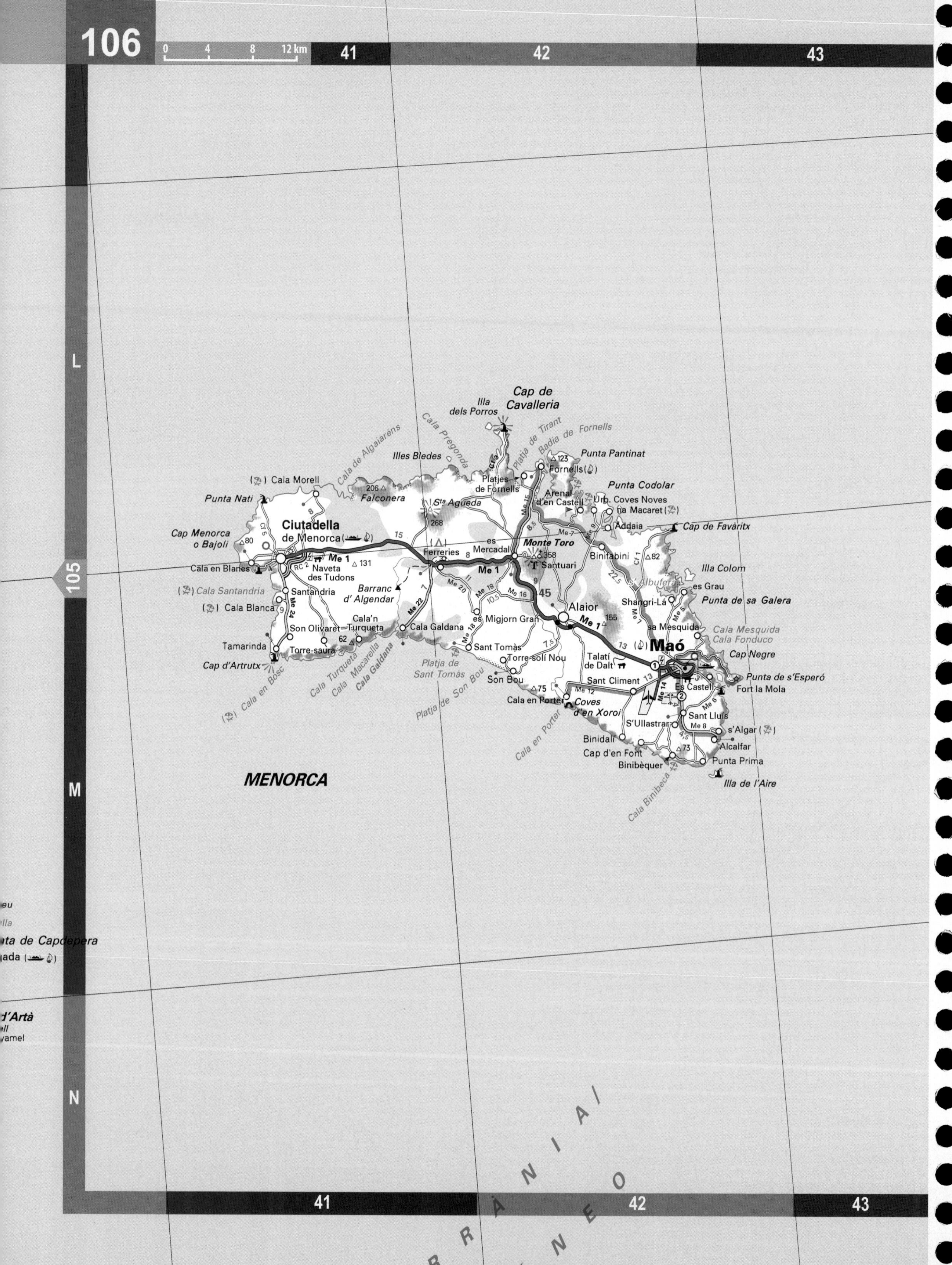

0  4  8  12 km

L

105

M

N

*Cap de Cavalleria*

Illa dels Porros

*Cala de Algaiaréns*

*Cala Pregonda*

*Platja de Tirant*

*Badia de Fornells*

*Illes Bledes*

Punta Pantinat

Platjes de Fornells

Fornells(⚓)

( ) Cala Morell

206 △ *Falconera*

*Punta Nati*

S^ta Agueda

268

Punta Codolar

Arenal d'en Castell

Urb. Coves Noves na Macaret ( )

**Ciutadella de Menorca** ( ⚓)

15

es Mercadal

**Monte Toro**

Me 7

Addaia

▲ Cap de Favàritx

*Cap Menorca o Bajoli*

△80

Ferreries

8

△358 *Santuari*

Cf 1

△82

*Illa Colom*

Me 1

△ 131

Me 1

9

Binifabini

22.5 s' Albufera

Cala en Blanes

RC 2

Naveta des Tudons

Me 20

Me 18

10.5

Me 16

45

Me 1

es Grau

*Punta de sa Galera*

( ) Cala Santandria

Santandria

*Barranc d' Algendar*

7

11

Shangri-Lá

( ) Cala Blanca

9

Me 24

Cala'n Turqueta

Me 22

Me 18

Cala Galdana

es Migjorn Gran

**Alaior**

155

*Cala Mesquida Cala Fonduco*

Son Olivaret

62

Sant Tomàs

Me 1

13

sa Mesquida

*Tamarinda*

Torre-saura

Cala Macarella

*Cala Galdana*

*Platja de Sant Tomàs*

7.5

**Maó**

Cap Negre

*Cap d'Artrutx*

Cala Turqueta

Torre-solí Nou

Talatí de Dalt

1

Es Castell

*Punta de s'Esperó*

Fort la Mola

( ) Cala en Bosc

Son Bou

△75

Me 12

Sant Climent

13

2

Me 6

Me 14

Cala en Porter

*Coves d'en Xoroi*

Me 8

Sant Lluís

s'Algar ( )

*Platja de Son Bou*

S'Ullastrar

4.5

Binidalí

Cap d'en Font

Binibèquer

△73

Alcalfar

Punta Prima

**MENORCA**

*Cala Binibeca*

*Illa de l'Aire*

...eu

...lla

...ta de Capdepera

...ada ( ⚓)

...d'Artà

...ll

...yamel

RRÀNIA I

ÁNEO

# Ilhas Açores

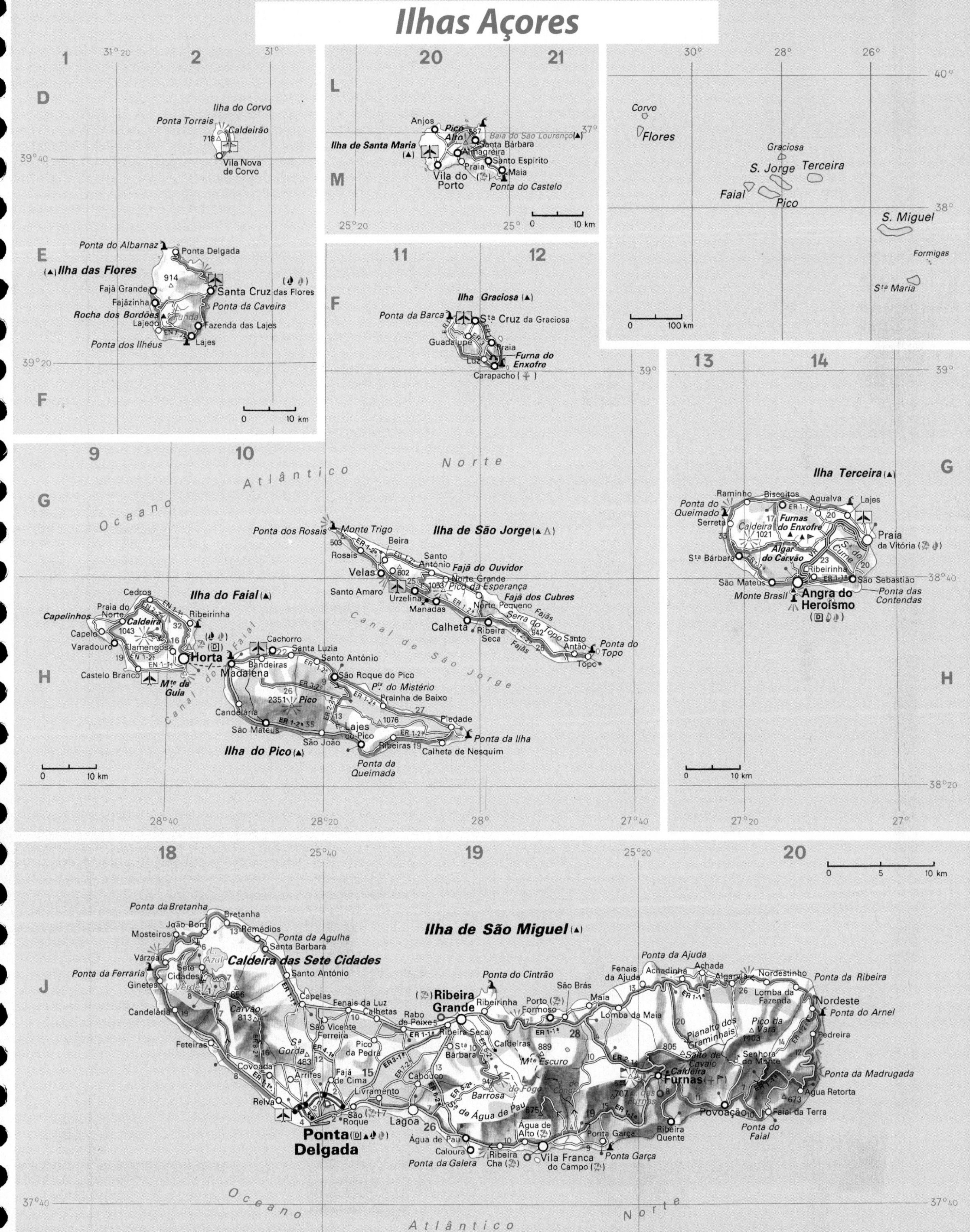

Ilha do Corvo
Ponta Torrais
Caldeirão
Vila Nova de Corvo
Ilha de Santa Maria
Anjos
Pico Alto
Baía do São Lourenço
Santa Bárbara
Almagreira
Santo Espírito
Praia
Maia
Vila do Porto
Ponta do Castelo
Corvo
Flores
Graciosa
S. Jorge
Terceira
Faial
Pico
S. Miguel
Formigas
Sta Maria
Ponta do Albarnaz
Ponta Delgada
Ilha das Flores
Fajã Grande
Fajãzinha
Santa Cruz das Flores
Ponta da Caveira
Rocha dos Bordões
Lajedo
Fazenda das Lajes
Ponta dos Ilhéus
Lajes
Ilha Graciosa
Ponta da Barca
Sta Cruz da Graciosa
Guadalupe
Praia
Furna do Enxofre
Luz
Carapacho
Oceano Atlântico Norte
Ilha de São Jorge
Ponta dos Rosais
Monte Trigo
Beira
Rosais
Santo António
Fajã do Ouvidor
Velas
Norte Grande
Pico da Esperança
Fajã dos Cubres
Santo Amaro
Urzelina
Manadas
Norte Pequeno
Serra do Topo
Calheta
Ribeira Seca
Santo Antão
Ponta do Topo
Topo
Canal de São Jorge
Ilha do Faial
Cedros
Praia do Norte
Ribeirinha
Capelinhos
Capelo
Caldeira
Varadouro
Flamengos
Horta
Castelo Branco
Mte da Guia
Canal do Faial
Cachorro
Santa Luzia
Bandeiras
Santo António
Madalena
São Roque do Pico
Pte do Mistério
Prainha de Baixo
Pico
Piedade
Candelária
São Mateus
Lajes do Pico
Ponta da Ilha
São João
Ribeiras
Calheta de Nesquim
Ilha do Pico
Ponta da Queimada
Ilha Terceira
Raminho
Biscoitos
Agualva
Lajes
Ponta do Queimado
Serreta
Caldeira
Furnas do Enxofre
Praia da Vitória
Algar do Carvão
Sta Bárbara
Serra do Cume
Ribeirinha
São Mateus
São Sebastião
Monte Brasil
Angra do Heroísmo
Ponta das Contendas
Ilha de São Miguel
Ponta da Bretanha
Bretanha
João Bom
Mosteiros
Remédios
Ponta da Agulha
Santa Barbara
Várzea
Caldeira das Sete Cidades
Ponta da Ferraria
Sete Cidades
Santo António
Ginetes
Candelária
Capelas
Fenais da Luz
Calhetas
Rabo de Peixe
Ribeira Grande
Ribeirinha
Porto Formoso
São Brás
Ponta do Cintrão
Fenais da Ajuda
Achadinha
Achada
Algarvia
Nordestinho
Ponta da Ajuda
Ponta da Ribeira
Lomba da Fazenda
Nordeste
Ponta do Arnel
Maia
Lomba da Maia
Planalto dos Graminhais
Pico da Vara
Pedreira
Feteiras
Carvão
São Vicente Ferreira
Sta Gorda
Pico da Pedra
Ribeira Seca
Sta Bárbara
Caldeiras
Mte Escuro
Salto do Cavalo
Caldeira
Furnas
Senhora do Monte
Ponta da Madrugada
Covoada
Arrifes
Fajã de Cima
Cabouco
Barrosa
Lagoa do Fogo
Lagoa das Furnas
Água Retorta
Relva
Livramento
São Roque
Lagoa
Serra de Água de Pau
Povoação
Faial da Terra
Ponta Delgada
Água de Pau
Caloura
Ponta da Galera
Ribeira Chã
Água de Alto
Vila Franca do Campo
Ponta Garça
Ponta Garça
Ribeira Quente
Ponta do Faial
Oceano Atlântico Norte

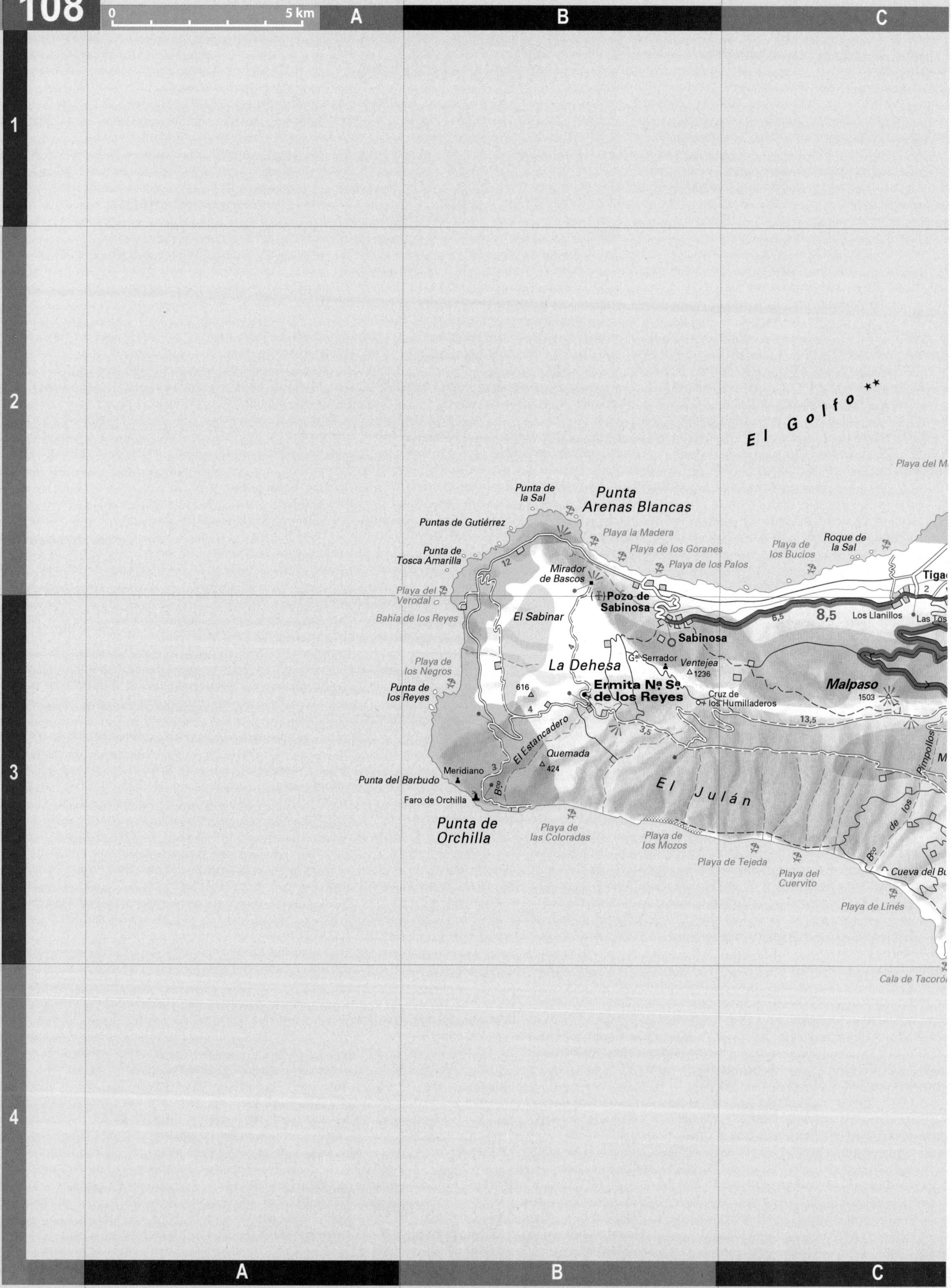

0      5 km

A     B     C

1

2

*El Golfo* ★★

*Playa del M*

Punta de
la Sal

**Punta
Arenas Blancas**

Puntas de Gutiérrez

Playa la Madera

Playa de los Goranes

Playa de
los Bucios

Roque de
la Sal

Punta de
Tosca Amarilla

Playa de los Palos

**Tiga**

Mirador
de Bascos

*Playa del
Verodal*

⊕ **Pozo de
Sabinosa**

6,5    **8,5**    Los Llanillos   Las To

*Bahía de los Reyes*

**El Sabinar**

**Sabinosa**

*Playa de
los Negros*

**La Dehesa**

G^al Serrador

*Ventejea*
△ 1236

**Malpaso**

Punta de
los Reyes

616
△

**Ermita Nª Sª
de los Reyes**

Cruz de
los Humilladeros

1503

13,5

*Pimpollos*

3,5

El Estancadero

*Quemada*
△ 424

*El Julán*

3

Meridiano

Punta del Barbudo

B^co

Faro de Orchilla

**Punta de
Orchilla**

Playa de
las Coloradas

Playa de
los Mozos

Playa de Tejeda

Playa del
Cuervito

^ Cueva del Bu

Playa de Linés

B^co

Cala de Tacoró

4

A     B     C

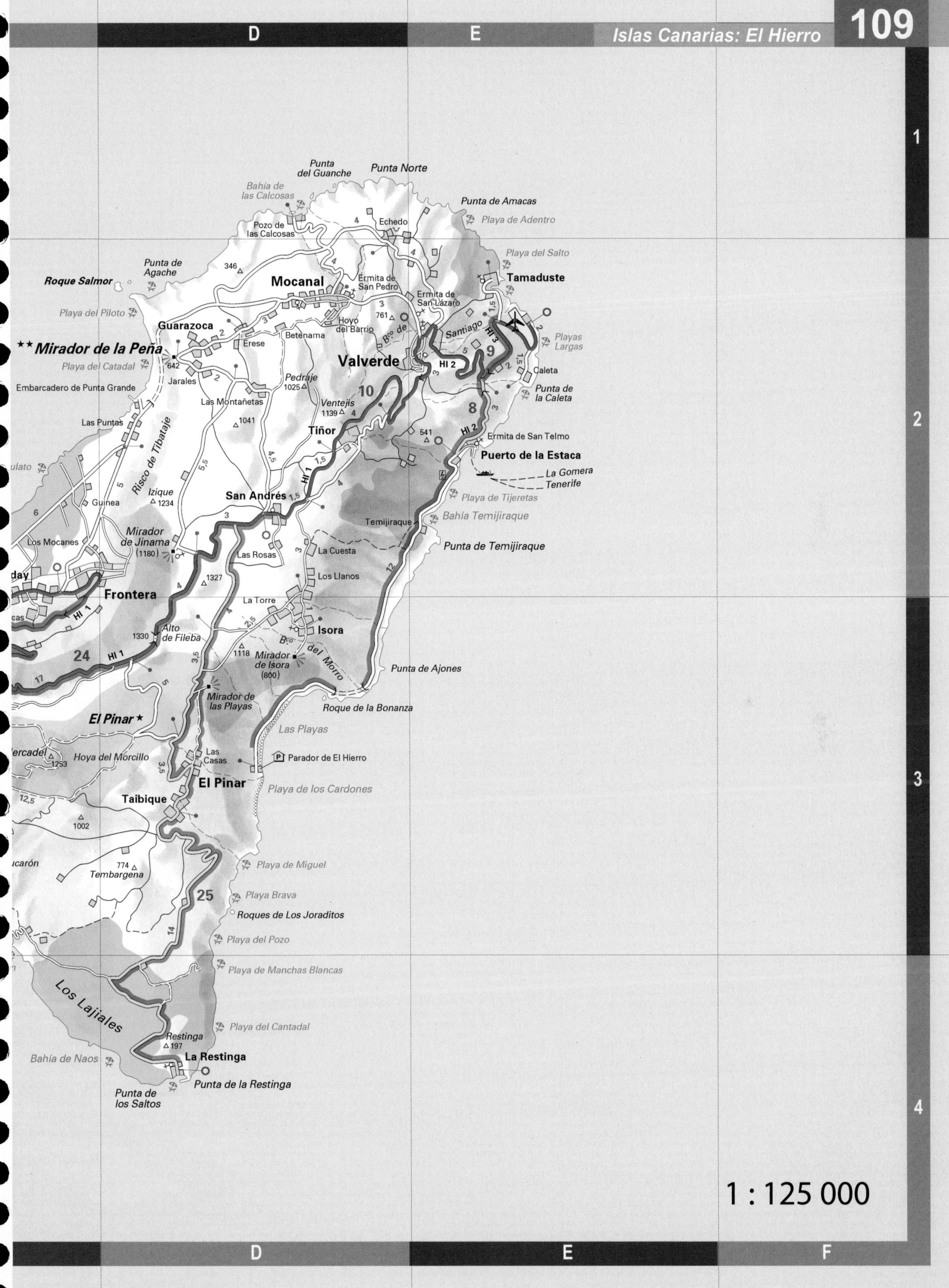

1

2

Punta
del Guanche    Punta Norte

*Bahía de
las Calcosas*      Punta de Amacas

Pozo de
las Calcosas    4    Echedo      *Playa de Adentro*

     *Playa del Salto*

Punta de
Agache    346      **Tamaduste**

**Roque Salmor**      **Mocanal**    Ermita de
San Pedro

*Playa del Piloto*    Ermita de
San Lázaro    1,5    2   *Playas
Largas*

**Guarazoca**    2    Hoyo
del Barrio    Santiago    HI 3    5

★★ **Mirador de la Peña**    Erese    Betenama    B⁰ de    9    Caleta

*Playa del Catadal*    642    3    **Valverde**    HI 2    Punta de
la Caleta

Embarcadero de Punta Grande    Jarales    2    *Pedráje*
1025    10    8

Las Puntas    Las Montañetas    *Ventejis*
1139    HI 2

1041    **Tiñor**    541    Ermita de San Telmo

5,5    4,5    4    **Puerto de la Estaca**

*...ulato*    5    *Izique*
1234    HI 1    - - La Gomera
- - Tenerife

6    Guinea    **San Andrés**    1,5    *Playa de Tijeretas*

Los Mocanes    Mirador
de Jinama
(1180)    3    Las Rosas    3    *Bahía Temijiraque*

*...day*    1327    Temijiraque

HI 1    **Frontera**    La Torre    La Cuesta    Punta de Temijiraque

*...cas*    1330    4    Los Llanos    12

**24**    HI 1    Alto
de Fileba    2,5    **Isora**    del Morro

17    1118    *Mirador
de Isora*
(800)    Punta de Ajones

3,5    *Mirador de
las Playas*    Roque de la Bonanza

**El Pinar** ★    5    *Las Playas*

*...ercadel*
1253    Hoya del Morcillo    3,5    Las
Casas    Ⓟ Parador de El Hierro

3,5    **El Pinar**    *Playa de los Cardones*

12,5    **Taibique**

1002

*...carón*    774    *Playa de Miguel*

Tembargena    **25**    *Playa Brava*

14    Roques de Los Joraditos

*Playa del Pozo*

*Playa de Manchas Blancas*

**Los Lajiales**    *Playa del Cantadal*

Restinga
197

*Bahía de Naos*    **La Restinga**

Punta de
los Saltos    Punta de la Restinga

3

4

**1 : 125 000**

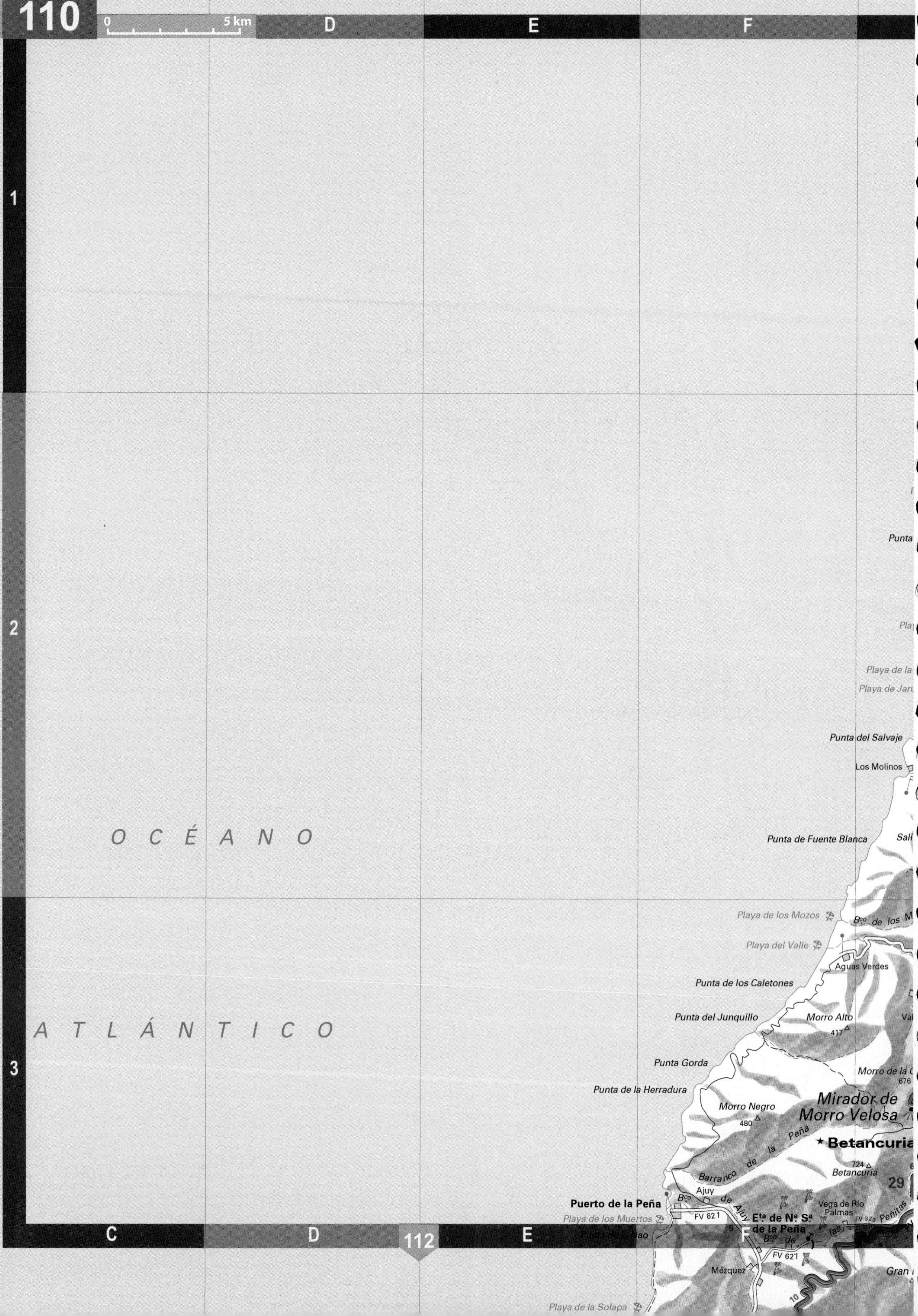

0     5 km

D           E           F

1

2

*O C É A N O*

Punta

Play

Playa de la
Playa de Jaru

Punta del Salvaje

Los Molinos

Punta de Fuente Blanca    Sali

*A T L Á N T I C O*

Playa de los Mozos
B°° de los M

Playa del Valle

Aguas Verdes

Punta de los Caletones

Punta del Junquillo    Morro Alto
417 △

Val

3

Punta Gorda     Morro de la C
676

Punta de la Herradura

Morro Negro    **Mirador de
Morro Velosa**
480 △

de   la   Peña

★ **Betancuria**

724 △
Betancuria

**29**

Barranco   de   la   Peña

Ajuy

B°°

**Puerto de la Peña**

Playa de los Muertos    FV 621

Vega de Río
Palmas

Ermita de Nª Sª
de la Peña

de   Ajuy

Peñitas

FV 323

Punta de la Nao

B°°   de

FV 621

Mézquez

Gran

10

Playa de la Solapa

C          D          E          F

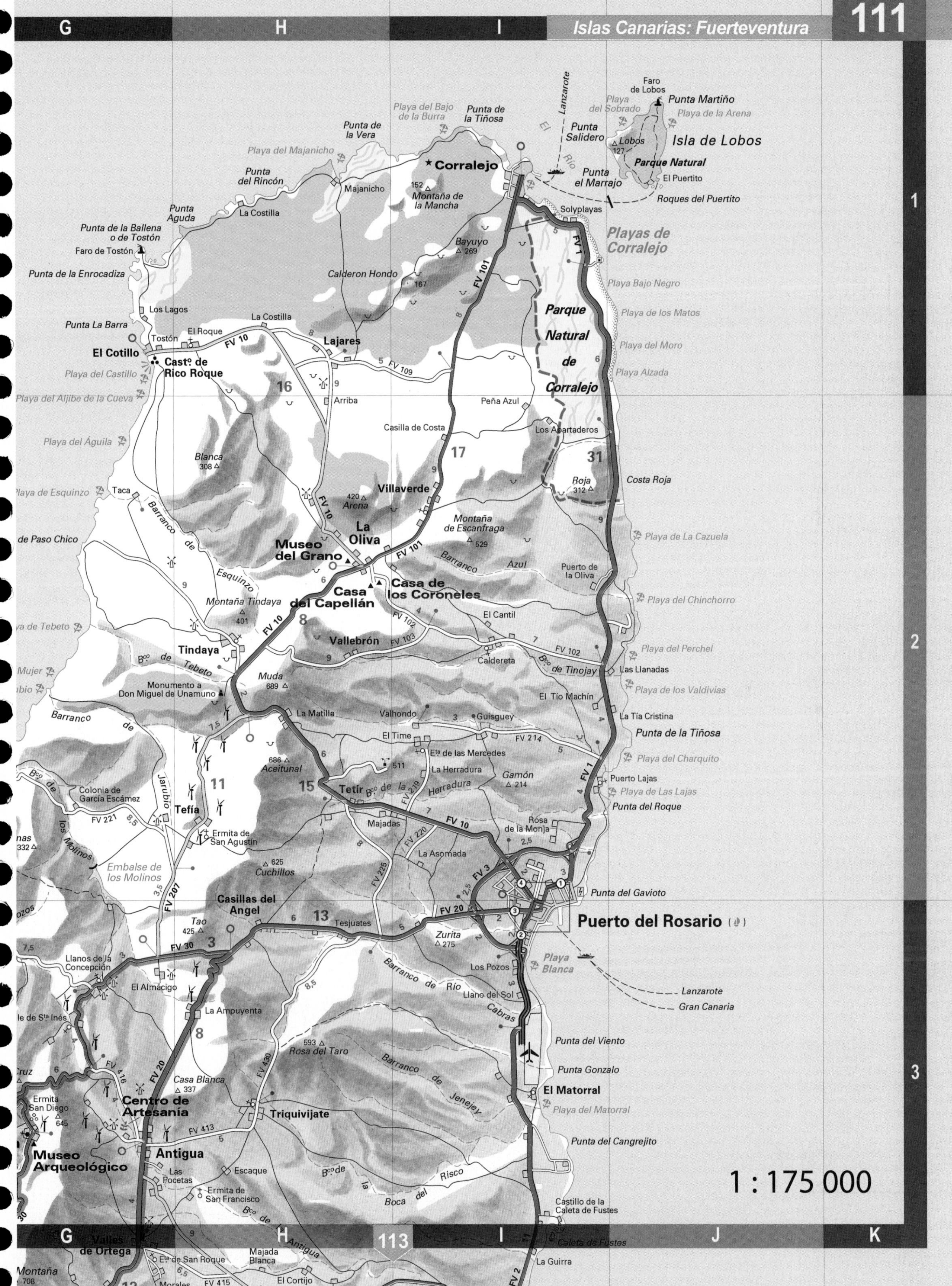

Lanzarote

Faro de Lobos

Playa del Bajo de la Burra

Punta de la Tiñosa

Punta Martiño

Playa del Sobrado

Playa de la Arena

Punta de la Vera

El Río

Punta Salidero

Isla de Lobos

Playa del Majanicho

Lobos 127 △

*Parque Natural*

Punta del Rincón

★ **Corralejo**

152 △

Montaña de la Mancha

Punta el Marrajo

El Puertito

Majanicho

Roques del Puertito

Punta Aguda

La Costilla

Solyplayas

1

Punta de la Ballena o de Tostón

Bayuyo 269 △

FV 1

*Playas de Corralejo*

5

Faro de Tostón ⚓

Punta de la Enrocadiza

Calderon Hondo

167 △

Playa Bajo Negro

Playa de los Matos

Los Lagos

*Parque*

Punta La Barra

La Costilla

8

*Natural*

Playa del Moro

El Roque

FV 10

**El Cotillo**

Tostón

**Cast° de Rico Roque**

Lajares

5

FV 109

*de*

Playa del Castillo

16

9

Arriba

Peña Azul

*Corralejo*

6

Playa Alzada

Playa del Aljibe de la Cueva

Casilla de Costa

Los Apartaderos

31

Playa del Águila 🏊

17

Roja 312 △

Costa Roja

Blanca 308 △

Taca

**Villaverde**

Playa de Esquinzo

420 △ Arena

Montaña de Escanfraga

9

Playa de La Cazuela

de Paso Chico

FV 10

**La Oliva**

529 △

Puerto de la Oliva

Barranco

Azul

Playa del Chinchorro

**Museo del Grano** ▲

FV 101

Esquinzo

6

**Casa de los Coroneles**

de Tebeto

Montaña Tindaya 401 △

**Casa del Capellán** ▲

El Cantil

Playa del Perchel

9

FV 102

B° de Tinojay

FV 10

8

FV 102

Las Llanadas

a de Tebeto

**Tindaya**

**Vallebrón**

FV 103

7

Playa de los Valdivias 🏊

B° de Tebeto

Caldereta

Mujer 🏊

Muda 689 △

El Tío Machín

La Tía Cristina

ubio

Monumento a Don Miguel de Unamuno

La Matilla

Valhondo

3

Guisguey

**Punta de la Tiñosa**

Barranco

de

7,5

El Time

E° de las Mercedes

FV 214

686 △ Aceitunal

511 △

La Herradura

Playa del Charquito 🏊

de los

11

15

**Tetir**

Herradura

Gamón 214 △

FV 1

Colonia de García Escámez

B° de la 2° B°

7

**Puerto Lajas**

Playa de Las Lajas 🏊

8,5

**Tefía**

FV 220

Rosa de la Monja

**Punta del Roque**

FV 221

Majadas

FV 10

**Ermita de San Agustín**

625 △ *Cuchillos*

La Asomada

2,5

ns 332 △

FV 225

La Asomada

FV 3

Punta del Gavioto

Embalse de los Molinos

Tao 425 △

13 Tesjuates

Zurita 275 △

FV 20

2

**Puerto del Rosario** (⚓)

3,5

FV 207

**Casillas del Angel**

5

3

2

3

OZOS

3

Los Pozos

7,5

Llanos de la Concepción

FV 30

Barranco

de

Río

*Playa Blanca*

El Almácigo

8,5

Llano del Sol

Lanzarote

e de S³ Inés

La Ampuyenta

Cabras

Gran Canaria

8

Punta del Viento

FV 416

593 △ Rosa del Taro

Barranco

de

✈

Punta Gonzalo

6

FV 20

Casa Blanca 337 △

FV 130

Jeneje

**El Matorral**

ruz

**Centro de Artesanía**

*Playa del Matorral*

Ermita San Diego

645 △

**Triquivijate**

FV 413

Punta del Cangrejito

**Museo Arqueológico**

**Antigua**

Las Pocetas

Escaque

B° de

la

Boca

del

Risco

**1 : 175 000**

Ermita de San Francisco

Castillo de la Caleta de Fustes

**Valles de Ortega**

E° de San Roque

Majada Blanca

Caleta de Fustes

Montaña 708

12

Morales

El Cortijo

FV 50

La Guirra

Agua de Bueyes ⚓

Agua

FV 415

10

Finca

B° de

Punta del Muellito

FV 2

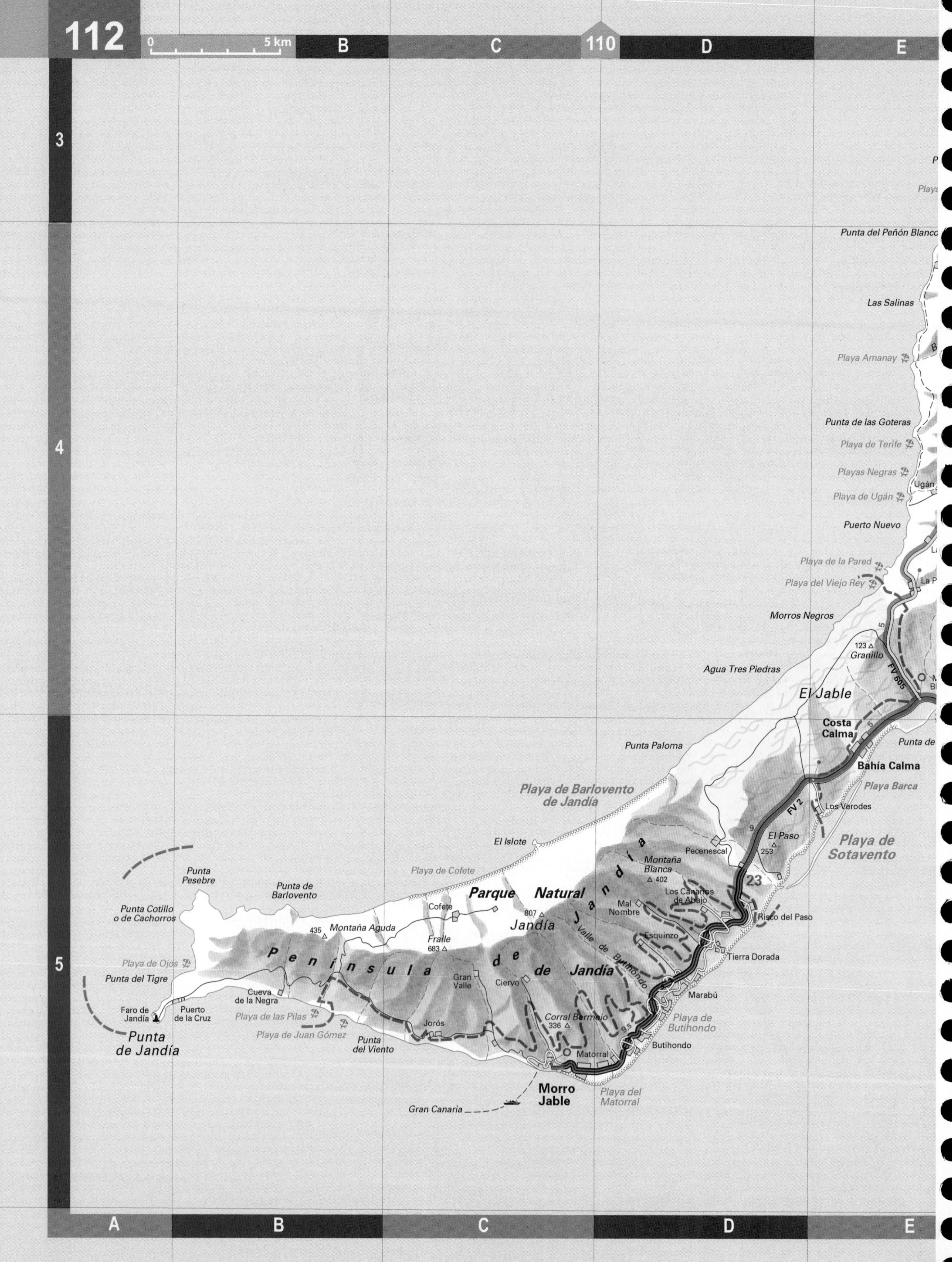

0    5 km

3

4

5

Punta del Peñón Blanco

Las Salinas

*Playa Amanay*

Punta de las Goteras

*Playa de Terife*

*Playas Negras*

*Playa de Ugán*          Ugán

Puerto Nuevo

*Playa de la Pared*

*Playa del Viejo Rey*          La P

Morros Negros

123 △
Granillo

FV 605

Agua Tres Piedras

*El Jable*

**Costa
Calma**

Punta Paloma          Punta de

**Bahía Calma**

*Playa Barca*

*Playa de Barlovento
de Jandía*

FV 2          Los Verodes

El Paso          *Playa de
Sotavento*

El Islote          253 △

*Playa de Cofete*          Montaña
Blanca
△ 402

**Parque    Natural**          Los Canarios
de Abajo

Cofete          807 △          *Jandía*          Mal
Nombre

*Jandía*          **23**

Punta Pesebre

Punta de
Barlovento          435 △          Montaña Aguda          Fraile
683 △          *de*          Esquinzo          Risco del Paso

Punta Cotillo
o de Cachorros          *Península*          Gran
Valle          Ciervo          *de Jandía*          Tierra Dorada

*Playa de Ojos*          Gran Valle          Marabú

Punta del Tigre          Cueva
de la Negra          Corral Bermejo
336 △          *Playa de
Butihondo*

Faro de
Jandía          Puerto
de la Cruz          *Playa de las Pilas*          Jorós          9.5          Butihondo

**Punta
de Jandía**          *Playa de Juan Gómez*          Punta
del Viento          Matorral

**Morro
Jable**          *Playa del
Matorral*

Gran Canaria

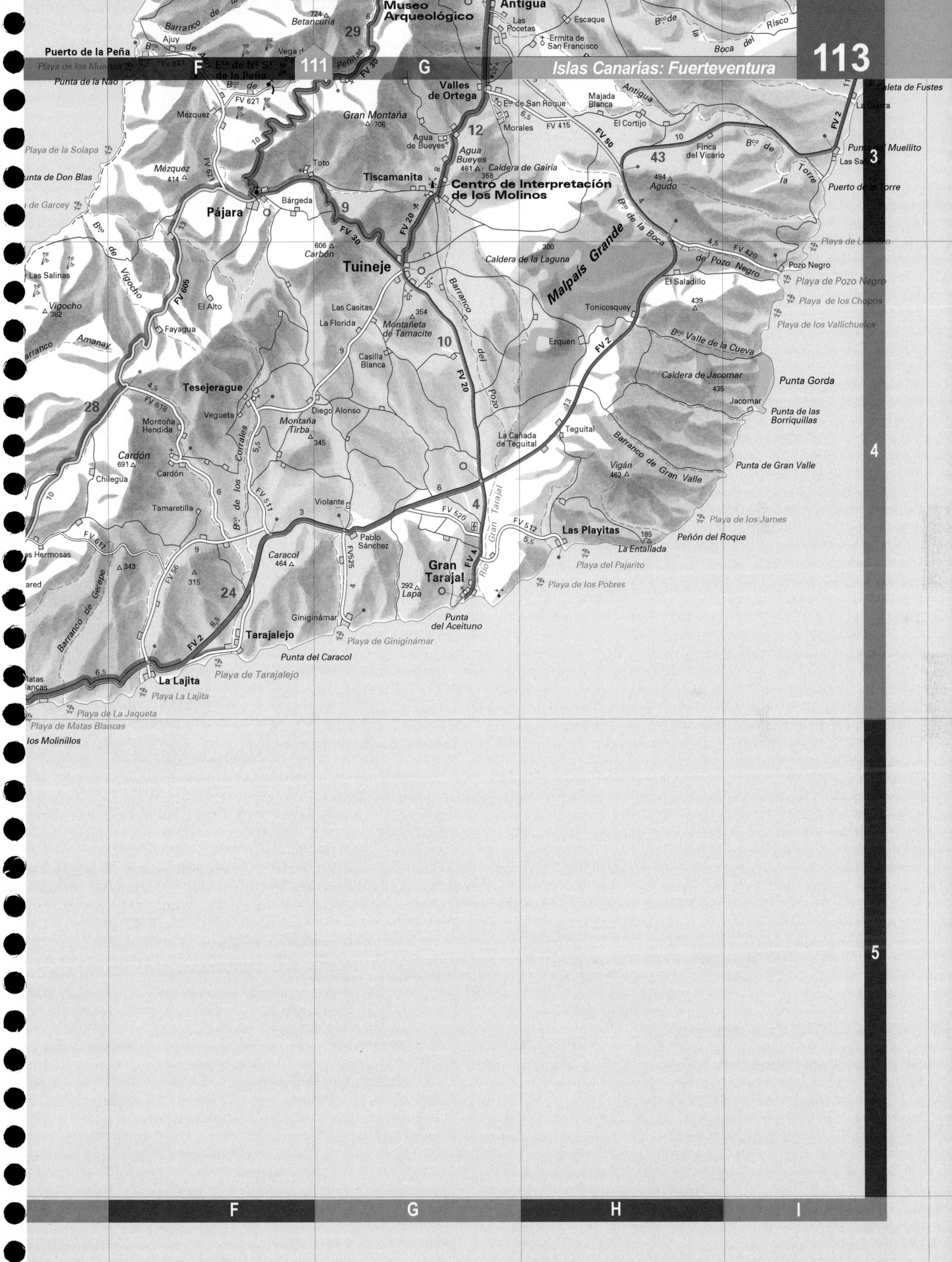

Barranco de la

Betancuria

29

Puerto de la Peña

Playa de los Muertos

Punta de la Nao

Ajuy

Vega de

FV 621

Eª de Nª Sª
de la Peña

FV 30

Peñitas

Valles
de Ortega

Bco de

Las
Pocetas

Ermita de
San Francisco

Escaque

Bco de

la

Boca

del

Risco

Caleta de Fustes

La Guirra

FV 2

3

Punta del Muellito

Las Salinas

Mézquez

Bco de

FV 621

Gran Montaña
708

Eª de San Roque

Morales

Majada
Blanca

FV 415

El Cortijo

Antigua

FV 50

43

10

Finca
del Vicario

Bco de

la

Torre

Puerto de la Torre

Playa de la Solapa

Mézquez
414

FV 621

Toto

Agua
de Bueyes

Agua
Bueyes
461

Caldera de Gairía
358

494
Agudo

Punta de Don Blas

Tiscamanita

Centro de Interpretación
de los Molinos

Bco de la Boca

4,5

FV 420

de Pozo Negro

Playa de Leandro

de Garcey

Bárgeda

9

FV 30

Pozo Negro

Pájara

FV 20

Caldera de la Laguna

Malpaís Grande

El Saladillo

Playa de Pozo Negro

Playa de los Chopos

13

Bco de

Vigocho

606
Carbón

Tuineje

300

Tonicosquey

439

Playa de los Vallichuelos

Las Salinas

FV 605

Las Casitas
354

Ezquen

Bco Valle de la Cueva

Vigocho
382

El Alto

La Florida

Montañeta
de Tamacite

10

FV 2

Caldera de Jacomar
435

Jacomar

Punta Gorda

Barranco

Fayagua

9

Casilla
Blanca

FV 20

Teguital

13

Punta de las
Borriquillas

Amanay

Barranco

4,5

FV 618

Tesejerague

del

Pozo

Punta de Gran Valle

28

Vegueta

Diego Alonso

5,5

Barranco de Gran Valle

Montoña
Hendida

Montaña
Tirba
345

La Cañada
de Teguital

Vigán
462

Cardón
691

Cardón

Corrales

de

los

Bco

6

Violante

Playa de los James

Chilegua

10

Tamaretilla

FV 511

3

6

FV 520

FV 512

Las Playitas
185

Peñón del Roque

La Entallada

343

FV 56

315

9

Caracol
464

FV525

4

Pablo
Sánchez

4

Gran
Tarajal

292
Lapa

Río Gran Tarajal

FV 4

Playa del Pajarito

Playa de los Pobres

24

FV 2

8,5

Tarajalejo

Giniginámar

Punta
del Aceituno

as Hermosas

Barranco de Gerepe

FV 617

Playa de Giniginámar

Punta del Caracol

Playa de Tarajalejo

6,5

La Lajita

Playa La Lajita

Matas
lancas

Playa de La Jaqueta

Playa de Matas Blancas

los Molinillos

4

5

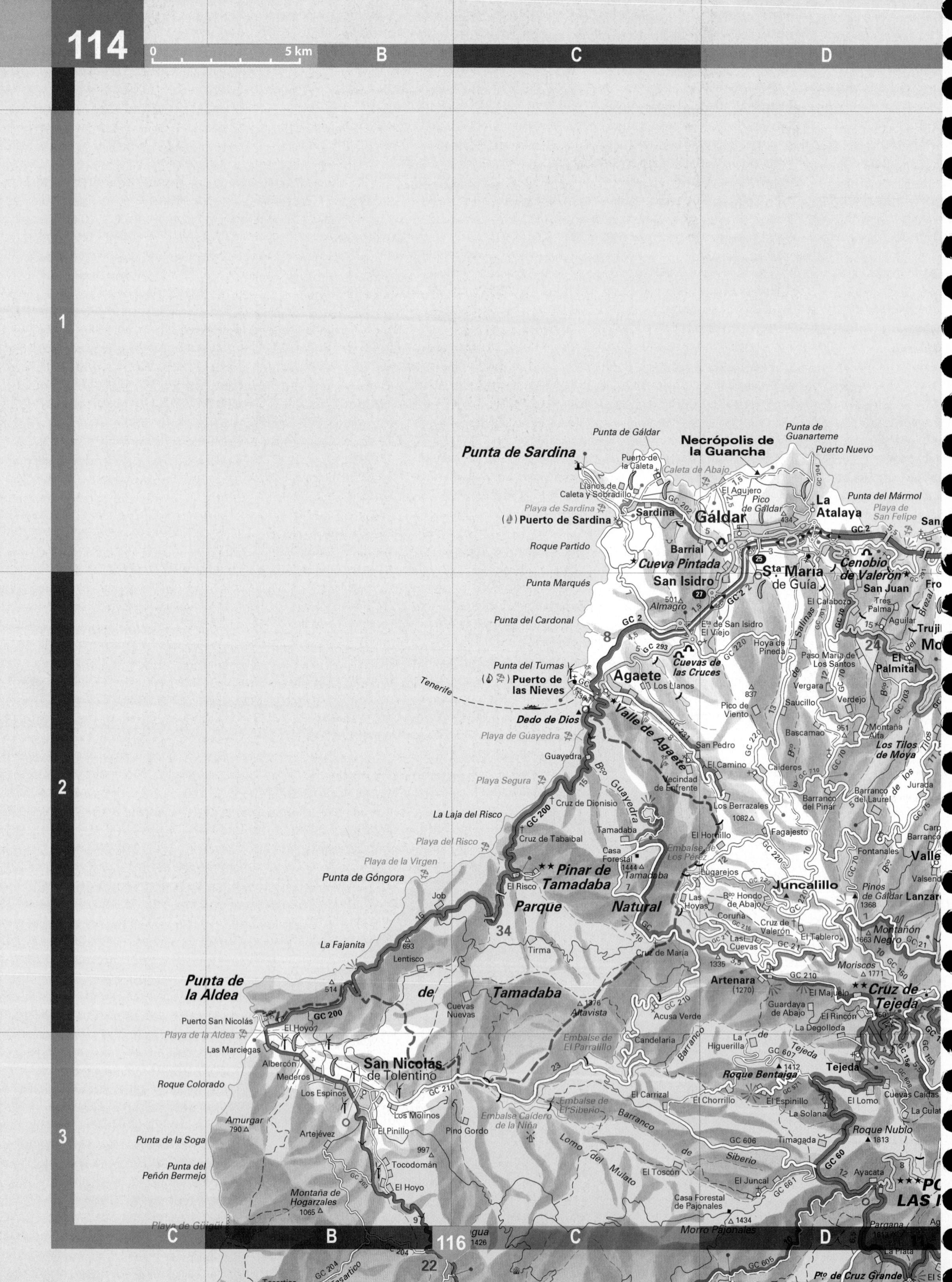

0   5 km

B

C

D

**1**

Punta de Gáldar

Necrópolis de la Guancha

Punta de Guanarteme

Puerto Nuevo

**Punta de Sardina**

Puerto de la Caleta

Caleta de Abajo

El Agujero

**La Atalaya**

Punta del Mármol

Playa de San Felipe

Llanos de Caleta y Sobradillo

Pico de Gáldar

*Playa de Sardina*

**Sardina**

**Gáldar**

San

Puerto de Sardina

Roque Partido

**Barrial**

Sta María

**Cenobio de Valerón**

Fro

★ Cueva Pintada

de Guía

San Juan

Punta Marqués

San Isidro

El Calabozo

Tres Palma

Almagro

Aguilar

Trujil

Punta del Cardonal

Mo

Eta de San Isidro El Viejo

Hoya de Pineda

Paso María de Los Santos

**El Palmital**

**8**

GC 2

GC 293

Cuevas de las Cruces

Vergara

Saucillo

**24**

Punta del Tumas

Puerto de las Nieves

**Agaete**

Los Llanos

Pico de Viento

Verdejo

Bascamao

*Los Tilos de Moya*

Tenerife

**Dedo de Dios**

*Valle de Agaete*

San Pedro

Caideros

Carp

*Playa de Guayedra*

El Camino

Barranco del Laurel

Jurada

Guayedra

Vecindad de Enfrente

Barranco del Pinar

Barranco

*Playa Segura*

Los Berrazales

Fagajesto

**Valle**

**2**

La Laja del Risco

Cruz de Dionisio

Tamadaba

El Hornillo

Valsend

*Playa del Risco*

Cruz de Tabaibal

Casa Forestal

Embalse de Los Pérez

Lugarejos

Lanzar

*Playa de la Virgen*

★★ **Pinar de Tamadaba**

El Risco

*Pinos de Gáldar*

Punta de Góngora

**Parque**

**Natural**

Las Hoyas

**Juncalillo**

Job

Coruña

**Montañón Negro**

**La Fajanita**

Tirma

Cruz de María

Las Cuevas

El Tablero

Moriscos

Lentisco

**de**

**Tamadaba**

**Artenara**

GC 210

**★★ Cruz de Tejeda**

**Punta de la Aldea**

Cuevas Nuevas

Altavista

Acusa Verde

Guardaya de Abajo

El Rincón

La Degollada

Puerto San Nicolás

GC 200

Candelaria

La Higuerilla

de

Tejeda

*Playa de la Aldea*

El Hoyo

Embalse de El Parralillo

GC 607

Las Marciegas

**Tejeda**

Albercón

**San Nicolás**

El Carrizal

El Chorrillo

El Espinillo

El Lomo

Cuevas Caidas

Mederos

de Tolentino

*Roque Bentaiga*

La Solana

La Culat

Roque Colorado

Los Espinos

Los Molinos

Embalse Caidero de la Niña

Barranco

**3**

Amurgar

Artejévez

El Pinillo

Pino Gordo

**Roque Nublo**

Punta de la Soga

Tocodomán

El Toscón

Siberio

Timagada

GC 606

Ayacata

Punta del Peñón Bermejo

El Hoyo

El Juncal

**★★★ PO**

Montaña de Hogarzales

Casa Forestal de Pajonales

**LAS I**

*Playa de Güigüi*

Morro Pajonales

Pargana

C

B

**116**

C

D

**22**

Tasartico

de Tasartico

**Tasarte**

Pto de Cruz Grande

Casa Forestal

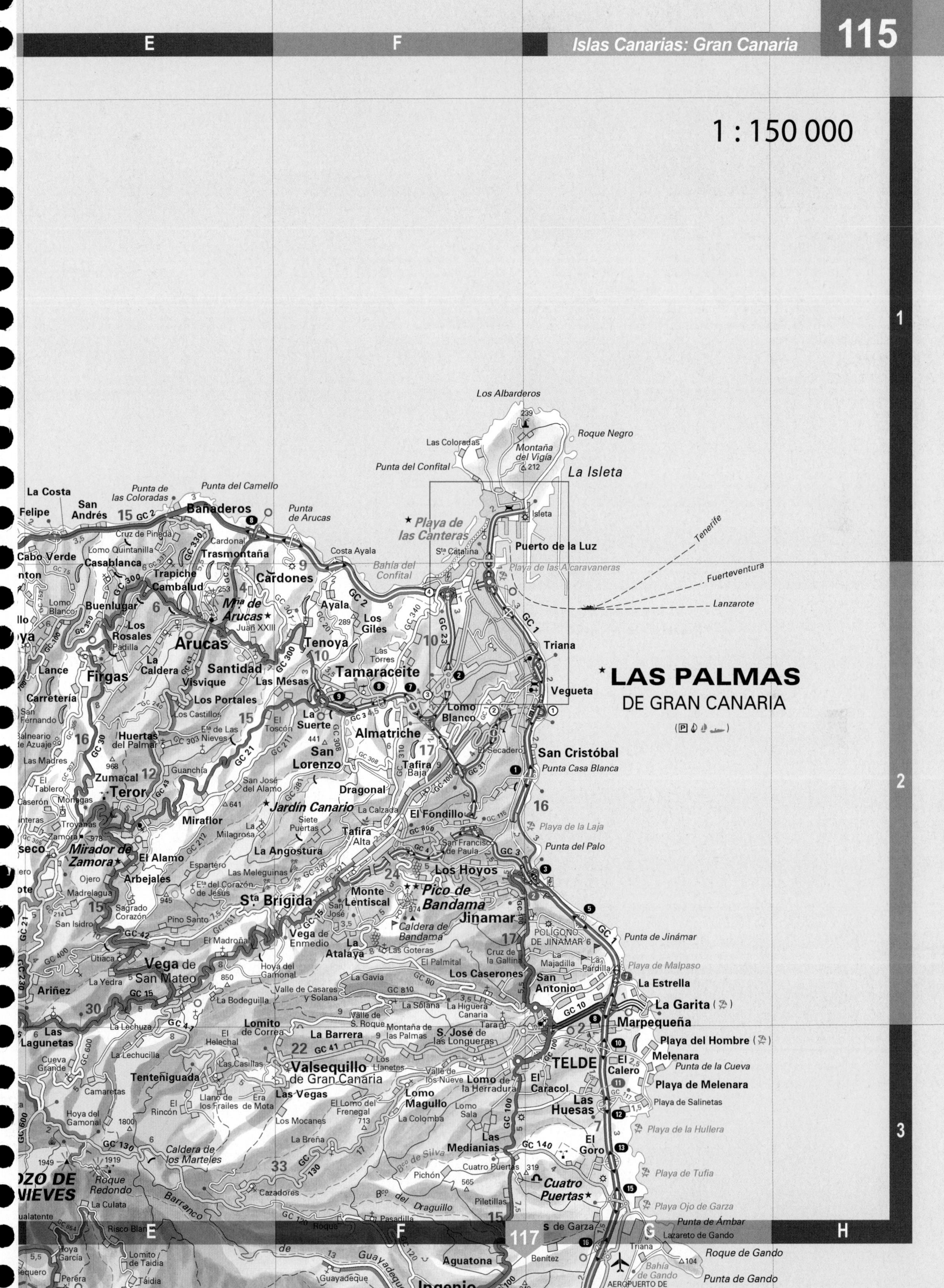

1 : 150 000

1

Los Albarderos

239

Roque Negro

Las Coloradas

Montaña
del Vigía
△ 212

*La Isleta*

Punta del Confital

Tenerife

Isleta

La Costa  Punta de
las Coloradas  Punta del Camello
San  15  GC 2  **Bañaderos**  Punta
Felipe  Andrés  8  de Arucas

★ *Playa de
las Canteras*

Puerto de la Luz

3,5  Cruz de Pineda
Cabo Verde  Lomo Quintanilla  Cardonal
nton  GC 7,5  **Casablanca**  **Trasmontaña**  9  Costa Ayala
GC 300  **Trapiche**  **Cardones**  *Bahía del
Cambalud*  253  4  Confital
Buenlugar  6  289  Ayala
Lomo  Mña de  Los  Sta Catalina
Blanco  **Arucas** ★  Juan XXIII  Giles  *Playa de las Alcaravaneras*
ya  Los  Padilla  Las  GC 2
Rosales  **Arucas**  Tenoya  Torres  GC 340
Lance  La  **Santidad**  10  10  Triana
Caldera  Visvique  Las Mesas  **Tamaraceite**  2
**Firgas**  Los Portales  9  8  7  GC 1
Carretería  Los Castillos  15  3  Lomo  **★ LAS PALMAS**
San  El  La  Blanco  **Vegueta**  DE GRAN CANARIA
Fernando  Tóscon  **Suerte**  441  **Almatriche**  2
16  GC 30  Huertas  Eta de Las  310  17  El Secadero  1  San Cristóbal
Balneario  del Palmar  Nieves  GC 308  **San**  **Tafira**  Punta Casa Blanca
de Azuaje  GC 303  968  **Lorenzo**  Baja  1  16
Las Madres  12  Guanchía  GC 21  **Dragonal**  GC 100  GC 118  *Playa de la Laja*
El  **Zumacal**  San José  ★ *Jardín Canario*  La Calzada
Tablero  **Teror**  Moriscas  del Alamo  △ 641  Siete  3  GC 3  Punta del Palo
Caserón  978  GC 43  GC 212  Puertas  **El Fondillo**  San Francisco
nteras  Zamora  **Miraflor**  La  **Tafira**  de Paula
seco  ★ **Mirador de**  El Alamo  Milagrosa  **Alta**  GC 800  3
**Zamora** ★  Espartero  Las Meleguinas  24  **Los Hoyos**  2
ote  Ojero  Eta del Corazón  La Angostura  5
15  Madrelagua  de Jesús  ★ **Pico de**  Punta de Jinámar
GC 21  945  **Sta Brígida**  Monte  **Bandama**  POLÍGONO  *Playa de Malpaso*
Sagrado  Lentiscal  574  **Jinamar**  DE JINÁMAR 6
Corazón  Pino Santo  San  ★ ▶ **Caldera de**  Cruz de  La  La
San Isidro  214  1,5  José  **Bandama**  la Gallina  Majadilla  Pardilla  7  **La Estrella**
GC 42  3,5  17  San
**Vega** de  El Madroñal  **Vega** de  Las Goteras  Antonio  **La Garita**
**San Mateo**  850  **Enmedio**  La  El Palmital  1  8  **Marpequeña**
Utiaca  Hoya del  **Atalaya**  Los Caserones  GC 10  10  **Playa del Hombre**
**Ariñez**  La Yedra  Gamonal  Valle de Casares  GC 80  **Melenara**
30  GC 15  y Solana  La Gavia  3,5  El 2,5  Punta de la Cueva
La Lechuza  La Bodeguilla  Valle de  La Sólana  GC 810  La Higuera  **Calero**  11  GC  **Playa de Melenara**
Las  GC 41  Lomito  S. Roque  Canaria  San  **TELDE**  *Playa de Salinetas*
**Lagunetas**  La Lechucilla  de Correa  El  Montaña de  **S. José** de  **El**  12  1,5
Cueva  Helechal  **La Barrera**  9  las Palmas  **Longueras**  **Caracol**  Las  *Playa de la Hullera*
Grande  Las Casillas  22  GC 41  Llanetes  Valle de  **Huesas**  13
**Tenteñiguada**  **Valsequillo**  los Nueve  **Lomo de**  **El**  3  El  *Playa de Tufia*
de Gran Canaria  **Las Vegas**  la Herradura  **Goro**  13
El  Llano de  El Lomo del  **Lomo**  Lomo  **Las**  GC 140  15  *Playa Ojo de Garza*
Hoya del  Rincón  los Frailes de Mota  Frenegal  **Magullo**  Sala  **Medianías**  Punta de Ámbar
Gamonal  1800  Los Mocanes  713  La Colomba
GC 130  La Breña  **Cuatro**  319  Lazareto de Gando
1949  1919  ★ **Puertas** ★  Punta de Ámbar
Roque  Caldera de  33  130  Pichón  Cuatro Puertas  S de Garza  Roque de Gando
Redondo  los Martales  565  Piletillas  16  Triana
La Culata  Cazadores  GC 120  15  Bahía  △ 104
Gualatente  del Dragullo  Pasadilla  de Gando  Punta de Gando
Hoya  Risco Blanco  E  F  **117**  G  H
García  5,5  **Aguatona**  Benítez  AEROPUERTO DE
equero  Perera  Lomito  Guayadeque  GC 100  GRAN CANARIA  *Playa de San Agustín*
Hoya de  de Taidia  13  249  Guayadeque  **Ingenio**
Tunte  El Morisco  GC 100

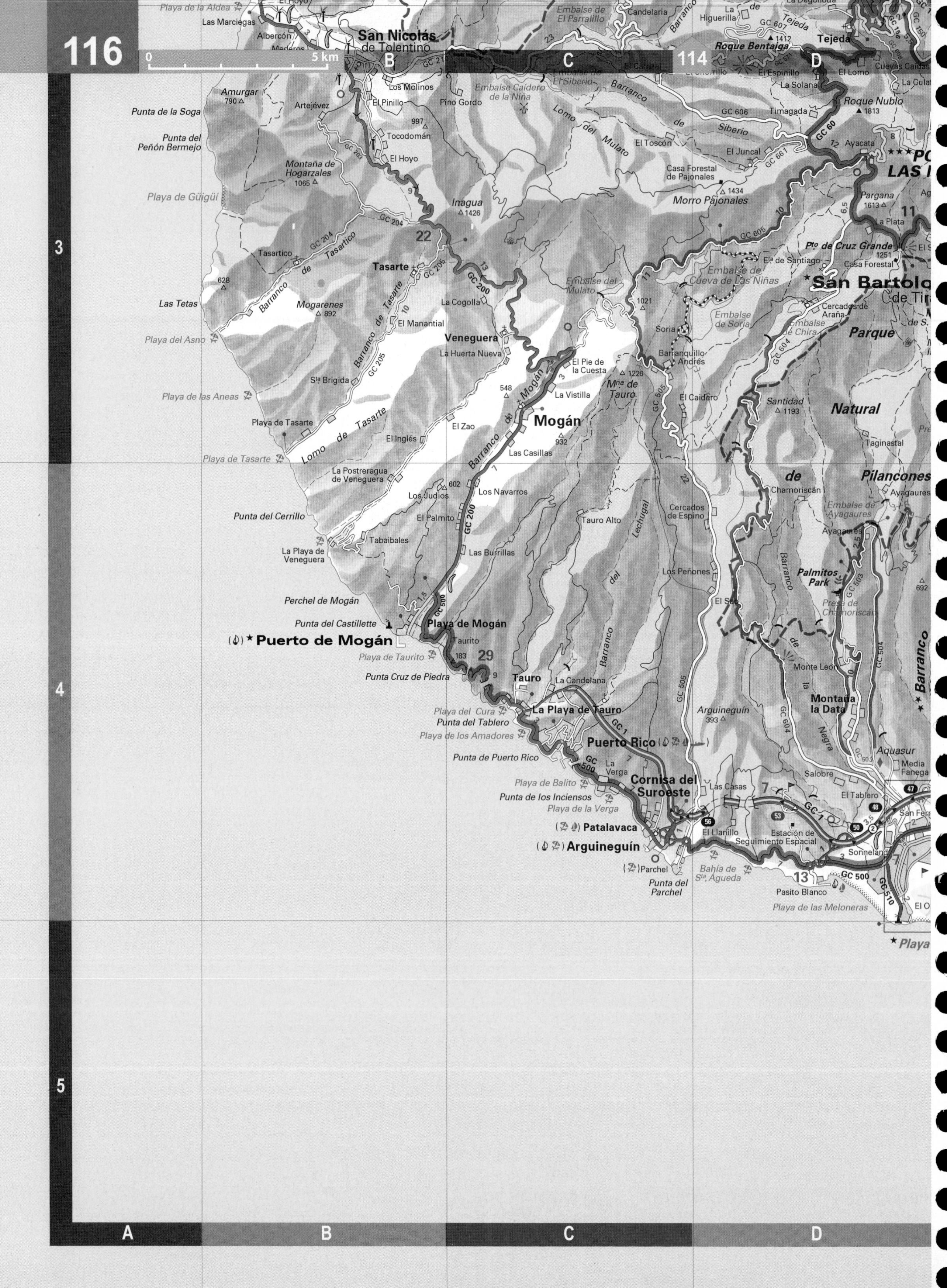

0       5 km

**B**       **C**       **114**       **D**

Puerto San Nicolás
Playa de la Aldea
Las Marciegas
Albercón
Mederos
El Hoyo
El Parralillo
Embalse de
El Parralillo
Candelaria
Barranco
La
Higuerilla
de
Tejeda
La Degollada
Acusa verde
El Rincón
GC 150
GC 60
San Nicolás
de Tolentino
GC 210
Embalse de
El Siberio
El Carrial
Roque Bentaiga
Cuevas Caídas
Tejeda
El Lomo
La Cula

Los Molinos
Embalse Caldero
de la Niña
Barranco
El Espinillo
La Solana
Roque Nublo
▲ 1813

Punta de la Soga
Amurgar
790 △
Artejévez
El Pinillo
Pino Gordo
Lomo
del
Mulato
de
Siberio
Timagada
GC 606
GC 60
12
Ayacata
8

Punta del
Peñón Bermejo
997
Tocodomán
El Toscón
El Juncal
GC 661
GC 605
Pargana
1613 △
La Plata
11
PO
LAS I

Montaña de Hogarzales
1065 △
El Hoyo
GC 204
Casa Forestal
de Pajonales
△ 1434
Morro Pájonales
Pto de Cruz Grande
1251
Eª de Santiago
Casa Forestal

Playa de Güigüí
Inagua
△ 1426
GC 204
22
Tasartico
Embalse del
Mulato
11
Embalse de
Cueva de las Niñas
San Bartolo
de Tir

3

Tasarte
GC 205
13
GC 200
de
Tasartico
1021
Soria
Embalse
de Chira
GC 604
Parque

Las Tetas
628 △
Mogarenes
892 △
La Cogolla
△ 1226
Soria
Barranquillo
Andrés
Cercados de
Araña
de S.

Playa del Asno
El Manantial
Sta Brigida
Veneguera
La Huerta Nueva
El Pie de
la Cuesta
3
Mª de Tauro
El Caidero
Santidad
△ 1193
Natural

Playa de las Aneas
548 △
La Vistilla
GC 503
Taginastal

Playa de Tasarte
El Inglés
El Zao
Mogán
932
Las Casillas
22
de
Pilancones

Playa de Tasarte
La Postreragua
de Veneguera
602
Los Navarros
Chamoriscán
Embalse de
Ayagaures
Ayagaures

Punta del Cerrillo
Los Judíos
El Palmito
GC 200
Tauro Alto
Cercados
de Espino
Barranco
692
Palmitos
Park
Presa de
Chamoriscán

La Playa de
Veneguera
Tabaibales
Las Burrillas
Los Peñones
El Sao
Monte León

Perchel de Mogán
GC 500
1.5
Montaña
la Data

Punta del Castillette
Playa de Mogán
Taurito
Barranco
Arguineguín
393 △
GC 604
GC 504
4

(♨) ★ **Puerto de Mogán**
183
29
Tauro
La Candelana
Aquasur

Playa de Taurito
9
La Playa de Tauro
Puerto Rico (♨) ⚓
GC 1
Salobre
El Tablero
Media
Fahega
47

Punta Cruz de Piedra
Playa del Cura
Punta del Tablero
Playa de los Amadores
GC 500
La Verga
48
San Fer

Punta de Puerto Rico
Playa de Balito
Punta de los Inciensos
Playa de la Verga
Cornisa del
Suroeste
Las Casas
7
53
GC 1
50
2
Sonneland
3

Patalavaca
56
El Llanillo
Estación de
Seguimiento Espacial

(♨) ⚓ **Arguineguín**
Bahía de
Sta. Águeda
13
GC 500
GC 510
El O

(⚓) Parchel
Punta del
Parchel
Pasito Blanco
Playa de las Meloneras
★ Playa

**A**       **B**       **C**       **D**

3

4

5

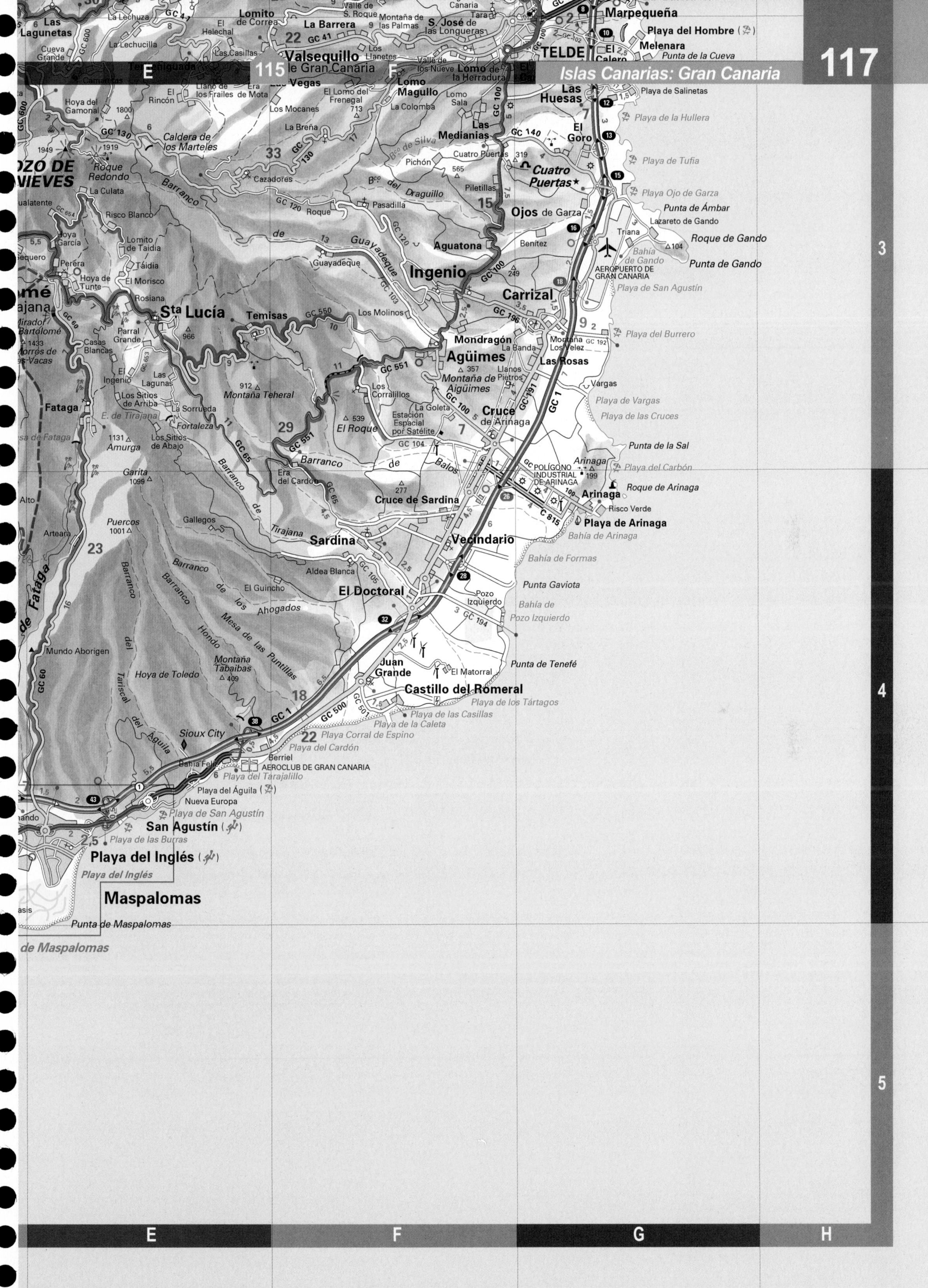
La Garita
Marpequeña
Playa del Hombre
Melenara
Punta de la Cueva
TELDE
Lomito de Correa
La Barrera
S. José de las Longueras
Valsequillo de Gran Canaria
Las Lagunetas
La Lechucilla
Las Casillas
Tenteniguada
115
Las Vegas
Lomo Magullo
Lomo de la Herradura
Las Huesas
Playa de Salinetas
Playa de la Hullera
El Goro
Las Medianías
Cuatro Puertas
Playa de Tufia
Playa Ojo de Garza
Punta de Ámbar
Lazareto de Gando
Roque de Gando
Punta de Gando
Bahía de Gando
AEROPUERTO DE GRAN CANARIA
Playa de San Agustín
Caldera de los Marteles
Roque Redondo
POZO DE LAS NIEVES
Hoya del Gamonal
Cazadores
Pichón
Piletillas
Ojos de Garza
Pasadilla
Barranco de Guayadeque
Guayadeque
Aguatona
Ingenio
Benítez
Carrizal
Sta Lucía
Temisas
Los Molinos
Mondragón
Agüimes
La Banda
Montaña Los Velez
Las Rosas
Playa del Burrero
Vargas
Playa de Vargas
Playa de las Cruces
Montaña de Agüimes
Llanos Pietros
Cruce de Arinaga
Los Corralillos
Estación Espacial por Satélite
La Goleta
El Roque
Montaña Teheral
Fortaleza
Amurga
Los Sitios de Arriba
Los Sitios de Abajo
Las Lagunas
Sorrueda
Fataga
Punta de la Sal
POLÍGONO INDUSTRIAL DE ARINAGA
Arinaga
Playa del Carbón
Roque de Arinaga
Risco Verde
Playa de Arinaga
Bahía de Arinaga
Barranco de Balos
Cruce de Sardina
Era del Cardón
Garita
Puercos
Gallegos
Arteara
Alto
Barranco de Tirajana
Sardina
Vecindario
Bahía de Formas
Aldea Blanca
El Guincho
El Doctoral
Punta Gaviota
Pozo Izquierdo
Bahía de Pozo Izquierdo
Barranco de los Ahogados
Mesa de las Puntillas
Hondo
Montaña Tabaibas
Hoya de Toledo
Mundo Aborigen
Juan Grande
El Matorral
Punta de Tenefé
Castillo del Romeral
Playa de los Tártagos
Playa de las Casillas
Playa de la Caleta
Playa Corral de Espino
Playa del Cardón
Sioux City
Berriel
AEROCLUB DE GRAN CANARIA
Bahía Feliz
Playa del Tarajalillo
Playa del Águila
Nueva Europa
Playa de San Agustín
San Agustín
Playa de las Burras
Playa del Inglés
Maspalomas
Punta de Maspalomas
de Maspalomas
E
F
G
H
3
4
5

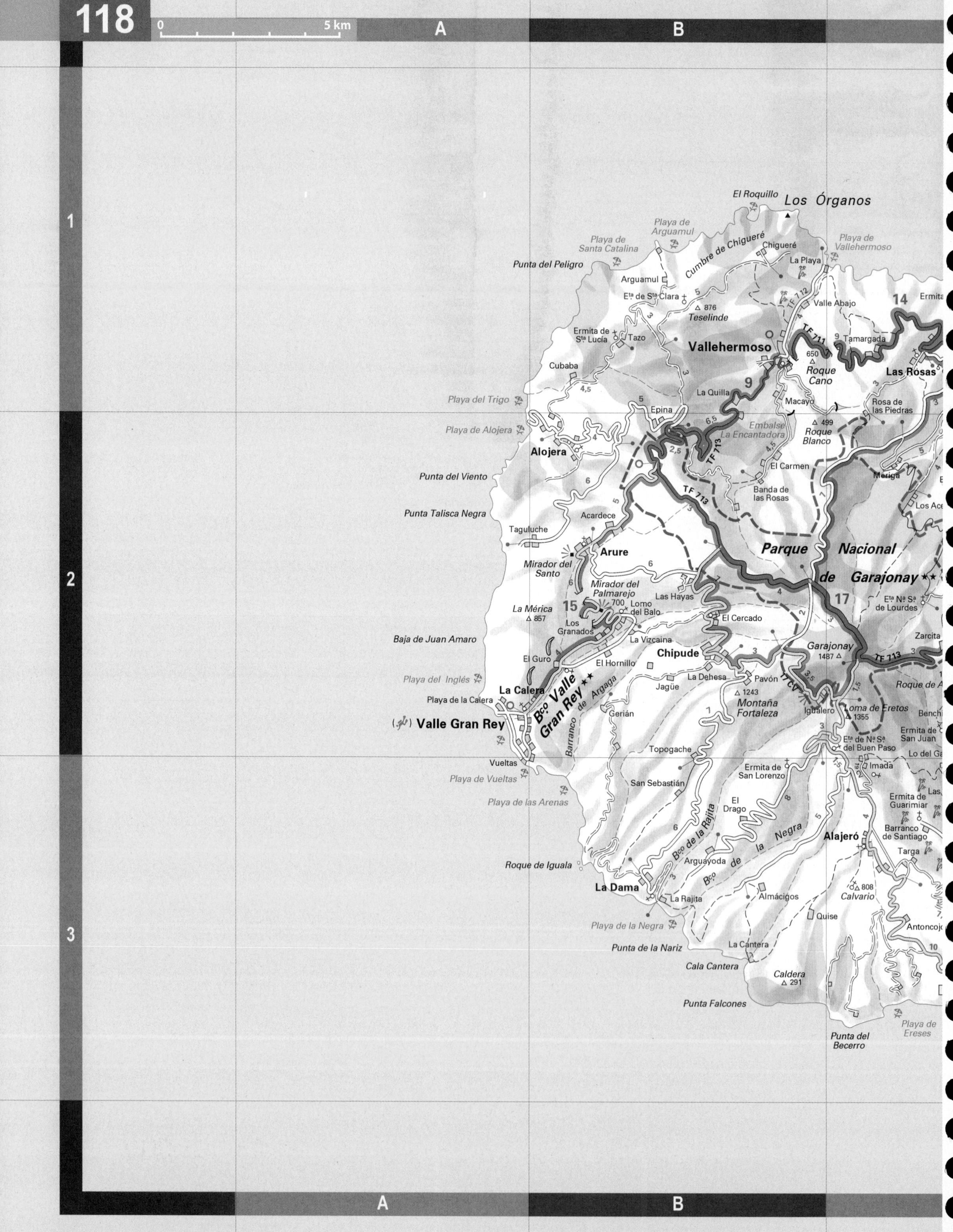

0      5 km

**A**

**B**

**1**

El Roquillo

*Los Órganos*

*Playa de Arguamul*

*Playa de Santa Catalina*

Cumbre de Chiguere

Chiguere

*Playa de Vallehermoso*

*Punta del Peligro*

Arguamul

La Playa

Eta de Sta Clara

5

Valle Abajo

**14**

Ermita

△ 876

*Teselinde*

TF 711

9 Tamargada

Ermita de Sta Lucía

Tazo

3

**Vallehermoso**

650

9

**Las Rosas**

Cubaba

*Roque Cano*

△

La Quilla

**9**

Macayo

Rosa de las Piedras

4,5

Epina

5

△ 499

*Roque Blanco*

*Playa del Trigo*

6,5

*Embalse La Encantadora*

Mériga

*Playa de Alojera*

4

2,5

El Carmen

Los Ace

**Alojera**

6

TF 713

Banda de las Rosas

*Punta del Viento*

5

TF 713

*Parque Nacional*

*Punta Talisca Negra*

Acardece

3

Taguluche

**Arure**

6

*de Garajonay* ★★

**2**

*Mirador del Santo*

6

*Mirador del Palmarejo*

Las Hayas

4

**17**

Eta Nº Sª de Lourdes

*La Mérica*

700

Lomo del Balo

△ 857

**15**

2

3

Zarcita

Los Granados

El Cercado

*Baja de Juan Amaro*

La Vizcaína

*Garajonay*

TF 713

El Guro

El Hornillo

**Chipude**

3

1487 △

Roque de A

*Playa del Inglés*

La Dehesa

Pavón

TF

**La Calera**

Jagüe

1,5

*Playa de la Calera*

Bco Valle Gran Rey ★★

Gerián

△ 1243

*Montaña Fortaleza*

Igualero

*Loma de Eretos*

△ 1355

Benchi

( ) **Valle Gran Rey**

Barranco de Argaga

7

Ermita de San Juan

Eta de Nº Sª del Buen Paso

Lo del Ga

Vueltas

Topogache

Imada

*Playa de Vueltas*

San Sebastián

*Ermita de San Lorenzo*

8

*Ermita de Guarimiar*

*Playa de las Arenas*

El Drago

Las

*Barranco de Santiago*

6

**Alajeró**

*Bco de la Rajita*

5

Targa

*Roque de Iguala*

Arguayoda

de

la

Negra

△ 808

*Punta de la Nariz*

**La Dama**

3

Bco

*Calvario*

*Playa de la Negra*

La Rajita

Almácigos

Quise

Antoncoj

**3**

La Cántera

10

*Cala Cantera*

*Caldera*

△ 291

*Playa de Ereses*

*Punta Falcones*

*Punta del Becerro*

**A**

**B**

1

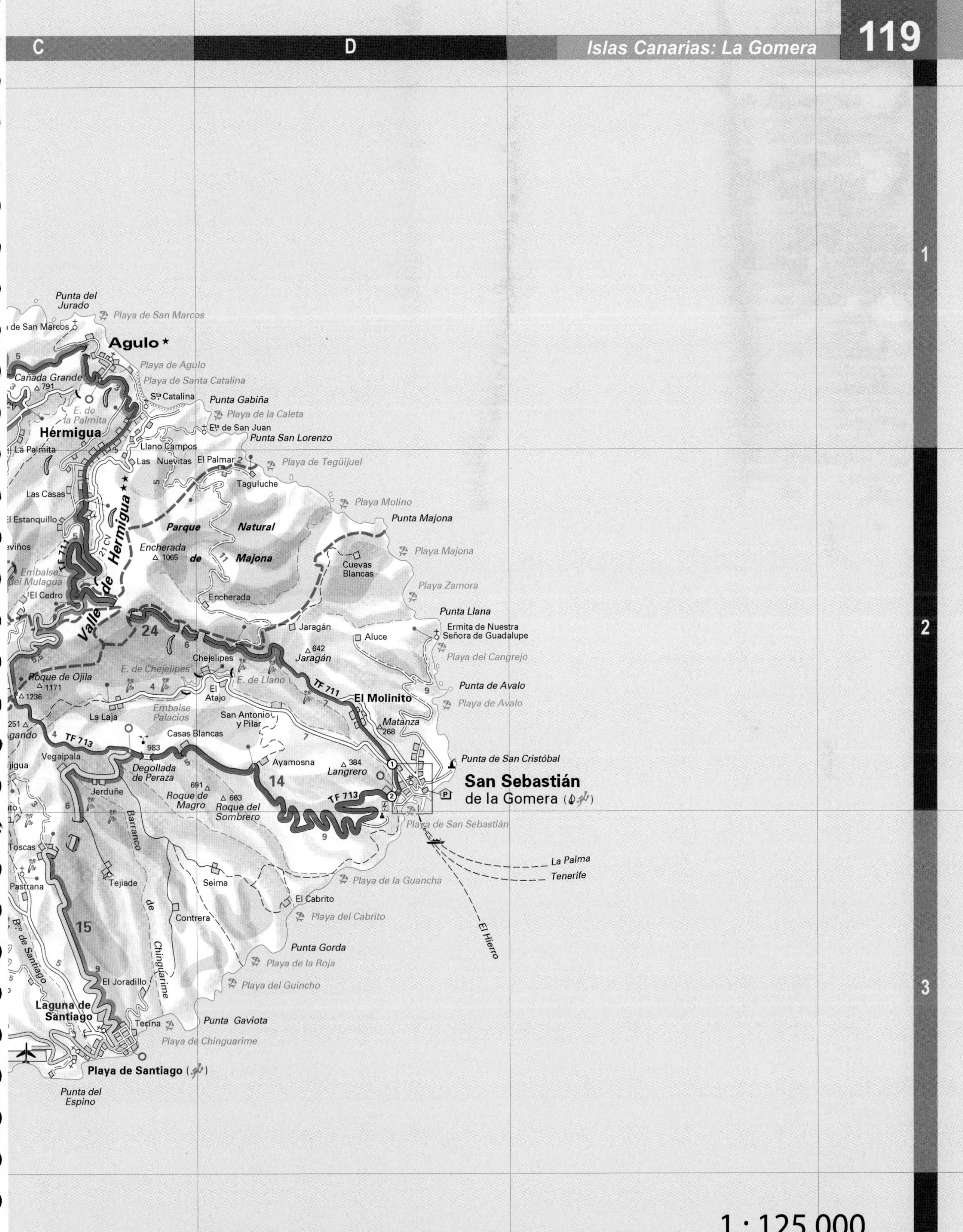

Punta del Jurado

Playa de San Marcos

de San Marcos

**Agulo** ★

Playa de Agulo

Playa de Santa Catalina

Cañada Grande
△ 791

Stª Catalina

Punta Gabiña

E. de la Palmita

Playa de la Caleta

Eª de San Juan

**Hérmigua**

Punta San Lorenzo

La Palmita

Llano Campos

Las Nuevitas

El Palmar 2

Playa de Tegüijuel

Las Casas

Taguluche

Playa Molino

El Estanquillo

*Parque*    *Natural*

Punta Majona

eviños

*Encherada*
△ 1065

*de*    *Majona*

Cuevas Blancas

Playa Majona

Embalse del Mulagua

El Cedro

Encherada

Playa Zamora

Punta Llana

Jaragán

Aluce

Ermita de Nuestra Señora de Guadalupe

**24**

Chejelipes

E. de Chejelipes

△ 642
Jaragán

Playa del Cangrejo

Roque de Ojila
△ 1171

E. de Llano

TF 711

El Molinito

Punta de Avalo

△ 1236

El Atajo

San Antonio y Pilar

9

Playa de Avalo

251 △

La Laja

Embalse Palacios

Matanza
268

gando

TF 713

Casas Blancas

Punta de San Cristóbal

983

Vegaipala

Ayamosna

△ 384
Langrero

1

**San Sebastián**
de la Gomera

Degollada de Peraza

**14**

2

Jerduñe

691

Roque de Magro

△ 663
Roque del Sombrero

TF 713

Playa de San Sebastián

6

9

La Palma

Toscas

Tenerife

Pastrana

Tejiade

Seima

El Cabrito

Playa de la Guancha

Contrera

Playa del Cabrito

El Hierro

**15**

Punta Gorda

Playa de la Roja

El Joradillo

Playa del Guincho

**Laguna de Santiago**

Tecina

Punta Gaviota

Playa de Chinguarime

**Playa de Santiago**

Punta del Espino

2

3

**1 : 125 000**

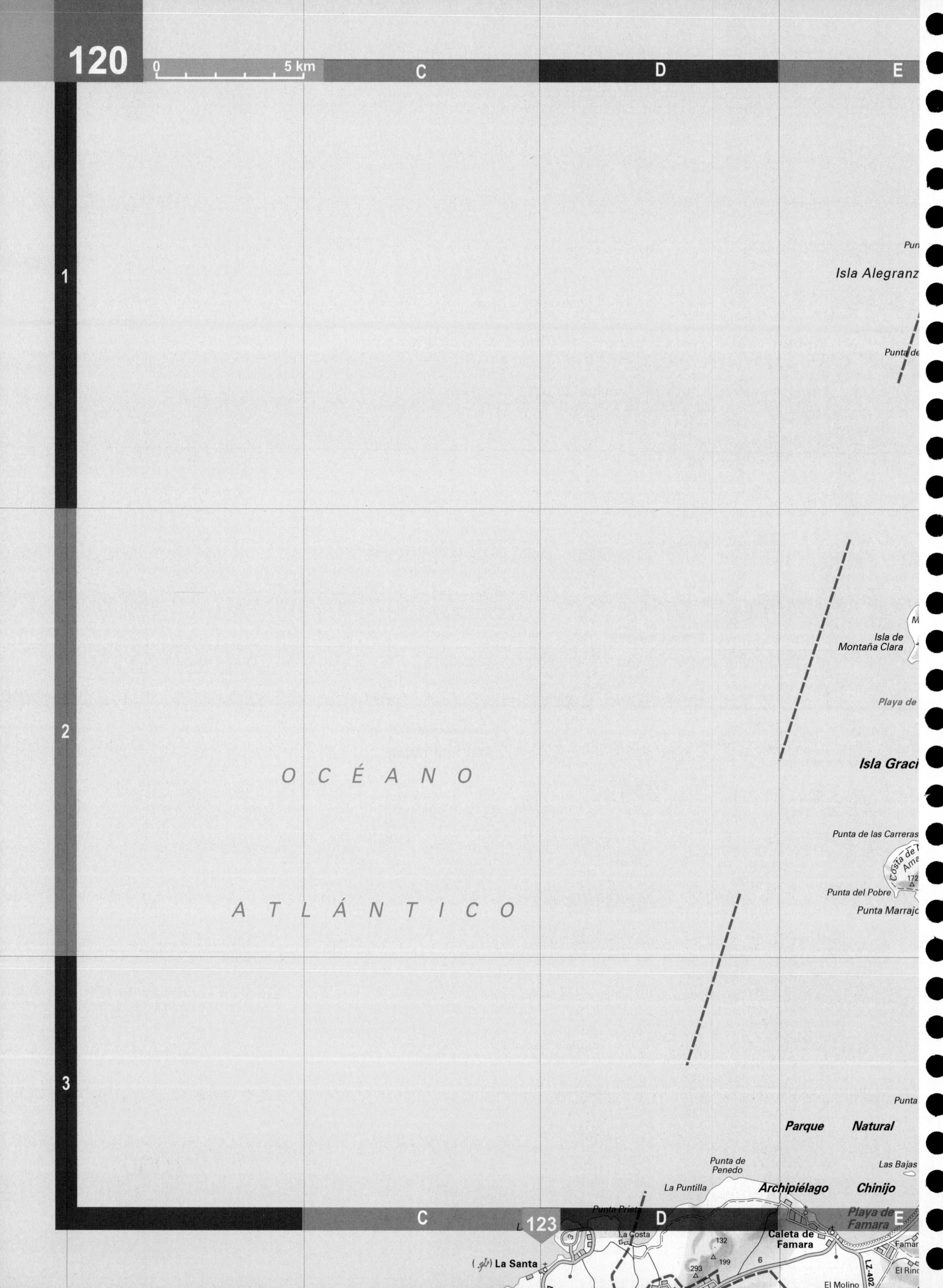

0     5 km

C                    D                    E

1

Pun

Isla Alegranz

Punta de

2

O C É A N O

A T L Á N T I C O

M

Isla de
Montaña Clara

Playa de

**Isla Graci**

Punta de las Carreras

Costa de
Ama
172

Punta del Pobre

Punta Marrajo

3

Punta

*Parque     Natural*

Punta de
Penedo                          Las Bajas

La Puntilla        *Archipiélago    Chinijo*

Punta Prieta                                    *Playa de
Famara*

C                *L* **123**        D                    E

**Caleta de
Famara**

( ) **La Santa**                                     132

293      199        6                                      El Rinc

LZ-402

Montaña Bermeja                                                  El Molino

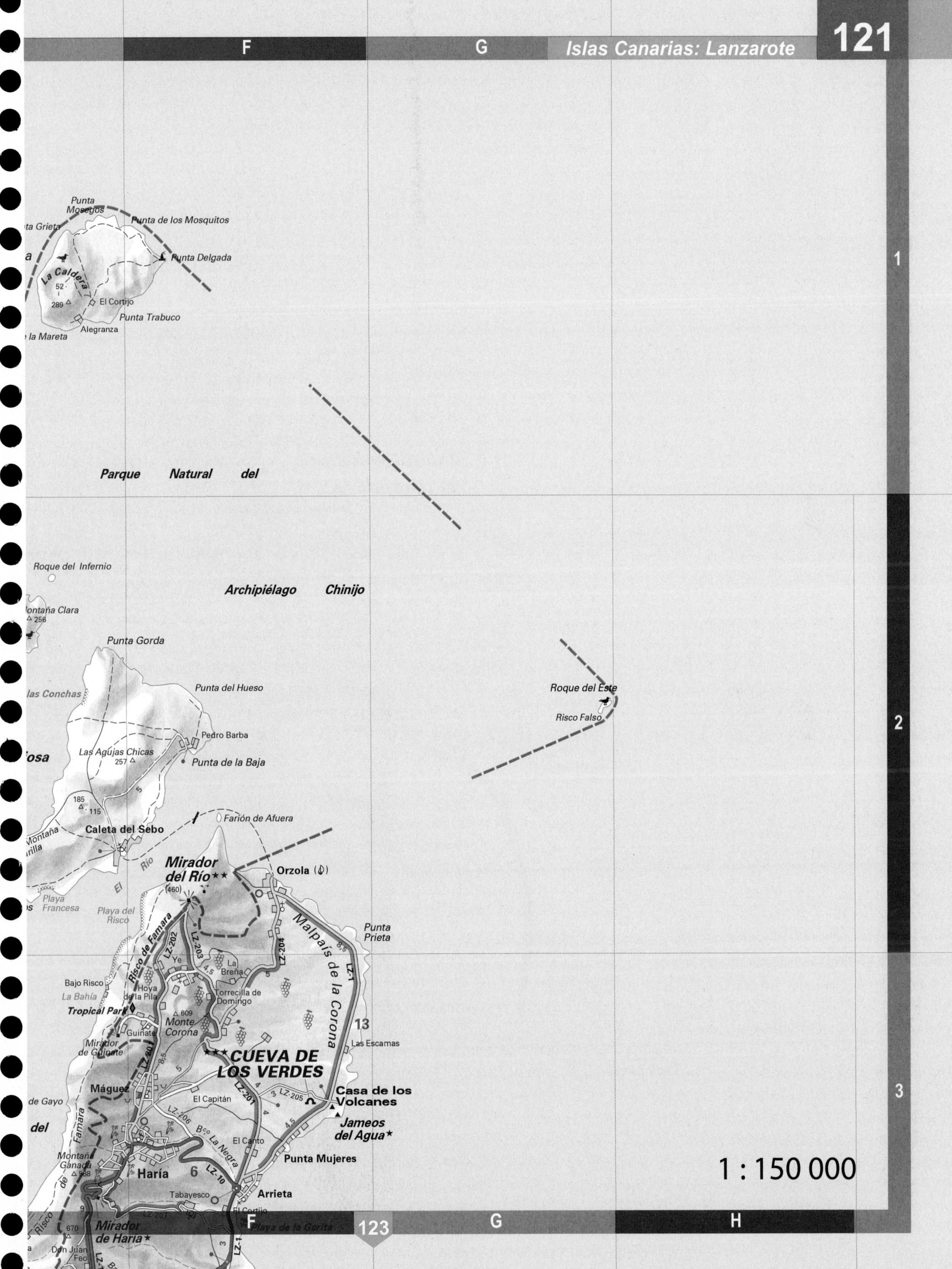

1

*Punta Moscyos*

*Punta de los Mosquitos*

*ta Grieta*

*Punta Delgada*

**La Caldera**

52

289 △    El Cortijo

*Punta Trabuco*

*e la Mareta*    Alegranza

*Parque     Natural     del*

*Roque del Infernio*

*Archipiélago     Chinijo*

*ontaña Clara*

△ 256

*las Conchas*

*Punta Gorda*

*Punta del Hueso*

*Roque del Este*

*Risco Falso*

2

*Pedro Barba*

*Las Agújas Chicas*

257 △

*osa*

*Punta de la Baja*

185

△ 115

*Farión de Afuera*

*Montaña*   **Caleta del Sebo**

*arilla*

*El*   *Río*

*Playa*   **Mirador**    Orzola (♨)

*Francesa*    **del Río★★**

*Playa del*    (460)

*s*    *Risco*

*Punta*

*Prieta*

LZ-202

Ye

LZ-203   4.5

*Bajo Risco*    *Hoya*    La Breña

*La Bahía*    *de la Pila*

**Tropical Park**    △ 609    *Torrecilla de*

   *Domingo*

Guinate    **Monte**

*Mirador*    **Corona**    Las Escamas

*de Guinate*

★★★ **CUEVA DE**

*de Gayo*   **Máguez**    **LOS VERDES**

El Capitán    LZ-205    **Casa de los**

LZ-201    **Volcanes**

LZ-206    *Bº La Negra*    *Jameos*

*del*    El Canto    *del Agua★*

*Montaña*    **Punta Mujeres**

*Ganada*

△ 588   **Haría**   6   LZ-10

Tabayesco    **Arrieta**

El Cortijo

670 △   **Mirador**

*Risco*   **de Haría★**    *Playa de la Gerita*

*Don Juan*    LZ-1

*Feo*

LZ-10    *Barranco*

*Ermita de*

*las Nieves*    24    *Punta Pasito*

*Malpaís de la Corona*

*Risco de Famara*

13

**1 : 150 000**

3

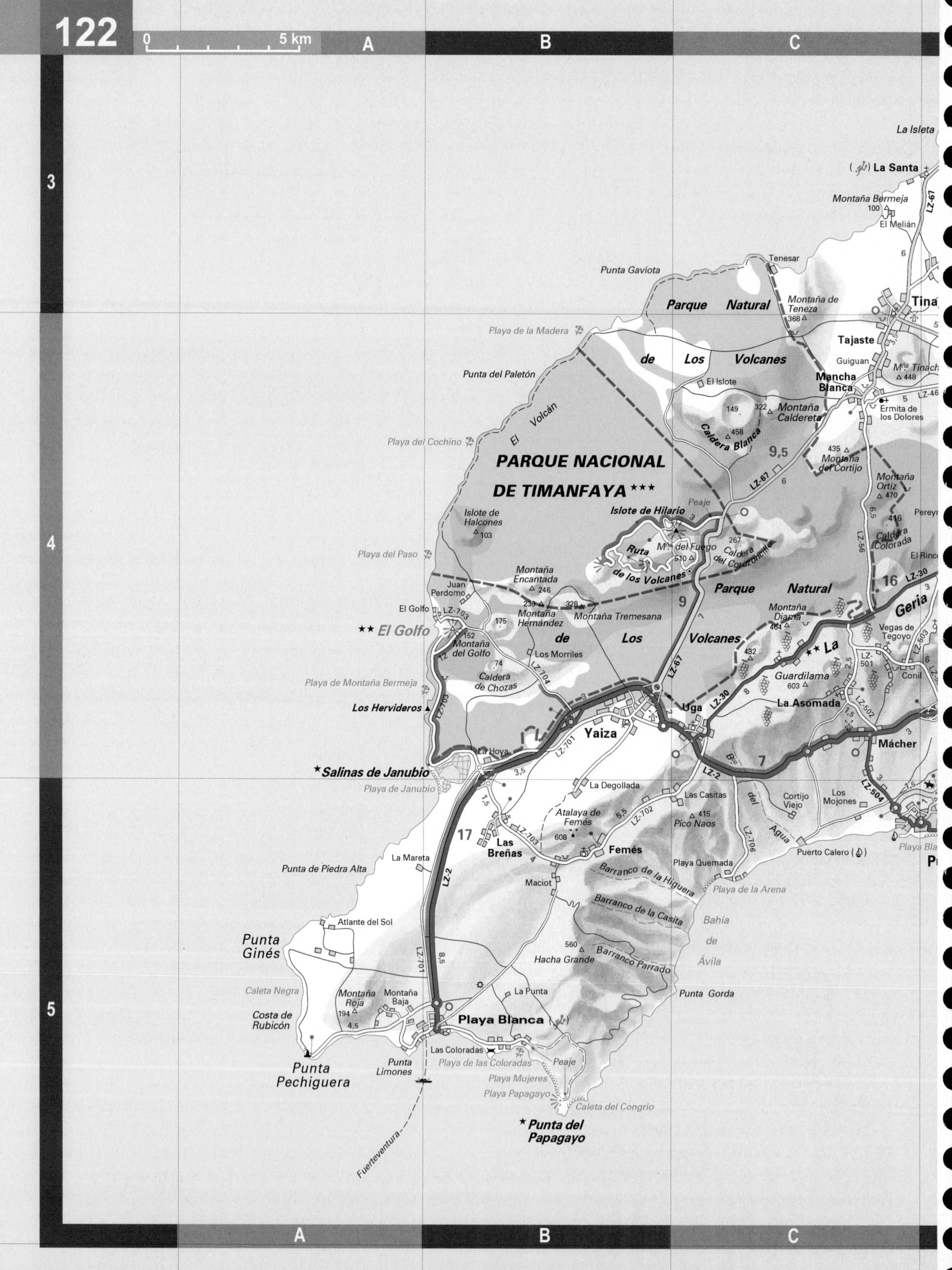

0       5 km

A      B      C

3

La Isleta

( ⚓ ) **La Santa**

*Montaña Bermeja*
100 △
El Melián

6

LZ-67

Punta Gaviota

Tenesar

*Parque*    *Natural*

*Montaña de Teneza*
368 △

**Tina**

**Tajaste**

Playa de la Madera

Guiguan

*M^na Tinach*
△ 448

*de*   *Los*   *Volcanes*

Punta del Paletón

El Islote

**Mancha Blanca**

*Montaña Caldereta*

Ermita de los Dolores

5   LZ-46

Playa del Cochino

149 △   322 △

458 △

*Caldera Blanca*

**9,5**

435 △

*Montaña del Cortijo*

*Montaña Ortiz*
△ 470

**PARQUE NACIONAL**

6

El Volcán

LZ-67

416

**DE TIMANFAYA** ★★★

Peaje

*Islote de Hilario*

267 △

Pereyr

Islote de Halcones
△ 103

**Ruta**

*M^na del Fuego*
510 △

3

*Caldera del Corazoncillo*

*Caldera Colorada*

LZ-56

El Rinc

Playa del Paso

*Montaña Encantada*
△ 246

**9**

*de los Volcanes*

*Parque*    *Natural*

**16**

LZ-30

4

Juan Perdomo

230 △   328 △

*Montaña Tremesana*

*Montaña Diama*
464 △

**Geria**

El Golfo

LZ-703

175

*Montaña Hernández*

LZ-67

Vegas de Tegoyo

LZ-503

★★ *El Golfo*

152

*de*    *Los*    *Volcanes*

432 △

★★ *La*

LZ-501

Conil

*Montaña del Golfo*
74 △

Los Morriles

LZ-704

*Guardilama*
603 △

LZ-502

Playa de Montaña Bermeja

*Caldera de Chozas*

**La Asomada**

*Los Hervideros* ◣

LZ-703

Uga   LZ-30

**Mácher**

La Hoya

LZ-701

**Yaiza**

LZ-2

Los Mojones

LZ-504

★ *Salinas de Janubio*

3,5

La Degollada

Las Casitas

*Cortijo Viejo*

Playa de Janubio

1,5

*Atalaya de Femés*

415 △

*Pico Naos*

LZ-706

Puerto Calero ( ⚓ )

Playa Bla

**17**

Las Breñas

LZ-703

608 △

**Femés**

*del*   *Agua*

1,5

Punta de Piedra Alta

La Mareta

4

Maciot

Playa Quemada

Playa de la Arena

*Barranco de la Higuera*

P

Atlante del Sol

LZ-2

LZ-701

8,5

*Barranco de la Casita*

*Bahía de Ávila*

**Punta Ginés**

560 △

*Barranco Parrado*

*Hacha Grande*

Punta Gorda

*Caleta Negra*

*Montaña Roja*
194 △

*Montaña Baja*

La Punta

4,5

5

*Costa de Rubicón*

**Playa Blanca** ( ⚓ )

Las Coloradas

Peaje

**Punta Pechiguera**

*Punta Limones*

*Playa de las Coloradas*

*Playa Mujeres*

*Playa Papagayo*

*Caleta del Congrio*

Fuerteventura

★ *Punta del Papagayo*

A      B      C

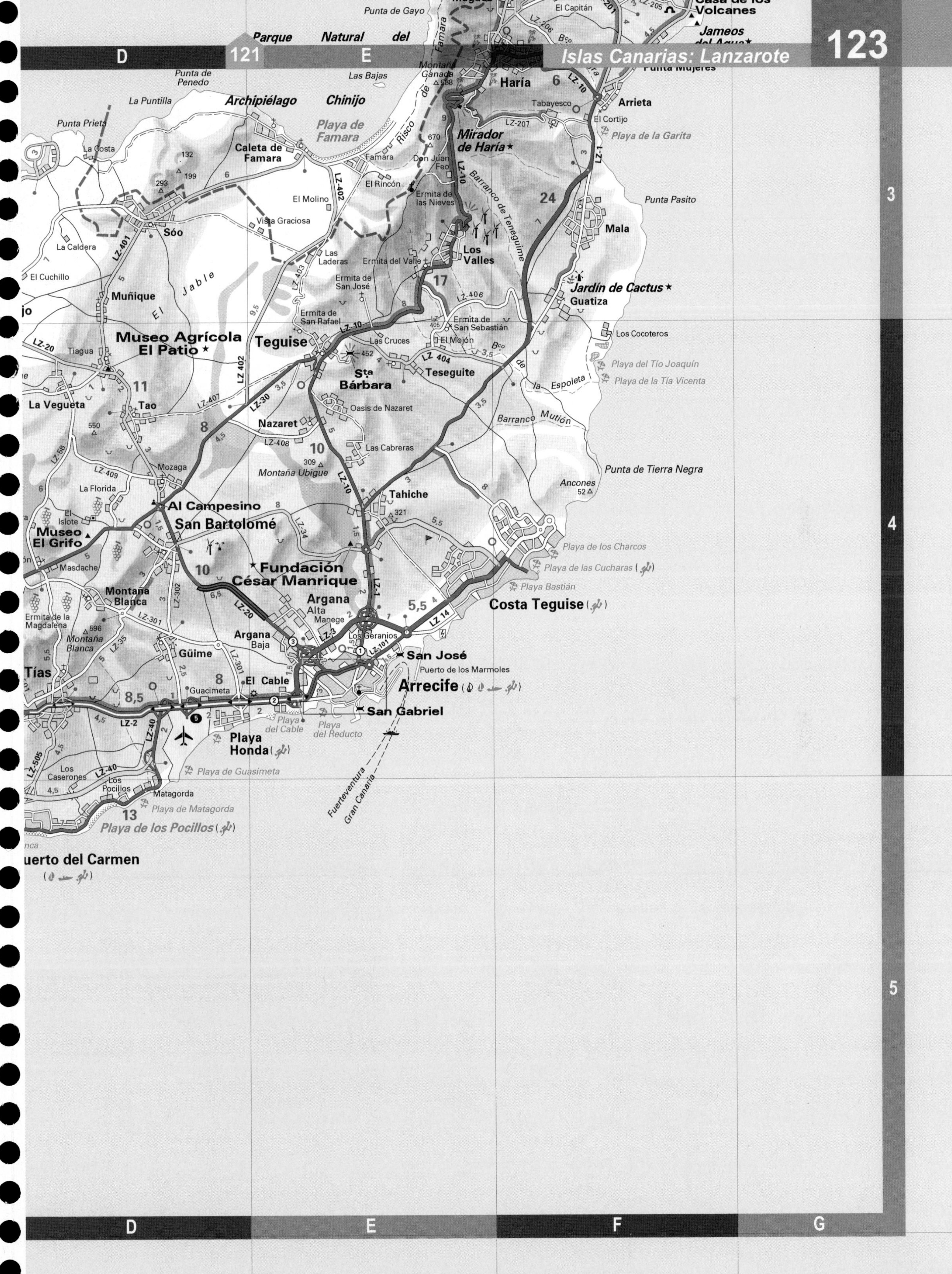
D
121
E
F
G
3
4
5
Parque Natural del Archipiélago Chinijo
Punta de Gayo
Máguez
El Capitán
Casa de los Volcanes
Jameos del Agua ★
Punta Mujeres
Punta de Penedo
Las Bajas
Montaña Ganada
Haría
Arrieta
Tabayesco
El Cortijo
Playa de la Garita
La Puntilla
Punta Prieta
Playa de Famara
Risco de Famara
Mirador de Haría ★
La Costa
Caleta de Famara
Famara
Don Juan Feo
El Rincón
El Molino
Vista Graciosa
Ermita de las Nieves
Barranco de Tenegüime
Punta Pasito
Mala
Sóo
La Caldera
Las Laderas
Ermita del Valle
Los Valles
El Cuchillo
El Jable
Muñique
Ermita de San José
Jardín de Cactus ★
Guatiza
Ermita de San Rafael
Ermita de San Sebastián
El Mojón
Los Cocoteros
Museo Agrícola El Patio ★
Teguise
Las Cruces
Tiagua
Sta Bárbara
Teseguite
Playa del Tío Joaquín
Playa de la Tía Vicenta
Bco de la Espoleta
La Vegueta
Tao
Oasis de Nazaret
Nazaret
Barranco Mutión
Las Cabreras
Mozaga
Montaña Ubigue
Punta de Tierra Negra
La Florida
Tahiche
Ancones
Al Campesino
San Bartolomé
El Islote
Museo El Grifo
Masdache
Fundación César Manrique
Playa de los Charcos
Playa de las Cucharas
Playa Bastián
Montaña Blanca
Argana Alta
Manege
Costa Teguise
Ermita de la Magdalena
Argana Baja
Los Geranios
San José
Güime
Puerto de los Marmoles
Tías
El Cable
Guacimeta
Arrecife
San Gabriel
Playa del Cable
Playa del Reducto
Playa Honda
Playa de Guasimeta
Los Caserones
Los Pocillos
Matagorda
Playa de Matagorda
Playa de los Pocillos
Fuerteventura
Gran Canaria
uerto del Carmen

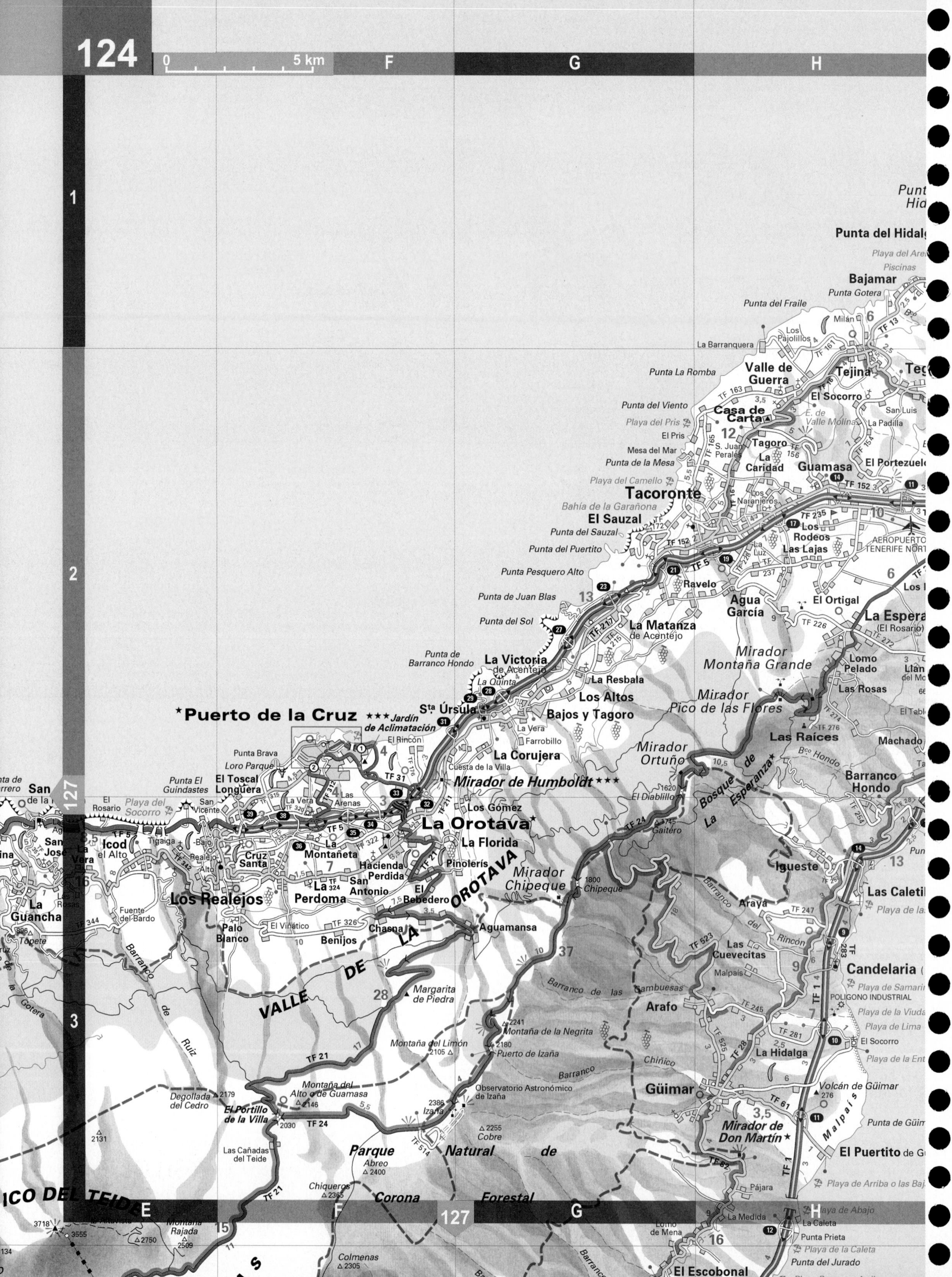
0 5 km
F
G
H
Punta del Hidalgo
Bajamar
Punta Gotera
Punta del Fraile
Milán
Los Pajolillos
La Barranquera
Punta La Romba
Valle de Guerra
Tejina
El Socorro
San Luis
La Padilla
Punta del Viento
Casa de Carta
Playa del Pris
El Pris
E. de Valle Molina
Mesa del Mar
Punta de la Mesa
S. Juan Perales
Tagoro
La Caridad
Guamasa
El Portezuelo
Playa del Camello
Tacoronte
Los Naranjeros
Bahía de la Garañona
El Sauzal
Punta del Sauzal
Los Rodeos
Las Lajas
AEROPUERTO TENERIFE NORTE
Punta del Puertito
La Luz
Punta Pesquero Alto
Ravelo
Punta de Juan Blas
Agua García
El Ortigal
La Esperanza (El Rosario)
Punta del Sol
La Matanza de Acentejo
Punta de Barranco Hondo
La Victoria de Acentejo
Mirador Montaña Grande
Lomo Pelado
Las Rosas
La Quinta
La Resbala
Mirador Pico de las Flores
Sta. Úrsula
Los Altos
★Puerto de la Cruz
★★★Jardín de Aclimatación
Bajos y Tagoro
Las Raíces
El Rincón
La Vera
Farrobillo
Machado
Punta Brava
Loro Parque
La Corujera
Mirador Ortuño
Bosque de La Esperanza★
Cuesta de la Villa
Bco. Hondo
Barranco Hondo
Punta El Guindastes
El Toscal
Longuera
Mirador de Humboldt★★★
El Diablillo
Las Arenas
El Rosario
Playa del Socorro
San Vicente
Los Gómez
La Orotava★
Gaitero
Icod el Alto
Tigaiga
Realejo Bajo
Realejo Alto
Cruz Santa
La Montañeta
La Florida
Igueste
Hacienda Perdida
Pinolerís
Mirador Chipeque
Chipeque
La Perdoma
San Antonio
El Bebedero
Los Realejos
OROTAVA
Araya
Las Caletillas
La Guancha
Fuente del Bardo
Palo Blanco
El Viñático
Benijos
Chasna
Aguamansa
Las Cuevecitas
Candelaria
Topete
Barranco de Ruiz
Malpaís
Playa de Samarines
POLÍGONO INDUSTRIAL
VALLE DE LA OROTAVA
Margarita de Piedra
Barranco de las Gambuesas
Arafo
Playa de la Viuda
Playa de Lima
Montaña de la Negrita
El Socorro
Montaña del Limón
Puerto de Izaña
Chiñico
La Hidalga
Degollada del Cedro
El Portillo de la Villa
Montaña del Alto de Guamasa
Observatorio Astronómico de Izaña
Güimar
Volcán de Güimar
Izaña
Mirador de Don Martín★
Malpaís
Punta de Güimar
Cobre
Las Cañadas del Teide
Parque Natural de Corona Forestal
Abreo
El Puertito de Güimar
Chiqueros
Pájara
Playa de Arriba o las Bajas
PICO DEL TEIDE
Playa de Abajo
Montaña Rajada
La Medida
La Caleta
Lomo de Mena
Punta Prieta
Playa de la Caleta
Colmenas
Punta del Jurado
El Escobonal
Playa Barranco Arriba
127
1
2
3

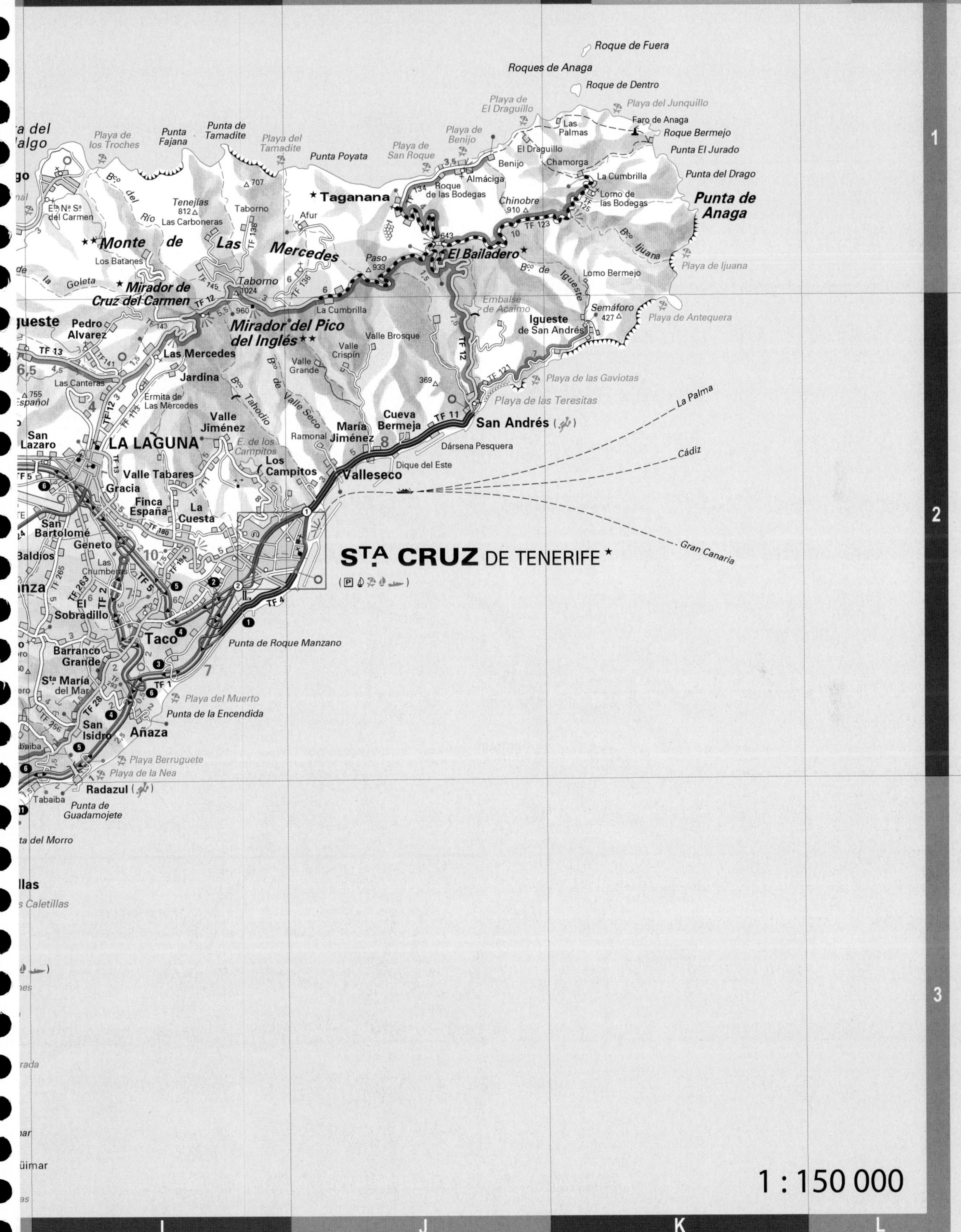

Roque de Fuera

Roques de Anaga

Roque de Dentro

Playa de El Draguillo

Playa del Junquillo

Faro de Anaga

Las Palmas

Roque Bermejo

Punta El Jurado

a del algo

Playa de los Troches

Punta Fajana

Punta de Tamadite

Playa del Tamadite

Punta Poyata

Playa de San Roque

Playa de Benijo

El Draguillo

Chamorga

La Cumbrilla

Punta del Drago

go

E. Nª Sª del Carmen

Teneflas 812△ Las Carboneras

Taborno

Afur

★ **Taganana**

Benijo

Almáciga

Roque de las Bodegas

Chinobre 910 △

Lomo de las Bodegas

**Punta de Anaga**

★★ **Monte** de **Las** **Mercedes**

Los Batanes

Paso △933

643

El Bailadero ★

Bco. de Igueste

10 TF 123

Lomo Bermejo

Playa de Ijuana

de

△ 707

**Mirador de Cruz del Carmen**

Goleta

TF 12

Taborno 1024

TF 136

6

La Cumbrilla

5,9

1,5

Embalse de Acaimo

Semáforo 427 △

Playa de Antequera

jueste

Pedro Alvarez

TF 143

**Mirador del Pico del Inglés** ★★

960

3

Valle Brosque

**Igueste de San Andrés**

TF 12

TF 13

TF 141

1,5

**Las Mercedes**

Valle Crispín

Valle Grande

369 △

TF 121

Playa de las Gaviotas

,5

Las Canteras

TF 12

TF 113

**Jardina**

Bco. de Valle Seco

**Cueva Bermeja**

TF 11

Playa de las Teresitas

La Palma

△ 755

spañol

4

Ermita de Las Mercedes

**Valle Jiménez**

Tahodio

Ramonal

**María Jiménez**

8

Dársena Pesquera

**San Andrés** ( ⚓ )

Cádiz

E. de los Campitos

**San Lazaro**

**LA LAGUNA**

TF 11

**Los Campitos**

Dique del Este

**Valleseco**

Gran Canaria

TF 5

6

**Gracia**

TF 11

**Valle Tabares**

SᵀᴬCRUZ DE TENERIFE ★

2

**San Bartolomé**

**Finca España**

TF 180

**La Cuesta**

( P ⛽ 🏊 ⛴ )

Baldíos

**Geneto**

10

TF 184

anza

TF 265

TF 263

7

TF 5

6

2

5

2

**El Sobradillo**

TF 2

TF 5

TF 4

**Taco**

4

Punta de Roque Manzano

**Barranco Grande**

3

2

7

o

**Sᵗᵃ María del Mar**

TF 1

6

TF 28

Playa del Muerto

4

Punta de la Encendida

TF 256

**San Isidro**

**Añaza**

5

aiba

Playa Berruguete

6

Playa de la Nea

Tabaiba

**Radazul** ( ⚓ )

Punta de Guadamojete

ta del Morro

llas

s Caletillas

rada

üimar

as

**1 : 150 000**

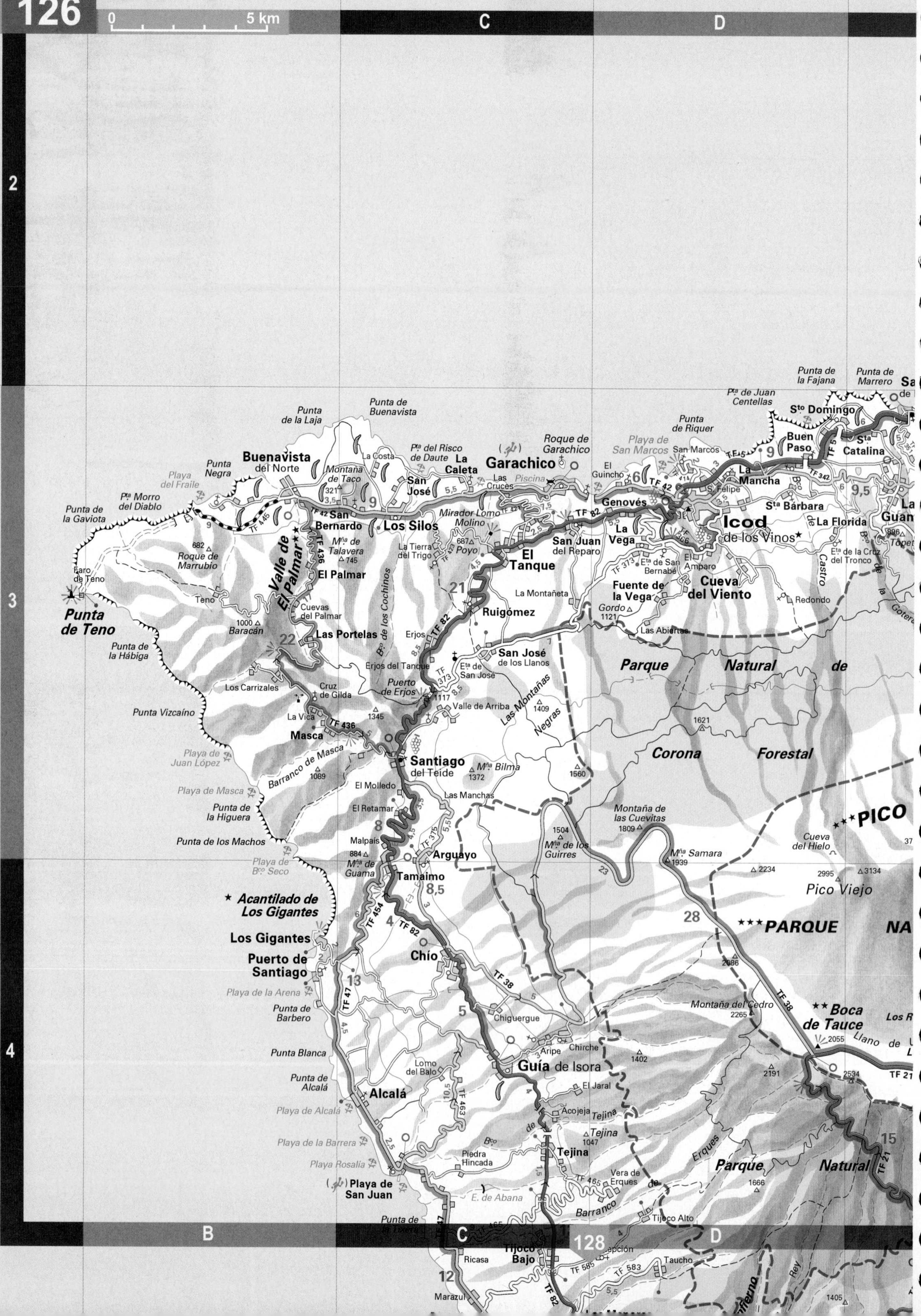

0      5 km

2

C     D

Punta de
la Fajana   Punta de
Marrero   Sa

Pª de Juan
Centellas   Sto Domingo

Punta de
la Laja   Punta de
Buenavista   Roque de
Garachico   Punta de
Riquer   Buen
Paso   Stª
Catalina

Pª del Risco
de Daute   La
Caleta   Garachico   Playa de
San Marcos   San Marcos   La
Mancha   9,5   La
Gua

Buenavista
del Norte   La Costa   Las
Cruces   Piscina   El Guincho   6   TF 42   S. Félipe   Stª Bárbara   La Florida

Punta
Negra   Montaña
de Taco   San
José   5,5   Genovés   Icod   de los Vinos

Playa
del Fraile   321   3,5   9   Mirador Lomo
Molino   La
Vega   Eª de la Cruz
del Tronco

Pª Morro
del Diablo   TF 445   San
Bernardo   Los Silos   Mª de
Talavera   745   La Tierra
del Trigo   687   San Juan
del Reparo   Eª de San
Bernabé   Amparo

Punta de
la Gaviota   682   Roque de
Marrubio   TF 436   El Palmar   Poyo   El Tanque   Fuente de
la Vega   Cueva
del Viento

Faro
de Teno   Valle de
El Palmar   4,5   La Montañeta   Gordo
1121   Redondo

3   Teno   1000   Baracán   Cuevas
del Palmar   Ruigómez   Las Abiertas

Punta
de Teno   Las Portelas   Erjos   21   Parque   Natural   de

Punta de
la Hábiga   22   Los Carrizales   Erjos del Tanque   San José
de los Llanos   1621

Punta Vizcaíno   Cruz
de Gilda   Eª de
San José   1409   Corona   Forestal

La Vica   1345   Puerto
de Erjos   1117   Valle de Arriba   1560

Playa de
Juan López   Masca   TF 436   Las Montañas   Negras   ***PICO

Playa de Masca   Barranco de Masca   1089   Santiago
del Teíde   Mª Bilma
1372   Montaña de
las Cuevitas
1809   Cueva
del Hielo   37

Punta de
la Higuera   El Molledo   Las Manchas   1504   Mª Samara
1939   2234   2995   3134

Punta de los Machos   El Retamar   Mª de los
Guirres   Pico Viejo

Playa de
Bº Seco   Malpaís   884   Arguayo   23   28   ***PARQUE   NA

★ Acantilado de
Los Gigantes   Mª de
Guama   Tamaimo
8,5   2086

Los Gigantes   TF 454   6   TF 82   Montaña del Cedro
2265   ** Boca
de Tauce   Los R

Puerto de
Santiago   TF 47   13   4   Chío   TF 38   2055   Llano de

Playa de la Arena   2   5   Chiguergue   2191   2534   TF 21

Punta de
Barbero   4,5   1402

4   Punta Blanca   Lomo
del Balo   Aripe   Chirche   Guía de Isora

Punta de
Alcalá   Alcalá   10,5   TF 463   El Jaral

Playa de Alcalá   Acojeja   Tejina   15

Playa de la Barrera   2,5   Bº   Tejina
1047   Vera de
Erques   TF 21

Playa Rosalía   Piedra
Hincada   Tejina   de   1666   Parque   Natural

Playa de San Juan   E. de Abana   TF 466   Barranco   de   Tijoco Alto

B   Punta de   C   128   D

12   Ricasa   Tijoco
Bajo   TF 585   TF 583   Taucho

Marazul   TF 82   5,5   Rey   1405

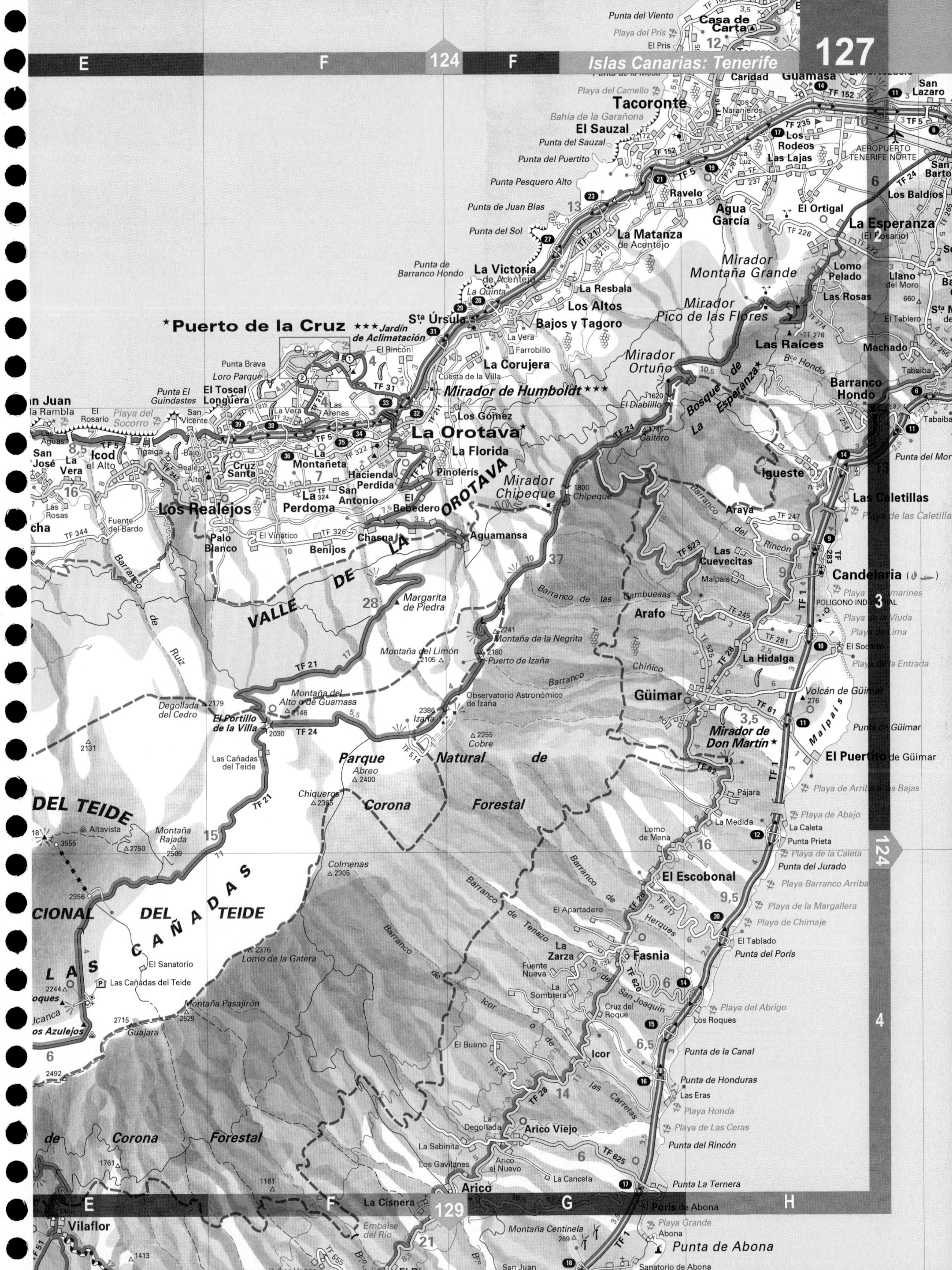
Tacoronte
El Sauzal
La Matanza de Acentejo
La Victoria de Acentejo
Puerto de la Cruz
La Orotava
Los Realejos
La Esperanza
Candelaria
Güimar
Arafo
Fasnia
Arico
Vilaflor
VALLE DE LA OROTAVA
Parque Natural de Corona Forestal
LAS CAÑADAS DEL TEIDE
AEROPUERTO TENERIFE NORTE
Mirador de Humboldt
Mirador de Don Martín
Observatorio Astronómico de Izaña
Punta de Abona

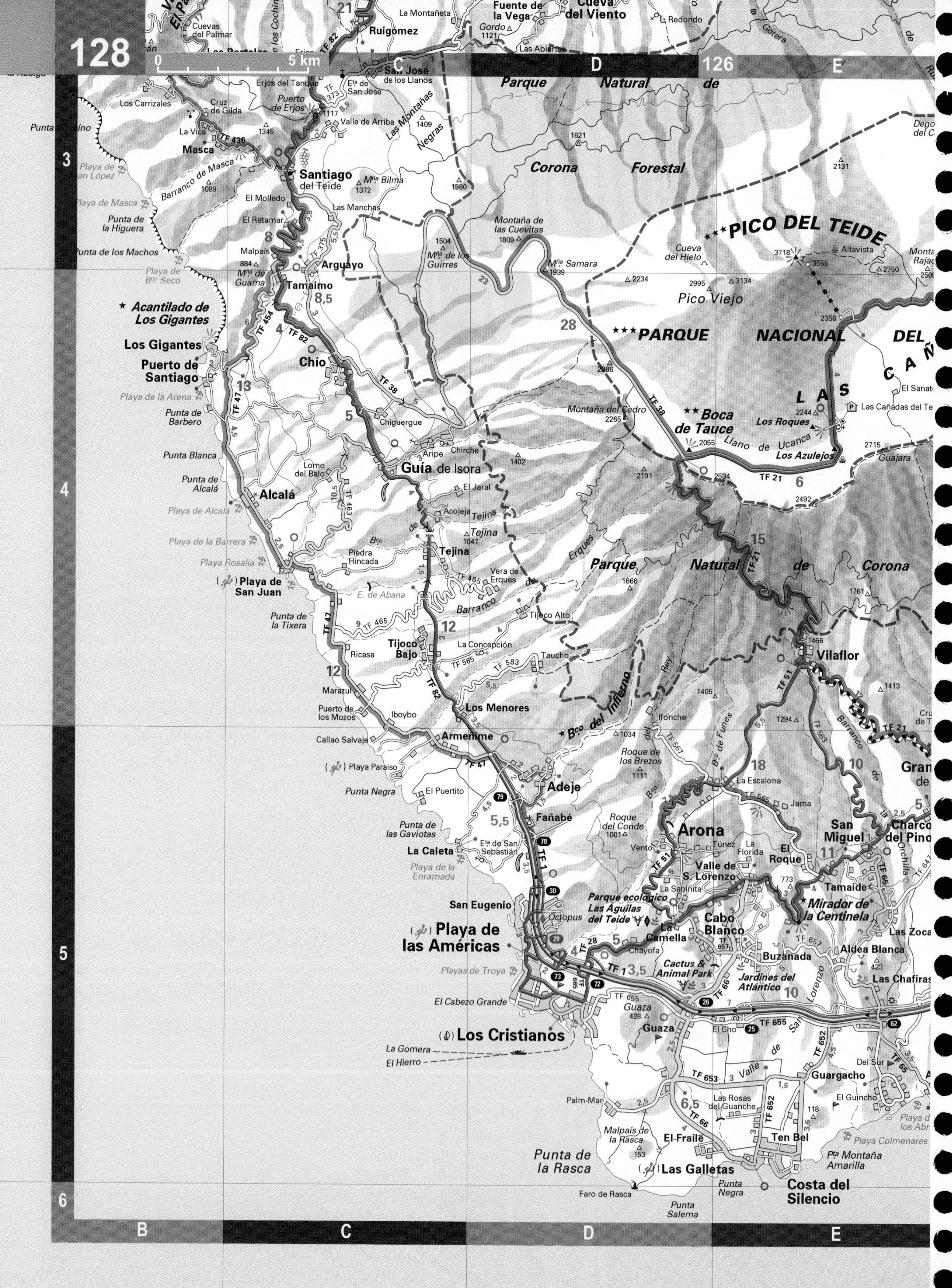

0
5 km
126
B
C
D
E
3
4
5
6
El Palmar
Cuevas del Palmar
Ruigómez
La Montañeta
Fuente de la Vega
Cueva del Viento
Redondo
Gordo
Las Abiertas
San José de los Llanos
Erjos del Tanque
Puerto de Erjos
Valle de Arriba
Las Montañas Negras
Los Carrizales
Cruz de Gilda
Punta Vizcaíno
La Vica
Masca
TF 436
Playa de Juan López
Barranco de Masca
Santiago del Teide
Mña Bilma
Playa de Masca
El Molledo
Las Manchas
Punta de la Higuera
El Retamar
Punta de los Machos
Malpaís
Mña de Guama
Playa de Bco Seco
Arguayo
Tamaimo
Acantilado de Los Gigantes
Los Gigantes
Puerto de Santiago
Chío
TF 454
TF 82
TF 38
TF 47
Playa de la Arena
Punta de Barbero
Chiguergue
Punta Blanca
Aripe
Chirche
Guía de Isora
Lomo del Balo
Punta de Alcalá
Alcalá
Playa de Alcalá
El Jaral
Acojeja
Tejina
Playa de la Barrera
Piedra Hincada
Playa Rosalía
Playa de San Juan
TF 465
Vera de Erques
E. de Abana
Barranco de Erques
Tijoco Alto
Punta de la Tixera
Tijoco Bajo
La Concepción
Ricasa
Taucho
TF 583
TF 585
Marazul
Puerto de los Mozos
Iboybo
Los Menores
Callao Salvaje
Armeñime
Playa Paraíso
Punta Negra
El Puertito
Adeje
Fañabé
Punta de las Gaviotas
La Caleta
Eta de San Sebastián
Playa de la Enramada
TF 1
San Eugenio
Playa de las Américas
Playas de Troya
El Cabezo Grande
Los Cristianos
La Gomera
El Hierro
Parque Natural de Corona Forestal
Montaña de las Cuevitas
Mña de los Guirres
Mña Samara
PICO DEL TEIDE
Altavista
Cueva del Hielo
Pico Viejo
PARQUE NACIONAL DEL LAS CAÑADAS
LAS CAÑADAS
El Sanatorio
Las Cañadas del Teide
Montaña del Cedro
Boca de Tauce
Los Roques
Llano de Ucanca
Los Azulejos
Guajara
TF 21
Parque Natural de Corona
Vilaflor
Bco del Infierno
Ifonche
Roque de los Brezos
Bco de Funes
TF 51
TF 563
Barranco
La Escalona
TF 565
Jama
Roque del Conde
Arona
Vento
Túnez
La Florida
Valle de S. Lorenzo
El Roque
San Miguel
Charco del Pino
La Sabinita
Parque ecológico Las Aguilas del Teide
Octopus
La Camella
Cabo Blanco
Mirador de la Centinela
Tamaide
Las Zocas
Chayofa
Cactus & Animal Park
Jardines del Atlántico
Buzanada
Aldea Blanca
Las Chafiras
TF 28
TF 655
TF 657
TF 66
Guaza
El Cho
Valle de San Lorenzo
TF 652
TF 653
Guargacho
Del Sur
TF 65
El Guincho
Palm-Mar
Las Rosas del Guanche
Malpaís de la Rasca
El Fraile
Ten Bel
Playa Colmenares
Playa de los Abrigos
Pta Montaña Amarilla
Punta de la Rasca
Las Galletas
Faro de Rasca
Punta Negra
Costa del Silencio
Punta Salema

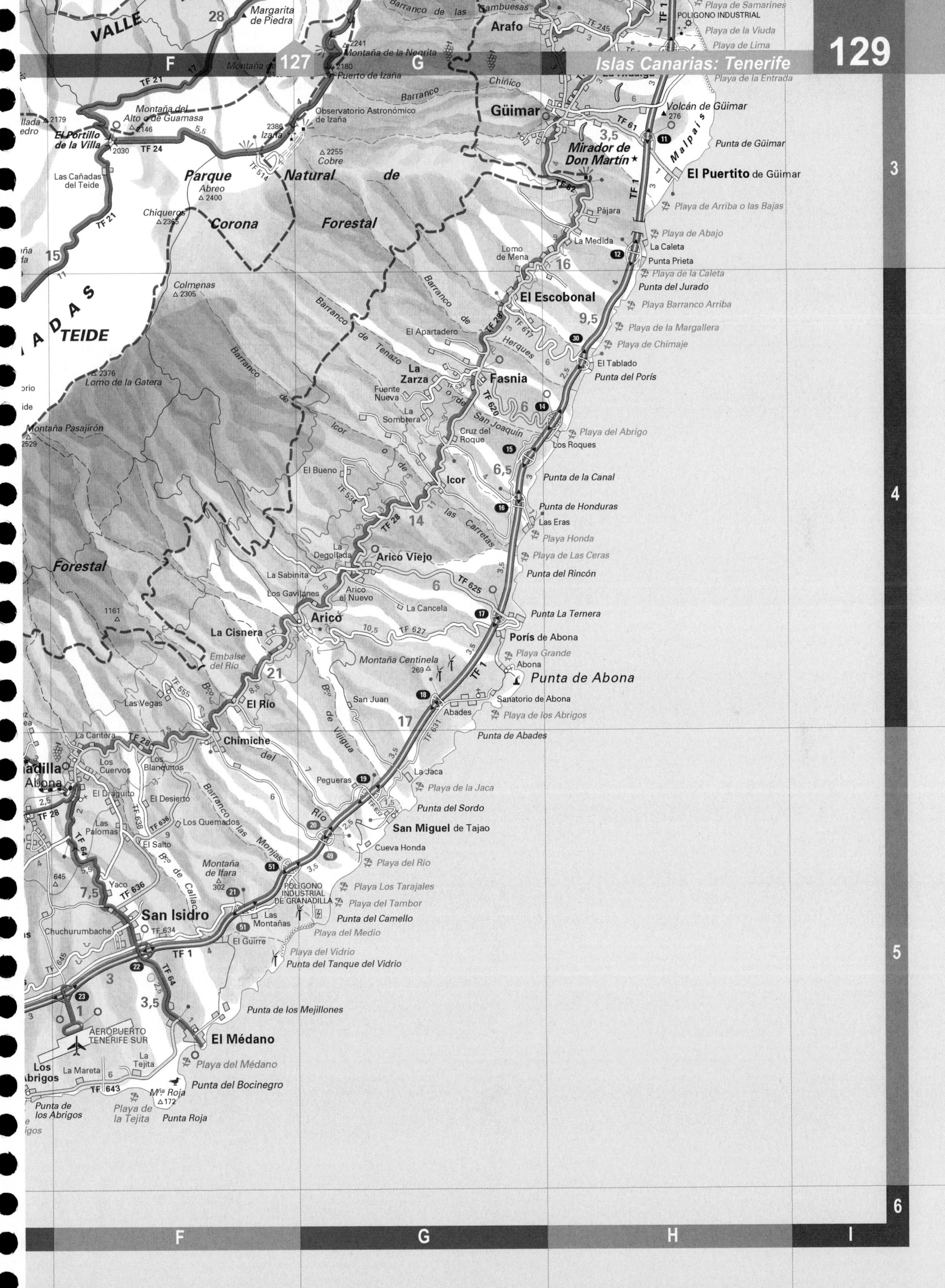
Margarita de Piedra
Arafo
Montaña de la Negrita
Puerto de Izaña
Observatorio Astronómico de Izaña
Montaña del Alto o de Guamasa
El Portillo de la Villa
Güimar
Volcán de Güimar
Mirador de Don Martín
Punta de Güimar
El Puertito de Güimar
Las Cañadas del Teide
Parque Natural de Corona Forestal
Cobre
Abreo
Chiqueros
Pájara
Playa de Arriba o las Bajas
La Medida
Playa de Abajo
La Caleta
Punta Prieta
Playa de la Caleta
Lomo de Mena
Punta del Jurado
El Escobonal
Playa Barranco Arriba
Colmenas
Playa de la Margallera
Playa de Chimaje
El Apartadero
El Tablado
Punta del Porís
La Zarza
Fasnia
Fuente Nueva
La Sombrera
Lomo de la Gatera
Montaña Pasajirón
Cruz del Roque
Playa del Abrigo
Los Roques
Punta de la Canal
El Bueno
Icor
Punta de Honduras
Las Eras
Playa Honda
La Degollada
Arico Viejo
Playa de Las Ceras
Punta del Rincón
La Sabinita
Los Gavilanes
Arico el Nuevo
La Cancela
Punta La Ternera
Arico
La Cisnera
Porís de Abona
Playa Grande
Abona
Embalse del Río
Montaña Centinela
Punta de Abona
Las Vegas
El Río
San Juan
Sanatorio de Abona
Playa de los Abrigos
Abades
Punta de Abades
La Cantera
Chimiche
Los Cuervos
Los Blanquitos
La Jaca
Playa de la Jaca
Pegueras
El Draguito
El Desierto
Punta del Sordo
Las Palomas
Los Quemados
San Miguel de Tajao
El Salto
Cueva Honda
Playa del Río
Montaña de Ifara
Playa Los Tarajales
Yaco
POLÍGONO INDUSTRIAL DE GRANADILLA
Playa del Tambor
San Isidro
Las Montañas
Punta del Camello
Chuchurumbache
El Guirre
Playa del Medio
Playa del Vidrio
Punta del Tanque del Vidrio
Punta de los Mejillones
AEROPUERTO TENERIFE SUR
El Médano
Playa del Médano
La Tejita
La Mareta
Los Abrigos
Punta del Bocinegro
Mña Roja
Punta de los Abrigos
Playa de la Tejita
Punta Roja
Playa de Samarines
POLÍGONO INDUSTRIAL
Playa de la Viuda
Playa de Lima
Playa de la Entrada
Malpaís
TF 1
TF 28
TF 21
TF 24
TF 61
TF 62
TF 620
TF 625
TF 627
TF 631
TF 64
TF 636
TF 643
F
G
H
I
3
4
5
6

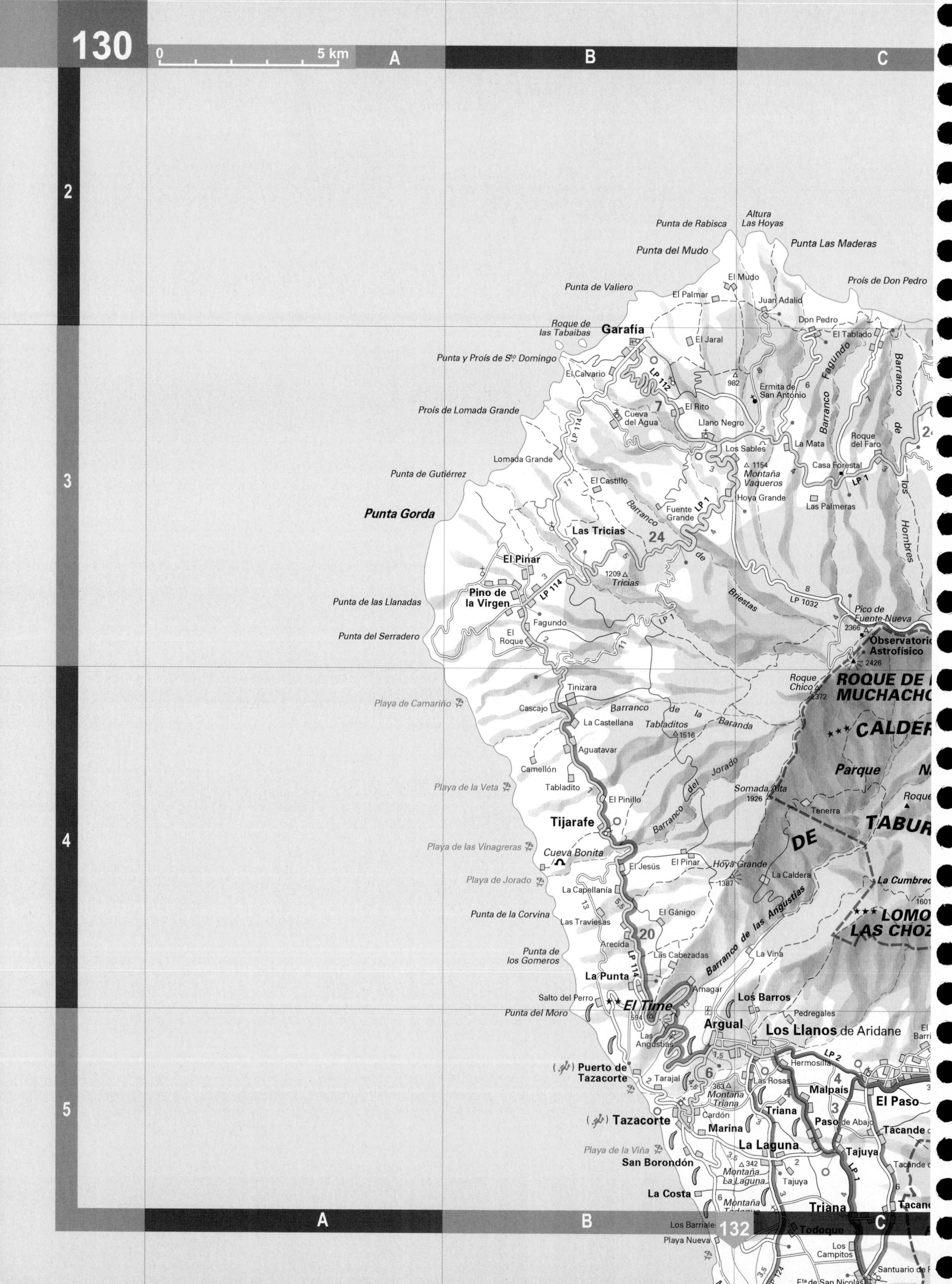

0                5 km

A          B          C

**2**

Punta de Rabisca
Altura
Las Hoyas

Punta del Mudo
Punta Las Maderas

Punta de Valiero
El Mudo
Proís de Don Pedro

El Palmar
Juan Adalid

Roque de
las Tabaibas
**Garafía**
Don Pedro

Punta y Proís de Sto. Domingo
El Jaral
El Tablado

El Calvario
LP 112

Proís de Lomada Grande
Cueva
del Agua
982
Ermita de
San Antonio
6

7
El Rito
LP 114
Llano Negro

Lomada Grande
Los Sables
La Mata
Roque
del Faro

**3**

Punta de Gutiérrez
El Castillo
3
1154
Montaña
Vaqueros
Casa Forestal
LP 1

**Punta Gorda**
Barranco
Fuente
Grande
LP 1
Hoya Grande
Las Palmeras

**Las Tricias**
24

**El Pinar**
5
1209
Tricias
LP 1032
Pico de
Fuente-Nueva

LP 114
Briestas
2366

**Pino de
la Virgen**
3
LP 1
Observatorio
Astrofísico

Punta de las Llanadas
Fagundo
2426

Punta del Serradero
El Roque
2
11
Tinizara
Roque
Chico
2372
**ROQUE DE
MUCHACHO**

Playa de Camariño
Cascajo
Barranco
de
la
Baranda

La Castellana
Tabladitos
1516
★★★
**CALDER**

Aguatavar
Parque
N

Camellón
Jorado
Somada Alta
1926
Roque

Playa de la Veta
Tabladito
Tenerra
**TABUR**

El Pinillo
Barranco
del
DE

**Tijarafe**

**4**

Playa de las Vinagreras
**Cueva Bonita**
El Jesús
El Pinar
Hoya Grande
1387
La Caldera
La Cumbrec
1601

Playa de Jorado
La Capellanía
★★★
**LOMO
LAS CHOZ**

Punta de la Corvina
13
5
El Gánigo

Las Traviesas
20
Barranco de las Angustias
La Viña

Punta de
los Gomeros
Arecida
Las Cabezadas

LP 114
**La Punta**
Amagar
**Los Barros**

Salto del Perro
**El Time**
594
Pedregales

Punta del Moro
Las
Angustias
**Argual**
**Los Llanos** de Aridane
El
Barr

1,5
LP 2

**Puerto de
Tazacorte**
Tarajal
363
Las Rosas
Hermosilla
4
**El Paso**

6
Montaña
Triana
**Malpaís**

Cardón
**Triana**
3
**El Paso**

**Tazacorte**
**Marina**
Paso de Abajo
Tácande

**5**

Playa de la Viña
**La Laguna**
**Tajuya**
LP 1

342
2
Tajuya
Tácand

**San Borondón**
Montaña
La Laguna

**La Costa**
6
Montaña
**Triana**
Tácand

Los Barriales
**Todoque**
Playa Nueva
Los
Campitos

Santuario de
Eta de San Nicolás
San Nicolás
**Las Manchas**

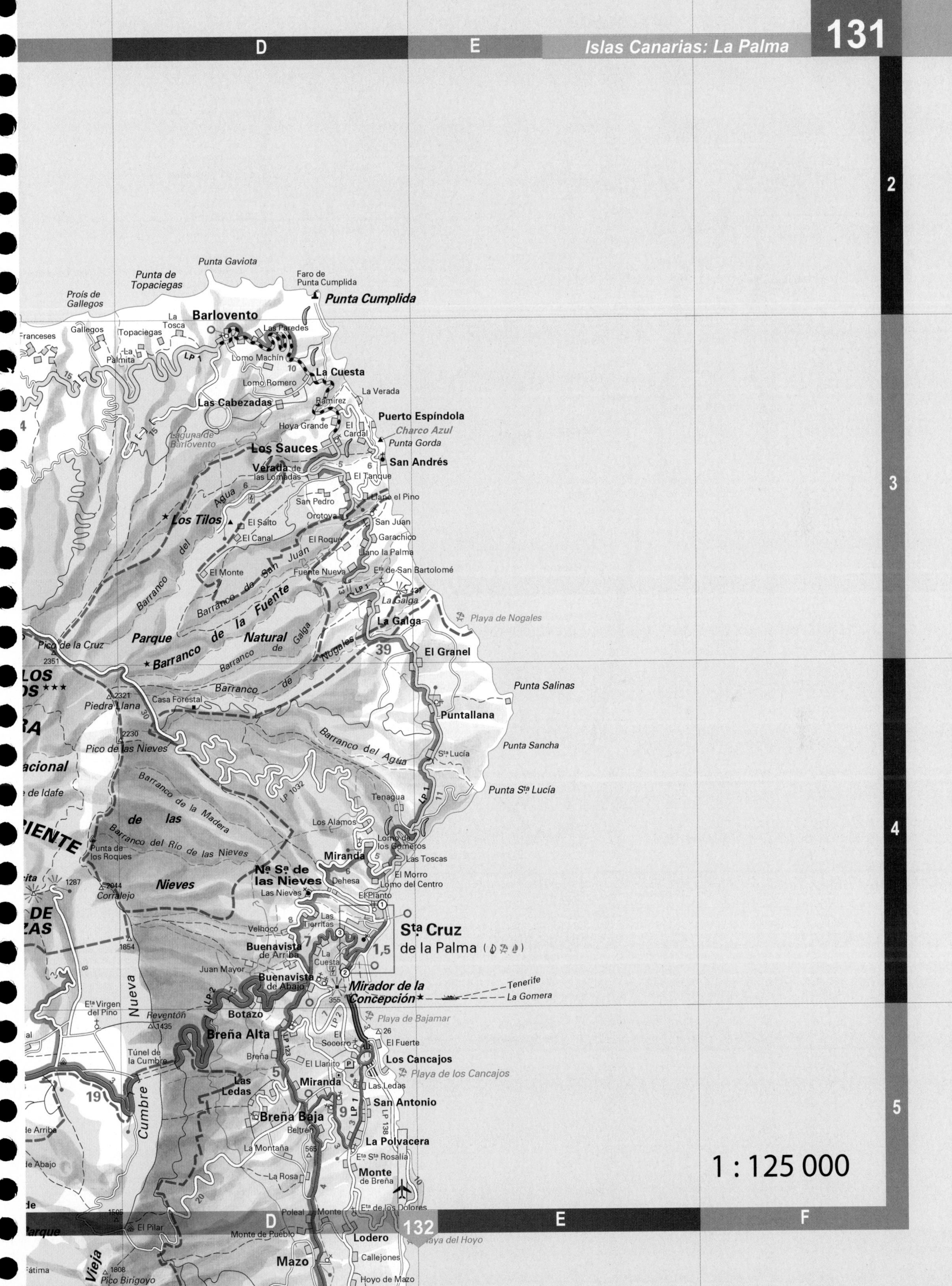

2

Punta Gaviota

Faro de
Punta Cumplida

Punta de
Topaciegas

Proís de
Gallegos

**Punta Cumplida**

La
Tosca

**Barlovento**

Franceses

Gallegos

Topaciegas

Las Paredes

LP 1

La
Palmita

Lomo Machín

10

15

Lomo Romero

**La Cuesta**

La Verada

**Las Cabezadas**

Ramírez

Laguna de
Barlovento

15

Hoya Grande

El
Cardal

**Puerto Espíndola**

*Charco Azul*

**Los Sauces**

**Veráda** de
las Lomadas

El Tanque

Punta Gorda

**San Andrés**

3

6

5

6

Llano el Pino

San Pedro

★ **Los Tilos**

Orotova

El Salto

El Roque

San Juan

Garachico

El Canal

Llano la Palma

Barranco

del

Agua

El Monte

Fuente Nueva

Eta de San Bartolomé

Juan

Barranco de San

437

LP 1

Barranco de la Fuente

La Galga

**Parque** ★ **Barranco Natural**

de

Galga

**La Galga**

Playa de Nogales

Pico de la Cruz

2351

Barranco

de

Nogales

39

**El Granel**

LOS
OS ★★★

Piedra Llana

2321

Casa Forestal

Punta Salinas

Pico de las Nieves

2230

**Puntallana**

30

Barranco del Agua

Sta Lucía

Punta Sancha

acional

LP 1032

Barranco de la Madera

e de Idafe

LP 1

Punta Sta Lucía

Tenagua

IENTE

Barranco del Río de las Nieves

Los Álamos

Punta de
los Roques

Lomo de
los Gomeros

4

1287

**Nieves**

2044

Corralejo

Las Toscas

**Miranda**

5

ita

**Nª Sª de
las Nieves**

Dehesa

El Morro

Lomo del Centro

DE
ZAS

1854

Las Nieves

El Planto

8

Velhoco

Las
Tierritas

1

**Buenavista**
de Arriba

7

3

**Sta Cruz**

Juan Mayor

La
Cuesta

**1,5** de la Palma

Tenerife

LP 2

**Buenavista**
de Abajo

2

La Gomera

Eta Virgen
del Pino

Reventón

355

**Mirador de la
Concepción** ★

Nueva

1435

**Botazo**

El
Socorro

Playa de Bajamar

26

**Breña Alta**

LP 123

El Fuerte

Túnel de
la Cumbre

Breña

El Llanito

**Los Cancajos**

5

Cumbre

**Las
Ledas**

P

Playa de los Cancajos

19

**Miranda**

Las Ledas

**Breña Baja**

9

**San Antonio**

5

e Arriba

Beltrén

565

**La Polvacera**

e Abajo

La Montaña

Eta Sta Rosalía

**1 : 125 000**

La Rosa

**Monte**
de Breña

Poleal

Monte

Eta de los Dolores

10

**Lodero**

Playa del Hoyo

arque

1505

El Pilar

Monte de Pueblo

Callejones

Fátima

1808

Pico Birigoyo

Vieja

**Mazo**

Hoyo de Mazo

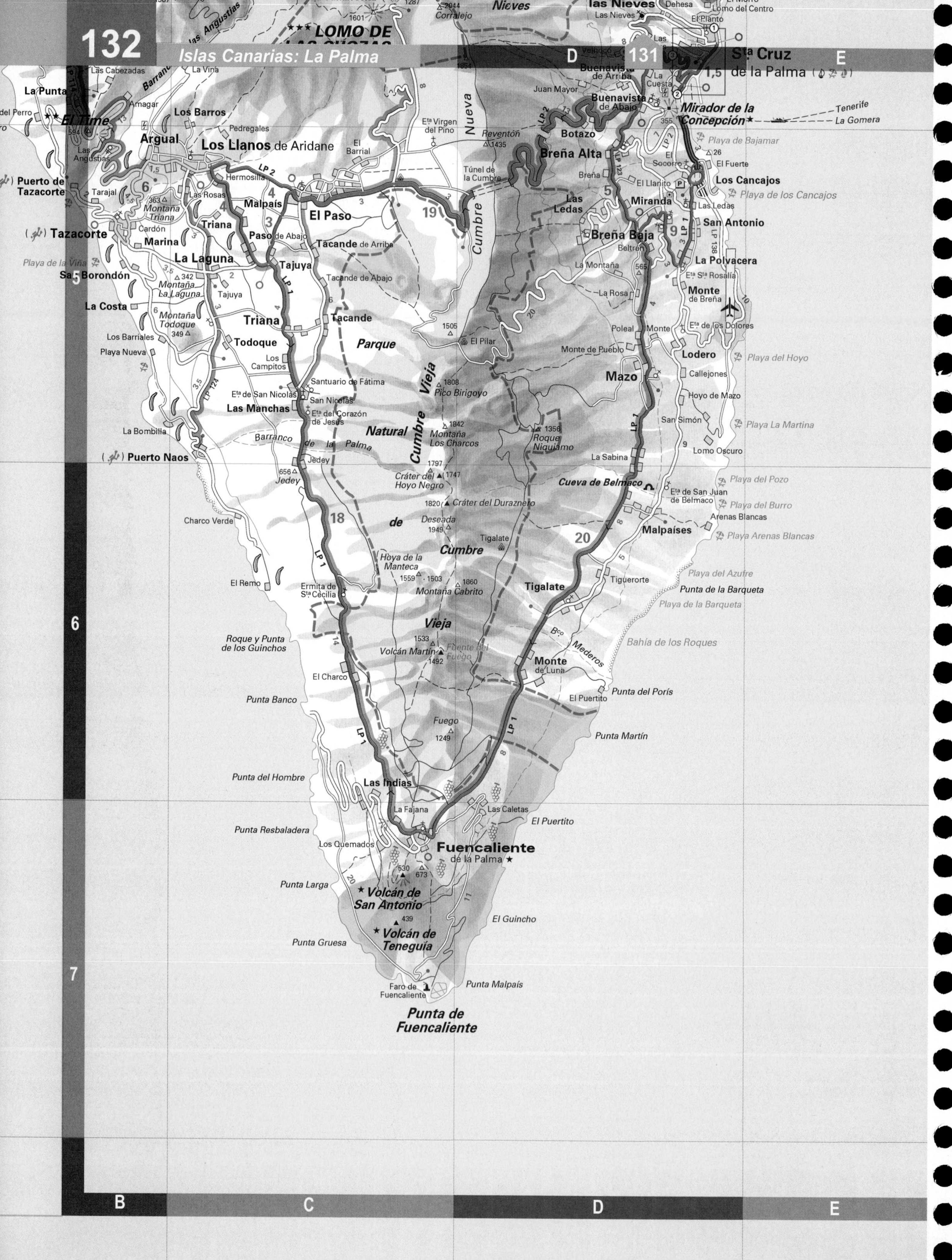
131
Sta Cruz de la Palma
La Caldera
La Cumbrecita
LOMO DE LAS CHOZAS
Nieves
Nª Sª de las Nieves
Las Nieves
Dehesa
El Morro
Lomo del Centro
El Planto
Corralejo
Las Cabezadas
La Viña
La Punta
El Time
Amagar
Los Barros
Pedregales
Argual
Los Llanos de Aridane
El Barrial
Eta Virgen del Pino
Reventón
Cumbre Nueva
Buenavista de Arriba
Juan Mayor
Buenavista de Abajo
La Cuesta
Mirador de la Concepción
Tenerife
La Gomera
Botazo
Breña Alta
Playa de Bajamar
El Fuerte
El Socorro
Los Cancajos
Playa de los Cancajos
Puerto de Tazacorte
Tazacorte
Tarajal
Las Rosas
Hermosilla
Túnel de la Cumbre
Breña
El Llanito
Miranda
Las Ledas
Montaña Triana
Triana
Malpaís
El Paso
Cardón
Marina
Paso de Abajo
Tacande de Arriba
Breña Baja
San Antonio
Beltrán
La Polvacera
Playa de la Viña
San Borondón
La Laguna
Tajuya
Montaña La Laguna
Tacande de Abajo
La Montaña
Eta Sta Rosalía
Monte de Breña
La Rosa
La Costa
Montaña Todoque
Tacande
Los Barriales
Todoque
Playa Nueva
Los Campitos
El Pilar
Monte de Pueblo
Poleal
Monte
Eta de los Dolores
Lodero
Playa del Hoyo
Parque Natural de Cumbre Vieja
Santuario de Fátima
Eta de San Nicolás
San Nicolás
Las Manchas
Eta del Corazón de Jesús
Pico Birigoyo
Callejones
Mazo
Hoyo de Mazo
San Simón
Playa La Martina
Montaña Los Charcos
Roque Niquiamo
La Bombilla
Barranco de la Palma
Lomo Oscuro
Puerto Naos
Jedey
La Sabina
Cráter del Hoyo Negro
Cueva de Belmaco
Playa del Pozo
Eta de San Juan de Belmaco
Playa del Burro
Cráter del Duraznero
Arenas Blancas
Charco Verde
Deseada
Malpaíses
Playa Arenas Blancas
Tigalate
Cumbre
Hoya de la Manteca
Playa del Azufre
El Remo
Ermita de Sta Cecilia
Montaña Cabrito
Tigalate
Tiguerorte
Punta de la Barqueta
Playa de la Barqueta
Vieja
Bahía de los Roques
Roque y Punta de los Guinchos
Volcán Martín
Fuente del Fuego
Bco Mederos
Monte de Luna
El Charco
Punta del Porís
El Puertito
Punta Banco
Fuego
Punta Martín
Punta del Hombre
Las Indias
La Fajana
Las Caletas
El Puertito
Punta Resbaladera
Los Quemados
Fuencaliente de la Palma
Punta Larga
Volcán de San Antonio
El Guincho
Volcán de Teneguía
Punta Gruesa
Faro de Fuencaliente
Punta Malpaís
Punta de Fuencaliente

A
B
C
D
E
F
G
H
I
J
K
L
M
N
O
P
Q
R
S
T
U
V
W
X
Y
Z

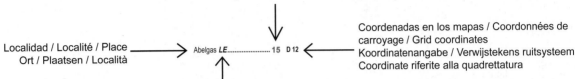

Número de página / Numéro de page / Page number
Seitenzahl / Paginanummer / Numero di pagina

Localidad / Localité / Place → Abelgas *LE* ...................... 15 **D 12** ← Coordenadas en los mapas / Coordonnées de carroyage / Grid coordinates
Ort / Plaatsen / Località
Koordinatenangabe / Verwijstekens ruitsysteem
Coordinate riferite alla quadrettatura

Provincias / Distritos

## España : Comunidades autónomas & Provincias

**Andalucía**
AL .............................................. Almería
CA ................................................. Cádiz
CO ............................................. Córdoba
GR ............................................ Granada
H. .................................................. Huelva
J .......................................................Jaén
MA ............................................... Málaga
SE ............................................... Sevilla

**Aragón**
HU ................................................ Huesca
TE ................................................. Teruel
Z ............................................... Zaragoza

**Canarias**
GC ......................................... Las Palmas
TF ..................... Santa Cruz de Tenerife

**Cantabria**
S. ......................... Cantabria (Santander)

**Castilla y León**
AV .................................................. Ávila
BU .................................................Burgos

LE ...................................................... León
P. .................................................. Palencia
SA ............................................ Salamanca
SG ................................................ Segovia
SO .................................................... Soria
VA ............................................ Valladolid
ZA ................................................ Zamora

**Castilla-La Mancha**
AB ............................................... Albacete
CR .......................................... Ciudad Real
CU ................................................ Cuenca
GU ......................................... Guadalajara
TO ................................................. Toledo

**Cataluña**
B. .............................................. Barcelona
GE ................................................. Girona
L. ................................................... Lleida
T. ............................................... Tarragona

**Comunidad Foral de Navarra**
NA ........................... Navarra (Pamplona)

**Comunidad Valenciana**
A. ....................... Alacant / Alicante
CS ........................... Castelló / Castellón
V. ...................... Valencia / València

**Comunidad de Madrid**
M. ................................................ Madrid

**Extremadura**
BA ................................................ Badajoz
CC ................................................ Cáceres

**Galicia**
C. ............................................. A Coruña
LU ..................................................... Lugo
OR ............................................. Ourense
PO .......................................... Pontevedra

**Illes Balears**
PM ........... Balears (Palma de Mallorca)

**La Rioja**
LO ......................... La Rioja (Logroño)

**País Vasco**
SS ................................... Guipúzcoa
*(Donostia-San Sebastián)*
BI ........................... Vizcaya (Bilbao)
VI ..................... Álava (Vitoria-Gasteiz)

**Principado de Asturias**
O. ........................... Asturias (Oviedo)

**Región de Murcia**
MU ................................................ Murcia

**Ceuta**

**Melilla**

**Portugal : Distritos**
01 .................................................. Aveiro
02 ..................................................... Beja
03 ................................................... Braga
04 .............................................. Bragança
05 ................................................. Castelo
06 ............................................... Coimbra
07 ................................................... Évora
08 ...................................................... Faro
09 .................................................. Guarda
10 ................................................... Leiria
11 .................................................. Lisboa
12 .............................................. Portalegre
13 .................................................... Porto
14 ............................................... Santarém
15 ................................................. Setúbal
16 ...................................... Viana do Castelo
17 ............................................. Vila Real
18 ..................................................... Viseu
(20) ................................................ Açores
31 ...................................... Ilha da Madeira
32 ........................... Ilha de Porto Santo

### ANDORRA

| | | |
|---|---|---|
| Andorra la Vella *AND* | 23 | E 34 |
| Arinsal *AND* | 23 | E 34 |
| Cabanette | | |
| (Pic de la) *AND* | 23 | E 35 |
| Cabris (Collado de) *AND* | 23 | E 34 |
| Canillo *AND* | 23 | E 34 |
| Certers *AND* | 23 | E 34 |
| Comapedrosa | | |
| (Alt de) *AND* | 23 | E 34 |
| Cortinada (La) *AND* | 23 | E 34 |
| Encamp *AND* | 23 | E 34 |
| Envalira (Port d') *AND* | 23 | E 35 |
| Erts *AND* | 23 | E 34 |
| Escaldes | | |
| Engordany *AND* | 23 | E 34 |
| Estanyó (Pic de l') *AND* | 23 | E 34 |
| Fontaneda *AND* | 23 | E 34 |
| Griu (Alt del) *AND* | 23 | E 34 |
| Juberri *AND* | 23 | E 34 |
| Llorts *AND* | 23 | E 34 |
| Massana (La) *AND* | 23 | E 34 |
| Monturull (Pic de) *AND* | 23 | E 34 |
| Ordino *AND* | 23 | E 34 |
| Pal *AND* | 23 | E 34 |
| Pas de la Casa *AND* | 23 | E 35 |
| Pessons (Pic dels) *AND* | 23 | E 34 |
| Port (Pic du) *AND* | 23 | E 34 |
| Ransol *AND* | 23 | E 34 |
| Rat (Port de) *AND* | 23 | E 34 |
| Sant Julià de Lória *AND* | 23 | E 34 |
| Santa Coloma *AND* | 23 | E 34 |
| Serrat (El) *AND* | 23 | E 34 |
| Soldeu *AND* | 23 | E 35 |
| Valira d'Orient *AND* | 23 | E 34 |

### ESPAÑA

### A

| | | |
|---|---|---|
| Ababuj *TE* | 49 | K 27 |
| Abad *C.* | 3 | B 6 |
| Abades *SG* | 45 | J 17 |
| Abadía *CC* | 56 | L 12 |
| Abadía de Lebanza *P.* | 17 | D 16 |
| Abadín *LU* | 4 | B 7 |
| Abadiño *BI* | 10 | C 22 |
| Abaigar *NA* | 19 | E 23 |
| Abajas *BU* | 18 | E 19 |
| Abalario (El) *H.* | 91 | U 9 |
| Abalos *LO* | 19 | E 21 |
| Abaltzisketa *SS* | 10 | C 23 |
| Abánades *GU* | 47 | J 22 |
| Abanco *SO* | 32 | H 21 |
| Abaniella *S.* | 5 | C 10 |
| Abanilla *MU* | 85 | R 26 |
| Abanillas *S.* | 7 | B 16 |
| Abano *LE* | 15 | E 11 |
| Abanqueiro *C.* | 12 | E 3 |
| Abanto *Z.* | 48 | I 24 |
| Abarán *MU* | 85 | R 25 |
| Abarca *P.* | 30 | F 15 |
| Abárzuza *NA* | 19 | D 23 |
| Abastas *P.* | 16 | F 15 |
| Abaurrea Alta / | | |
| Abaurregaina *NA* | 11 | D 26 |
| Abaurrea Baja / | | |
| Abaurrepea *NA* | 11 | D 26 |
| Abaurregaina / | | |
| Abaurrea Alta *NA* | 11 | D 26 |
| Abaurrepea / | | |
| Abaurrea Baja *NA* | 11 | D 26 |
| Abay *HU* | 21 | E 28 |
| Abdet (L') *A.* | 74 | P 29 |
| Abegondo *C.* | 3 | C 5 |
| Abejar *SO* | 33 | G 21 |
| Abejas | | |
| (Puerto de las) *MA* | 100 | V 15 |
| Abejera *ZA* | 29 | G 11 |
| Abejuela *TE* | 61 | M 27 |
| Abejuela *AL* | 96 | T 24 |
| Abejuela (La) *AB* | 84 | Q 23 |
| Abelgas *LE* | 15 | D 12 |
| Abella *HU* | 22 | E 31 |
| Abellá *C.* | 3 | C 5 |
| Abella de la Conca *L.* | 23 | F 33 |

| | | |
|---|---|---|
| Abellada *HU* | 21 | E 29 |
| Abelleira *C.* | 12 | D 2 |
| Abelón *ZA* | 29 | H 11 |
| Abena *HU* | 21 | E 28 |
| Abenfigo *TE* | 49 | J 29 |
| Abengibre *AB* | 73 | O 25 |
| Abenilla *HU* | 21 | E 29 |
| Abenójar *CR* | 69 | P 16 |
| Abenuz *AB* | 72 | Q 24 |
| Aberásturi *VI* | 19 | D 22 |
| Abertura *CC* | 68 | O 12 |
| Abezames *ZA* | 30 | H 13 |
| Abezia *VI* | 18 | D 21 |
| Abia de la Obispalía *CU* | 60 | L 22 |
| Abia de las Torres *P.* | 17 | E 16 |
| Abiada *S.* | 7 | C 17 |
| Abiego *HU* | 21 | F 29 |
| Abiertas (Las) | | |
| *Tenerife TF* | 126 | D 3 |
| Abínzano *NA* | 20 | E 25 |
| Abionzo *S.* | 7 | C 18 |
| Abizanda *HU* | 22 | F 30 |
| Abla *AL* | 95 | U 21 |
| Ablanque *GU* | 47 | J 23 |
| Ablaña *O.* | 5 | C 12 |
| Ablitas *NA* | 34 | G 25 |
| Abona (Punta de) | | |
| *Tenerife TF* | 129 | G 4 |
| Abreo *Tenerife TF* | 127 | F 3 |
| Abrera *B.* | 38 | H 35 |
| Abrigos *TE* | 48 | K 25 |
| Abrigos (Los) | | |
| *Tenerife TF* | 129 | E 5 |
| Abril (Collado de) *A.* | 85 | Q 27 |
| Abrucena *AL* | 95 | U 21 |
| Abuime *LU* | 13 | E 7 |
| Abulagoso *CR* | 81 | Q 17 |
| Abusejo *SA* | 43 | J 11 |
| Abuzaderas *AB* | 72 | P 24 |
| Acaderas *BA* | 69 | O 15 |
| Acebeda (La) *M.* | 46 | I 19 |
| Acebedo *LE* | 6 | C 14 |
| Acebes *LE* | 15 | E 12 |

| | | |
|---|---|---|
| Acebo *LE* | 15 | E 10 |
| Acebo *CC* | 55 | L 9 |
| Acebo (Alto de) *O.* | 4 | C 9 |
| Acebrón (El) *CU* | 59 | M 21 |
| Acebrón (El) *H.* | 91 | U 10 |
| Acebuchal (El) *J.* | 82 | R 19 |
| Acebuchal (El) *SE* | 80 | T 13 |
| Acebuche *BA* | 80 | Q 13 |
| Acebuche *H.* | 91 | U 10 |
| Acebuche (El) *H.* | 91 | U 10 |
| Acebuche (El) *J.* | 80 | J 24 |
| Acebuche (El) *SE* | 92 | U 14 |
| Acebuche (Puerto) *SE.* | 79 | T 11 |
| Acebuche (Punta) *CA.* | 99 | X 13 |
| Aceca *TO* | 58 | M 18 |
| Acedera *BA* | 68 | O 13 |
| Acedo *NA* | 19 | D 23 |
| Acehúche *CC* | 55 | M 10 |
| Aceituna *CC* | 55 | L 11 |
| Acequias *GR* | 101 | V 19 |
| Acera de la Vega *P.* | 16 | E 15 |
| Acered *Z.* | 48 | I 25 |
| Aceredo *OR.* | 27 | G 5 |
| Aceuchal *BA* | 67 | Q 10 |
| Acibeiro *PO* | 13 | E 5 |
| Acilu *VI* | 19 | D 22 |
| Acosta | | |
| (Salinas de) *AL* | 103 | V 23 |
| Ácula *GR* | 94 | U 18 |
| Acumuer *HU* | 21 | E 28 |
| Adahuesca *HU* | 22 | F 29 |
| Adaja *AV* | 44 | K 15 |
| Adal Treto *S.* | 8 | B 19 |
| Adalia *VA* | 30 | H 14 |
| Adalid (El) *CO* | 81 | S 16 |
| Adamuz *CO* | 81 | R 16 |
| Adanero *AV* | 45 | J 16 |
| Adarra *SS* | 10 | C 24 |
| Aday *LU* | 4 | D 7 |
| Addaia *PM* | 106 | L 42 |
| Adeanueva | | |
| de la Serrezuela *SG* | 32 | H 18 |
| Adeje | | |
| *Tenerife TF* | 128 | D 5 |

| | | |
|---|---|---|
| Adelán *LU* | 4 | B 7 |
| Adelantado | | |
| (Parador El) *J.* | 83 | S 21 |
| Ademuz *V.* | 61 | L 26 |
| Adi *NA* | 11 | C 25 |
| Adina *PO* | 12 | E 3 |
| Adino *S.* | 8 | B 19 |
| Adiós *NA* | 11 | D 24 |
| Adoáin *NA* | 11 | D 26 |
| Adobes *GU* | 48 | J 24 |
| Adra *AL* | 102 | V 20 |
| Adrada (La) *AV* | 57 | L 16 |
| Adrada de Haza *BU* | 31 | H 18 |
| Adrada de Pirón *SG* | 45 | I 17 |
| Adradas *SO* | 33 | H 22 |
| Adrados *SG* | 31 | H 17 |
| Adrados *LE* | 16 | D 14 |
| Adrados de Ordás *LE* | 15 | D 12 |
| Adrall *L.* | 23 | F 34 |
| Adriano *SE* | 91 | U 12 |
| Adsubia *A.* | 75 | P 29 |
| Aduanas *A.* | 75 | P 30 |
| Aduna *SS* | 10 | C 23 |
| Agaete | | |
| *Gran Canaria GC* | 114 | C 2 |
| Agaete (Valle de) | | |
| *Gran Canaria GC* | 114 | C 2 |
| Agalla (Sierra) *BA* | 68 | P 12 |
| Agallas *SA* | 43 | K 10 |
| Agaró (S') *GI* | 39 | G 39 |
| Áger *L.* | 22 | F 32 |
| Aginaga *SS* | 10 | C 23 |
| Agoitz / Aoiz *NA* | 11 | D 25 |
| Agolada *PO* | 13 | D 5 |
| Agón *Z.* | 34 | G 25 |
| Agoncillo *LO* | 19 | E 23 |
| Agost *A.* | 86 | Q 28 |
| Agra *AB* | 84 | Q 24 |
| Agramaderos (Los) *J.* | 94 | T 18 |
| Agramón *AB* | 84 | Q 25 |
| Agramunt *L.* | 37 | G 33 |
| Agraviados (Los) *CA* | 99 | W 12 |

| | | |
|---|---|---|
| Agres *A.* | 74 | P 28 |
| Agrio *SE* | 91 | T 11 |
| Agrio (Embalse de) *SE.* | 91 | T 11 |
| Agrón *GR* | 94 | U 18 |
| Agua (Cabo de) *MU* | 97 | T 27 |
| Agua (Cueva del) *J.* | 83 | S 20 |
| Agua Amarga *AL* | 103 | V 24 |
| Agua García *Tenerife TF.* | 124 | H 2 |
| Aguacil (Puerto del) *CA.* | 99 | V 13 |
| Aguada Salada *AB* | 84 | Q 23 |
| Aguadulce *AL* | 103 | V 22 |
| Aguadulce *SE* | 93 | U 15 |
| Aguafría *H.* | 79 | S 9 |
| Agualada *C.* | 2 | C 3 |
| Aguamansa *Tenerife TF.* | 127 | G 3 |
| Aguarón *Z.* | 34 | H 26 |
| Aguarón (Puerto de) *Z.* | 34 | I 25 |
| Aguas *HU* | 21 | F 29 |
| Aguas (Las) *Tenerife TF.* | 127 | E 3 |
| Aguas Cándidas *BU* | 18 | D 19 |
| Aguas Vivas (Río) *Z.* | 49 | I 27 |
| Aguasal *VA* | 31 | I 16 |
| Aguasantas cerca | | |
| de Ponte-Caldelas *PO* | 13 | E 4 |
| Aguasantas | | |
| cerca de Rois *C.* | 12 | D 3 |
| Aguasmestas *O.* | 5 | C 11 |
| Aguasnuevas *AB* | 72 | P 24 |
| Aguatón *TE* | 48 | J 26 |
| Aguaviva *TE* | 49 | J 29 |
| Aguaviva de la Vega *SO* | 33 | I 22 |
| Aguda (Sierra) *BA* | 79 | R 10 |
| Agudo *CR* | 69 | P 15 |
| Agudo | | |
| *Fuerteventura GC* | 113 | H 3 |
| Águeda | | |
| del Caudillo *SA* | 42 | K 10 |
| Agüera *BU* | 8 | C 19 |
| Agüera *S.* | 5 | C 20 |
| Agüera *O.* | 5 | B 11 |
| Agüeras (Las) *O.* | 5 | C 11 |
| Agüerina *O.* | 5 | C 11 |
| Agüero *HU* | 21 | E 27 |

**A B C D E F G H I J K L M N O P Q R S T U V W X Y Z**

Aguijón (Embalse del) BA.. 67 Q 9
Águila CR............. 71 Q 19
Águila (Cuevas del) AV. 57 L 14
Águila (El) TO.......... 70 N 19
Águila (El) CO.......... 81 R 15
Águila (Punta del) S..... 8 B 19
Aguilafuente SG........ 31 I 17
Aguilar de Anguita GU.. 47 I 22
Aguilar de Bureba BU.. 18 E 20
Aguilar de Campóo P.. 17 D 17
Aguilar de Campóo
 (Embalse de) P......... 17 D 16
Aguilar de Campos VA.. 30 G 14
Aguilar
 de la Frontera CO..... 93 T 16
Aguilar
 de Montuenga SO..... 47 I 23
Aguilar de Segarra B... 37 G 34
Aguilar de Tera ZA..... 29 G 12
Aguilar del Alfambra TE. 49 K 27
Aguilar
 del Río Alhama LO... 33 G 24
Águilas MU............ 97 T 25
Aguilas (Las) MU....... 85 S 25
Aguilera (La) BU....... 32 G 18
Aguillo BU............. 19 D 22
Aguiló T............... 37 H 34
Aguilón Z.............. 34 I 26
Agüimes
 Gran Canaria GC..... 117 F 3
Aguinaliu HU........... 22 F 31
Aguiño C............... 12 E 2
Agullana GI............ 25 E 38
Agullent V............. 74 P 28
Agulo La Gomera TF.... 119 C 1
Agurain / Salvatierra VI.. 19 D 22
Agustín LU............. 4 D 8
Agustín V.............. 62 M 27
Aguzadera MA......... 99 W 14
Aguzadera (Castillo) SE.. 92 U 13
Ahedo de la Sierra BU.. 32 F 19
Ahedo de las Pueblas BU. 7 C 18
Ahedo de Linares BU... 18 C 19
Ahedo del Butrón BU... 18 D 18
Ahigal CC.............. 55 L 11
Ahigal
 de los Aceiteros SA.. 42 J 9
Ahigal de Villarino SA... 43 I 10
Ahillas V.............. 61 M 27
Ahillones BA........... 80 R 12
Aia SS................. 19 D 23
Aia SS................. 10 C 23
Aibar / Oibar NA........ 20 E 25
Aielo de Malferit V..... 74 P 28
Aiguablava GI.......... 39 G 39
Aiguablava GI.......... 25 G 39
Aiguafreda B........... 38 G 36
Aiguafreda GI.......... 25 G 39
Aiguamolls de l'Empordà
 (Parc natural dels) GI.. 25 F 39
Aiguamúrcia T......... 37 I 34
Aiguaviva GI........... 25 G 38
Aiguaviva T............ 37 H 34
Aigües de Busot A...... 74 Q 28
Aigües Vives
 (Santa María d') V.... 74 O 28
Aigüestortes i Estany de Sant Maurici
 (Parc nacional d') L.... 23 E 32
Aín CS................. 62 M 28
Ainet de Besan L....... 23 E 33
Ainsa HU.............. 22 E 30
Aintzioa NA............ 11 D 25
Ainzón Z............... 34 G 25
Aire (Puerto del) CO.... 81 R 15
Aisa HU............... 21 D 28
Aisa (Sierra de) HU..... 21 D 28
Aisl C................. 3 B 5
Aitona L............... 36 H 31
Aizarna SS............. 10 C 23
Aizarnazabal SS........ 10 C 23
Aja S.................. 8 C 19
Ajalvir M.............. 46 K 19
Ajamil LO.............. 19 F 22
Ajangiz BI............. 10 C 22
Ajo S.................. 8 B 19
Ajo (Cabo de) S........ 8 B 19
Ajo (El) AV............ 44 J 14
Ajofrín TO............. 58 M 18
Ajuy Fuerteventura GC.. 110 F 3
Alacant / Alicante A.... 86 Q 28
Alacón TE.............. 49 I 27
Aladrén Z.............. 34 I 26
Alaejos VA............. 30 I 14
Alagón Z............... 34 G 26
Alagón del Caudillo CC.. 55 M 11
Alagones (Los) TE...... 49 J 29
Alagüeces MU.......... 84 S 24

Alaior PM.............. 106 M 42
Alaiza VI.............. 19 D 22
Alájar H............... 79 S 10
Alajeró La Gomera TF.. 118 D 3
Alaló SO............... 32 H 21
Alalpardo M............ 46 K 19
Alameda MA............ 93 U 16
Alameda (La) SO........ 33 H 23
Alameda (La) CR........ 70 Q 18
Alameda de Cervera CR.. 71 O 20
Alameda
 de Gardón (La) SA.... 42 K 9
Alameda de la Sagra TO.. 58 L 18
Alameda del Obispo CO.. 81 S 15
Alameda del Valle M.... 45 J 18
Alamedilla GR.......... 95 T 20
Alamedilla TO.......... 58 M 17
Alamedilla (La) SA...... 42 K 9
Alamedilla
 del Berrocal (La) AV.. 44 J 15
Alamillo CR............ 69 P 15
Alamillo (El) H......... 91 U 10
Alamillo
 (Estación de) CR...... 69 P 15
Alamín M.............. 58 L 17
Alaminos GU........... 47 J 21
Alamitos (Los) SE...... 80 S 13
Álamo CA.............. 99 W 12
Álamo (El) M........... 58 L 18
Álamo (El)
 cerca de El Madroño SE. 79 T 10
Álamo (El) cerca de Lora
 del Río SE............ 80 T 13
Álamos (Los) AL....... 96 T 23
Alamús (Els) L......... 36 H 32
Alandre BA............. 69 O 14
Alange BA.............. 67 P 11
Alanís SE.............. 80 R 12
Alanís (Estación de) SE.. 80 S 12
Alaquàs V.............. 62 N 28
Alar del Rey P......... 17 E 17
Alaraz SA.............. 44 J 14
Alarba Z............... 48 I 25
Alarcia BU............. 18 F 20
Alarcón CU............ 60 N 23
Alarcón
 (Embalse de) CU...... 60 N 23
Alarcones J............ 82 R 18
Alares (Los) TO........ 57 N 15
Alarilla GU............ 46 J 20
Alarilla (La) M......... 59 L 20
Alaró PM............... 104 M 38
Alàs i Cerc L.......... 23 E 34
Alastuey HU........... 20 E 26
Alatoz AB.............. 73 O 25
Álava Provincia O...... 19 D 21
Alazores
 (Puerto de los) GR.... 93 U 17
Alba TE................ 48 K 25
Albà cerca de Palas
 de Rei LU............. 13 D 6
Alba cerca de Villalba LU. 3 C 6
Alba de Cerrato P...... 31 G 16
Alba de los Cardaños P.. 17 D 15
Alba de Tormes SA..... 44 J 13
Alba de Yeltes SA...... 43 J 11
Albacete AB............ 72 P 24
Albagès (L') L.......... 36 H 32
Albaicín MA............ 93 U 16
Albaida V.............. 74 P 28
Albaida (Port d') A..... 74 P 28
Albaida del Aljarafe SE.. 91 T 11
Albaina BU............. 19 D 22
Albal V................ 74 N 28
Albalá CC.............. 67 O 11
Albaladejito CU........ 60 L 23
Albaladejo CR.......... 59 L 20
Albaladejo del Cuende CU 60 N 23
Albalat de la Ribera V... 74 O 28
Albalate de Cinca HU... 36 G 30
Albalate
 de las Nogueras CU... 47 K 23
Albalate de Zorita GU... 59 L 21
Albalate
 del Arzobispo TE..... 49 I 28
Albalatillo HU.......... 35 G 29
Albánchez AL.......... 96 U 23
Albanchez de Mágina J.. 82 S 19
Albanyà GI............ 24 F 38
Albarca T.............. 37 I 32
Albarda AB............ 72 Q 23
Albarda MU............ 85 R 26
Albarellos
 cerca de Beariz OR... 13 E 5

## ALBACETE

MADRID CIUDAD REAL ⑥ A 31 — A — ① REQUENA N 322 — B — MADRID

A 31 / ALACANT / ALICANTE / MURCIA

0   300 m

Carretera de Madrid · Cronista Mateos Sotos · Av. de R. y Luis · Av. de Menéndez y Pidal · Granada · Quevedo · Vega · Lope · de · Roda · Arquitecto Fernandez · Av. Ramón y Cajal · Paseo · Camino · del · Cementerio · Av. de Valladolid · Av. de la Estación · Zamora · Cuba · García Lorca · José Isbert · Alcade · La Cruz · Gonangia · Cíd · Pl. A. Mateos

Av. de los Toreros · La Feria · Baños · AUDITORIO · Catedral · Recinto Ferial · Paseo de La Feria · Benavente · J. Carrilero · Feria · Hermanos · Joaquín · Pastor · Pérez · Quijada · Pizarro · Dionisio · Guardiola · Cristóbal · Francisco · Pl. Pablo Picasso · Roses · Pérez · Coca · Quevedo · María · Galdós · Capitán · Jiménez · Arquitecto Fajardo · Pedro · Torres · Marín · Vandelvira · Batalla del Ángel · Hermanos Falcó · La Paz · Cortés · Méjico · PARQUE DE ABELARDO SÁNCHEZ · M¹ · Lepanto · Av. del Primero · Cuba · de Mayo · Capitán · Cortés · España · Hellín

Z · CM 3203 / ELCHE DE LA SIERRA — A — B — A 30, MURCIA ③

ÚBEDA, N 322 · N 430, CIUDAD REAL

### Street index

| Street | Ref |
|---|---|
| Arcángel San Gabriel | BZ 3 |
| Arquitecto Julio Carrilero (Av. del) | AY 4 |
| Blasco Ibáñez | AYZ 6 |
| La Caba | BZ 7 |
| Calderón de la Barca | BZ 9 |
| Carmen | BY 13 |
| Carretas (Pl. de las) | BZ 14 |
| Casas Ibáñez | AY 16 |
| Comandante Molina | ABY 17 |
| Comandante Padilla | BZ 18 |
| La Concepción | BYZ 20 |
| Diego de Velázquez | BZ 22 |
| Doctor García Reyes | BZ 23 |
| Francisco Fontecha | BY 26 |
| Gabriel Ciscar | AY 28 |
| Gabriel Lodares (Pl. de) | BZ 29 |
| Isabel la Católica (Av.) | ABY 32 |
| Juan de Toledo | AY 33 |
| Juan Sebastián Elcano | AY 34 |
| Libertad (Pas. de la) | BY 38 |
| Lodares (Pje de) | BZ 41 |
| Luis Herreros | AZ 42 |
| Mancha (Pl. de la) | BZ 45 |
| Marqués de Molins | BYZ 46 |
| Martínez Villena | BZ 49 |
| Mayor | BYZ 50 |
| Mayor (Pl.) | BY 51 |
| Murcia (Puerta de) | BZ 54 |
| Pablo Medina | BY 56 |
| Padre Romano | BY 57 |
| Pedro Martínez Gutiérrez | AY 60 |
| Pedro Simón Abril (Pas. de) | BZ 61 |
| Rosario | ABYZ 64 |
| Santa Quiteria | BZ 74 |
| Santisima Virgen (Camino de la) | AY 75 |
| San Agustín | BYZ 66 |
| San Antonio | BY 67 |
| San Julián | BY 70 |
| San Sebastián | AY 71 |
| Teodoro Camino | BZ 78 |
| Tesifonte Gallego | BZ 79 |
| Tinte | BZ 82 |
| Valencia (Carretera de) | BZ 84 |
| Valencia (Puerta de) | BZ 85 |
| Vasco Núñez de Balboa | BY 88 |
| Virgen de las Maravillas | AY 89 |
| Zapateros | BY 92 |

Museo (Muñecas romanas articuladas) .......... BZ M¹

Albarellos
 cerca de Verín OR......... 28 G 7
Albarellos
 (Embalse de) OR.......... 13 E 5
Albarellos PO............ 13 E 5
Albarellos
 cerca de Beariz OR....... 13 E 5
Albares AB.............. 59 L 20
Albares de la Ribera LE... 15 E 10
Albarín HU............. 21 E 28
Albariño (Parador del)
 Cambados PO.......... 12 E 3
Albariza O.............. 5 C 11
Albarracín TE........... 48 K 25
Albarracín
 (Sierra de) TE......... 48 K 25
Albarrana (Sierra) CO.... 80 R 13
Albarreal de Tajo TO.... 58 M 17
Albatàrrec L............ 36 H 31
Albatera A.............. 85 R 27
Albayate (Sierra) CO.... 94 T 17
Albelda HU............. 36 G 31
Albelda de Iregua LO.... 19 E 22
Albendea CU............ 47 K 22
Albendiego GU.......... 32 I 20

Albendín CO............ 81 S 17
Albéniz VI.............. 19 D 23
Albentosa TE........... 61 L 27
Alberca (La) SA......... 43 K 11
Alberca (La) MU........ 85 S 26
Alberca
 de Záncara (La) CU... 60 N 22
Alberche HU............ 57 M 15
Alberguería OR......... 13 F 7
Alberguería
 de Argañán (La) SA... 42 K 9
Alberic V.............. 74 O 28
Alberite LO............. 19 E 22
Alberite de San Juan Z.. 34 G 25
Albero Alto HU......... 21 F 28
Albero Bajo HU......... 21 F 28
Alberquilla AL.......... 102 V 21
Alberuela
 de la Liena HU....... 22 F 29
Alberuela de Tubo HU... 35 G 29
Albesa L............... 36 G 31
Albeta Z............... 34 G 25
Albi (L') L.............. 37 H 32
Albilla (Fuente) AB...... 72 Q 24
Albillos BU............ 18 F 18

Albinyana T............ 37 I 34
Albiol (L') T............ 37 I 33
Albir A................ 74 Q 29
Albires LE.............. 16 F 14
Albiztur SS............ 10 C 23
Albocàsser CS.......... 50 K 30
Alboloduy AL........... 95 U 22
Albolote GR............ 94 U 19
Albondón GR........... 102 V 20
Albons GI.............. 25 F 39
Alborache V............ 73 N 27
Alboraya V............. 62 N 28
Alborea AB............. 73 O 25
Alboreca GU............ 47 I 22
Albores C.............. 2 D 3
Alborge Z.............. 35 H 28
Albornos AV............ 44 J 15
Albox AL............... 96 T 23
Albudeite MU........... 85 R 25
Albuera (La) BA........ 67 P 9
Albufera (L') V......... 74 N 28
Albufera de Anna (La) V.. 74 O 28
Albujón MU............ 85 S 26
Albujón (Rambla de) MU. 85 S 26
Albuñán GR............ 95 U 20

Albuñol GR............ 102 V 20
Albuñuelas GR......... 101 V 19
Alburquerque BA....... 67 O 9
Alcabala Alta SE....... 92 U 13
Alcabón TO............ 57 L 16
Alcachofar (El) SE...... 92 T 12
Alcadozo AB........... 72 Q 24
Alcahozo CU........... 73 N 25
Alcaide AL............. 84 S 23
Alcaidía (La) CO....... 93 T 16
Alcaine TE............. 49 J 27
Alcalá Tenerife TF...... 128 C 4
Alcalá (Puerto de) TE... 49 K 27
Alcalá de Ebro Z....... 34 G 26
Alcalá de Guadaíra SE.. 92 T 12
Alcalá de Gurrea HU... 21 F 27
Alcalá de Henares M.... 46 K 19
Alcalá de la Selva TE... 49 K 27
Alcalá de la Vega CU... 61 L 25
Alcalá
 de los Gazules CA.... 99 W 12
Alcalá de Moncayo Z... 34 G 24
Alcalá de Xivert CS..... 50 L 30
Alcalá del Júcar AB..... 73 O 25
Alcalá del Obispo HU... 21 F 29

España 135


Alcalá del Río SE 91 T 12
Alcalá del Valle CA 92 V 14
Alcalá la Real J 94 T 18
Alcalalí A 74 P 29
Alcalde (El) TO 59 M 20
Alcalfar PM 106 M 42
Alcampel HU 36 G 31
Alcanà A 85 Q 27
Alcanadre LO 19 E 23
Alcanadre (Río) HU 21 E 29
Alcanar T 50 K 31
Alcanar Platje T 50 K 31
Alcanó L 36 H 31
Alcántara CC 55 M 9
Alcántara (Embalse de) CC 55 M 9
Alcantarilla MU 85 S 26
Alcantarillas (Estación de las) SE 92 U 12
Alcantud CU 47 K 23
Alcañices ZA 29 G 10
Alcañiz TE 49 I 29
Alcañizo TO 57 M 14
Alcaparrosa J 82 R 17
Alcaracejos CO 81 Q 15
Alcaraz AB 72 P 22
Alcarràs L 36 H 31
Alcarria (La) GU 47 J 21
Alcàsser V 74 N 28
Alcaucín MA 101 V 17
Alcaudete J 94 T 17
Alcaudete SE 92 T 12
Alcaudete de la Jara TO 57 M 15
Alcaudique AL 102 V 21
Alcazaba BA 67 P 9
Alcazaba (La) AL 103 V 22
Alcázar GR 102 V 19
Alcázar J 94 T 17
Alcázar de San Juan CR 71 N 20
Alcázar del Rey CU 59 L 21
Alcazarén VA 31 H 15
Alcázares (Los) MU 85 S 27
Alceda S 7 C 18
Alcoba de la Torre SO 32 G 19
Alcoba de los Montes CR 69 O 16
Alcobendas M 46 K 19
Alcocer GU 47 K 22
Alcocero de Mola BU 18 E 19
Alcohujate CU 47 K 22
Alcoi / Alcoy A 74 P 28
Alcola (Alto de) V 73 O 26
Alcolea AL 102 V 21
Alcolea CO 81 S 15
Alcolea de Calatrava CR 70 P 17
Alcolea de Cinca HU 36 G 30
Alcolea de las Peñas GU 47 I 21
Alcolea de Tajo TO 57 M 14
Alcolea del Pinar GU 47 I 22
Alcolea del Río SE 80 T 12
Alcoleja A 74 P 29
Alcoletge L 36 H 32
Alcollarín CC 68 O 12
Alconaba SO 33 G 22
Alconada SA 44 J 13
Alconada de Maderuelo SG 32 H 19
Alconchel BA 66 Q 8
Alconchel de Ariza Z 47 I 23
Alconchel de la Estrella CU 59 M 22
Alconera BA 79 Q 10
Alconétar (Puente romano de) CC 55 M 10
Alcóntar AL 95 T 22
Alcor H 90 U 9
Alcor (El) M 45 K 17
Alcora (L') CS 62 L 29
Alcoraya (L') A 86 Q 28
Alcorcillo ZA 29 G 10
Alcorcón M 45 K 18
Alcorisa TE 49 J 28
Alcorlo (Embalse de) GU 46 I 20
Alcorneo CC 66 O 8
Alcornocal SE 80 S 13
Alcornocal (El) CR 69 O 16
Alcornocal (El) CO 80 R 14
Alcornocalejo SE 80 T 12
Alcornocales (Parque natural de los) CA 99 W 13
Alcornocosa CO 80 Q 14
Alcornocosa (La) SE 79 S 11
Alcoroches GU 48 K 24
Alcossebre CS 63 L 30
Alcotas TE 61 L 27
Alcotas V 61 M 27
Alcover T 37 I 33
Alcoy / Alcoi A 74 P 28
Alcozar SO 32 H 20
Alcozarejos AB 73 O 25
Alcubierre HU 35 G 28
Alcubierre (Puerto de) HU 35 G 28
Alcubierre (Sierra de) Z 35 G 28
Alcubilla de Avellaneda SO 32 G 20
Alcubilla de las Peñas SO 33 I 22
Alcubilla de Nogales ZA 15 F 12
Alcubilla del Marqués SO 32 H 20
Alcubillas CR 71 P 20
Alcubillas (Las) AL 95 U 22
Alcubillete TO 58 M 17
Alcublas V 62 M 27
Alcúdia *Mallorca* PM 105 M 39
Alcúdia (L') V 74 O 28
Alcúdia (L') (Ruines d'Ilici) A 86 R 27
Alcúdia de Crespins (L') V 74 P 28
Alcudia de Guadix GR 95 U 20
Alcudia de Monteagud AL 96 U 23
Alcúdia de Veo CS 62 M 28
Alcuéscar CC 67 O 11
Alcuetas LE 16 F 13
Alcuneza GU 47 I 22
Alda VI 19 D 23
Aldaba NA 10 D 24
Aldaia V 62 N 28
Aldán PO 12 F 3
Aldanas BI 9 C 21
Aldaris C 12 D 3
Aldatz NA 10 C 24
Aldea SO 32 H 20
Aldea LU 3 C 6
Aldea (L') T 50 J 31
Aldea (Punta de la) *Gran Canaria* GC 114 B 2
Aldea Blanca GC 117 F 4
Aldea Blanca *Tenerife* TF 128 E 5
Aldea de Arango TO 57 L 15
Aldea de Arriba OR 13 F 6
Aldea de Ebro S 17 D 17
Aldea de Estenas V 61 N 26
Aldea de les Coves V 61 N 26
Aldea de los Corrales V 61 N 26
Aldea de Pallarés BA 79 R 11
Aldea de San Miguel VA 31 H 16
Aldea de San Nicolás (La) *Gran Canaria* GC 114 B 3
Aldea de Trujillo CC 56 N 12
Aldea del Cano CC 67 O 11
Aldea del Cano (Estación de) CC 67 O 10
Aldea del Fresno M 45 L 17
Aldea del Obispo SA 42 J 9
Aldea del Pinar BU 32 G 20
Aldea del Portillo de Busto (La) BU 18 D 20
Aldea del Puente (La) LE 16 E 14
Aldea del Rey CR 70 P 18
Aldea del Rey Niño AV 44 K 15
Aldea en Cabo TO 57 L 16
Aldea Moret CC 55 N 10
Aldea Quintana CO 81 S 15
Aldea Real SG 45 I 17
Aldeacentenera CC 56 N 13
Aldeacipreste SA 43 K 12
Aldeacueva BI 8 C 19
Aldeadávila (Embalse de) SA 28 I 10
Aldeadávila de la Ribera SA 28 I 10
Aldeahermosa J 83 R 20
Aldealabad del Mirón AV 44 K 13
Aldealafuente SO 33 G 23
Aldealázaro SG 32 H 19
Aldealbar VA 31 H 16
Aldealcardo SO 33 F 23
Aldealcorvo SG 31 I 18
Aldealengua SA 44 J 13
Aldealengua de Pedraza SG 45 I 18
Aldealengua de Santa María SG 32 H 19
Aldealices SO 33 G 23
Aldealpozo SO 33 G 23
Aldealseñor SO 33 G 23
Aldeamayor de San Martín VA 31 H 16
Aldeanueva de Atienza GU 46 I 20
Aldeanueva de Barbarroya TO 57 M 14
Aldeanueva de Cameros LO 19 F 22
Aldeanueva de Ebro LO 20 F 24
Aldeanueva de Figueroa SA 44 I 13
Aldeanueva de Guadalajara GU 46 J 20
Aldeanueva de la Sierra SA 43 K 11
Aldeanueva de la Vera CC 56 L 12
Aldeanueva de Portanobis SA 42 J 10
Aldeanueva de San Bartolomé TO 57 N 14
Aldeanueva de Santa Cruz AV 44 K 13
Aldeanueva del Camino CC 56 L 12
Aldeanueva del Codonal SG 45 I 16
Aldeaquemada J 82 Q 19
Aldearrodrigo SA 43 I 12
Aldearrubia SA 44 I 13
Aldeaseca AV 44 I 15
Aldeaseca de Alba SA 44 J 13
Aldeaseca de la Frontera SA 44 J 14
Aldeasoña SG 31 H 17
Aldeatejada SA 43 J 12
Aldeavieja AV 45 J 16
Aldeavieja de Tormes SA 43 K 13
Aldehorno SG 32 H 18
Aldehuela GU 48 J 24
Aldehuela CC 43 K 10
Aldehuela *cerca de Aliaga* TE 49 J 27
Aldehuela *cerca de Teruel* TE 61 L 26
Aldehuela (La) M 59 L 19
Aldehuela (La) AV 44 K 13
Aldehuela de Ágreda SO 34 G 24
Aldehuela de Calatañazor SO 33 G 21
Aldehuela de Jerte CC 55 L 11
Aldehuela de la Bóveda SA 43 J 11
Aldehuela de Liestos Z 48 I 24
Aldehuela de Periáñez SO 33 G 23
Aldehuela de Yeltes SA 43 K 11
Aldehuela del Codonal SG 45 I 16
Aldehuelas (Las) SO 33 G 22
Aldeire GR 95 U 20
Aldeonsancho SG 31 I 18
Aldeonte SG 32 H 18
Aldeyuso VA 31 H 17
Aldige LU 4 C 7
Aldover T 50 J 31
Alea O 6 B 14
Aleas GU 46 J 20
Aledo MU 85 S 25
Alegia SS 10 C 23
Alegranza *Lanzarote* GC 120 E 1
Alegranza (Isla) *Lanzarote* GC 120 E 1
Alegría (La) SE 92 U 12
Alegría-Dulantzi VI 19 D 22
Aleixar (L') T 37 I 33
Alejos (Los) AB 84 Q 23
Alella B 38 H 36
Alentisque SO 33 H 23
Aler HU 22 F 31
Alerre HU 21 F 28
Alesanco LO 19 E 21
Alesón LO 19 E 21
Alevia O 7 B 16
Alfacar GR 94 U 19
Alfacs (Port dels) T 50 K 31
Alfafar V 62 N 28
Alfafara A 74 P 28
Alfaix AL 96 U 24
Alfajarín Z 35 H 27
Alfambra TE 49 K 26
Alfambra (Río) TE 49 K 26
Alfamén Z 34 H 26
Alfántega HU 36 G 30
Alfara d'Algímia V 62 M 28
Alfara de Carles T 50 J 31
Alfaraz de Sayago ZA 29 I 12
Alfarb V 74 O 28
Alfarnate MA 101 V 17
Alfarnatejo MA 101 V 17
Alfaro LO 20 F 24
Alfarràs L 36 G 31
Alfarrasí V 74 P 28
Alfàs del Pi (L') A 74 Q 29
Alfera (La) AB 84 Q 23
Alfés L 36 H 31
Alfocea Z 35 G 27
Alfondeguilla CS 62 M 29
Alfonso XIII SE 91 U 11
Alfoquia (La) AL 96 T 23
Alforja T 37 I 32
Alfornón GR 102 V 20
Alforque Z 35 I 28
Alfoz LU 14 D 8
Alfoz *Castro de Ouro* LU 4 B 7
Algaba (La) SE 91 T 11
Algadefe LE 16 F 13
Algaida PM 104 N 38
Algaida (La) MU 85 R 26
Algaida (La) CA 91 V 11
Algallarín CO 81 R 16
Algámitas SE 92 U 14
Algar CA 99 W 13
Algar (El) MU 85 T 27
Algar (S') PM 106 M 42
Algar de Mesa GU 47 I 24
Algar de Palància V 62 M 28
Algar de Palància (Embassament d') V 62 M 28
Algarabejo (El) SE 92 U 13
Algarín SE 80 T 13
Algarinejo GR 94 U 17
Algarra CU 61 L 25
Algarróbillo (El) SE 92 V 12
Algarrobo MA 101 V 17
Algarrobo Costa MA 101 V 17
Algatocín MA 99 W 14
Algayón HU 36 G 31
Algecira (La) TE 49 J 28
Algeciras CA 99 X 13
Algeciras (Bahía de) CA 99 X 13
Algemesí V 74 O 28
Algendar (Barranc d') PM 106 M 41
Algerri L 36 G 31
Algete M 46 K 19
Algezares *cerca de Cehegín* MU 84 R 24
Algezares *cerca de Murcia* MU 85 S 26
Algibillo J 82 R 17
Algimia d'Alfara V 62 M 28
Algimia de Almonacid CS 62 M 28
Alginet V 74 O 28
Algodonales CA 92 V 13
Algodor M 58 M 18
Algodre ZA 30 H 13
Algora GU 47 J 22
Algorfa A 85 R 27
Algorta BI 8 B 20
Algozón LU 13 E 6
Alguaire L 36 G 31
Alguazas MU 85 R 26
Algueña (L') A 85 Q 26
Alhabia AL 102 V 22
Alhama (Tierras de) GR 101 V 17
Alhama de Almería AL 103 V 22
Alhama de Aragón Z 34 I 24
Alhama de Granada GR 94 U 18
Alhama de Murcia MU 85 S 25
Alhambra CR 71 P 20
Alhambra (La) GR 94 U 19
Alhambras (Las) TE 61 L 27
Alhanchete (El) AL 96 U 24
Alharilla J 82 S 17
Alhaurín de la Torre MA 100 W 16
Alhaurín el Grande MA 100 W 15
Alhendín GR 94 U 19
Alhóndiga GU 47 K 21
Alía CC 57 N 14
Aliaga TE 49 J 27
Aliaguilla CU 61 M 26
Alías AL 103 V 23
Alicante / Alacant A 86 Q 28
Alicante (Golfo de) A 86 R 28
Alicún AL 102 V 22
Alicún de las Torres GR 95 T 20
Alicún de Ortega GR 95 T 20
Alienes O 5 B 10
Alija LE 16 E 13
Alija del Infantado LE 15 F 12
Alijar (Puerto de) MA 100 W 14
Alins L 23 E 33
Alins del Monte HU 22 F 31
Alinyà L 22 F 34
Alió T 37 I 33
Alique GU 47 K 22
Alisar (El) SE 79 T 11
Alisas (Puerto de) S 8 C 19
Aliseda CC 55 N 9
Aliseda (La) J 82 R 19
Aliseda de Tormes (La) AV 44 L 13
Aliste ZA 29 G 11
Aliste (Cabañas de) ZA 29 G 11
Aliud SO 33 H 23
Aljabaras (Las) CO 80 S 14
Aljaraque H 90 U 8
Aljariz AL 96 U 24
Aljibe CA 99 W 13
Aljibe (El) MU 96 T 24
Aljibe (Sierra del) CR 70 Q 19
Aljibe (Sierra del) BA 69 N 15
Aljorra (La) MU 85 S 26
Aljube AB 73 Q 25
Aljucén BA 67 O 11
Aljucén (Estación de) BA 67 P 10
Aljunzarejo (El) MU 85 R 26
Alkiza SS 10 C 23
Alkotz NA 11 C 24
Allariz OR 13 F 6
Allariz (Alto de) OR 13 F 6
Allepuz TE 49 K 27
Allés O 7 B 15
Allín NA 19 D 23
Allo NA 19 E 23
Alloz NA 10 D 24
Alloza TE 49 J 28
Allozo (El) CR 71 P 21
Allueva TE 48 J 26
Almacelles L 36 G 31
Almáchar MA 101 V 17
Almaciles GR 84 S 22
Almadén CR 69 P 15
Almadén (El) J 82 S 19
Almadén de la Plata SE 79 S 11
Almadenejos CR 69 P 15
Almadenes MU 85 R 25
Almadraba (La) CA 98 W 10
Almadraba de Monteleva (La) AL 103 V 23
Almadrava (L') T 51 J 32
Almadrones GU 47 J 21
Almafrà A 85 Q 27
Almagarinos LE 15 D 11
Almagrera (Cabeza) BA 68 P 14
Almagrera (Sierra) AL 96 U 24
Almagro CR 70 P 18
Almagros MU 85 S 26
Almajalejo AL 96 T 24
Almajano SO 33 G 22
Almallá GU 48 J 24
Almaluez SO 33 I 23
Almandoz NA 11 C 25
Almansa AB 73 P 26
Almansa CC 69 O 14
Almansa (Embalse de) AB 73 P 26
Almansas J 83 S 20
Almanza LE 16 E 14
Almanzor (Pico) AV 56 L 14
Almanzora AL 96 T 23
Almarail SO 33 H 22
Almaraz CC 56 M 12
Almaraz de Duero ZA 29 H 12
Almarcha (La) CU 60 M 22
Almarchal (El) CA 99 X 12
Almargen MA 93 U 14
Almarza SO 33 G 22
Almarza de Cameros LO 19 F 22
Almàssera V 62 N 28
Almassora CS 62 M 29
Almatret L 36 I 31
Almayate Bajo MA 101 V 17
Almazán SO 33 H 22
Almázcara LE 15 E 10
Almazorre HU 22 F 30
Almazul SO 33 H 23
Almedíjar *cerca de Segorbe* CS 62 M 28
Almedina CR 71 Q 21
Almedinilla CO 94 T 17
Almegíjar GR 102 V 20
Almeida ZA 29 I 11
Almenar L 36 G 31
Almenar de Soria SO 33 G 23
Almenara M 45 K 17
Almenara *Castelló* CS 62 M 29
Almenara de Adaja VA 31 I 15
Almenara de Tormes SA 43 I 12
Almenaras AB 72 Q 22
Almendra SA 29 I 10
Almendra ZA 29 H 12
Almendra (Embalse de) SA 29 I 11
Almendral GR 94 U 17
Almendral BA 67 Q 9
Almendral CC 56 L 11
Almendral (El) AL 95 U 22
Almendral (El) GR 101 V 17
Almendral de la Cañada TO 57 L 13
Almendralejo BA 67 P 10
Almendres BU 18 D 19
Almendricos MU 96 T 24
Almendro (El) H 90 T 8
Almendros CU 59 M 21
Almensilla SE 91 U 11
Almería AL 103 V 22
Almería (Golfo de) AL 103 V 22
Almerimar AL 102 V 21
Almeza (La) V 61 M 27
Almirez AB 84 Q 24
Almiruete GU 46 I 20
Almochuel Z 35 I 28
Almócita AL 102 V 21
Almodóvar CA 99 X 12
Almodóvar del Campo CR 70 P 17
Almodóvar del Pinar CU 60 M 24
Almodóvar del Río CO 81 S 14
Almogía MA 100 V 16
Almoguera GU 59 L 21
Almohaja TE 48 K 25
Almoharín CC 68 O 11
Almoines V 74 P 29
Almolda (La) Z 35 H 29
Almonacid de la Cuba Z 35 I 27
Almonacid de la Sierra Z 34 H 26
Almonacid de Toledo TO 58 M 18
Almonacid de Zorita GU 47 L 21
Almonacid del Marquesado CU 59 M 21
Almonaster la Real H 79 S 9
Almontaras (Las) GR 83 S 21
Almonte H 91 U 10
Almoradí A 85 R 27
Almoraima CA 99 X 13
Almorchón BA 68 P 14
Almorox TO 57 L 16
Almoster T 37 I 33
Almudáfar HU 36 H 30
Almudaina A 74 P 28
Almudena (La) MU 84 R 24
Almudévar HU 21 F 28
Almunia de Doña Godina (La) Z 34 H 25
Almunia de San Juan HU 36 G 30
Almunias (Las) HU 21 F 29
Almuniente HU 35 G 28
Almuña O 5 B 10
Almuñécar GR 101 V 18
Almuradiel CR 82 Q 19
Almurfe O 5 C 11
Almussafes V 74 O 28
Alobras TE 61 L 25
Alocén GU 47 K 21
Alojera *La Gomera* TF 118 B 2
Alomartes GR 94 U 18
Alonso de Ojeda CC 68 O 12
Alonsótegi BI 8 C 21
Alor BA 66 Q 8
Álora MA 100 V 15
Alòs de Balaguer L 37 G 32
Alòs d'Isil L 23 D 33
Alosno H 90 T 8
Alovera GU 46 K 20
Alozaina MA 100 V 15
Alp GI 24 E 35
Alpandeire MA 99 W 14
Alpanseque SO 33 I 21
Alpartir Z 34 H 25
Alpatró A 74 P 29
Alpedrete M 45 K 17
Alpedroches GU 32 I 21
Alpens B 24 F 36
Alpeñés TE 48 J 26
Alpera AB 73 P 26
Alpicat L 36 G 31
Alpizar H 91 T 10


A B C D E F G H I J K L M N O P Q R S T U V W X Y Z

## A B C D E F G H I J K L M N O P Q R S T U V W X Y Z

### ALACANT / ALICANTE

Adolfo Muñoz Alonso (Av.) . . . CY
Aguilera (Av. de) . . . . . . . . . . . CZ
Alcoy (Av. de) . . . . . . . . . . . . . DY
Alfonso X el Sabio (Av. de) . . . DY
Ayuntamiento (Pl. del) . . . . . . . EY 8
Bailén . . . . . . . . . . . . . . . . . . . DY
Bazán . . . . . . . . . . . . . . . . . . . DY
Benito Pérez Galdós (Av.) . . . . CY
Bono Guarner . . . . . . . . . . . . . CY
Calderón de la Barca . . . . . . . . DY
Calvo Sotelo (Pl.) . . . . . . . . . . DZ 10
Canalejas . . . . . . . . . . . . . . . . DZ
Capitán Segarra . . . . . . . . . . . . DY
Castaños . . . . . . . . . . . . . . DYZ 14
Catedrático Soler (Av.) . . . . . . CZ
Churruca . . . . . . . . . . . . . . . . . CZ
Condes de Soto Ameno (Av.) . . CY 20
Constitución (Av. de la) . . . . . DY 21
Díaz Moreu . . . . . . . . . . . . . . . DY
Doctor Gadea (Av. del) . . . . . . DZ
Doctor Rico (Av.) . . . . . . . . . . CY
Elche (Av. de) . . . . . . . . . . . . . CZ
Elche (Portal de) . . . . . . . . . . . DZ 28
España (Explanada de) . . . . . . DEZ
España (Pl. de) . . . . . . . . . . . . DY
Estación (Av. de la) . . . . . . . . . CY
Eusebio Sempere (Av.) . . . . . . CZ
Fábrica (Cuesta de la) . . . . . . . EY
Federico Soto (Av. de) . . . . . . CZ 73
Foglietti . . . . . . . . . . . . . . . . . . CZ
Gabriel Miró (Pl. de) . . . . . . . . DZ 31
García Morato . . . . . . . . . . . . . DY
General Marvá (Av. del) . . . . . . DY
Gerona . . . . . . . . . . . . . . . . . . . DZ
Gomiz (Pas. de) . . . . . . . . . . . . DY
Hermanos Pascual (Pl.) . . . . . . DY
Isabel la Católica . . . . . . . . . . . CZ
Italia . . . . . . . . . . . . . . . . . . . . CZ
Jaime II (Av.) . . . . . . . . . . . . . DEY
Jijona (Av. de) . . . . . . . . . . . . DY 33
Jorge Juan . . . . . . . . . . . . . . . . EY
Jovellanos (Av. de) . . . . . . . . . EY 35
Juan Bautista Lafora (Av. de) . . BY 36
Labradores . . . . . . . . . . . . . . . . DY
López Torregrosa . . . . . . . . . . . DY 37
Loring (Av. de) . . . . . . . . . . . . CZ
Maisonnave (Av. del) . . . . . . . . CZ
Manero Mollá . . . . . . . . . . . . . . DZ 39
Mayor . . . . . . . . . . . . . . . . . . . . EY
Méndez Núñez (Rambla) . . DYZ
Montañeta (Pl. de la) . . . . . . . . DZ 41
Navas . . . . . . . . . . . . . . . . . . . DYZ
Oliveretes (Pl. de los) . . . . . . . DY
Oscar Esplá (Av.) . . . . . . . . . . CZ
Pablo Iglesias . . . . . . . . . . . . . DY
Padre Mariana . . . . . . . . . . . . . DY
Pintor Aparicio . . . . . . . . . . . . . CZ
Pintor Gisbert . . . . . . . . . . . . . CY
Pintor Murillo . . . . . . . . . . . . . . DY
Poeta Carmelo Calvo (Av.) . . . DY 47
Portugal . . . . . . . . . . . . . . . . . . DZ
Puerta del Mar (Pl.) . . . . . . . . EZ 48
Rafael Altamira . . . . . . . . . . . . EZ 50
Rafael Terol . . . . . . . . . . . . . . . DZ
Ramiro (Pas.) . . . . . . . . . . . . . EY 51
Ramón y Cajal (Av. de) . . . . . . DZ
Reyes Católicos . . . . . . . . . . . . CZ
Salamanca (Av. de) . . . . . . . . . CY
Santa Teresa (Pl.) . . . . . . . . . . DY
San Carlos . . . . . . . . . . . . . . . . EY
San Fernando . . . . . . . . . . . . . DEZ 53
San Vicente . . . . . . . . . . . . . . . DY
Teatro Principal . . . . . . . . . . . . DY 58
Vázquez de Mella (Av.) . . . . . . EY

Colección de Arte del s. XX. Museo de La Asegurada . . . . . . . . . . . . . . . . . . . . . M¹

Alporchones *MU* . . . . . . . . . . . 85 T 25
Alpuente *V* . . . . . . . . . . . . . . . 61 M 26
Alpujarras (Las) *GR* . . . . . . . . 102 V 20
Alquería (La) *MU* . . . . . . . . . 73 Q 26
Alquería (La) *AL* . . . . . . . . . 102 V 20
Alquería
 Blanca (S') *PM* . . . . . . . 105 N 39
Alqüería del Fargue *GR* . . 94 U 19
Alquerías *MU* . . . . . . . . . . . . . 85 R 26
Alquézar *HU* . . . . . . . . . . . . . 22 F 30
Alqüían (El) *AL* . . . . . . . . . . 103 V 22
Alquife *GR* . . . . . . . . . . . . . . . 95 U 20
Alquité *SG* . . . . . . . . . . . . . . . 32 I 19
Alsamora *L* . . . . . . . . . . . . . . 22 F 32
Alsasua / Altsasu *NA* . . . . . 19 D 23
Alsodux *AL* . . . . . . . . . . . . . . 95 U 22
Alta *LU* . . . . . . . . . . . . . . . . . . 3 C 7
Alta Gracia
 (Ermita de) *CC* . . . . . . . . 55 N 10
Altable *BU* . . . . . . . . . . . . . . 18 E 20
Altafulla *T* . . . . . . . . . . . . . . . 37 I 34
Altamira *BI* . . . . . . . . . . . . . . . 9 B 21
Altamira (Cuevas de) *S* . . . . . 7 B 17
Altamiros *AV* . . . . . . . . . . . . 44 J 15
Altarejos *CU* . . . . . . . . . . . . . 60 M 22
Altavista (Refugio)
 *Tenerife TF* . . . . . . . . . . 127 E 3
Altea *A* . . . . . . . . . . . . . . . . . . 74 Q 29
Altea la Vella *A* . . . . . . . . . . 74 Q 29
Altet (L') *A* . . . . . . . . . . . . . . . 86 R 28
Altico (El) *J* . . . . . . . . . . . . . . 82 R 18
Alto (Puntal) *GR* . . . . . . . . . 95 U 21
Alto de la Madera *O* . . . . . . . . 6 B 12
Alto de Ter (Vall) *GI* . . . . . . 24 F 37
Alto Iso *NA* . . . . . . . . . . . . . . 11 D 26
Alto Tajo
 (Parque natural del) *GU* . . 47 J 23
Altobordo *MU* . . . . . . . . . . . 96 T 24
Altomira *CU* . . . . . . . . . . . . . 59 L 21
Altorricón *HU* . . . . . . . . . . . . 36 G 31

Altorricón-Tamarite *HU* . . . . . 36 G 31
Altos (Los) *TF* . . . . . . . . . . . . 18 D 19
Altotero *BU* . . . . . . . . . . . . . . 18 D 19
Altron *L* . . . . . . . . . . . . . . . . . 23 E 33
Altsasu / Alsasua *NA* . . . . . 19 D 23
Altube *VI* . . . . . . . . . . . . . . . . 18 C 21
Altura *CS* . . . . . . . . . . . . . . . 62 M 28
Altzo *SS* . . . . . . . . . . . . . . . . 10 C 23
Altzola *SS* . . . . . . . . . . . . . . . 10 C 22
Alubmes *MU* . . . . . . . . . . . . . 97 T 27
Alueza *HU* . . . . . . . . . . . . . . 22 E 30
Aluenda *Z* . . . . . . . . . . . . . . . 34 H 25
Alumbres *MU* . . . . . . . . . . . . 97 T 27
Alustante *GU* . . . . . . . . . . . . 48 K 25
Alvarado *BA* . . . . . . . . . . . . . 67 P 9
Alvarizones (Los) *CA* . . . . . . 98 W 11
Alvedro
 (Aeropuerto de) *C* . . . . . . 3 C 4
Alvidrón *LU* . . . . . . . . . . . . . 13 D 6
Alzira *V* . . . . . . . . . . . . . . . . . 74 O 28
Amadòrio
 (Embassament d') *A* . . 74 Q 29
Amaiur / Maya *NA* . . . . . . . . 11 C 25
Amandi *O* . . . . . . . . . . . . . . . . 6 B 13
Amasa *SS* . . . . . . . . . . . . . . . 10 C 23
Amatos *SA* . . . . . . . . . . . . . . 44 J 13
Amatriáin *NA* . . . . . . . . . . . . 20 E 25
Amavida *AV* . . . . . . . . . . . . . 44 K 14
Amaya *BU* . . . . . . . . . . . . . . . 17 E 17
Amayas *GU* . . . . . . . . . . . . . 47 I 24
Amayuelas *P* . . . . . . . . . . . . 17 D 16
Ambás *cerca de Avilés O* . . 5 B 12
Ambás
 *cerca de Villaviciosa O* . . 6 B 13
Ambasaguas *LE* . . . . . . . . . 16 D 13
Ambasmestas *LE* . . . . . . . . 14 E 9
Ambel *Z* . . . . . . . . . . . . . . . . 34 G 25
Ambite *M* . . . . . . . . . . . . . . . 46 L 20
Amboto *BI* . . . . . . . . . . . . . . 10 C 22
Ambosores *LU* . . . . . . . . . . . . 3 B 6
Ambrona *SO* . . . . . . . . . . . . . 47 I 22

Ameixenda *C* . . . . . . . . . . . . . 2 D 2
Amer *GI* . . . . . . . . . . . . . . . . 24 F 37
Ames *C* . . . . . . . . . . . . . . . . . 2 D 4
Ametlers (Els) *CS* . . . . . . . . 50 K 31
Ametlla (L')
 *cerca de Águer L* . . . . . 22 F 32
Ametlla (L')
 *cerca de Tàrrega L* . . . 37 H 33
Ametlla de Mar (L') *T* . . . . . 51 J 32
Ametlla de Merola (L') *B* . . 38 G 35
Ametlla del Vallès (L') *B* . . 38 G 36
Amezketa *SS* . . . . . . . . . . . . 10 C 23
Amezúa *BU* . . . . . . . . . . . . . 18 E 20
Ameyugo *BU* . . . . . . . . . . . . 18 E 20
Amieva *O* . . . . . . . . . . . . . . . . 6 C 14
Amil *PO* . . . . . . . . . . . . . . . . . 12 E 4
Amiudal *OR* . . . . . . . . . . . . . 13 E 5
Amoedo *PO* . . . . . . . . . . . . . 12 F 4
Amoeiro *OR* . . . . . . . . . . . . . 13 E 5
Amorebieta *BI* . . . . . . . . . . . . 9 C 21
Amorobi *BI* . . . . . . . . . . . . . . 10 C 22
Amoroto *BI* . . . . . . . . . . . . . . 10 C 22
Amparo (El) *Tenerife TF* . . 126 D 3
Ampella (L') *T* . . . . . . . . . . . 50 J 32
Ampolla (L') *T* . . . . . . . . . . . 50 J 32
Ampudia *P* . . . . . . . . . . . . . . 30 G 15
Ampuero *S* . . . . . . . . . . . . . . . 8 B 19
Ampuyenta (La)
 *Fuerteventura GC* . . . . . 111 H 3
Amurrio *VI* . . . . . . . . . . . . . . . 8 C 20
Amusco *P* . . . . . . . . . . . . . . . 17 F 16
Amusquillo *VA* . . . . . . . . . . . 31 G 17
Anadón *TE* . . . . . . . . . . . . . . 49 J 27
Anaco *TF* . . . . . . . . . . . . . . . 50 J 31
Anadia *P* . . . . . . . . . . . . . . . . 30 G 15
Anafreita *LU* . . . . . . . . . . . . . . 3 C 6
Anaga (Punta de)
 *Tenerife TF* . . . . . . . . . . 125 K 1
Anaya *SG* . . . . . . . . . . . . . . . 45 J 17
Anaya de Alba *SA* . . . . . . . . 44 J 13
Anayet
 (Coto nacional) *HU* . . . 21 D 28
Ancares *CR* . . . . . . . . . . . . . 69 O 15
Ancares (Refugio de) *LU* . . 14 D 9

Ancares Leoneses (Reserva
 nacional de los) *LE* . . . 14 D 9
Anchuela del Campo *GU* . . 47 I 23
Anchuela
 del Pedregal *GU* . . . . . 48 J 24
Anchuelo *M* . . . . . . . . . . . . . 46 K 20
Anchuras *CR* . . . . . . . . . . . . 57 N 15
Anchurones *CR* . . . . . . . . . . 69 N 16
Anciles *HU* . . . . . . . . . . . . . . 22 E 31
Ancillo *S* . . . . . . . . . . . . . . . . . 8 C 19
Ancín *NA* . . . . . . . . . . . . . . . 19 E 23
Ancla (El) *CA* . . . . . . . . . . . . 98 W 11
Anclas (Las) *GU* . . . . . . . . . 47 K 21
Anda *VI* . . . . . . . . . . . . . . . . . 18 D 21
Andagoya *VI* . . . . . . . . . . . . 18 D 21
Andaluz *SO* . . . . . . . . . . . . . 33 H 21
Andaraxa *AL* . . . . . . . . . . . 102 V 21
Andatza *SS* . . . . . . . . . . . . . 10 C 23
Andavias *ZA* . . . . . . . . . . . . 29 H 12
Andilla *V* . . . . . . . . . . . . . . . . 61 M 27
Andíñuela *LE* . . . . . . . . . . . . 15 E 11
Andoain *SS* . . . . . . . . . . . . . 10 C 23
Andoio *C* . . . . . . . . . . . . . . . . . 2 C 4
Andorra *TE* . . . . . . . . . . . . . . 49 I 28
Andosilla *NA* . . . . . . . . . . . . 19 E 24
Andrade (Castillo de) *C* . . . . 3 B 5
Andratx *PM* . . . . . . . . . . . . 104 N 37
Andrés *O* . . . . . . . . . . . . . . . . 4 B 9
Andrín *O* . . . . . . . . . . . . . . . . . 7 B 15
Andújar *J* . . . . . . . . . . . . . . . 82 R 17
Aneas (Las) *AL* . . . . . . . . . . 95 U 22
Anento *Z* . . . . . . . . . . . . . . . . 48 I 25
Anero *S* . . . . . . . . . . . . . . . . . . 8 B 19
Aneto (Pico de) *HU* . . . . . . 22 E 31
Àneu (Vall d') *L* . . . . . . . . . . 23 E 33
Ansó *HU* . . . . . . . . . . . . . . . . 11 D 27
Angel (El) *MA* . . . . . . . . . . 100 W 15
Ángeles (Los) *CA* . . . . . . . . 99 W 13
Ángeles (Los) *CO* . . . . . . . . 81 S 16
Ángeles (Los) /
 Antella *V* . . . . . . . . . . . . 74 O 28

Angiozar *SS* . . . . . . . . . . . . . 10 C 22
Anglès *GI* . . . . . . . . . . . . . . . 24 G 37
Anglesola *L* . . . . . . . . . . . . . 37 H 33
Angón *GU* . . . . . . . . . . . . . . . 47 I 21
Angostura (Río de la) *M* . . 45 J 18
Anguciana *LO* . . . . . . . . . . . 18 E 21
Anguiano *LO* . . . . . . . . . . . . 19 F 21
Anguijes (Los) *AB* . . . . . . . . 72 P 24
Anguila (Cala) *PM* . . . . . . . 105 N 39
Anguix *BU* . . . . . . . . . . . . . . 31 G 18
Anguix *GU* . . . . . . . . . . . . . . 47 K 21
Aniago *VA* . . . . . . . . . . . . . . 30 H 15
Aniés *HU* . . . . . . . . . . . . . . . 21 F 28
Anievas *S* . . . . . . . . . . . . . . . . 7 C 17
Aniñon *Z* . . . . . . . . . . . . . . . . 34 H 24
Anleo *O* . . . . . . . . . . . . . . . . . 4 B 9
Anllares *LE* . . . . . . . . . . . . . 15 D 10
Anllarinos *LE* . . . . . . . . . . . . 15 D 10
Anllóns *C* . . . . . . . . . . . . . . . . 2 C 3
Anoia (L') *B* . . . . . . . . . . . . . 37 H 34
Anoeta *SS* . . . . . . . . . . . . . . 10 C 23
Anós *C* . . . . . . . . . . . . . . . . . . 2 C 3
Anorias (Las) *AB* . . . . . . . . . 73 P 25
Anoz *NA* . . . . . . . . . . . . . . . . 10 D 24
Anquela del Ducado *GU* . . 47 J 23
Anquela
 del Pedregal *GU* . . . . . 48 J 24
Ansares
 (Lucio de los) *SE* . . . . 91 V 10
Anserall *L* . . . . . . . . . . . . . . . 23 E 34
Aoiz / Agoitz *NA* . . . . . . . . . 11 D 25
Aos / Aós *NA* . . . . . . . . . . . . 11 D 25
Aoslos *AL* . . . . . . . . . . . . . . . 96 U 24
Apadreado (El) *AB* . . . . . . . . 73 P 25
Aparecida (La) *A* . . . . . . . . . 85 R 26
Aparecida (La) *MU* . . . . . . . 85 S 27
Apellániz *VI* . . . . . . . . . . . . . 19 D 22

Antes *C* . . . . . . . . . . . . . . . . . . 2 D 3
Antezana *VI* . . . . . . . . . . . . . 18 D 21
Antigua
 *Fuerteventura GC* . . . . 111 G 3
Antigua (La) *LE* . . . . . . . . . . 15 F 12
Antigua (La) *H* . . . . . . . . . . . 90 U 8
Antillón *HU* . . . . . . . . . . . . . . 21 F 29
Antimio *LE* . . . . . . . . . . . . . . 16 E 13
Antoñán del Valle *LE* . . . . . 15 E 12
Antoñana *VI* . . . . . . . . . . . . . 19 D 22
Antzuola *SS* . . . . . . . . . . . . . 10 C 22
Anue *BI* . . . . . . . . . . . . . . . . . 11 D 25
Anxeles (Os) /
 Ángeles (Los) *C* . . . . . . 12 D 3
Anxeriz *C* . . . . . . . . . . . . . . . . 2 C 3
Anya *L* . . . . . . . . . . . . . . . . . . 37 G 33
Anzánigo *HU* . . . . . . . . . . . . 21 E 28
Anzur (Río) *CO* . . . . . . . . . . 93 T 16
Añana *VI* . . . . . . . . . . . . . . . . 18 D 21
Añastro *BU* . . . . . . . . . . . . . . 19 D 21
Añavieja *SO* . . . . . . . . . . . . . 33 G 24
Añaza *Tenerife TF* . . . . . . . 125 I 2
Añe *SG* . . . . . . . . . . . . . . . . . 45 I 17
Añes *VI* . . . . . . . . . . . . . . . . . . 8 C 20
Áñísclo (Cañon de) *HU* . . . 22 E 30
Añón *Z* . . . . . . . . . . . . . . . . . 34 G 24
Añora *CO* . . . . . . . . . . . . . . . 81 Q 15
Añorbe *NA* . . . . . . . . . . . . . . 20 E 24
Añover de Tajo *TO* . . . . . . . 58 M 18
Añover de Tormes *SA* . . . . . 43 I 12
Añoza *P* . . . . . . . . . . . . . . . . 16 F 15
Aoz *NA* . . . . . . . . . . . . . . . . . 11 D 25
Antella *V* . . . . . . . . . . . . . . . . 74 O 28
Aparecida (La) *MU* . . . . . . . 85 S 27
Antequera *MA* . . . . . . . . . . . 93 U 16

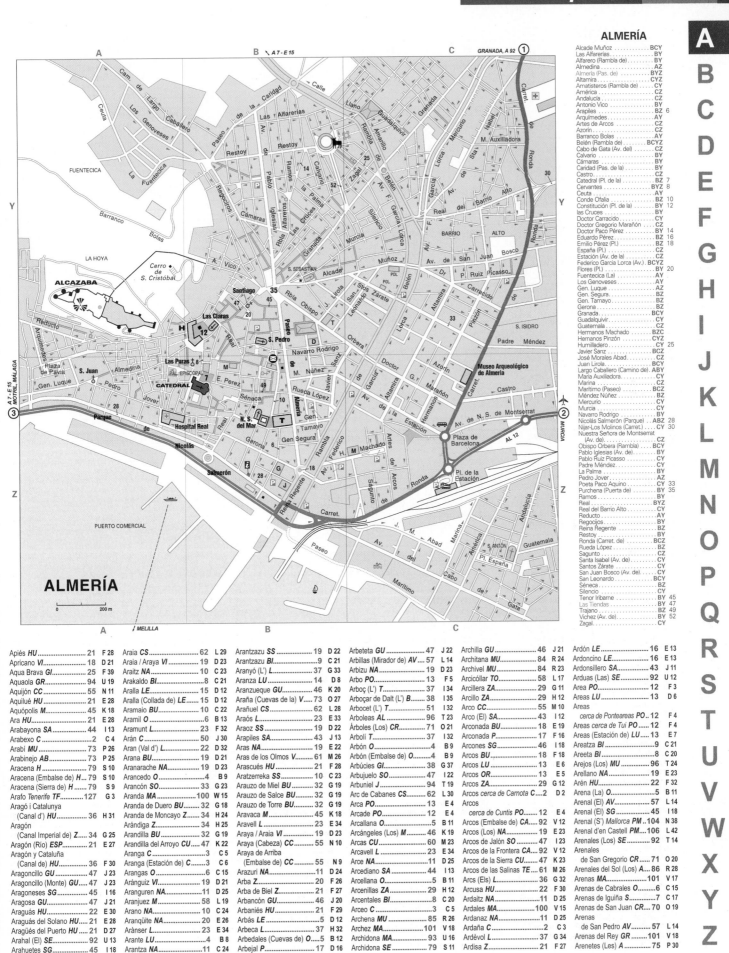

## ALMERÍA

Alcade Muñoz ............ BCY
Las Alfarerías ............ BY
Alfarero (Rambla de) ............ BY
Almedina ............ AZ
Almería (Pas. de) ............ BYZ
Altamira ............ CYZ
Amatisteros (Rambla de) ............ CY
América ............ CZ
Andalucía ............ CZ
Antonio Vico ............ BY
Arapiles ............ BZ 6
Arquímedes ............ AY
Artes de Arcos ............ CZ
Azorín ............ CZ
Barranco Bolas ............ AY
Belén (Rambla de) ............ BCYZ
Cabo de Gata (Av. del) ............ CZ
Calvario ............ BY
Cámaras ............ BY
Caridad (Pas. de la) ............ BY
Castro ............ CZ
Catedral (Pl. de la) ............ BZ 7
Cervantes ............ BYZ 8
Ceuta ............ AY
Conde Ofalia ............ BZ 10
Constitución (Pl. de la) ............ BY 12
las Cruces ............ BY
Doctor Carracido ............ CY
Doctor Gregorio Marañón ............ CZ
Doctor Paco Pérez ............ BY 14
Eduardo Pérez ............ BZ 16
Emilio Pérez (Pl.) ............ BZ 18
España (Pl.) ............ CZ
Estación (Av. de la) ............ CZ
Federico Garcia Lorca (Av.) ............ BCYZ
Flores (Pl.) ............ BY 20
Fuentecica (La) ............ AY
Los Genoveses ............ AY
Gen. Luque ............ AZ
Gen. Segura ............ BZ
Gen. Tamayo ............ BZ
Gerona ............ BZ
Granada ............ BCY
Guadalquivir ............ CY
Guatemala ............ CZ
Hermanos Machado ............ BZC
Hernanos Pinzón ............ CYZ
Humilladero ............ CY 25
Javier Sanz ............ BCZ
José Morales Abad ............ CZ
Juan Lirola ............ BCY
Largo Caballero (Camino de) ............ ABY
Maria Auxiliadora ............ CY
Marina ............ CZ
Marítimo (Paseo) ............ BCZ
Méndez Núñez ............ BZ
Mercurio ............ CY
Murcia ............ CY
Navarro Rodrigo ............ BY
Nicolás Salmerón (Parque) ............ ABZ 28
Nijar-Los Molinos (Carret.) ............ CY 30
Nuestra Señora de Montserrat (Av. de) ............ CZ
Obispo Orbera (Rambla) ............ BCY
Pablo Iglesias (Av. de) ............ BY
Pablo Ruiz Picasso ............ CY
Padre Méndez ............ CY
La Palma ............ BY
Pedro Jover ............ AZ
Poeta Paco Aquino ............ CY 33
Purchena (Puerta de) ............ BY 35
Ramos ............ BY
Real ............ BYZ
Real del Barrio Alto ............ CY
Reducto ............ AY
Regocijos ............ BY
Reina Regente ............ BZ
Restoy ............ BY
Ronda (Carret. de) ............ BCZ
Rueda López ............ BZ
Sagunto ............ CZ
Santa Isabel (Av. de) ............ CY
Santos Zárate ............ CY
San Juan Bosco (Av. de) ............ CY
San Leonardo ............ BCY
Séneca ............ BZ
Silencio ............ CY
Tenor Iribarne ............ BY 45
Las Tiendas ............ BY 47
Trajano ............ BZ 49
Vichez (Av. de) ............ BY 52
Zagal ............ CY

ALMERÍA

Apiés **HU** ........ 21 F 28
Apricano **VI** ........ 18 D 21
Aqua Brava **GI** ........ 25 F 39
Aquaola **GR** ........ 94 U 19
Aquijón **CC** ........ 55 N 11
Aquilué **HU** ........ 21 E 28
Aquópolis **M** ........ 45 K 18
Ara **HU** ........ 21 E 28
Arabayona **SA** ........ 44 I 13
Arabexo **C** ........ 2 C 4
Arabí **MU** ........ 73 P 26
Arabinejo **AB** ........ 73 P 25
Aracena **H** ........ 79 S 10
Aracena (Embalse de) **H** ........ 79 S 10
Aracena (Sierra de) **H** ........ 79 S 9
Arafo *Tenerife* **TF** ........ 127 G 3
Aragó i Catalunya (Canal d') **HU** ........ 36 H 31
Aragón (Canal Imperial de) **Z** ........ 34 G 25
Aragón (Río) **ESP** ........ 21 E 27
Aragón y Cataluña (Canal de) **HU** ........ 36 F 30
Aragoncillo **GU** ........ 47 J 23
Aragoncillo (Monte) **GU** ........ 47 J 23
Aragoneses **SG** ........ 45 I 16
Aragosa **GU** ........ 47 J 21
Araguás **HU** ........ 22 E 30
Araguás del Solano **HU** ........ 21 E 28
Aragüés del Puerto **HU** ........ 21 D 27
Arahal (El) **SE** ........ 92 U 13
Arahuetes **SG** ........ 45 I 18
Araia **CS** ........ 62 L 29
Araia / Araya **VI** ........ 19 D 23
Araitz **NA** ........ 10 C 23
Arakaldo **BI** ........ 8 C 21
Aralla **LE** ........ 15 D 12
Aralla (Collada de) **LE** ........ 15 D 12
Aramaio **BU** ........ 10 C 22
Aramil **O** ........ 6 B 13
Aramunt **L** ........ 23 F 32
Arán **C** ........ 50 J 30
Aran (Val d') **L** ........ 22 D 32
Arana **BU** ........ 19 D 21
Aranarache **NA** ........ 19 D 23
Arancedo **O** ........ 4 B 9
Arancón **SO** ........ 33 G 23
Aranda **MA** ........ 100 W 15
Aranda de Duero **BU** ........ 32 G 18
Aranda de Moncayo **Z** ........ 34 H 24
Arándiga **Z** ........ 34 H 25
Arandilla **BU** ........ 32 G 19
Arandilla del Arroyo **CU** ........ 47 K 22
Aranga **C** ........ 3 C 5
Aranga (Estación de) **C** ........ 3 C 6
Arangas **O** ........ 6 C 15
Aránguiz **VI** ........ 19 D 21
Aranguren **NA** ........ 11 D 25
Aranjuez **M** ........ 58 L 19
Arano **NA** ........ 10 C 24
Aranqüite **NA** ........ 20 E 26
Arànser **L** ........ 23 E 34
Arante **LU** ........ 4 B 8
Arantza **NA** ........ 11 C 24
Arantzazu **SS** ........ 19 D 22
Arantzazu **BI** ........ 9 C 21
Aranyó (L') **L** ........ 37 G 33
Aranza **LU** ........ 14 D 8
Aranzueque **GU** ........ 46 K 20
Araña (Cuevas de la) **V** ........ 73 O 27
Arañuel **CS** ........ 62 L 28
Araós **L** ........ 23 E 33
Araoz **SS** ........ 19 D 22
Arapiles **SA** ........ 43 J 13
Aras **NA** ........ 19 E 22
Aras de los Olmos **V** ........ 61 M 26
Arascués **HU** ........ 21 F 28
Aratzerreka **SS** ........ 10 C 23
Arauzo de Miel **BU** ........ 32 G 19
Arauzo de Salce **BU** ........ 32 G 19
Arauzo de Torre **BU** ........ 32 G 19
Aravaca **M** ........ 45 K 18
Aravell **L** ........ 23 E 34
Araya / Araia **VI** ........ 19 D 23
Araya (Cabeza) **CC** ........ 55 N 10
Araya de Arriba (Embalse de) **CC** ........ 55 N 9
Arazuri **NA** ........ 11 D 24
Arba **Z** ........ 20 F 26
Arba de Biel **Z** ........ 21 F 27
Arbancón **GU** ........ 46 J 20
Arbaniés **HU** ........ 21 F 29
Arbás **LE** ........ 5 D 12
Arbeca **L** ........ 37 H 32
Arbedales (Cuevas de) **O** ........ 5 B 12
Arbejal **P** ........ 17 D 16
Arbeteta **GU** ........ 47 J 22
Arbillas (Mirador de) **AV** ........ 57 L 14
Arbizu **NA** ........ 19 D 23
Arbo **PO** ........ 13 F 5
Arboç (L') **T** ........ 37 I 34
Arboçar de Dalt (L') **B** ........ 38 I 35
Arbocet (L') **T** ........ 51 I 32
Arboleas **AL** ........ 96 T 23
Árboles (Los) **CR** ........ 71 O 21
Arbolí **T** ........ 37 I 32
Arbón **O** ........ 4 B 9
Arbón (Embalse de) **O** ........ 4 B 9
Arbúcies **GI** ........ 38 G 37
Arbujuelo **SO** ........ 47 I 22
Arbuniel **J** ........ 94 T 19
Arc de Cabanes **CS** ........ 62 L 30
Arca **PO** ........ 13 E 4
Arcade **PO** ........ 12 E 4
Arcallana **O** ........ 5 B 11
Arcángeles (Los) **M** ........ 46 K 19
Arcas **CU** ........ 60 M 23
Arcavell **L** ........ 23 E 34
Arce **NA** ........ 11 D 25
Arcediano **SA** ........ 44 I 13
Arcellana **O** ........ 5 B 11
Arcenillas **ZA** ........ 29 H 12
Arcentales **BI** ........ 8 C 20
Arceo **C** ........ 3 C 5
Archena **MU** ........ 85 R 26
Archez **MA** ........ 101 V 18
Archidona **MA** ........ 93 U 16
Archidona **SE** ........ 79 S 11
Archilla **GU** ........ 46 J 21
Architana **MU** ........ 84 R 24
Archivel **MU** ........ 84 R 23
Arcicóllar **TO** ........ 58 L 17
Arcillera **ZA** ........ 29 G 11
Arcillo **ZA** ........ 29 H 12
Arco **CC** ........ 55 M 10
Arco (El) **SA** ........ 43 I 12
Arconada **BU** ........ 18 E 19
Arconada **P** ........ 17 F 16
Arcones **SG** ........ 46 I 18
Arcos **BU** ........ 18 F 18
Arcos **LU** ........ 13 E 6
Arcos **OR** ........ 13 E 5
Arcos **ZA** ........ 29 G 12
Arcos *cerca de Carnota* **C** ........ 2 D 2
Arcos *cerca de Cuntis* **PO** ........ 12 E 4
Arcos (Embalse de) **CA** ........ 92 V 12
Arcos (Los) **NA** ........ 19 E 23
Arcos de Jalón **SO** ........ 47 I 23
Arcos de la Frontera **CA** ........ 92 V 12
Arcos de la Sierra **CU** ........ 47 K 23
Arcos de las Salinas **TE** ........ 61 M 26
Arcs (Els) **L** ........ 36 G 32
Arcusa **HU** ........ 22 F 30
Ardaitz **NA** ........ 11 D 25
Ardales **MA** ........ 100 V 15
Ardanaz **NA** ........ 11 D 25
Ardaña **C** ........ 2 C 3
Ardèvol **L** ........ 37 G 34
Ardisa **Z** ........ 21 F 27
Ardón **LE** ........ 16 E 13
Ardoncino **LE** ........ 16 E 13
Ardonsillero **SA** ........ 43 J 11
Arduas (Las) **SE** ........ 92 U 12
Area **PO** ........ 12 F 3
Areas **LU** ........ 13 D 6
Areas *cerca de Ponteareas* **PO** ........ 12 F 4
Areas *cerca de Tui* **PO** ........ 12 F 4
Areas (Estación de) **LU** ........ 13 E 7
Areatza **BI** ........ 9 C 21
Areeta **BI** ........ 8 C 20
Arejos (Los) **MU** ........ 96 T 24
Arellano **NA** ........ 19 E 23
Arén **HU** ........ 22 F 32
Arena (La) **O** ........ 5 B 11
Arenal (El) **AV** ........ 57 L 14
Arenal (El) **SG** ........ 45 I 18
Arenal (S') *Mallorca* **PM** ........ 104 N 38
Arenal d'en Castell **PM** ........ 106 L 42
Arenales (Los) **SE** ........ 92 T 14
Arenales de San Gregorio **CR** ........ 71 O 20
Arenales del Sol (Los) **A** ........ 86 R 28
Arenas **MA** ........ 101 V 17
Arenas de Cabrales **O** ........ 6 C 15
Arenas de Iguiña **S** ........ 7 C 17
Arenas de San Juan **CR** ........ 70 O 19
Arenas de San Pedro **AV** ........ 57 L 14
Arenas del Rey **GR** ........ 101 V 18
Arenetes (Les) **A** ........ 75 P 30

A
B
C
D
E
F
G
H
I
J
K
L
M
N
O
P
Q
R
S
T
U
V
W
X
Y
Z

## ÁVILA

| Street | Ref |
|---|---|
| Alemania | B 2 |
| Caballeros | B 6 |
| Calvo Sotelo (Pl.) | B 8 |
| Cardenal Pla y Deniel | B 10 |
| Cortal de las Campanas (Pl. del) | A 12 |
| Don Geronimo | B 13 |
| Esteban Domingo | B 14 |
| Jimena Blásquez | A 15 |
| López Núñez | B 16 |
| Marqués de Benavites | AB 18 |
| Peregrino (Bajada del) | B 19 |
| Ramón y Cajal | A 20 |
| Reyes Católicos | B 21 |
| Santa (Pl. de la) | A 25 |
| Santo Tomas (Pas. de) | B 26 |
| San Segundo | B 22 |
| San Vicente | A 24 |
| Sonsoles (Bajada de) | B 27 |
| Los Telares | A 28 |
| Tomás luis de Victoria | B 30 |
| Tostado | B 31 |

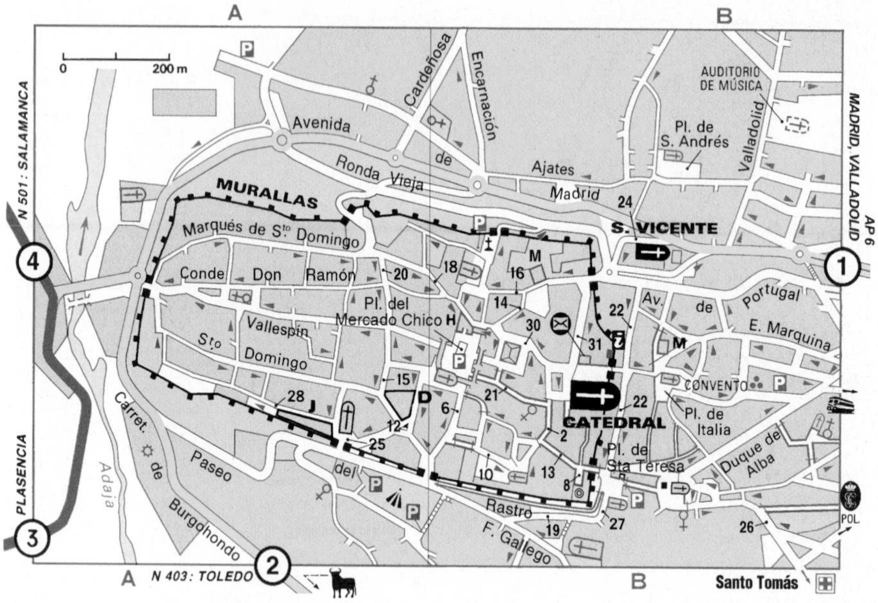

*[Map of ÁVILA — labels include: N 501 : SALAMANCA, Avenida, Ronda Vieja, Cardeñosa, Encarnación, AUDITORIO DE MÚSICA, MADRID, VALLADOLID, AP 6, MURALLAS, Marqués de Sto Domingo, Conde Don Ramón, Pl. del Mercado Chico, Vallespín, Sto Domingo, S. VICENTE, Av. de Portugal, E. Marquina, CONVENTO, Pl. de Italia, CATEDRAL, Pl. de Sta Teresa, Duque del Alba, POL, Rastro, F. Gallego, Carret. de Paseo de Burgahondo, PLASENCIA, Adaja, N 403 : TOLEDO, Santo Tomás. Scale 0 – 200 m. Junction markers 1, 2, 3, 4.]*

| Name | Prov. | Page | Grid |
|---|---|---|---|
| Arenillas | SO | 33 | H 21 |
| Arenillas | SE | 80 | S 12 |
| Arenillas de Muñó | BU | 17 | F 18 |
| Arenillas de Riopisuerga | BU | 17 | E 17 |
| Arenillas de Villadiego | BU | 17 | E 18 |
| Arenoso | CO | 81 | R 16 |
| Arens de Lledó | TE | 50 | J 30 |
| Arenteiro | OR | 13 | E 5 |
| Arenys de Mar | B | 38 | H 37 |
| Arenys de Munt | B | 38 | H 37 |
| Aranzana de Abajo | LO | 19 | E 21 |
| Areños | P | 17 | D 16 |
| Ares | C | 3 | B 5 |
| Ares (Coll d') | GI | 24 | E 37 |
| Ares (Mola d') | CS | 50 | K 29 |
| Ares del Maestrat | CS | 50 | K 29 |
| Areso | NA | 10 | C 24 |
| Areta | VI | 8 | C 21 |
| Aretxabaleta | SS | 10 | C 22 |
| Areu | L | 23 | E 34 |
| Arevalillo | AV | 44 | K 13 |
| Arevalillo de Cega | SG | 45 | I 18 |
| Arévalo | AV | 44 | I 15 |
| Arévalo | SO | 33 | G 22 |
| Argallanes (Sierra de) | BA | 68 | Q 12 |
| Argallón | CO | 80 | R 13 |
| Argalo | C | 12 | D 3 |
| Argamasilla de Alba | CR | 71 | O 20 |
| Argamasilla de Calatrava | CR | 70 | P 17 |
| Argamasón | AB | 72 | P 23 |
| Argamasón | AL | 96 | U 24 |
| Argamassa (S') | PM | 87 | P 34 |
| Arganda del Rey | M | 59 | L 19 |
| Argandoña | VI | 19 | D 22 |
| Arganza | O | 5 | C 10 |
| Arganza | LE | 14 | E 9 |
| Argañín | ZA | 29 | H 11 |
| Argañoso | O | 6 | B 13 |
| Argañoso | LE | 15 | E 11 |
| Argavieso | HU | 21 | F 29 |
| Argecilla | GU | 47 | J 21 |
| Argel | AB | 84 | Q 22 |
| Argelaguer | GI | 24 | F 37 |
| Argelita | CS | 62 | L 28 |
| Argençola | B | 37 | H 34 |
| Argente | TE | 48 | J 26 |
| Argentera (L') | T | 51 | I 32 |
| Argentona | B | 38 | H 37 |
| Argés | TO | 58 | M 17 |
| Argómaniz | VI | 19 | D 22 |
| Argomoso | LU | 4 | B 7 |
| Argoños | S | 8 | B 19 |
| Argos | MU | 84 | R 24 |
| Argovejo | LE | 16 | D 14 |
| Argüelles | O | 5 | B 12 |
| Argüellite | AB | 84 | R 22 |
| Argüeña (Serra de la) | A | 74 | Q 27 |
| Argüero | O | 6 | B 13 |
| Arguijuela | CC | 67 | N 10 |
| Arguillos | MA | 93 | U 15 |
| Arguineguín *Gran Canaria* | GC | 116 | C 4 |
| Arguis | HU | 21 | F 28 |
| Arguis (Embalse de) | HU | 21 | F 28 |
| Arguisuelas | CU | 60 | M 24 |
| Arguijillo | ZA | 30 | I 13 |
| Aria | NA | 11 | D 26 |
| Ariany | PM | 105 | N 39 |
| Aribe | NA | 11 | D 26 |
| Arico *Tenerife* | TF | 129 | G 4 |
| Arico El Nuevo *Tenerife* | TF | 129 | G 4 |
| Arico Viejo *Tenerife* | TF | 129 | G 4 |
| Arienza | LE | 15 | D 11 |
| Arija | BU | 17 | D 18 |
| Aríns | C | 13 | D 4 |
| Aríñez | VI | 19 | D 21 |
| Ariño | TE | 49 | I 28 |
| Aripe *Tenerife* | TF | 128 | C 4 |
| Arisgotas | TO | 58 | N 18 |
| Aristebano (Alto de) | O | 5 | B 10 |
| Aristot | L | 23 | E 34 |
| Ariza | Z | 33 | I 23 |
| Arizala | NA | 10 | D 24 |
| Arizaleta | NA | 10 | D 24 |
| Arizkun | NA | 11 | C 25 |
| Arjona | J | 82 | S 17 |
| Arjonilla | J | 82 | S 17 |
| Arjuá | LU | 13 | E 6 |
| Arlaban (Puerto de) | SS | 19 | D 22 |
| Arlanza | LE | 15 | E 10 |
| Arlanzón | BU | 18 | F 19 |
| Arlos | O | 5 | B 12 |
| Arlucea | VI | 19 | D 22 |
| Armada | O | 5 | C 12 |
| Armada (Castillo de la) | SE | 80 | S 13 |
| Armada (La) | OR | 13 | F 5 |
| Armallones | GU | 47 | J 23 |
| Armañanzas | NA | 19 | E 23 |
| Armas | MA | 100 | W 15 |
| Armellada | LE | 15 | E 12 |
| Armenteira | PO | 12 | E 3 |
| Armentera (L') | GI | 25 | F 39 |
| Armenteros | SA | 44 | K 13 |
| Armentón | C | 3 | C 4 |
| Armilla | GR | 94 | U 19 |
| Armillas | TE | 49 | J 27 |
| Armindez | J | 83 | S 20 |
| Armintza | BI | 8 | B 21 |
| Armuña | SG | 45 | I 17 |
| Armuña de Almanzora | AL | 96 | T 22 |
| Armuña de Tajuña | GU | 46 | K 20 |
| Arnadelo | LE | 14 | E 9 |
| Arnado | LE | 14 | E 9 |
| Arnao | CA | 99 | W 13 |
| Arnedillo | LO | 19 | F 23 |
| Arnedo | LO | 19 | F 23 |
| Arnego | PO | 13 | D 5 |
| Arnés | T | 50 | J 30 |
| Arneva | A | 85 | R 27 |
| Arnicio (Puerto de) | O | 6 | C 13 |
| Arnoia (Río) | OR | 13 | F 5 |
| Arnuero | S | 8 | B 19 |
| Aroche | H | 78 | S 9 |
| Arona *Tenerife* | TF | 128 | D 5 |
| Aróstegui | NA | 11 | D 24 |
| Arou | C | 2 | C 2 |
| Arousa (Isla de) | PO | 12 | E 3 |
| Arousa (Ría de) | PO | 12 | E 3 |
| Arquijo | S | 33 | G 22 |
| Arquillos | J | 82 | R 19 |
| Arquillinos | ZA | 29 | G 13 |
| Arquillo de San Blas (Embalse del) | TE | 48 | K 26 |
| Arquillos | J | 82 | R 19 |
| Arrabal de Portillo | VA | 31 | H 16 |
| Arrabal Santa Barbara | TE | 48 | K 25 |
| Arrabalde | ZA | 15 | F 12 |
| Aracó (S') | PM | 104 | N 37 |
| Arraia-Maeztu | VI | 19 | D 22 |
| Arraitz-Orkin | NA | 11 | C 25 |
| Arrancacepas | CU | 60 | L 24 |
| Arrankudiaga | BI | 8 | C 21 |
| Arrarats | NA | 10 | C 24 |
| Arrasate / Mondragón | SS | 10 | C 22 |
| Arrate | SS | 10 | C 22 |
| Arratzu | VI | 10 | C 22 |
| Arrazola | BI | 10 | C 22 |
| Arrebatacapas (Collado de) | CC | 56 | N 14 |
| Arrebatacapas (Puerto de) | AV | 45 | K 16 |
| Arrecife *Lanzarote* | GC | 123 | E 4 |
| Arrecife (El) | CO | 81 | S 15 |
| Arredondo | S | 8 | C 19 |
| Arres | L | 22 | D 32 |
| Arrés | HU | 21 | E 27 |
| Arriano | V | 11 | D 24 |
| Arriba | TO | 58 | N 17 |
| Arriba-Atallu | NA | 10 | C 24 |
| Arrieta | NA | 11 | D 25 |
| Arrieta | BI | 9 | B 21 |
| Arrieta *Lanzarote* | GC | 123 | F 3 |
| Arrigorriaga | BI | 8 | C 21 |
| Arriondas | O | 6 | B 14 |
| Arripas (Las) | CR | 69 | O 16 |
| Arro | HU | 22 | E 30 |
| Arroba de los Montes | CR | 69 | O 16 |
| Arrobuey | CC | 43 | K 11 |
| Arrocampo-Almaraz (Embalse de) | CC | 56 | M 12 |
| Arróes | T | 50 | J 30 |
| Arróniz | NA | 19 | E 23 |
| Arrós | L | 22 | D 32 |
| Arroyal | S | 17 | D 17 |
| Arroyo | S | 17 | D 17 |
| Arroyo | CR | 70 | O 18 |
| Arroyo | H | 79 | S 9 |
| Arroyo | V | 30 | H 15 |
| Arroyo | V | 61 | N 26 |
| Arroyo Bremudo (Embalse de) | CC | 55 | M 11 |
| Arroyo Cerezo | V | 61 | L 25 |
| Arroyo de Cuéllar | SG | 31 | H 16 |
| Arroyo de la Luz | CC | 55 | N 10 |
| Arroyo de la Miel | MA | 100 | W 16 |
| Arroyo de la Plata | SE | 79 | S 11 |
| Arroyo de las Fraguas | GU | 46 | I 20 |
| Arroyo de Salas | BU | 32 | F 20 |
| Arroyo de San Serván | BA | 67 | P 10 |
| Arroyo de Torote | ESP | 46 | K 19 |
| Arroyo del Ojanco | J | 83 | R 21 |
| Arroyo-Malpartida (Estación) | CC | 55 | N 10 |
| Arroyo Meaques | M | 45 | K 18 |
| Arroyofrío | TE | 61 | L 25 |
| Arroyomolinos | M | 58 | L 18 |
| Arroyomolinos de la Vera | CC | 56 | L 12 |
| Arroyomolinos de Léon | H | 79 | R 10 |
| Arroyomolinos de Montánchez | CC | 67 | O 11 |
| Arroyomuerto | SA | 43 | K 11 |
| Arroyos (Los) | M | 45 | K 17 |
| Arroyos (Los) | J | 83 | R 22 |
| Arroyuelo | BU | 18 | D 19 |
| Arrozao (Sierra del) | BA | 68 | P 12 |
| Arruazu | NA | 10 | D 24 |
| Arrúbal | LO | 19 | E 23 |
| Ars | L | 23 | E 34 |
| Arsèguel | L | 23 | E 34 |
| Artà | PM | 105 | M 40 |
| Artà (Coves d') | PM | 105 | N 40 |
| Artaiz | NA | 11 | D 25 |
| Artaj | V | 61 | M 27 |
| Artajo / Artaxo | NA | 11 | D 25 |
| Artajona | NA | 20 | E 24 |
| Artana | CS | 62 | M 29 |
| Artariáin | NA | 20 | E 25 |
| Artasona *cerca de Almudévar* | HU | 21 | F 28 |
| Artasona *cerca de El Grado* | HU | 22 | F 30 |
| Artavia | NA | 19 | D 23 |
| Artaxo / Artajo | NA | 11 | D 25 |
| Artaza *cerca de Subijana* | VI | 18 | D 21 |
| Artaza de F. *cerca de Vitoria-Gasteiz* | VI | 19 | D 21 |
| Artazu | NA | 10 | D 24 |
| Artea | BI | 9 | C 21 |
| Artea (El) | AL | 96 | U 24 |
| Artedo | O | 5 | B 11 |
| Artedosa | O | 6 | C 13 |
| Arteixo | C | 3 | C 4 |
| Artejuela | CS | 62 | L 28 |
| Artekona | BI | 8 | C 20 |
| Artenara *Gran Canaria* | GC | 114 | D 2 |
| Artés | B | 38 | G 35 |
| Artesa | CS | 62 | M 29 |
| Artesa de Lleida | L | 36 | H 32 |
| Artesa de Segre | L | 37 | G 33 |
| Artesiaga (Puerto de) | NA | 11 | C 25 |
| Artieda | NA | 11 | D 26 |
| Artieda | Z | 21 | E 27 |
| Artieixo | Z | 50 | J 31 |
| Arties | L | 22 | D 32 |
| Artikutza | NA | 10 | C 24 |
| Artó | HU | 21 | E 28 |
| Artómaña | VI | 18 | D 21 |
| Artrutx (Cap d') | PM | 106 | M 41 |
| Artziniega | VI | 8 | C 20 |
| Arucas *Gran Canaria* | GC | 115 | E 2 |
| Arucas (Montaña de) *Gran Canaria* | GC | 115 | E 2 |
| Arure *La Gomera* | TF | 118 | B 2 |
| Arvas (Ruinas romanas de) | SE | 80 | T 13 |
| Arzádigos | OR | 28 | G 8 |
| Arzón | C | 2 | D 3 |
| Arzoz | NA | 10 | D 24 |
| Arzúa | C | 3 | D 5 |
| Astigarraga | SS | 10 | C 24 |
| Astigarreta | SS | 10 | C 23 |
| Astillero (El) | S | 7 | B 18 |
| Astor (L') | B | 37 | G 34 |
| Astorga | LE | 15 | E 11 |
| Astráin | NA | 10 | D 24 |
| Astrana | S | 8 | C 19 |
| Astudillo | P | 17 | F 17 |
| Astún (Valle de) | HU | 21 | D 28 |
| Asturianos | ZA | 29 | F 10 |
| Asua | BI | 8 | C 21 |
| Atajate | MA | 99 | W 14 |
| Atalaya | V | 62 | N 28 |
| Atalaya | BA | 79 | Q 10 |
| Atalaya | MA | 100 | W 14 |
| Atalaya (Estación de) | MA | 92 | V 14 |
| Atalaya (La) | AV | 45 | K 16 |
| Atalaya (La) | SA | 43 | K 10 |
| Atalaya (La) | CU | 60 | M 23 |
| Atalaya (La) | MU | 97 | T 25 |
| Atalaya (La) | H | 79 | S 10 |
| Atalaya (La) | SE | 92 | T 13 |
| Atalaya (La) | CC | 55 | L 10 |
| Atalaya (La) *Gran Canaria* | GC | 114 | D 1 |
| Atalaya (La) *Gran Canaria* | GC | 115 | F 2 |
| Atalaya del Alberche | TO | 57 | L 16 |
| Atalaya del Cañavate | CU | 60 | N 23 |
| Atalaya Real | M | 46 | J 19 |
| Atamaría | MU | 97 | T 27 |
| Atán | C | 2 | D 3 |
| Atance (El) | GU | 47 | I 21 |
| Atance (Embalse de) | GU | 47 | I 21 |
| Atanzón | GU | 46 | J 21 |
| Atapuerca | BU | 18 | E 19 |
| Ataquines | VA | 44 | I 15 |
| Atarés | HU | 21 | E 28 |
| Atarfe | GR | 94 | U 18 |
| Ataun | SS | 10 | C 23 |
| Atauri | VI | 19 | D 22 |
| Atauta | SO | 32 | H 20 |
| Atazar (El) | M | 46 | J 19 |
| Atazar (Embalse de El) | M | 46 | J 19 |
| Atea | Z | 34 | I 24 |
| Ateca | Z | 34 | H 24 |
| Atez | NA | 11 | D 24 |
| Atiega | VI | 8 | C 20 |
| Atienza | GU | 46 | I 21 |
| Atios | C | 3 | B 5 |
| Atochares | AL | 103 | V 23 |
| Atrave | OR | 28 | G 8 |
| Atxondo | BI | 9 | C 22 |
| Atzeneta d'Albaida | V | 74 | P 28 |
| Atzeneta del Maestrat | CS | 62 | L 29 |
| Aubert | L | 22 | D 32 |
| Audanzas | LE | 15 | F 12 |
| Audíkana | VI | 19 | D 22 |
| Aulá (Puerto de) | L | 23 | D 32 |
| Aula Dei (La Cartuja de) | Z | 35 | G 27 |
| Aulaga (La) | SE | 79 | S 10 |
| Aulago | AL | 95 | U 22 |
| Aulesti | BI | 10 | C 22 |
| Auñón | GU | 47 | K 21 |
| Aurín | HU | 21 | E 28 |
| Auritz / Burguete | NA | 11 | D 26 |
| Auritzberri / Espinal | NA | 11 | D 26 |
| Ausejo | LO | 19 | E 23 |
| Ausejo de la Sierra | SO | 33 | G 22 |
| Ausines (Los) | BU | 18 | F 19 |
| Autilla del Pino | P | 31 | G 16 |
| Autilla de Campos | P | 30 | F 15 |
| Autol | LO | 19 | F 23 |
| Autza | NA | 11 | C 25 |
| Auza | NA | 11 | D 24 |
| Avall (S') | PM | 105 | O 39 |
| Ave | V | 73 | O 27 |
| Aveinte | AV | 44 | J 15 |
| Avellà (L') | CS | 50 | K 29 |
| Avellanar | CC | 43 | K 10 |
| Avellanar | AV | 44 | K 13 |
| Avellaneda | O | 19 | F 22 |
| Avellanes (Les) | L | 36 | G 32 |
| Avellanosa de Muñó | BU | 31 | G 18 |
| Avià | B | 24 | F 35 |
| Avia (Río) | OR | 13 | E 5 |
| Aviados | LE | 16 | D 13 |

A B C D E F G H I J K L M N O P Q R S T U V W X Y Z

## BADAJOZ

Adelardo Covarsí. . . . . . . . . . AZ 2
Afligidos . . . . . . . . . . . . . . . . CY 3
Agustina de Aragón . . . . . . . BZ 4
Alféreces (Pl. de los) . . . . . . CZ 5
Alonso Cárdenas Cano . . . . . CZ 6
Antonio Cortes Lavado (Pl.) . BZ 7
Antonio Juez . . . . . . . . . . . . . AZ 9
Arco Agüero . . . . . . . . . . . . . BYZ 12
Bomba (La) . . . . . . . . . . . . . . BZ 14
Bravo Murillo . . . . . . . . . . . . BCY 15
Calamón (Camino) . . . . . . . . CY 16
Campillo (El) . . . . . . . . . . . . . CZ 17
Canteras Calamón . . . . . . . . CZ 18
Cardenal Fonseca . . . . . . . . . CZ 19
Carolina Coronado (Av. de) . . AY 20
Cervantes (Pl.) . . . . . . . . . . . CY 21
Ciudad de Évora . . . . . . . . . . BZ 22
Concepción . . . . . . . . . . . . . . BCY 23
Corte de Peleas (Carret. de). . CY 25
Costanilla . . . . . . . . . . . . . . . CY 26
Cristóbal Oudrid . . . . . . . . . . BYZ 27
Damián Téllez Lafuente (Av.) . BZ 30
Doroteo M. Benítez . . . . . . . . AZ 28
Dosma . . . . . . . . . . . . . . . . . . BY 29
Enrique Segura Otaño . . . . . . BZ 32
Felipe Checa . . . . . . . . . . . . . BY 35
Fernández de la Puente . . . . . BZ 36
Francisco Morales Bermúdez . BY 38
Francisco Pizarro. . . . . . . . . . CZ 41
Fray Antonio Gómez . . . . . . . CY 42
Gabino Tejado . . . . . . . . . . . . CY 43
García de Paredes . . . . . . . . . AY 44
Hernán Cortés . . . . . . . . . . . . BY 46
Joaquín Costa (Av.) . . . . . . . . BY 48
Juan Carlos I de España . . . . BY 49
Juan de Badajoz . . . . . . . . . . BCZ 51
Juan Nogre . . . . . . . . . . . . . . AZ 52
Manuel García Matos . . . . . . BZ 54
María Auxiliadora (Av.) . . . . . AZ 56
Nuestra Señora de Guadalupe BZ 57
Obispo San Juan de Ribera . . BY 58
Pedro de Valdivia. . . . . . . . . . BZ 61
Pilar (Pl. de) . . . . . . . . . . . . . BZ 62
Pimienta (La) . . . . . . . . . . . . CZ 64
Ramón Albarrán . . . . . . . . . . BYZ 65
Regino de Miguel . . . . . . . . . ABZ 67
Regulares Marroquíes . . . . . . BY 68
República Argentina . . . . . . . AZ 69
República del Ecuador . . . . . AZ 71
Revellín (Puente). . . . . . . . . . BY 72
Reyes Católicos (Pl.) . . . . . . . BY 74
Ricardo Carapeto (Av.) . . . . . BY 75
San Lorenzo . . . . . . . . . . . . . CY 76
San Roque (Puente) . . . . . . . CY 77
Sevilla (Carret.) . . . . . . . . . . CZ 79
Soto Mancera . . . . . . . . . . . . BY 80
Suárez de Figueroa . . . . . . . . BY 82

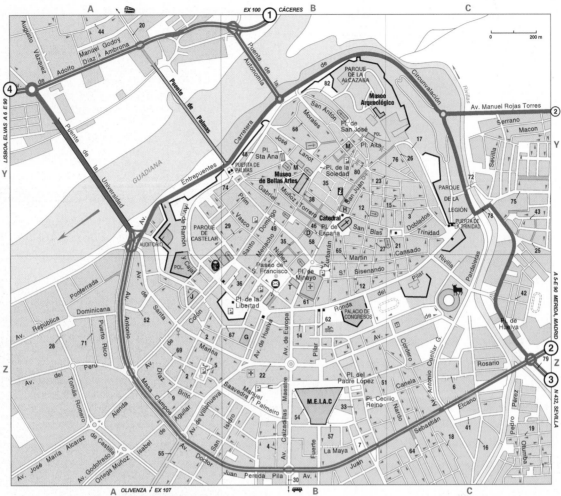

Avide *LU*............ 13 E 7
Ávila *AV*............ 44 K 15
Ávila (Bahía de)
   *Lanzarote GC*.... 122 C 5
Avilés *O*............5 B 12
Avilés *MU*.......... 84 S 24
Avileses *MU*........ 85 S 27
Avín *O*..............6 B 15
Avinyó *B*........... 38 G 35
Avinyonet *GI*....... 25 F 38
Avinyonet
   del Penedès *B*... 38 H 35
Aviñante *P*......... 17 D 15
Aviño *C*.............3 B 5
Avión *OR*........... 13 E 5
Avión (Faro de) *PO*. 13 F 5
Axpe *BI*............ 10 C 22
Aya (Peñas de) /
   Harria (Aiako) *ESP* 10 C 24
Ayacata
   *Gran Canaria GC*.. 116 D 3
Ayagaures (Embalse de)
   *Gran Canaria GC*.. 116 D 4
Ayamonte *H*........ 90 U 7
Ayaz *LU*............ 13 E 7
Ayechu *NA*.......... 11 D 26
Ayegui *NA*.......... 19 E 23
Ayera *HU*........... 21 F 29
Ayesa *NA*........... 20 E 25
Ayllón *SG*.......... 32 H 19
Ayna *AB*............ 72 Q 23
Ayódar *CS*.......... 62 L 28
Ayoluengo *BU*...... 17 D 18
Ayones *O*............5 B 10
Ayoó de Vidriales *ZA* 15 F 11
Ayora *V*............ 73 O 26
Ayuela *P*........... 17 E 16
Ayuela
   (Embalse de) *CC*.. 67 O 11
Ayuelas *BU*......... 18 D 20
Azáceta *VI*......... 19 D 22
Azáceta (Puerto) *VI*. 19 D 22

Azafor *VC*.......... 74 P 29
Azagala *BA*......... 67 O 9
Azagra *NA*.......... 20 F 24
Azagra *V*........... 61 M 26
Azaila *TE*.......... 35 I 28
Azanaque *SE*........ 80 T 13
Azanúy *HU*.......... 36 G 30
Azañón *GU*.......... 47 J 22
Azara *HU*........... 22 F 29
Azares
   del Páramo *LE*... 15 F 12
Azarrulla *LO*....... 18 F 20
Azcamellas *SO*...... 47 I 22
Azkarate *NA*........ 10 C 23
Azkarate
   (Puerto de) *SS*.. 10 C 22
Azkoitia *SS*........ 10 C 23
Azlor *HU*........... 22 F 29
Aznalcázar *SE*...... 91 U 11
Aznalcóllar *SE*..... 91 T 11
Azoberines *TO*...... 58 M 17
Azofra *LO*.......... 19 E 21
Azohía (La) *MU*..... 97 T 26
Azorejo *BA*......... 69 P 15
Azparren *NA*........ 11 D 26
Azpeitia *SS*........ 10 C 23
Azpilkueta *NA*...... 11 C 25
Azpirotz
   (Puerto de) *NA*.. 10 C 24
Azuaga *BA*.......... 80 R 13
Azuara *Z*........... 35 I 27
Azucaica *TO*........ 58 M 18
Azud de Matacavas *H* 90 T 7
Azuébar *CS*......... 62 M 28
Azuel *CO*........... 81 R 17
Azuelo *NA*.......... 19 E 22
Azul (Charco)
   *La Palma TF*..... 131 D 3
Azuqueca
   de Henares *GU*... 46 K 20
Azután *TO*.......... 57 M 14
Azután
   (Embalse de) *TO*. 57 M 15

**B**

Baamonde *LU*........3 C 6
Baamorto *LU*........ 14 E 7
Babilafuente *SA*.... 44 J 13
Bacanera *L*......... 22 D 32
Bacares *AL*......... 96 U 22
Bacarot *A*.......... 86 R 28
Bacoco *BA*.......... 66 O 8
Bacoi *LU*............4 B 7
Bacor Olivar *GR*.... 95 T 21
Badajoz *BA*......... 67 P 9
Badalejos (Los) *CA*. 99 W 12
Badalona *B*......... 38 H 36
Badarán *LO*......... 19 E 21
Bádenas *TE*......... 48 I 26
Bádames *S*...........8 B 19
Badilla *ZA*......... 29 H 11
Badolatosa *SE*...... 93 U 15
Badostáin *NA*....... 20 D 25
Badules *Z*.......... 48 I 26
Baell (El) *GI*...... 24 F 36
Baélls *HU*.......... 36 G 31
Baélls (Pantà de la) *B* 24 F 35
Baelo
   (Ruinas romanas de) *CA* 99 X 12
Baena *CO*........... 93 T 17
Baeza *J*............ 82 S 19
Baezuela *M*......... 46 K 19
Bàga *B*............. 24 F 35
Bagergue *L*......... 22 D 32
Báguena *TE*......... 48 I 25
Bagües *Z*........... 21 E 27
Bahabón *VA*......... 31 H 17
Bahabón
   de Esgueva *BU*... 32 G 18
Bahía *MU*........... 97 T 26
Bahía Dorada *MA*.... 99 W 14
Bahíllo *P*.......... 17 E 16
Baides *GU*.......... 47 I 21

Bailadero
   (El) *Tenerife TF*. 125 J 1
Bailén *J*........... 82 R 18
Baíllo *BU*.......... 18 D 19
Baíllo *LE*.......... 15 F 10
Bailo *HU*........... 21 E 27
Baíña *O*.............5 C 12
Baíñas *C*............2 C 2
Baio *C*..............2 C 3
Baiona *PO*.......... 12 F 3
Baiuca (A) *Arteixo C*..3 C 4
Baja (Punta de la)
   *Lanzarote GC*.... 121 F 2
Bajamar *Tenerife TF*. 124 H 1
Bajauri *BU*......... 19 E 22
Bajo (Collado) *CU*.. 60 L 24
Bajo Guadalquivir
   (Canal del) *SE*.. 92 T 12
Bakaiku *NA*......... 19 D 23
Bakio *NA*............9 B 21
Balaguer *L*......... 36 G 32
Balaïtous *HU*....... 21 D 29
Balanegra *AL*....... 102 V 21
Balazote *AB*........ 72 P 23
Balbacil *GU*........ 47 I 23
Balbarda *AV*........ 44 K 15
Balboa *LE*.......... 14 D 9
Balboa *BA*.......... 67 P 9
Balcarca *HU*........ 36 G 30
Balcón de Bizkaia *BI*. 10 C 22
Balcón
   de los Alcores (El) *SE* 92 T 12
Balcón de Madrid (El) *M* 46 J 19
Balconchán *Z*....... 48 I 25
Balcones (Los) *A*... 85 S 27
Balcones (Los) *GR*.. 95 T 21
Balconete *GU*....... 46 K 21
Baldaíran (Pico de) *HU* 36 G 31
Baldellou *LE*....... 36 G 31
Baldío *CC*.......... 56 M 13
Baldomar *L*......... 37 G 33
Baldovar *V*......... 61 M 26

Baldrei *OR*......... 13 F 7
Baldriz *OR*......... 13 F 7
Baleira *LU*..........4 C 8
Balerma *AL*......... 102 V 21
Balerma *GR*......... 93 U 17
Balisa *SG*.......... 45 I 16
Balitres (Coll de) *GI*. 25 E 39
Ballabriga *HU*...... 22 E 31
Ballena o de Tostón (Punta
   de la *Fuerteventura GC*. 111 G 1
Ballestero (El) *AB*.. 72 P 22
Ballesteros *CR*..... 70 O 18
Ballesteros *CU*..... 60 M 23
Ballesteros *TO*..... 58 N 18
Ballesteros
   de Calatrava *CR*. 70 P 18
Ballobar *HU*........ 36 H 30
Ballota *O*...........5 B 11
Balluncar *SO*....... 33 H 22
Balma (La) *CS*...... 49 J 29
Balmaseda *BI*........8 C 20
Balmonte *O*..........4 B 9
Balmonte *LU*.........4 C 7
Balmori *O*...........6 B 15
Balneario de Jabalcuz *J*. 82 S 18
Balneario
   de Panticosa *HU*. 21 D 29
Balneario
   de Raposo *BA*.... 79 Q 11
Baloira *PO*......... 12 D 4
Balones *A*.......... 74 P 28
Balouta *LE*......... 14 D 9
Balsa (La) *J*........7 B 7
Balsa de Ves *AB*.... 73 O 26
Balsaín *AL*......... 84 S 23
Balsapintada *MU*.... 85 S 26
Balsareny *B*........ 38 G 35
Balsicas *MU*........ 85 S 27
Baltanás *P*......... 31 G 17
Baltar *OR*.......... 27 G 6
Baltar *LU*...........4 C 7
Baltar cerca de Arzua *C*.3 D 5
Baltar cerca de Ferrol *C*.3 B 5

Baltasana
   (Tossal de la) *T*. 37 I 33
Balzaín *GR*......... 94 U 19
Bama *C*............. 13 D 4
Bamba *ZA*........... 30 H 13
Bamio *PO*........... 12 E 3
Banaguás *HU*........ 21 E 28
Banariés *HU*........ 21 F 28
Banastás *HU*........ 21 F 28
Banda (La) *HU*...... 21 F 29
Bandama (Caldera de)
   *Gran Canaria GC*.. 115 F 2
Bandama (Pico de)
   *Gran Canaria GC*.. 115 F 2
Bande *OR*........... 13 F 6
Bandeira *PO*........ 13 D 5
Bandereta (La) *CS*.. 62 L 29
Banderillas (Las) *J*. 83 R 21
Banecidas *LE*....... 16 E 14
Bangueses *OR*....... 13 F 5
Baniel *SO*.......... 33 H 22
Banos de la Peña *P*. 17 D 15
Bany de Tredos *L*... 23 E 32
Banya (Far de la) *T*. 50 K 31
Banya
   Banyalbufar *PM*... 104 M 37
Banyeres de Mariola *A*. 74 P 28
Banyeres del Penedès *T*. 37 I 34
Banyoles *GI*........ 25 F 38
Banyoles (Estany de) *GI*. 25 F 38
Banyuls (Coll de) *GI*. 25 E 39
Baña (A) *C*..........2 D 3
Baña (La) *LE*....... 14 F 9
Bañaderos Cardonal
   *Gran Canaria GC*.. 115 E 1
Bañares *LO*......... 18 E 21
Bañares (La) *LE*.... 15 F 12
Bañista *CR*......... 71 P 19
Bañobárez *SA*....... 42 J 10
Bañón *TE*........... 48 J 26
Baños (Los) *MU*..... 85 R 26
Baños (Los) *BA*..... 67 Q 9

## BARCELONA

| Calle | Cuadrícula | N.º |
|---|---|---|
| Arnau d'Oms | CS | 4 |
| Berlín | BT | 12 |
| Bisbe Català | AT | 13 |
| Bonanova (Pas. de la) | BT | 16 |
| Borbó (Av. de) | CS | 17 |
| Carles III (Gran Via de) | BT | 38 |
| Constitució | BT | 50 |
| Creu Coberta | BT | 53 |
| Dalt (Travessera de) | CS | 56 |
| Doctor Pi i Molist | CS | 65 |
| Entença | BT | 71 |
| Estadi (Av. de l') | BCT | 75 |
| Fabra i Puig (Pas. de) | CS | 77 |
| Gavà | BT | 84 |
| Gran de Sant Andreu | CS | 88 |
| Guinardó (Ronda del) | CS | 90 |
| Josep Tarradellas (Av. de) | BT | 102 |
| Madrid (Av. de) | BT | 110 |
| Manuel Girona (Pas. de) | BT | 112 |
| Mare de Déu de Montserrat (Av. de la) | CS | 113 |
| Marina | CT | 114 |
| Marquès de Comillas (Av. del) | BT | 115 |
| Miramar (Av. de) | CT | 119 |
| Numància | BT | 129 |
| Piferrer | CS | 136 |
| Pi i Margall | CS | 138 |
| Poblenou (Rambla del) | DT | 141 |
| Príncep d'Astúries (Av. del) | BT | 144 |
| Pujades (Pas. de) | CT | 145 |
| Ramiro de Maeztu | CS | 146 |
| Ramon Albó | CS | 147 |
| Reina Elisenda de Montcada (Pas. de la) | BT | 151 |
| Reina Maria Cristina (Av. de la) | BT | 152 |
| Ribes (Carret.) | CS | 154 |
| Rio de Janeiro (Av. de) | CS | 156 |
| Santa Coloma (Pas. de) | CS | 186 |
| Sant Antoni Maria Claret | CS | 162 |
| Sant Antoni (Ronda de) | CT | 160 |
| Sant Gervasi (Pas. de) | BS | 164 |
| Sant Pau (Ronda de) | CT | 174 |
| Sardenya | CT | 191 |
| Tarragona | BT | 194 |
| Tibidabo (Av. del) | BS | 196 |
| Universitat (Pl. de la) | CT | 198 |
| Verdum (Pas. de) | CS | 200 |

**E** POBLE ESPANYOL
**M**[4] MUSEU D'ART DE CATALUNYA
**M**[5] MUSEU ARQUEOLÒGIC
**P**[1] PALAU SANT JORDI
**T**[1] TEATRE GREC
**W** FUNDACIÓ JOAN MIRÓ
**Z** PAVELLÓ MIES VAN DER ROHE

Baños (Punta de los) *AL* ... 102 V 21
Baños de Alcantud *CU* ... 47 K 23
Baños de Arenosillo *CO* ... 81 R 16
Baños de Benasque *HU* ... 22 E 31
Baños de Cerrato *P* ... 31 G 16
Baños de Ebro *VI* ... 19 E 21
Baños de Fitero *NA* ... 20 F 24
Baños de Fuente Podrida *V* ... 73 N 25
Baños de Gigonza *CA* ... 99 W 12
Baños de Guardias Viejas (Los) *AL* ... 102 V 21
Baños de la Encina *J* ... 82 R 18
Baños de la Fuensanta *MU* ... 84 S 24
Baños de los Remedios *BA* ... 68 Q 11
Baños de Martos *J* ... 82 S 18
Baños de Molgas *OR* ... 13 F 6
Baños de Montemayor *CC* ... 43 L 12
Baños de Mula *MU* ... 85 R 25
Baños de Río Tobía *LO* ... 19 F 21
Baños de Rioja *LO* ... 18 E 21
Baños de Santa Alhamilla *AL* ... 103 V 22
Baños de Tajo *GU* ... 47 J 24
Baños de Valdearados *BU* ... 32 G 19
Baños del Robledillo *TO* ... 57 N 16
Baños Gilico *MU* ... 84 R 25
Baños y Mendigo *MU* ... 85 S 26
Bañuela *CR* ... 81 Q 17
Bañuela Alta *TO* ... 57 M 15
Bañuelos *GU* ... 32 I 21
Bañuelos de Bureba *BU* ... 18 E 20
Bañugues *O* ... 5 B 12
Bao (Embalse de) *OR* ... 14 F 8
Baquedano *NA* ... 19 D 23
Baqueira *L* ... 23 D 32
Baquerín de Campos *P* ... 30 F 15
Barà (Arc romà de) *T* ... 37 I 34
Baradal *O* ... 5 C 10
Bárago *S* ... 7 C 16
Baraguás *HU* ... 21 E 28
Barahona *SO* ... 33 I 22
Barahona (Altos de) *SO* ... 33 H 22
Baraibar *NA* ... 10 D 24
Barajas *AV* ... 44 K 14
Barajas *M* ... 46 K 19
Barajas de Melo *CU* ... 59 L 21
Barakaldo *BI* ... 8 C 20
Baralla *LU* ... 14 D 8
Baranbio *VI* ... 8 C 21
Baranda *BU* ... 8 C 19
Barásoain *NA* ... 20 E 25
Barasona (Embalse de) *HU* ... 22 F 31
Barazar (Puerto de) *BI* ... 9 C 21
Barbadás *OR* ... 13 F 6
Barbadillo *SA* ... 43 J 12
Barbadillo de Herreros *BU* ... 18 F 20
Barbadillo del Mercado *BU* ... 32 F 19
Barbadillo del Pez *BU* ... 32 F 20
Barbalimpia *CU* ... 60 M 22
Barbalos *SA* ... 43 J 12
Barbantes *OR* ... 13 E 5
Barbantiño *LU* ... 13 E 6
Barbanza (Sierra de) *C* ... 12 D 3
Barbaño *BA* ... 67 P 10
Barbaría (Cap de) *PM* ... 87 Q 34
Barbarroja *A* ... 85 R 27
Barbaruéns *HU* ... 22 E 31
Barbastro *HU* ... 22 F 30
Barbate *CA* ... 99 X 12
Barbate (Ensenada de) *CA* ... 99 X 12
Barbate (Marismas de) *CA* ... 99 X 12
Barbatona *GU* ... 47 I 22
Barbeira *C* ... 2 D 3
Barbeitos *LU* ... 4 C 8
Barbens *L* ... 37 G 33
Barberà *B* ... 38 H 36
Barberà de la Conca *T* ... 37 H 33
Barbero *J* ... 83 R 21
Bárboles *Z* ... 34 G 26
Barbolla *SG* ... 32 I 18
Barbolla (La) *GU* ... 47 I 21
Barbudo *PO* ... 12 E 4
Barbués *HU* ... 35 G 28
Barbuñales *HU* ... 21 F 29
Barca *SO* ... 33 H 22
Barca (Embalse de la) *O* ... 5 C 11
Barca (Punta de la) *C* ... 2 C 2
Barca (Soto de la) *O* ... 5 C 10
Barca de la Florida (La) *CA* ... 99 W 12
Bárcabo *HU* ... 22 F 30
Barcala *PO* ... 12 D 4
Barcarrota *BA* ... 67 Q 9
Barcebal *SO* ... 32 H 20
Barcebalejo *SO* ... 32 H 20
Barceino *SA* ... 43 I 10
Barcelona *B* ... 38 H 36
Barcena (Embalse de) *LE* ... 15 E 10
Bárcena de Bureba *BU* ... 18 E 19
Bárcena de Campos *P* ... 17 E 16
Bárcena de Ebro *S* ... 17 D 17
Bárcena de la Abadia *LE* ... 14 D 10
Bárcena de Pié de Concha *S* ... 7 C 17
Bárcena del Monasterio *O* ... 5 B 10
Bárcena Mayor *S* ... 7 C 17
Bárcena Mayor (Sierra de) *S* ... 7 C 17
Bárcenas *BU* ... 8 C 19
Barcenillas del Ribero *BU* ... 8 C 19
Barceo *SA* ... 43 I 10
Barchell (Ermita de) *A* ... 74 P 28
Barchín del Hoyo *CU* ... 60 N 23
Barcia *O* ... 5 B 10
Barciademera *PO* ... 13 F 4
Barcial de la Loma *VA* ... 30 G 14
Barcial del Barco *ZA* ... 29 G 13
Barcience *TO* ... 58 M 17
Barcina *BU* ... 18 D 20
Barcó (Cala) *PM* ... 87 P 33
Barco (O) *OR* ... 14 E 9
Barco de Ávila (El) *AV* ... 44 K 13
Barcones *SO* ... 33 I 21
Bardají (Valle de) *HU* ... 22 E 31
Bardallur *Z* ... 34 G 26
Bardaos *C* ... 3 C 4
Bárdena *Z* ... 20 F 26
Bardenas (Canal de las) ... 20 E 26
Bardullas *C* ... 2 C 2
Baredo *PO* ... 12 F 3
Bareyo *S* ... 8 B 19
Bargas *TO* ... 58 M 17
Bargis *GR* ... 102 V 20
Bargota *NA* ... 19 E 23
Bariáin *NA* ... 20 E 25
Barillas *NA* ... 34 G 25
Barinaga *BI* ... 10 C 22
Barinas *MU* ... 85 R 26
Bariones de la Vega *LE* ... 16 F 13
Barizo *C* ... 2 C 3
Barjacoba *ZA* ... 14 F 9
Barjas *LE* ... 14 E 9
Barlovento *La Palma* *TF* ... 131 D 3
Barlovento (Punta de) *Fuerteventura* *GC* ... 112 B 5
Barluenga *HU* ... 21 F 28
Barniedo de la Reina *LE* ... 16 D 15
Baro *L* ... 23 E 33
Baroja *VI* ... 19 E 21
Barona (La) *CS* ... 62 L 29
Baroña *C* ... 12 D 2
Barqueira (A) *C* ... 3 B 6
Barqueros *MU* ... 85 S 25
Barquilla *SA* ... 42 J 9
Barquilla de Pinares *CC* ... 56 L 13
Barra (Punta de la) *GI* ... 25 F 39
Barra de Miño *OR* ... 13 E 6
Barraca d'Aigües Vives (La) *V* ... 74 O 28
Barracas *CS* ... 62 L 27
Barrachina *TE* ... 48 J 26
Barrachinas (Las) *TE* ... 61 L 27
Barraco *AV* ... 45 K 16
Barrado *CC* ... 56 L 12
Barragana Baja *CO* ... 93 T 16
Barraix *V* ... 62 M 28
Barral *OR* ... 13 F 5
Barranca (La) *M* ... 45 J 18
Barranco Hondo *Tenerife* *TF* ... 127 H 3
Barrancos Blancos (Los) *SE* ... 92 U 14
Barrancos Blancos (Puerto de los) *SE* ... 92 U 14
Barranda *MU* ... 84 R 24
Barranquera (La) *Tenerife* *TF* ... 124 H 1

## BARCELONA

Bacardí (Ptge de) MY 5
Banys Nous MX 7
Bergara LV 10
Bisbe MX 15
Bòria MV 18
Born (Pas. del) NX 20
Boters MX 23
Canaletes (Rambla de) LV 27
Canonge Colom (Pl. del) LY 28
Canvis Vells NX 32
Caputxins (Rambla dels) MY 35
Cardenal Casañas LX 36
Catalunya (Pl. de) LV
Catedral (Av. de la) MV 40
Ciutat MX 43
Comercial (Pl. de) NV 45
Cucurulla LX 55
Doctor Joaquím Pou MV 61
Estudis (Rambla dels) LX
Francesc Cambó (Av. de) MV 79
Garriga i Bachs (Pl. de) MX 83
Isabel II (Pas. d') NX 98
Montcada NV 122
Montjuïc del Bisbe MX 123
Nou de Sant Francesc MY 126
Nova (Pl.) MX 128
Paradis MX 133
Pintor Fortuny LX 140
Pi (Pl. del) LX 137
Portal Santa Madrona MX 142
Ramon Berenguer el Gran (Pl. de) MX 148
Rei (Pl. del) MX 150
Santa Maria (Pl. de) NX 189
Santa Mònica (Rambla de) MY
Sant Felip Neri (Pl. de) MX 163
Sant Josep Oriol (Pl. de) LX 171
Sant Josep (Rambla de) LX 168
Sant Lu (Pl. de) MX 172
Sant Miquel (Pl. de) MX 173
Sant Sever MX 181
Seu (Pl. de la) MX 192
Tapineria MX 193
Universitat (Ronda de la) LV 199

Capella Santa Agata F
Casa de l'Ardiaca A
Castell dels Tres Dragons (Museu de Zoologia)
Museu d'Història de la Ciutat M[1]
Museu Frederic Marès M[2]

Barranquete **AL** 103 V 23
Barrax **AB** 72 O 23
Barreda **S** 7 B 17
Barreiros **LU** 4 B 8
Barrela (La) **LU** 13 E 6
Barreras **SA** 42 I 10
Barres **O** 4 B 9
Barriada de Alcora (La) **AL** 102 V 21
Barriada de Jarana **CA** 98 W 11
Barriada San Cristobal **MU** 85 T 25
Barrié de la Maza (Embalse) **C** 12 D 3
Barrika **BI** 8 B 21
Barrillos **LE** 16 D 13
Barrillos de las Arrimadas **LE** 16 D 14
Barrina **A** 74 Q 29
Barrio **VI** 18 D 20
Barrio **S** 7 C 15
Barrio **LE** 14 D 9
Barrio **OR** 14 E 8
Barrio de Abajo **CU** 72 O 23
Barrio de Enmedio **MA** 93 U 16
Barrio de la Estación **CC** 54 N 7
Barrio de la Estación **J** 82 R 19
Barrio de la Puente **LE** 15 D 11
Barrio de Lomba **ZA** 14 F 10
Barrio de los Pajares **BA** 68 P 12
Barrio de Nuestra Señora **LE** 16 D 13
Barrio del Centro **TE** 48 J 25
Barrio del Hospital **TE** 48 J 25
Barrio-Panizares **BU** 17 D 18
Barriobusto **VI** 19 E 22
Barriomartín **SO** 33 G 22
Barriopedro **GU** 47 J 21
Barrios (Los) **CA** 99 X 13
Barrios (Los) **J** 82 R 17
Barrios de Bureba (Los) **BU** 18 E 19
Barrios de Colina **BU** 18 E 19
Barrios de Gordón (Los) **LE** 15 D 12
Barrios de Luna (Embalse de los) **LE** 15 D 12
Barrios de Luna (Los) **LE** 15 D 12
Barrios de Villadiego **BU** 17 E 17
Barriosuso **P** 17 E 16
Barro **O** 6 B 15
Barro **PO** 12 E 4
Barromán **AV** 44 I 15
Barros **S** 7 C 17
Barros **O** 6 C 12
Barros **SE** 92 U 13
Barros (Tierra de) **BA** 67 Q 10
Barrosa (La) **CA** 98 W 11
Barruecopardo **SA** 42 I 10
Barruelo **BU** 18 D 19
Barruelo **VA** 30 G 14
Barruelo de Santullán **P** 17 D 17
Barruera **L** 22 E 32
Barués **Z** 20 E 26
Barx **V** 74 O 29
Barxa (A) **OR** 28 G 8
Barxeta **V** 74 O 28
Bárzana **O** 5 C 12
Basabe **VI** 18 D 20
Basaburua **NA** 10 C 24
Basadre **PO** 13 D 6
Basáran **HU** 21 E 29
Basardilla **SG** 45 I 17
Basauri **BI** 8 C 21
Bàscara **GI** 25 F 38
Basconcillos del Tozo **BU** 17 D 18
Báscones **P** 17 D 17
Báscones de Ojeda **P** 17 D 16
Bascuñana de San Pedro **CU** 60 L 23
Baseta (Collado de la) **L** 23 E 33
Basquiñuelas **VI** 18 D 21
Bassa (Coll de la) **CS** 62 L 29
Bassacs (Els) **B** 24 F 35
Bassars (Els) **A** 86 R 28
Bassegoda **GI** 24 F 37
Bastaras **HU** 21 F 29
Bastiana (La) **SE** 79 S 11
Bastida (La) **SA** 43 K 11
Bastiments (Pic de) **GI** 24 E 36
Batalla **GU** 47 J 21
Batán **AB** 72 P 23
Batán (El) **CC** 55 M 10
Batán de San Pedro **CU** 59 M 21
Batán del Puerto **AB** 72 Q 23
Batea **T** 50 I 30
Baterna **AV** 44 K 15
Baterno **BA** 69 P 15
Batet **GI** 24 F 37
Batllòria (La) **GI** 38 G 37
Batoua (Pic de) **HU** 22 D 30
Batres **M** 58 L 18
Batuecas (Monasterio Las) **SA** 43 K 11
Batuecas (Reserva nacional de las) **SA** 43 K 11
Batxikabo **VI** 18 D 20
Baúl (El) **GR** 95 T 21
Baul (Rambla del) **GR** 95 T 21
Bausen **L** 22 D 32
Bayárcal **AL** 95 U 21
Bayarque **AL** 96 U 22
Bayas (Las) **A** 86 R 28
Bayo **O** 5 B 11
Bayo (El) **Z** 20 F 26
Bayona (La) **TO** 57 M 16
Bayos (Los) **LE** 15 D 11
Bayubas de Abajo **SO** 32 H 21
Bayubas de Arriba **SO** 32 H 21
Baza **GR** 95 T 21
Baza (Hoya de) **GR** 95 T 21
Bazagona (Estación de la) **CC** 56 M 12
Bazán **CR** 70 Q 19
Bazana (La) **BA** 79 R 9
Bazar **C** 2 C 3
Bazar *cerca de Castro* **LU** 4 C 7
Bazar *cerca de Lugo* **LU** 3 D 7
Bea **TE** 48 I 26
Beade **OR** 13 E 5
Beade **PO** 12 F 3
Beamud **CU** 60 L 24
Bearin **NA** 19 D 23
Beariz **OR** 13 E 5
Beas **H** 91 T 9
Beas (Embalse de) **H** 91 T 9
Beas de Granada **GR** 94 U 19
Beas de Guadix **GR** 95 U 20
Beas de Segura **J** 83 R 21
Beasain **SS** 10 C 23
Beata (La) **SE** 93 U 14
Beatas (Las) **AB** 72 O 22
Beatas (Las) **CO** 93 T 16
Beba **C** 2 D 2
Bebares **O** 5 C 10
Becedas **AV** 43 K 13
Becedillas **AV** 44 K 14
Beceite **TE** 50 J 30
Becejate **CR** 71 N 21
Becerreá **LU** 14 D 8
Becerrero (Sierra de) **SE** 93 U 15
Becerril **SG** 32 I 19
Becerril de Campos **P** 17 F 16
Becerril de la Sierra **M** 45 J 18
Becerril del Carpio **P** 17 D 17
Becerro (Punta del) *La Gomera* **TF** 118 C 3
Becilla de Valderaduey **VA** 30 F 14
Bedaio **SS** 10 C 23
Bédar **AL** 96 U 24
Bédar (Sierra de) **AL** 96 U 24
Bedaroa **BI** 9 B 22
Bedia **BI** 9 C 21
Bedmar **J** 82 S 19
Bedón **BU** 8 C 19
Bedriñana **O** 6 B 13
Beget **GI** 24 F 37
Begíjar **J** 82 S 19
Begonte **LU** 3 C 6
Begudà **GI** 24 F 37
Begues **B** 38 I 35
Begur **GI** 25 G 39
Begur (Cap de) **GI** 25 G 39
Behobia **SS** 10 B 24
Beigondo **C** 13 D 5
Beintza-Labaien **NA** 10 C 24
Beire **NA** 20 E 25
Beires **AL** 95 U 21
Beizama **SS** 10 C 23
Béjar **SA** 43 K 12
Bejarín (El) **GR** 95 T 20
Bejes **S** 7 C 16
Bejís **CS** 62 M 27
Bel **CS** 50 K 30
Belagua (Arroyo de) **NA** 11 D 27
Belalcázar **CO** 69 Q 14

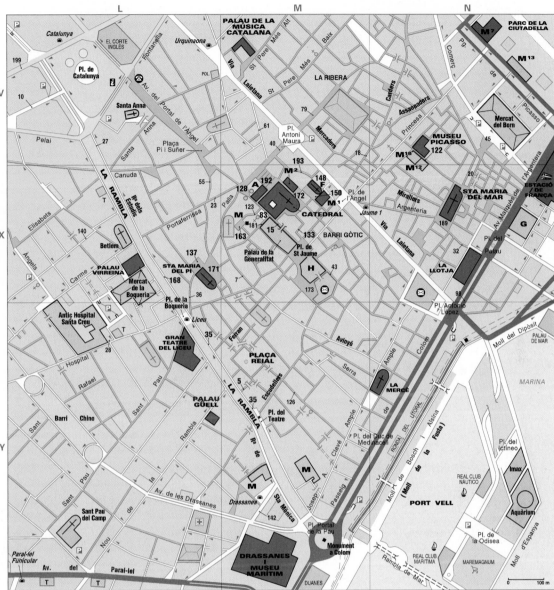

A B C D E F G H I J K L M N O P Q R S T U V W X Y Z

## BILBAO

Arenal (Puente) EY 2
Arriaga (Pl.) EYZ
Arriquíbar (Pl.) DYZ
Ayuntamiento (Puente) EY
Bidebarrieta EZ
Bilbao la Vieja EZ
Bombero Echániz (Pl.) CDZ
Correo EZ
Cosme Echevarrieta DY
Cruz EZ
General Latorre (Pl.) CZ 22
Gran Via de López de Haro CEY
Jado (Pl. de) DY 28
Juan Antonio Zunzunegui CY 30
Ledesma EY 32
Lersundi DX 36
Marqués del Puerto DY 38
Merced (Muelle) EZ 40
Merced (Puente) EZ 41
Moraza (Pl. de) EX 45
Pablo Picasso DZ 50
Pedro Eguillor (Pl.) DY 52
Pedro Martínez Artola DZ 53
Pío Baroja (Pl.) EZ 55
Plaza Nueva EZ 57
Ribera (Puente) EZ 65
Santiago (Pl.) EZ 71
Santos Juanes (Pl.) EZ 73
San Francisco Javier (Pl.) CZ 69
Sombrerería EZ 75
Victor Chávarri (Pl.) CY 78

Museo de Bellas Artes DY M

Belalcázar (Estación de) *CO* 69 P 14
Belante *LU* 14 D 7
Belarra *HU* 21 E 28
Belascoáin *NA* 10 D 24
Belate (Puerto de) *NA* 11 C 25
Belauntza *SS* 10 C 23
Belbimbre *BU* 17 F 17
Belchite *Z* 35 I 27
Belén *O* 5 B 10
Belén *LU* 4 B 7
Belén *CC* 56 N 12
Belén (Ermita de) *BA* 68 P 14
Beleña *SA* 43 J 13
Beleña (Embalse de) *GU* 46 J 20
Beleña de Sorbe *GU* 46 J 20
Beleño *O* 6 C 14
Belerda *O* 6 C 14
Belerda *J* 83 S 20
Belerda de Guadix *GR* 95 T 20
Belesar *PO* 12 F 3
Belesar *LU* 13 E 6
Bèlgida *V* 74 P 28
Belianes *L* 37 H 33
Belicena *GR* 94 U 18
Belinchón *CU* 59 L 20
Bell-lloc *CS* 62 L 30
Bell-lloc d'Urgell *L* 36 H 32
Bellaguarda *L* 36 H 32
Bellavista *H* 90 U 8
Bellavista *SE* 91 U 12
Bellcaire d'Empordà *GI* 25 F 39
Bellcaire d'Urgell *L* 37 G 32
Bellestar *cerca de Grau* *HU* 22 F 31
Bellestar *cerca de Huesca* *HU* 21 F 28
Bellestar de la Tinença (El) *CS* 50 K 30
Bellmunt *cerca de Bellcaire d'Urgell* *L* 37 G 32
Bellmunt *cerca de Sta Coloma de Queralt* *L* 37 H 34
Bellmunt del Priorat *T* 36 I 32
Bello *TE* 48 J 25
Bello *O* 6 C 13
Bellostas (Las) *HU* 22 E 29
Bellprat *B* 37 H 34
Bellpuig *L* 37 H 33
Bellreguard *V* 74 P 29
Belltall *T* 37 H 33
Bellús *V* 74 P 28
Bellús (Embalse de) *V* 74 P 28
Bellvei *T* 37 I 34
Bellver *PM* 104 N 37
Bellver de Cerdanya *L* 23 E 35
Bellvís *L* 36 G 32
Belmaco (Cueva de) *La Palma* *TF* 132 D 6
Bélmez *CO* 80 R 14
Bélmez *J* 82 S 19
Bélmez de la Moraleda *J* 82 S 19
Belmonte *O* 6 B 15
Belmonte *CU* 59 N 21
Belmonte (Estación de) *H* 90 T 9
Belmonte de Campos *P* 30 G 15
Belmonte de Gracian *Z* 34 I 25
Belmonte de Mezquín *TE* 50 J 29
Belmonte de Miranda *O* 5 C 11
Belmonte de Tajo *M* 59 L 19
Belmontejo *CU* 60 M 22
Belones (Los) *MU* 85 T 27
Belorado *BU* 18 E 20
Belsué *HU* 21 F 28
Beltejar *SO* 33 I 22
Beltrana (Puerto) *BA* 79 R 9
Beluso *PO* 12 F 3
Belver *HU* 36 G 30
Belver de los Montes *ZA* 30 G 13
Belvis de Jarama *M* 46 K 19
Belvís de la Jara *TO* 57 M 15
Belvís de Monroy *CC* 56 M 13
Bembézar *CO* 80 R 13
Bembézar (Embalse de) *CO* 80 S 14
Bembézar del Caudillo *CO* 80 S 14
Bembibre *C* 2 C 4
Bembibre *LE* 15 E 10
Bemil *PO* 12 E 4
Benabarre *HU* 22 F 31
Benablón *MU* 84 R 24
Benacazón *SE* 91 T 11
Benadalid *MA* 99 W 14
Benafarces *VA* 30 H 14
Benafer *CS* 62 M 28
Benafigos *CS* 62 L 29
Benagalbón *MA* 101 V 17
Benagéber *V* 61 M 26
Benaguasil *V* 62 N 28
Benahadux *AL* 103 V 22
Benahavís *MA* 100 W 14
Benajarafe *MA* 101 V 17
Benalauría *MA* 99 W 14
Benalmádena *MA* 100 W 16
Benalmádena-Costa *MA* 100 W 16
Benalúa de Guadix *GR* 95 T 20
Benalúa de las Villas *GR* 94 T 18
Benalup-Casas Viejas *CA* 99 W 12
Benalup de Sidonia *CA* 99 W 12
Benamahoma *CA* 92 V 13
Benamargosa *MA* 101 V 17
Benamariel *LE* 16 E 13
Benamaurel *GR* 95 T 21
Benamejí *CO* 93 U 16
Benamira *SO* 47 I 22
Benamocarra *MA* 101 V 17
Benamor *MU* 84 R 24
Benaocaz *CA* 99 V 13
Benaoján *MA* 99 V 14
Benaque *MA* 101 V 17
Benarrabá *MA* 99 W 14
Benasau *A* 74 P 28
Benasque *HU* 22 E 31
Benasque (Reserva nacional de) *HU* 22 D 31
Benasque (Valle de) *HU* 22 E 31
Benassal *CS* 49 K 29
Benatae *J* 83 Q 22
Benavent *L* 23 F 33
Benavent de Segrià *L* 36 G 31
Benavente *HU* 22 F 31
Benavente *ZA* 29 F 12
Benavente *CR* 70 O 17
Benavente *BA* 66 O 8
Benavides *LE* 15 E 12
Benavites *V* 62 M 29
Benazolve *LE* 16 E 13
Benchijigua *La Gomera* *TF* 119 C 2
Bendinat *PM* 104 N 37
Bendón *O* 4 C 9
Benecid *AL* 102 V 21
Benegiles *ZA* 29 H 13
Beneixama *A* 74 P 27
Benejúzar *A* 85 R 27
Benés *L* 22 E 32
Benetússer *V* 62 N 28
Benferri *A* 85 R 27
Benia *O* 6 B 15
Beniaia *A* 74 P 29
Beniaján *MU* 85 S 26
Benialfaquí *A* 74 P 28
Beniarbeig *A* 74 P 29
Beniardà *A* 74 P 29
Beniarjó *V* 74 P 29
Beniarrés *A* 74 P 28
Beniatjar *V* 74 P 28
Benicarló *CS* 50 K 31
Benicasim / Benicàssim *CS* 62 L 30
Benicàssim / Benicasim *CS* 62 L 30
Benichembla *A* 74 P 29
Benicolet *V* 74 P 28
Benicull de Xúquer *V* 74 O 28
Benidoleig *A* 74 P 29
Benidorm *A* 74 Q 29
Beniel *MU* 85 R 26
Benifaió *V* 74 O 28
Benifairó de les Valls *V* 62 M 29
Benifallet *T* 50 J 31
Benifallim *A* 74 Q 28
Benifallim (Port de) *A* 74 Q 28

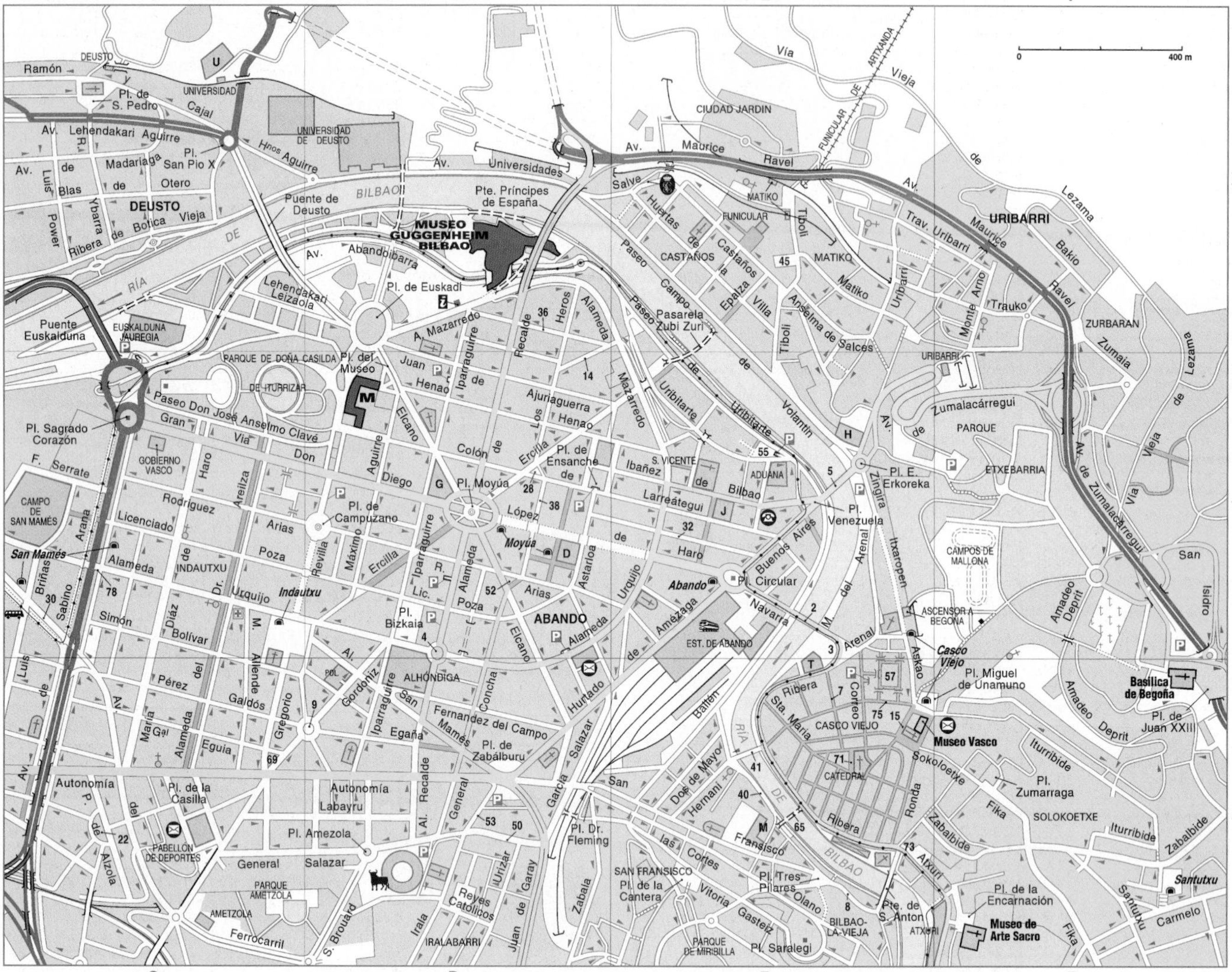

Benifassà (Convent de) *CS* 50 J 30
Benifato *A* 74 P 29
Benigànim *V* 74 P 28
Benijo *Tenerife TF* 125 J 1
Benijófar *A* 85 R 27
Benilloba *A* 74 P 28
Benillup *A* 74 P 28
Benimantell *A* 74 P 29
Benimarco *A* 74 P 30
Benimarfull *A* 74 P 28
Benimassot *A* 74 P 29
Benimaurell *A* 74 P 29
Benimodo *V* 74 O 28
Benimuslem *V* 74 O 28
Beninar (Embalse de) *AL* 102 V 20
Beniparrell *V* 74 N 28
Benirrama *A* 74 P 29
Benisanó *V* 62 N 28
Benissa *A* 74 P 30
Benissanet *T* 50 I 31
Benitagla *AL* 96 U 23
Benitorafe *AL* 96 U 23
Benitos *AV* 44 J 15
Benizalón *AL* 96 U 23
Benizar *MU* 84 R 24
Benquerencia *LU* 4 B 8
Benquerencia *CC* 68 O 11
Benquerencia de la Serena *BA* 68 P 13
Bentaiga (Roque) *Gran Canaria GC* 114 D 3
Bentarique *AL* 102 V 22
Bentraces *OR* 13 F 6
Bentué de Rasal *HU* 21 E 28
Benuza *LE* 14 E 9
Benyamina *MA* 100 W 16
Benza *C* 2 C 4
Beo *C* 2 C 3
Beortegui *NA* 11 D 25
Bera / Vera de Bidasoa *NA* 11 C 24
Beranga *S* 8 B 19
Berango *BI* 8 B 21
Berantevilla *VI* 18 D 21
Beranúy *HU* 22 E 31
Berastegi *SS* 10 C 24
Beratón *SO* 34 G 24
Berbe Bajo *GR* 94 U 18
Berbegal *HU* 36 G 29
Berberana *BU* 18 D 20
Berbes *O* 6 B 14
Berbinzana *NA* 20 E 24
Berbucido *PO* 13 E 4
Bercedo *BU* 8 C 19
Berceo *LO* 19 E 21
Bercero *VA* 30 H 14
Berceruelo *VA* 30 H 14
Bérchules *GR* 102 V 20
Bercial *SG* 45 J 16
Bercial (El) *TO* 57 M 14
Bercial de San Rafael (El) *TO* 57 M 14
Bercial de Zapardiel *AV* 44 I 15
Bercianos de Aliste *ZA* 29 G 11
Bercianos de Valverde *ZA* 29 G 12
Bercianos de Vidriales *ZA* 29 F 12
Bercianos del Páramo *LE* 15 E 12
Bercianos del Real Camino *LE* 16 E 14
Bercimuel *SG* 32 H 19
Bercimuelle *SA* 44 K 13
Berdejo *Z* 33 H 24
Berdeogas *C* 2 C 2
Berdía *C* 3 D 4
Berdillo *C* 2 C 4
Berdoias *C* 2 C 2
Berducedo *O* 4 C 9
Berdún *HU* 21 E 27
Berengueles (Los) *GR* 101 V 18
Beret *L* 23 D 32
Beret (Portarró de) *L* 23 D 32
Berga *B* 24 F 35
Berganciano *SA* 43 I 11
Berganúy *HU* 22 F 32
Berganza *VI* 8 C 21
Berganzo *VI* 19 E 21
Bergara *SS* 10 C 22
Bergasa *LO* 19 F 23
Bergasillas Bajeras *LO* 19 F 23
Bergasillas Somera *LO* 19 F 23
Berge *TE* 49 J 28
Bergondo *C* 3 C 5
Bergüenda *VI* 18 D 20
Beriain *NA* 11 D 25
Berja *AL* 102 V 21
Berlanas (Las) *AV* 44 J 15
Berlanga *BA* 80 R 12
Berlanga de Duero *SO* 32 H 21
Berlanga del Bierzo *LE* 15 D 10
Berlangas de Roa *BU* 31 G 18
Bermeja (Sierra) *BA* 67 O 11
Bermejales (Embalse de los) *GR* 101 V 18
Bermejo *TO* 56 M 13
Bermejo (Roque) *Tenerife TF* 125 K 1
Bermellar *SA* 42 J 9
Bermeo *BI* 9 B 21
Bermés *PO* 13 D 5
Bermiego *O* 5 C 12
Bermillo de Alba *ZA* 29 H 11
Bermillo de Sayago *ZA* 29 H 11
Bermún *C* 2 D 2
Bernadilla (La) *GR* 101 V 19
Bernagoitia *BI* 9 C 21
Bernales *BI* 8 C 19
Bernardo (El) *CR* 71 O 21
Bernardos *SG* 45 I 16
Bernedo *VI* 19 E 22
Bèrnia *A* 74 Q 29
Berninches *GU* 47 K 21
Bernués *HU* 21 E 28
Bernui *L* 23 E 33
Bernuy *TO* 57 M 16
Bernuy de Porreros *SG* 45 I 17
Bernúy-Salinero *AV* 45 J 16
Bernúy-Zapardiel *AV* 44 J 15
Berrazales (Los) *Gran Canaria GC* 114 D 2
Berriatúa *BI* 10 C 22
Berrioplano *NA* 11 D 24
Berriz *BI* 10 C 22
Berrizaun *NA* 11 C 24
Berro *AB* 72 P 23
Berro (El) *MU* 85 S 25
Berrobi *SS* 10 C 23
Berrocal *H* 79 T 10
Berrocal (El) *SE* 79 S 11
Berrocal de Huebra *SA* 43 J 12
Berrocal de Salvatierra *SA* 43 K 12
Berrocalejo *CC* 56 M 13
Berrocalejo de Aragona *AV* 45 J 16
Berrocales del Jarama (Los) *M* 46 K 19
Berroeta *NA* 11 C 25
Berrosteguieta *VI* 19 D 21
Berrueces *VA* 30 G 14
Berrueco *Z* 48 J 25
Berrueco (El) *M* 46 J 19
Berrueco (El) *J* 82 S 18
Berrueco (Peñón del) *MA* 99 W 13
Berrús (Ermita de) *T* 36 I 31
Bertamiráns *C* 12 D 4
Beruete *NA* 10 C 24
Berzalejo *CC* 56 M 12
Berzocana *CC* 56 N 13
Berzocana (Puerto de) *CC* 56 N 13
Berzosa *SO* 32 H 20
Berzosa *CR* 71 P 19
Berzosa de Bureba *BU* 18 E 20
Berzosa de los Hidalgos *P* 17 D 16
Berzosa del Lozoya *M* 46 J 19
Berzosilla *P* 17 D 17
Besalú *GI* 24 F 38
Besande *LE* 16 D 15
Bescanó *GI* 25 G 38
Bescaran *L* 23 E 34
Bespén *HU* 21 F 29
Besteiros *OR* 13 E 6
Bestué *HU* 22 E 30
Besullo *O* 5 C 10
Betancuria *Fuerteventura GC* 110 G 3
Betanzos *C* 3 C 5
Betanzos (Ría de) *C* 3 B 5
Betelu *NA* 10 C 24
Bétera *V* 62 N 28
Betés *HU* 21 E 28
Beteta *CU* 47 K 23
Betlem *PM* 105 M 39
Betlem (Ermita de) *PM* 105 M 39
Betolaza *VI* 19 D 21
Betorz *HU* 22 F 30
Betren *L* 22 D 32
Betxí *CS* 62 M 29
Beuda *GI* 24 F 38
Beunza *NA* 11 D 24
Beyos (Desfiladero de los) *LE* 6 C 16
Bezana *BU* 17 D 18
Bezanes *O* 6 C 14
Bezares *LO* 19 E 21
Bezas *TE* 48 K 26
Béznar *GR* 101 V 19
Béznar (Embalse de) *GR* 101 V 19
Bianditz (Alto de) *NA* 10 C 24
Biar *A* 74 Q 27
Biasteri *VI* 19 E 22
Bibéi *OR* 14 F 8
Bicorp *V* 73 O 27
Bidania *SS* 10 C 23
Bidankoze / Vidángoz *NA* 11 D 26
Bidasoa *SS* 11 C 25
Bidasoa (Montes de) *NA* 10 C 24
Bidaurreta *NA* 10 D 24
Biduedo *OR* 13 E 6
Biel-Fuencalderas *Z* 21 E 27
Bielsa *HU* 22 E 30
Bielsa (Túnel de) *HU* 22 D 30
Bielva *S* 7 C 16
Bien Aparecida (La) *S* 8 C 19
Bienservida *AB* 83 Q 22
Bienvenida *CR* 69 Q 16
Bienvenida *BA* 79 R 11
Bienvenida (Ermita de) *TO* 57 M 14
Bienvenida (Monte) *BA* 79 R 11
Bierge *HU* 21 F 29
Biescas *HU* 21 E 29
Bigastro *A* 85 R 27
Bigornia (Puerto) *SO* 33 H 24
Bigues *B* 38 G 36
Bigüézal *NA* 11 D 26
Bijuesca *Z* 34 H 24
Bilbao *BI* 8 C 21
Bilbao *SE* 92 U 13
Billelabaso *BI* 8 B 21
Bimeda *O* 5 C 10
Bimón *S* 17 D 18
Binaced *HU* 36 G 30
Binacua *HU* 21 E 27
Binéfar *HU* 36 G 30
Biniali *PM* 104 N 38
Biniaraix *PM* 104 M 38
Binibèquer *PM* 106 M 42
Binidali *PM* 106 M 42
Biniés *HU* 21 E 27
Binifabini *PM* 106 M 42
Binissalem *PM* 104 M 38
Biosca *L* 37 G 34
Biota *Z* 20 F 26
Bisaurri *HU* 22 E 31
Bisbal de Falset (La) *T* 36 I 32
Bisbal del Penedès (La) *T* 37 I 34
Bisbal d'Empordà (La) *GI* 25 G 39
Biscarrués *HU* 21 F 27
Bisimbre *Z* 34 G 25
Bisjueces *BU* 18 D 19
Bitem *T* 50 J 31
Bitoriano *VI* 19 D 21
Biure *GI* 25 E 38
Biurrun *NA* 11 D 24
Blacos *SO* 32 G 21
Blanc (Cap) *PM* 104 N 38
Blanc (Mas) *CS* 62 L 29
Blanca *MU* 85 R 25
Blanca (Laguna) *AB* 71 P 21
Blanca (Punta) *Fuerteventura GC* 111 H 2
Blanca (Sierra) *MA* 100 W 15
Blanca de Solanillos *GU* 47 J 23
Blancafort *T* 37 H 33
Blancares Nuevos *AB* 72 O 23
Blancares Viejos *AB* 72 O 23
Blancas *TE* 48 J 25
Blanco *SE* 93 T 14
Blancos *OR* 27 G 6
Blanes *GI* 39 G 38
Blanes (Costa d'en) *PM* 104 N 37
Blanquillo *J* 83 R 21
Blanquitos (Los) *Tenerife TF* 129 F 5
Blascoeles *AV* 45 J 16
Blascomillán *AV* 44 J 14
Blasconuño de Matacabras *AV* 44 I 15
Blascosancho *AV* 45 J 16
Blázquez (Los) *CO* 80 Q 13
Blecua *HU* 21 F 29
Blesa *TE* 49 I 27
Bliecos *SO* 33 H 23
Blimea *O* 6 C 13
Blocona *SO* 33 I 22
Boa *C* 12 D 3
Boada *SA* 43 J 11
Boada de Campos *P* 30 G 15
Boada de Roa *BU* 31 G 18
Boadella (Pantà de) *GI* 25 E 38
Boadella d'Empordà *GI* 25 F 38
Boadilla *SA* 43 J 11
Boadilla de Rioseco *P* 16 F 15
Boadilla del Camino *P* 17 F 16
Boadilla del Monte *M* 45 K 18
Boal *O* 4 B 9
Boalo (El) *M* 45 J 18
Boaño *C* 2 C 2
Bobadilla *LO* 19 F 21
Bobadilla *J* 82 T 17
Bobadilla *MA* 93 U 15
Bobadilla del Campo *VA* 44 I 14
Bobadilla Estación *MA* 93 U 15
Bobastro *MA* 100 V 15
Bobia *O* 4 B 9
Boborás *OR* 13 E 5
Boca Chanza *H* 78 T 7
Boca de Huérgano *LE* 16 D 15
Bocacara *SA* 43 J 10
Bocairent *V* 74 P 28
Bocal (El) *NA* 20 F 25
Boceguillas *SG* 32 H 19
Boche *AB* 84 Q 23
Bochones *GU* 32 I 21
Bocigas *VA* 31 I 15
Bocigas de Perales *SO* 32 H 19
Bocinegro (Punta del) *Tenerife TF* 129 F 5
Bocos *BU* 18 D 19
Bocos *VA* 31 H 17
Bodaño *PO* 13 D 5
Bodegas de Pardanchinos *V* 61 M 27
Bodegones (Los) *H* 91 U 9
Bodegues del Camp (Les) *V* 62 M 27
Bodera (La) *GU* 46 I 21
Bodón (El) *SA* 42 K 10
Bodonal de la Sierra *BA* 79 R 10
Boecillo *VA* 31 H 15
Boedes *OR* 13 E 5
Boedo *P* 17 D 16
Boente *C* 3 D 5
Boeza *LE* 15 D 11
Bogajo *SA* 42 J 10
Bogarra *AB* 72 Q 23
Bogarre *GR* 94 T 19
Bogarre (Monte) *GR* 94 T 19
Bohodón (El) *AV* 44 J 15
Bohonal *BA* 69 O 15
Bohonal de Ibor *CC* 56 M 13
Bohoyo *AV* 44 L 13
Boí *L* 22 E 32
Boí (Vall de) *L* 22 E 32
Boimente *LU* 4 B 7
Boimorto *C* 3 D 5
Boiro *C* 12 E 3
Boiro *O* 4 D 9
Boixar (El) *CS* 50 J 30
Bòixols *L* 23 F 33
Bòixols (Coll de) *L* 23 F 33
Bojadillas (Las) *AB* 84 R 23
Bola (A) *OR* 13 F 6
Bolaño *LU* 4 C 8
Bolaños *CA* 98 W 11
Bolaños de Calatrava *CR* 70 P 19
Bolaños de Campos *VA* 30 F 14
Bolarque (Embalse de) *CU* 47 K 21
Bolbaite *V* 74 O 27
Bolea *HU* 21 F 28
Boliches (Los) *MA* 100 W 16
Bolla *CC* 43 K 10
Bólliga *CU* 60 L 22
Bollullos de la Mitación *SE* 91 T 11
Bollullos Par del Condado *H* 91 T 10
Bolmir *S* 17 D 17
Bolnuevo *MU* 97 T 26
Bolo (O) *OR* 14 F 8
Bolón *A* 85 Q 27
Bolonia (Ensenada de) *CA* 99 X 12
Bolos *CR* 71 P 20
Boltaña *HU* 22 E 30
Bolulla *A* 74 Q 29
Bolvir de Cerdanya *GI* 24 E 35
Bon Any *PM* 105 N 39
Bon Jesus de Trandeiras (Monasterio) *OR* 13 F 7
Bonaigua (Port de la) *L* 23 E 32
Bonal (El) *CR* 70 O 17
Bonales (Sierra de los) *CR* 69 Q 15
Bonansa *HU* 22 E 32
Bonanza *CA* 91 V 10
Bonanza (Roque de la) *El Hierro TF* 109 D 3
Bonares *H* 91 U 9
Bonastre *T* 37 I 34
Bonete *AB* 73 P 25
Bonge *LU* 4 C 7
Boniches *CU* 61 M 25
Bonielles *O* 5 B 12
Bonilla *CU* 59 L 22
Bonilla de la Sierra *AV* 44 K 14
Bonillo (El) *AB* 72 P 22
Bonita (Cueva) *La Palma TF* 130 B 4
Bonmatí *GI* 24 G 37
Bono *HU* 22 E 32
Boñar *LE* 16 D 14
Bóo *O* 5 C 12
Boo de Guarnizo *S* 7 B 18
Boós *SO* 32 H 21
Boqueixón *C* 13 D 4
Boquerón *MU* 85 R 26
Boquerón (Puerto del) *AV* 45 K 16
Boquiñeni *Z* 34 G 26
Borau *HU* 21 E 28
Borbollón (Embalse de) *CC* 55 L 10
Bordalba *Z* 33 H 23
Bordecorex *SO* 33 H 21
Bordejé *SO* 33 H 22
Bòrdes (Es) *L* 22 D 32
Bordils *GI* 25 F 38
Bordón *TE* 49 J 29
Borge (El) *MA* 101 V 17
Borges Blanques (Les) *L* 37 H 32
Borges del Camp (Les) *T* 37 I 33
Borgonyà *B* 24 F 36
Borja *Z* 34 G 25
Borjabad *SO* 33 H 22
Borleña *S* 7 C 18
Bormate *AB* 73 O 25
Bormujos *SE* 91 T 11
Borneiro *C* 2 C 3
Bornos *CA* 92 V 12
Bornos (Embalse de) *CA* 92 V 12
Boroa *BI* 9 C 21
Borobia *SO* 34 H 24
Borox *TO* 58 L 18
Borrachina *BA* 66 Q 8
Borrassà *GI* 25 F 38
Borredà *B* 24 F 35
Borreguilla (Finca la) *CR* 71 Q 20
Borrenes *LE* 14 E 9
Borrés *HU* 21 E 28
Borres *O* 5 B 10
Borriana / Burriana *CS* 62 M 29
Borriol *CS* 62 L 29
Borriquillas (Punta de las) *Fuerteventura GC* 113 I 4
Bosque *C* 2 C 3
Bosque (El) *M* 45 K 18
Bosque (El) *TO* 57 M 16
Bosque (El) *GR* 84 T 22
Bosque (El) *CA* 92 V 13
Bosque Alto *Z* 35 H 27
Bossòst *L* 22 D 32
Bot *T* 50 I 31
Botarell *T* 51 I 32
Botaya *HU* 21 E 28
Boticario *TO* 70 N 18
Botija *CC* 68 N 11
Bótoa *BA* 67 O 9
Bótoa (Ermita de) *BA* 67 O 9
Botorrita *Z* 34 H 26
Bou (Cala de) *PM* 87 P 33
Boumort (Serra de) *L* 23 F 33
Bousés *OR* 27 G 7
Boutra (Cabo de la) *C* 2 C 2
Bouza *OR* 13 E 5
Bouza (La) *SA* 42 J 9
Bouzas *LE* 15 E 10
Bouzas *PO* 12 F 3
Bóveda *VI* 18 D 20
Bóveda *cerca de Monforte LU* 14 E 7
Bóveda de la Ribera *BU* 18 D 19
Bóveda de Toro (La) *ZA* 30 H 13
Bóveda del Río Almar *SA* 44 J 14
Bovera *L* 36 I 31
Box *O* 5 B 12
Boya *ZA* 29 G 10
Boyar (Puerto del) *CA* 92 V 13
Bozoo *BU* 18 D 20
Brabos *AV* 44 J 15
Brácana *CO* 94 T 17
Brácana *GR* 94 U 18
Bràfim *T* 37 I 34
Braguia (Puerto de) *S* 8 C 18
Brahojos de Medina *VA* 30 I 14
Bramadero *H* 78 S 8
Brandeso *C* 13 D 5
Brandilanes *ZA* 29 H 11
Brandomil *C* 2 C 3
Brandoñas *C* 2 C 3
Braña (La) *O* 4 B 9
Braña (La) *LE* 14 D 9
Braña Vieja *S* 7 C 16
Brañalonga *O* 5 B 10
Brañes *O* 5 B 12
Brañosera *P* 17 D 17
Brañuás *O* 5 B 10
Brañuelas *LE* 15 E 11
Braojos *M* 46 I 19
Bravatas *GR* 83 S 22
Bravo (El) *H* 78 R 9
Bravos *LU* 3 B 7
Brazacorta *BU* 32 G 19
Brazato (Embalse de) *HU* 21 D 29
Brazatortas *CR* 70 Q 17
Brazomar *S* 8 B 20
Brazuelo *LE* 15 E 11
Brea *Z* 34 H 25
Brea de Tajo *M* 59 L 20
Breda *GI* 38 G 37
Brence *LU* 14 E 7
Brenes *SE* 92 T 12
Breña (Embalse de la) *CO* 81 S 14
Breña Alta *La Palma TF* 132 D 5
Breña Baja *La Palma TF* 132 D 5
Breñas (Las) *Lanzarote GC* 122 B 5
Bres *O* 4 B 8
Bretó *ZA* 29 G 12
Bretocino *ZA* 29 G 12
Bretoña *LU* 4 B 8
Bretún *SO* 33 F 22
Brias *SO* 32 H 21
Bricia *BU* 17 D 18
Brieva *SG* 45 I 17
Brieva *AV* 45 J 16
Brieva de Cameros *LO* 19 F 21
Brieva de Juarros *BU* 18 F 19
Brieves *O* 5 B 10
Brihuega *GU* 46 J 21
Brime de Sog *ZA* 29 F 11
Brime de Urz *ZA* 29 F 12
Brimeda *LE* 15 E 11
Brincones *SA* 43 I 10
Briñas *LO* 19 E 21
Briones *LO* 19 E 21
Briongos *BU* 32 G 19
Brisas (Las) *GU* 47 K 21
Brisos (Puerto de los) *BA* 67 O 9
Briviesca *BU* 18 E 20
Brizuela *BU* 18 D 19
Brocos *PO* 13 D 5
Bronchales *TE* 48 K 25
Bronco (El) *CC* 55 L 11
Brosquil (El) *V* 74 O 29
Broto *HU* 21 E 29
Brovales *BA* 79 Q 9
Brovales (Embalse de) *BA* 79 Q 9
Broza *LU* 13 E 7
Brozas *CC* 55 N 9
Bruc (El) *B* 38 H 35
Brués *OR* 13 E 5
Bruguera *GI* 24 F 36
Bruis *HU* 22 F 30
Brujas (Cuevas de) *NA* 11 C 25
Brull (El) *B* 38 G 36
Brullés *BU* 17 E 18
Brunales (Los) *V* 73 P 27
Brunete *M* 45 K 18
Brunyola *GI* 24 G 38

## BURGOS

Almirante Bonifaz . . . . . . . . . . . B 2
Alonso Martínez (Pl. de) . . . . . . B 3
Aparicio y Ruiz . . . . . . . . . . . . . A 5
Arlanzón (Av. del) . . . . . . . . . . . B 6
Cid Campeador (Av. del) . . . . . . B 8
Conde de Guadalhorce (Av.) . . . A 9
Eduardo Martínez del Campo . . . . . . . . . . . . . . . A 10
España (Pl.) . . . . . . . . . . . . . . . B 12
Gen. Santocildes . . . . . . . . . . . . B 15
Libertad (Pl. de la) . . . . . . . . . . B 16
Mayor (Pl.) . . . . . . . . . . . . . . . . AB 18
Miranda . . . . . . . . . . . . . . . . . . B 20
Monasterio de las Huelgas (Av. del) . . . . . . . . . . . . . . . . A 21
Nuño Rasura . . . . . . . . . . . . . . . A 23
Paloma (La) . . . . . . . . . . . . . . . A 24
Reyes Católicos (Av. de los) . . . . . . . . . . . . . . . B 26
Rey San Fernando (Pl. del) . . . . . . . . . . . . . . . . . A 27
Santo Domingo de Guzmán (Pl. de) . . . . . . . . . . . . . . . . . B 28
Vitoria . . . . . . . . . . . . . . . . . . . . B

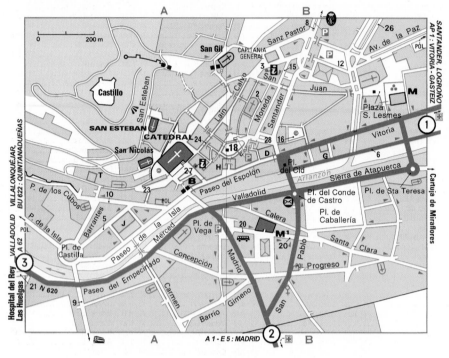

Arco de Santa Maria . . . . . . . . . . . . . . A B
Museo de Burgos . . . . . . . . . . . . . . . B M1

Búbal *HU* .......... 21 D 29
Búbal (Embalse de) *HU* ..... 21 D 29
Buberos *SO* .......... 33 H 23
Bubierca *Z* .......... 34 I 24
Bubión *GR* .......... 102 V 19
Bucher *TO* .......... 57 L 14
Buciegas *CU* .......... 47 K 22
Búcor *GR* .......... 94 U 18
Buda (Illa de) *T* .......... 51 J 32
Budia *GU* .......... 47 K 21
Budián *LU* .......... 4 B 7
Budiño *C* .......... 3 D 4
Budiño *PO* .......... 12 F 4
Buelna *O* .......... 7 B 16
Buen Amor *SA* .......... 43 I 12
Buen Retiro *CR* .......... 71 O 21
Buena Leche *V* .......... 61 M 26
Buenache de Alarcón *CU* .......... 60 N 23
Buenache de la Sierra *CU* .......... 60 L 24
Buenafuente (Monasterio de) *GU* ...... 47 J 23
Buenamadre *SA* .......... 43 J 11
Buenas Noches *MA* .......... 99 W 14
Buenasbodas *TO* .......... 57 N 15
Buenaventura *TO* .......... 57 L 15
Buenavista *SA* .......... 43 J 13
Buenavista *GR* .......... 94 U 18
Buenavista (Monte) *AB* ..... 72 O 24
Buenavista-Cala Abogat *A* .......... 75 P 30
Buenavista de Valdavia *P* .......... 17 E 16
Buenavista del Norte *Tenerife* *TF* .......... 126 B 3
Buendía *CU* .......... 47 K 21
Buendía (Embalse de) *CU* .......... 47 K 21
Bueno (El) *Tenerife* *TF* .......... 129 G 4
Buenos Aires *A* .......... 86 R 28
Bueña *TE* .......... 48 J 26
Buera *HU* .......... 22 F 30
Buerba *HU* .......... 22 E 30
Bueres *O* .......... 6 C 13
Buesa *HU* .......... 21 E 29
Bueu *PO* .......... 12 F 3
Buey *TO* .......... 58 M 18
Bufali *V* .......... 74 P 28
Bugallido *C* .......... 12 D 4
Bugarra *V* .......... 61 N 27
Bugedo *BU* .......... 18 E 20
Búger *PM* .......... 104 M 38
Buitrago *SO* .......... 33 G 22
Buitrago (Pinilla de) *M* ....... 46 J 18
Buitrago del Lozoya *M* ....... 46 J 19
Buitre *MU* .......... 84 R 24
Buitre *AL* .......... 95 U 21
Buitre (Monte) *TE* .......... 61 L 26
Buitrera *GU* .......... 32 I 19
Buitrón (El) *H* .......... 79 T 9
Buitrón (El) *Monte H* .......... 78 S 8
Buiza *LE* .......... 16 D 12
Bujalance *CO* .......... 81 S 16
Bujalaro *GU* .......... 46 J 21
Bujalcayado *GU* .......... 47 I 21
Buján *C* .......... 2 D 2
Bujaraiza *J* .......... 83 R 21
Bujaraloz *Z* .......... 35 H 29
Bujarda (La) *H* .......... 78 S 8
Bujardo *BA* .......... 78 Q 9
Bujarrabal *GU* .......... 47 I 22
Bujaruelo *HU* .......... 21 D 29
Bujeda (La) *GU* .......... 59 L 21
Bujeo (El) *CA* .......... 99 X 13
Bujeo (Puerto del) *CA* ....... 99 X 13
Bujo *BA* .......... 79 R 11
Bularros *AV* .......... 44 J 15
Bulbuente *Z* .......... 34 G 25
Bullaque (El) *CR* .......... 70 O 17
Bullas *MU* .......... 84 R 24
Bulnes *O* .......... 6 C 15
Buniel *BU* .......... 17 F 18
Bunyola *PM* .......... 104 M 38
Buñales *HU* .......... 21 F 28
Buño *C* .......... 2 C 3
Buñol *V* .......... 61 N 27
Buñuel *NA* .......... 34 G 25
Burbáguena *TE* .......... 48 I 25
Burbia *LE* .......... 14 D 9
Burceat *HU* .......... 22 F 30
Burceña *BU* .......... 8 C 19
Burela *LU* .......... 4 B 7
Burés *C* .......... 12 D 3
Bureta *Z* .......... 34 G 25
Burete *MU* .......... 84 R 24
Burgal (El) *V* .......... 61 N 27
Burganes de Valverde *ZA* .......... 29 G 12
Burgi / Burgui *NA* .......... 11 D 26
Burgo *LU* .......... 3 D 7
Burgo (El) *MA* .......... 100 V 15
Burgo de Ebro (El) *Z* ......... 35 H 27
Burgo de Osma (El) *SO* .... 32 H 20
Burgo Ranero (El) *LE* ....... 16 E 14
Burgohondo *AV* .......... 44 K 15
Burgomillodo *SG* .......... 31 H 18
Burgos *BU* .......... 18 E 18
Burgueira *PO* .......... 12 F 3
Burguete / Auritz *NA* .......... 11 D 26
Burgui / Burgi *NA* .......... 11 D 26
Burguilla *CC* .......... 57 M 14
Burguillos *SE* .......... 91 T 12
Burguillos de Toledo *TO* .... 58 M 18
Burguillos del Cerro *BA* ..... 79 Q 10
Buriz *LU* .......... 3 C 6
Burjassot *V* .......... 62 N 28
Burlada / Burlata *NA* .......... 11 D 25
Burlata / Burlada *NA* .......... 11 D 25
Burón *LE* .......... 6 C 14
Burras *MU* .......... 84 S 24
Burres *C* .......... 3 D 5
Burriana / Borriana *CS* ..... 62 M 29
Burrueco *AB* .......... 72 P 23
Buruaga *VI* .......... 19 D 21
Burujón *TO* .......... 58 M 17
Burunchel *J* .......... 83 S 21
Busante *O* .......... 4 D 9
Buscastell *PM* .......... 87 O 34
Busdongo *LE* .......... 15 D 12
Busloñe *O* .......... 5 C 12
Busmente *O* .......... 4 B 9
Busot *A* .......... 86 Q 28
Busquístar *GR* .......... 102 V 20
Bustablado *S* .......... 8 C 19
Bustamante *S* .......... 17 C 17
Bustantigo *O* .......... 4 B 9
Bustares *GU* .......... 46 I 20
Bustarviejo *M* .......... 46 J 18
Bustasur *S* .......... 17 D 17
Buste (El) *Z* .......... 34 G 25
Bustidoño *S* .......... 17 D 18
Bustillo de Cea *LE* .......... 16 E 14
Bustillo de Chaves *VA* ....... 16 F 14
Bustillo de la Vega *P* ......... 16 E 15
Bustillo del Monte *S* .......... 17 D 17
Bustillo del Oro *ZA* .......... 30 G 13
Bustillo del Páramo *LE* ...... 15 E 12
Bustillo del Páramo de Carrión *P* .......... 16 E 15
Busto *cerca de Luarca* *O* ..... 5 B 10
Busto *cerca de Villaviciosa* *O* .......... 6 B 13
Busto (Cabo) *O* .......... 5 B 10
Busto (El) *NA* .......... 19 E 23
Busto de Bureba *BU* .......... 18 E 20
Bustoburniego *O* .......... 5 B 10
Bustriguado *S* .......... 7 C 16
Busturia *BI* .......... 9 B 21
Butihondo *Fuerteventura* *GC* ....... 112 D 5
Butrera *BA* .......... 79 R 10
Butrõe *BI* .......... 8 B 21
Buxán *cerca de Rois* *C* ...... 12 D 3
Buxán *cerca de Val do Dubra* *C* ... 2 C 4
Buxantes (Monte de) *C* ......... 2 D 2
Buxu (Cueva del) *O* .......... 6 B 14

## C

Caamaño *C* .......... 12 E 2
Caaveiro *C* .......... 3 B 5
Cabaco (El) *SA* .......... 43 K 11
Cabaleiros *C* .......... 2 C 4
Caballar *SG* .......... 45 I 18
Caballera *HU* .......... 21 F 28
Caballeros *J* .......... 82 Q 18
Caballo *GR* .......... 94 U 19
Caballo (Cerro del) *GR* ...... 94 U 19
Caballó (Serra El) *V* .......... 74 O 27
Caballón *H* .......... 91 T 9
Caballos (Sierra de los) *MA* .......... 93 U 15
Cabalos (Sierra de los) *LU* .......... 14 E 8
Cabana *C* .......... 2 C 3
Cabanabona *L* .......... 37 G 33
Cabanamoura *C* .......... 2 D 3
Cabanas *LU* .......... 3 B 6
Cabanas *C* .......... 3 B 5
Cabanelas *OR* .......... 13 E 5
Cabanelles *GI* .......... 25 F 38
Cabanes *GI* .......... 25 F 38
Cabanes *Castelló* *CS* ....... 62 L 30
Cabanes (Barranc de) *CS* .......... 62 L 29
Cabanillas *NA* .......... 20 F 25
Cabanillas *SO* .......... 33 H 22
Cabanillas de la Sierra *M* .......... 46 J 19
Cabanillas del Campo *GU* .......... 46 K 20
Cabanyes (Les) *B* .......... 37 H 35
Cabañaquinta *O* .......... 6 C 13
Cabañas *Z* .......... 34 G 26
Cabañas *LE* .......... 16 F 13
Cabañas (Monte) *J* .......... 83 S 21
Cabañas (Puerto) *CA* ....... 92 V 14
Cabañas de Castilla (Las) *P* .......... 17 E 16
Cabañas de la Dornilla *LE* .......... 15 E 10
Cabañas de la Sagra *TO* ... 58 L 18
Cabañas de Polendos *SG* .......... 45 I 17
Cabañas de Sayago *ZA* .... 29 I 12
Cabañas de Yepes *TO* ....... 58 M 19
Cabañas del Castillo *CC* .......... 56 N 13
Cabañas Raras *LE* .......... 14 E 9
Cabañeros *LE* .......... 16 F 13
Cabañeros *CR* .......... 69 N 16
Cabañeros (Parque nacional) *CR* .... 69 N 16
Cabañes de Esgueva *BU* .......... 32 G 18
Cabarga (Peña) *S* .......... 8 B 18
Cabassers *T* .......... 36 I 32
Cabdella *L* .......... 23 E 32
Cabe *LU* .......... 14 E 7
Cabeza (La) *AB* .......... 84 R 23
Cabeza de Béjar (La) *SA* .......... 43 K 13
Cabeza de Buey *CR* .......... 71 Q 20
Cabeza de Campo *LE* ....... 14 E 9
Cabeza de Diego Gómez *SA* ...... 43 J 11
Cabeza de la Viña (Isla) *J* .......... 83 R 21
Cabeza del Buey *BA* .......... 68 P 14
Cabeza del Caballo *SA* ..... 42 I 10
Cabeza Gorda *J* .......... 49 I 28
Cabeza la Vaca *BA* .......... 79 R 10
Cabezabellosa *CC* .......... 56 L 12
Cabezabellosa de la Calzada *SA* .......... 44 I 13
Cabezadas (Las) *GU* .......... 46 I 20
Cabezamesada *TO* .......... 59 M 20
Cabezarados *CR* .......... 70 P 17
Cabezarrubias *CR* .......... 70 Q 17
Cabezas de Alambre *AV* .......... 44 J 15
Cabezas de Bonilla *AV* ....... 44 K 14
Cabezas de San Juan (Las) *SE* ... 91 V 12
Cabezas del Pasto *H* .......... 78 T 7
Cabezas del Pozo *AV* .......... 44 I 15
Cabezas del Villar *AV* ....... 44 J 14
Cabezas Rubias *H* .......... 78 S 8
Cabezo *CC* .......... 43 K 11
Cabezo (Monte) *TE* .......... 61 L 26
Cabezo de la Plata *MU* ..... 85 S 27
Cabezo de Torres *MU* ....... 85 R 26
Cabezo Jara *AL* .......... 96 T 24
Cabezón *VA* .......... 31 G 16
Cabezón de Cameros *LO* .......... 19 F 22
Cabezón de la Sal *S* .......... 7 C 17
Cabezón de la Sierra *BU* .......... 32 G 20
Cabezón de Liébana *S* ........ 7 C 16
Cabezón de Valderaduey *VA* .......... 16 F 14
Cabezón del Oro (Serra de) *A* .......... 74 Q 28
Cabezudos (Los) *H* .......... 91 U 10
Cabezuela *SG* .......... 31 I 18
Cabezuela (La) *V* .......... 73 O 26
Cabezuela del Valle *CC* .......... 56 L 12
Cabezuelas (Las) *M* .......... 45 K 17
Cabezuelos (Los) *GU* ....... 47 K 22
Cabizuela *AV* .......... 44 J 15
Cabó *L* .......... 23 F 33
Cabo Blanco *Tenerife* *TF* .......... 128 D 5
Cabo Cervera-Playa La Mata *A* .......... 86 R 28
Cabo de Gata *AL* .......... 103 V 23
Cabo de Gata-Níjar (Parque natural de ) *AL* ... 96 V 23
Cabo de Palos *MU* .......... 86 T 27
Caboalles de Abajo *LE* ..... 15 D 10
Caboalles de Arriba *LE* ..... 15 D 10
Cabolafuente *Z* .......... 47 I 23
Cabornera *LE* .......... 15 D 12
Caborno *O* .......... 5 B 10
Caborredondo *BU* .......... 18 E 19
Cabra *CO* .......... 93 T 16
Cabra (Cinto) *V* .......... 73 O 27
Cabra de Mora *TE* .......... 49 L 27
Cabra del Camp *T* .......... 37 H 33
Cabra del Santo Cristo *J* ... 83 S 20
Cabras *GR* .......... 94 U 17
Cabras (Las) *AB* .......... 84 R 22
Cabredo *NA* .......... 19 E 22
Cabreiroá *OR* .......... 28 G 7
Cabreiros *LU* .......... 3 B 6
Cabrejas *CU* .......... 60 L 22
Cabrejas (Altos de) *CU* ..... 60 L 22
Cabrejas (Puerto de) *CU* ... 60 L 23
Cabrejas del Campo *SO* ... 33 G 23
Cabrejas del Pinar *SO* ...... 33 G 21
Cabrera *BA* .......... 79 R 11
Cabrera (La) *M* .......... 46 J 19
Cabrera (La) *GU* .......... 47 I 22
Cabrera (La) *V* .......... 61 N 27
Cabrera (Río de la) *J* ......... 82 R 17
Cabrera de Mar *B* .......... 38 H 37
Cabrerizos *SA* .......... 43 J 13
Cabrero *CC* .......... 56 L 12
Cabreros del Monte *VA* ..... 30 G 14
Cabreros del Río *LE* .......... 16 E 13
Cabretón *LO* .......... 34 G 24
Cabril (El) *CO* .......... 80 R 13
Cabrilla (Río de la) *CO* ...... 81 S 14
Cabrillanes *LE* .......... 15 D 11
Cabrillas *SA* .......... 43 J 11
Cabrillas (Puerto de las) *TE* .......... 49 K 29
Cabrils *B* .......... 38 H 37
Cabrito (Alto El) *CA* .......... 99 X 13
Cabruñana *O* .......... 5 B 11
Cabuérniga *S* .......... 7 C 17
Cacabelos *LE* .......... 14 E 9
Cáceres *CC* .......... 55 N 10
Cáceres (Embalse de) *CC* .......... 55 N 11
Caceruela *CR* .......... 69 O 16
Cachafeiro *PO* .......... 13 E 4
Cachaza *CC* .......... 55 L 9
Cacheiras *C* .......... 12 D 4
Cachorilla *CC* .......... 55 M 9
Cacín *GR* .......... 94 U 18
Cacín (Canal del) *GR* ....... 94 U 18
Cadabedo *LU* .......... 4 B 7
Cádabo (O) *LU* .......... 4 C 8
Cadafresnas *LE* .......... 14 E 9
Cadagua *BU* .......... 8 C 19
Cadalso *CC* .......... 55 L 10
Cadalso de los Vidrios *M* ... 57 L 16
Cadaqués *GI* .......... 25 F 39
Cadavedo *O* .......... 5 B 10
Cádavos *OR* .......... 28 G 8
Cadena (Puerto de la) *MU* .......... 85 S 26
Cadí *L* .......... 23 F 34
Cadí (Serra de) *L* .......... 23 F 34
Cadí (Túnel de) *GI* .......... 24 F 35
Cadí-Moixeró (Parc natural de) *B* ....... 24 F 35
Cádiar *GR* .......... 102 V 20
Cadiñanos *BU* .......... 18 D 19
Cádiz *CA* .......... 98 W 11
Cádiz (Bahía de) *CA* ......... 98 W 11
Cadreita *NA* .......... 20 F 24
Cadrete *Z* .......... 35 H 27
Caicedo Yuso *VI* .......... 18 D 21
Caídero de la Niña (Embalse) *Gran Canaria* *GC* .......... 114 C 3
Caimari *PM* .......... 104 M 38
Caimodorro *TE* .......... 48 K 24
Caín *LE* .......... 6 C 15
Caión *C* .......... 2 C 4
Cajigar *HU* .......... 22 F 31
Cajiz *MA* .......... 101 V 17
Cala *H* .......... 79 S 11
Cala (Embalse de) *SE* ....... 79 S 11
Cala (La) *A* .......... 74 Q 29
Cala Agulla *PM* .......... 105 M 40
Cala Blanca *PM* .......... 87 P 33
Cala Blanca *Menorca* *PM* .......... 106 M 41
Cala Blava *PM* .......... 104 N 38
Cala Bona *PM* .......... 105 N 40

## CÁCERES

América (Pl. de) AZ 2
Amor de Dios BZ 3
Ancha BZ 4
Antonio Reyes Huertas BZ 6
Arturo Aranguren AZ 7
Ceres BY 9
Colón BZ 10
Compañía (Cuesta de la) BY 12
Diego María Crehuet BZ 14
Fuente Nueva BZ 15
Gabino Muriel AZ 17
Gen. Primo de Rivera (Av. del) AZ 22
Isabel de Moctezuma (Av.) AZ 24
José L. Cotallo AY 25
Juan XXIII AZ 26
Lope de Vega BY 28
Marqués (Cuesta del) BY 30
Mayor (Pl.) BY
Médico Sorapán BZ 31
Millán Astray (Av.) BZ 32
Mono BY 33
Perreros BZ 35
Pintores BY 36
Portugal (Av. de) AZ 37
Profesor Hdez Pacheco BZ 39
Ramón y Cajal (Pas. de) AY 42
Reyes Católicos AY 43
San Antón AZ 47
San Blas (Av. de) BY 45
San Jorge AY 49
San Juan (Pl. de) BZ 51
San Pedro BZ 53
San Pedro de Alcántara (Av.) AZ 54
San Roque BZ 56
Tiendas BY 58
Trabajo AY 59
Universidad (Av. de la) BY 60
Viena AZ 62

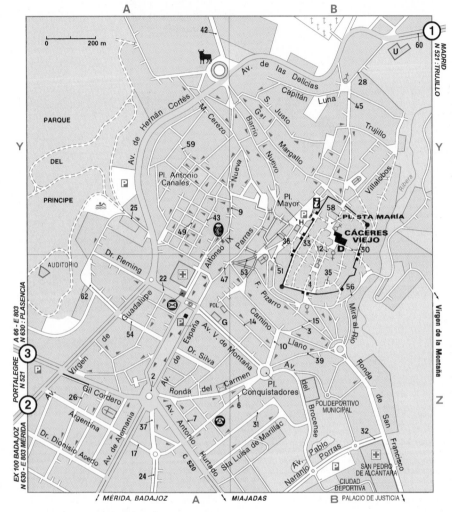

Palacio de Los Golfines de Abajo BY D

Cala de los Tiestos A 75 P 30
Cala de Salionç GI 39 G 38
Cala Deià PM 104 M 37
Cala del Moral cerca de Rincón de la V. MA 100 V 17
Cala d'Or PM 105 N 39
Cala en Blanes PM 106 L 41
Cala en Bosc PM 106 M 41
Cala en Porter PM 106 M 42
Cala Ferrera PM 105 N 39
Cala Figuera PM 105 O 39
Cala Fonduco PM 106 M 42
Cala Fornells PM 104 N 37
Cala Galdana PM 106 M 41
Cala Gració PM 87 P 33
Cala Llonga Ibiza PM 87 P 34
Cala Mesquida Mallorca PM 105 M 40
Cala Mesquida Menorca PM 106 M 42
Cala Millor PM 105 N 40
Cala Montjoi GI 25 F 39
Cala Morell PM 106 L 41
Cala Murada PM 105 N 39
Cala Pi PM 104 N 38
Cala Puntal CS 50 K 31
Cala Rajada PM 105 M 40
Cala Sahona PM 87 P 34
Cala Sant Vicenç PM 105 M 39
Cala Sant Vicent Localidad PM 87 O 34
Cala Santa Galdana PM 106 M 41
Cala Santanyí PM 105 O 39
Cala Tarida PM 87 P 33
Cala Turqueta PM 106 M 41
Cala Vallgornera PM 104 N 38
Cala Vedella PM 87 P 33
Cala Vinyes PM 104 N 37
Calabardina MU 97 T 25
Calabazar (Embalse del) H 78 T 9
Calabazares H 79 S 9
Calabazas SG 31 H 17
Calabazas VA 30 H 15
Calabor ZA 28 G 9
Calaburra (Punta de) MA 100 W 16
Calaceite TE 50 I 30
Caladrones HU 22 F 31
Calaf B 37 G 34
Calafat T 51 J 32
Calafell T 37 I 34
Calafell Platja T 37 I 34
Calahonda GR 102 V 19
Calahonda MA 100 W 15
Calahorra LO 19 F 24
Calahorra (Estación de La) GR 95 U 20
Calahorra (La) GR 95 U 20
Calahorra de Boedo P 17 E 16
Calalberche TO 58 L 17
Calama CC 43 K 11
Calamocha TE 48 J 26
Calamocos LE 15 E 10
Calamonte BA 67 P 10
Calanda TE 49 J 29
Calanda (Embalse de) TE 49 J 29
Calañas H 78 T 9
Calar Alto AL 95 U 22
Calar de la Santa MU 84 R 23
Calar del Mundo AB 84 Q 22
Calares (Los) CR 71 Q 21
Calasanz HU 22 F 31
Calasparra MU 84 R 24
Calasparra (Estación de) MU 84 R 24
Calatañazor SO 33 G 21
Calatayud Z 34 H 25
Calatorao Z 34 H 25
Calatrava (Campo de) CR 70 P 18
Calatrava (Puerto de) CR 70 P 18
Calatraveño (Puerto) CO 81 R 15
Calaveruela CO 80 R 13
Calbinyà L 23 E 34
Calcena Z 34 H 24
Caldas (Las) O 5 C 12
Caldas de Besaya (Las) S 7 C 17
Caldas de Luna LE 15 D 12
Caldas de Reis PO 12 E 4
Calde LU 3 D 7
Caldearenas HU 21 E 28
Caldebarcos C 12 D 2
Caldelas PO 12 F 4
Caldera CO 93 T 17
Caldereta Fuerteventura GC 111 I 2
Calderín (El) TO 70 O 18
Calderón V 61 L 26
Calderones (Los) MU 85 S 25
Calders B 38 G 35
Calderuela SO 33 G 23
Caldes de Boí L 22 E 32
Caldes de Malavella GI 25 G 38
Caldes de Montbui B 38 H 36
Caldes d'Estrac B 38 H 37
Caldones O 6 B 13
Caldueño O 6 B 15
Caleao O 6 C 13
Calella B 38 H 37
Calella de Palafrugell GI 25 G 39
Calera (La) CR 71 P 20
Calera (La) H 91 U 10
Calera (La) CC 56 N 14
Calera (La) BA 67 P 10
Calera de León BA 79 R 11
Calera del Prado (La) BI 8 C 19
Calera y Chozas TO 57 M 15
Caleruega BU 32 G 19
Caleruela TO 56 M 14
Caleruela cerca de Los Yébenes TO 58 N 18
Caleruela (La) J 83 R 20
Cales de Mallorca PM 105 N 39
Caleta El Hierro TF 109 E 2
Caleta (La) GR 101 V 19
Caleta (La) Tenerife TF 126 C 3
Caleta (La) Tenerife TF 128 C 5
Caleta de Famara Lanzarote GC 123 E 3
Caleta de Fustes (Castillo de) Fuerteventura GC 111 I 3
Caleta de Vélez (La) MA 101 V 17
Caleta del Sebo Lanzarote GC 121 E 2
Caletas (Las) La Palma TF 132 D 7
Caletillas (Las) Tenerife TF 127 H 3
Caleyos (Los) O 6 C 13
Calicasas GR 94 U 19
Càlig CS 50 K 31
Callao Salvaje Tenerife TF 128 C 5
Calldetenes B 38 G 36
Callejas CU 60 N 24
Callejones La Palma TF 132 D 5
Callejos (Los) O 6 B 15
Callén HU 35 G 28
Calleras O 5 B 10
Calles V 61 M 27
Callezuela O 5 B 12
Callobre C 3 C 5
Callobre PO 13 D 4
Callosa de Segura A 85 R 27
Callosa d'en Sarrià A 74 Q 29
Callús B 37 G 35
Calmarza Z 48 I 24
Calnegre MU 97 T 25
Calnegre (Punta de) MU 97 T 25
Calo C 2 C 2
Calo C 12 D 4
Calobra (Sa) PM 104 M 38
Calomarde TE 48 K 25
Calonge GI 25 G 39
Calonge Mallorca PM 105 N 39
Calonge (El) CO 80 T 13
Calonge de Segarra B 37 G 34
Calp A 74 Q 30
Calpes (Los) CS 62 L 28
Caltojar SO 33 H 21
Calvarrasa de Abajo SA 44 J 13
Calvarrasa de Arriba SA 44 J 13
Calvera HU 22 E 31
Calvestra V 61 N 26
Calvià PM 104 N 37
Calvín Bajo TO 58 M 17
Calvo BA 79 Q 11
Calvos de Randín OR 27 G 6
Calypo TO 58 L 17
Calzada (Atayala de la) CR 70 Q 18
Calzada de Béjar (La) SA 43 K 12
Calzada de Bureba BU 18 E 20
Calzada de Calatrava CR 70 P 18
Calzada de los Molinos P 17 F 16
Calzada de Oropesa (La) TO 56 M 14
Calzada de Tera ZA 29 G 11
Calzada de Valdunciel SA 43 I 12
Calzada de Vergara AB 73 O 25
Calzada del Coto LE 16 E 14
Calzadilla CC 55 L 10
Calzadilla de la Cueza P 16 F 15
Calzadilla de los Barros BA 79 R 11
Calzadilla de los Hermanillos LE 16 E 14
Calzadilla de Tera ZA 29 G 11
Calzadilla del Campo SA 43 I 11
Camaleño S 7 C 15
Camallera GI 25 F 38
Camañas TE 48 K 26
Camarasa L 37 G 32
Camarasa (Pantà de) L 36 G 32
Camarena TO 58 L 17
Camarena (Sierra de) TE 61 L 27
Camarena de la Sierra TE 61 L 26
Camarenilla TO 58 L 17
Camarillas TE 49 K 27
Camarillas (Embalse de) AB 84 Q 25
Camarinal (Punta) CA 99 X 12
Camariñas C 2 C 2
Camariñas (Ría de) C 2 C 2
Camarles T 50 J 32
Camarma de Esteruelas M 46 K 19
Camarmeña O 6 C 15
Camarma del Caño M 46 K 19
Camarzana de Tera ZA 29 G 11
Camás O 6 B 13
Camas SE 91 T 11
Camasobres P 7 C 16
Camba OR 14 F 8
Cambados PO 12 E 3
Cambás C 3 C 6
Cambela OR 14 F 8
Cambeo OR 13 E 6
Cambil J 82 S 19
Cambre C 3 C 4
Cambre cerca de Malpica C 2 C 3
Cambrils L 23 F 34
Cambrils de Mar T 51 I 33
Cambrón CR 83 Q 20
Cambrón (Peña) J 83 S 20
Cambrón (Sierra del) CO 80 Q 13
Camelle C 2 C 2
Camello (Punta del) Tenerife TF 129 G 5
Cameno BU 18 E 20
Camino S 7 C 17
Caminomorisco CC 43 L 11
Caminreal TE 48 J 26
Camocha (La) O 6 B 13
Camocho CC 56 L 12
Camorro Alto MA 100 V 16
Camós GI 25 F 38
Camp d'Abaix V 61 M 26
Camp d'Arcís V 61 N 26
Camp de Mar PM 104 N 37
Camp de Mirra (El) A 74 P 27
Camp-redo T 50 J 31
Campalbo CU 61 M 26
Campamento AL 103 V 22
Campamento (El) CA 99 X 13
Campamento Matallana SE 80 T 13
Campana (La) CR 71 P 20
Campana (La) MU 85 Q 25
Campana (La) SE 92 T 13
Campana (Rio de) J 82 R 18
Campanario BA 68 P 13
Campanario (Embalse de) H 90 T 9
Campanas NA 11 D 25
Campanet PM 104 M 38
Campanet (Coves de) PM 104 M 38
Campanillas MA 100 V 16
Campano CA 98 W 11
Campañón SO 33 G 22
Campaspero VA 31 H 17
Campazas LE 16 F 13
Campdevànol GI 24 F 36
Campelles GI 24 F 36
Campello (El) A 86 Q 28
Campezo VI 19 D 22
Campico de los López MU 97 T 25
Campillejo GU 46 I 20
Campillo TE 48 L 26
Campillo CR 69 P 16
Campillo (Casa Forestal del) J 83 R 22
Campillo (El) VA 30 I 14
Campillo (El) ZA 29 H 12
Campillo (El) H 79 S 10
Campillo (El) J 83 R 20
Campillo (El) SE 92 T 14

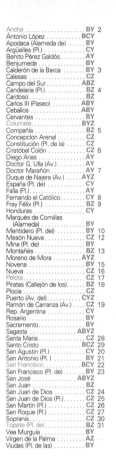

Ancha .... BY 2
Antonio López .... BCY
Apodaca (Alameda de) .... BY
Argüelles (Pl.) .... CY
Benito Pérez Galdós .... AY
Benjumeda .... BY
Calderón de la Barca .... BY 3
Calesas .... CZ
Campo del Sur .... ABZ
Candelaria (Pl.) .... BZ 4
Cardoso .... BZ
Carlos III (Paseo) .... ABY
Ceballos .... ABY
Cervantes .... BY
Columela .... BYZ
Compañía .... BZ 5
Concepción Arenal .... CZ
Constitución (Pl. de la) .... CZ
Cristóbal Colón .... CZ 6
Diego Arias .... AY
Doctor G. Ulla (Av.) .... AY
Doctor Marañón .... AY 7
Duque de Najera (Av.) .... AYZ
España (Pl. de) .... CY
Falla (Pl.) .... AY
Fernando el Católico .... CY 8
Fray Félix (Pl.) .... BZ 9
Honduras .... CY
Marqués de Comillas (Alameda) .... BY
Mentidero (Pl. del) .... BY 10
Mesón Nueva .... CZ 12
Mina (Pl. de) .... BY
Montañés .... BZ 13
Moreno de Mora .... AYZ
Novena .... BY 15
Nueva .... CZ 16
Pelota .... CZ 17
Piratas (Callejón de los) .... BZ 18
Plocia .... CZ
Puerto (Av. del) .... CZ
Ramón de Carranza (Av.) .... CZ 19
Rep. Argentina .... CY
Rosario .... BY
Sacramento .... BY
Sagasta .... ABYZ
Santa María .... CZ 28
Santo Cristo .... BCZ 29
San Agustín (Pl.) .... CY 20
San Antonio (Pl.) .... BY 21
San Francisco .... BCY 22
San Francisco (Pl. de) .... BY 23
San José .... ABYZ
San Juan .... BZ
San Juan de Dios .... CZ 24
San Juan de Dios (Pl.) .... CZ 25
San Martín (Pl.) .... CZ 26
San Roque (Pl.) .... CZ 27
Sopranis .... CZ 30
Topete (Pl. de) .... BZ 31
Vea Murguia .... BY
Virgen de la Palma .... AZ
Viudas (Pl. de las) .... BY

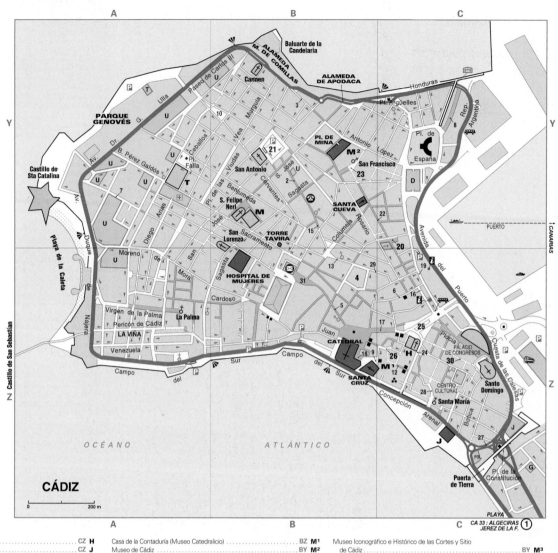

Ayuntamiento .... CZ H
Cárcel Real (Palacio de Justicia) .... CZ J
Casa de la Contaduría (Museo Catedralicio) .... BZ M[1]
Museo de Cádiz .... BY M[2]
Museo Iconográfico e Histórico de las Cortes y Sitio de Cádiz .... BY M[3]

Campillo de Altobuey **CU** .... 60 N 24
Campillo de Aragón **Z** .... 48 I 24
Campillo de Aranda **BU** .... 32 H 18
Campillo de Arenas **J** .... 94 T 19
Campillo de Azaba **SA** .... 42 K 9
Campillo de Deleitosa **CC** .... 56 M 13
Campillo de Dueñas **GU** .... 48 J 24
Campillo de la Jara (El) **TO** .... 57 N 14
Campillo de la Virgen **AB** .... 72 P 24
Campillo de las Doblas **AB** .... 72 P 24
Campillo de Llerena **BA** .... 68 Q 12
Campillo de Ranas **GU** .... 46 I 20
Campillo de Salvatierra **SA** .... 43 K 12
Campillo del Negro (El) **AB** .... 73 P 24
Campillo del Río **J** .... 82 S 19
Campillos **MA** .... 93 U 15
Campillos (Río) **CU** .... 60 L 24
Campillos Paravientos **CU** .... 61 M 25
Campillos Sierra **CU** .... 60 L 24
Campino **BU** .... 17 D 18
Campins **B** .... 38 G 37
Campiña **C** .... 32 F 20
Campirme **L** .... 23 E 33
Campisábalos **GU** .... 32 I 20
Campllong **GI** .... 39 G 38
Camplongo **LE** .... 16 D 12
Campo **HU** .... 22 E 31
Campo **C** .... 2 C 3
Campo **LE** .... 6 D 13
Campo **S** .... 17 D 18
Campo (El) **TE** .... 61 L 26
Campo (El) **GR** .... 84 S 22
Campo (Los) **SO** .... 33 G 22
Campo (O) **C** .... 3 D 5
Campo Cebas **GR** .... 83 S 21
Campo da Árbore (Porto de) **LU** .... 14 D 8
Campo de Arriba **V** .... 61 M 26
Campo de Caso **O** .... 6 C 13
Campo de Criptana **CR** .... 71 N 20
Campo de Cuéllar **SG** .... 31 I 16
Campo de la Lomba **LE** .... 15 D 12
Campo de Ledesma (El) **SA** .... 43 I 11
Campo de Peñaranda (El) **SA** .... 44 J 14
Campo de San Pedro **SG** .... 32 H 19
Campo de Villavidel **LE** .... 16 E 13
Campo del Agua **LE** .... 14 D 9
Campo del Hospital **C** .... 3 B 6
Campo Lameiro **PO** .... 12 E 4
Campo Lugar **CC** .... 68 O 12
Campo Real **M** .... 46 K 19
Campo Real (Estación de) **CO** .... 93 T 15
Campo Xestada **C** .... 3 C 4
Campoalbillo **AB** .... 73 O 25
Campobecerros **OR** .... 14 F 8
Campocámara **GR** .... 83 S 21
Campocerrado **SA** .... 43 J 11
Campofrío **H** .... 79 S 10
Campogrande de Aliste **ZA** .... 29 G 11
Campohermoso **AL** .... 103 V 23
Campolar **LE** .... 16 E 13
Campolara **BU** .... 32 F 19
Campollo **S** .... 7 C 16
Campolongo **C** .... 3 B 5
Campomanes **O** .... 5 C 12
Campomojado **CR** .... 70 O 18
Camponaraya **LE** .... 14 E 9
Campóo (Alto) **S** .... 7 C 16
Camporredondo **VA** .... 31 H 16
Camporredondo **J** .... 83 R 20
Camporredondo (Embalse de) **P** .... 17 D 15
Camporredondo de Alba **P** .... 16 D 15
Camporrélls **HU** .... 36 G 31
Camporrobles **V** .... 61 N 25
Campos **TE** .... 49 J 27
Campos *Mallorca* **PM** .... 105 N 39
Campos (Los) **O** .... 5 B 12
Campos del Río **MU** .... 85 R 25
Camposancos **PO** .... 26 G 3
Camposo **LU** .... 14 D 7
Campotéjar **MU** .... 85 R 26
Campotéjar **GR** .... 94 T 19
Camprodon **GI** .... 24 F 37
Camprovín **LO** .... 19 E 21
Camuñas **TO** .... 70 N 19
Can Amat **B** .... 38 H 35
Can Bondia **B** .... 24 F 36
Can Ferrer **T** .... 37 I 34
Can Pastilla **PM** .... 104 N 38
Can Picafort **PM** .... 105 M 39
Can Vidal **B** .... 38 G 35
Canabal **LU** .... 13 E 7
Canajela **CC** .... 67 O 10
Canal (La) **S** .... 7 C 18
Canal (Sa) *Ibiza* **PM** .... 87 P 34
Canal de las Bárdenas .... 20 E 26
Canaleja **AB** .... 72 P 22
Canaleja (La) **CO** .... 81 R 15
Canalejas **LE** .... 16 D 15
Canalejas de Peñafiel **VA** .. 31 H 17
Canalejas del Arroyo **CU** .... 47 K 22
Canales **AV** .... 44 I 15
Canales **LO** .... 18 F 20
Canales **LE** .... 15 D 12
Canales *Castelló* **CS** .... 61 M 27
Canales (Embalse) **GR** .... 94 U 19
Canales (Mirador de) **GR** .... 94 U 19
Canales de Molina **GU** .... 47 J 24
Canales del Ducado **GU** .... 47 J 22
Canaletes **B** .... 37 H 35
Canalosa (La) **A** .... 85 R 27
Canals **V** .... 74 P 28
Canar (es) **PM** .... 87 O 34
Canara **MU** .... 84 R 24
Canario (Jardín) *Gran Canaria* **GC** .... 115 F 2
Cancarix **AB** .... 85 Q 25
Cancelada **LU** .... 14 D 8
Cancelada **MA** .... 100 W 14
Cances **C** .... 2 C 3
Canchera **CC** .... 43 K 10
Cancías **HU** .... 21 E 29
Canda (Portilla de la) **ZA** .... 28 F 9
Candado (El) **MA** .... 100 V 16
Candai **LU** .... 3 C 6
Candamil **LU** .... 3 B 6
Candamo **O** .... 5 B 11
Candán (Alto de) **PO** .... 13 E 5
Cándana de Curueño (La) **LE** .... 16 D 13
Candanal **O** .... 6 B 13
Candanchú **HU** .... 21 D 28
Candanedo de Fenar **LE** .... 16 D 13
Candanosa **O** .... 4 C 9
Candás **O** .... 5 B 12
Candasnos **HU** .... 36 H 30
Candelaria *Tenerife* **TF** .... 127 H 3
Candelario **SA** .... 43 K 12
Candeleda **AV** .... 57 L 14
Candieira (Punta) **C** .... 3 A 5
Candil **AB** .... 85 Q 25
Candilichera **SO** .... 33 G 23
Candín **LE** .... 14 D 9
Candolias **S** .... 8 C 18
Candón **H** .... 91 T 9
Candoncillo (Embalse de) **H** .... 91 T 9
Candor (Punta) **CA** .... 98 W 10
Cánduas **C** .... 2 C 3
Canedo **C** .... 3 C 5
Canedo **LU** .... 14 E 7
Canedo **LE** .... 14 E 9
Caneja **MU** .... 84 R 24
Canejan **L** .... 22 D 32
Canelles (Pantà de) **L** .... 36 G 31
Canena **J** .... 82 R 19
Canencia **M** .... 46 J 18
Canencia (Puerto de) **M** .... 46 J 18
Canero **O** .... 5 B 10
Canet d'Adri **GI** .... 24 F 38
Canet de Mar **B** .... 38 H 37
Canet d'en Berenguer **V** .... 62 M 29
Canet lo Roig **CS** .... 50 K 30
Canfranc **HU** .... 21 D 28
Canfranc-Estación **HU** .... 21 D 28
Cangas *cerca de Burela* **LU** .... 4 B 7
Cangas *cerca de Pontón* **LU** .... 13 E 7
Cangas *cerca de Vigo* **PO** .... 12 F 3
Cangas de Onís **O** .... 6 B 14
Cangas del Narcea **O** .... 5 C 10
Canicosa de la Sierra **BU** .... 32 G 20
Canido **PO** .... 12 F 3
Caniles **GR** .... 95 T 21
Canillas **TO** .... 58 M 17
Canillas de Abajo **SA** .... 43 J 12
Canillas de Albaida **MA** .... 101 V 18
Canillas de Esgueva **VA** .... 31 G 17
Canizo (Alto do) **OR** .... 14 F 8
Canizo (O) **OR** .... 14 F 8
Canjáyar **AL** .... 95 U 21
Cano **J** .... 82 S 19
Canós (El) **L** .... 37 G 33
Cánovas (Las) **MU** .... 85 S 26
Cànoves **B** .... 38 G 37
Canredondo **GU** .... 47 J 22
Canseco **LE** .... 6 D 13
Cansinos (Estación de los) **CO** .... 81 S 16
Cantacucos **AB** .... 72 P 22
Cantagallo **M** .... 46 J 18
Cantagallo **SA** .... 43 K 12
Cantal (El) **MU** .... 97 T 25
Cantal (El) **AL** .... 96 T 23
Cantal (Punta del) **AL** .... 96 U 24
Cantalapiedra **SA** .... 44 I 14
Cantalar (El) **J** .... 83 S 21
Cantalejo **SG** .... 31 I 18
Cantalgallo **BA** .... 79 R 11
Cantallops **GI** .... 25 E 38
Cantalobos **HU** .... 35 G 28
Cantalojas **GU** .... 32 I 20
Cantalpino **SA** .... 44 I 14
Cantalucía **SO** .... 32 G 21
Cantaracillo **SA** .... 44 J 14
Cantareros (Los) **MU** .... 85 S 25
Cantarranas **SA** .... 43 K 10
Cantarranas **CA** .... 99 X 12

## CARTAGENA

| Street | Grid | No. |
|---|---|---|
| América (Av. de) | B | 3 |
| Bastarreche (Pl.) | B | 4 |
| Cuatro Santos | A | |
| Duque | B | 6 |
| Isaac Peral | A | 7 |
| Jacinto Benavente | B | 9 |
| Juan Fernández | A | 10 |
| Juan Muñoz Delgado | B | 12 |
| Mayor | A | |
| Menéndez y Pelayo | A | 13 |
| Parque | A | 15 |
| Puertas de Murcia | A | 16 |
| Ronda | A | 18 |
| Santa Florentina | A | 21 |
| San Fernando | A | |
| San Francisco (Pl.) | A | 19 |
| Serreta | A | 22 |
| Universidad (Pl. de la) | B | 24 |

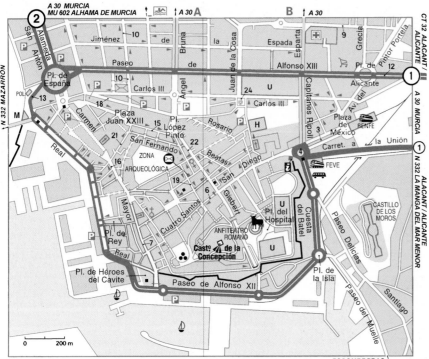

Cantavieja TE 49 K 28
Cantera (La) SE 80 S 12
Cantera Blanca J 94 T 18
Canteras MU 97 T 26
Canteras GR 84 S 23
Canteras
(Estación de) MU 85 S 27
Cantillana SE 80 T 12
Cantimpalos SG 45 I 17
Cantiveros AV 44 J 15
Cantó (Coll del) L 23 E 33
Cantoblanco AB 73 O 26
Cantoblanco
Universidad M 46 K 18
Cantón (El) MU 85 R 27
Cantonigròs B 24 F 37
Cantoña OR 13 F 6
Cantoral P 17 D 16
Cantoria AL 96 T 23
Canya (La) GI 24 F 37
Canyada (La)
cerca de Sant Vicent A 86 Q 28
Canyamars B 38 H 37
Canyamel PM 105 N 40
Canyelles B 37 I 35
Cañada
cerca de Villena A 73 P 27
Cañada (la) CU 61 N 25
Cañada (La) V 62 N 28
Cañada (Puerto) BA 79 R 11
Cañada Catena J 83 R 21
Cañada de Agra AB 84 Q 24
Cañada
de Benatanduz TE 49 K 28
Cañada
de Caballeros SE 81 S 14
Cañada
de Calatrava CR 70 P 17
Cañada
de Cañepla (La) AL 84 S 23
Cañada
de Herradón (La) AV 45 K 16
Cañada de la Cruz MU 84 R 23
Cañada de la Madera J 83 R 21
Cañada de San Urbano
(La) AL 103 V 22
Cañada
de Verich (La) TE 50 J 29
Cañada del Gamo CO 80 R 13
Cañada del Hoyo CU 60 M 24
Cañada del Provencio AB 84 Q 22
Cañada del Rabadán SE 80 T 14
Cañada del Trigo MU 85 Q 26
Cañada Juncosa AB 72 P 23
Cañada Morales J 83 R 21
Cañada Rosal SE 92 T 14
Cañada Vellida TE 49 J 27
Cañadajuncosa CU 60 N 23
Cañadas (Las) SE 79 T 10
Cañadas
(Las) Tenerife TF 128 E 4
Cañadas de Haches
de Abajo AB 72 Q 23
Cañadas de Haches
de Arriba AB 72 Q 23
Cañadas del Romero SE 80 S 12
Cañadas del Teide
(Las) Tenerife TF 127 F 3
Cañadilla (La) TE 49 J 28
Cañadillas CO 93 T 16
Cañadillas (Monte) GR 94 U 19
Cañamaque SO 33 H 23
Cañamares CU 47 K 23
Cañamares CR 71 P 21
Cañamares GU 46 I 21
Cañamero CC 68 N 13
Cañar GR 102 V 19
Cañares
(Embalse de) TO 57 M 16
Cañas LO 19 E 21
Cañavate (El) CU 60 N 23
Cañaveral CC 55 M 10
Cañaveral de Léon H 79 R 10
Cañaveralejo SE 93 U 15
Cañaveras CU 47 K 22
Cañaveruelas CU 47 K 22
Cañeda S 7 C 17
Cañete CU 60 L 25
Cañete de las Torres CO 81 S 17
Cañete la Real MA 93 V 14
Cañicera SO 32 H 20
Cañicosa SG 45 I 18
Cañigral (El) TE 61 L 25
Cañijal (Sierra de) BA 79 Q 10
Cañiza (A) PO 13 F 5
Cañizal ZA 44 I 13
Cañizar GU 46 J 20
Cañizar (El) CU 60 M 24
Cañizar de Argaño BU 17 E 18
Cañizar del Olivar TE 49 J 28
Cañizares GU 48 J 24
Cañizares CU 47 K 23
Cañizo ZA 30 G 13
Caños
de Meca (Los) CA 99 X 12
Cañuelo (El) CO 94 T 17
Cañuelo (El) SE 79 T 11
Cap de Creus
(Parc natural de) GI 25 F 39
Cap d'en Font PM 106 M 42
Cap i Corp CS 63 L 30
Cap Roig A 85 S 27
Capafonts T 37 I 33
Capallón GR 95 T 21
Caparacena GR 94 U 18
Caparra
(Ruinas de) CC 56 L 11
Caparroso NA 20 E 25
Capçanes T 50 I 32
Capdepera PM 105 M 40
Capdepera
(Punta de) PM 105 M 40
Capdesaso HU 35 G 29
Capela C 3 B 5
Capella HU 22 F 31
Capellades B 37 H 35
Capeza
de Framontanos SA 29 I 10
Capileira GR 102 V 19
Capilla BA 69 P 14
Capilla (La) MU 85 Q 26
Capillas P 30 F 15
Capitán J 83 R 21
Capitán (El) AB 72 O 22
Capitán (El) MA 101 V 17
Capmany GI 25 E 38
Capocorp PM 104 N 38
Capolat B 23 F 35
Capones J 82 R 19
Caprés MU 85 R 26
Capricho (El) GR 101 V 18
Capsacosta (Coll de) GI 24 F 37
Capsec GI 24 F 37
Carabanchel M 46 K 18
Carabantes SO 33 H 24
Carabanzo O 5 C 12
Carabaña M 59 L 20
Carabias SG 32 H 19
Carabias GU 47 I 21
Caracena de Valle CU 60 L 22
Caracenilla CU 59 L 22
Caracollera
(Estación de) CR 69 P 16
Caracuel
de Calatrava CR 70 P 17
Caramel AL 84 S 23
Caranca VI 18 D 20
Caranga de Abajo O 5 C 11
Carantoña C 2 C 2
Caraño LU 4 C 8
Caraquiz GU 46 J 19
Carasa S 8 B 19
Carataunas GR 102 V 19
Caravaca
de la Cruz MU 84 R 24
Carazo BU 32 G 19
Carazuelo SO 33 G 23
Carbajal de Rueda LE 16 D 14
Carbajales de Alba ZA 29 H 12
Carbajalinos ZA 15 F 10
Carbajo CC 54 N 8
Carbajosa ZA 29 H 11
Carbajosa
de Armuña SA 43 I 13
Carbajosa
de la Sagrada SA 43 J 13
Carballal LU 3 D 6
Carballeda OR 13 E 5
Carballeda de Avia OR 13 F 5
Carballedo PO 13 E 4
Carballedo LU 13 E 6
Carballido
cerca de Lugo LU 4 C 7
Carballido
cerca de Villalba LU 4 C 7
Carballiño (O) OR 13 E 5
Carballo O 5 C 10
Carballo C 2 C 3
Carballo LU 3 C 6
Carballo OR 13 F 6
Carbasí B 37 H 34
Carbayín O 6 B 13
Carbayo (El) O 6 C 12
Carbellino ZA 29 I 11
Carbes O 6 C 14
Carbia PO 13 D 5
Carboeiro PO 13 D 5
Carbón
Fuerteventura GC 113 G 4
Carbonera P 16 E 15
Carbonera
de Frentes SO 33 G 22
Carboneras AL 103 V 24
Carboneras H 79 S 10
Carboneras (Las) BA 67 P 9
Carboneras
de Guadazaón CU 60 M 24
Carbonero Ahusín SG 45 I 17
Carbonero
el Mayor SG 45 I 17
Carboneros J 82 R 19
Carcabada O 6 B 13
Carcabal GR 95 U 20
Carcaboso CC 55 L 11
Carcabuey CO 93 T 17
Carcagente /
Carcaixent V 74 O 28
Carcaixent /
Carcagente V 74 O 28
Cárcar NA 19 E 24
Carcastillo NA 20 E 25
Carcedo
cerca de Luarca O 5 B 10
Carcedo de Bureba BU 18 E 19
Carcedo de Burgos BU 18 F 19
Carcelén AB 73 O 26
Cárcer V 74 O 28
Carche (El) MU 85 Q 26
Cárchel J 82 T 19
Carchelejo J 94 T 19
Carchuna GR 102 V 19
Carchuna o del Llano
(Punta) GR 102 V 19
Cardaño de Abajo P 16 D 15
Cardaño de Arriba P 16 D 15
Cardedeu B 38 H 37
Cardejón SO 33 H 23
Cárdenas LO 19 E 21
Cardenchosa (La) CO 80 R 13
Cardenchosa (La) BA 80 R 13
Cardenete CU 60 M 24
Cardeña CO 81 R 17
Cardeñadijo BU 18 F 19
Cardeñajimeno BU 18 F 19
Cardeñas H 90 U 9
Cardeñosa AV 44 J 15
Cardeñosa GU 47 I 21
Cardeñosa
de Volpejera P 17 F 15
Cardiel
de los Montes TO 57 L 16
Cardó T 50 J 31
Cardón
Fuerteventura GC 113 F 4
Cardona B 37 G 35
Cardonal (Punta del)
Gran Canaria GC 114 C 2
Cardones
Gran Canaria GC 115 E 2
Cardós (Vall de) L 23 E 33
Cardosa (Balcón de la) S 7 C 17
Cardoso
de la Sierra (El) GU 46 I 19
Caregue L 23 E 33
Carenas Z 34 I 24
Careñes O 6 B 13
Cargadero
(El Cerro del) BU 32 G 21
Cariatiz AL 96 U 23
Caridad (La) O 4 B 9
Caridad (La) CR 70 P 18
Carija BA 67 P 10
Cariñena Z 34 H 26
Cariño C 3 A 6
Cariseda LE 15 D 10
Caritel PO 13 E 4
Carivete MU 85 S 25
Carla Alto
(Observatorio del) AL 95 U 22
Carlet V 74 O 28
Carlota (La) CO 81 S 15
Carme B 37 H 34
Carme (Museu del) CS 62 M 29
Carmen (Ermita del) SE 80 S 12
Carmen (Ermita del)
cerca de Cantavieja TE 49 K 28
Carmen (Ermita del) cerca de
Monreal del Campo TE 48 J 25
Carmena TO 57 M 16
Cármenes LE 16 D 13
Carmolí (El) MU 85 S 27
Carmona S 7 C 16
Carmona SE 92 T 13
Carmonita BA 67 O 10
Carne (Pico de la) GR 94 U 19
Carnero (Punta del) CA 99 X 13
Carneros
(Puerto de los) BA 69 O 14
Carnés C 2 C 2
Carnoedo C 3 B 5
Carnota C 12 D 2
Caro T 50 J 31
Caroch V 73 O 27
Caroi PO 13 E 4
Carolina (La) SA 44 I 14
Carolina (La) J 82 R 19
Carollo C 3 D 4
Carondio (Sierra de) O 4 C 9
Carpio VA 30 I 14
Carpio (El) CO 81 S 16
Carpio (El) H 78 S 9
Carpio
(Embalse de El) TO 57 M 16
Carpio
(Embalse de El) CO 81 S 16
Carpio de Azaba SA 42 K 10
Carpio de Tajo (El) TO 57 M 16
Carraca (La) CA 98 W 11
Carracedelo LE 14 E 9
Carracedo LE 14 E 9
Carracedo OR 13 F 5
Carracedo PO 12 E 4
Carral C 3 C 4
Carrales
(Casa Forestal de) J 83 R 21
Carrales (Puerto de) BU 17 D 18
Carramaiza GR 83 T 21
Carrandi O 6 B 14
Carranque TO 58 L 18
Carrasca (La) J 82 T 18
Carrascal SG 45 I 18
Carrascal ZA 29 H 12
Carrascal (El) T 50 J 31
Carrascal
(Puerto del) NA 20 E 25
Carrascal
de Barregas SA 43 J 12
Carrascal del Obispo SA 43 J 12
Carrascal del Río SG 31 H 18
Carrascalejo CC 57 N 14
Carrascalejo (El) BA 67 O 10
Carrascalejo
(Estación de El) BA 67 O 10
Carrascalejo
de Huebra SA 43 J 11
Carrascosa CU 47 K 23
Carrascosa de Abajo SO 32 H 20
Carrascosa de Haro CU 60 N 22
Carrascosa
de Henares GU 46 J 20
Carrascosa
de la Sierra SO 33 G 23
Carrascosa de Tajo GU 47 J 22
Carrascosa
del Campo CU 59 L 21
Carrascosilla CU 59 L 22
Carrascoy MU 85 S 26
Carrasqueta
(Port de la) A 74 Q 28
Carrasquilla
(Collado de la) CU 60 L 22
Carrasquilla (La) AB 72 Q 24
Carratraca MA 100 V 15
Carrea O 5 C 11
Carreira
cerca de Ribeira C 12 E 2
Carreira cerca de Zás C 2 C 3
Carreña O 6 C 15
Carreño O 5 B 12
Carrera (La) AV 44 K 13
Carreros SA 43 J 12
Carretero
(Puerto del) J 94 T 19
Carrias BU 18 E 20
Carriches TO 57 M 16
Carrícola V 74 P 28
Carril PO 12 E 3
Carriles (Los) O 6 B 15
Carrió Bergondo C 3 C 5
Carrión P 17 D 16
Carrión (Ermita de) BA 66 O 8
Carrión de Calatrava CR 70 O 18
Carrión
de los Céspedes SE 91 T 11
Carrión de los Condes P 17 E 16
Carriones (Los) GR 83 S 21
Carrizal
cerca de Cistierna LE 16 D 15
Carrizal cerca
de Soto y Amio LE 15 D 12

# CASTELLÓ DE LA PLANA/CASTELLÓN DE LA PLANA

Arrufat Alonso . . . A 2
Barrachina . . . A 3
Benasal . . . A 4
Buenavista (Pas. de) . . . B 7
Burriana (Av.) . . . A 8
Cardenal Costa (Av.) . . . A 13
Carmen (Pl. del) . . . B 14
Churruca . . . B 18
Doctor Clará (Av.) . . . A 23
Enmedio . . . A
Espronceda (Av.) . . . A 24
Guitarrista Tárrega . . . A 28
Joaquín Costa . . . A 29
Maestro Ripollés . . . A 30
María Agustina (Pl.) . . . A 32
Mar (Av. del) . . . A 31
Morella (Pas.) . . . A 33
Oeste (Parque del) . . . A 34
Orfebres Santalinea . . . A 35
País Valencià (Pl.) . . . A 36
Rafalafena . . . A 37
Sanahuja . . . A 39
San Pedro . . . B 38
Sebastián El Cano . . . B 40
Tarragona . . . A 42
Teodoro Llorens . . . A 44
Trevalladors del Mar . . . B 45
Vinatea (Ronda) . . . A 48
Zaragoza . . . A 49

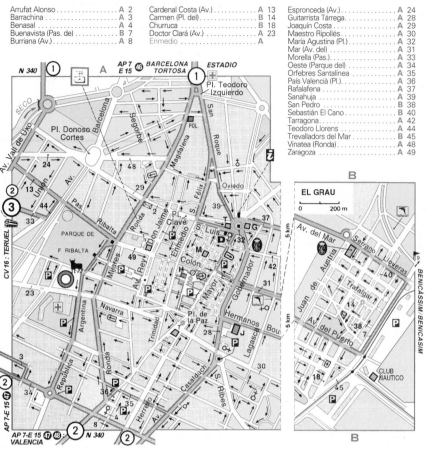

Carrizal (El)
*Gran Canaria* **GC** 114 C 3
Carrizales (Los)
*Tenerife* **TF** 126 B 3
Carrizo
de la Ribera **LE** 15 E 12
Carrizos (Los) **SE** 80 S 12
Carrizosa **CR** 71 P 21
Carrizosa (La) **SE** 93 T 15
Carro **AB** 72 O 22
Carroja (La) **A** 74 P 29
Carrova (La) **T** 50 J 31
Cartagena **MU** 97 T 27
Cartajima **MA** 100 W 14
Cártama **MA** 100 V 16
Cartaojal **MA** 93 U 16
Cartavio **O** 4 B 9
Cartaya **H** 90 U 8
Cartelle **OR** 13 F 5
Cartes **S** 7 C 17
Carteya-
Guadarranque **CA** 99 X 13
Cartirana **HU** 21 E 28
Cartuja
(Monasterio de la) **CA** 98 W 11
Cartuja
de Monegros (La) **HU** 35 G 29
Carucedo **LE** 14 E 9
Carvajal **MA** 100 W 16
Carvajales (Los) **MA** 93 U 15
Cas Concos **PM** 105 N 39
Casa Blanca **CU** 60 N 22
Casa Blanca **AB** 72 Q 24
Casa Blanca **CR** 69 O 16
Casa Blanca **GR** 84 S 22
Casa Blanca (sa) **PM** 104 N 38
Casa Cañete **AB** 72 P 23
Casa de Campo **M** 46 K 18
Casa de Carta
*Tenerife* **TF** 124 H 2
Casa de la Sierra **BU** 18 F 20
Casa de Navamarin **AB** 72 P 22
Casa de Uceda **GU** 46 J 19
Casa
de Valdepalacios **CC** 68 O 13
Casa del Barón
(Parador) **PO** 12 E 4
Casa del Egidillo **CU** 60 M 23
Casa del Lléo **A** 85 R 27
Casa Grande **P** 31 G 16
Casa Grande **AB** 72 O 24
Casa la Carriza **CR** 71 O 21
Casa Longa **CU** 59 M 22
Casa Meca **MU** 84 T 24
Casa Mula **AL** 84 S 23
Casa Nueva **TO** 58 M 17
Casa Nueva **GR** 94 U 18
Casa Nueva
de la Torrecilla **J** 83 Q 20
Casa Sola **AB** 72 Q 23
Casabermeja **MA** 100 V 16
Casablanca **LU** 4 C 7
Casablanca **MU** 85 R 26
Casablanca **AL** 84 S 23
Casablanca **CA** 91 V 11
Casafranca **SA** 43 K 12
Casaio **OR** 14 E 9
Casalarreina **LO** 18 E 21
Casalgordo **TO** 58 N 18
Casalonga **C** 12 D 4
Casanova **BU** 32 G 19
Casanova **C** 13 D 4
Casar **S** 7 B 17
El Casar **GU** 46 J 19
Casar
de Cáceres **CC** 55 N 10
Casar de Cáceres
(Estación de) **CC** 55 N 10
Casar
de Escalona (El) **TO** 57 L 16
Casar de Miajadas **CC** 68 O 12
Casar de Palomero **CC** 43 L 11
Casarabonela **MA** 100 V 15
Casarejo **CA** 91 V 11
Casarejo (El) **CR** 69 O 16
Casarejos **SO** 32 G 20
Casares **MA** 99 W 14
Casares
(Cueva de los) **GU** 47 J 23
Casares de Arbás **LE** 15 D 12
Casares
de las Hurdes **CC** 43 K 11
Casariche **SE** 93 U 15
Casariego **O** 4 B 9
Casarrubios
del Monte **TO** 58 L 17
Casarrubuelos **M** 58 L 18
Casas (Las) **SO** 33 G 22
Casas (Las) **CR** 70 O 18
Casas Altas **V** 61 L 26
Casas Bajas **V** 61 L 26
Casas Blancas **CR** 71 P 21
Casas de Belvís **CC** 56 M 13
Casas de Benalí (Las) **V** 73 O 27
Casas de Búcar **TE** 48 K 24
Casas
de Don Antonio **CC** 67 O 11
Casas
de Don Gómez **CC** 55 L 10
Casas de Don Juan **GR** 84 S 22
Casas de Don Pedro **AB** 73 O 25
Casas de Don Pedro **BA** 68 O 14
Casas de Esper **Z** 21 F 27
Casas de Eufemia **V** 61 N 26
Casas de Felipe **CC** 55 L 9
Casas
de Fernando Alonso **CU** 72 N 23
Casas
de Garcimolina **CU** 61 M 25
Casas de Guijarro **CU** 72 N 23
Casas de Guijarro **CU** 60 N 23
Casas
de Haches (Las) **AB** 72 Q 23
Casas de Haro **CU** 72 O 23
Casas de Ibañez **A** 85 Q 26
Casas
de Juan Fernández **CU** 72 N 24
Casas de Juan Gil **AB** 73 O 26
Casas
de Juan Núñez **AB** 73 O 25
Casas
de la Alcudilla **CO** 93 U 17
Casas de la Calera **CA** 98 W 11
Casas de la Higuera **AB** 72 Q 24
Casas de la Peña **AB** 72 O 22
Casas de Lázaro **AB** 72 P 23
Casas
de los Hierros **CA** 99 X 12
Casas de los Pinos **CU** 72 N 22
Casas
de los Puercos **AB** 71 O 22
Casas de Luján **CU** 59 M 21
Casas de Medina **V** 61 N 26
Casas de Millán **CC** 55 M 11
Casas de Miravete **CC** 56 M 12
Casas de Moya **V** 61 N 25
Casas de Orán **AB** 72 P 24
Casas de Penen **V** 73 N 26
Casas de Pradas **V** 61 N 25
Casas de Reina **BA** 79 R 12
Casas de Roldán **CU** 72 O 22
Casas
de San Galindo **GU** 46 J 21
Casas
de Santa Cruz **CU** 72 N 24
Casas de Soto **V** 73 O 26
Casas de Ves **AB** 73 O 25
Casas
de Villalobillos **CO** 81 S 15
Casas
de Villava Perea **CU** 59 M 21
Casas del Campillo **AB** 73 P 26
Casas del Castañar **CC** 56 L 12
Casas del Cerro **AB** 73 O 25
Casas del Collado **AB** 84 Q 23
Casas
del Conde (Las) **SA** 43 K 11
Casas del Embalse
de Alarcón **CU** 60 N 23
Casas del Matado **AB** 72 O 23
Casas del Monte **TO** 58 M 19
Casas del Monte **CC** 56 L 12
Casas del Monte **CR** 71 Q 20
Casas del Olmo **CU** 72 O 24
Casas del Pino **AB** 84 Q 23
Casas del Puerto **AV** 44 K 14
Casas del Puerto **AB** 72 P 23
Casas del Puerto **MU** 85 Q 26
Casas del Rey **V** 61 N 25
Casas del Río **V** 73 O 26
Casas El Pozo **TE** 61 M 27
Casas Ibáñez **AB** 73 O 25
Casas Nuevas **CU** 61 L 25
Casas Nuevas **MU** 84 S 25
Casas Nuevas
*cerca de Librilla* **MU** 85 S 25
Casas Nuevas
*cerca de Lorca* **MU** 84 S 24
Casas Viejas **AB** 72 P 24
Casasana **GU** 47 K 22
Casasbuenas **TO** 58 M 17
Casaseca
de Campeán **ZA** 29 H 12
Casaseca
de las Chanas **ZA** 29 H 12
Casasimarro **CU** 72 N 23
Casasnovas **HU** 36 G 30
Casasoá **OR** 13 F 6
Casasola **AV** 44 J 15
Casasola
(Embalse) **MA** 100 V 16
Casasola de Arión **VA** 30 H 14
Casasuertes **LE** 6 C 15
Casatejada **CC** 56 M 12
Casavegas **P** 7 C 16
Casavieja **AV** 57 L 15
Casbas de Huesca **HU** 21 F 29
Cascaire **AL** 96 T 22
Cascajares **MA** 100 W 14
Cascajares
de Bureba **BU** 18 D 20
Cascajares
de la Sierra **BU** 32 F 19
Cascajosa **SO** 33 H 21
Cascante **NA** 34 G 24
Cascante del Río **TE** 61 L 26
Cascantes **LE** 16 D 13
Cascón de la Nava **P** 31 F 16
Cáseda **NA** 20 E 25
Caseiro **OR** 13 E 5
Caseres **T** 50 I 30
Caserío
de Don Domingo **J** 83 R 22
Caserío de Embid **CU** 60 L 23
Caserío de Torrubia **J** 82 R 19
Caserío
los Molinares **TE** 48 L 25
Caserío San José **SG** 31 H 18
Caserres **B** 24 F 35
Cases d'Alcanar (Les) **T** 50 K 31
Cases de Sitjar **CS** 62 L 29
Cases
del Senyor (Les) **A** 85 Q 27
Casetas **Z** 34 G 26
Casica del Madroño **AB** 72 P 23
Casicas
del Río Segura **J** 83 R 22
Casilla de Moya **V** 61 N 25
Casillas **AV** 45 L 16
Casillas **GU** 32 I 21
Casillas
(Embalse de) **CC** 56 N 12
Casillas (Las) **GU** 47 J 23
Casillas (Las) **H** 91 U 10
Casillas (Las) **J** 82 T 17
Casillas (Las)
*Gran Canaria* **GC** 116 C 3
Casillas de Berlanga **SO** 33 H 21
Casillas de Coria **CC** 55 M 10
Casillas de Flores **SA** 42 K 9
Casillas de Marín
de Abajo **AB** 73 P 26
Casillas de Marín
de Arriba **AB** 73 P 25
Casillas de Ranera **CU** 61 M 26
Casillas de Velasco **CO** 81 R 16
Casillas del Angel
*Fuerteventura* **GC** 111 H 3
Casinos **V** 62 M 27
Casiñas (Las) **CC** 54 N 8
Casitas (Las)
*Fuerteventura* **GC** 113 G 4
Casla **SG** 46 I 19
Casoio **OR** 14 E 9
Casomera **O** 6 C 13
Caspe **Z** 36 I 29
Caspe (Embalse de) **TE** 50 I 29
Caspueñas **GU** 46 J 21
Cassà de la Selva **GI** 25 G 38
Castadón **OR** 13 E 6
Castala **AL** 102 V 21
Castalla **A** 74 Q 27
Castanesa **HU** 22 E 31
Castanyet **GI** 24 G 37
Castañar (El) **TO** 58 N 17
Castañar de Ibor **CC** 56 N 13
Castañares **BU** 18 E 19
Castañares de Rioja **LO** 18 E 21
Castañeda **S** 7 C 18
Castañeda **C** 3 D 5
Castañedo **S** 8 B 18
Castaño **CO** 81 R 15
Castaño (El) **CA** 99 X 13
Castaño del Robledo **H** 79 S 9
Castaños (Los) **AL** 96 U 23
Castaños
(Puerto de los) **CC** 55 M 10
Castañuelo **H** 79 S 10
Cástaras **GR** 102 V 20
Castejón **SO** 33 G 23
Castejón **CU** 47 K 22
Castejón **NA** 20 F 24
Castejón de Alarba **Z** 48 I 25
Castejón
de Arbaniés **HU** 21 F 29
Castejón
de Henares **GU** 47 J 21
Castejón de las Armas **Z** 34 I 24
Castejón
de Monegros **HU** 35 H 29
Castejón
de Sobrarbe **HU** 22 F 30
Castejón de Sos **HU** 22 E 31
Castejón de Tornos **TE** 48 J 25
Castejón de Valdejasa **Z** 35 G 27
Castejón del Puente **HU** 36 G 30
Castel de Cabra **TE** 49 J 27
Castelflorite **HU** 36 G 29
Castell (El) **T** 50 K 31
Castell (es) **PM** 106 M 42
Castell d'Aro **GI** 25 G 39
Castell de Cabres **CS** 50 K 30
Castell de Castells **A** 74 P 29
Castell de Ferro **GR** 102 V 19
Castell
de Guadalest (El) **A** 74 P 29
Castell de l'Areny **B** 24 F 35
Castelladral **B** 37 G 35
Castellana **C** 3 C 5
Castellano **V** 61 M 27
Castellanos **LE** 16 E 14
Castellanos **CR** 71 P 19
Castellanos (Montes) **CR** 71 Q 21
Castellanos
de Castro **BU** 17 F 17
Castellanos
de Moriscos **SA** 44 I 13
Castellanos
de Villiquera **SA** 43 I 12
Castellanos
de Zapardiel **AV** 44 I 15
Castellar **TO** 59 L 19
Castellar **B** 37 G 34
Castellar (El) **TE** 49 K 27
Castellar (El) **CO** 94 T 17
Castellar (El) **Z** 34 G 26
Castellar
de la Frontera **CA** 99 X 13
Castellar
de la Muela **GU** 48 J 24
Castellar de la Ribera **L** 23 F 34
Castellar de N'Hug **B** 24 F 36
Castellar
de Santiago **CR** 71 Q 20
Castellar
de Santisteban **J** 83 R 20
Castellar de Tost **L** 23 F 34
Castellar del Riu **B** 23 F 35
Castellar del Vallès **B** 38 H 36
Castellás **L** 23 F 33
Castellbell **B** 38 H 35
Castellbisbal **B** 38 H 35
Castellbó **L** 23 E 34
Castellcir **B** 38 G 36
Castellciutat **L** 23 E 34
Castelldans **L** 36 H 32
Castelldefels **B** 38 I 35
Castellet **B** 37 I 34
Castellfollit
de la Roca **GI** 24 F 37
Castellfollit
de Riubregós **B** 37 G 34
Castellfollit del Boix **B** 37 G 35
Castellfort **CS** 49 K 29
Castellgalí **B** 38 G 35
Castellnou de Bages **B** 38 G 35
Castellnou de Montsec **L** 22 F 32
Castellnou de Seana **L** 37 H 32
Castellnovo **CS** 62 M 28
Castelló de Farfanya **L** 36 G 32
Castelló de la Plana /
Castellón de la Plana **CS** 62 M 29
Castelló de la Ribera **V** 74 O 28
Castelló de Rugat **V** 74 P 28

Castelló d'Empúries GI 25 F 39
Castellolí B 37 H 35
Castellón de la Plana / Castelló de la Plana CS 62 M 29
Castellote TE 49 J 29
Castells L 23 F 33
Castellserà L 37 G 32
Castellterçol B 38 G 36
Castellvell T 37 I 33
Castellví de la Marca B 37 H 34
Castellví de Rosanes B 38 H 35
Castelnóu TE 35 I 28
Castelo *cerca de Cervo* LU 4 B 7
Castelo *cerca de Taboada* LU 13 D 6
Castelserás TE 49 J 29
Castelvispal TE 62 L 28
Castielfabib V 61 L 26
Castiello de Jaca HU 21 E 28
Castigaleu HU 22 F 31
Castil de Campos CO 94 T 17
Castil de Carrias BU 18 E 20
Castil de Lences BU 18 E 19
Castil de Peones BU 18 E 19
Castil de Tierra SO 33 H 23
Castil de Vela P 30 G 15
Castilblanco BA 69 O 14
Castilblanco de los Arroyos SE 79 S 12
Castildelgado BU 18 E 20
Castilfalé LE 16 F 13
Castilforte GU 47 K 22
Castilfrío de la Sierra SO 33 G 23
Castiliscar Z 20 E 26
Castilla (Canal de) VA 31 G 15
Castillazuelo HU 22 F 30
Castilleja de la Cuesta SE 91 T 11
Castilleja del Campo SE 91 T 11
Castilléjar GR 83 S 22
Castillejo M 58 M 18
Castillejo de Azaba SA 42 K 9
Castillejo de Dos Casas SA 42 J 9
Castillejo de Iniesta CU 60 N 24
Castillejo de Martín Viejo SA 42 J 10
Castillejo de Mesleón SG 32 I 19
Castillejo de Robledo SO 32 H 19
Castillejo de San Pedro SO 33 G 23
Castillejo del Romeral CU 60 L 22
Castillejo Sierra CU 47 K 23
Castillejos MA 100 W 15
Castillo CC 43 K 10
Castillo *cerca de Garbayuela* BA 69 O 15
Castillo *cerca de Monesterio* BA 79 R 11
Castillo (Puerto del) J 94 T 18
Castillo Albaráñez CU 60 L 22
Castillo de Alba (El) ZA 29 H 11
Castillo de Bayuela TO 57 L 15
Castillo de Calatrava la Nueva (Convento) CR 70 P 18
Castillo de Don Juan A 85 S 27
Castillo de Escalona TO 57 L 16
Castillo de Garcimuñoz CU 60 N 22
Castillo de Huarea (El) GR 102 V 20
Castillo de la Mezquita HU 21 F 28
Castillo de la Zuda (Parador) T 50 J 31
Castillo de las Guardas (El) SE 79 S 11
Castillo de Leres HU 21 E 28
Castillo de Locubín J 94 T 18
Castillo de Tajarja GR 94 U 18
Castillo de Tajo M 59 L 20
Castillo de Villamalefa CS 62 L 28
Castillo del Plá HU 22 F 31
Castillo del Romeral *Gran Canaria* GC 117 F 4
Castillo-Nuevo NA 11 D 26
Castillo-Pedroso S 7 C 18
Castillón LU 13 E 7
Castillonroy HU 36 G 31
Castilmimbre GU 47 J 21
Castilnuevo GU 48 J 24
Castilruiz SO 33 G 23
Castilsabás HU 21 F 29
Castilseco LO 18 E 21
Castiltierra SG 32 H 19
Castiñeira OR 14 F 8
Castiñeiras C 12 E 3
Castiñeiros LU 3 B 6
Castralvo TE 61 L 26
Castraz SA 43 J 10
Castrecias BU 17 D 17
Castrejón VA 30 I 14
Castrejón TO 57 M 16
Castrejón (Embalse de) TO 58 M 17
Castrejón de la Peña P 17 D 16
Castrelo (Estación de) OR 14 F 8
Castrelo de Abajo OR 28 G 8
Castrelo de Miño OR 13 F 5
Castrelo do Val OR 28 G 7
Castrelos PO 12 F 3
Castrelos ZA 28 G 9
Castril GR 83 S 21
Castrillo BU 32 G 19
Castrillo S 17 D 17
Castrillo de Cabrera LE 15 E 10
Castrillo de Cepeda LE 15 E 11
Castrillo de Don Juan P 31 G 17
Castrillo de Duero VA 31 H 17
Castrillo de la Guareña ZA 30 I 14
Castrillo de la Reina BU 32 G 20
Castrillo de la Ribera LE 16 E 13
Castrillo de la Valduerna LE 15 F 11
Castrillo de la Vega BU 32 H 18
Castrillo de los Polvazares LE 15 E 11
Castrillo de Matajudios BU 17 F 17
Castrillo de Murcia BU 17 E 17
Castrillo de Onielo P 31 G 17
Castrillo de Porma LE 16 E 13
Castrillo de Riopisuerga BU 17 E 17
Castrillo de Rucios BU 18 E 18
Castrillo de Sepúlveda SG 31 H 18
Castrillo de Villavega P 17 E 16
Castrillo del Haya S 17 D 17
Castrillo del Val BU 18 F 19
Castrillo-Tejeriego VA 31 G 16
Castrillón O 5 B 12
Castrillón O 4 B 9
Castriz C 2 C 3
Castro C 3 B 5
Castro OR 13 F 5
Castro O 4 C 9
Castro *Carballedo* LU 13 E 6
Castro *cerca de Lugo* LU 4 C 7
Castro *Dozón* PO 13 E 5
Castro *Pantón* LU 13 E 7
Castro (El) LE 14 D 8
Castro (Embalse de El) TO 58 M 18
Castro Caldelas OR 14 E 7
Castro de Alcañices ZA 29 H 11
Castro de Amarante LU 13 D 6
Castro de Filabres AL 96 U 22
Castro de Fuentidueña SG 31 H 18
Castro de Ouro LU 4 B 7
Castro de Rei LU 4 C 7
Castro del Río CO 81 S 16
Castro-Urdiales S 8 B 20
Castrobarto BU 8 C 19
Castrobol VA 16 F 14
Castrocalbón LE 15 F 12
Castrocontrigo LE 15 F 11
Castrodeza VA 30 H 15
Castrofuerte LE 16 F 13
Castrogonzalo ZA 30 G 13
Castrojeriz BU 17 F 17
Castrojimeno SG 31 H 18
Castromaior LU 4 B 7
Castromao OR 14 F 8
Castromembibre VA 30 G 14
Castromil ZA 28 F 9
Castromocho P 30 F 15
Castromonte VA 30 G 14
Castromudarra LE 16 E 14
Castroncán LU 14 D 7
Castronuevo ZA 30 G 13
Castronuevo de Esgueva VA 31 G 16
Castronuño VA 30 H 14
Castropepe ZA 30 G 13
Castropodame LE 15 E 10
Castropol O 4 B 8
Castroponce VA 16 F 14
Castroquilame LE 14 E 9
Castroserna de Abajo SG 46 I 18
Castroserracín SG 31 H 18
Castrotierra *cerca de la Bañeza* LE 15 F 12
Castrotierra *cerca de Sahagún* LE 16 E 14
Castrove PO 12 E 3
Castrovega de Valmadrigal LE 16 F 14
Castroverde LU 4 C 8
Castroverde de Campos ZA 30 G 14
Castroverde de Cerrato VA 31 G 17
Castrovido BU 32 F 20
Castroviejo LO 19 F 22
Castuera BA 68 P 13
Castuera (Puerto de) BA 68 Q 13
Catadau V 74 O 28
Catarroja V 62 N 28
Catí CS 50 K 30
Catllar (El) T 37 I 33
Catoira PO 12 E 3
Catral A 85 R 27
Cauche (Río de) MA 100 V 16
Caudal (El) SE 92 T 12
Caudé TE 48 K 26
Caudete AB 73 P 27
Caudete de las Fuentes V 61 N 26
Caudiel CS 62 M 28
Caudilla TO 58 L 17
Caunedo O 5 C 11
Cauro GR 94 T 18
Cautivos (Los) MU 84 S 24
Cava L 23 F 34
Cava (La) T 50 J 32
Cavada (La) S 8 B 18
Cavalleria (Cap de) PM 106 L 42
Cavia BU 17 F 18
Caxado C 3 B 6
Cayes O 5 B 12
Cayuela BU 17 F 18
Cazadores *Gran Canaria* GC 117 E 3
Cazalegas TO 57 L 15
Cazalegas (Embalse de) TO 57 L 15
Cazalilla J 82 S 18
Cazalla de la Sierra SE 80 S 12
Cazalla y Constantina (Estación de) SE 80 S 12
Cazanuecos LE 15 F 12
Cazás LU 3 C 6
Cazo O 6 C 14
Cazorla J 83 S 21
Cazorla (Coto nacional de) J 83 R 21
Cazorla (Sierra de) J 83 R 21
Cazurra ZA 29 H 12
Cea LE 16 E 14
Cea OR 13 E 6
Cea PO 12 E 3
Ceadea ZA 29 G 11
Ceal J 83 S 20
Cebanico LE 16 D 14
Cebes (Cabo) O 4 B 9
Cebolla TO 57 M 16
Cebollar H 90 T 8
Cebolleros BU 18 D 19
Cebrecos BU 32 G 19
Cebreiro (O) LU 14 D 8
Cebreros AV 45 K 16
Cebrón SE 80 T 12
Cebrones del Río LE 15 F 12
Cecebre C 3 C 5
Ceceda O 6 B 13
Ceclavín CC 55 M 9
Cecos O 4 C 9
Cedeira C 3 B 5
Cedeira (Ría de) C 3 A 5
Cedemonio O 4 B 9
Cedena (Río) TO 57 M 16
Cedillo CC 54 N 7
Cedillo (Embalse de) CC 54 N 8
Cedillo de la Torre SG 32 H 19
Cedillo del Condado TO 58 L 18
Cedofeita LU 4 B 8
Cedramán CS 62 L 28
Cedrillas TE 49 K 27
Cedrón LU 14 D 8
Cee C 2 D 2
Cefiñas (Las) H 78 S 9
Cega SG 45 I 18
Cegoñal LE 16 D 15
Ceguilla SG 45 I 18
Cehegín MU 84 R 24
Ceinos VA 30 F 14
Ceja del Palancar (La) CU 60 L 24
Cejancas S 17 D 18
Cejo H 91 T 10
Cela LE 14 D 9
Cela OR 27 G 5
Cela *cerca de Becerreá* LU 14 D 9
Cela *cerca de Sarria* LU 14 D 7
Celada LE 15 E 11
Celada S 17 D 17
Celada (La) CO 93 U 17
Celada de Cea LE 16 E 15
Celada de la Torre BU 18 E 19
Celada de Roblecedo P 17 D 16
Celada del Camino BU 17 F 18
Celadas TE 48 K 26
Celadas (Las) BU 17 E 18
Celadilla LE 15 E 12
Celadilla del Río P 16 E 15
Celanova OR 13 F 6
Celas C 3 C 4
Celia (La) MU 85 Q 25
Celis S 7 C 16
Cella TE 48 K 26
Celladilla-Sotobrín BU 18 E 18
Cellera de Ter (La) GI 24 G 37
Cellers L 23 F 32
Cellórigo LO 18 E 20
Celorio O 6 B 15
Celrà GI 25 F 38
Celtigos LU 14 D 7
Cembranos LE 16 E 13
Cenajo MU 84 Q 24
Cenajo (Embalse del) AB 84 Q 24
Cenegro SO 32 H 19
Cenes de la Vega GR 94 U 19
Cenicero LO 19 E 22
Cenicientos M 57 L 16
Cenizas MU 97 T 27
Cenizate AB 73 O 25
Cenlle OR 13 E 5
Cenobio de Valerón *Gran Canaria* GC 114 D 1
Centcelles (Mausoleu de) T 37 I 33
Centelles B 38 G 36
Centenales O 4 C 9
Centenera HU 22 F 31
Centenera GU 46 K 20
Centenera de Andaluz SO 33 H 21
Centenera del Campo SO 33 H 22
Centenero HU 21 E 28
Centenillo (El) J 82 Q 18
Centinela (Mirador de la) *Tenerife* TF 128 E 5
Cepeda PO 12 F 4
Cepeda SA 43 K 11
Cepeda la Mora AV 44 K 14
Cepero (El) CR 70 O 17
Cepillo (El) AB 71 P 22
Cequeril PO 12 E 4
Cera O 5 C 10
Cerbi L 23 E 33
Cerbón SO 33 G 23
Cerca (La) BU 18 D 19
Cerca (La) *Monte* BU 18 F 19
Cercadillo GU 47 I 21
Cerceda M 45 J 18
Cerceda C 3 D 5
Cerceda *Antemil* C 3 C 4
Cerceda (Estación de) C 3 C 4
Cercedilla M 45 J 17
Cercio PO 13 D 5
Cercs B 24 F 35
Cerdà V 74 P 28
Cerdanya (Reserva nacional de) L 23 E 34
Cerdanyola B 38 H 36
Cerdedelo OR 14 F 7
Cerdedo PO 13 E 4
Cerdeira C 2 C 4
Cerdeira OR 13 F 6
Cerdeira (Puerto de) OR 14 E 8
Cerdido C 3 B 6
Cerdido (Estación de) C 3 B 6
Cerdigo S 8 B 20
Cereceda BU 18 D 19
Cereceda S 8 C 19
Cereceda O 6 B 14
Cereceda GU 47 K 22
Cereceda de la Sierra SA 43 K 11
Cerecedo LE 16 D 14
Cerecinos de Campos ZA 30 G 13
Cerecinos del Carrizal ZA 29 G 13
Cereixal LU 14 D 8
Cereixedo LU 14 D 9
Cereo C 2 C 3
Cerésola HU 21 E 29
Cerezal de Alba ZA 29 H 11
Cerezales del Condado LE 16 D 13
Cerezo CC 55 L 11
Cerezo de Abajo SG 46 I 19
Cerezo de Arriba SG 32 I 19
Cerezo de Mohernando GU 46 J 20
Cerezo de Riotirón BU 18 E 20
Cerezos (Los) TE 61 L 27
Cerillar (El) CA 92 V 13
Cerler HU 22 E 31
Cerler (Pico de) HU 22 E 31
Cermoño O 5 B 11
Cernadilla ZA 29 F 10
Cernadilla (Embalse de) ZA 29 G 10
Cernégula BU 18 E 19
Cerollera TE 50 J 29
Cerponzons PO 12 E 4
Cerqueda C 2 C 3
Cerrada OR 13 E 7
Cerrado de Calderon MA 100 V 16
Cerradura (La) J 82 S 19
Cerrajos MU 73 Q 25
Cerralba MA 100 V 15
Cerralbo SA 42 J 10
Cerralbos (Los) TO 57 M 16
Cerrata CR 69 P 15
Cerratón de Juarros BU 18 E 19
Cerrazo S 7 B 17
Cerredo O 15 D 10
Cerredo (Alto de) LU 4 C 8
Cerredo (Puerto de) LE 15 D 10
Cerricos (Los) AL 96 T 23
Cerrillo (El) J 83 S 20
Cerrillo (Punta del) *Gran Canaria* GC 116 B 4
Cerro GR 95 T 20
Cerro (El) SA 43 L 12
Cerro (El) BU 32 G 20
Cerro Alarcón M 45 K 17
Cerro Alberche TO 57 L 16
Cerro de Andévalo (El) H 78 S 9
Cerro del Hierro SE 80 S 13
Cerro Grande GR 95 U 21
Cerro Muriano CO 81 R 15
Cerro Perea SE 93 T 15
Cerroblanco AB 72 P 22
Cerrolobo AB 72 P 24
Cerrón GR 102 V 20
Certascan (Pico de) L 23 D 33
Cervales CC 56 N 14
Cervantes CR 71 Q 19
Cervantes LU 14 D 8
Cervatos S 17 D 17
Cervatos de la Cueza P 16 F 15
Cervela LU 14 D 7
Cervelló B 38 H 35
Cervera L 37 G 33
Cervera (La) TE 61 M 27
Cervera (Peñas de) BU 32 G 19
Cervera (Rambla de) CS 50 K 30
Cervera de Buitrago M 46 J 19
Cervera de la Cañada Z 34 H 24
Cervera de los Montes TO 57 L 15
Cervera de Pisuerga P 17 D 16
Cervera del Llano CU 60 M 22
Cervera del Maestrat CS 50 K 30
Cervera del Rincón TE 49 J 27
Cervera del Río Alhama LO 33 F 24
Cervero O 4 C 9
Cerveruela Z 34 I 26
Cervià GI 25 F 38
Cervià de les Garrigues L 37 H 32
Cervillego de la Cruz VA 44 I 15
Cerviñuelo (Casa Forestal del) CU 47 K 24
Cervo LU 4 A 7
Cesantes PO 12 F 4
César Manrique (Fundación) *Lanzarote* GC 123 E 4
Céspedes BU 18 D 19
Céspedes CO 80 S 14
Cespedosa SA 44 K 13
Cespedosa de Agadones SA 42 K 10
Cespón C 12 D 3
Cesuras C 3 C 5
Cetina Z 33 I 24
Ceutí MU 85 R 26
Cevico de la Torre P 31 G 16
Cevico Navero P 31 G 17
Cezeral de Peñahorcada SA 42 I 10
Cezura P 17 D 17
Chacín C 2 D 3
Chacón SE 80 S 12
Chacona (La) CA 98 W 11
Chacones (Los) AL 96 T 23
Chagarcía Medianero SA 44 K 13
Chaguazoso OR 14 F 8
Chaherrero AV 44 J 15
Chalamera HU 36 G 30
Chamartín AV 44 J 15
Chamorga *Tenerife* TF 125 K 1
Chamorro BA 69 O 14
Chan (A) PO 13 E 4
Chana LE 15 E 10
Chanca (La) BA 78 Q 9
Chandávila (Ermita de) BA 66 O 8
Chandrexa OR 14 F 7
Chandrexa (Embalse de) OR 14 F 7
Chano LE 14 D 9
Chantada LU 13 E 6
Chanteiro C 3 B 5
Chanza (Embalse del) H 78 T 7
Chanzas (Sierra de) GR 94 U 17
Chañe SG 31 H 16
Chaorna SO 47 I 23
Chapa PO 13 D 5
Chaparral GR 94 U 19
Chaparral (El) M 46 J 19
Chaparral (El) CA 99 X 12
Chapatales SE 91 U 12
Chapela PO 12 F 3
Chapinería M 45 K 17
Charca (La) TO 70 O 18
Charches GR 95 U 21
Charco (El) *La Palma* TF 132 C 6
Charco de los Hurones CA 99 W 13
Charco del Pino *Tenerife* TF 128 E 5
Charcofrío SE 91 T 10
Charilla J 94 T 18
Charpona TO 57 L 16
Chatún SG 31 I 16
Chauchina GR 94 U 18
Chavaga LU 14 E 7
Chavaler SO 33 G 22
Chave LU 13 D 7
Chavín LU 4 B 7
Chayofa *Tenerife* TF 128 D 5
Checa GU 48 K 24
Cheles BA 66 Q 8
Chella V 74 O 28
Chelva V 61 M 27
Chenlo PO 12 F 3
Chequilla GU 48 K 24
Chera GU 48 J 24
Chera V 61 N 27
Cherbo AL 96 U 22
Chércoles SO 33 H 23
Chercos AL 96 U 23
Chercos Viejo AL 96 U 23
Cherín GR 102 V 20
Cheste V 62 N 27
Chía HU 22 E 31
Chica Carlota (La) CO 81 S 15
Chícamo MU 85 R 26
Chiclana de la Frontera CA 98 W 11
Chiclana de Segura J 83 R 20
Chiguergue *Tenerife* TF 128 C 4
Chilches MA 101 V 17
Chilches / Xilxes CS 62 M 29
Chilladeras (Las) H 78 T 9
Chillarón de Cuenca CU 60 L 23
Chillarón del Rey GU 47 K 21
Chillón CR 69 P 15
Chilluevar J 83 R 20
Chiloeches GU 46 K 20

## CIUDAD REAL

Alarcos . . . . . . . . . . . . . . . . . . . . Z
Alcántara. . . . . . . . . . . . . . . . . . . Z 2
Antonio Blázquez . . . . . . . . . . . . Z 3
Azucena. . . . . . . . . . . . . . . . . . YZ 5
Bernardo Mulleras. . . . . . . . . . . Z 6
Caballeros . . . . . . . . . . . . . . . . YZ 8
Calatrava . . . . . . . . . . . . . . . . . YZ
Camarín . . . . . . . . . . . . . . . . . YZ 10
Cañas. . . . . . . . . . . . . . . . . . . . YZ 12
Cardenal Monescillo . . . . . . . . . Z 13
Corazón de María . . . . . . . . . . YZ 15
Cruz. . . . . . . . . . . . . . . . . . . . . . Z 16
Elisa Cendreros . . . . . . . . . . . . . Y 18
General Aguilera . . . . . . . . . . . . Z 21
General Rey . . . . . . . . . . . . . . . . Z 23
Infantes . . . . . . . . . . . . . . . . . . . Y 24
Inmaculada Concepción . . . . . . . Y 26
Lanza . . . . . . . . . . . . . . . . . . . . . Z 27
Lirio . . . . . . . . . . . . . . . . . . . . YZ 29
Mayor (Pl.) . . . . . . . . . . . . . . . . . Z
Norte . . . . . . . . . . . . . . . . . . . . . Y 31
Olivo . . . . . . . . . . . . . . . . . . . . . Z 32
Ramón y Cajal . . . . . . . . . . . . . . Z 34
Refugio . . . . . . . . . . . . . . . . . . YZ 35
Reyes. . . . . . . . . . . . . . . . . . . . YZ 37
Rosa . . . . . . . . . . . . . . . . . . . . . . Y 38
Sancho Rey (Camino). . . . . . . . . . . Y 39
Tinte . . . . . . . . . . . . . . . . . . . . . Z 41
Vásquez . . . . . . . . . . . . . . . . . . . Z 42

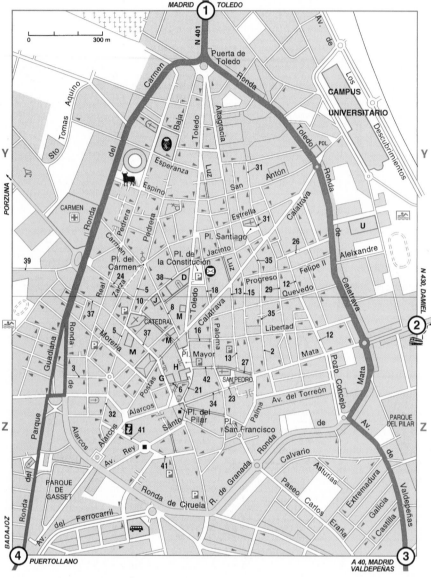

Chimenea
(Sierra de la) **BA**........... 68 O 14
Chimeneas **GR**................. 94 U 18
Chimeneas (Las) **CR**......... 71 O 20
Chimiche *Tenerife* **TF**...... 129 F 5
Chimillas **HU**..................... 21 F 28
Chimorra **CO**..................... 81 R 15
Chimparra **C**.........................3 A 5
Chinar **AB**........................ 73 P 26
Chinas (Las) **H**................. 79 S 9
Chinchilla
de Monte Aragón **AB**..... 72 P 24
Chinchón **M**...................... 59 L 19
Chinorla **A**......................... 85 Q 27
Chinorlet **A**........................ 85 Q 27
Chío *Tenerife* **TF**............. 128 C 4
Chipeque *Tenerife* **TF**...... 127 G 3
Chipiona **CA**...................... 91 V 10
Chiprana **Z**......................... 35 I 29
Chipude *La Gomera* **TF**... 118 B 2
Chiquero (El) **CR**.............. 69 O 16
Chira (Embalse de)
*Gran Canaria* **GC**......... 114 D 3
Chirán **AL**........................... 95 V 21
Chirigota (La) **CA**.............. 92 V 12
Chirivel **AL**.......................... 96 T 23
Chirivel (Rambla del) **AL**.... 96 T 23
Chirlateira (Punta) **C**............3 B 5
Chispones (Los) **AL**............ 95 U 21
Chite **GR**.......................... 101 V 19
Chiva **V**................................ 62 N 27
Chive (El) **AL**....................... 96 U 23
Chodes **Z**............................ 34 H 25
Chopillo (El) **MU**................ 84 R 24
Chorillo (El) **CS**.................. 62 L 28
Chorlo **BA**............................ 67 O 9
Chorreras **CR**...................... 69 Q 16
Chorro (El) **J**....................... 83 S 20
Chorro (El) **MA**................. 100 V 15
Chorro
(Garganta del) **MA**....... 100 V 15
Chospes (Los) **AB**.............. 72 P 22
Chóvar **CS**........................... 62 M 29
Chozas (Lomo de las)
*La Palma* **TF**................ 130 C 4
Chozas de Abajo **LE**.......... 15 E 12
Chozas de Canales **TO**..... 58 L 17
Chucena **H**........................... 91 T 10
Chuchurumbache
*Tenerife* **TF**.................. 129 F 5
Chueca **TO**.......................... 58 M 18
Chulilla **V**............................ 61 N 27
Chulilla (Baños de) **V**........ 61 N 27
Chullera
(Punta de la) **CA**........... 99 X 14
Chullo **GR**............................ 95 U 20
Chumillas **CU**...................... 60 M 23
Churriana **MA**................... 100 V 16
Churriana
de la Vega **GR**.............. 94 U 19
Ciadoncha **BU**..................... 17 F 18
Ciaño **O**...............................6 C 12
Ciaurriz **NA**.........................11 D 25
Cibanal **ZA**.......................... 29 I 11
Cibea **O**................................5 C 10
Cibuyo **O**..............................5 C 10
Cicero **S**...............................8 B 19
Cicujano **VI**......................... 19 D 22
Cidad de Ebro **BU**.............. 18 D 18
Cidad
de Valdeporres **BU**........ 18 C 18
Cidones **SO**......................... 33 G 22
Cielo **MA**........................... 101 V 18
Ciempozuelos **M**................ 58 L 19
Cienfuegos (Puerto de) **LE** 14 D 9
Cierva (La) **CU**................... 60 L 24
Cierva (La) **SE**.................... 92 T 12
Cíes (Islas) **PO**................... 12 F 3
Cieza **MU**............................. 85 R 25
Cieza **BI**...............................7 C 17
Cifuentes **LE**....................... 16 E 14
Cifuentes **GU**...................... 47 J 22
Cigales **VA**.......................... 31 G 15
Cigudosa **SO**....................... 33 G 23
Cigüenza **BU**....................... 18 D 19
Ciguñuela **VA**...................... 30 H 15
Cihuela **SO**.......................... 33 H 24
Cijara **BA**............................. 69 O 14
Cijara (Embalse de) **CC**..... 69 N 15
Cijara
(Reserva national de) **BA**... 69 O 15
Cijuela **GR**........................... 94 U 18
Cildoz **NA**............................11 D 24
Cillamayor **P**....................... 17 D 17
Cillán **AV**.............................. 44 J 15
Cillaperlata **BU**.................. 18 D 19
Cillas **GU**............................ 48 J 24
Cillero **S**...............................7 C 18
Cilleros **CC**......................... 55 L 9
Cilleros de la Bastida **SA**... 43 K 11
Cilleros el Hondo **SA**......... 43 J 12
Cilleruelo **AB**....................... 72 P 22
Cilleruelo de Abajo **BU**...... 31 G 18
Cilleruelo de Arriba **BU**...... 32 G 19
Cilleruelo de Bezana **BU**... 17 D 18
Cilleruelo
de San Mamés **SG**........ 32 H 19
Cima da Vila **LU**...................3 C 6
Cimada (La) **MA**.................. 92 V 14
Cimanes de la Vega **LE**...... 16 F 13
Cimanes del Tejar **LE**......... 15 E 12
Cimballa **Z**........................... 48 I 24
Cimbre **MU**.......................... 96 T 24
Cinca (Canal del) **HU**......... 21 F 28
Cinca (Río) **HU**.................... 22 E 30
Cinco Casas **CR**.................. 71 O 20
Cinco Casas
(Colonia de) **TO**............ 70 O 19
Cinco Esquinas
(Castillo) **J**..................... 83 S 20
Cinco Lindes **BA**................. 79 R 9
Cinco Olivas **Z**.................... 35 H 28
Cinco Villas **M**.................... 46 J 19
Cinco Villas (Las) **Z**........... 20 F 26
Cincovillas **GU**.................... 47 I 21
Cinctorres **CS**...................... 49 K 29
Cintruénigo **NA**................... 20 F 24
Ciñera **LE**............................. 16 D 13
Cional **ZA**............................. 29 G 10
Cipérez **SA**........................... 43 J 11
Cirat **CS**................................ 62 L 28
Cirauqui **NA**......................... 10 D 24
Circos (Reserva nacional
de los) **HU**....................... 22 D 30
Cirera **L**................................ 23 F 34
Ciria **SO**............................... 33 H 24
Cirio **LU**................................4 C 7
Ciriza **NA**............................. 10 D 24
Ciruela **SO**........................... 33 H 21
Ciruela **CR**............................ 70 P 18
Ciruelas **GU**........................ 46 J 20
Ciruelos **SG**......................... 32 H 18
Ciruelos **TO**......................... 58 M 19
Ciruelos de Cervera **BU**..... 32 G 19
Ciruelos de Coca **SG**.......... 31 I 16
Ciruelos del Pinar **GU**........ 47 I 23
Cirueña **LO**.......................... 18 E 21
Cirueña **J**.............................. 82 S 19
Cirugeda **TE**......................... 49 J 27
Cirujales **LE**......................... 15 D 11
Ciscar **HU**............................ 22 F 31
Cisla **AV**............................... 44 J 14
Cisneros **P**........................... 16 F 15
Cistella **GI**............................ 25 F 38
Cistérniga **VA**...................... 31 H 15
Cistierna **LE**......................... 16 D 14
Citolero (El) **CR**................... 70 O 17
Citores **BU**........................... 17 E 18
Ciudad **OR**............................ 13 E 5
Ciudad de Osma **SO**........... 32 H 20
Ciudad Ducal **AV**................. 45 K 16
Ciudad
Encantada(La) **CU**......... 60 L 23
Ciudad Real **CR**.................. 70 P 18
Ciudad Rodrigo **SA**............ 42 K 10
Ciudadeja
(Ribera de) **SE**............... 80 S 13
Ciudalcampo **M**.................. 46 K 19
Ciutadella
de Menorca **PM**........... 106 M 41
Ciutadilla **L**.......................... 37 H 33
Cívica **GU**............................. 47 J 21
Civís **L**.................................. 23 E 34
Claras **AB**............................. 84 R 23
Claravàlls **HU**...................... 22 F 32
Claravàlls **L**......................... 37 G 33
Clares **GU**............................ 47 I 23
Clarés de Ribota **Z**............. 34 H 24
Clariana **L**............................ 37 G 34
Clariana **B**............................ 37 H 34
Claveles (Los) **SE**............... 92 T 12
Clavería **CC**......................... 54 N 8
Claverol **L**............................ 23 F 32
Clavijo **LO**............................ 19 E 22
Clavín (El) **GU**..................... 46 K 20
Clavín (Puerto del) **CC**...... 67 O 10
Clotes (Les) **B**..................... 50 J 30
Clunia **BU**............................. 32 G 19
Coalla **O**................................5 B 11
Coaña **O**................................4 B 9
Coba **LU**................................3 C 6
Coba **OR**.............................. 14 F 8
Coballes **O**............................6 C 13
Cobas **OR**............................. 13 E 6
Cobatillas **TE**....................... 49 J 27
Cobatillas **AB**...................... 84 Q 24
Cobatillas (Las) **AL**............ 84 S 23
Cobatillas (Las) **CA**........... 99 W 12
Cóbdar **AL**........................... 96 U 23
Cobeja **TO**............................ 58 L 18
Cobeña **M**............................ 46 K 19
Cobertelada **SO**.................. 33 H 22
Cobeta **GU**........................... 47 J 23
Cobisa **TO**............................ 58 M 17
Cobos de Cerrato **P**........... 31 F 17
Cobos
de Fuentidueña **SG**........ 31 H 18
Cobos de Segovia **SG**....... 45 J 16
Cóbreces **S**...........................7 B 17
Cobreros **ZA**........................ 14 F 9
Cobres **PO**........................... 12 F 4
Cobres
(San Adrián de) **PO**........ 12 F 4
Cobujón (El) **H**..................... 90 T 9
Coca **SG**............................... 31 I 16
Coca de Alba **SA**................ 44 J 13
Cocentaina **A**....................... 74 P 28
Cocoll **A**............................... 74 P 29
Cocón (El) **AL**...................... 96 T 24
Cocosa (La) **BA**................... 66 P 9
Coculina **BU**........................ 17 E 18
Codes **GU**............................ 47 I 23
Codesal **ZA**.......................... 29 G 10
Codeseda **PO**...................... 13 E 4
Codeso **C**............................. 13 D 4
Codo **Z**.................................. 35 H 27
Codoñera (La) **TE**............... 50 J 29
Codornillos **LE**..................... 16 E 14
Codorniz **SG**........................ 45 I 16
Codos **Z**................................ 34 I 25
Codosera (La) **BA**............... 66 O 8
Coedo **OR**............................ 13 F 6
Coelleira (Isla) **LU**...............4 A 7
Coeo **LU**................................4 D 7
Coeses **LU**............................4 D 7
Cofete
*Fuerteventura* **GC**....... 112 C 5
Cofiñal **LE**..............................6 C 14
Cofio (Río) **M**...................... 45 K 17
Cofita **HU**............................. 36 G 30
Cofrentes **V**......................... 73 O 26
Cofrentes
(Embalse de) **AB**........... 73 O 26
Cogeces de Iscar **VA**.......... 31 H 16
Cogeces del Monte **VA**...... 31 H 17
Cogollor **GU**......................... 47 J 21
Cogollos **BU**......................... 18 F 18
Cogollos (Sierra de) **GR**.... 94 U 19
Cogollos de Guadix **GR**..... 95 U 20
Cogollos Vega **GR**.............. 94 U 19
Cogolludo **GU**...................... 46 J 20
Cogorderos **LE**.................... 15 E 11
Cogul (El) **L**......................... 36 H 32
Cogullada (La) **V**................ 74 O 28
Coín **MA**............................. 100 W 15
Coiro **PO**.............................. 12 F 3
Coirós **C**...............................3 C 5
Coitelada (Punta) **C**.............3 B 5
Cojáyar **GR**....................... 102 V 20
Cojóbar **BU**......................... 18 F 19
Colativí **AL**......................... 103 V 23
Colera **GI**............................. 25 E 39
Colgada
(Laguna de la) **AB**......... 71 P 21
Colgadizos **ESP**.................. 46 I 19
Colilla (La) **AV**.................... 44 K 15
Colinas **SE**........................... 91 U 11
Colinas (Las) **M**.................. 58 L 18
Colinas
de Trasmonte **ZA**........... 29 F 12
Colindres **S**...........................8 B 19
Colio **S**..................................7 C 16
Coll de Nargó **L**.................. 23 F 33
Coll
d'en Rabassa (es) **PM**. 104 N 38
Collada **O**..............................6 B 13
Colladico (El) **TE**................ 48 I 26
Collado **S**..............................7 C 17
Collado **CC**........................... 56 L 12
Collado (El) **SO**................... 33 G 23
Collado (El) **AB**................... 84 R 22
Collado (El) **V**...................... 61 M 26
Collado de Contreras **AV**... 44 J 15
Collado
de las Carrascas **AB**...... 84 Q 22
Collado del Mirón **AV**......... 44 K 13
Collado Hermoso **SG**......... 45 I 18
Collado Mediano **M**............ 45 J 17
Collado
Royo y Poviles **TE**......... 62 L 27

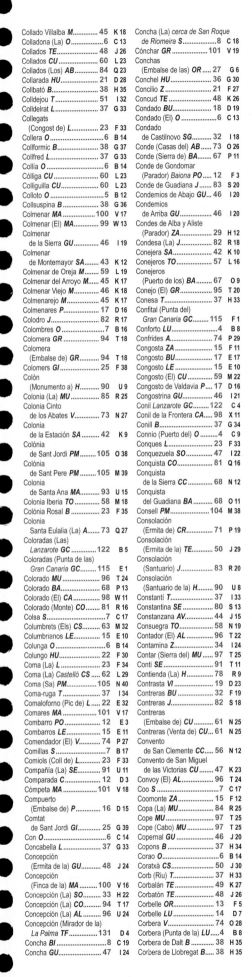

Collado Villalba ***M*** 45 K 18
Colladona (La) ***O*** 6 C 13
Collados ***TE*** 48 J 26
Collados ***CU*** 60 L 23
Collados (Los) ***AB*** 84 Q 23
Collarada ***HU*** 21 D 28
Collbató ***B*** 38 H 35
Colldejou ***T*** 51 I 32
Colldelrat ***L*** 37 G 33
Collegats (Congost de) ***L*** 23 F 33
Collera ***O*** 6 B 14
Collformic ***B*** 38 G 37
Collfred ***L*** 37 G 33
Collía ***O*** 6 B 14
Cólliga ***CU*** 60 L 23
Colliguilla ***CU*** 60 L 23
Colloto ***O*** 5 B 12
Collsuspina ***B*** 38 G 36
Colmenar ***MA*** 100 V 17
Colmenar (El) ***MA*** 99 W 13
Colmenar de la Sierra ***GU*** 46 I 19
Colmenar de Montemayor ***SA*** 43 K 12
Colmenar de Oreja ***M*** 59 L 19
Colmenar del Arroyo ***M*** 45 K 17
Colmenar Viejo ***M*** 46 K 18
Colmenarejo ***M*** 45 K 17
Colmenares ***P*** 17 D 16
Colodro ***J*** 82 R 17
Colombres ***O*** 7 B 16
Colomera ***GR*** 94 T 18
Colomera (Embalse de) ***GR*** 94 T 18
Colomers ***GI*** 25 F 38
Colón (Monumento a) ***H*** 90 U 9
Colonia (La) ***MU*** 85 R 25
Colonia Cinto de los Abates ***V*** 73 N 27
Colonia de la Estación ***SA*** 42 K 9
Colònia de Sant Jordi ***PM*** 105 O 38
Colònia de Sant Pere ***PM*** 105 M 39
Colonia de Santa Ana ***MA*** 93 U 15
Colonia Iberia ***TO*** 58 M 18
Colónia Rosal ***B*** 23 F 35
Colonia Santa Eulalia (La) ***A*** 73 Q 27
Coloradas (Las) *Lanzarote* ***GC*** 122 B 5
Coloradas (Punta de las) *Gran Canaria* ***GC*** 115 E 1
Colorado ***MU*** 96 T 24
Colorado ***BA*** 68 P 13
Colorado (El) ***CA*** 98 W 11
Colorado (Monte) ***CO*** 81 R 16
Colsa ***S*** 7 C 17
Columbrets (Els) ***CS*** 63 M 32
Columbrianos ***LE*** 15 E 10
Colunga ***O*** 6 B 14
Colungo ***HU*** 22 F 30
Coma (La) ***L*** 23 F 34
Coma (La) *Castelló* ***CS*** 62 L 29
Coma (Sa) ***PM*** 105 N 40
Coma-ruga ***T*** 37 I 34
Comaloforno (Pic de) ***L*** 22 E 32
Comares ***MA*** 101 V 17
Combarro ***PO*** 12 E 3
Combarros ***LE*** 15 E 11
Comendador (El) ***V*** 74 P 27
Comillas ***S*** 7 B 17
Comiols (Coll de) ***L*** 23 F 33
Compañía (La) ***SE*** 91 U 11
Comparada ***C*** 12 D 3
Cómpeta ***MA*** 101 V 18
Compuerto (Embalse de) ***P*** 16 D 15
Comtat de Sant Jordi ***GI*** 25 G 39
Con ***O*** 6 C 14
Concabella ***L*** 37 G 33
Concepción (Ermita de la) ***GU*** 48 J 24
Concepción (Finca de la) ***MA*** 100 V 16
Concepción (La) ***SO*** 33 H 22
Concepción (La) ***CO*** 94 T 17
Concepción (La) ***AL*** 96 U 24
Concepción (Mirador de la) *La Palma* ***TF*** 131 D 4
Concha ***BI*** 8 C 19
Concha ***GU*** 47 I 24
Concha (La) *cerca de San Roque de Riomeira* ***S*** 8 C 18
Cónchar ***GR*** 101 V 19
Conchas (Embalse de las) ***OR*** 27 G 6
Conchel ***HU*** 36 G 30
Concilio ***Z*** 21 F 27
Concud ***TE*** 48 K 26
Condado ***BU*** 18 D 19
Condado (El) ***O*** 6 C 13
Condado de Castilnovo ***SG*** 32 I 18
Conde (Casas del) ***AB*** 73 O 26
Conde (Sierra de) ***BA*** 67 P 11
Conde de Gondomar (Parador) *Baiona* ***PO*** 12 F 3
Conde de Guadiana ***J*** 83 S 20
Condemios de Abajo ***GU*** 46 I 20
Condemios de Arriba ***GU*** 46 I 20
Condes de Alba y Aliste (Parador) ***ZA*** 29 H 12
Condesa (La) ***J*** 82 R 18
Conejera ***SA*** 42 K 10
Conejeros ***TO*** 57 L 16
Conejeros (Puerto de los) ***BA*** 67 O 9
Conejo (El) ***GR*** 95 T 20
Conesa ***T*** 37 H 33
Confital (Punta del) *Gran Canaria* ***GC*** 115 F 1
Conforto ***LU*** 4 B 8
Confrides ***A*** 74 P 29
Congosta ***ZA*** 15 F 11
Congosto ***BU*** 17 E 17
Congosto ***LE*** 15 E 10
Congosto (El) ***CU*** 59 M 22
Congosto de Valdavia ***P*** 17 D 16
Congostrina ***GU*** 46 I 21
Conil *Lanzarote* ***GC*** 122 C 4
Conil de la Frontera ***CA*** 98 X 11
Conill ***B*** 37 G 34
Connio (Puerto del) ***O*** 4 C 9
Conques ***L*** 23 F 33
Conquezuela ***SO*** 47 I 22
Conquista ***CO*** 81 Q 16
Conquista de la Sierra ***CC*** 68 N 12
Conquista del Guadiana ***BA*** 68 O 11
Consell ***PM*** 104 M 38
Consolación (Ermita de) ***CR*** 71 P 19
Consolación (Ermita de la) ***TE*** 50 J 29
Consolación (Santuario) ***J*** 83 R 20
Consolación (Santuario de la) ***H*** 90 U 8
Constantí ***T*** 37 I 33
Constantina ***SE*** 80 S 13
Constanzana ***AV*** 44 J 15
Consuegra ***TO*** 58 N 19
Contador (El) ***AL*** 96 T 22
Contamina ***Z*** 34 I 24
Contar (Sierra del) ***MU*** 97 T 25
Conti ***SE*** 91 T 11
Contienda (La) ***H*** 78 R 9
Contrasta ***VI*** 19 D 23
Contreras ***BU*** 32 F 19
Contreras ***J*** 82 S 18
Contreras (Embalse de) ***CU*** 61 N 25
Contreras (Venta de) ***CU*** 61 N 25
Convento de San Clemente ***CC*** 56 N 12
Convento de San Miguel de las Victorias ***CU*** 47 K 23
Convoy (El) ***AL*** 96 T 24
Coo ***S*** 7 C 17
Coomonte ***ZA*** 15 F 12
Copa (La) ***MU*** 84 R 25
Cope ***MU*** 97 T 25
Cope (Cabo) ***MU*** 97 T 25
Copernal ***GU*** 46 J 20
Copons ***B*** 37 H 34
Corao ***O*** 6 B 14
Coratxà ***CS*** 50 J 30
Corb (Riu) ***T*** 37 H 33
Corbalán ***TE*** 49 K 27
Corbatón ***TE*** 48 J 26
Corbelle ***OR*** 13 F 5
Corbelle ***LU*** 14 D 7
Corbera ***V*** 74 O 28
Corbera (Punta de la) ***LU*** 4 B 8
Corbera de Dalt ***B*** 38 H 35
Corbera de Llobregat ***B*** 38 H 35

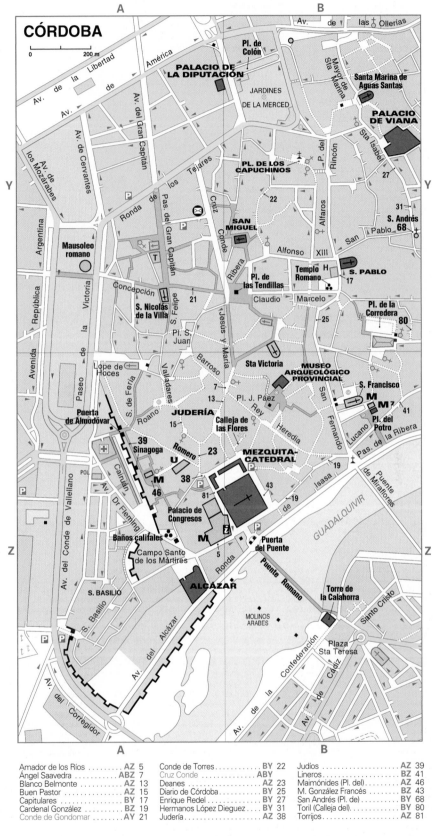

Amador de los Ríos AZ 5
Ángel Saavedra ABZ 7
Blanco Belmonte AZ 13
Buen Pastor AZ 15
Capitulares BY 17
Cardenal González BZ 19
Conde de Gondomar AY 21
Conde de Torres BY 22
Cruz Conde ABY
Deanes AZ 23
Diario de Córdoba BY 25
Enrique Redel BY 27
Hermanos López Dieguez BY 31
Judería AZ 38
Judíos AZ 39
Lineros BZ 41
Maimónides (Pl. del) AZ 46
M. González Francés BZ 43
San Andrés (Pl. de) BY 68
Toril (Calleja del) BY 80
Torrijos AZ 81

Museo Julio Romero de Torres BZ M7

A B C D E F G H I J K L M N O P Q R S T U V W X Y Z

## A CORUÑA

Cantón Grande AZ 7
Cantón Pequeño AZ 8
Compostela AZ 13
Damas BY 14
Ferrol AZ 18
Finisterre (Av. de) AZ 19
Gómez Zamalloa AZ 20
Herrerías BY 23
Juana de Vega (Av.) AZ 26
Juan Canalejo AY 25
Maestranza BY 27
María Pita (Pl. de) BY 28
Padre Feijóo AZ 32
Payo Gómez AZ 36
Picavia AZ 37
Pontevedra (Pl. de) AZ 40
Real AY
Riego del Agua BY 42
Rubine (Av. de) AZ 45
Sánchez Bregua AZ 50
Santa Catalina AZ 52
Santa María BY 51
San Agustín BY 46
San Agustín
(Cuesta de) BY 47
San Andrés AYZ
Teresa Herrera AZ 55

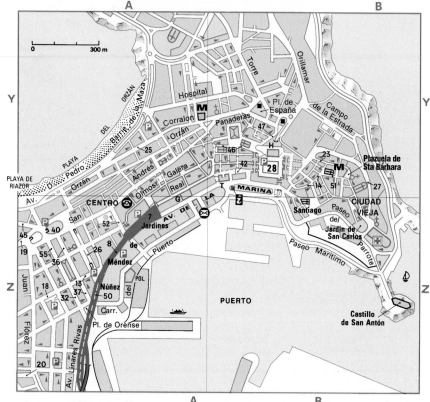

Corbera d'Ebre ***T*** 50 I 31
Corbillos
de los Oteros ***LE*** 16 E 13
Corbins ***L*** 36 G 32
Corboeira ***LU*** 4 B 7
Corçà ***L*** 22 F 32
Corça ***GI*** 25 G 39
Corcho ***BA*** 68 Q 12
Corchuela ***TO*** 57 M 14
Corchuela ***BA*** 66 P 8
Corchuela (La) ***SE*** 91 U 12
Corchuelo (El) ***H*** 91 U 9
Corcoesto ***C*** 2 C 3
Córcoles ***GU*** 47 K 22
Corcoles (Río) ***CU*** 60 N 23
Córcoles (Río) ***AB*** 71 O 21
Corcolilla ***V*** 61 M 26
Corconte ***S*** 7 C 18
Corcos ***VA*** 31 G 15
Corcoya ***SE*** 93 U 15
Corcubión ***C*** 2 D 2
Cordido ***LU*** 4 B 7
Cordiñanes ***LE*** 6 C 15
Córdoba ***CO*** 81 S 15
Cordobilla ***CO*** 93 T 15
Cordobilla
(Embalse de) ***CO*** 93 U 15
Cordobilla de Lácara ***BA*** 67 O 10
Cordobillas ***CO*** 81 S 16
Cordovilla ***P*** 17 D 17
Cordovilla ***SA*** 44 J 13
Cordovilla ***AB*** 73 Q 25
Cordovilla la Real ***P*** 31 F 17
Cordovín ***LO*** 19 E 21
Corduente ***GU*** 47 J 24
Corella ***NA*** 20 F 24
Corera ***LO*** 19 E 23
Cores ***C*** 2 C 3
Coreses ***ZA*** 30 H 13
Corgo ***LU*** 4 D 7
Coria ***CC*** 55 M 10
Coria (Sierra de) ***CC*** 55 L 10
Coria del Río ***SE*** 91 U 11
Corias *cerca de Cangas*
*de Narcea* ***O*** 5 C 10
Corias *cerca de Pravia* ***O*** 5 B 11
Coripe ***SE*** 92 V 13
Coristanco ***C*** 2 C 3
Corme Aldea ***C*** 2 C 3
Corme-Porto ***C*** 2 C 3
Corme y Laxe (Ría de) ***C*** 2 C 3
Corna ***OR*** 13 E 5
Cornadelo
(Pico de) ***HU*** 22 E 32
Cornago ***LO*** 33 F 23
Cornalvo
(Embalse de) ***BA*** 67 P 11
Cornanda ***C*** 12 D 3
Corneda ***C*** 3 D 5
Corneira ***C*** 2 D 3
Cornejo ***BU*** 8 C 19
Cornellà de Terri ***GI*** 25 F 38
Cornellana ***O*** 5 B 11
Corniero ***LE*** 16 D 14
Cornisa
del Suroeste ***GC*** 116 C 4
Cornollo ***O*** 4 C 9
Cornón ***P*** 16 D 15
Cornoncillo ***P*** 17 D 15
Cornudella
de Montsant ***T*** 37 I 32
Cornudilla ***BU*** 18 D 19
Coronada (La) ***CO*** 80 R 13
Coronada (La) ***BA*** 68 P 12
Coronas (Puerto Las) ***NA*** 11 D 26
Coronela (La) ***SE*** 92 U 14
Coroneles (Casa de los)
*Fuerteventura* ***GC*** 111 H 2
Coronil (El) ***SE*** 92 U 13
Corpa ***M*** 46 K 20
Corporales ***LO*** 18 E 21
Corporales ***LE*** 15 F 10
Corral de Almaguer ***TO*** 59 M 20
Corral de Ayllón ***SG*** 32 H 19
Corral de Calatrava ***CR*** 70 P 17
Corral de Cantos ***TO*** 57 N 16
Corral de Garciñigo ***SA*** 43 K 12
Corral Rubio ***AB*** 73 P 25
Corralejo
*Fuerteventura* ***GC*** 111 I 1
Corralejo (El) ***TO*** 58 M 19
Corrales ***H*** 90 U 9
Corrales ***LE*** 14 E 9
Corrales (Los) ***SE*** 93 U 15
Corrales de Buelna (Los) ***S*** 7 C 17
Corrales de Duero ***VA*** 31 G 17
Corrales del Vino ***ZA*** 29 H 12
Corralín ***O*** 4 D 9
Corrals (Els) ***V*** 74 O 28
Correderas (Las) ***J*** 82 Q 19
Corredoira ***PO*** 13 E 4
Corredoiras ***C*** 3 C 5
Correpoco ***S*** 7 C 17
Corres ***VI*** 19 D 22
Corrocera ***LE*** 15 D 12
Corrochana ***TO*** 57 M 14
Corrubedo ***C*** 12 E 2
Corrubedo (Cabo de) ***C*** 12 E 2
Corte (La) ***H*** 79 S 9
Corte de Peleas ***BA*** 67 P 9
Corteconcepción ***H*** 79 S 10
Cortegada ***PO*** 13 E 5
Cortegada
*cerca de Ribadavia* ***OR*** 13 F 5
Cortegada *cerca*
*de Xinzo de Limia* ***OR*** 13 F 7
Cortegana ***H*** 78 S 9
Cortegana ***BA*** 67 P 10
Cortelazor ***H*** 79 S 10
Corterrangel ***H*** 79 S 10
Cortes ***NA*** 34 G 25
Cortés ***V*** 61 M 26
Cortes de Aragón ***TE*** 49 J 27
Cortes de Arenoso ***CS*** 62 L 28
Cortes de Baza ***GR*** 83 T 21
Cortes de la Frontera ***MA*** 99 W 13
Cortes de la Frontera (Reserva
nacional de) ***MA*** 99 W 13
Cortes de Pallás ***V*** 73 O 27
Cortes de Tajuña ***GU*** 47 J 22
Cortes y Graena ***GR*** 95 U 20
Cortesa (La) ***AB*** 72 P 24
Cortijillo (El) ***TO*** 70 O 18
Cortijo (El) ***LO*** 19 E 22
Cortijo (El)
*Lanzarote* ***GC*** 120 E 1
Cortijo de la Herrera ***CC*** 56 M 11
Cortijo de la Juliana ***AB*** 84 Q 23
Cortijo de Navarro ***AB*** 84 R 23
Cortijo Grande ***AL*** 96 U 24
Cortijo Nuevo ***SE*** 92 V 12
Cortijo Nuevo ***J*** 95 T 20
Cortijos (Los) ***CU*** 61 L 25
Cortijos
de Abajo (Los) ***CR*** 70 O 17
Cortijos
de Arriba (Los) ***CR*** 70 O 17
Cortijos Nuevos ***J*** 83 R 21
Cortijos Nuevos
de la Sierra ***GR*** 83 S 22
Cortijuelos (Los)
*cerca de Andújar* ***J*** 82 R 18
Cortijuelos (Los)
*cerca de Martos* ***J*** 82 S 17
Cortos ***AV*** 45 J 16
Cortos ***SO*** 33 G 23
Cortos de la Sierra ***SA*** 43 J 12
Corullón ***LE*** 14 E 9
Corumbel ***H*** 91 T 10
Corumbela ***MA*** 101 V 17
Coruña (A) ***C*** 3 B 4
Coruña (Ría de La) ***C*** 3 B 4
Coruña del Conde ***BU*** 32 G 19
Coruxou ***C*** 3 C 5
Corvelle ***LU*** 4 B 7
Corvera ***MU*** 85 S 26
Corvera de Asturias ***O*** 5 B 12
Corvera de Toranzo ***S*** 7 C 18
Corvillón ***OR*** 13 F 6
Corvio ***P*** 17 D 17
Corvite ***LU*** 4 C 7
Corzos ***OR*** 14 F 8
Cosa ***TE*** 48 J 26
Coscó ***L*** 37 G 33
Coscojuela ***HU*** 22 E 30
Coscojuela
de Fantova ***HU*** 22 F 30
Coscollet (El) ***L*** 23 F 33
Coscullano ***HU*** 21 F 29
Coscurita ***SO*** 33 H 22
Cosgaya ***S*** 7 C 15
Cosio ***S*** 7 C 16
Coslada ***M*** 46 K 19
Cospedal ***LE*** 15 D 11
Cospeito ***LU*** 4 C 7
Cospindo ***C*** 2 C 3
Costa Ballena ***CA*** 91 V 10
Costa Blanca ***VC*** 86 R 29
Costa Blanca (Parador)
*Jávea* ***A*** 75 P 30
Costa Brava ***CT*** 39 H 39
Costa Brava (Parador de la)
*Aiguablava* ***GI*** 25 G 39
Costa Calma
*Fuerteventura* ***GC*** 112 E 5
Costa Daurada /
Costa Dorada ***CT*** 51 J 33
Costa de Almería ***AL*** 102 V 21
Costa de Cantabria ***CB*** 7 B 17
Costa de Canyamel ***PM*** 105 N 40
Costa de la Calma ***PM*** 104 N 37
Costa de la Luz ***AN*** 90 U 8
Costa de Madrid ***M*** 45 K 16
Costa de Maresme ***B*** 38 H 37
Costa del Azahar / Costa dels
Tarongers ***VC*** 63 M 30
Costa del Azahar
(Parador) *Benicarló* ***CS*** 50 K 31
Costa
del Montseny (La) ***B*** 38 G 37
Costa del Silencio
*Tenerife* ***TF*** 128 E 5
Costa del Sol ***AN*** 100 X 14
Costa dels Pins ***PM*** 105 N 40
Costa dels Tarongers /
Costa del Azahar ***VC*** 63 M 30
Costa Dorada /
Costa Daurada ***CT*** 51 J 33
Costa Teguise
*Lanzarote* ***GC*** 123 F 4
Costa Vasca ***PV*** 9 B 22
Costa Verde ***AS*** 5 B 10
Costabona ***GI*** 24 E 37
Costacabana ***AL*** 103 V 22
Costana (La) ***S*** 7 C 17
Costas de Garraf ***B*** 38 I 35
Costeán ***HU*** 22 F 30
Costitx ***PM*** 104 N 38
Costur ***CS*** 62 L 29
Cosuenda ***Z*** 34 H 26
Cota ***LU*** 3 C 6
Cotanes ***ZA*** 30 G 14
Cotefablo
(Puerto de) ***HU*** 21 E 29
Cotelas ***OR*** 13 E 6
Cotiella ***HU*** 22 E 30
Cotilfar Baja ***GR*** 94 T 19
Cotillas ***AB*** 83 Q 22
Cotillas ***CU*** 60 L 24
Cotillo ***S*** 7 C 17
Cotillo (El)
*Fuerteventura* ***GC*** 111 G 1
Coto ***O*** 5 C 11
Coto de Bornos ***CA*** 92 V 12
Coto de Buzalén ***BA*** 67 Q 11
Coto de Puenteviejo ***AV*** 45 J 16
Coto Redondo ***PO*** 12 E 3
Cotobade ***PO*** 13 E 4
Cotorios ***J*** 83 R 21
Cotorredondo ***M*** 58 L 18
Cotos (Puerto de) ***ESP*** 45 J 18
Cotos
de Monterrey (Los) ***M*** 46 J 19
Coubet (Coll de) ***GI*** 24 F 37
Courel (Sierra del) ***LU*** 14 E 8
Couso (Alto del) ***OR*** 13 F 6
Couso (Punta de) ***PO*** 12 F 3
Couto ***LU*** 13 D 6
Couto ***PO*** 13 F 5
Couzadoiro ***C*** 3 B 6
Couzo (Punta de) ***C*** 12 E 2
Cova Santa (La) ***CS*** 62 M 28
Covacha ***BA*** 67 N 9
Covacha
(Puerto de la) ***CC*** 67 O 10
Covadonga ***O*** 6 C 14
Covalanas (Cuevas de) ***S*** 8 C 19
Covaleda ***SO*** 32 G 21
Covarrubias ***SO*** 33 H 22
Covarrubias ***BU*** 32 F 19
Covas
*cerca de Carucedo* ***OR*** 14 E 9
Covas
*cerca de Pereiro* ***OR*** 13 E 6
Covas *cerca de Vivero* ***LU*** 4 A 7
Covas *cerca de Xinzo* ***OR*** 27 G 6
Covas (As) ***PO*** 12 E 3
Covelo ***PO*** 13 F 4
Covelo (Alto de) ***OR*** 14 F 8
Coves
de Vinromà (Les) ***CS*** 50 L 30
Coves
dels Canelobres ***A*** 74 Q 28
Coves Noves
(Urbanitzacio) ***PM*** 106 L 42
Covet ***L*** 23 F 33
Coveta Fumá (La) ***A*** 86 Q 28
Cox ***A*** 85 R 27
Coy ***MU*** 84 S 24
Coyote (El) ***AL*** 103 V 23
Cózar ***CR*** 71 Q 20
Cozcurrita ***ZA*** 29 H 11
Cozuelos
de Fuentidueña ***SG*** 31 H 17
Cozuelos de Ojeda ***P*** 17 D 16
Cozvíjar ***GR*** 101 V 19
Crecente ***PO*** 13 F 5
Cregenzán ***HU*** 22 F 30
Creixell ***T*** 37 I 34
Crémenes ***LE*** 16 D 14
Crende ***LU*** 4 C 8
Crendes ***C*** 3 C 5
Crespos ***AV*** 44 J 15
Cretas ***TE*** 50 J 30
Creu de Codo ***L*** 23 F 34
Creu de Perves
(Coll de) ***L*** 22 E 32
Creus (Cap de) ***GI*** 25 F 39
Crevillent ***A*** 85 R 27
Criaderas (Las) ***SE*** 79 T 11
Criales ***BU*** 18 D 20
Criptana (Ermita de) ***CR*** 71 N 20
Crispinejo ***SE*** 79 T 11
Cristal ***L*** 23 F 34
Cristales (Los) ***H*** 90 T 9
Cristiano ***GR*** 101 V 18
Cristianos (Los)
*Tenerife* ***TF*** 128 D 5
Cristina ***BA*** 68 P 11
Cristiñade ***PO*** 12 F 4
Cristo ***CR*** 71 P 20
Cristo (Ermita del) ***GU*** 46 L 20
Cristo de la Laguna ***SA*** 43 J 11
Cristo
del Espíritu Santo ***CR*** 70 O 17
Cristóbal ***SA*** 43 K 12
Crivillén ***TE*** 49 J 28
Crivillén (Mases de) ***TE*** 49 J 28
Cruceiro ***OR*** 13 E 5
Cruceras (Las) ***AV*** 45 K 16
Crucero (El) ***O*** 5 B 10
Cruces ***C*** 3 C 5
Cruces ***AB*** 72 Q 24
Cruces ***CO*** 81 R 15
Cruces (Cuevas de las)
*Gran Canaria* ***GC*** 114 C 2
Cruces
(Ermita de las) ***BA*** 68 P 12
Cruces (Las) ***O*** 5 B 12
Cruceta (Puerto de) ***VI*** 10 C 22
Cruïlles ***GI*** 25 G 39
Cruz *cerca de Puebla*
*de Almenara* ***CU*** 59 M 21
Cruz (Cerro de la) ***MA*** 100 V 16
Cruz (Ermita de la) ***CR*** 70 O 17
Cruz (La) ***O*** 6 B 13
Cruz (La) ***CR*** 70 P 17
Cruz (La) ***CO*** 81 S 16
Cruz (La) ***GR*** 94 T 18
Cruz (La) ***J*** 82 R 19
Cruz (Pico de la)
*La Palma* ***TF*** 131 C 3
Cruz (Puerto de la) ***PO*** 12 D 4
Cruz (Sierra de la) ***J*** 82 S 19
Cruz de Alpera ***AB*** 73 P 26
Cruz de Cancela
(Puerto) ***LU*** 4 B 8
Cruz de Cofrentes
(Puerto de) ***V*** 73 N 26
Cruz de Hierro (Puerto) ***AV*** 45 J 16
Cruz de Incio ***LU*** 14 E 7
Cruz de Piedra ***CR*** 70 O 18

Cruz de Tea Tenerife TF..129 E 4
Cruz de Tejeda
  Gran Canaria GC........ 114 D 2
Cruz del Carmen
  (Mirador de) Tenerife TF..125 I 2
Cruz del Roque
  Tenerife TF................ 129 G 4
Cruz Grande (Puerto de)
  Gran Canaria GC........ 116 D 3
Cruz Uzano S............. 8 C 19
Cua O................ 14 D 9
Cuacos de Yuste CC.... 56 L 12
Cuadradillo CO........ 81 S 16
Cuadrado (Cerro) AB.... 73 P 25
Cuadramón LU............. 4 B 7
Cuadrón (El) M..... 46 J 19
Cuadros LE........ 16 D 13
Cuadros J........ 82 S 19
Cualedro OR........ 27 G 7
Cuarenta (Las) SE........ 92 T 13
Cuarte HU........ 21 F 28
Cuarte de Huerva Z........ 35 H 27
Cuartico (El) AB........ 72 P 23
Cuartillejo TO........ 58 M 18
Cuarto Pelado
  (Puerto de) TE........ 49 K 28
Cuartón (El) CA........ 99 X 13
Cuatro Calzadas SA........ 43 J 13
Cuatro Puertas
  Gran Canaria GC........ 117 G 3
Cuatrocorz HU........ 36 G 31
Cuatrovitas
  (Santuario de) SE........ 91 U 11
Cuba (La) TE........ 49 K 29
Cubas AB........ 73 O 25
Cubas CO........ 81 S 16
Cubas de la Sagra M........ 58 L 18
Cubel Z........ 48 I 25
Cubelles B........ 37 I 35
Cubells L........ 37 G 32
Cubells (es) PM........ 87 P 33
Cubia O........ 5 C 11
Cubilla BU........ 18 D 20
Cubilla SO........ 32 G 21
Cubilla (Puerto de la) O........ 5 D 12
Cubillas GU........ 47 I 22
Cubillas
  (Embalse del) GR........ 94 U 18
Cubillas de Cerrato P........ 31 G 16
Cubillas de los Oteros LE.. 16 E 13
Cubillas de Rueda LE...... 16 E 14
Cubillas
  de Santa Marta VA........ 31 G 16
Cubillejo de la Sierra GU.. 48 J 24
Cubillejo del Sitio GU...... 48 J 24
Cubillo P........ 17 D 16
Cubillo SG........ 45 I 18
Cubillo (El) AB........ 72 P 22
Cubillo (El) CU........ 61 L 25
Cubillo de Uceda(El) GU.. 46 J 19
Cubillos ZA........ 29 H 12
Cubillos BU........ 18 C 19
Cubillos del Rojo BU...... 18 D 18
Cubillos del Sil LE........ 15 E 10
Cubla TE........ 61 L 26
Cubo GR........ 83 S 21
Cubo de Benavente ZA.... 29 F 11
Cubo de Bureba BU........ 18 E 20
Cubo
  de Don Sancho (El) SA.. 43 J 11
Cubo de Hogueras SO.... 33 G 22
Cubo de la Sierra SO.... 33 G 22
Cubo de la Solana SO.... 33 H 22
Cubo de Tierra del Vino (El) ZA 29 I 12
Cucalón TE........ 48 I 26
Cucalón (Sierra de) TE.. 48 J 26
Cucayo S........ 7 C 16
Cucharal AB........ 72 P 23
Cucharas (Laguna de) CR 70 P 17
Cucharón MU........ 85 Q 25
Cuchía S........ 7 B 17
Cuchillo (El)
  Lanzarote GC........ 123 D 3
Cucho BU........ 19 D 21
Cucos (Los) MU........ 97 T 25
Cudillero O........ 5 B 11
Cué O........ 7 B 15
Cuelgamures ZA........ 29 I 13
Cuéllar SG........ 31 H 17
Cuénabres LE........ 6 C 15
Cuenca CO........ 80 R 13
Cuenca CU........ 60 L 23
Cuenca (La) SO........ 33 G 21
Cuenca Alta del Manzanares
  (Parque Regional) M.. 45 K 18

Cuenca de Campos VA.... 30 F 14
Cuencabuena TE........ 48 I 26
Cuérigo O........ 6 C 13
Cuerlas (Las) Z........ 48 J 25
Cuerva TO........ 58 N 17
Cuervo CR........ 70 Q 19
Cuervo (El) TE........ 61 L 26
Cuervo (El) SE........ 91 V 11
Cuervo
  (Nacimiento del) CU.. 48 K 24
Cuesta LU........ 4 B 7
Cuesta (La) SG........ 45 I 18
Cuesta (La) SO........ 33 F 23
Cuesta (La) MA........ 93 U 15
Cuesta (La)........ 8 B 20
Cuesta (La) Tenerife TF..125 I 2
Cuesta Blanca MU........ 85 T 26
Cuesta de la Villa
  Tenerife TF........ 124 F 2
Cuesta (La) LE........ 5 C 11
Cueto BI........ 8 C 20
Cueto (Ermita de El) SA.. 43 J 12
Cueto Negro LE........ 15 D 12
Cueva BU........ 8 C 19
Cueva AL........ 84 S 23
Cueva (La) CU........ 48 K 24
Cueva (Punta de la)
  Gran Canaria GC........ 115 G 3
Cueva de Ágreda SO.... 34 G 24
Cueva de Juarros BU.... 18 F 19
Cueva de la Mora H........ 79 S 9
Cueva de la Mora
  (Embalse) H........ 78 S 9
Cueva de Las Niñas
  (Embalse) GC........ 116 C 3
Cueva de Roa (La) BU.... 31 G 18
Cueva del Agua
  La Palma TF........ 130 B 3
Cueva del Beato
  (Ermita de la) GU........ 47 J 22
Cueva del Hierro CU........ 47 K 23
Cueva del Pájaro (La) AL.. 96 U 24
Cueva Foradada
  (Embalse de) TE........ 49 J 27
Cuevarruz (La) V........ 61 M 27
Cuevas SO........ 32 H 20
Cuevas O........ 5 C 11
Cuevas (Las) A........ 85 Q 27
Cuevas Bajas MA........ 93 U 16
Cuevas de Almudén TE.. 49 J 27
Cuevas de Amaya BU.... 17 E 17
Cuevas de Ambrosio J.... 83 R 21
Cuevas de Cañart (Las) TE.49 J 28
Cuevas
  de los Medinas (Las) AL.103 V 23
Cuevas
  de los Úbedas AL........ 103 V 23
Cuevas
  de Moreno (Las) AL........ 84 S 23
Cuevas de Portalrubio TE. 49 J 27
Cuevas de Provano SG.. 31 H 18
Cuevas de Reillo MU........ 85 S 26
Cuevas
  de San Clemente BU.. 18 F 19
Cuevas
  de San Marcos MA.... 93 U 16
Cuevas de Soria (Las) SO 33 G 22
Cuevas de Velasco CU.. 60 L 22
Cuevas del Almanzora AL. 96 U 24
Cuevas del Becerro MA.. 92 V 14
Cuevas del Campo GR.... 95 T 21
Cuevas del Sil LE........ 15 D 10
Cuevas del Valle AV........ 57 L 14
Cuevas Labradas TE........ 48 K 26
Cuevas Labradas GU........ 47 J 23
Cuevas Minidas GU........ 47 J 23
Cuiña C........ 3 A 6
Cuiña LU........ 4 A 7
Culebra (Reserva nacional de la
  Sierra de la) ZA........ 29 G 11
Culebras CU........ 60 L 22
Culebrón A........ 85 Q 27
Culebros LE........ 15 E 11
Culla CS........ 49 K 29
Cúllar GR........ 95 T 21
Cúllar Baza GR........ 95 T 22
Cúllar Vega GR........ 94 U 18
Cullera V........ 74 O 29
Cullera (Far de) V........ 74 O 29
Culleredo C........ 3 C 4
Cumbre (La) CC........ 56 N 12
Cumbre Alta TO........ 57 N 15
Cumbre del Sol A........ 75 P 30
Cumbrecita (La)
  La Palma TF........ 131 C 4
Cumbres de Calicanto V.. 62 N 28
Cumbres de En Medio H.. 79 R 9

Cumbres
  de San Bartolomé H..... 79 R 9
Cumbres de Valencia V... 73 P 27
Cumbres Mayores H........ 79 R 10
Cumplida
  (Punta) La Palma TF..131 D 2
Cumpio (Peñón de la) J.. 82 R 17
Cunas LE........ 15 F 10
Cunchillos Z........ 34 G 24
Cundins C........ 2 C 3
Cunit T........ 37 I 34
Cuntis PO........ 12 E 4
Cuñas OR........ 13 E 5
Cura (Casas del) M........ 58 L 19
Cura (El) CR........ 70 P 18
Cura (El) GR........ 83 S 22
Cura (Monestir de) PM..104 N 38
Curbe HU........ 35 G 29
Curiel VA........ 31 H 17
Curillas LE........ 15 E 11
Curota
  (Mirador de la) C........ 12 E 3
Currás PO........ 12 E 4
Currelos LU........ 13 D 7
Curtis Teixeiro C........ 3 C 5
Cusanca OR........ 13 E 5
Cutanda TE........ 48 J 26
Cútar MA........ 101 V 17
Cuzcurrita BU........ 32 G 19
Cuzcurrita
  de Río Tirón LO........ 18 E 21
Cuzna CO........ 81 R 15

**D**

Dacón OR........ 13 E 5
Dadín OR........ 13 E 5
Daganzo de Arriba M........ 46 K 19
Daimalos MA........ 101 V 17
Daimiel CR........ 70 O 19
Daimús V........ 74 P 29
Dalías AL........ 102 V 21
Dalias (Campo de) AL...... 102 V 21
Dallo VI........ 19 D 22
Dalt (Conca de) L........ 23 F 32
Dama (La) La Gomera TF.118 B 3
Damas (Las) AV........ 45 K 17
Damil LU........ 3 C 7
Dañador J........ 83 Q 20
Dantxarinea NA........ 11 C 25
Darnius GI........ 25 E 38
Daró (El) GI........ 25 G 39
Daroca Z........ 48 I 25
Daroca de Rioja LO........ 19 E 22
Darral AL........ 102 V 20
Darrícal AL........ 102 V 20
Das GI........ 24 E 35
Daya Nueva A........ 85 R 27
Deba SS........ 10 C 22
Degaña O........ 5 D 10
Degollada
  (La) Tenerife TF........ 129 G 4
Degollada
  (Puerto Los) NA........ 20 F 24
Degrada (A) LU........ 14 D 9
Dehesa BA........ 68 P 12

Dehesa (La) CR........ 70 P 19
Dehesa (La) H........ 79 S 10
Dehesa (La) cerca
  de Casa del Pino AB.. 84 Q 23
Dehesa (La) cerca de
  El Griego AB........ 72 Q 23
Dehesa de Campoamor A. 85 S 27
Dehesa de Montejo P........ 17 D 16
Dehesa de Romanos P.... 17 E 16
Dehesa del Horcajo TO.... 57 M 14
Dehesa del Moncayo (Parque natural
  de la) Z........ 34 G 24
Dehesa Mayor SG........ 31 H 17
Dehesa Media Matilla BA. 67 Q 9
Dehesa Nueva TO........ 57 M 14
Dehesas LE........ 14 E 9
Dehesas de Guadix GR.. 95 T 20
Dehesas Viejas GR........ 94 T 19
Dehesilla CU........ 47 K 22
Dehesilla (La) CU........ 58 M 20
Dehesón (El) TO........ 57 L 15
Deifontes GR........ 94 U 19
Deleitosa CC........ 56 N 13
Delgadas (Las) H........ 79 T 10
Delgadillo GR........ 95 T 20
Deltebre T........ 50 J 32
Demanda (Reserva nacional de la
  Sierra de la) LO........ 18 F 20
Demúes O........ 6 C 15
Dena PO........ 12 E 3
Dénia A........ 75 P 30
Denúy HU........ 22 E 31

Derio BI........ 8 C 21
Derramadero AB........ 84 Q 23
Derramador V........ 61 N 26
Derrasa (La) OR........ 13 F 6
Desamparados (Los) CR.. 71 P 21
Descargamaría CC........ 42 L 10
Desesperada CR........ 82 Q 19
Desierto (El) Tenerife TF.129 F 5
Deskarga (Alto) SS........ 10 C 22
Desojo NA........ 19 E 23
Despeñaperros
  (Desfiladero de) J........ 82 Q 19
Despeñaperros
  (Parque natural de) J.. 82 Q 19
Destriana LE........ 15 F 11
Deva O........ 13 F 5
Dévanos SO........ 33 G 24
Devesa LU........ 4 B 8
Devesa OR........ 13 E 5
Deveso O........ 3 B 6
Devesos C........ 3 B 6
Devotas
  (Congosto de las) HU.. 22 E 30
Deyá PM........ 104 M 37
Deza SO........ 33 H 23
Deza (Río) PO........ 13 D 6
Diamondi LU........ 13 E 6
Diego Álvaro AV........ 44 J 14
Diego del Carpio AV........ 44 J 14
Diezma GR........ 94 U 20
Diezmo (Peña del) M........ 45 J 18
Dilar GR........ 94 U 19
Dima BI........ 9 C 21

## CUENCA

0 — 200 m

Ciudad Encantada — Arco del Bezudo — Hoz del Júcar — ERMITA — SAN PEDRO — CONVENTO — Puente de los Descalzos — Av. de los Alfares — JÚCAR — Pº del Júcar — CIUDAD — CATEDRAL — PARADOR — Hoz del Huécar — San Miguel — LAS CASAS COLGADAS (M) — ANTIGUA — TORRE DE MANGANA — POLIDEPORTIVO EL SARGAL — Loyola — PARQUE DE HUÉCAR — PARQUE DE LOS MORALEJOS — AUDITORIO-TEATRO — PARQUE DE SAN JULIÁN — POLIDEPORTIVO LUIS YUFERA — Av. República Argentina — A 40 MADRID — PARQUE DE SANTA ANA — N 420 CIUDAD REAL — TERUEL VALENCIA — N 320 — Calderón de la Barca — Carretería — Sánchez Vera — Aguirre — Colón — Cajal — Las Torres — Fermín Caballero — Cañete

Alfonso VIII ..................... Y 2
Alonso de Ojeda.................. Y 5
Andrés de Cabrera............... Y 8
Angustias (Bajada a las)......... Y 12
Angustias (Pl. de las)........... Y 15
Astrana Marín.................... Z 16
Cardenal Gil de Albornoz......... Z 17
Carmen (Pl. del)................. Y 20
Carretería....................... YZ
Cervantes........................ Z 23
Colegio San José................. Y 25
Constitución (Pl. de la)......... Y 27
Fray luis de León................ Y 30
Hispanidad (Pl. de la)........... Y 33
Hurtado de Mendoza............... Y 35
José Cobo........................ Z 38
Júcar (Ronda del)................ Y 40
Julián Romero (Ronda de)......... Y 43
Mayor (Pl.)...................... Y 44
Obispo Valero.................... Y 45
Padre I. Hervás y Panduro........ Z 48
Parque San Julián (Travesía)..... Z 50
Pósito........................... Y 55
Puerta de Valencia............... YZ 58
Reyes Católicos (Av. de los)..... Z 63
San Nicolás (Pl.)................ Y 65
San Pablo (Puente de)............ Y 68
Trabuco.......................... Y 71
Trinidad (Pl.)................... Y 74
Virgen de la Luz (Av.)........... Y 80

Museo de Arte Abstracto Español .............. Y M
Museo de Cuenca ........................... Y M[2]
Museo Diocesano ........................... Y M[1]

A B C D E F G H I J K L M N O P Q R S T U V W X Y Z

## DONOSTIA-SAN SEBASTIÁN

Andía ..... DZ 2
Argentinako Errepublikaren (Pas.) ..... EY 6
Askatasunaren (Hiribidea) .. DEZY
Bulebar Zumardia ..... DY 14
Erregina Erregentearen ..... EY 17
Euskadi (Pl.) ..... EY 18
Fermin Calbetón ..... DY 19
Garibai ..... DY
Hernani ..... DY
Konstituzio (Pl.) ..... DY 28
Maria Kristina (Zubia) ..... EZ 31
Miramar ..... DZ 32
Portu ..... DY 36
Ramón Maria Lili (Pas.) ..... EY 38
Santa Katalina (Zubia) ..... EY 45
San Jerónimo ..... DY 42
San Juan ..... DEY 43
Urbieta ..... DEZ
Urdaneta ..... EZ 49
Zabaleta ..... EY 53
Zurriola (Zubia) ..... EY 58

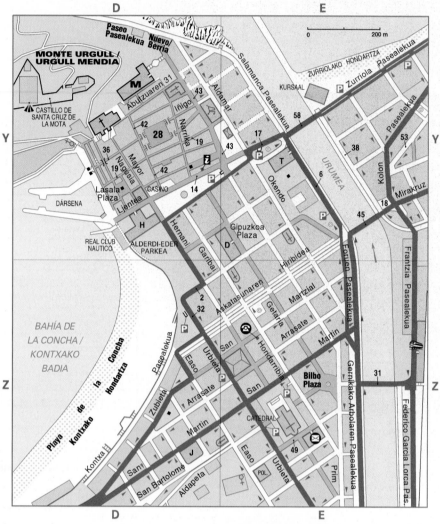

Dios le Guarde *SA* 43 K 11
Dique (El) *Z* 36 I 29
Discatillo *NA* 19 E 23
Distriz *LU* 3 C 6
Diustes *SO* 33 F 22
Doade *LU* 14 E 7
Doade *OR* 13 E 5
Doade *PO* 13 E 5
Dobro *BU* 18 D 19
Doctor (Casas del) *V* 73 N 26
Doctor (El) *CR* 70 P 19
Doctoral (El) *Gran Canaria* *GC* 117 F 4
Dodro *C* 12 D 3
Doiras *O* 4 B 9
Doiras *LU* 14 D 9
Doiras (Embalse de) *O* 4 B 9
Dólar *GR* 95 U 21
Dolores *A* 85 R 27
Dolores *MU* 85 S 27
Dolores (Los) *MU* 85 T 26
Domaio *PO* 12 F 3
Domeño *NA* 11 D 26
Domeño *V* 61 M 27
Dómez *ZA* 29 G 11
Domingo García *SG* 45 I 16
Domingo Pérez *TO* 57 M 16
Domingo Pérez *GR* 94 T 19
Domingos (es) *PM* 105 N 39
Don Álvaro *BA* 67 P 11
Don Benito *BA* 68 P 12
Don Diego *GR* 95 U 21
Don Gaspar de Portolá (Parador de) *Artiés de L* 22 D 32
Don Gonzalo *MU* 84 S 24
Don Jaume (Ermita) *A* 86 Q 28
Don Jerónimo *CR* 71 O 20
Don Jerónimo Tapia (Casa de) *TO* 70 N 18
Don Juan *CR* 71 O 19
Don Juan (Cueva de) *V* 73 O 26
Don Martin (Mirador de) *Tenerife* *TF* 127 H 3
Don Miguel de Unamuno (Monumento a) *Fuerteventura* *GC* 111 H 2
Don Pedro *MA* 99 W 14
Don Pedro (Cabeza de) *CU* 60 L 24
Don Pedro (Casas de) *AB* 72 O 24
Don Rodrigo (Estación de) *SE* 92 U 12
Donadío *J* 82 S 19
Donado *ZA* 15 F 10
Donalbai *LU* 3 C 6
Donamaria *NA* 11 C 24
Donar (La) *AB* 84 R 22
Donarque (Puerto de) *TE* 48 K 25
Donas *PO* 12 F 3
Doncos *LU* 14 D 8
Done Bikendi Harana *VI* 19 D 22
Doney de la Requejada *ZA* 15 F 10
Doneztebe / Santesteban *NA* 11 C 24
Donhierro *SG* 44 I 15
Doniños *C* 3 B 5
Donis *LU* 14 D 9
Donjimeno *AV* 44 J 15
Donón *PO* 12 F 3
Donostia-San Sebastián *SS* 10 C 24
Donramiro *PO* 13 E 5
Donvidas *AV* 44 I 15
Donzell *L* 37 G 33
Doña Aldonza (Embalse de) *J* 83 S 20
Doña Ana *GR* 83 S 22
Doña Ana *J* 83 R 21
Doña Blanca *CA* 98 W 11
Doña Blanca de Navarra (Castillo de) *NA* 20 F 25
Doña Inés *MU* 84 S 24
Doña Justa *CR* 69 P 15
Doña María *BA* 66 P 8
Doña María Ocaña *AL* 95 U 21
Doña Marina *GR* 95 T 20
Doña Mencía *CO* 93 T 16
Doña Rama *CO* 80 R 14
Doña Santos *BU* 32 G 19
Doñana *MA* 100 V 16
Doñana (Parque Nacional de) *H* 91 V 10
Doñinos de Ledesma *SA* 43 I 11
Doñinos de Salamanca *SA* 43 J 12
Dóriga *O* 5 B 11
Dormea *C* 3 D 5
Dornillas *ZA* 15 F 10
Doroño *BU* 19 D 21
Dorrao / Torrano *NA* 19 D 23
Dórria *GI* 24 E 36
Dos Aguas *V* 73 O 27
Dos Hermanas *SE* 91 U 12
Dos Picos *AL* 95 U 21
Dos Torres *CO* 81 Q 15
Dos Torres de Mercader *TE* 49 J 28
Dosante *BU* 8 C 18
Dosbarrios *TO* 58 M 19
Dosrius *B* 38 H 37
Dozón *PO* 13 E 5
Drach (Coves del) *PM* 105 N 39
Dragonte *LE* 14 E 9
Draguillo (El) *Tenerife* *TF* 125 J 1
Driebes *GU* 59 L 20
Drova (La) *V* 74 O 29
Duañez *SO* 33 G 23
Dúas Igréxas *PO* 13 E 4
Ducs (Els) *V* 61 N 26
Duda (Sierra de) *GR* 83 S 21
Dúdar *GR* 94 U 19
Dueña Baja (La) *SE* 92 U 14
Dueñas *P* 31 G 16
Dueñas (Las) *TE* 61 L 26
Duerna *LE* 15 F 11
Duesaigües *T* 51 I 32
Dueso *S* 8 B 19
Dumbría *C* 2 C 2
Duques de Cardona (Parador de) *Cardona B* 37 G 35
Duquesa (La) *CR* 70 O 19
Duquesa (La) *MA* 99 W 14
Durana *VI* 19 D 22
Duranes *CR* 69 P 16
Durango *BI* 10 C 22
Duratón *SG* 32 I 18
Dúrcal *GR* 101 V 19
Durón *GU* 47 K 21
Durro *L* 22 E 32
Duruelo *SO* 32 G 21
Duxame *PO* 13 D 5

## E

Ea *BI* 9 B 22
Ebre (Delta de l') *T* 50 J 32
Ebrón *V* 61 L 26
Ecay / Ekai de Lóguida *NA* 11 D 25
Echagüe *NA* 20 E 25
Echálaz *NA* 11 D 25
Echarren de Guirguillano *cerca de Puente la Reina* *NA* 10 D 24
Echedo *El Hierro* *TF* 109 D 1
Écija *SE* 92 T 14
Edrada *OR* 13 F 7
Egea *HU* 22 E 31
Egino *VI* 19 D 23
Egozkue *NA* 11 D 25
Eguaras *NA* 11 D 24
Egüés *NA* 11 D 25
Eguilaz *VI* 19 D 23
Eguileor *VI* 19 D 22
Eguileta *VI* 19 D 22
Eibar *SS* 10 C 22
Eidos *PO* 12 F 4
Eiras *OR* 13 E 5
Eiras (Embalse de) *PO* 12 E 4
Eiré *LU* 13 E 7
Eirón *C* 2 D 3
Eivissa / Ibiza *PM* 87 P 34
Ejea de los Caballeros *Z* 20 F 26
Ejeme *SA* 44 J 13
Ejep *HU* 22 F 30
Ejido (El) *TO* 57 M 14
Ejido (El) *AL* 102 V 21
Ejulve *TE* 49 J 28
Ekai de Lóguida / Ecay *NA* 11 D 25
Ekain *SS* 10 C 23
Elantxobe *BI* 9 B 22
Elbete *NA* 11 C 25
Elburgo *VI* 19 D 22
Elche / Elx *A* 85 R 27
Elche de la Sierra *AB* 84 Q 23
Elciego *VI* 19 E 22
Elcóaz *NA* 11 D 26
Elda *A* 85 Q 27
Elduain *SS* 10 C 24
Elgeta *SS* 10 C 22
Elgoibar *SS* 10 C 22
Elgorriaga *NA* 11 C 24
Eliana (L') *V* 62 N 28
Elice (Puerto) *CC* 55 N 9
Elizondo *NA* 11 C 25
Eljas *CC* 55 L 9
Eller *L* 23 E 35
Elorregi *SS* 10 C 22
Elorrieta *GR* 94 U 19
Elorrio *BI* 10 C 22
Elortz / Elorz *NA* 11 D 25
Elorz / Elortz *NA* 11 D 25
Elosu *VI* 19 D 21
Elosua *SS* 10 C 22
Els Munts *T* 37 I 34
Els Poblets *A* 74 P 30
Eltzaburu *NA* 11 C 24
Elvillar *VI* 19 E 22
Elvira (Sierra) *GR* 94 U 18
Elviria *MA* 100 W 15
Elx / Elche *A* 85 R 27
Embid *GU* 48 J 24
Embid de Ariza *Z* 33 H 24
Embid de la Ribera *Z* 34 H 25
Embún *HU* 21 E 27
Empalme (El) *H* 90 U 8
Emperador (El) *TO* 70 O 18
Empuriabrava *GI* 25 F 39
Empúries *GI* 25 F 39
Ena *HU* 21 E 27
Enamorados *MA* 93 U 16
Encantada (Embalse de) *CO* 81 S 15
Encarnación (Ermita de La) *MU* 84 R 24
Encarnación (La) *CR* 70 O 18
Encebras *A* 85 Q 27
Encima-Angulo *BU* 8 C 20
Encina (La) *SA* 42 K 10
Encina (La) *A* 73 P 27
Encina de San Silvestre *SA* 43 I 11
Encinacaida *CR* 57 N 15
Encinacorba *Z* 34 I 26
Encinar (El) *M* 46 K 19
Encinar (Ermita del) *CC* 55 M 9
Encinar del A. *M* 58 L 16
Encinarejo *CO* 81 S 15
Encinarejo (El) *J* 82 R 18
Encinarejo (Embalse del) *J* 82 R 18
Encinares *AV* 44 K 13
Encinares de Sanlúcar la Mayor (Los) *SE* 91 T 11
Encinas *SG* 32 H 19
Encinas (Las) *SE* 92 T 12
Encinas (Monte) *CR* 82 Q 18
Encinas de Abajo *SA* 44 J 13
Encinas de Arriba *SA* 44 J 13
Encinas de Esgueva *VA* 31 G 17
Encinas Reales *CO* 93 U 16
Encinasola *H* 78 R 9
Encinasola de los Comendadores *SA* 42 I 10
Encinedo *LE* 15 F 10
Encinetas *MA* 100 W 14
Encinilla (La) *SE* 92 V 12
Encinillas *SG* 45 I 17
Encío *BU* 18 E 20
Enciso *LO* 19 F 23
Encomienda (La) *cerca de Badajoz* *BA* 66 P 8
Encomienda (La) *cerca de Villanueva de la Serena* *BA* 68 O 12
Endrinal *SA* 43 K 12
Endrinales (Los) *M* 46 J 18
Enériz *NA* 11 D 24
Enfesta *C* 3 D 4
Enguera *V* 74 P 27
Enguera (Serra de) *V* 73 P 27
Enguídanos *CU* 61 M 25
Enillas (Las) *ZA* 29 H 12
Enix *AL* 102 V 22
Enjambre (La) *CR* 57 N 15
Enmedio *TO* 70 N 18
Enmedio *V* 61 M 26
Enmedio *S* 17 D 17
Enmedio (Sierra de) *AB* 85 Q 25
Enol (Lago de) *O* 6 C 15
Ènova (L') *V* 74 O 28
Enroig *CS* 50 K 30
Entallada (La) *Fuerteventura* *GC* 113 H 4
Enterrias *S* 7 C 15
Entinas (Punta) *AL* 102 V 21
Entis *C* 2 D 3
Entrago *O* 5 C 11
Entrala *ZA* 29 H 12
Entrambasaguas *S* 8 B 18
Entrambasmestas *S* 7 C 18
Entrecinsa *OR* 14 F 8
Entrecruces *C* 2 C 3
Entredicho (El) *AB* 84 Q 23
Entredicho (El) *CO* 80 R 14
Entredicho (Embalse de) *CR* 69 P 15
Entredichos *CU* 60 M 22
Entrego (El) *O* 6 C 13
Entremont (Congosto del) *HU* 22 F 30
Entrena *LO* 19 E 22
Entrepeñas (Embalse de) *GU* 47 K 21
Entrepinos *M* 57 L 16
Entrerríos *BA* 68 P 12
Entrimo *OR* 27 G 5
Entrines (Los) *BA* 67 Q 9
Envernallas *LU* 4 D 9
Envía (Ermita de la) *CU* 47 K 22
Enviny *L* 23 E 33
Eo *LU* 4 B 8
Epároz *NA* 11 D 26
Épila *Z* 34 H 26

## ELCHE

Alfonso XII . . . . . . . . . . . . . . . . . Z 3
Almórida . . . . . . . . . . . . . . . . . . . Z 4
Antonio Machado (Av. d') . . . . . Z 6
Baix (Pl. de) . . . . . . . . . . . . . . . . Z 7
Bassa dels Moros (Camí) . . . . . . Y 8
Camino del Gato . . . . . . . . . . . . Z 13
Camino de l'Almassera . . . . . . . Z 12
Canalejas (Puente de) . . . . . . . . Z 15
Clara de Campoanor . . . . . . . . . Y 16
Conrado del Campo . . . . . . . . . . Z 17

Corredora . . . . . . . . . . . . . . . . . . Z
Diagonal del Palau . . . . . . . . . . Y 18
Eres de Santa Llucia . . . . . . . . . Y 19
Escultor Capuz . . . . . . . . . . . . . Z 20
Estació (Pas. de l') . . . . . . . . . . Y 21
Federico García Lorca . . . . . . . . Z 23
Fernanda Santamaría . . . . . . . . Z 24
Jiménez Díaz (Doctor) . . . . . . . . Z 28
Jorge Juan . . . . . . . . . . . . . . . . . YZ 29
José María Pemán . . . . . . . . . . . Z 31
Juan Ramón Jiménez . . . . . . . . . Z 32
Luis Gonzaga Llorente . . . . . . . . Y 33
Maestro Albéniz . . . . . . . . . . . . . Y 35

Major de la Vila . . . . . . . . . . . . . Y 36
Marqués de Asprella . . . . . . . . . Y 37
Ntra Sra de la Cabeza . . . . . . . . Y 39
Pont dels Ortissos . . . . . . . . . . . Y 40
Porta d'Alacant . . . . . . . . . . . . . Y 41
Rector . . . . . . . . . . . . . . . . . . . . Z 43
Reina Victoria . . . . . . . . . . . . . . Z
Santa Anna . . . . . . . . . . . . . . . . Z 45
Santa Pola (Av. de) . . . . . . . . . . Y 47
Santa Teresa (Puente) . . . . . . . . Z 48
Sant Joan (Pl. de) . . . . . . . . . . . Z 44
Vicente Blasco Ibáñez . . . . . . . . Y 51
Xop II. Licitá . . . . . . . . . . . . . . . Z 52

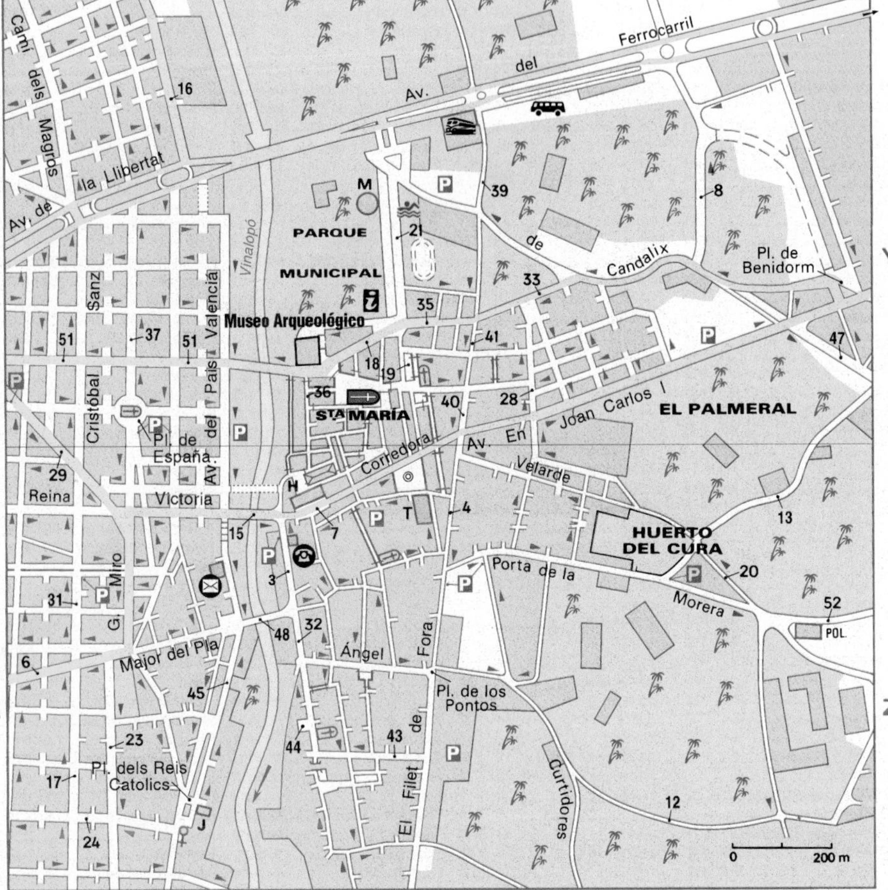

Esdolomada HU . . . . . . 22 F 31
Esera HU . . . . . . . . . . . 22 F 31
Esfiliana GR . . . . . . . . . 95 U 20
Esgleieta (S') PM . . . . . 104 N 37
Esgos OR . . . . . . . . . . . 13 F 6
Esgueva BU . . . . . . . . . 32 G 19
Esguevillas
de Esgueva VA . . . . . . 31 G 16
Eskoriatza SS . . . . . . . . 10 C 22
Eslava NA . . . . . . . . . . . 20 E 25
Esles S . . . . . . . . . . . . . 8 C 18
Eslida CS . . . . . . . . . . . 62 M 29
Esmerode C . . . . . . . . . 2 C 3
Esnotz NA . . . . . . . . . . 11 D 25
Espà (L') B . . . . . . . . . . 23 F 35
Espadà CS . . . . . . . . . . 62 M 28
Espadaña SA . . . . . . . . 43 I 11
Espadañedo ZA . . . . . . 15 F 10
Espadilla CS . . . . . . . . . 62 L 28
Espaén L . . . . . . . . . . . 23 F 33
Espantaperros SE . . . . . 92 U 12
Esparra (L') GI . . . . . . . . 24 G 37
Esparragal MU . . . . . . . 85 R 26
Esparragal
(Embalse del) SE . . . . 91 T 11
Esparragalejo BA . . . . . 67 P 10
Esparragosa
de la Serena BA . . . . . 68 Q 13
Esparragosa
de Lares BA . . . . . . . . 68 P 14
Esparreguera B . . . . . . . 38 H 35
Esparreguera
(Monte) CS . . . . . . . . 62 L 29
Espartal (El) M . . . . . . . 46 J 19
Esparteros SE . . . . . . . . 92 U 13
Espartinas SE . . . . . . . . 91 T 11
Espartosa (La) MU . . . . 85 R 26
Esparza de Salazar
cerca de Ochagavía NA . . 11 D 26
Espasante C . . . . . . . . . 3 A 6
Espeja SA . . . . . . . . . . . 42 K 9
Espeja
de San Marcelino SO . . 32 G 20
Espejo VI . . . . . . . . . . . 18 D 20
Espejo CO . . . . . . . . . . 81 S 16
Espejón SO . . . . . . . . . 32 G 20
Espelt (L') B . . . . . . . . . 37 H 34
Espelúy J . . . . . . . . . . . 82 R 18
Espera CA . . . . . . . . . . 92 V 12
Esperante C . . . . . . . . . 12 D 3
Esperanza
(Ermita de la) CO . . . . 93 T 16
Esperanza (La) SE . . . . . 92 U 14
Esperanza (La)
Tenerife TF . . . . . . . . 124 H 2
Espés HU . . . . . . . . . . . 22 E 31
Espiel CO . . . . . . . . . . . 81 R 14
Espiel (Puerto de) CO . . 81 R 14
Espierba HU . . . . . . . . . 22 E 30
Espín HU . . . . . . . . . . . 21 E 29
Espina (Collado de) HU . 22 E 31
Espina (La) O . . . . . . . . 5 B 10
Espina (La) LE . . . . . . . . 16 D 15
Espina de Tremor LE . . . 15 D 11
Espinal / Auritzberri NA . 11 D 25
Espinama S . . . . . . . . . . 6 C 15
Espinar (El) SG . . . . . . . 45 J 17
Espinardo MU . . . . . . . . 85 R 26
Espinaredo O . . . . . . . . 6 C 13
Espinavell GI . . . . . . . . 24 E 37
Espinelves GI . . . . . . . . 24 G 37
Espinilla S . . . . . . . . . . 7 C 17
Espino (Cuesta del) CO . 81 S 15
Espino
(Ermita Virgen del) AV . 44 J 14
Espino de la Orbada SA . 44 I 13
Espinosa
de los Caballeros AV . . 45 I 16
Espinosa
de los Monteros BU . . . 8 C 19
Espinosa
de Villagonzalo P . . . . 17 E 16
Espinosa
del Camino BU . . . . . . 18 E 20
Espinosa del Monte BU . 18 E 20
Espinoso
de Compludo LE . . . . . 15 E 10
Espinoso del Rey TO . . . 57 N 15

Espiñaredo C . . . . . . . . 3 B 6
Espirdo SG . . . . . . . . . . 45 J 17
Espíritu Santo
(Ermita del) O . . . . . . . 5 B 11
Esplegares GU . . . . . . . 47 J 22
Espluga HU . . . . . . . . . 22 E 31
Espluga Calba (L') L . . . 37 H 33
Espluga
de Francolí (L') T . . . . 37 H 33
Espluga de Serra L . . . . 22 F 32
Esplús HU . . . . . . . . . . 36 G 30
Espolla GI . . . . . . . . . . 25 E 39
Esponellà GI . . . . . . . . 25 F 38
Esporles PM . . . . . . . . 104 M 37
Esposa HU . . . . . . . . . . 21 E 28
Espot L . . . . . . . . . . . . 23 E 33
Espot (Portarró d') L . . . 23 E 32
Espotz / Espoz NA . . . . 11 D 25
Espoz / Espotz NA . . . . 11 D 25
Espronceda L . . . . . . . . 19 E 23
Espúndolas HU . . . . . . . 21 E 28
Espui L . . . . . . . . . . . . . 23 E 32
Espunyola (L') B . . . . . . 23 F 35
Esquedas HU . . . . . . . . 21 F 28
Esquinazo
(Puerto del) TE . . . . . 49 J 27
Esquivel SE . . . . . . . . . 91 T 12
Esquivias TO . . . . . . . . 58 L 18
Establés GU . . . . . . . . . 47 I 23
Establiments PM . . . . . 104 N 37
Estaca de Bares
(Punta de la) C . . . . . 3 A 6
Estacas
cerca de Cuntis PO . . . 12 E 4
Estacas cerca
de Ponte-Caldelas PO . 13 E 4
Estacas de Trueba
(Puerto de las) BU . . . 8 C 18
Estació (Faro del) MU . . 86 S 27
Estació
de Novelda (La) A . . . . 85 Q 27
Estación (La) M . . . . . . 45 K 18
Estación (La) SE . . . . . . 92 T 12
Estación (La) CO . . . . . 45 K 17
Estación (La)
cerca de Arévalo AV . . 44 I 15
Estación (La) cerca
de Sanchidrián AV . . . 45 J 16
Estación Cártama MA . . 100 V 16
Estación
de Agramón AB . . . . . 84 Q 25
Estación de Algodor M . 58 M 18
Estación
de Archidona MA . . . . 93 U 16
Estación de Baeza J . . . 82 R 19
Estación de Cabra
del Santo Cristo
y Alicún J . . . . . . . . . . 83 T 20
Estación de Huelma J . . 95 T 20
Estación de la Puebla
de Híjar TE . . . . . . . . 35 I 28
Estación
de Las Mellizas MA . . . 100 V 15
Estación
de las Minas AB . . . . . 84 R 25
Estación
de los Molinos M . . . . 45 J 17
Estación
de Matallana LE . . . . . 16 D 13
Estación de Mora
de Rubielos TE . . . . . . 61 L 27
Estación de Obejo CO . . 81 R 15
Estación de Ordes C . . . 3 C 4
Estación de Páramo LE . 15 D 10
Estación de Salinas MA . 93 U 17
Estación
de San Roque CA . . . . 99 X 13
Estación
y Pajares (La) M . . . . . 45 K 17
Estada HU . . . . . . . . . . 22 F 30
Estadilla HU . . . . . . . . . 22 F 30
Estallo HU . . . . . . . . . . 21 E 28
Estamariu L . . . . . . . . . 23 E 34
Estana L . . . . . . . . . . . . 23 F 34
Estanca
(Embalse de la) TE . . . 49 I 29
Estany (L') B . . . . . . . . . 38 G 36
Estany
d'en Mas (S') PM . . . . 105 N 39
Estanyol (S') Ibiza PM . . 87 P 33
Estanyol (L')
Mallorca PM . . . . . . . 104 N 38
Estaña HU . . . . . . . . . . 22 F 31
Estaon L . . . . . . . . . . . . 23 E 33
Estarás L . . . . . . . . . . . 37 G 34
Estartit (L') GI . . . . . . . . 25 F 39

Epina La Gomera TF . . . 118 B 2
Eras (Las) TE . . . . . . . . . 61 L 26
Eras (Las) AB . . . . . . . . 73 O 25
Eratsun NA . . . . . . . . . . 10 C 24
Eraul NA . . . . . . . . . . . . 19 D 23
Erbecedo C . . . . . . . . . . 2 C 3
Erbedeiro LU . . . . . . . . . 13 E 6
Ercina (La) LE . . . . . . . . 16 D 14
Ercina (Lago de la) O . . . 6 C 15
Erdoizta SS . . . . . . . . . . 10 C 23
Ereño BI . . . . . . . . . . . . 9 B 22
Ereñozu SS . . . . . . . . . . 10 C 24
Eresma SG . . . . . . . . . . 45 J 17
Ergoien BI . . . . . . . . . . . 9 C 21
Eria CL . . . . . . . . . . . . . 15 F 12
Erias CC . . . . . . . . . . . . 43 K 10
Erice NA . . . . . . . . . . . . 11 D 24
Erice
cerca de Eguaras NA . . 10 D 24
Erill la Vall L . . . . . . . . . 22 E 32
Erillas CO . . . . . . . . . . . 80 R 14
Erinyà L . . . . . . . . . . . . 23 F 32
Eripol HU . . . . . . . . . . . 22 F 30
Eripol (Collado de) HU . . 22 F 30
Eriste HU . . . . . . . . . . . 22 E 31
Erjas CC . . . . . . . . . . . . 55 L 9
Erjos Tenerife TF . . . . . 126 C 3
Erla Z . . . . . . . . . . . . . . 21 F 27
Ermida LU . . . . . . . . . . . 14 E 8
Ermida (A) OR . . . . . . . . 13 E 5
Ermita T . . . . . . . . . . . . 50 J 31
Ermita (La) AL . . . . . . . . 96 T 22

Ermita (S') PM . . . . . . . 105 N 39
Ermita de Nuestra
Santa Fátima BA . . . . . 80 Q 13
Ermita Nueva J . . . . . . . 94 T 18
Ermitas (Las) CO . . . . . . 81 S 15
Ermua BI . . . . . . . . . . . . 10 C 22
Eroles L . . . . . . . . . . . . 22 F 32
Erratzu NA . . . . . . . . . . 11 C 25
Errazkin NA . . . . . . . . . 10 C 24
Errea NA . . . . . . . . . . . . 11 D 25
Errenteria / Renteria SS . 10 C 24
Errezil SS . . . . . . . . . . . 10 C 23
Errigoiti BI . . . . . . . . . . 9 C 21
Erro NA . . . . . . . . . . . . . 11 D 25
Errotz NA . . . . . . . . . . . 10 D 24
Erustes TO . . . . . . . . . . 57 M 16
Es Caló PM . . . . . . . . . . 87 P 34
Esanos S . . . . . . . . . . . . 7 C 16
Esblada T . . . . . . . . . . . 37 H 34
Escacena del Campo H . . 91 T 10
Escairón LU . . . . . . . . . . 13 E 7
Escala (L')
La Escala GI . . . . . . . . 25 F 39
Escala (La) L . . . . . . . . . 20 E 26
Escala (L') GI . . . . . . . . . 25 F 39
Escalada BU . . . . . . . . . 18 D 18
Escalante S . . . . . . . . . . 8 B 19
Escalar
(Garganta del) HU . . . 21 D 29
Escale (Pantà d') HU . . . 22 E 32

Escalera GU . . . . . . . . . . 47 J 23
La Escaleruela TE . . . . . . 61 L 27
Escaleta (Punta de l') A . . 74 Q 29
Escaló L . . . . . . . . . . . . 23 E 33
Escalona HU . . . . . . . . . 22 E 30
Escalona TO . . . . . . . . . 57 L 16
Escalona (La) TF . . . . . 128 E 5
Escalonilla TO . . . . . . . . 57 M 16
Escamilla GU . . . . . . . . . 47 K 22
Escandón
(Puerto de) TE . . . . . . 61 L 27
Escañuela J . . . . . . . . . . 82 S 17
Escarabajosa
de Cabezas SG . . . . . . 45 I 17
Escarabote C . . . . . . . . . 12 E 3
Escariche GU . . . . . . . . . 46 K 20
Escarihuela (La) MU . . . 96 T 24
Escaro LE . . . . . . . . . . . 6 C 14
Escarrilla HU . . . . . . . . . 21 D 29
Escatrón Z . . . . . . . . . . 35 I 29
Escatrón
(Estación de) TE . . . . . 35 I 29
Escó Z . . . . . . . . . . . . . 20 E 26
Escobar SE . . . . . . . . . . 91 U 11
Escobar (El) MU . . . . . . 85 S 26
Escobar de Campos LE . . 16 F 15
Escobar
de Polendos SG . . . . . 45 I 17
Escobedo S . . . . . . . . . . 7 B 18
Escobar ZA . . . . . . . . . . 29 G 12

Escobonal
(El) Tenerife TF . . . . . 129 G 4
Escobosa SO . . . . . . . . . 33 H 22
Escombreras MU . . . . . . 97 T 27
Escopete GU . . . . . . . . . 46 K 20
Escorca PM . . . . . . . . . 104 M 38
Escorial (El) M . . . . . . . 45 K 17
Escorial
(Monasterio de El) M . . 45 K 17
Escoriales (Los) J . . . . . . 82 R 18
Escorihuela TE . . . . . . . 49 K 27
Escornabois OR . . . . . . . 13 F 7
Escóznar GR . . . . . . . . . 94 U 18
Escriche TE . . . . . . . . . . 49 K 27
Escrita (La) L . . . . . . . . . 8 C 20
Escuadro de Sayago ZA . 29 I 11
Escuaín HU . . . . . . . . . . 22 E 30
Escucha TE . . . . . . . . . . 49 J 27
Escudero V . . . . . . . . . . 73 P 27
Escudo (Puerto del) S . . . 7 C 18
Escuernavacas SA . . . . . 43 J 10
Escullar AL . . . . . . . . . . 95 U 21
Escullos (Los) AL . . . . . 103 V 23
Esculqueira OR . . . . . . . 28 G 8
Escunhau L . . . . . . . . . . 22 D 32
Escuredo LE . . . . . . . . . 15 D 12
Escuredo ZA . . . . . . . . . 15 F 10
Escurial CC . . . . . . . . . . 68 O 12
Escurial de la Sierra SA . 43 K 12
Escusa PO . . . . . . . . . . 12 E 3
Escúzar GR . . . . . . . . . . 94 U 18

Estasen (L') **B** 23 F 35
Estats (Pico d') **L** 23 E 34
Estavillo **VI** 18 D 21
Estebanvela **SG** 32 H 20
Esteiro
*cerca de Cedeira* **C** 3 B 5
Esteiro *cerca de Muros* **C** 12 D 3
Estelas (As) **PO** 12 F 3
Estella / Lizarra **NA** 19 D 23
Estella del Marqués **CA** 98 V 11
Estellencs **PM** 104 N 37
Estena **CC** 67 O 10
Estena (Río) **CR** 69 N 16
Estepa **SE** 93 U 15
Estepa de San Juan **SO** 33 G 23
Estépar **BU** 17 F 18
Estepas (Los) **CO** 81 S 15
Estepona **MA** 100 W 14
Esteras **SO** 33 G 23
Esteras (Puerto) **SO** 47 I 22
Esteras de Medinaceli **SO** 47 I 22
Estercuel **TE** 49 J 28
Esteribar **NA** 11 D 25
Esteros (Los) **AB** 71 P 22
Esterri d'Àneu **L** 23 E 33
Esterri de Cardós **L** 23 E 33
Estévez (Las) **BA** 67 P 10
Estiche **HU** 36 G 30
Estivadas **OR** 27 F 7
Estivadas (Alto de) **OR** 27 F 7
Estivella **V** 62 M 28
Estiviel **TO** 58 M 17
Esto **C** 2 C 3
Estollo **LO** 19 F 21
Estopiñán **HU** 36 G 31
Estorninos **CC** 55 M 9
Estrada (A) **PO** 13 D 4
Estrecho (El) **AL** 84 S 23
Estrecho (El)
*cerca de Lobosillo* **MU** 85 S 26
Estrecho
(Mirador El) **CA** 99 X 13
Estrecho de San Ginés (El)
*cerca de*
*Llano del Beal* **MU** 85 T 27
Estrella
(Castillo de la) **MA** 100 V 15
Estrella (La) **TO** 57 M 14
Estremera **M** 59 L 20
Estremera
(Embalse de) **CU** 59 L 21
Estriégana **GU** 47 I 22
Estubeny **V** 74 O 28
Etayo **NA** 19 E 23
Eterna **BU** 18 E 20
Etreros **SG** 45 J 16
Etsain **NA** 11 D 25
Etxabarri-Ibiña **VI** 19 D 21
Etxalar **NA** 11 C 25
Etxaleku **NA** 10 D 24
Etxano **BI** 9 C 21
Etxarri-Aranatz **NA** 19 D 23
Etxauri **NA** 10 D 24
Etxebarri **BI** 8 C 21
Etxebarria **BI** 10 C 22
Etxeberri **NA** 10 D 24
Etxegarate
(Puerto de) **SS** 19 D 23
Euba **BI** 9 C 21
Eugenio (Casa de) **AB** 71 O 21
Eugi **NA** 11 D 25
Eulate **NA** 19 D 23
Eume **C** 3 B 5
Eume (Embalse de) **C** 3 B 6
Eume (Río) **C** 3 B 5
Europa (Picos de) **O** 6 C 15
Eurovillas-Las Villas **M** 46 K 20
Extramiana **BU** 18 D 20
Ézaro **C** 2 D 2
Ezcaray **LO** 18 F 20
Ezcároz / Ezkaroze **NA** 11 D 26
Ezkaroze / Ezcároz **NA** 11 D 26
Ezkio **SS** 10 C 23
Ezkurra **NA** 10 C 24
Ezprogui **NA** 20 E 25

**F**

Faba (La) **LE** 14 D 8
Fabara **Z** 36 I 30
Fabara (Estación de) **Z** 36 I 30
Fabares **O** 6 B 13
Fabero **LE** 15 D 10
Fábrica de Orbaitzeta **NA** 11 D 26
Fábrica del Pedroso **SE** 80 S 12
Fábricas (Las) **TE** 49 J 28
Fábricas de Riópar **AB** 84 Q 22
Facheca **A** 74 P 29
Facinas **CA** 99 X 12
Fadas (Collado de) **HU** 22 E 31
Fado **TO** 58 L 17
Fadón **ZA** 29 H 11
Faedo **O** 5 B 11
Faeira **C** 3 B 6
Fago **HU** 11 D 27
Faidella (Coll de) **L** 23 F 33
Faido **VI** 19 D 22
Fajana
(Punta de la) **TF** 126 D 2
Fajanita (La)
*Gran Canaria* **GC** 114 B 2
Faladoira (Sierra de) **C** 3 B 6
Falces **NA** 20 E 24
Falcones (Punta)
*La Gomera* **TF** 118 B 3
Falgons **GI** 24 F 37
Falset **T** 51 I 32
Famara *Lanzarote* **GC** 123 E 3
Famorca **A** 74 Q 29
Fanadix **A** 75 Q 30
Fangar (El) **T** 51 J 32
Fanlo **HU** 22 E 29
Fanzara **CS** 62 L 29
Fañanás **HU** 21 F 29
Fao **C** 13 D 5
Faraján **MA** 99 W 14
Farallós (Isla Os) **LU** 4 A 7
Faramontanos
de Tábara **ZA** 29 G 12
Faramontaos **OR** 13 E 6
Farasdués **Z** 20 F 26
Farena **T** 37 I 33
Fariza **ZA** 29 H 11
Farlete **Z** 35 G 28
Faro **LU** 4 A 7
Faro (Porto do) **PO** 13 E 6
Faro (Sierra del) **LU** 13 E 6
Farrera **L** 23 E 33
Fasgar **LE** 15 D 11
Fasnia *Tenerife* **TF** 129 G 4
Fastias **O** 5 B 10
Fataga (Barranco de)
*Gran Canaria* **GC** 116 D 4
Fatarella (La) **T** 50 I 31
Fátima **GR** 83 S 21
Fátima (Castillo de) **CA** 99 V 13
Faura **V** 62 M 29
Faustino **SE** 79 S 12
Favara **V** 74 O 29
Favàritx (Cap de) **PM** 106 M 42
Faxilda (Punta) **PO** 12 E 3
Fayón **Z** 36 I 31
Fayón-Pobla de Massaluca
(Estació) **T** 36 I 31
Fayos (Los) **Z** 34 G 24
Fazay **LU** 4 C 7
Fazouro **LU** 4 B 8
Féa **OR** 13 F 6
Feáns **C** 3 C 4
Feás **C** 3 A 6
Feás **OR** 13 E 5
Febró (La) **T** 37 I 32
Feces de Abaixo **OR** 28 G 7
Feixa **L** 23 E 33
Felanitx **PM** 105 N 39
Felechares **LE** 15 F 11
Felechas **LE** 16 D 14
Felechosa **O** 6 C 13
Felguera (La) **O** 6 C 13
Felgueras **O** 5 C 12
Felipa (La) **AB** 72 O 24
Felipes (Los) **V** 61 M 26
Felix **AL** 102 V 22
Félix Méndez **GR** 94 U 19
Felmín **LE** 16 D 13
Femés *Lanzarote* **GC** 122 B 5
Fenazar **MU** 85 R 26
Fene **C** 3 B 5
Férez **AB** 84 Q 23
Feria **BA** 67 Q 10
Feria do Monte **LU** 4 C 7
Ferial
(Embalse de El) **NA** 20 F 25
Fermoselle **ZA** 29 I 10
Fernán Caballero **CR** 70 O 18
Fernán Núñez **CO** 81 S 15
Fernán Núñez
(Estación de) **CO** 81 S 16
Fernán Pérez **AL** 103 V 23
Fernandina **J** 82 R 19
Fernandina
(Embalse de la) **J** 82 R 19
Fernando de Aragón (Parador)
*Sos del Rey Católico* **Z** 20 E 26
Ferral del Bernesga **LE** 16 E 13
Ferreira **LU** 3 D 6
Ferreira **GR** 95 U 20
Ferreira *Valadouro* **LU** 4 B 7
Ferreiras **LU** 14 D 8
Ferreiravella **LU** 4 C 8
Ferreiro **C** 3 D 5
Ferreiros
*cerca de Baralla* **LU** 14 D 8
Ferreiros *cerca de Puebla*
*de Brollón* **LU** 14 E 7
Ferrer (Son) **PM** 104 N 37
Ferreras de Abajo **ZA** 29 G 11
Ferreras de Arriba **ZA** 29 G 11
Ferreres
(Aqüeducte de les) **T** 37 I 33
Ferreries **PM** 106 M 42
Ferreruela **ZA** 29 G 11
Ferreruela de Huerva **TE** 48 I 26
Ferro (Monte) **PO** 12 F 3
Ferrol **C** 3 B 5
Ferrol (Ría de) **C** 3 B 5
Fervenza
(Embalse de) **C** 12 D 3
Fesnedo **O** 5 C 11
Figal (La) **O** 5 B 10
Figaredo **O** 5 C 12
Figaró (El) **B** 38 G 36
Figarol **NA** 20 E 25
Figols **L** 22 F 32
Fígols **B** 24 F 35
Fígols d'Organyà **L** 23 F 34
Figueirido **PO** 12 E 4
Figuera (La) **T** 36 I 32
Figueral (es) **PM** 87 O 34
Figueras **O** 4 B 8
Figueres **GI** 25 F 38
Figuerola del Camp **T** 37 H 33
Figuerola d'Orcau **L** 23 F 32
Figueroles **CS** 62 L 29
Figuerosa (La) **L** 37 G 33
Figueruela
de Arriba **ZA** 29 G 10
Figueruela
de Sayago **ZA** 29 I 12
Figueruelas **Z** 34 G 26
Filgueira **LU** 13 D 6
Filgueira **PO** 13 F 5
Filgueiras **C** 3 B 5
Filiel **LE** 15 E 11
Filipinas (Las) **A** 85 S 27
Finca Villalpardillo **CU** 72 O 23
Fincas la Dehesilla
y Carazo **BA** 66 Q 8
Fines **AL** 96 T 23
Finestrat **A** 74 Q 29
Finestrelles (Pic de) **GI** 24 E 36
Finisterre (Cabo) /
Fisterra (Cabo) **C** 2 D 2
Finisterre
(Embalse de) **TO** 58 N 19
Finolledo **LE** 15 E 10
Fiñana **AL** 95 U 21
Fiobre **C** 3 C 5
Fiolleda **LU** 14 E 7
Fión **LU** 13 E 7
Flos **O** 6 B 14
Firgas
*Gran Canaria* **GC** 115 E 2
Fiscal **HU** 21 E 29
Fisterra **C** 2 D 2
Fisterra (Cabo) /
Finisterre (Cabo) **C** 2 D 2
Fistéus **LU** 14 E 8
Fitero **NA** 20 F 24
Fito (Mirador del) **O** 6 B 14
Fitoiro **OR** 14 F 7
Flaçà **GI** 25 F 38
Flariz **OR** 27 G 7
Flix **T** 36 I 31
Flix (Pantà de) **T** 36 I 31
Florderrei **OR** 28 G 8
Florejacs **L** 37 G 33
Flores de Ávila **AV** 44 J 14
Floresta (La) **L** 37 H 32
Florida (La) **H** 91 T 9
Florida (La) *Tenerife* **TF** 127 G 3
Florida de Liébana **SA** 43 I 12
Flumen **HU** 21 F 28
Fluvià (El) **GI** 24 F 37
Fofe **PO** 13 F 4
Fogars **B** 38 G 38
Fogars de Montclús **B** 38 G 37
Foia (La) **A** 86 R 27
Foia (La) *Castelló* **CS** 62 L 29
Foixà **GI** 25 F 38
Foldada **P** 17 D 16
Folgosa **LU** 4 D 8
Folgoso **PO** 13 E 4
Folgoso de la Ribera **LE** 15 E 11
Folgoso do Courel **LU** 14 E 8
Folgueiras **O** 4 B 8
Folgueiro **LU** 4 A 7
Folgueras **O** 5 B 11
Folgueroles **B** 38 G 36
Folladela **C** 3 D 5
Folledo **LE** 15 D 12
Fombellida **S** 17 D 17
Fombellida **VA** 31 G 17
Fombuena **Z** 48 I 26
Fompedraza **VA** 31 H 17
Foncastín **VA** 30 H 14
Foncea **LO** 18 E 20
Foncebadón **LE** 15 E 10
Fondarella **L** 37 H 32
Fondevila **OR** 27 G 5
Fondó de les Neus (El) /
Hondón de las Nieves **A** 85 R 27
Fondón **AL** 102 V 21
Fondos de Vega **O** 15 D 10
Fonelas **GR** 95 T 20
Fonfría **TE** 48 J 26
Fonfría *cerca*
*de Fonsagrada* **LU** 4 C 9
Fonfría *cerca*
*de Triacastela* **LU** 14 D 8
Fonfría (Puerto de) **TE** 48 J 26
Fonolleres **L** 37 H 33
Fonollosa **B** 37 G 35
Fonsagrada (A) **LU** 4 C 8
Font Calders **B** 23 F 35
Font de la Figuera
(Estació de la) **V** 73 P 27
Font
de la Figuera (La) **V** 73 P 27
Font d'en Carròs (La) **V** 74 P 29
Font
d'en Segures (La) **CS** 50 K 29
Font-Mezquitas **A** 86 Q 28
Font Roja
(Santuari de la) **A** 74 Q 28
Font-rubí **B** 37 H 34
Fontán **C** 3 B 5
Fontanar **GU** 46 J 20
Fontanar **CO** 93 T 15
Fontanar **J** 83 S 21
Fontanarejo **CR** 69 O 16
Fontanars
dels Alforins **V** 74 P 27
Fontaneira **LU** 4 C 8
Fontanella
(Serra de la) **A** 74 P 27
Fontanil
de los Oteros **LE** 16 E 13
Fontanillas de Castro **ZA** 29 G 12
Fontanilles **GI** 25 F 39
Fontanosas **CR** 69 P 16
Fontañera (La) **CC** 54 N 8
Fontcoberta **GI** 25 F 38
Fontdepou **L** 36 G 32
Fonte da Cova **LE** 14 F 9
Fontecha **VI** 18 D 20
Fontecha **S** 7 C 17
Fontecha **P** 17 D 15
Fontecha **LE** 15 E 12
Fontefría **OR** 14 F 7
Fontellas **NA** 20 F 25
Fontelles **B** 37 G 34
Fontenebro-Mirador de la Sierra
(Dominio de) **M** 45 K 18
Fonteo **LU** 4 C 8
Fontibre **S** 7 C 17
Fontihoyuelo **VA** 16 F 14
Fontioso **BU** 32 G 18
Fontiveros **AV** 44 J 15
Fontllonga **L** 36 G 32
Fontoria **LE** 14 D 10
Fontoria de Cepeda **LE** 15 E 11
Fonts (Les) *Castelló* **CS** 63 L 30
Fontscaldes **T** 37 I 33
Fonz **HU** 22 F 30
Fonzaleche **LO** 18 E 20
Foradada **L** 37 G 33
Foradada *Mallorca* **PM** 104 M 37
Foradada
(Collado de) **HU** 22 E 31
Foradada del Toscar **HU** 22 E 31
Forca **L** 21 D 27
Forcadas (Embalse de) **C** 3 B 5
Forcadela **PO** 12 G 3
Forcall **CS** 49 K 29
Forcarei **PO** 13 E 4
Forcat **HU** 22 E 32
Forcayao (Alto de) **O** 5 B 10
Forès **T** 37 H 33
Forfoleda **SA** 43 I 12
Forgoselo (Sierra de) **C** 3 B 5
Formariz **ZA** 29 H 11
Formentera
del Segura **A** 85 R 27
Formentor
(Cap de) **PM** 105 N 39
Formiche Alto **TE** 49 L 27
Formiche Bajo **TE** 61 L 27
Formiga **O** 21 F 29
Formigal (El) **HU** 21 D 28
Formigales **HU** 22 E 30
Formigones **LE** 15 D 12
Formigueiro (O) **OR** 14 F 8
Forna **LE** 14 F 10
Forna **A** 74 P 29
Fornalutx **PM** 104 M 38
Fornelas **LU** 14 E 7
Fornells
*cerca de Girona* **GI** 25 G 38
Fornells *cerca de Ribes* **GI** 24 F 36
Fornells *Menorca* **PM** 106 L 42
Fornells (Badía de) **PM** 106 L 42
Fornells de Mar **GI** 25 G 39
Fornelos **C** 2 C 3
Fornelos
*cerca de A Garda* **PO** 26 G 3
Fornelos
*cerca de Ponteareas* **PO** 12 F 4
Fornelos de Montes **PO** 13 E 4
Fornes **GR** 101 V 18
Fornillos **HU** 36 G 30
Fornillos de Alba **ZA** 29 H 11
Fornillos
de Fermoselle **ZA** 29 H 11
Fornís **C** 2 D 2
Fórnoles **TE** 50 J 30
Fórnols **L** 23 F 34
Foronda **VI** 19 D 21
Forriolo (Alto de) **OR** 13 F 6
Fortaleny **V** 74 O 29
Fortanete **TE** 49 K 28
Fortià **GI** 25 F 39
Fortuna **MU** 85 R 26
Forua **BI** 9 C 21
Forxa (A)
*A Porqueira* **OR** 13 F 6
Forzans **PO** 13 E 4
Fosado **HU** 22 E 30
Fosca (Vall) **L** 23 E 32
Foxo **PO** 13 D 4
Foz **LU** 4 B 8
Foz Calanda **TE** 49 J 29
Foz de Biniés **HU** 21 E 27
Foz de Mieres (La) **O** 5 C 12
Fradellos **ZA** 29 G 11
Frades **LU** 14 D 7
Frades **C** 3 C 5
Frades de la Sierra **SA** 43 K 12
Fraella **HU** 35 G 29
Fraga **HU** 36 H 31
Fraga (A) **OR** 13 F 5
Fraga (El) **GR** 94 T 19
Fragén **HU** 21 E 29
Frago (El) **Z** 21 F 27
Fragosa **CC** 43 K 11
Fraguas (Las) **S** 7 C 17
Fraguas (Las) **SO** 33 G 21
Fraile (Peña del) **S** 8 B 19
Fraile (Rivera del) **BA** 66 O 8
Frailes **J** 94 T 18
Frailes (Los) **CR** 71 O 19
Frairia **LU** 4 C 8
Fraja **CA** 99 W 12
Frameán **LU** 13 D 6
Franca (La) **O** 7 B 16
Francas (Las) **SE** 80 S 13
Francelos **OR** 13 F 5
Franceses *La Palma* **TF** 131 C 3
Francho **Z** 20 F 25
Francolí (El) **T** 37 H 33
Francos **SG** 32 H 19
Francos **LU** 14 D 8
Frandoviñez **BU** 17 F 18
Franqueira (A) **PO** 13 F 4
Franza **C** 3 B 5
Frasno (El) **Z** 34 H 25
Frasno (Puerto del) **Z** 34 H 25
Fraussa (Roc de) **GI** 24 E 38
Frayás **LU** 4 B 7
Frecha (La) **O** 5 C 12
Frechilla **P** 16 F 15
Frechilla **SO** 33 H 22
Fredes **CS** 50 J 30
Fregenal
de la Sierra **BA** 79 R 10
Fregeneda (La) **SA** 42 J 9
Freginals **T** 50 J 31
Freigamuñoz
(Arroyo) **BA** 66 Q 8
Freila **GR** 95 T 21
Freixeiro **LU** 14 E 7
Freixeiro **C** 2 C 3
Freixial **BA** 66 P 8
Freixido **OR** 14 E 8
Freixo **C** 3 B 6
Freixo **LU** 14 D 8
Freixo **OR** 13 F 6
Fréscano **Z** 34 G 25
Freser i Setcases
(Reserva nacional de) **GI** 24 E 36
Fresnadillo **ZA** 29 H 11
Fresneda **VI** 18 D 20
Fresneda **BU** 18 F 20
Fresneda **CR** 82 Q 19
Fresneda (La) **MA** 100 V 16
Fresneda (La) **TE** 50 J 30
Fresneda (La) **TO** 57 M 15
Fresneda
de Altarejos **CU** 60 M 23
Fresneda de Cuéllar **SG** 31 I 16
Fresneda
de la Sierra **CU** 47 K 23
Fresnedelo **LE** 15 D 10
Fresnedilla **AV** 57 L 16
Fresnedilla
(Casa Forestal La) **J** 83 R 21
Fresnedilla (La) **J** 83 R 21
Fresnedillas
de la Oliva **M** 45 K 17
Fresnedo **S** 8 C 19
Fresnedo **LE** 15 D 10
Fresnedo
de Valdellorma **LE** 16 D 14
Fresnedoso **SA** 43 K 12
Fresnedoso de Ibor **CC** 56 M 13
Fresneña **BU** 18 E 20
Fresnillo
de las Dueñas **BU** 32 H 19
Fresno (El) **AV** 44 K 15
Fresno (El) **CR** 69 P 16
Fresno (El) **CC** 55 L 10
Fresno (Portillo de) **BU** 18 E 18
Fresno Alhándiga **SA** 43 J 13
Fresno
de Cantespino **SG** 32 H 19
Fresno de Caracena **SO** 32 H 20
Fresno de la Fuente **SG** 32 H 19
Fresno
de la Polvorosa **ZA** 29 F 12
Fresno de la Ribera **ZA** 30 H 13
Fresno de la Vega **LE** 16 E 13
Fresno de Riotirón **BU** 18 E 20
Fresno de Rodilla **BU** 18 E 19
Fresno de Sayago **ZA** 29 I 12
Fresno de Torote **M** 46 K 19
Fresno del Río **P** 16 D 15
Fresno el Viejo **VA** 44 I 14
Freu (Cap d'es) **PM** 105 M 40
Frexulfe **LU** 4 B 7
Frías **BU** 18 D 20
Frías de Albarracín **TE** 48 K 25
Frieira
(Embalse de) **OR** 13 F 5
Friera **LE** 14 E 9
Friera de Valverde **ZA** 29 G 12
Frigiliana **MA** 101 V 18
Frío **GR** 93 U 17
Friol **LU** 3 C 6
Frixe **C** 2 C 2
Frollais **LU** 14 D 7
Frómista **P** 17 F 16
Fronfría **ZA** 29 H 11
Frontera *El Hierro* **TF** 108 C 2
Frontera (La) **CU** 47 K 23
Frontón **LU** 13 E 7
Frouxeira (Punta) **C** 3 B 5
Fruiz **BI** 9 C 21
Frula **HU** 35 G 28
Frumales **SG** 31 H 17
Fuego (Montañas del)
*Lanzarote* **GC** 122 C 4
Fuejo **O** 5 B 12
Fuembellida **GU** 47 J 24
Fuen del Cepo **TE** 61 L 27
Fuen-Vich **V** 73 N 26
Fuencalderas **Z** 21 E 27
Fuencalenteja **BU** 17 E 17
Fuencaliente **SO** 32 G 20
Fuencaliente **GR** 83 S 22
Fuencaliente
*cerca de Bañuela* **CR** 81 Q 17
Fuencaliente *cerca*
*de Las Peralosas* **CR** 70 O 17

## GIJÓN

| | | | | | |
|---|---|---|---|---|---|
| Alfredo Truán. | **AZ** 2 | | Libertad | **AY** 26 |
| Álvarez Garaya | **AY** 3 | | Marqués de San Esteban | **AY** 27 |
| Asturias | **AY** 4 | | Mayor (Pl.) | **AX** 28 |
| Begoña | **AYZ** 5 | | Menéndez Pelayo | **BYZ** 29 |
| Campinos de Begoña | | | Menéndez Valdés | **AY** 30 |
| (Pl. de los) | **AZ** 6 | | Molinón (Av. del) | **CYZ** 32 |
| Campo Valdés | **AX** 7 | | Moros | **AY** 33 |
| Carmen (Pl. del) | **AY** 8 | | Munuza | **AY** 34 |
| Claudio Alvargonzález | **AX** 9 | | Muro de San Lorenzo | |
| Constitución (Av. de la) | **AZ** 10 | | (Pas. de) | **AZ** 35 |
| Corrida | **AYZ** 12 | | Óscar Olavarría | **AX** 36 |
| Covadonga | **ABYZ** 13 | | Salle (Av. de la) | **AX** 38 |
| Fernández Vallín | **AX** 17 | | Santa Doradia | **BZ** 41 |
| García Bernardo (Av.) | **CY** 18 | | Santa Lucía | **AY** 42 |
| Instituto | **AXY** 20 | | San Bernardo | **AYZ** |
| José las Clotas | **AZ** 23 | | San José (Pas. de) | **AZ** 40 |
| Jovellanos | **AY** 24 | | Subida al Cerro | **AX** 43 |
| Jovellanos (Pl. de) | **AX** 25 | | Torcuato F. Miranda | |
| | | | (Av. de) | **CZ** 44 |
| | | | Villaviciosa (Carret.) | **CZ** 45 |
| | | | 6 de Agosto (Pl. del) | **AYZ** 46 |

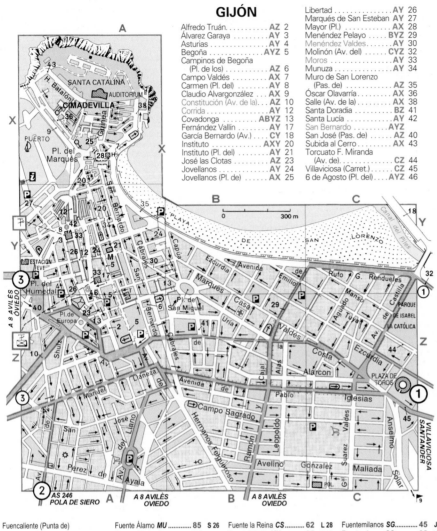

Fuencaliente (Punta de)
*La Palma* **TF** ............ 132 C 7
Fuencaliente de la Palma
*La Palma* **TF** ........... 132 C 7
Fuencaliente
de Lucio **BU** ............ 17 D 17
Fuencarral **M** ............ 46 K 19
Fuencemillán **GU** .......... 46 J 20
Fuencubierta **CO** .......... 81 S 15
Fuendecampo **HU** .......... 22 E 30
Fuendejalón **Z** ............ 34 G 25
Fuendelada (La) **TE** ...... 49 K 27
Fuendetodos **Z** ........... 35 H 27
Fuenferrada **TE** ........... 49 J 26
Fuengirola **M** ............ 100 W 16
Fuenlabrada **M** ........... 58 L 18
Fuenlabrada **AB** .......... 72 Q 23
Fuenlabrada
de los Montes **BA** ....... 69 O 15
Fuenllana **CR** ............ 71 P 21
Fuenmayor **LO** ........... 19 E 22
Fuensaldaña **VA** .......... 30 G 15
Fuensalida **TO** ........... 58 L 17
Fuensanta **O** ............. 6 B 13
Fuensanta **AB** ........... 72 O 23
Fuensanta **GR** ........... 94 U 18
Fuensanta
(Ermita de la) **J** ....... 82 S 19
Fuensanta
(Ermita de la) **SE** ...... 93 U 15
Fuensanta (La) **AB** ...... 72 P 23
Fuensanta
(Santuario de la) **MU** .. 85 S 26
Fuensanta
de Martos **J** ........... 82 T 18
Fuensaúco **SO** ........... 33 G 22
Fuensaviñán (La) **GU** ..... 47 J 22
Fuente **H** ............... 91 T 10
Fuente (La) **AL** .......... 96 T 24
Fuente
(Santibáñez de la) **O** ... 6 C 13
Fuente Álamo **AB** ........ 73 P 25

Fuente Álamo **MU** ........ 85 S 26
Fuente Alamo **J** .......... 94 T 17
Fuente Alhama **CO** ....... 93 T 17
Fuente Amarga **AL** ....... 96 T 24
Fuente Arcada
(Ermita de) **CC** ......... 55 L 9
Fuente Blanca **MU** ....... 85 R 26
Fuente Caldera **GR** ....... 95 T 20
Fuente Camacho **CO** ...... 94 T 17
Fuente Carreteros **CO** .... 80 S 14
Fuente de Cantos **BA** .... 79 R 11
Fuente de la Corcha **H** ... 90 T 9
Fuente de la Torre **J** ..... 83 R 20
Fuente
de Pedro Naharro **CU** ... 59 M 20
Fuente de Piedra **MA** ..... 93 U 15
Fuente
de San Esteban (La) **SA**... 43 J 11
Fuente
de Santa Cruz **SG** ...... 45 I 16
Fuente de Taif **AB** ....... 84 Q 23
Fuente del Arco **BA** ...... 80 R 12
Fuente del Fresno **M** ..... 46 K 19
Fuente del Gallo **CA** ...... 98 X 11
Fuente del Maestre **BA** ... 82 Q 10
Fuente del Pino **MU** ...... 73 Q 26
Fuente del Villar **CU** ..... 60 M 24
Fuente El Carnero **ZA** .... 29 I 12
Fuente el Fresno **CR** ..... 70 O 18
Fuente el Olmo
de Fuentidueña **SG** ..... 31 H 18
Fuente el Olmo
de Íscar **SG** ............ 31 I 16
Fuente el Sauz **AV** ....... 44 J 15
Fuente el Saz
de Jarama **M** ........... 46 K 19
Fuente el Sol **VA** ........ 44 I 15
Fuente Encalada **ZA** ...... 15 F 12
Fuente Grande **GR** ....... 94 U 19
Fuente Higuera **AB** ...... 84 Q 23
Fuente la Lancha **CO** ..... 81 Q 14

Fuente la Reina **CS** ...... 62 L 28
Fuente Librilla **MU** ....... 85 S 25
Fuente Obejuna **CO** ...... 80 R 13
Fuente Olmedo **VA** ....... 31 I 16
Fuente Palmera **CO** ...... 80 S 14
Fuente Pardiñas
(Balneario de) **LU** ...... 3 C 6
Fuente Pinilla **J** ......... 83 R 21
Fuente Santa
(Estación de) **AL** ....... 95 U 22
Fuente Segura **J** ......... 83 R 21
Fuente Tójar **CO** ......... 94 T 17
Fuente-Urbel **BU** ........ 17 E 18
Fuente Vaqueros **GR** ..... 94 U 18
Fuente Victoria **AL** ...... 102 V 21
Fuentealbilla **AB** ........ 73 O 25
Fuentealamo **CR** ........ 79 Q 25
Fuentearmegil **SO** ....... 32 G 20
Fuentebravía **CA** ........ 98 W 11
Fuentecambrón **SO** ...... 32 H 20
Fuentecantales **SO** ...... 32 G 21
Fuentecén **BU** ........... 31 H 17
Fuentefría (Puerto de) **PO**. 13 F 5
Fuentegelmes **SO** ....... 33 H 22
Fuenteguinaldo **SA** ...... 42 K 9
Fuenteheridos **H** ........ 79 S 10
Fuentelahiguera
de Albatages **GU** ....... 46 J 20
Fuentelapeña **ZA** ........ 30 I 13
Fuentelárbol **SO** ........ 33 H 21
Fuentelcarro **SO** ........ 33 H 22
Fuentelcésped **BU** ....... 32 H 19
Fuentelencina **GU** ....... 46 K 21
Fuentelespino
de Haro **CU** ............ 59 M 21
Fuentelespino
de Moya **CU** ........... 61 M 25
Fuenteliante **SA** ........ 42 J 10
Fuentelmonge **SO** ....... 33 H 23
Fuentelsaz **SO** .......... 33 G 22
Fuentelsaz **GU** .......... 48 I 24
Fuentelviejo **GU** ......... 46 K 21

Fuentemilanos **SG** ....... 45 J 17
Fuentemizarra **SG** ....... 32 H 19
Fuentemolinos **BU** ....... 31 H 18
Fuentenebro **BU** ......... 31 H 18
Fuentenovilla **GU** ....... 46 K 20
Fuentepelayo **SG** ........ 31 I 17
Fuentepinilla **SO** ........ 33 H 21
Fuentepiñel **SG** ......... 31 H 17
Fuenterrabía /
Hondarribia **SS** ........ 10 B 24
Fuenterrabiosa **BU** ...... 8 C 19
Fuenterrebollo **SG** ...... 31 I 18
Fuenterroble
de Salvatierra **SA** ...... 43 K 12
Fuenterrobles **V** ........ 61 N 25
Fuentes **CU** ............. 60 M 23
Fuentes **TO** ............. 57 M 14
Fuentes (Las) **CR** ....... 82 Q 19
Fuentes (Las) **AB** ....... 73 O 26
Fuentes
(Puerto de las) **AV** ..... 44 K 14
Fuentes Calientes **TE** .... 49 J 27
Fuentes Carrionas **P** ..... 17 D 16
Fuentes Carrionas
(Reserva nacional) **P** ... 17 D 15
Fuentes Claras **TE** ...... 48 J 26
Fuentes de Ágreda **SO** ... 34 G 24
Fuentes
de Andalucía **SE** ....... 92 T 13
Fuentes de Año **AV** ...... 44 I 15
Fuentes de Ayódar **CS** ... 62 L 28
Fuentes de Béjar **SA** .... 43 K 12
Fuentes
de Carbajal **LE** ........ 16 F 13
Fuentes de Cesna **GR** .... 93 U 17
Fuentes de Cuéllar **SG** ... 31 H 17
Fuentes de Ebro **Z** ...... 35 H 28
Fuentes de Jiloca **Z** ..... 34 I 25
Fuentes
de la Alcarria **GU** ...... 46 J 21
Fuentes de León **BA** ..... 79 R 10
Fuentes de los Oteros **LE**. 16 E 13

Fuentes de Nava **P** ....... 30 F 15
Fuentes de Oñoro **SA** .... 42 K 9
Fuentes de Piedralá **CR** .. 70 O 17
Fuentes de Ropel **ZA** .... 30 F 13
Fuentes de Rubielos **TE** .. 62 L 28
Fuentes de Valdepero **P** .. 31 F 16
Fuentesaúco
(Ermita de) **CC** ........ 68 O 12
Fuentesaúco **ZA** ......... 30 I 13
Fuentesaúco
de Fuentidueña **SG** ..... 31 H 17
Fuentesbuenas **CU** ...... 60 L 22
Fuentesclaras **CU** ....... 60 L 23
Fuentesecas **ZA** ......... 30 H 13
Fuentesoto **SG** .......... 31 H 18
Fuentespalda **TE** ........ 50 J 30
Fuentespina **BU** ......... 32 H 18
Fuentespreadas **ZA** ...... 29 I 13
Fuentestrún **SO** ......... 33 G 23
Fuentetecha **SO** ......... 33 G 23
Fuentetoba **SO** .......... 33 G 22
Fuentetovar **SO** ......... 33 H 21
Fuentidueña **SG** ......... 31 H 18
Fuentidueña **CO** ......... 81 S 17
Fuentidueña de Tajo **M** .. 59 L 20
Fuerte del Rey **J** ........ 82 S 18
Fuertescusa **CU** ......... 47 K 23
Fueva (La) **HU** .......... 22 E 30
Fuliola (La) **L** ........... 37 G 33
Fulleda **L** ............... 37 H 33
Fumaces (Alto de) **OR** ... 28 G 7
Funes **NA** .............. 20 F 24
Furco **LU** ............... 13 E 6
Fustiñana **NA** .......... 20 F 25

### G

Gabaldón **CU** ........... 60 N 24
Gabar **AL** .............. 84 S 23
Gabarda / Gavarda **V** .... 74 O 28
Gabás **HU** .............. 22 E 31
Gabasa **HU** ............. 22 F 31
Gabía la Chica **GR** ...... 94 U 19
Gabia la Grande **GR** ..... 94 U 18
Gabica **BI** .............. 9 B 22
Gabiria **SS** ............. 10 C 23
Gabriel Y Galán
(Embalse de) **CC** ....... 56 L 11
Gádor **AL** .............. 103 V 22
Gaena **CO** .............. 93 T 16
Gafarillos **AL** .......... 96 U 23
Gaià **B** ................. 38 G 35
Gaià (El) **T** ............ 37 H 34
Gaianes **A** ............. 74 P 28
Gaibiel **CS** ............. 62 M 28
Gaintza **SS** ............ 10 C 23
Gainza **NA** ............. 10 C 23
Gaioso **LU** ............. 3 C 6
Gaitanejo
(Embalse de) **MA** ...... 100 V 15
Gaitanes
(Desfiladero de los) **MA**.. 100 V 15
Gajanejos **GU** .......... 46 J 21
Gajates **SA** ............ 44 J 13
Galachar **AL** ........... 103 V 22
Galapagar **M** ........... 45 K 17
Galapagar **J** ............ 82 S 18
Galapagares **SO** ........ 32 H 21
Galápagos **GU** ......... 46 J 19
Galarde **BU** ............ 18 E 19
Galaroza **H** ............ 79 S 9
Galatzó **PM** ............ 104 M 37
Galbarra **NA** ........... 19 D 23
Galbarros **BU** .......... 18 E 19
Galbárruli **LO** .......... 18 E 21
Galdakao **BI** ........... 9 C 21
Galdames **BI** ........... 8 C 20
Gáldar
*Gran Canaria* **GC** ..... 114 D 1
Galende **ZA** ............ 14 F 10
Galera **GR** ............. 83 S 22
Galera (La) **T** .......... 50 J 31
Galga (La) *La Palma* **TF**.. 131 D 3
Galho (Cresta del) **MU** ... 85 S 26
Galilea **LO** ............. 19 E 23
Galilea *Mallorca* **PM** ... 104 N 37
Galinduste **SA** ......... 44 K 13
Galiñeiro **PO** .......... 12 F 3
Galisancho **SA** ......... 44 J 13
Galisteo **CC** ........... 55 M 11
Galiz (Puerto de) **CA** .... 99 W 13
Galizano **S** ............ 8 B 18
Galizuela **BA** .......... 68 P 14
Gallardo **AB** ........... 72 P 22
Gallardos (Cuesta los) **J**.. 94 T 19
Gallardos (Los) **AL** ..... 96 U 24
Gallartu **BI** ............ 9 C 21
Gallega (La) **BU** ....... 32 G 20

Gallega (Marisma) **SE** ... 91 U 11
Gállego (Río) **AR** ....... 21 E 29
Gallegos **SG** ........... 45 I 18
Gallegos
*Gran Canaria* **GC** ..... 117 E 4
Gallegos *La Palma* **TF** .. 131 C 3
Gallegos
de Altamiros **AV** ....... 44 J 15
Gallegos de Argañán **SA**.. 42 K 9
Gallegos de Hornija **VA** .. 30 H 14
Gallegos
de San Vicente **AV** ..... 45 J 16
Gallegos
de Sobrinos **AV** ........ 44 J 14
Gallegos
de Solmirón **SA** ........ 44 K 13
Gallegos del Campo **ZA** .. 29 G 10
Gallegos del Pan **ZA** .... 30 H 13
Gallegos del Río **ZA** .... 29 G 11
Galleguillos **SA** ........ 44 J 13
Galleguillos
de Campos **LE** ......... 16 F 14
Galleiro **PO** ............ 12 F 4
Gallejones **BU** ......... 18 D 18
Galletas (Las)
*Tenerife* **TF** .......... 128 E 5
Gallifa **B** ............... 38 G 36
Gallina (Cerro de la) **GR**.. 94 U 17
Gallinero **SO** ........... 33 G 22
Gallinero **AB** ........... 73 P 26
Gallinero
de Cameros **LO** ........ 19 F 22
Gallinero de Rioja **LO** ... 18 E 21
Galliners **GI** ........... 25 F 38
Gallipienzo **NA** ......... 20 E 25
Gallipienzo Nuevo **NA** ... 20 E 25
Gallo (El) **SE** .......... 93 T 15
Gallocanta **Z** ........... 48 J 25
Gallos (Los) **CA** ........ 98 W 11
Gallués / Galoze **NA** ..... 11 D 26
Gallur **Z** ............... 34 G 26
Galve **TE** ............... 49 K 27
Galve de Sorbe **GU** ...... 46 I 20
Galves (Los) **GR** ........ 102 V 20
Gálvez **TO** ............. 58 M 17
Gama **S** ................ 8 B 19
Gamero **CR** ............ 58 N 17
Gamíz-Fika **BI** .......... 9 C 21
Gamo **BA** .............. 44 J 14
Gamonal **AV** ........... 44 J 14
Gamonal **BU** ........... 18 E 18
Gamonal **S** ............. 7 C 18
Gamonal **TO** ........... 57 M 15
Gamonero **CR** .......... 69 N 15
Gamones **ZA** ........... 29 H 11
Ganaderia **TO** .......... 57 L 15
Gáname **ZA** ............ 29 H 11
Ganchoza (La) **SE** ...... 80 S 12
Gándara *Boimorto* **C** ... 3 C 5
Gándara *Narón* **C** ..... 3 B 5
Gandarela **PO** .......... 13 F 5
Gandesa **T** ............. 50 I 31
Gandia **V** .............. 74 P 29
Gando (Punta de)
*Gran Canaria* **GC** ..... 117 G 3
Gandul **SE** ............. 92 T 12
Gandullas **M** ........... 46 I 19
Ganillas
de Aceituno **MA** ....... 101 V 17
Ganso (El) **LE** ......... 15 E 11
Ganuza **NA** ............ 19 D 23
Gañidoira (Porto da) **LU** . 3 B 6
Gañinas **P** ............. 17 E 15
Gañuelas cerca de Alhama
de Murcia **MU** ......... 85 S 25
Gañuelas cerca
de La Majada **MU** ...... 85 T 25
Garaballa **CU** .......... 61 M 25
Garabás **OR** ........... 13 E 5
Garabato (El) **CO** ....... 81 S 15
Garachico *La Palma* **TF**..131 D 2
Garachico *Tenerife* **TF** . 126 C 3
Garafía *La Palma* **TF** ... 130 B 3
Garai **BI** ............... 10 C 22
Garaioa **NA** ............ 11 D 26
Garajonay
*La Gomera* **TF** ........ 118 C 2
Garapacha (La) **MU** ..... 85 R 26
Garapinillos **Z** ......... 34 G 26
Garbayuela **BA** ......... 69 O 15
García **T** ............... 50 I 31
García (Collado) **AL** ..... 96 U 23
García de Sola
(Embalse de) **BA** ....... 69 O 14
Garciaz **CC** ............ 56 N 13

A B C D E **F** **G** H I J K L M N O P Q R S T U V W X Y Z

A B C D E F G H I J K L M N O P Q R S T U V W X Y Z

## GIRONA

| | | |
|---|---|---|
| Álvarez de Castro | AZ | 2 |
| Argentería | BY | 3 |
| Ballesteríes | BY | 4 |
| Bellaire | BY | 6 |
| Berenguer Carnicer | AY | 7 |
| Bonastruc de Porta | AY | 9 |
| Carme | BZ | 10 |
| Ciutadans | BZ | 12 |
| Cúndaro | BY | 13 |
| Devesa (Pas. de la) | AY | 14 |

| | | |
|---|---|---|
| Eduard Marquína (Pl. de) | AZ | 15 |
| General Fournàs | BY | 16 |
| General Peralta (Pas. del) | BZ | 17 |
| Joaquim Vayreda | AY | 18 |
| Juli Garreta | AZ | 19 |
| Llibertat (Rambla de la) | BZ | 23 |
| Nou | AZ | |
| Nou del Teatre | BY | 27 |
| Oliva i Prat | BY | 26 |
| Palafrugell | BY | 28 |
| Pedreres (Pujada de les) | BZ | 29 |
| Ramon Folch (Av. d'en) | AY | 31 |
| Reina Isabel la Católica | BZ | 36 |

| | | |
|---|---|---|
| Reina Joana (Pas. de la) | BY | 37 |
| Rei Ferran el Católic | BY | 33 |
| Rei Martí (Pujada del) | BY | 34 |
| Santa Clara | ABYZ | |
| Santa Eugénia | AZ | 49 |
| Sant Cristófol | BY | 39 |
| Sant Daniel | BY | 40 |
| Sant Domènec (Pl. de) | BY | 42 |
| Sant Feliu (Pujada de) | BY | 44 |
| Sant Francesc (Av. de) | AZ | 45 |
| Sant Pere (Pl. de) | BY | 48 |
| Ultònia | AZ | 53 |

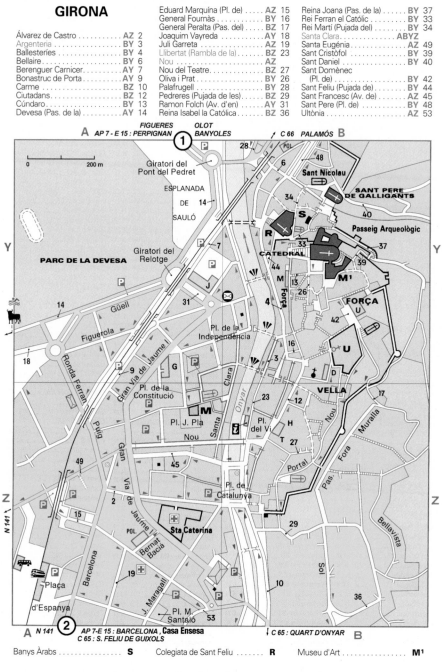

FIGUERES OLOT
AP 7 - E 15 : PERPIGNAN — BANYOLES — C 66 PALAMÓS

Giratori del Pont del Pedret
ESPLANADA DE SAULÓ
PARC DE LA DEVESA
Giratori del Relotge
Güell
Figuerola
Ronda Ferran
Puig
Gran Via de Jaume I
Pl. de la Independència
Pl. de la Constitució
Pl. J. Pla
Nou
Santa Clara
Onyar
Sant Nicolau
SANT PERE DE GALLIGANTS
Passeig Arqueològic
CATEDRAL
FORÇA
VELLA
Força
Muralla
Pas. Fora Muralla
Portal
Pl. del Vi
Bellavista
Sol
Pl. de Catalunya
Gran Via de Jaume I
Sta Caterina
Bernat Bacià
Barcelona
J. Maragall
Pl. M. Santaló
Plaça d'Espanya
N 141
AP 7-E 15 : BARCELONA, Casa Ensesa
C 65 : S. FELIU DE GUIXOLS
C 65 : QUART D'ONYAR

Banys Àrabs ........ **S** — Colegiata de Sant Feliu ...... **R** — Museu d'Art ..... **M¹**

| | | |
|---|---|---|
| Garcibuey SA | 43 | K 12 |
| Garcíez cerca de Jaén J | 82 | S 18 |
| Garcíez cerca de Jódar J | 82 | S 19 |
| Garcíez Jimena (Estación de) J | 82 | S 19 |
| Garcihernández SA | 44 | J 13 |
| Garcillán SG | 45 | J 17 |
| Garcinarro CU | 59 | L 21 |
| Garciotún TO | 57 | L 16 |
| Garcipollera (La) HU | 21 | E 28 |
| Garcirrey SA | 43 | J 11 |
| Garcisobaco CA | 99 | W 13 |
| Garde NA | 11 | D 27 |
| Garfín LE | 16 | D 14 |
| Gargaligas BA | 68 | O 13 |
| Gargallà B | 37 | G 35 |
| Gargallo TE | 49 | J 28 |
| Garganchón BU | 18 | F 20 |
| Garganta BA | 69 | P 15 |
| Garganta (La) CR | 81 | Q 16 |
| Garganta (La) CC | 43 | L 12 |
| Garganta (Puerto de la) O | 4 | C 9 |
| Garganta de la Yecla BU | 32 | G 19 |
| Garganta de los Montes M | 46 | J 18 |
| Garganta del Villar AV | 44 | K 14 |

| | | |
|---|---|---|
| Garganta la Olla CC | 56 | L 12 |
| Gargantiel CR | 69 | P 15 |
| Gargantilla TO | 57 | N 15 |
| Gargantilla CC | 56 | L 12 |
| Gargantilla del Lozoya M | 46 | J 18 |
| Gargantón (El) CR | 70 | O 17 |
| Gárgoles de Abajo GU | 47 | J 22 |
| Gárgoles de Arriba GU | 47 | J 22 |
| Gargüera CC | 56 | L 12 |
| Gargüera (Parc natural de la) GI | 24 | F 37 |
| Garidells (Els) T | 37 | I 33 |
| Garínoain NA | 20 | E 25 |
| Garísoain NA | 10 | D 24 |
| Garita (La) GC | 115 | G 2 |
| Garlitos BA | 69 | P 14 |
| Garnatilla (La) GR | 102 | V 19 |
| Garos L | 22 | D 32 |
| Garraf B | 38 | I 35 |
| Garraf (Parc natural de) B | 38 | I 35 |
| Garrafe de Torío LE | 16 | D 13 |
| Garralda NA | 11 | D 26 |
| Garrapata (Sierra de la) CC | 55 | M 9 |

| | | |
|---|---|---|
| Garray SO | 33 | G 22 |
| Garriga (La) B | 38 | G 36 |
| Garrigàs GI | 25 | F 38 |
| Garrigoles GI | 25 | F 39 |
| Garriguella GI | 25 | E 39 |
| Garrobillo MU | 97 | T 25 |
| Garrobo (El) SE | 79 | T 11 |
| Garrofa (La) AL | 103 | V 22 |
| Garrotxa (Parc natural de la) GI | 24 | F 37 |
| Garrovilla (La) BA | 67 | P 10 |
| Garrovillas de Alconétar CC | 55 | M 10 |
| Garrucha AL | 96 | U 24 |
| Garsola L | 37 | G 33 |
| Garvín CC | 56 | M 13 |
| Garza (Embalse de la) BA | 68 | P 11 |
| Garza (La) BA | 68 | P 11 |
| Gascones M | 46 | I 19 |
| Gasconilla (Ermita de) TE | 49 | L 27 |
| Gascueña CU | 60 | L 22 |
| Gascueña de Bornova GU | 46 | I 20 |
| Gasset (Embalse de) CR | 70 | O 18 |

| | | |
|---|---|---|
| Gastiáin NA | 19 | D 23 |
| Gastor (El) CA | 92 | V 14 |
| Gasulla (Barranc de la) CS | 50 | K 29 |
| Gata CC | 55 | L 10 |
| Gata (Cabo de) AL | 103 | V 23 |
| Gata (Faro de) AL | 103 | V 23 |
| Gata de Gorgos A | 74 | P 30 |
| Gatika BI | 8 | B 21 |
| Gato CO | 85 | R 15 |
| Gato GR | 84 | S 23 |
| Gatón de Campos VA | 30 | F 15 |
| Gátova V | 62 | M 28 |
| Gaucín MA | 99 | W 14 |
| Gautegiz-Arteaga BI | 9 | B 22 |
| Gavà B | 38 | I 36 |
| Gavarda / Gabarda V | 74 | O 28 |
| Gavarra L | 23 | F 33 |
| Gavarres (Les) GI | 25 | G 38 |
| Gavàs L | 23 | E 33 |
| Gavet L | 23 | F 33 |
| Gavilanes AV | 57 | L 15 |
| Gavín HU | 21 | E 29 |
| Gaviota (Punta) La Gomera TF | 119 | D 3 |

| | | |
|---|---|---|
| Gaviotas (Las) GU | 47 | K 21 |
| Gayangos BU | 18 | C 19 |
| Gazeo VI | 19 | D 22 |
| Gázquez (Los) AL | 96 | T 24 |
| Gaztelu SS | 10 | C 23 |
| Gaztelugatxe BI | 9 | B 21 |
| Gea de Albarracín TE | 48 | K 25 |
| Gebas MU | 85 | S 25 |
| Gejo de Diego Gómez SA | 43 | J 11 |
| Gejo de los Reyes (El) SA | 43 | I 11 |
| Gejuelo del Barro SA | 43 | I 11 |
| Geldo CS | 62 | M 28 |
| Gelgaiz LU | 3 | B 6 |
| Gelida B | 38 | H 35 |
| Gelsa Z | 35 | H 28 |
| Gelves SE | 91 | T 11 |
| Gema ZA | 29 | H 13 |
| Gemuño AV | 44 | K 15 |
| Génave J | 83 | Q 21 |
| Genal MA | 100 | W 14 |
| Genalguacil MA | 99 | W 14 |
| Génave J | 83 | Q 21 |
| Genestacio LE | 15 | F 12 |
| Genestosa LE | 5 | C 11 |
| Genestoso O | 5 | C 10 |
| Genevilla NA | 19 | E 22 |
| Genicera LE | 16 | D 13 |
| Genovés (El) V | 74 | P 28 |
| Ger GI | 24 | E 35 |
| Geras LE | 15 | D 12 |
| Gerb L | 36 | G 32 |
| Gerbe HU | 22 | E 30 |
| Gerena SE | 91 | T 11 |
| Gérgal AL | 95 | U 22 |
| Gergal (El) SE | 79 | T 11 |
| Gergal (Embalse de) SE | 91 | T 11 |
| Geria VA | 30 | H 15 |
| Geria (La) Lanzarote GC | 122 | C 4 |
| Gerindote TO | 58 | M 17 |
| Gernika-Lumo BI | 9 | C 21 |
| Gerri de la Sal L | 23 | F 33 |
| Gertusa Z | 35 | I 28 |
| Gesalibar SS | 10 | C 22 |
| Ges (El) L | 23 | F 34 |
| Gésera HU | 21 | E 29 |
| Gessa L | 22 | D 32 |
| Gestalgar V | 61 | N 27 |
| Gestoso LE | 14 | E 8 |
| Getafe M | 58 | L 18 |
| Getaria SS | 10 | C 23 |
| Gete BU | 32 | G 20 |
| Getxo BI | 8 | B 21 |
| Gévora del Caudillo BA | 67 | P 9 |
| Gibaja B | 8 | C 19 |
| Gibalbín CA | 91 | V 12 |
| Gibarrayo SE | 80 | S 13 |
| Gibraleón H | 90 | T 9 |
| Gibralgalia MA | 100 | V 15 |
| Gibraltar (Estrecho de) CA | 99 | X 13 |
| Gigante MU | 84 | S 24 |
| Gigante (Sierra) AL | 84 | S 23 |
| Gigantes (Los) Tenerife TF | 128 | B 4 |
| Gigonza BA | 79 | R 10 |
| Gijano BU | 8 | C 20 |
| Gijón O | 8 | B 13 |
| Gil-García AV | 43 | L 13 |
| Gil Márquez H | 78 | S 9 |
| Gila (La) AB | 73 | O 25 |
| Gila (La) TO | 57 | N 15 |
| Gilbuena AV | 43 | K 13 |
| Gilena SE | 93 | U 15 |
| Giles (Los) AL | 96 | U 23 |
| Gilet V | 62 | M 29 |
| Gilierna VI | 18 | D 21 |
| Gimenells L | 36 | H 31 |
| Gimialcón AV | 44 | J 14 |
| Ginebrosa (La) TE | 49 | J 29 |
| Ginés SE | 91 | T 11 |
| Ginés (Punta) Lanzarote GC | 122 | A 5 |
| Ginesta (La) B | 38 | I 35 |
| Ginestar T | 50 | I 31 |
| Ginete (La) AB | 72 | O 23 |
| Ginete (El) AB | 84 | Q 23 |
| Giniginamar Fuerteventura GC | 113 | G 4 |
| Giraba CS | 62 | L 28 |
| Giralda GR | 101 | V 19 |
| Girona GI | 25 | G 38 |
| Gironda (La) SE | 92 | U 13 |
| Gironella B | 24 | F 35 |
| Gisclareny B | 23 | F 35 |

| | | |
|---|---|---|
| Gistaín HU | 22 | E 30 |
| Gizaburuaga BI | 10 | C 22 |
| Gloria (La) SE | 92 | T 13 |
| Gobantes BU | 18 | D 19 |
| Gobantes (Estación de) MA | 100 | V 15 |
| Gobernador GR | 95 | T 20 |
| Gobiendes O | 6 | B 14 |
| Godall T | 50 | K 31 |
| Godán O | 5 | B 11 |
| Godelleta V | 62 | N 27 |
| Godojos Z | 34 | I 24 |
| Godón PO | 13 | F 5 |
| Godos TE | 48 | J 26 |
| Goente C | 3 | B 6 |
| Goián LU | 14 | D 7 |
| Goierri PO | 26 | G 3 |
| Goiás PO | 13 | D 5 |
| Goizueta NA | 10 | C 24 |
| Gójar GR | 94 | U 19 |
| Gola de Migjorn T | 51 | J 32 |
| Gola del Nord T | 51 | J 32 |
| Gola del Perelló V | 74 | O 29 |
| Golán C | 3 | D 5 |
| Golfo (El) Lanzarote GC | 122 | B 4 |
| Golfo (El) (Localidad) Lanzarote GC | 122 | B 4 |
| Golilla BA | 67 | O 9 |
| Gollino TO | 59 | M 20 |
| Golmayo SO | 33 | G 22 |
| Golmés L | 37 | H 32 |
| Golondrinas (Las) CC | 56 | N 11 |
| Golopón (R.) GR | 95 | T 21 |
| Golosalvo AB | 73 | O 25 |
| Goloso (El) M | 46 | K 18 |
| Golpejas SA | 43 | I 12 |
| Gómara SO | 33 | H 23 |
| Gomeán LU | 4 | D 7 |
| Gomecello SA | 44 | I 13 |
| Gomeciego SA | 43 | I 11 |
| Gomesende OR | 13 | F 5 |
| Gómez Yáñez AB | 73 | P 25 |
| Gómeznarro SG | 32 | I 19 |
| Gómeznarro VA | 30 | I 15 |
| Gomezserracín SG | 31 | I 17 |
| Gonce LU | 3 | C 6 |
| Gondar LU | 4 | C 7 |
| Gondar PO | 12 | E 3 |
| Gondomar PO | 12 | F 3 |
| Gondrame LU | 14 | D 7 |
| Gondulfes OR | 28 | G 7 |
| Góngora (Punta de) Gran Canaria GC | 114 | B 2 |
| Gontán LU | 4 | B 7 |
| Gonte C | 2 | D 3 |
| Gonzar LU | 3 | D 6 |
| Góñar MU | 96 | T 24 |
| Goñi NA | 10 | D 24 |
| Gopegui VI | 19 | D 21 |
| Gor GR | 95 | T 21 |
| Gorafe GR | 95 | T 20 |
| Gorbeia PV | 9 | C 21 |
| Gorbeia (Parque Natural de) PV | 9 | C 21 |
| Gorda (Punta) Lanzarote GC | 120 | E 2 |
| Gorda (Punta) La Palma TF | 130 | A 3 |
| Gorda (Sierra) GR | 93 | U 17 |
| Gordaliza de la Loma VA | 16 | F 14 |
| Gordaliza del Pino LE | 16 | E 14 |
| Gordéliz VI | 8 | C 20 |
| Gordo AL | 84 | S 23 |
| Gordo (Cabezo) SE | 78 | S 8 |
| Gordo (El) CC | 56 | M 13 |
| Gordo (Monte) H | 90 | T 7 |
| Gorooa VI | 19 | D 22 |
| Gordoncillo LE | 16 | F 13 |
| Gorga A | 74 | P 28 |
| Gorgullos Tordoia (Estación de) C | 3 | C 4 |
| Gorliz BI | 8 | B 21 |
| Gormaz SO | 32 | H 20 |
| Goroeta SS | 10 | C 22 |
| Gorozika BI | 9 | C 21 |
| Gorramakil (Pico) NA | 11 | C 25 |
| Gorriti NA | 10 | C 24 |
| Gorza / Güesa NA | 11 | D 26 |
| Gotarrendura AV | 44 | J 15 |
| Gotor Z | 34 | H 25 |
| Gózar MU | 96 | T 24 |
| Gózquez de Abajo M | 58 | L 19 |
| Gozón de Ucieza P | 17 | E 16 |

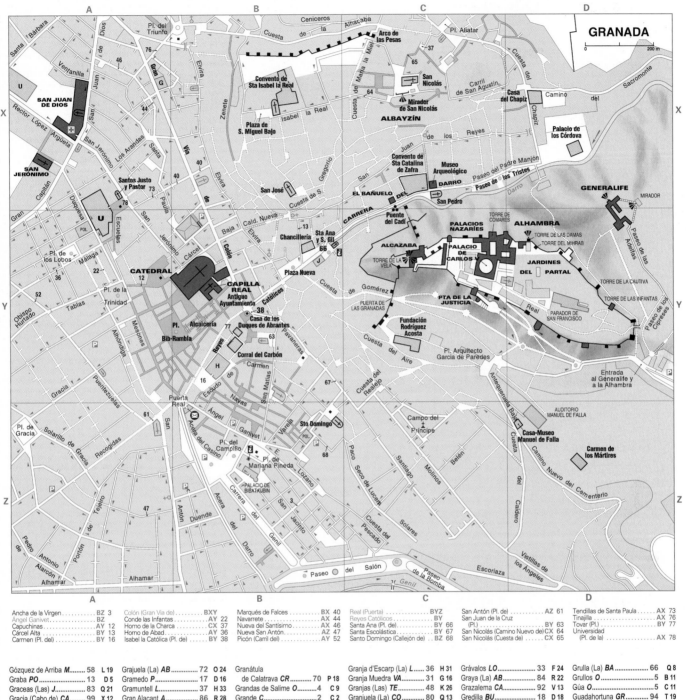

| | | | | | |
|---|---|---|---|---|---|
| Ancha de la Virgen . . . BZ 3 | Colón (Gran Via de) . . . BXY | Marqués de Falces . . . BX 40 | Real (Puerta) . . . BYZ | San Antón (Pl. de) . . . AZ 61 | Tendillas de Santa Paula . . . AX 73 |
| Ángel Ganivet . . . BZ | Conde las Infantas . . . AY 22 | Navarrete . . . AX 44 | Reyes Católicos . . . BY | San Juan de la Cruz (Pl.) . . . BY 63 | Tinajilla . . . AX 76 |
| Capuchinas . . . AY 12 | Homo de la Charca . . . CX 37 | Nueva del Santísimo . . . AX 46 | Santa Ana (Pl. de) . . . BY 66 | San Nicolás (Camino Nuevo de) CX 64 | Tovar (Pl.) . . . BY 77 |
| Cárcel Alta . . . BY 13 | Horno de Abad . . . AY 36 | Nueva San Antón . . . AZ 47 | Santa Escolástica . . . BY 67 | San Nicolás (Cuesta de) . . . CX 65 | Universidad (Pl. de la) . . . AX 78 |
| Carmen (Pl. del) . . . BY 16 | Isabel la Católica (Pl. de) . . . BY 38 | Picón (Carril del) . . . AY 52 | Santo Domingo (Callejón de) . . BZ 68 | | |

Gózquez de Arriba *M*......... 58 L 19
Graba *PO*........................ 13 D 5
Graceas (Las) *J*................ 83 Q 21
Gracia (Cabo de) *CA*......... 99 X 12
Graciosa (Isla)
*Lanzarote GC*..............120 E 2
Gradefes *LE*..................... 16 E 14
Graderas
(Cueva de las) *TE*.......... 49 J 28
Grado *O*.............................5 B 11
Grado (El) *HU*.................. 22 F 30
Grado del Pico *SG*............ 32 I 20
Grado I
(Embalse de) *HU*........... 22 F 30
Graja
(Cueva de la) *J*.............. 82 S 19
Graja (La) *CO*................... 80 S 14
Graja
de Campalbo *CU*........... 61 M 26
Graja de Iniesta *CU*.......... 60 N 24
Grajal *LE*.......................... 15 F 12
Grajal de Campos *LE*........ 16 F 14
Grajalejo
de las Matas *LE*............. 16 E 13
Grajales *J*........................ 82 S 18
Grajera *SG*........................ 32 H 19
Grajo *MA*.........................100 V 15
Grajuela (La) *AB*............... 72 O 24
Gramedo *P*........................ 17 D 16
Gramuntell *L*...................... 37 H 33
Gran Alacant *A*.................. 86 R 28
Gran Canaria (Aeropuerto de)
*Gran Canaria GC*......... 117 G 3
Gran Montaña
*Fuerteventura GC*........ 113 G 3
Gran Tarajal
*Fuerteventura GC*........ 113 G 4
Grana
(La Casa de la) *AB*........ 73 O 25
Grana (Sierra de la) *CO*.... 80 Q 13
Grana (Sierra de la) *J*....... 82 S 18
Granada *GR*....................... 94 U 19
Granada (La) *B*.................. 37 H 35
Granada (Vega de) *GR*...... 94 U 17
Granada
de Riotinto (La) *H*.......... 79 S 10
Granadella (La) *L*.............. 36 H 31
Granadella (La) *A*.............. 75 P 30
Granadilla *CC*..................... 56 L 11
Granadilla
de Abona *Tenerife TF*...129 F 5
Granado *H*......................... 90 T 7
Granado (Canal de El) *H*... 90 T 7
Granado (El) *H*.................. 90 T 7
Granátula
de Calatrava *CR*............ 70 P 18
Grandas de Salime *O*...........4 C 9
Grande *C*..............................2 C 2
Grande (Embalse) *H*......... 78 T 8
Grande (Laguna) *TO*......... 59 N 19
Grande (Puerto) *CR*......... 69 P 15
Grande (Sierra) *BA*.......... 68 Q 11
Grande (Sierra) *CC*.......... 55 M 10
Grande Fache *HU*............. 21 D 29
Grandes *SA*....................... 43 J 11
Grandes *AV*....................... 44 J 15
Grandiella *O*.......................5 C 12
Grandoso *LE*..................... 16 D 14
Granera *B*.......................... 38 G 36
Granja (La) *S*........................8 B 20
Granja (La) *CC*.................. 56 L 12
Granja (Puerto de la) *BA*... 79 R 10
Granja
(Sa) *Mallorca PM*.........104 N 37
Granja Asumesa *SE*.......... 92 U 12
Granja de Moreruela *ZA*.... 29 G 12
Granja de Rocamora *A*...... 85 R 27
Granja de San Ildefonso
(Los Jardines de La) *SG*... 45 J 18
Granja
de Torrehermosa *BA*..... 80 R 13
Granja d'Escarp (La) *L*...... 36 H 31
Granja Muedra *VA*............. 31 G 16
Granjas (Las) *TE*.............. 48 K 26
Granjuela (La) *CO*............ 80 Q 13
Granollers *B*...................... 38 H 36
Granón *LO*......................... 18 E 20
Granucillo *ZA*.................... 29 F 12
Granyanella *L*.................... 37 H 33
Granyena
de les Garrigues *L*......... 36 H 31
Granyena de Segarra *L*..... 37 H 33
Graña (A) *PO*..................... 13 F 5
Grañas *C*..............................3 B 6
Grañén *HU*........................ 35 G 28
Grañena (Estación de) *J*... 82 S 18
Grañeras *LE*....................... 16 E 14
Grao de Gandía *V*.............. 74 P 29
Gratallops *T*....................... 36 I 32
Grau (es) *Menorca PM*.....106 M 42
Grau
d'Almassora (El) *CS*...... 62 M 29
Grau
de Borriana (El) *CS*....... 62 M 29
Grau de Castelló *CS*......... 62 M 30
Grau de la Granta *L*.......... 23 F 33
Grau de València (El) *V*.... 62 N 29
Graus *HU*........................... 22 F 31
Grávalos *LO*....................... 33 F 24
Graya (La) *AB*................... 84 R 22
Grazalema *CA*................... 92 V 13
Gredilla *BU*........................ 18 D 18
Gredos (Parador de) *AV*.... 44 K 14
Gredos
(Reserva nacional de) *AV*.. 57 L 14
Gregorio *PO*...................... 13 F 5
Gréixer *B*........................... 24 F 35
Gresande *PO*..................... 13 E 5
Griego (El) *AB*................... 72 Q 23
Griegos *TE*........................ 48 K 24
Grijalba *BU*....................... 17 E 17
Grijota *P*........................... 31 F 16
Grimaldo *CC*..................... 55 M 10
Griñón *M*........................... 58 L 18
Grisel *Z*............................. 34 G 24
Grisén *Z*............................ 34 G 26
Grisuela *ZA*...................... 29 G 11
Grisuela
del Páramo *LE*............... 15 E 12
Grixoa *C*..............................2 C 3
Grolos *LU*.......................... 13 D 7
Gros (Cap) *GI*.................... 25 E 39
Grossa (Serra) *V*............... 74 P 27
Grovas *OR*........................ 13 E 5
Grove (O) *PO*.................... 12 E 3
Grulla (La) *BA*................... 66 Q 8
Grullos *O*.............................5 B 11
Gúa *O*..................................5 C 11
Guadahortuna *GR*............. 94 T 19
Guadajira *BA*..................... 67 P 9
Guadajoz *SE*...................... 92 T 13
Guadalajara *GU*................. 46 K 20
Guadalaviar *TE*.................. 48 K 24
Guadalbarbo *CO*................ 81 R 15
Guadalcacín *CA*................. 91 V 11
Guadalcacín
(Canal del) *CA*.............. 98 W 11
Guadalcanal *SE*................. 80 R 12
Guadalcázar *CO*................ 81 S 15
Guadalema
de los Quinteros *SE*....... 92 U 12
Guadalén
(Embalse de) *J*.............. 82 R 19
Guadalén del Caudillo *J*.... 82 R 19
Guadalerzas (Las) *TO*....... 58 N 17
Guadalevín *MA*..................100 V 14
Guadalimar *J*...................... 82 R 19
Guadalix de la Sierra *M*..... 46 J 18
Guadalmansa *MA*..............100 W 14
Guadalmar-
San Julián *MA*...............100 W 16
Guadalmedina *MA*............100 V 16

A B C D E F G H I J K L M N O P Q R S T U V W X Y Z

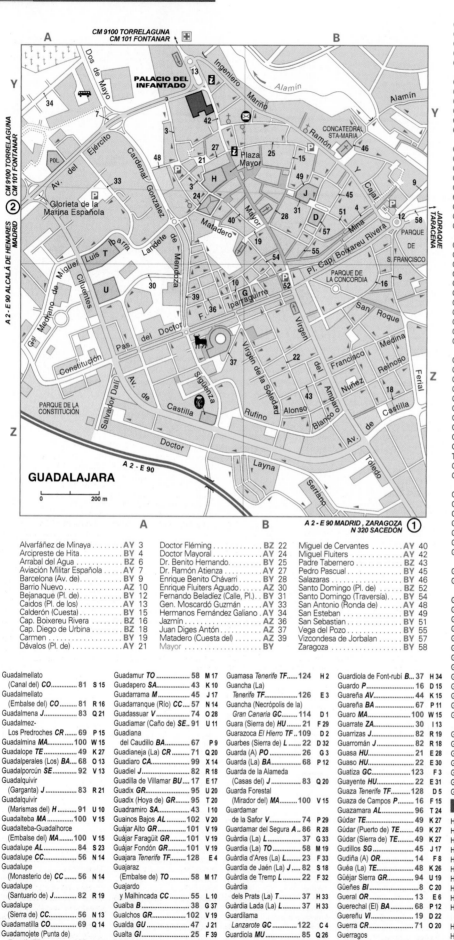

GUADALAJARA
0 — 200 m

CM 9100 TORRELAGUNA
CM 101 FONTANAR
A 2 - E 90 ALCALÁ DE HENARES / MADRID
PALACIO DEL INFANTADO
CONCATEDRAL STA-MARIA
Plaza Mayor
Glorieta de la Marina Española
PARQUE DE S. FRANCISCO
PARQUE DE LA CONCORDIA
PARQUE DE LA CONSTITUCIÓN
JADRAQUE TARACENA
A 2 - E 90 MADRID , ZARAGOZA N 320 SACEDÓN ①

**Guadalajara street index**

| | | |
|---|---|---|
| Alvarfáñez de Minaya | AY | 3 |
| Arcipreste de Hita | BY | 4 |
| Arrabal del Agua | BZ | 6 |
| Aviación Militar Española | AY | 7 |
| Barcelona (Av. de) | BY | 9 |
| Barrio Nuevo | AZ | 10 |
| Bejanaque (Pl. de) | BY | 12 |
| Caidos (Pl. de los) | AY | 13 |
| Calderón (Cuesta) | BY | 15 |
| Cap. Boixereu Rivera | BY | 16 |
| Cap. Diego de Urbina | BZ | 18 |
| Carmen | AY | 19 |
| Dávalos (Pl. de) | AY | 21 |
| Doctor Fléming | BZ | 22 |
| Doctor Mayoral | AY | 24 |
| Dr. Benito Hernando | BY | 25 |
| Dr. Ramón Atienza | AY | 27 |
| Enrique Benito Chávarri | BY | 28 |
| Enrique Fluiters Aguado | AZ | 30 |
| Fernando Beladíez (Calle, Pl.) | BY | 31 |
| Gen. Moscardó Guzmán | AY | 33 |
| Hermanos Fernández Galiano | AY | 35 |
| Jazmín | AZ | 36 |
| Juan Diges Antón | AZ | 37 |
| Matadero (Cuesta del) | AY | 39 |
| Mayor | BY | |
| Miguel de Cervantes | AY | 40 |
| Miguel Fluiters | AY | 42 |
| Padre Tabernero | BZ | 43 |
| Pedro Pascual | AY | 45 |
| Salazaras | BY | 46 |
| Santo Domingo (Pl. de) | BZ | 52 |
| Santo Domingo (Traversía) | BY | 54 |
| San Antonio (Ronda de) | AY | 48 |
| San Esteban | BY | 49 |
| San Sebastian | BY | 51 |
| Vega del Pozo | BY | 55 |
| Vizcondesa de Jorbalan | BY | 57 |
| Zaragoza | BY | 58 |

Guadalmellato (Canal del) CO ... 81 S 15
Guadalmellato (Embalse del) CO ... 81 R 16
Guadalmena J ... 83 Q 21
Guadalmez-Los Predroches CR ... 69 P 15
Guadalmina MA ... 100 W 15
Guadalope TE ... 49 K 27
Guadalperales (Los) BA ... 68 O 13
Guadalporcún SE ... 92 V 13
Guadalquivir (Garganta) J ... 83 R 21
Guadalquivir (Marismas del) H ... 91 U 10
Guadalteba MA ... 100 V 15
Guadalteba-Guadalhorce (Embalse del) MA ... 100 V 15
Guadalupe AL ... 84 S 23
Guadalupe CC ... 56 N 14
Guadalupe (Monasterio de) CC ... 56 N 14
Guadalupe (Santuario de) J ... 82 R 19
Guadalupe (Sierra de) CC ... 56 N 13
Guadamatilla CO ... 69 Q 14
Guadamojete (Punta de) Tenerife TF ... 125 I 3

Guadamur TO ... 58 M 17
Guadapero SA ... 43 K 10
Guadarrama M ... 45 J 17
Guadarranque (Río) CC ... 57 N 14
Guadassuar V ... 74 O 28
Guadiana del Caudillo BA ... 67 P 9
Guadianeja (La) CR ... 71 Q 20
Guadiaro CA ... 99 X 14
Guadiel J ... 82 R 18
Guadilla de Villamar BU ... 17 E 17
Guadix GR ... 95 U 20
Guadix (Hoya de) GR ... 95 T 20
Guadramiro SA ... 43 I 10
Guainos Bajos AL ... 102 V 19
Guájar Alto GR ... 101 V 19
Guájar Faragüit GR ... 101 V 19
Guájar Fondón GR ... 101 V 19
Guajara Tenerife TF ... 128 E 4
Guajaraz (Embalse de) TO ... 58 M 17
Guajardo y Malhincada CC ... 55 L 10
Gualba B ... 38 G 37
Gualchos GR ... 102 V 19
Gualda GU ... 47 J 21
Gualta GI ... 25 F 39
Gualter L ... 37 G 33

Guamasa Tenerife TF ... 124 H 2
Guancha (La) Tenerife TF ... 126 E 3
Guancha (Necrópolis de la) Gran Canaria GC ... 114 D 1
Guara (Sierra de) HU ... 21 F 29
Guarazoca El Hierro TF ... 109 D 2
Guarbes (Sierra de) L ... 22 D 32
Guarda (A) PO ... 26 G 3
Guarda (La) BA ... 68 P 12
Guarda de la Alameda (Casas del) J ... 83 Q 20
Guarda Forestal (Mirador del) MA ... 100 V 15
Guardamar de la Safor V ... 74 P 29
Guardamar del Segura A ... 86 R 28
Guardia (La) L ... 23 D 32
Guardia (La) TO ... 58 M 19
Guàrdia d'Ares (La) L ... 23 F 33
Guardia de Jaén (La) J ... 82 S 18
Guàrdia de Tremp L ... 37 F 32
Guàrdia dels Prats (La) T ... 37 H 33
Guàrdia Lada (La) L ... 37 H 33
Guardia Lanzarote GC ... 122 C 4
Guardiola MU ... 85 Q 26
Guardiola de Berguedà B ... 24 F 35

Guardiola de Font-rubí B ... 37 H 34
Guardo P ... 16 D 15
Guareña AV ... 44 K 15
Guareña BA ... 67 P 11
Guaro MA ... 100 W 15
Guarrazar J ... 82 R 19
Guarromán J ... 82 R 18
Guasa HU ... 21 E 28
Guaso HU ... 22 E 30
Guatiza GC ... 123 F 3
Guayente HU ... 22 E 31
Guaza Tenerife TF ... 128 D 5
Guaza de Campos P ... 16 F 15
Guazamara AL ... 96 T 24
Gúdar TE ... 49 K 27
Gúdar (Puerto de) TE ... 49 K 27
Gúdar (Sierra de) TE ... 49 K 27
Gudillos SG ... 45 J 17
Gudiña (A) OR ... 14 F 8
Guéa (La) TE ... 48 K 26
Guéjar Sierra GR ... 95 U 19
Güeñes BI ... 8 C 20
Gueral OR ... 13 E 6
Guerechal (El) BA ... 68 P 12
Guereñu BI ... 19 D 22
Guerra CR ... 71 O 20
Guerragos (Santa Cruz de los) ZA ... 29 G 10

Güesa / Gorza NA ... 11 D 26
Guesálaz NA ... 10 D 24
Guevara VI ... 19 D 22
Güevéjar GR ... 94 U 19
Guía de Isora Tenerife TF ... 128 C 4
Guiamets (Els) T ... 50 I 32
Guiana LE ... 15 E 10
Guiar O ... 4 B 8
Guijar (El) SG ... 45 I 18
Guijarral AB ... 72 P 23
Guijarro (Collado del) CC ... 68 N 12
Guijarrosa (La) CO ... 81 T 15
Guijasalbas SG ... 45 J 17
Guijo GU ... 47 J 23
Guijo (El) CO ... 81 Q 15
Guijo de Ávila SA ... 43 K 13
Guijo de Coria CC ... 55 L 10
Guijo de Galisteo CC ... 55 L 10
Guijo de Granadilla CC ... 55 L 11
Guijo de Santa Bárbara CC ... 56 L 13
Guijosa GU ... 47 I 22
Guijosa SO ... 32 G 20
Guijoso BU ... 32 G 20
Guijoso (El) AB ... 71 P 21
Guijuelo SA ... 43 K 12
Guilfrei LU ... 14 D 8
Guillade PO ... 13 F 4
Guillar PO ... 13 D 6
Guillarei PO ... 12 F 4
Guillena SE ... 91 T 11
Guillena (Embalse de) SE ... 79 T 11
Guils L ... 23 E 33
Guils de Cerdanya GI ... 24 E 35
Guilué HU ... 21 E 29
Güimar Tenerife TF ... 127 G 3
Guimara LE ... 14 D 9
Guimarei LU ... 3 D 6
Güime Lanzarote GC ... 123 D 4
Guimerà L ... 37 H 33
Guincho (El) Tenerife TF ... 126 D 3
Guincho (El) Tenerife TF ... 128 E 5
Guindos (Los) J ... 82 R 18
Guindos (Sierra de los) CR ... 69 O 16
Guinea VI ... 18 D 20
Guingueta (La) L ... 23 E 33
Guinicio BU ... 18 D 20
Guirguillano NA ... 10 D 24
Guisando AV ... 57 L 14
Guisatecha LE ... 15 D 11
Guisguey Fuerteventura GC ... 111 I 2
Guissona L ... 37 G 33
Guistolas (Embalse de) OR ... 14 E 7
Guitiriz LU ... 3 C 6
Guixers L ... 23 F 34
Guizán PO ... 12 F 4
Guláns PO ... 12 F 4
Gumiel de Hizán BU ... 32 G 18
Gumiel de Mercado BU ... 31 G 18
Guntín de Pallares LU ... 13 D 6
Gurb B ... 38 G 36
Gurp L ... 22 F 32
Gurrea de Gállego HU ... 21 F 27
Gurugu (El) M ... 46 K 19
Gusandanos ZA ... 15 F 10
Gusendos de los Oteros LE ... 16 E 13
Guspí L ... 37 G 34
Gustei OR ... 13 E 6
Gutierre Muñoz AV ... 45 J 16
Gutur LO ... 33 G 24
Guxinde OR ... 27 G 5
Guzmán BU ... 31 G 18

**H**
Haba (La) BA ... 68 P 12
Hacho MA ... 100 V 15
Hacinas BU ... 32 G 20
Haedillo BU ... 32 F 20
Hamapega SE ... 80 R 12
Hams (Coves des) PM ... 104 N 38
Haría Lanzarote GC ... 123 F 3
Harinosa (La) SE ... 92 V 12
Haro LO ... 19 E 21
Harria (Aiako) / Aya (Peñas de) ESP ... 10 C 24
Hato Verde SE ... 91 T 11
Hatoqueo SE ... 67 O 10
Haza BU ... 31 H 18

Haza Alta J ... 83 Q 21
Haza del Trigo GR ... 102 V 20
Hazas de Cesto S ... 8 B 19
Hazuelas (Las) CO ... 81 S 16
Hecho HU ... 21 D 27
Hecho (Valle de) HU ... 21 D 27
Hedradas (Las) ZA ... 28 F 9
Hedroso ZA ... 28 F 9
Helado (El) CR ... 70 P 18
Helechal BA ... 68 P 13
Helechosa BA ... 69 O 15
Helgueras S ... 8 B 19
Hellín AB ... 84 Q 24
Henarejos CU ... 61 M 25
Henares MU ... 96 T 24
Henche GU ... 47 J 21
Heras GU ... 46 J 20
Heras (Las) P ... 16 D 15
Herbés CS ... 50 J 29
Herbeset CS ... 50 K 29
Herbogo C ... 12 D 3
Herbón C ... 12 D 4
Herbosa BU ... 17 D 18
Herce LO ... 19 F 23
Hércules (Torre de) C ... 3 B 4
Herdadiña OR ... 27 G 5
Heredia VI ... 19 D 22
Herencia CR ... 71 N 19
Hedradas (Las) TO ... 57 M 15
Hereña VI ... 18 D 21
Herguijuela CC ... 68 N 12
Herguijuela (La) AV ... 44 K 14
Herguijuela de Ciudad Rodrigo SA ... 42 K 10
Herguijuela de la Sierra SA ... 43 K 11
Herguijuela del Campo SA ... 43 K 12
Hermanas (Dos) BA ... 67 O 9
Hermanas (Las) AB ... 85 Q 25
Hérmedes de Cerrato P ... 31 G 17
Hermida (Desfiladero de la) S ... 7 C 16
Hermida (La) S ... 7 C 16
Hermigua La Gomera TF ... 118 C 1
Hermisende ZA ... 28 G 9
Hermo (Monasterio de) O ... 5 D 10
Hermosilla BU ... 18 E 19
Hernán Cortés BA ... 68 O 12
Hernán Pérez CC ... 55 L 10
Hernán Valle GR ... 95 T 20
Hernani SS ... 10 C 24
Hernansancho AV ... 44 J 15
Hernialde SS ... 10 C 23
Herradón (El) AV ... 45 K 16
Herradura (La) TO ... 70 O 18
Herradura (La) GR ... 101 V 18
Herradura (Punta de la) Fuerteventura GC ... 110 F 3
Herramélluri LO ... 18 E 21
Herrera MU ... 85 S 25
Herrera J ... 83 R 20
Herrera cerca de El Coronil SE ... 92 U 12
Herrera cerca de Estepa SE ... 93 T 15
Herrera (La) AB ... 72 P 23
Herrera (Puerto de) VI ... 19 E 22
Herrera de Alcántara CC ... 54 N 7
Herrera de Duero VA ... 31 H 16
Herrera de la Mancha CR ... 71 O 20
Herrera de los Navarros Z ... 34 I 26
Herrera de Pisuerga P ... 17 E 17
Herrera de Soria SO ... 32 G 20
Herrera de Valdecañas P ... 31 F 17
Herrera del Duque BA ... 69 O 14
Herrería GU ... 47 J 24
Herrería LU ... 14 E 8
Herrería (La) AB ... 72 Q 23
Herrería (La) CO ... 80 S 14
Herrerías S ... 7 C 16
Herrerías (Las) AL ... 96 U 24
Herrerías (Las) H ... 78 T 8
Herrerías (Las) J ... 83 R 22
Herrero GR ... 101 V 18
Herreros (Los) V ... 73 O 27
Herreros de Jamuz LE ... 15 F 12
Herreros de Suso AV ... 44 J 14
Herreruela CC ... 55 N 9
Herreruela de Castillería P ... 17 D 16

Herreruela de Oropesa **TO** 57 M 14
Herrezuelo **SA** 44 J 13
Herrín de Campos **VA** 16 F 15
Herriza (La) **MA** 93 U 15
Herrumblar (El) **CU** 73 N 25
Hervás **CC** 56 L 12
Herves **C** 3 C 4
Hervías **LO** 18 E 21
Hervideros (Los) **V** 73 O 26
Hervideros (Los) *Lanzarote* **GC** 122 B 4
Hidalgo (Punta del) *Tenerife* **TF** 125 I 1
Hiendelaencina **GU** 46 I 20
Hierro **BU** 18 D 19
Hierro **M** 45 J 18
Hierro (Puerto del) **SO** 32 G 21
Higares **TO** 58 M 18
Higuera (La) **SG** 45 I 17
Higuera (La) **AB** 73 P 25
Higuera de Albalat **CC** 56 M 13
Higuera de Calatrava **J** 82 S 17
Higuera de la Serena **BA** 68 Q 12
Higuera de la Sierra **H** 79 S 10
Higuera de las Dueñas **AV** 57 L 16
Higuera de Llerena **BA** 79 Q 11
Higuera de Vargas **BA** 78 Q 9
Higuera la Real **BA** 79 R 9
Higueral **AL** 95 T 22
Higueral (El) **CO** 93 U 17
Higueras **CS** 62 M 28
Higueras (Las) **CO** 94 T 17
Higuerón **MA** 101 V 18
Higuerón (El) **CO** 81 S 15
Higuerón (Puerto del) **CA** 99 X 13
Higüeros **AL** 103 V 22
Higueruela **AB** 73 P 25
Higueruela (La) *cerca de Belvis de la Jara* **TO** 57 M 15
Higueruela (La) *cerca de Toledo* **TO** 58 M 17
Higueruelas **V** 61 M 27
Hija de Dios (La) **AV** 44 K 15
Híjar **TE** 49 I 28
Híjar **AB** 72 Q 23
Híjate (El) **AL** 95 T 22
Hijes **GU** 32 I 21
Hijosa **P** 17 E 17
Hilario (Islote de) *Lanzarote* **GC** 122 C 4
Hincada (Puerto) **LO** 19 F 21
Hinestrosa **BU** 17 F 17
Hiniesta (La) **ZA** 29 H 12
Hinojal **CC** 55 M 10
Hinojales **H** 79 R 10
Hinojar **CR** 70 Q 17
Hinojar **MU** 85 S 25
Hinojar del Rey **BU** 32 G 20
Hinojares **J** 83 S 20
Hinojedo **S** 7 B 17
Hinojora **GR** 95 T 22
Hinojos **H** 91 U 10
Hinojos (Marisma de) **H** 91 U 10
Hinojosa **GU** 48 I 24
Hinojosa (La) **SO** 32 G 20
Hinojosa (La) **CU** 60 M 22
Hinojosa de Duero **SA** 42 J 9
Hinojosa de Jarque **TE** 49 J 27
Hinojosa de la Sierra **SO** 33 G 22
Hinojosa de San Vicente **TO** 57 L 15
Hinojosa del Campo **SO** 33 G 23
Hinojosa del Cerro **SG** 31 H 18
Hinojosa del Duque **CO** 80 Q 14
Hinojosa del Valle **BA** 67 Q 11
Hinojosas de Calatrava **CR** 70 Q 17
Hinojosos (Los) **CU** 59 N 21
Hío **PO** 12 F 3
Hiriberri / Villanueva de Aézkoa **NA** 11 D 26
Hirmes **AL** 102 V 21
Hiruela (La) **M** 46 I 19
Hita **GU** 46 J 20
Hito (El) **CU** 59 M 21
Hito (Laguna de El) **CU** 59 M 21
Hoces (Desfiladero Las) **LE** 16 D 13
Hoces de Bárcena **S** 7 C 17
Hoja (Embalse de la) **H** 78 T 9
Holguera **CC** 55 M 10
Hombrados **GU** 48 J 24
Home (Cabo de) **PO** 12 F 3
Hondarribia / Fuenterrabía **SS** 10 B 24
Hondón **A** 85 Q 27
Hondón de las Nieves / Fondó de les Neus (El) **A** 85 R 27
Hondón de los Frailes **A** 85 R 27
Hondura **SA** 43 K 12
Honduras (Puerto de) **CC** 56 L 12
Honduras (Punta de) *Tenerife* **TF** 129 G 4
Honquilana **VA** 44 I 15
Honrubia **CU** 60 N 23
Honrubia de la Cuesta **SG** 32 H 18
Hontalbilla **SG** 31 H 17
Hontana (El) **V** 61 M 26
Hontanar **TO** 57 N 16
Hontanar **V** 61 L 25
Hontanar (Collado de) **J** 82 Q 17
Hontanar (El) *cerca de La Hunde* **V** 73 O 26
Hontanares **AV** 57 L 15
Hontanares **GU** 47 J 21
Hontanares de Eresma **SG** 45 J 17
Hontanas **BU** 17 F 17
Hontanaya **CU** 59 M 21
Hontangas **BU** 31 H 18
Hontecillas **CU** 60 M 23
Hontoba **GU** 46 K 20
Hontomín **BU** 18 E 19
Hontoria **SG** 45 J 17
Hontoria **O** 6 B 15
Hontoria de Cerrato **P** 31 G 16
Hontoria de la Cantera **BU** 18 F 19
Hontoria de Valdearados **BU** 32 G 19
Hontoria del Pinar **BU** 32 G 20
Horca (La) **AB** 84 Q 25
Horcajada (La) **AV** 44 K 13
Horcajada de la Torre **CU** 59 L 22
Horcajo **CR** 81 Q 16
Horcajo **CC** 43 K 10
Horcajo (El) **AB** 72 P 22
Horcajo de la Ribera **AV** 44 K 13
Horcajo de la Sierra **M** 46 I 19
Horcajo de las Torres **AV** 44 I 14
Horcajo de los Montes **CR** 69 O 16
Horcajo de Montemayor **SA** 43 K 12
Horcajo de Santiago **CU** 59 M 21
Horcajo Medianero **SA** 44 K 13
Horcajuelo de la Sierra **M** 46 I 19
Horche **GU** 46 K 20
Horcón **CO** 69 Q 15
Horconera (Sierra de la) **CO** 93 T 17
Hormazas (Las) **BU** 17 E 18
Hormazuela **BU** 17 E 18
Hormigos **TO** 57 L 16
Hormilla **LO** 19 E 21
Hormilleja **LO** 19 E 21
Horna **BU** 18 D 19
Horna **GU** 47 I 22
Horna **AB** 73 P 25
Hornachos **BA** 68 Q 11
Hornachuelos **CO** 80 S 14
Hornachuelos (Estación de) **CO** 80 S 14
Hornias Bajas **CR** 70 O 17
Hornico (El) **MU** 84 R 23
Hornija **LE** 14 E 9
Hornillatorre **BU** 8 C 19
Hornillayuso **BU** 18 C 19
Hornillo (El) **AV** 57 L 14
Hornillo (El) **MU** 97 T 25
Hornillos **VA** 30 H 15
Hornillos de Cameros **LO** 19 F 22
Hornillos de Cerrato **P** 31 G 17
Hornillos del Camino **BU** 17 E 18
Hornos **J** 83 R 21
Hornos (Garganta de los) **AV** 44 K 14
Hornos de la Mata **S** 7 C 17
Hornos de Peal **J** 83 S 20
Horra (La) **BU** 31 G 18
Horsavinyà **B** 38 G 37
Hort de la Rabassa (L') **V** 74 N 28

## HUELVA

Alameda Sundheim BZ 2
Arquitecto Pérez Carasa BZ 4
Las Bocas AZ 25
Concepción AZ 9
La Fuente BZ 22
Independencia (Pas.) AZ 18
José Nogales ABZ 20
Marina AZ 28
Martín Alonso Pinzón (Av. de) BZ 29
Méndez Núñez AZ 31
Las Monjas (Pl. de) AZ 26
Pablo Rada BZ 33
Padre Jesús de la Pasión BZ 34
Palacios AZ 35
La Palma AZ 23
Plus Ultra AZ 37
Rábida BZ 39
Sanlúcar de Barrameda AZ 44
Santa Fé (Pas. de) ABZ 46
San Sebastián AY 45
Tomás Domínguez Ortiz (Av. de) AZ 50
Vázquez López AZ 51
3 de Agosto BZ 52

Horta (Cap de l') **A** 86 Q 28
Horta (S') **PM** 105 N 39
Horta de Sant Joan **T** 50 J 30
Hortas **C** 13 D 5
Hortells **CS** 49 J 29
Hortezuela **SO** 32 H 21
Hortezuela de Océn (La) **GU** 47 J 22
Hortezuelos **BU** 32 G 19
Hortichuela (La) **J** 94 T 18
Hortigüela **BU** 32 F 19
Hortizuela **CU** 60 L 23
Hortoneda **L** 23 F 33
Hortunas de Arriba **V** 73 N 26
Hospital *cerca de Fonsagrada* **LU** 4 C 8
Hospital *cerca de Linares* **LU** 14 D 8
Hospital (Collado del) **CC** 56 N 14
Hospital de Órbigo **LE** 15 E 12
Hospitalet de l'Infant (L') **T** 51 J 32
Hospitalet de Llobregat (L') **B** 38 H 36
Hosquillo (El) **CU** 48 K 24
Hostal de Ipiés **HU** 21 E 28
Hostalets (Els) **L** 23 F 34
Hostalets (Els) *cerca de Esparreguera* **B** 38 H 35
Hostalets (Els) *cerca de Tona* **B** 38 G 36
Hostalets d'En Bas (Els) **GI** 24 F 37
Hostalric **GI** 38 G 37
Hoya (La) **M** 45 K 17
Hoya (La) **SA** 43 K 12
Hoya (La) **MU** 84 S 25
Hoya (La) **MA** 100 V 16
Hoya (La) *Lanzarote* **GC** 122 B 4
Hoya de la Carrasca **TE** 61 L 26
Hoya del Campo **MU** 85 R 25
Hoya del Espino (La) **GR** 83 R 22
Hoya del Peral **CU** 61 L 25
Hoya Gonzalo **AB** 73 P 25
Hoya Santa Ana **AB** 73 P 25
Hoyales de Roa **BU** 31 H 18
Hoyas (Altura Las) *La Palma* **TF** 130 C 2
Hoyas (Las) **AL** 95 U 22
Hoyo (El) **CR** 82 Q 18
Hoyo (El) **CO** 80 R 14
Hoyo de Manzanares **M** 45 K 18
Hoyo de Pinares (El) **AV** 45 K 16
Hoyocasero **AV** 44 K 15
Hoyorredondo **AV** 44 K 13
Hoyos **CC** 55 L 9
Hoyos de Miguel Muñoz **AV** 44 K 14
Hoyos del Collado **AV** 44 K 14
Hoyos del Espino **AV** 44 K 14
Hoyuelos **SG** 45 I 16
Hoyuelos (Los) **CR** 71 P 21
Hoz (Collado de) **S** 7 C 16
Hoz (Cueva de la) **GU** 47 J 23
Hoz (La) **AB** 72 P 22
Hoz (La) **CO** 93 U 16
Hoz de Abajo **SO** 32 H 20
Hoz de Anero **S** 8 B 19
Hoz de Arreba **BU** 18 D 18
Hoz de Arriba **SO** 32 H 20
Hoz de Barbastro **HU** 22 F 30
Hoz de Beteta (Desfiladero) **CU** 47 K 23
Hoz de Jaca **HU** 21 D 29
Hoz de la Vieja (La) **TE** 49 J 27
Hoz de Valdivielso **BU** 18 D 19
Hozabejas **BU** 18 D 19
Hozgarganta **CA** 99 W 13
Hoznayo **S** 8 B 18
Huarte / Uharte **NA** 11 D 25
Huebra **SA** 42 I 10
Huebro **AL** 96 V 23
Huecas **TO** 58 L 17
Huécija **AL** 102 V 22
Huefor Tájar **GR** 94 U 17
Huélaga **CC** 55 L 10
Huélago **GR** 95 T 20
Huélamo **CU** 60 L 24
Huelga (La) **AL** 96 U 23
Huelgas Reales (Las) **BU** 18 F 18
Huelgueras **S** 7 B 16
Huelma **J** 82 T 19
Huelva **H** 90 U 9
Huelves **CU** 59 L 21
Huéneja **GR** 95 U 21
Huéneja (Estación de) **GR** 95 U 21
Huércal de Almería **AL** 103 V 22
Huércal Overa **AL** 96 T 24
Huércanos **LO** 19 E 21
Huerce (La) **GU** 46 I 20
Huércemes **CU** 60 M 24
Huerces **O** 6 B 12
Huerga de Frailes **LE** 15 E 12
Huergas **LE** 15 D 11
Huérguina **CU** 61 L 25
Huérmeces **BU** 18 E 18
Huérmeces del Cerro **GU** 47 I 21
Huérmeda **Z** 34 H 25
Hueros (Los) **M** 46 K 19
Huerrios **HU** 21 F 28
Huerta **SG** 46 I 18
Huerta **SA** 44 J 13
Huerta (La) **AL** 96 U 24
Huerta de Abajo **BU** 32 F 20
Huerta de Arriba **BU** 32 F 20
Huerta de Cuarto Holgado **CC** 55 L 11
Huerta de la Obispalía **CU** 60 M 22
Huerta de Valdecarábanos **TO** 58 M 19
Huerta de Vero **HU** 22 F 30
Huerta del Marquesado **CU** 60 L 24
Huerta del Rey **BU** 32 G 19
Huertahernando **GU** 47 J 23
Huertapelayo **GU** 47 J 23
Huertas (Ermita Las) **MU** 85 S 25
Huertas (Las) **CC** 54 N 8
Huertas Bocas del Salado **CO** 93 T 15
Huertas de Ánimas **CC** 56 N 12
Huertas de la Magdalena **CC** 56 N 12
Huerteles **SO** 33 F 23
Huertezuelas **CR** 82 Q 18
Huerto **HU** 35 G 29
Huertos (Los) **SG** 45 I 17
Huerva (La) **Z** 48 I 26
Huesa **J** 83 T 20
Huesa (Estación de) **J** 83 S 20
Huesa del Común **TE** 49 I 27
Huesas (Las) **CR** 70 Q 18
Huesas (Las) **GC** 115 G 3
Huesca **HU** 21 F 28
Huéscar **GR** 83 S 22
Huesna (Embalse de) **SE** 80 S 12
Huéspeda **BU** 18 D 19
Huete **CU** 59 L 21
Huétor Santillán **GR** 94 U 19
Huétor Tájar **GR** 94 U 17
Huétor-Vega **GR** 94 U 19
Huetos **GU** 47 J 22
Hueva **GU** 46 K 21
Huévar **SE** 91 T 11
Huma **MA** 100 V 15
Humada **BU** 17 D 17
Humanes **GU** 46 J 20
Humanes de Madrid **M** 58 L 18
Humboldt (Mirador de) *Tenerife* **TF** 124 F 2
Humera **M** 45 K 18
Humilladero **MA** 93 U 15
Humilladero (Ermita del) **CC** 56 N 13
Humo de Muro (El) **HU** 22 E 30
Humosa (La) **AB** 72 P 24
Hunde (La) **V** 73 O 26
Hurchillo **A** 85 R 27
Hurdes (Las) **CC** 43 K 11
Hurones **BU** 18 E 19
Hurones (Embalse de los) **CA** 99 V 13
Hurtado **CR** 71 O 19
Hurtumpascual **AV** 44 J 14
Husillos **P** 31 F 16

## I

Ibahernando **CC** 68 O 12
Ibañeta (Puerto) **NA** 11 C 26
Ibarra **VI** 10 C 22
Ibarra **SS** 10 C 23
Ibarra **BI** 8 C 21
Ibarrangelu **BI** 9 B 22
Ibárruri **BI** 9 C 21
Ibdes **Z** 34 I 24
Ibeas de Juarros **BU** 18 F 19
Ibi **A** 74 Q 28
Ibieca **HU** 21 F 29
Ibiricu **NA** 19 D 23
Ibisate **VI** 19 D 22
Ibiur (Embalse de) **SS** 10 C 23
Ibiza / Eivissa **PM** 87 P 34
Ibrillos **BU** 18 E 20
Ibros **J** 82 R 19
Icod de los Vinos **TF** 126 D 3
Idafe (Roque de) *La Palma* **TF** 130 C 4
Idiazabal **SS** 10 C 23
Idocín **NA** 11 D 25
Ifach (Peñón de) **A** 75 Q 30
Ifonche *Tenerife* **TF** 128 D 4
Igal / Igari **NA** 11 D 26
Igantzi **NA** 11 C 24
Igari / Igal **NA** 11 D 26
Igea **LO** 33 F 23
Igeldo **SS** 10 C 23
Iglesiarrubia **BU** 31 G 18
Iglesias **BU** 17 F 18
Iglesuela (La) **TO** 57 L 15
Iglesuela del Cid (La) **TE** 49 K 29
Igorre **BI** 9 C 21
Igrexafeita **C** 3 B 5
Igriés **HU** 21 F 28
Igualada **B** 37 H 34
Igualeja **MA** 100 W 14
Igualero *La Gomera* **TF** 118 B 2

## JAÉN

Adarves Bajos ........ CZ 2
Álamos ........ BZ 3
Alcalde García Segovia ........ CX 5
Alféreces Provisionales ........ BX 8
Alhama ........ BY 58
Ángel (Puerta del) ........ CZ 9
Bernabé Soriano ........ BZ 12
Capitán Aranda Alta ........ BZ 13
Carmello Torres ........ BY 14
Castilla ........ BY 16
Coca de la Piñera (Pl.) ........ BY 17
Condestable Iranzo ........ AX 18
Correa Weglison ........ BY 20
Doctor Civera ........ BZ 21
Doctor Eduardo Arroyo ........ BY 22
Doctor Eduardo García Triviño López ........ BX 24
Ejido de Alcantarilla ........ BZ 25
Extremadura ........ BX 26
Francisco Coello ........ BZ 27
Frente a Jesús ........ BZ 44
Fuerte del Rey ........ AX 30
Hermanos Pinzón ........ BX 31
Ignacio Figueroa ........ BZ 32
Juanito el Practicante ........ AY 34
Juan Pedro Gutiérrez Higueras ........ AX 35
Madre de Dios ........ BZ 36
Madre Soledad Torres Acosta ........ BY 38
Maestra ........ BZ 39
Magdalena Baja ........ AY 40
Manuel Caballero Venzala ........ CX 41
Manuel Jontoya ........ BZ 43
Molino de la Condesa ........ AY 45
Muñoz Garnica ........ BZ 47
Navas de Tolosa ........ BY 48
Núñez de Balboa ........ BY 49
Obispo Alonso Suárez ........ CY 51
Obispo García de Castro (Pl.) ........ CYZ 54
Obispo González ........ BZ 55
Obispo Stúñiga ........ BX 52
Puerta del Sol ........ BY 56
Salvador Vicente de la Torre ........ AX 59
Santa Luisa de Marillac (Pl. de) ........ AY 70
Santo Domingo ........ AY 71
San Agustín (Pl. de) ........ BY 61
San Andrés ........ BY 62
San Bartolomé (Pl.) ........ BZ 63
San Clemente ........ BYZ 65
San Francisco (Pl.) ........ BZ 67
San Juan (Pl. de) ........ BY 68
Vicente Montuno ........ CZ 72
Virgen Capilla ........ BCY 74
Virgen de la Cabeza ........ BX 73

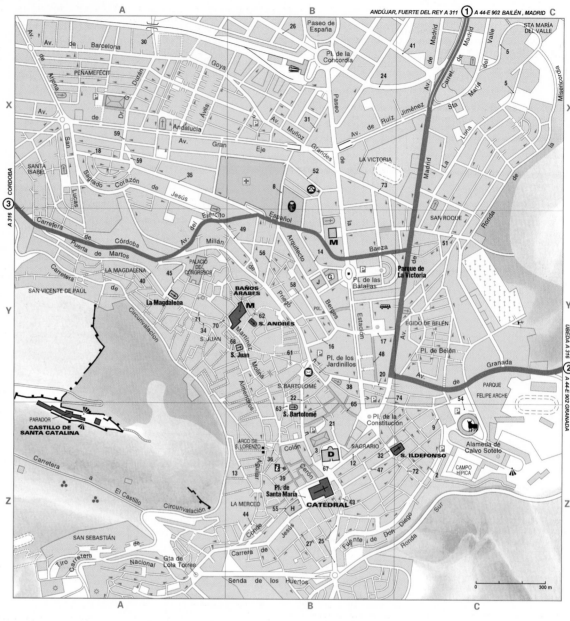

Igüeña ***LE*** ........ 15 D 11
Igueste *Tenerife* ***TF*** ........ 127 H 3
Igueste de San Andrés
*Tenerife* ***TF*** ........ 125 K 2
Igúzquiza ***NA*** ........ 19 E 23
Ihabar ***NA*** ........ 10 D 24
Ikaztegieta ***SS*** ........ 10 C 23
Ilarraza ***VI*** ........ 19 D 22
Ilche ***HU*** ........ 36 G 30
Illa ***OR*** ........ 27 G 5
Illa (L') ***T*** ........ 37 H 33
Illa de Arousa ***PO*** ........ 12 E 3
Illán de Vacas ***TO*** ........ 57 M 16
Illana ***GU*** ........ 59 L 21
Illano ***O*** ........ 4 C 9
Illar ***AL*** ........ 102 V 22
Illaso ***O*** ........ 4 B 9
Illescas ***TO*** ........ 58 L 18
Illora ***GR*** ........ 94 U 18
Illot (S') ***PM*** ........ 105 N 40
Illueca ***Z*** ........ 34 H 25
Ilurdotz ***NA*** ........ 11 D 25
Imón ***GU*** ........ 47 I 21
Imotz ***NA*** ........ 10 D 24
Ina (La) ***CA*** ........ 98 W 11
Inagua
*Gran Canaria* ***GC*** ........ 114 C 3
Inazares ***MU*** ........ 84 R 23
Inca ***PM*** ........ 104 M 38
Incinillas ***BU*** ........ 18 D 19
Incio ***LU*** ........ 14 E 7
Indiana
(Estación de la) ***MA*** ........ 92 V 14
Indiano (El) ***SE*** ........ 91 T 11
Indias (Las)
*La Palma* ***TF*** ........ 132 C 6
Induráin ***NA*** ........ 11 D 25
Ines ***SO*** ........ 32 H 20
Inestrillas ***LO*** ........ 33 G 24
Infantas (La) ***J*** ........ 82 S 18
Infantas (Las) ***M*** ........ 58 L 18
Infierno (Picos del) ***HU*** ........ 21 D 29
Infiernos (Los) ***GR*** ........ 94 U 17
Infiesto ***O*** ........ 6 B 13
Ingenio
*Gran Canaria* ***GC*** ........ 117 F 3
Iniesta ***CU*** ........ 60 N 24
Iniéstola ***GU*** ........ 47 J 22
Inogés ***Z*** ........ 34 H 25
Inoso ***VI*** ........ 18 C 21
Instinción ***AL*** ........ 102 V 22
Insúa ***C*** ........ 3 B 6
Insúa
*cerca de Taboada* ***LU*** ........ 13 D 6
Insúa
*cerca de Villalba LU* ........ *3* *C 6*
Insúa (Punta) ***C*** ........ 2 C 2
Intza ***NA*** ........ 10 C 24
Inviernas (Las) ***GU*** ........ 47 J 21
Iñigo ***SA*** ........ 43 K 12
Iragi ***NA*** ........ 11 D 25
Iranzu (Monasterio de) ***NA*** 19 D 23
Irañeta ***NA*** ........ 10 D 24
Ircio ***BU*** ........ 18 E 21
Irede ***LE*** ........ 15 D 12
Iregua (Valle de) ***LO*** ........ 19 F 22
Iribas ***NA*** ........ 10 D 24
Iriépal ***GU*** ........ 46 K 20
Irixo ***OR*** ........ 13 E 5
Irixoa ***C*** ........ 3 C 5
Irta (Cap d') ***CS*** ........ 50 L 31
Iruecha ***SO*** ........ 47 I 23
Iruela ***LE*** ........ 15 F 10
Iruela (La) ***J*** ........ 83 S 21
Iruelos ***SA*** ........ 43 I 11
Irueste ***GU*** ........ 46 K 21
Irumugarrieta ***NA*** ........ 10 C 23
Irún ***SS*** ........ 10 B 24
Irura ***SS*** ........ 10 C 23
Iruraiz-Gauna ***VI*** ........ 19 D 22
Irurita ***NA*** ........ 11 C 25
Irurozqui ***NA*** ........ 11 D 26
Irurtzun ***NA*** ........ 10 D 24
Irús ***BU*** ........ 8 C 19
Iruz ***S*** ........ 7 C 18
Iruzubieta ***BI*** ........ 10 C 22
Isaba / Izaba ***NA*** ........ 11 D 27
Isabel (La) ***H*** ........ 78 T 7
Isabela ***J*** ........ 82 R 19
Isar ***BU*** ........ 17 E 18
Iscar ***VA*** ........ 31 H 16
Isidro ***BA*** ........ 78 R 9
Isidros (Los) ***V*** ........ 61 N 26
Isil ***L*** ........ 23 D 33
Isín ***HU*** ........ 21 E 28
Isla ***S*** ........ 8 B 19
Isla (La) ***O*** ........ 6 B 14
Isla Canela ***H*** ........ 90 U 7
Isla Cristina ***H*** ........ 90 U 8
Isla de Luna ***CO*** ........ 93 T 15
Isla del Vicario ***SE*** ........ 92 T 14
Isla Plana ***MU*** ........ 97 T 26
Isla Playa ***S*** ........ 8 B 19
Isla Ravenna ***PM*** ........ 105 M 39
Isla Redonda ***SE*** ........ 93 T 15
Islares ***S*** ........ 8 B 20
Islas Menores ***MU*** ........ 85 T 27
Isleta (La) ***AL*** ........ 103 V 23
Isleta (La)
*Gran Canaria* ***GC*** ........ 115 G 1
Isleta (La)
*Lanzarote* ***GC*** ........ 122 D 3
Islote (El)
*Fuerteventura* ***GC*** ........ 112 C 5
Isoba ***LE*** ........ 6 C 14
Isona ***L*** ........ 23 F 33
Isora *El Hierro* ***TF*** ........ 109 D 3
Isóvol ***GI*** ........ 23 E 35
Ispater ***BI*** ........ 9 B 22
Isso ***AB*** ........ 84 Q 24
Istán ***MA*** ........ 100 W 15
Isuerre ***Z*** ........ 20 E 26
Itálica
(Ruinas de) ***SE*** ........ 91 T 11
Itero de la Vega ***P*** ........ 17 F 17
Itero del Castillo ***BU*** ........ 17 F 17
Itoiz
(Embalse de) ***NA*** ........ 11 D 26
Itrabo ***GR*** ........ 101 V 19
Itrabo (Cerro de) ***GR*** ........ 101 V 19
Itsaso ***SS*** ........ 10 C 23
Itsasondo ***SS*** ........ 10 C 23
Ituero ***SO*** ........ 33 H 22
Ituero ***AB*** ........ 72 P 23
Ituero de Azaba ***SA*** ........ 42 K 9
Ituero y Lama ***SG*** ........ 45 J 16
Ituren ***NA*** ........ 11 C 24
Iturgoyen ***NA*** ........ 10 D 24
Iturmendi ***NA*** ........ 19 D 23
Iturreta ***BI*** ........ 10 C 22
Itzalle / Izal ***NA*** ........ 11 D 26
Itzaltzu / Izalzu ***NA*** ........ 11 D 26
Itzarri (Punta) ***SS*** ........ 10 C 23
Itziar ***SS*** ........ 10 C 23
Iurreta ***BI*** ........ 10 C 22
Ivars de Noguera ***L*** ........ 36 G 31
Ivars d'Urgell ***L*** ........ 37 G 32
Ivarsos (Els) ***CS*** ........ 62 L 29
Ivorra ***L*** ........ 37 G 34
Izaba / Isaba ***NA*** ........ 11 D 27
Izagaondoa ***NA*** ........ 11 D 25
Izagre ***LE*** ........ 16 F 14
Izal / Itzalle ***NA*** ........ 11 D 26
Izalzu / Itzaltzu ***NA*** ........ 11 D 26
Izana ***SO*** ........ 33 G 22
Izaña *Tenerife* ***TF*** ........ 127 F 3
Izarra ***VI*** ........ 18 D 21
Izarraitz
(Monte) ***SS*** ........ 10 C 23
Ízbor ***GR*** ........ 101 V 19
Izcar ***CO*** ........ 81 S 16
Izco ***NA*** ........ 20 E 25
Izki
(Parque natural de) ***VI*** ........ 19 D 22
Iznájar ***CO*** ........ 93 U 17
Iznalloz ***GR*** ........ 94 T 19
Iznate ***MA*** ........ 101 V 17
Iznatoraf ***J*** ........ 83 R 20
Izurtza ***BI*** ........ 10 C 22

## J

Jábaga ***CU*** ........ 60 L 23
Jabalcón ***GR*** ........ 95 T 21
Jabalcuz ***J*** ........ 82 S 18
Jabalera ***CU*** ........ 59 L 21
Jabaloyas ***TE*** ........ 61 L 25
Jabalquinto ***J*** ........ 82 R 18
Jabarrella ***HU*** ........ 21 E 28
Jabarriega ***BA*** ........ 67 O 9
Jabata ***H*** ........ 79 S 10
Jable (El)
*Lanzarote* ***GC*** ........ 123 D 3
Jabugo ***H*** ........ 79 S 9
Jabuguillo ***H*** ........ 79 S 10
Jaca ***HU*** ........ 21 E 28
Jaca ***J*** ........ 94 T 18

## JEREZ DE LA FRONTERA

Algarve BZ 2
Angustias (Pl. de las) BZ 5
Arenal (Pl. del) BZ 8
Armas ABZ 10
Arroyo (Calzada del) AZ 12
Asunción (Pl. del) BZ 13
Beato Juan Grande BY 15
Cabezas AYZ 18
Conde de Bayona BZ 21
Consistorio BZ 23
Cordobeses AY 26
Cristina (Alameda) BY 28
Doña Blanca BZ 31
Duque de Abrantes (Av.) BY 32
Eguilaz BYZ 33
Encarnación (Pl. de la) AZ 35
Gaspar Fernández BYZ 40
José Luis Díez AZ 42
Lancería BZ 45
Larga BZ 47
Letrados ABZ 50
Luis de Isasy AYZ 52
Manuel María González AZ 55
Mercado (Pl. del) AYZ 56
Monti (Pl.) BZ 57
Nuño de Cañas BY 60
Pedro Alonso BZ 62
Peones (Pl.) AZ 65
Plateros (Pl.) BZ 67
Pozuelo ABZ 70
Rafael Bellido Caro AZ 71
Rafael Rivero (Pl.) BY 72
Santiago (Pl.) AY 81
San Agustín BZ 75
San Fernando AZ 77
San Lucas (Pl.) AYZ 80
Tornería BY 82
Vieja (Alameda) AZ 84

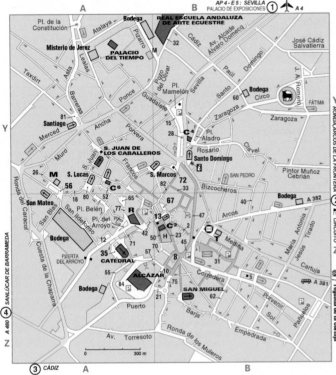

Jacarilla **A** 85 R 27
Jacintos **BA** 79 R 10
Jadraque **GU** 46 J 21
Jaén **J** 82 S 18
Jafre **GI** 25 F 39
Jaganta **TE** 49 J 29
Jalama **CC** 55 L 9
Jalance **V** 73 O 26
Jalón (Río) **Z** 33 I 23
Jalón de Cameros **LO** 19 F 22
Jalvegada **CR** 82 Q 18
Jama
*Tenerife* **TF** 128 E 5
Jambrina **ZA** 29 H 13
Jameos del Agua
*Lanzarote* **GC** 121 F 3
Jamilena **J** 82 S 18
Jana (La) **CS** 50 K 30
Jandía
*Fuerteventura* **GC** 112 C 5
Jandía (Península de)
*Fuerteventura* **GC** 112 B 5
Jandía (Punta de)
*Fuerteventura* **GC** 112 A 5
Jandilla **CA** 99 X 12
Jandulilla **J** 83 S 20
Janubio (Salinas de)
*Lanzarote* **GC** 122 B 4
Jara (La) **TO** 57 M 14
Jara (La) **CA** 91 V 10
Jaraba **Z** 48 I 24
Jarafuel **V** 73 O 26
Jaraguas **V** 61 N 25
Jaraicejo **CC** 56 N 12
Jaraiz de la Vera **CC** 56 L 12
Jarales *El Hierro* **TF** 109 D 2
Jarama (Circuito del) **M** 46 K 19
Jaramillo
de la Fuente **BU** 32 F 20
Jaramillo Quemado **BU** 32 F 19
Jarandilla de la Vera **CC** 56 L 13
Jaras (Las) **CO** 81 S 15
Jarastepar **MA** 99 V 14
Jaray **SO** 33 G 23
Jarceley **O** 5 C 10
Jardín (El) **AB** 72 P 23
Jardines
(Puerto de los) **J** 82 Q 19
Jarilla **CC** 56 L 11
Jarilla (La) **SE** 92 T 12
Jarillas (Las) **SE** 80 S 12
Jarlata **HU** 21 E 28
Jarosa **AL** 84 S 23
Jarosa
(Embalse de la) **M** 45 J 17
Jarosa (La) **CR** 71 P 20
Jarque **Z** 34 H 24
Jarque de la Val **TE** 49 J 27
Jártos **AB** 84 Q 23
Jasa **HU** 21 D 28
Jata **GR** 84 S 22
Játar **GR** 101 V 18
Jatiel **TE** 35 I 28
Jau (El) **GR** 94 U 18
Jauja **CO** 93 U 16
Jaulín **Z** 35 H 27
Jauntsarats **NA** 10 C 24
Jaurrieta **NA** 11 D 26
Jautor (El) **CA** 99 W 13
Javalambre **TE** 61 L 26
Javalambre
(Sierra de) **TE** 61 L 27
Javalón **TE** 61 L 25
Javana (Punta) **AL** 103 V 24
Jávea / Xàbia **A** 75 P 30
Javier **NA** 20 E 26
Javierre **HU** 21 E 29
Javierre
del Obispo **HU** 21 E 29
Javierregay **HU** 21 E 27
Javierrelatre **HU** 21 E 28
Jayena **GR** 101 V 18
Jedey *La Palma* **TF** 132 C 5
Jédula **CA** 91 V 12
Jemenuño **SG** 45 J 16
Jerez de la Frontera **CA** 98 V 11
Jerez
de los Caballeros **BA** 79 R 9
Jerez
del Marquesado **GR** 95 U 20
Jérica **CS** 62 M 28
Los Jerónimos **MU** 85 S 26
Jerte **CC** 56 L 12
Jesús (Iglesia) **PM** 87 P 34
Jesús i María **T** 50 J 32
Jesús Pobre **A** 74 P 30
Jete **GR** 101 V 18
Jiloca **Z** 48 I 25
Jimena **J** 82 S 19
Jimena
de la Frontera **CA** 99 W 13
Jimenado **MU** 85 S 26
Jiménez de Jamuz **LE** 15 F 12
Jimera de Líbar (La) **MA** 99 W 14
Jinama (Mirador de)
*El Hierro* **TF** 109 D 2
Jinamar
*Gran Canaria* **GC** 115 F 2
Jinetes (Los) **SE** 92 T 12
Joanetes **GI** 24 F 37
Joanín **LU** 13 E 6
Joara **LE** 16 E 15
Joarilla de las Matas **LE** 16 F 14
Jócano **VI** 18 D 21
Jódar **J** 82 S 19
Jodra de Cardos **SO** 33 H 22
Jola **CC** 66 O 8
Jolúcar **GR** 102 V 19
Joncosa
de Montmell (La) **T** 37 I 34
Jonquera (La) **GI** 25 E 38
Joraitátar **GR** 102 V 20
Jorba **B** 37 H 34
Jorcas **TE** 49 K 27
Jorquera **AB** 73 O 25
Josa **TE** 49 J 27
Josa del Cadí **L** 23 F 34
José Antonio **CA** 99 V 12
José Díez **BA** 79 R 10
Jose Toran
(Embalse de) **SE** 80 S 13
Jou **L** 23 E 33
Jou (Coll de) **L** 23 F 34
Joya (La) **H** 78 S 8
Joya (La) *Ibiza* **PM** 87 O 34
Joyosa (La) **Z** 34 G 26
Juan Antón **SE** 79 T 10
Juan Gallego **SE** 79 T 10
Juan Grande
*Gran Canaria* **GC** 117 F 4
Juan Martín **CO** 81 S 16
Juan Navarro **V** 61 N 26
Juan Quílez **AB** 84 Q 23
Juán Rico (Casas de) **A** 73 Q 27
Juanar
(Refugio de) **MA** 100 W 15
Juarros
de Riomoros **SG** 45 J 17
Juarros de Voltoya **SG** 45 I 16
Jubera **LO** 19 F 23
Jubera **SO** 47 I 22
Jubera **J** 82 S 18
Jubiley (Puerto) **GR** 102 V 19
Jubrique **MA** 99 W 14
Judes **SO** 47 I 23
Judio **CR** 69 Q 16
Judío
(Embalse del) **MU** 85 R 25
Jumilla **MU** 85 Q 26
Jumilla (Puerto de) **MU** 73 Q 26
Juncalillo
*Gran Canaria* **GC** 114 D 2
Juncar (El) **CS** 62 L 29
Junciana **AV** 44 K 13
Juncosa **L** 36 H 32
Juneda **L** 36 H 32
Junquera (La) **MU** 84 S 23
Junquera de Tera **ZA** 29 F 11
Junquillo **J** 82 R 17
Juntas **J** 94 T 18
Juntas
de Arriba (Las) **AL** 84 S 23
Junzano **HU** 21 F 29
Jurado **CO** 81 R 16
Jurados (Los) **SE** 92 U 12
Juseu **HU** 22 F 31
Juslibol **Z** 35 G 27
Justel **ZA** 15 F 11
Justo (San) **LO** 19 F 23
Juviles **GR** 102 V 20
Juzbado **SA** 43 I 12
Júzcar **MA** 100 W 14

### K

Kanala **BI** 9 B 21
Kanpazar
(Puerto de) **PV** 10 C 22
Kortezubi **BI** 9 B 22
Kripan **VI** 19 E 22

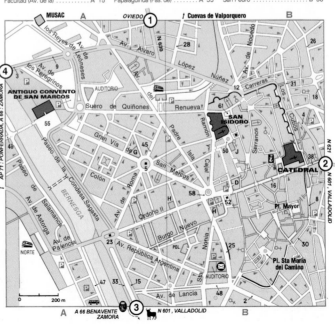

### L

Labacengos **C** 3 B 6
Labacolla **C** 3 D 4
Labajos **SG** 45 J 16
Labarces **S** 7 C 16
Labastida **VI** 19 E 21
Labata **HU** 21 F 29
Labiano **NA** 11 D 25
Labor de Acequión **AB** 72 O 23
Laborcillas **GR** 95 T 20
Labores (Las) **CR** 70 O 19
Labra **O** 6 B 14
Labrada
*cerca de Abadín* **LU** 4 B 7
Labrada
*cerca de Germade* **LU** 3 C 6
Labraza **VI** 19 E 22
Labros **GU** 48 I 24
Labuerda **HU** 22 E 30
Lacabe **NA** 11 D 25
Lácara **BA** 67 P 10
Lacervilla **VI** 19 D 21
Láchar **GR** 94 U 18
Lacorvilla **Z** 21 F 27
Lada **O** 5 C 12
Laderas
del Campillo **MU** 85 R 26
Ladines **O** 6 C 13
Ladrillar **CC** 43 K 11
Ladronera **CO** 81 R 16
Ladrones **MU** 73 P 25
Ladrones (Punta) **MA** 100 W 15
Ladruñán **TE** 49 J 28
Lafortunada **HU** 22 E 30
Lafuente **S** 7 C 16
Lagar **O** 4 B 9
Lagar
de San Antonio **CO** 93 T 15
Lagarejos **ZA** 29 F 10
Lagarín **CA** 92 V 14
Lagartera **TO** 57 M 14
Lagartos **P** 16 E 15
Lagata **Z** 35 I 27
Lago **O** 4 C 9
Lago **LU** 4 A 7
Lago Menor **PM** 105 M 39
Lagoa (A) **PO** 12 E 4
Lagos **MA** 101 V 17
Lagrán **VI** 19 E 22
Laguarres **HU** 22 F 31
Laguarta **HU** 21 E 29
Lagueruela **TE** 48 I 26
Laguna (La) **CR** 70 P 18
Laguna (La) **GR** 93 U 17
Laguna (La)
*La Palma* **TF** 132 C 5
Laguna (La)
*Tenerife* **TF** 125 I 2
Laguna Chica **TO** 59 N 20
Laguna Dalga **LE** 15 F 12
Laguna de Cameros **LO** 19 F 22
Laguna
de Contreras **SG** 31 H 17
Laguna de Duero **VA** 30 H 15
Laguna de Negrillos **LE** 16 F 13
Laguna de Somoza **LE** 15 E 11
Laguna
del Marquesado **CU** 60 L 24
Laguna Grande **CU** 71 N 21
Laguna Negra
de Neila **BU** 32 F 20
Laguna Negra
de Urbión **SG** 33 F 21
Laguna Rodrigo **SG** 45 J 16
Lagunarrota **HU** 36 G 29
Lagunas de Ruidera
(Parque natural) **CR** 71 P 21
Lagunaseca **CU** 47 K 23
Lagunazo **H** 78 T 8
Lagunazo
(Embalse de) **H** 78 T 8
Lagunilla **SA** 43 L 12
Lagunilla (La) **CR** 69 O 16
Lagunilla del Jubera **LO** 19 E 23
Lagunillas (Las) **CO** 93 T 17
Lahiguera **J** 82 S 18
Laida **BI** 9 B 21
Laíño **C** 12 D 3
Laiosa **LU** 14 E 7
Lajares
*Fuerteventura* **GC** 111 H 1
Lajita (La)
*Fuerteventura* **GC** 113 F 4
Lakuntza **NA** 19 D 23
Lalastra **VI** 18 D 20
Lalín **PO** 13 E 5
Laluenga **HU** 22 F 29
Lalueza **HU** 35 G 29
Lama **PO** 13 E 4
Lamalonga **OR** 14 F 9
Lamas **LU** 3 C 6
Lamas **LU** 13 E 6
Lamas *cerca*
*de San Sadurniño* **C** 3 B 5
Lamas *cerca de Zás* **C** 2 C 3
Lamas (As) **OR** 13 F 6
Lamas (Las) **LE** 14 D 9

## LEÓN

Alcalde Miguel Castaño B 2
Almirante Martín-Granizo (Av. del) A 3
Ancha B 5
Arquitecto Ramón Cañas del Río B 4
Caño Badillo B 8
Cruz Roja de León A 9
Espolón (Pl. de) B 12
Facultad (Av. de la) A 15
González de Lama B 18
Guzmán el Bueno (Glorieta de) A 23
Independencia (Av. de) B 25
Inmaculada (Pl. de) A 5
Jorge de Montemayor B 26
Mariano Andrés (Av. de) B 28
Murias de Paredes B 30
Ordoño II A
Padre Isla (Av. del) AB
Palomera B 31
Papalaguinda (Pas. de) A 33
Quevedo (Av. de) A 40
Ramiro Valbuena A 45
Rúa B
Sáez de Miera (Pas. de) A 47
Santo Domingo (Pl. de) B 58
Santo Martino (Pl. de) B 61
San Francisco (Pas. de) B 48
San Isidoro (Pl. de) B 50
San Marcelo (Pl. de) B 52
San Marcos (Pl. de) A 55
San Pedro B 38

## LLEIDA

Almadi Vell ... Z 3
Bisbe Messeguer ... YZ 5
Canyeret ... YZ 7
Cardenal Cisneros ... Z 8
Carme ... Y 9
Catedral (Pl. de la) ... Z 10
Comtes d'Urgell ... Y 12
Exèrcit (Av. de l') ... Z 14
Exèrcit (Pl. de l') ... Z 15
Francesc Macià ... Y 16
Gov. Montcada ... Z 18
Magdalena ... Y 24
Major ... Z
Missions (Pl. de les) ... Y 26
Mossèn Jacint Verdaguer (Pl. del) ... Y 27
Paeria (Pl. de la) ... Z 29
Pallars ... Y 30
Pi i Margall ... Y 31
Ramon Berenguer IV (Pl. de) ... Y 32
República del Paraguai ... Z 33
Ricard Vinyes (Pl. de) ... Y 34
Sal (Pl. de la) ... Y 36
Sant Andreu ... YZ 38
Sant Antoni ... Z
Sant Crist ... Z 39
Sant Joan ... Y 41
Sant Joan (Pl. de) ... YZ 42
Sant Josep (Pl. de) ... Z 43
Sant Llorenç (Pl. de) ... Z 45
Sant Martí (Ronda) ... Y 46
Saragossa ... YZ 49
Vallcalent ... Y 55

Lamas de Moreira **LU** ... 4 C 8
Lamata **HU** ... 22 F 30
Laminoria (Cantera de) **VI** ... 19 D 22
Lamosa **PO** ... 13 F 4
Lanaja **HU** ... 35 G 29
Lanave **HU** ... 21 E 28
Láncara **LU** ... 14 D 7
Lancha (La) **J** ... 82 R 18
Lancha (Puerto de la) **AV** ... 45 K 16
Lanchar **MU** ... 84 R 23
Lanchares **S** ... 7 C 18
Lanciego **VI** ... 19 E 22
Landete **CU** ... 61 M 25
Landrove **LU** ... 4 B 7
Lanestosa **BI** ... 8 C 19
Langa **AV** ... 44 I 15
Langa (La) **CU** ... 59 L 22
Langa de Duero **SO** ... 32 H 19
Langa del Castillo **Z** ... 34 I 25
Langayo **VA** ... 31 H 17
Langosto **SO** ... 33 G 22
Langre **LE** ... 15 D 10
Langreo **O** ... 6 C 13
Languilla **SG** ... 32 H 19
Lanjarón **GR** ... 101 V 19
Lanseros **ZA** ... 29 F 10
Lantadilla **P** ... 17 E 17
Lantaño **PO** ... 12 E 3
Lantarón **VI** ... 18 D 20
Lantéira **GR** ... 95 U 20
Lantejuela **SE** ... 92 T 14
Lantz **NA** ... 11 D 25
Lanuza (Embalse de) **HU** ... 21 D 29
Lanza **C** ... 3 C 5
Lanzahita **AV** ... 57 L 15
Lanzas Agudas **BI** ... 8 C 19
Lanzós **LU** ... 3 B 7
Lanzuela **TE** ... 48 I 26
Laño **BU** ... 19 E 22
Lapa (La) **SE** ... 91 T 11
Lapa (La) **BA** ... 79 Q 10
Lapa (Sierra de la) **BA** ... 68 P 12
Lapela **OR** ... 13 F 5
Laperdiguera **HU** ... 36 G 29
Lapoblación **NA** ... 19 E 22
Lapones **CC** ... 54 N 8
Lapuebla de Labarca **VI** ... 19 E 22
Lara **BU** ... 18 F 19
Lara **CR** ... 70 O 18
Laracha (A) **C** ... 2 C 4
Laranueva **GU** ... 47 J 22
Laraxe **C** ... 3 B 5
Lardero **LO** ... 19 E 22
Laredo **S** ... 8 B 19
Larga (Laguna) **TO** ... 59 N 20
Larga (Sierra) **AL** ... 84 S 23
Largas **TO** ... 58 N 19
Largo (El) **AL** ... 96 T 24
Lariño **C** ... 12 D 2
Lario **LE** ... 6 C 14
Laro **PO** ... 13 E 5
Laroá **OR** ... 27 F 6
Laroles **GR** ... 95 U 20
Larón **O** ... 5 D 10
Larouco **OR** ... 14 E 8
Laroya **AL** ... 96 U 23
Larrabasterra **BI** ... 8 B 21
Larrabetzu **BI** ... 9 C 21
Larraga **NA** ... 20 E 24
Larraintzar **NA** ... 11 D 24
Larraitz (Ermita de) **SS** ... 10 C 23
Larraona **NA** ... 19 D 23
Larrau (Puerto de) **NA** ... 11 D 27
Larraul **SS** ... 10 C 23
Larraun **NA** ... 10 D 24
Larráun **NA** ... 19 D 24
Lárrede **HU** ... 21 E 29
Larreineta **BI** ... 8 C 20
Larrés **HU** ... 21 E 28
Larriba **LO** ... 19 F 22
Larrión **NA** ... 19 D 23
Larrodrigo **SA** ... 44 J 13
Larruskain **BI** ... 10 C 22
Larués **HU** ... 21 E 27
Larumbe **NA** ... 10 D 24
Larva **J** ... 83 S 20
Larva (Estacion de) **J** ... 83 S 20
Larxentes **LU** ... 4 D 9
Lasao **SS** ... 10 C 23
Lasaosa **HU** ... 21 E 29
Lasarte-Oria **SS** ... 10 C 23
Lascasas **HU** ... 21 F 28
Lascellas **HU** ... 21 F 29
Lascuarre **HU** ... 22 F 31
Lasieso **HU** ... 21 E 28
Laspaúles **HU** ... 22 E 31
Laspuña **HU** ... 22 E 30
Laspuña (Embalse de) **HU** ... 22 E 30
Lastanosa **HU** ... 35 G 29
Lastra (A) **LU** ... 4 C 8
Lastra (La) **S** ... 7 C 16
Lastra (La) **P** ... 17 D 16
Lastra del Cano (La) **AV** ... 44 K 13
Lastras **S** ... 8 C 19
Lastras de Cuéllar **SG** ... 31 I 17
Lastras de la Torre **BU** ... 18 C 20
Lastras de las Eras **BU** ... 8 C 19
Lastras del Pozo **SG** ... 45 J 16
Lastres **O** ... 6 B 14
Lastrilla (La) **SG** ... 45 J 17
Latasa *cerca de Lekunberri* **NA** ... 10 D 24
Latasa *cerca de Lizaso* **NA** ... 11 D 25
Latedo **ZA** ... 29 G 10
Latorrecilla **HU** ... 22 E 30
Latre **HU** ... 21 E 28
Laudio / Llodio **VI** ... 8 C 21
Laujar de Andarax **AL** ... 102 V 21
Laukiz **BI** ... 8 B 21
Lavaderos **TE** ... 49 J 27
Lavadores **PO** ... 12 F 3
Lavandeira **C** ... 3 B 5
Lavern **B** ... 38 H 35
Lavid de Ojeda **P** ... 17 E 16
Lavio **O** ... 5 B 10
Laxe **C** ... 2 C 2
Laxe **LU** ... 13 E 6
Laxosa **LU** ... 4 D 7
Layana **Z** ... 20 F 26
Layna **SO** ... 47 I 23
Layón **AL** ... 95 U 22
Layos **TO** ... 58 M 17
Laza **OR** ... 14 F 7
Lazagurría **NA** ... 19 E 23
Lázaro **CU** ... 60 M 24
Lazkao **SS** ... 10 C 23
Lea **LU** ... 4 C 7
Leache **NA** ... 20 E 25
Lebanza **P** ... 17 D 16
Lebeña **S** ... 7 C 16
Leboreiro **C** ... 13 D 6
Leboreiro **OR** ... 14 F 7
Lebozán **PO** ... 13 E 5
Lebozán **OR** ... 13 E 5
Lebrancón **GU** ... 47 J 23
Lebredo **O** ... 4 B 9
Lebrija **SE** ... 91 V 11
Lécera **Z** ... 35 I 27
Leces **O** ... 6 B 14
Lechago **TE** ... 48 J 26
Lechina **AB** ... 72 O 22
Lechón **Z** ... 48 I 26
Lechugales (Morra de) **ESP** ... 7 C 15
Lecina **HU** ... 22 F 30
Leciñena **Z** ... 35 G 28
Lecrín **GR** ... 101 V 19
Lecrín (Valle de) **GR** ... 101 V 19
Ledanca **GU** ... 47 J 21
Ledaña **CU** ... 72 N 24
Ledesma **SA** ... 43 I 11
Ledesma de la Cogolla **LO** ... 19 F 21
Ledesma de Soria **SO** ... 33 H 23
Ledigos **P** ... 16 E 15
Ledrada **SA** ... 43 K 12
Leganés **M** ... 46 L 18
Leganiel **CU** ... 59 L 21
Legarda **NA** ... 10 D 24
Legazpi **SS** ... 10 C 22
Legorreta **SS** ... 10 C 23
Legutiano **VI** ... 19 D 22
Leiloio **C** ... 2 C 3
Leintz-Gatzaga **SS** ... 19 D 22
Leioa **BI** ... 8 B 20
Leioa **BI** ... 8 B 21
Leioa **BI** ... 8 C 21
Leira **C** ... 3 C 4
Leirado **PO** ... 13 F 4
Leiro **C** ... 3 B 5
Leiro **OR** ... 13 E 5
Leis **C** ... 2 C 2
Leitariegos **O** ... 5 D 10
Leitariegos (Puerto de) **LE** ... 5 D 10
Leitza **NA** ... 10 C 24
Leiva **LO** ... 18 E 20
Lekeitio **BI** ... 9 B 22
Lekunberri **NA** ... 10 C 24
Lemoa **BI** ... 9 C 21
Lemoiz **BI** ... 8 B 21
Lences **BU** ... 18 E 19
Lendínez **J** ... 82 S 17
Lentejí **GR** ... 101 V 18
Lentellais **OR** ... 14 F 8
Lentiscal (El) **CA** ... 99 X 12
León **LE** ... 16 E 13
León (Isla de) **CA** ... 98 W 11
León (Montes de) **LE** ... 15 E 10
León (Puerto del) **MA** ... 100 V 16
Leones (Los) **CO** ... 93 T 16
Leoz **NA** ... 20 E 25
Lepe **H** ... 90 U 8
Leranotz **NA** ... 11 D 25
Lérez **PO** ... 12 E 4
Lerga **NA** ... 20 E 25
Lerín **NA** ... 19 E 24
Lerma **BU** ... 32 F 18
Lermilla **BU** ... 18 E 19
Lerones **S** ... 7 C 16
Les **L** ... 22 D 32
Lesaka **NA** ... 11 C 24
Lesón **C** ... 12 E 3
Letreros (Cuevas de los) **AL** ... 84 S 23
Letur **AB** ... 84 Q 23
Letux **Z** ... 35 I 27
Levante (Peñas de) **CC** ... 55 L 10
Levinco **O** ... 6 C 13
Leyre (Monasterio de) **NA** ... 20 E 26
Leza **VI** ... 19 E 22
Leza de Río Leza **LO** ... 19 F 22
Lezama **BI** ... 9 C 21
Lezama **VI** ... 8 C 21
Lezáun **NA** ... 10 D 24
Lezo **SS** ... 10 C 24
Lezuza **AB** ... 72 P 22
Liandres **S** ... 7 B 17
Libardón **O** ... 6 B 14
Liber **LU** ... 14 D 8
Librán **LE** ... 15 D 10
Libreros **CA** ... 99 X 12
Librilla **MU** ... 85 S 25
Libros **TE** ... 61 L 26
Liceras **SO** ... 32 H 20
Lidón **TE** ... 48 J 26
Liebres **BA** ... 67 O 9
Liédena **NA** ... 20 E 26
Liegos **LE** ... 6 C 14
Liencres **S** ... 7 B 18
Liendo **S** ... 8 B 19
Lieres **O** ... 6 B 13
Liérganes **S** ... 8 B 18
Lierta **HU** ... 21 F 28
Liesa **HU** ... 21 F 29
Liétor **AB** ... 72 Q 24
Ligos **SO** ... 32 H 20
Ligüerre de Ara **HU** ... 21 E 29
Ligüerzana **P** ... 17 D 16
Líjar **AL** ... 96 U 23
Lillo **TO** ... 59 M 20
Lillo del Bierzo **LE** ... 15 D 10

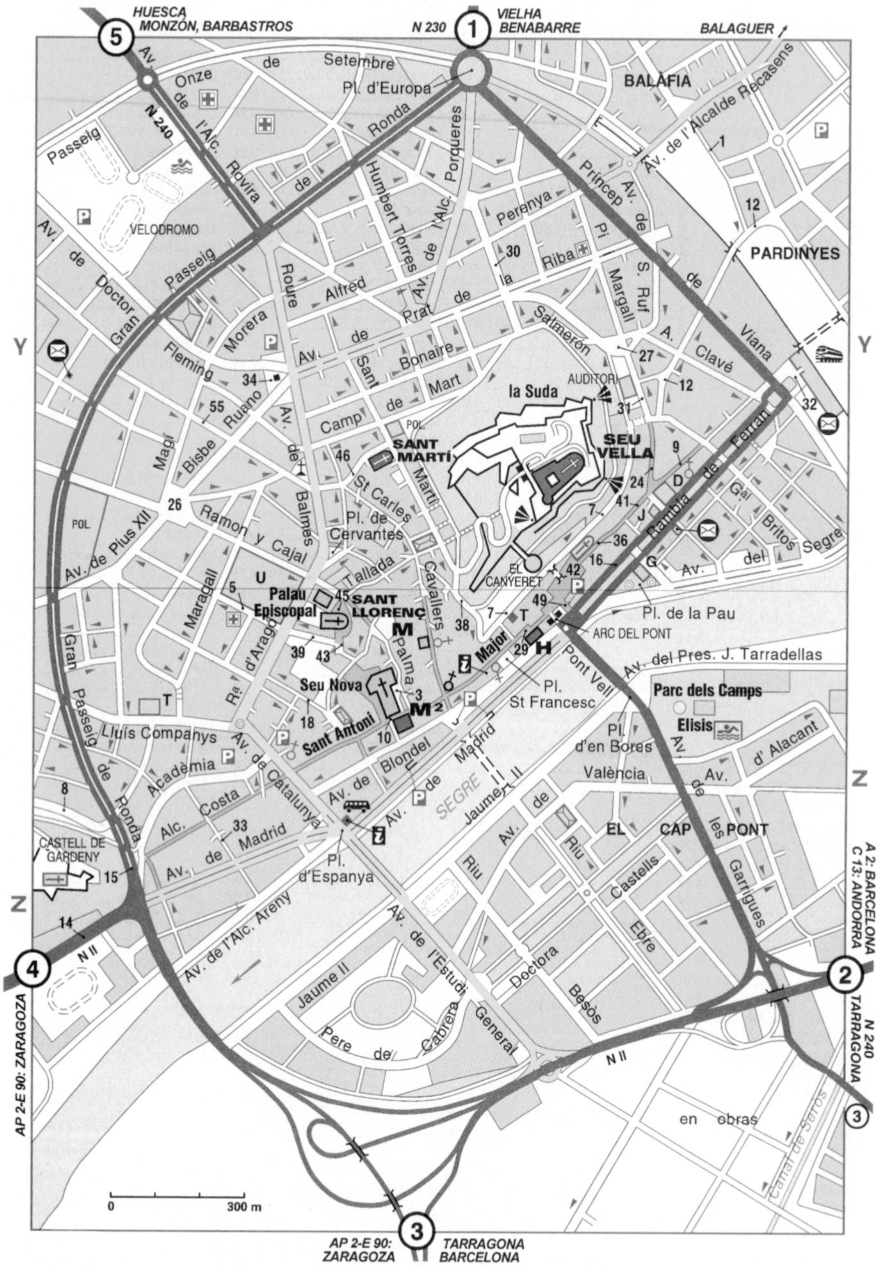

## LOGROÑO

Alférez Provisional (Pl. del) . . . . . A 2
Autonomía de la Rioja (Av. de la) B 3
Bretón de los Herreros . . . . . . . . A 4
Capitán Gaona . . . . . . . . . . . . . . . B 5
Carmen (Muro del) . . . . . . . . . . . B 6
Cervantes (Muro de) . . . . . . . . . B 7
Daniel Trevijano . . . . . . . . . . . . . A 9
Doce Ligero de Artillería (Av. del) B 12
Duquesa de la Victoria . . . . . . . . B 13
España (Av. de) . . . . . . . . . . . . . . B 14
Fausto Elhuyar . . . . . . . . . . . . . . . A 15
Francisco de la Mata (Muro) . . . . . . . . . . . . . . . . . . . B 16
Ingenieros Pino y Amorena . . . . B 19
Juan XXIII (Av. de) . . . . . . . . . . . B 22
Marqués de Murrieta . . . . . . . . . A 23
Marqués de San Nicolás . . . . . AB 25
Mercado (Pl. del) . . . . . . . . . . . . B 26
Miguel Villanueva . . . . . . . . . . AB 27
Navarra (Av. de) . . . . . . . . . . . . . B 28
Navarra (Carret. de) . . . . . . . . . . B 29
Once de Junio . . . . . . . . . . . . . . . A 30
Pío XII (Av. de) . . . . . . . . . . . . . . B 31
Portales . . . . . . . . . . . . . . . . . . . . B 32
Portugal (Av. de) . . . . . . . . . . . . A 33
Rioja (Av. de la) . . . . . . . . . . . . . A 34
Rodríguez Paterna . . . . . . . . . . . . . . . . . . B 35
Sagasta . . . . . . . . . . . . . . . . . . . . A 36
Teniente Coronel Santos Ascarza . . . . . . . . . . . . . . . . . . B 40
Tricio . . . . . . . . . . . . . . . . . . . . . . B 41
Viana (Av. de) . . . . . . . . . . . . . . . B 42

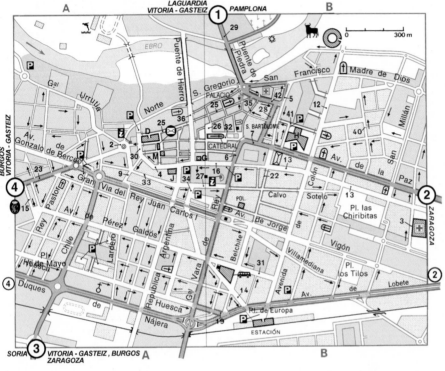

Limaria AL .......... 96 T 23
Limia (Río) OR .......... 13 F 6
Limodre C .......... 3 B 5
Limones GR .......... 94 T 18
Limonetes
de Villalobos (Los) BA ... 67 P 9
Limpias S .......... 8 B 19
Linarejos ZA .......... 29 G 10
Linarejos J .......... 82 R 19
Linares S .......... 7 C 16
Linares J .......... 82 R 19
Linares *cerca de Cangas*
*de Narcea* O .......... 5 C 10
Linares *cerca de Salas* O ..... 5 B 11
Linares (Puerto de) TE ...... 49 L 28
Linares de la Sierra H ........ 79 S 10
Linares de Mora TE .......... 49 L 28
Linares de Riofrío SA ........ 43 K 12
Linares del Arroyo
(Embalse de) SG .......... 32 H 19
Linás de Broto HU .......... 21 E 29
Linás de Marcuello HU ...... 21 F 27
Linde (La) O .......... 5 C 10
Lindín LU .......... 4 B 8
Línea
de la Concepción (La) CA ... 99 X 13
Lintzoain NA .......... 11 D 25
Linyola L .......... 37 G 32
Liñaio C .......... 2 D 3
Liñares LU .......... 14 D 8
Liñares
*cerca de Beariz* OR ....... 13 E 5
Liñares
*cerca de Orense* OR ...... 13 E 6
Lira C .......... 12 D 2
Lires C .......... 2 D 2
Liri HU .......... 22 E 31
Liria / Llíria V .......... 62 N 28
Litago Z .......... 34 G 24
Litera HU .......... 22 F 31
Litos ZA .......... 29 G 11
Lituelo TE .......... 48 J 26
Lituénigo Z .......... 34 G 24
Lizarra / Estella NA .......... 19 D 23
Lizarraga *cerca*
*de Echarri Aranaz* NA .... 19 D 23
Lizarraga
*cerca de Urroz* NA .......... 11 D 25
Lizarraga
(Puerto de) NA .......... 19 D 23
Lizarrieta NA .......... 11 C 25
Lizarrusti
(Puerto de) .......... 19 D 23
Lizartza SS .......... 10 C 23
Lizaso NA .......... 11 D 24
Lizóain NA .......... 11 D 25
Llabería T .......... 51 I 32
Llacuna (La) B .......... 37 H 34
Lladó GI .......... 25 F 38
Lladorre L .......... 23 E 33
Lladrós L .......... 23 E 33
Lladurs L .......... 23 F 34
Llafranc GI .......... 25 G 39
Llagosta (La) B .......... 38 H 36
Llagostera GI .......... 25 G 38
Llagunes L .......... 23 E 33
Llamas O .......... 6 C 13
Llamas de Cabrera LE ...... 14 E 10
Llamas de la Ribera LE ..... 15 E 12
Llamas de Rueda LE ......... 16 E 14
Llamas del Mouro O .......... 5 C 10
Llambilles GI .......... 25 G 38
Llames O .......... 6 B 15
Llamo O .......... 5 C 12
Llamoso O .......... 5 C 11
Llana (Punta)
*La Gomera* TF .......... 119 D 2
Llana (Sierra de la) BU ...... 18 D 19
Llanars GI .......... 24 F 37
Llanas (Las) BI .......... 8 C 20
Llánaves
de la Reina LE .......... 6 C 15
Llançà GI .......... 25 E 39
Llanelo O .......... 14 D 9
Llanera O .......... 5 B 12
Llanera de Ranes V .......... 74 O 28
Llanes O .......... 6 B 15
Llanillo BU .......... 17 D 17
Llano S .......... 17 D 18
Llano (El) O .......... 4 B 8
Llano (Puerto) CC .......... 68 N 14
Llano (Puerto) BA .......... 67 Q 11
Llano de Brujas MU .......... 85 R 26
Llano de Bureba BU .......... 18 E 19
Llano de la Torre AB .......... 84 Q 23
Llano de Olmedo VA .......... 31 I 16
Llano del Beal MU .......... 85 T 27
Llano Don Antonio AL ..... 103 V 24
Llano Negro *La Palma* TF 130 B 3
Llanos (Los) AB .......... 72 P 24
Llanos
de Antequera (Los) MA .. 93 U 16
Llanos de Aridane
(Los) *La Palma* TF ....... 132 C 5
Llanos de Arriba (Los) J .... 83 Q 21
Llanos de Don Juan CO .... 93 T 16
Llanos de la Concepción
*Fuerteventura* GC ........ 111 G 3
Llanos
de Tormes (Los) AV ....... 44 L 13
Llanos del Caudillo CR ...... 71 O 19
Llanos del Valle CA .......... 99 W 12
Llanteno VI .......... 8 C 20
Llanuces O .......... 5 C 12
Llardecans L .......... 36 H 31
Llares (Los) S .......... 7 C 17
Llaurí V .......... 74 O 29
Llavorsí L .......... 23 E 33
Lledó TE .......... 50 J 30
Lleida L .......... 36 H 31
Llén SA .......... 43 J 12
Llena (Pic de) L .......... 23 E 32
Llera BA .......... 79 Q 11
Llerana S .......... 7 C 18
Llerandi O .......... 6 C 14
Llerena BA .......... 79 R 11
Llers GI .......... 25 F 38
Llert HU .......... 22 E 31
Lles de Cerdanya L .......... 23 E 35
Llesp L .......... 22 E 32
Llessui L .......... 23 E 33
Llessui (Vall de) L .......... 23 E 33
Llíber A .......... 74 P 30
Lliçà d'Amunt B .......... 38 H 36
Llimiania L .......... 23 F 32
Llinars L .......... 23 F 34
Llinars
de l'Aigua d'Ora B .......... 23 F 35
Llinars del Vallès B .......... 38 H 37
Llíria / Liria V .......... 62 N 28
Llívia GI .......... 24 E 35
Lloà T .......... 36 I 32
Llobera *cerca*
*de Organyà* L .......... 23 F 34
Llobera *cerca*
*de Solsona* L .......... 37 G 34
Llobregat (El)(Riu) B .......... 24 F 35
Llocnou
de Sant Jeroni V .......... 74 P 29
Llocnou d'en Fenollet V ..... 74 O 28
Llodio / Laudio VI .......... 8 C 21
Lloma (La)
*cerca de Marines* V ........ 62 M 28
Lloma (La)
*cerca de Nàquera* V ....... 62 N 28
Llombai V .......... 74 O 28
Llombarts (es) PM .......... 105 N 39
Llombera LE .......... 16 D 13
Llonín O .......... 7 B 16
Llor (El) L .......... 37 G 33
Llorac T .......... 37 H 33
Lloreda S .......... 7 C 18
Llorenç de Vallbona L ........ 37 H 33
Llorenç del Penedès T ...... 37 I 34
Llorengoz BU .......... 18 D 20
Lloret de Mar GI .......... 39 G 38
Lloret
de Vistalegre PM .......... 104 N 38
Llosa (La) CS .......... 62 M 29
Llosa de Camacho A ........ 74 P 29
Llosa de Ranes (La) V ....... 74 O 28
Lloseta PM .......... 104 M 38
Llosses (Les) GI .......... 24 F 36
Llovio O .......... 6 B 14
Llubí PM .......... 105 M 39
Lluçà B .......... 24 F 36
Lluçars L .......... 37 G 33
Llucena CS .......... 62 L 29
Llucmajor PM .......... 104 N 38
Llumes Z .......... 48 I 24
Llusias (Monte) S .......... 8 C 19
Llutxent V .......... 74 P 28
Lo Ferro MU .......... 85 S 27
Loarre HU .......... 21 F 28
Loarre (Castillo de) HU ...... 21 F 28
Loba (Puerto de la) BA ...... 79 R 10
Loba (Sierra de la) LU .......... 3 C 6
Lobatejo CO .......... 93 T 17
Lobeira OR .......... 27 G 5
Lobeira (Mirador de) PO .... 12 E 3
Lobeiras LU .......... 4 B 7
Lobera de Onsella Z .......... 20 E 26
Loberuela (La) V .......... 61 M 25
Lobillo (El) CR .......... 71 P 20
Lobios OR .......... 27 G 5
Lobo (Pico del) GU .......... 46 I 19
Lobo (Pilón del) CR .......... 69 P 15
Lobo (Puerto) GR .......... 94 U 19
Lobón BA .......... 67 P 10
Lobos GR .......... 83 S 22
Lobos (Isla de los)
*Fuerteventura* GC ........ 111 J 1
Lobos (Los) AL .......... 96 U 24
Lobosillo MU .......... 85 S 26
Lobras GR .......... 102 V 20
Lobres GR .......... 101 V 19
Lodares *cerca de El Burgo*
*de Osma* SO .......... 32 H 20
Lodares
*cerca de Medinaceli* SO 47 I 22
Lodares del Monte SO ...... 33 H 22
Lodosa NA .......... 19 E 23
Lodoso BU .......... 17 E 18
Loeches M .......... 46 K 19
Logroño LO .......... 19 E 22
Logrosán CC .......... 68 N 13
Loiba C .......... 3 A 6
Lois LE .......... 16 D 14
Loiti (Puerto) NA .......... 20 E 25
Loiu BI .......... 8 C 21
Loja GR .......... 94 U 17
Lojilla GR .......... 94 T 17
Loma (La) GU .......... 47 J 23
Loma (La) GR .......... 94 U 18
Loma Badada A .......... 85 Q 27
Loma de Piqueras AB ....... 72 Q 22

## LUGO

Ánxel López Pérez (Av.) . . Z 2
Bispo Aguirre . . . . . . . . . . Z 3
Bolaño Rivadeneira . . . . . Y 5
Campo (Pr. do) . . . . . . . . . Z 8
Comandante Manso (Pr.) Z 12
Conde Pallarés . . . . . . . . . Z 15
Coruña (Av. da) . . . . . . . . . Y 21
Cruz . . . . . . . . . . . . . . . . . . Z 23
Dezaoito de Xullo (Av. do) Y 24
Doctor Castro . . . . . . . . . . Z 27
Marior (Pr.) . . . . . . . . . . . . Z 30
Montero Ríos (Av.) . . . . . . Z 37
Paxariños . . . . . . . . . . . . . Z 39
Pío XII (Pr. de) . . . . . . . . . Z 43
Progreso . . . . . . . . . . . . . . Y 47
Quiroga Ballesteros . . . . . Y 50
Raíña . . . . . . . . . . . . . . . . . Y 53
Ramón Ferreiro . . . . . . . . Z 56
Rodríguez Mourelo (Av.) . Z 62
Santa María (Pr. de) . . . . . Z 74
Santo Domingo (Pr. de) YZ 77
San Fernando . . . . . . . . . . Y 65
San Marcos . . . . . . . . . . . . Y 68
San Pedro . . . . . . . . . . . . . Z 71
Teatro . . . . . . . . . . . . . . . . Y 78
Teniente Coronel Teijeiro . . . . . . . . . . . YZ 79
Tinería . . . . . . . . . . . . . . . . Z 80
Vilalba . . . . . . . . . . . . . . . . Z 83

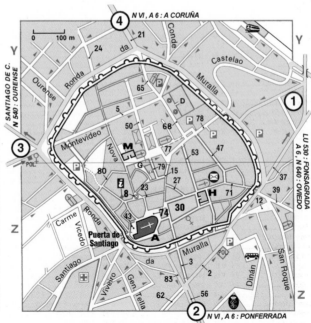

## MADRID

Andalucía (Av. de) .......... BM 12
Andes (Av. de los) .......... CL 13
Atocha (R. de) .......... BM 22
Ciudad de Barcelona
(Av. de la) .......... BM 46
Complutense (Av.) .......... AL 51
Delicias (Pas. de las) .......... BM 66
Estación de Hortaleza
(Carret. a la) .......... CL 89
Florida (Pas. de la) .......... BL 100
General Ricardos .......... BM 110
Ginzo de Limia .......... BL 113
Infanta Isabel (Pas. de la) .......... BM 119
Isla de Oza .......... BL 120
Manzanares (Av. del) .......... BM 142
Mar de Cristal (Glta del) .......... CL 144
Miraflores (Av. de) .......... AL 161
Monforte de Lemos (Av. de) .......... BL 165
Raimundo Fernández
Villaverde .......... BT 195
Reina Cristina (Pas. de la) .......... BM 198
Reina Victoria (Av. de la) .......... BL 200
Reyes Católicos (Av. de los) .......... BL 204
Ribera del Sena .......... CL 205
Santa María de la Cabeza
(Pas. de) .......... BM 229
San Francisco de Sales
(Pas. de) .......... BL 216
San Luis (Av. de) .......... CL 223
Toledo (Ronda de) .......... BM 235
Valdetorres de Jarama .......... CL 241
Valladolid (Av. de) .......... AL 244
Veinticinco de Septiembre
(Av. del) .......... CL 247

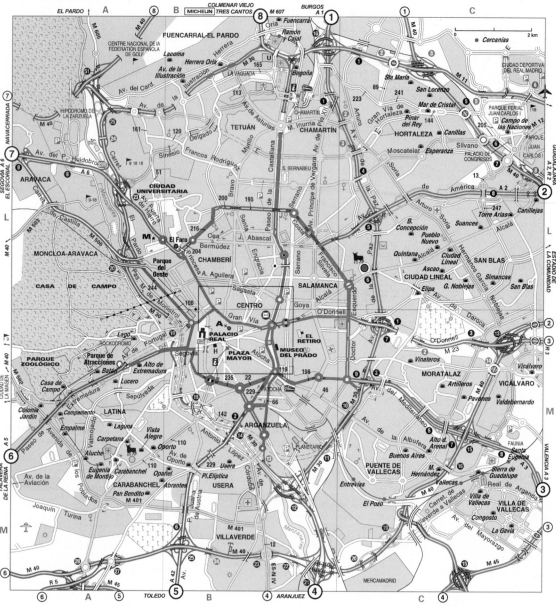

Loma del Ucieza **P** .......... 17 E 16
Loma Gerica **J** .......... 83 R 22
Loma Gorda **TE** .......... 61 L 26
Loma Pelada
(Punta de) **AL** .......... 103 V 23
Lomana **BU** .......... 18 D 20
Lomas **P** .......... 17 F 16
Lomas (Las) **MU** .......... 85 S 26
Lomas (Las) **CA** .......... 99 X 12
Lomas (Las) **MA** .......... 100 W 15
Lomas (Las) **M** .......... 45 K 18
Lomas (Las) **Z** .......... 35 G 27
Lomba (La) **S** .......... 7 C 17
Lomeña **S** .......... 7 C 16
Lomero **H** .......... 78 S 9
Lominchar **TO** .......... 58 L 18
Lomo
de Mena *Tenerife* **TF** .......... 127 G 3
Lomoviejo **VA** .......... 44 I 15
Longares **Z** .......... 34 H 26
Longás **Z** .......... 21 E 27
Loña del Monte **OR** .......... 13 E 6
Lope Amargo **CO** .......... 81 S 16
Lopera **J** .......... 81 S 17
Lopera **GR** .......... 95 U 20
Loporzano **HU** .......... 21 F 29
Lor **LU** .......... 14 E 7
Lora **CA** .......... 92 V 14
Lora de Estepa **SE** .......... 93 U 15
Lora del Río **SE** .......... 80 T 13
Loranca de Tajuña **GU** .......... 46 K 20
Loranca del Campo **CU** .......... 59 L 21
Loranquillo **BU** .......... 18 E 20
Lorbé **C** .......... 3 B 5
Lorca **MU** .......... 84 S 24
Loredo **S** .......... 8 B 18
Lorenzana **LE** .......... 16 D 13
Lores **P** .......... 17 D 16
Loreto **GR** .......... 94 U 18
Loriguilla **V** .......... 62 N 28
Loriguilla (Ruinas
del pueblo de) **V** .......... 61 M 27
Lorilla **BU** .......... 17 D 18
Lorqui **MU** .......... 85 R 26
Losa **AB** .......... 72 Q 24
Losa (La) **SG** .......... 45 J 17
Losa (La) **GR** .......... 83 S 22
Losa del Obispo **V** .......... 61 M 27
Losacino **ZA** .......... 29 G 11
Losacio **ZA** .......... 29 G 11
Losadilla **LE** .......... 14 F 10
Losana del Pirón **SG** .......... 45 I 17
Losar (El) **AV** .......... 44 K 13
Losar de la Vera **CC** .......... 56 L 13
Losares **CU** .......... 60 L 23
Loscorrales **HU** .......... 21 F 28
Loscos **TE** .......... 48 I 26
Losetares **GR** .......... 84 S 23
Losilla **ZA** .......... 29 G 12
Losilla (La) **SO** .......... 33 G 23
Losilla (La) **AB** .......... 72 P 24
Losilla de Aras **V** .......... 61 M 26
Lougares **PO** .......... 13 F 4
Loureda **C** .......... 13 D 4
Loureiro **LU** .......... 14 D 7
Loureiro **PO** .......... 13 E 4
Lourenzá **LU** .......... 4 B 8
Loureza **PO** .......... 12 G 3
Louro **C** .......... 12 D 2
Louro (Punta) **C** .......... 12 D 2
Lousada **LU** .......... 13 D 7
Lousadela **LU** .......... 13 D 6
Lousame *Portobravo* **C** .......... 12 D 3
Lousame *Portobravo* **C** .......... 12 D 3
Louseiro **LU** .......... 14 D 8
Loza **VI** .......... 19 E 21
Lozoya **M** .......... 45 J 18
Lozoyuela **M** .......... 46 J 19
Luaces **LU** .......... 4 C 7
Luanco **O** .......... 5 B 12
Luarca **O** .......... 5 B 10
Lubia **SO** .......... 33 H 22
Lubián **ZA** .......... 28 F 9
Lubrín **AL** .......... 96 U 23
Lucainena **AL** .......... 102 V 20
Lucainena
de las Torres **AL** .......... 96 U 23
Lúcar **AL** .......... 96 T 22
Lucena **CO** .......... 93 T 16
Lucena de Jalón **Z** .......... 34 H 26
Lucena del Puerto **H** .......... 91 U 9
Lucencia **LU** .......... 13 D 6
Luceni **Z** .......... 34 G 26
Lucenza **OR** .......... 27 G 7
Luces **O** .......... 6 B 14
Luchena **MU** .......... 84 S 24
Luciana **CR** .......... 70 P 17
Lucillo **LE** .......... 15 E 11
Lucillos **TO** .......... 57 M 16
Luco de Bordón **TE** .......... 49 J 29
Luco de Jiloca **TE** .......... 48 J 26
Ludiente **CS** .......... 62 L 28
Ludrio **LU** .......... 4 C 7
Lueje **O** .......... 6 C 15
Luelmo **ZA** .......... 29 H 11
Luesia **Z** .......... 20 E 26
Luesma **Z** .......... 48 I 26
Lugán **LE** .......... 16 D 13
Lugar Nuevo
(Coto nacional de) **J** .......... 82 R 17
Lugar Nuevo (El) **J** .......... 82 R 17
Lugareja
(Ermita La) **AV** .......... 44 I 15
Lugo **LU** .......... 4 C 7
Lugo de Llanera **O** .......... 5 B 12
Lugones **O** .......... 5 B 12
Lugros **GR** .......... 95 U 20
Lugueros **LE** .......... 16 D 13
Luíntra (Nogueira
de Ramuín) **OR** .......... 13 E 6
Luiña **O** .......... 14 D 9
Luis Díaz **CO** .......... 81 S 16
Luisiana (La) **SE** .......... 92 T 14
Luján **HU** .......... 22 E 30
Lújar **GR** .......... 102 V 19
Lumajo **LE** .......... 5 D 11
Lumbier **NA** .......... 20 E 26
Lumbier (Hoz de) **NA** .......... 20 E 26
Lumbrales **SA** .......... 42 J 9
Lumbreras **LO** .......... 33 F 22
Lumias **SO** .......... 32 H 21
Lumpiaque **Z** .......... 34 H 26
Luna **Z** .......... 21 F 27
Lunada (Portillo de) **BU** .......... 8 C 19
Luneda **PO** .......... 13 F 5
Luou **C** .......... 12 D 4
Lupiana **GU** .......... 46 K 20
Lupiñén **HU** .......... 21 F 28
Lupiñén-Ortilla **HU** .......... 21 F 28
Lupión **J** .......... 82 S 19
Luque **CO** .......... 93 T 17
Luquiano **VI** .......... 18 D 21
Luquin **NA** .......... 19 E 23
Lurda (La) **SA** .......... 44 J 13
Luriana **BA** .......... 67 O 10
Lusio **LE** .......... 14 E 9
Luyando **VI** .......... 8 C 21
Luyego **LE** .......... 15 E 11
Luz **BA** .......... 66 Q 8
Luz (La) **VA** .......... 31 H 15
Luzaga **GU** .......... 47 J 22
Luzaide / Valcarlos **NA** .......... 11 C 26
Luzás **HU** .......... 22 F 31
Luzmela **S** .......... 7 C 17
Luzón **GU** .......... 47 I 23

## M

Mabegondo **C** .......... 3 C 5
Macael **AL** .......... 96 U 23
Macalón **AB** .......... 84 Q 23
Maçanet de Cabrenys **GI** .......... 24 E 38
Maçanet de la Selva **GI** .......... 39 G 38
Macarra **CC** .......... 56 M 12
Macastre **V** .......... 73 N 27
Maceda *cerca*
*de Corgo* **LU** .......... 14 D 7
Maceda *cerca*
*de Orense* **OR** .......... 13 F 7
Maceda *cerca de Palas*
*de Rei* **LU** .......... 13 D 6
Maceira **PO** .......... 13 F 4
Macetua
(Estación de la) **MU** .......... 85 R 25
Machacón **SA** .......... 44 J 13
Machal (El) **BA** .......... 67 O 10
Macharaviaya **MA** .......... 101 V 17
Mácher *Lanzarote* **GC** .......... 122 C 4
Machero **CR** .......... 70 N 17
Machimala **HU** .......... 22 D 31
Macisvenda **MU** .......... 85 R 26
Macotera **SA** .......... 44 J 14
Madarcos **M** .......... 46 I 19
Madariaga **SS** .......... 10 C 22
Madera **J** .......... 83 R 22
Maderal (El) **ZA** .......... 29 I 13
Madero (Puerto del) **SO** .......... 33 G 23

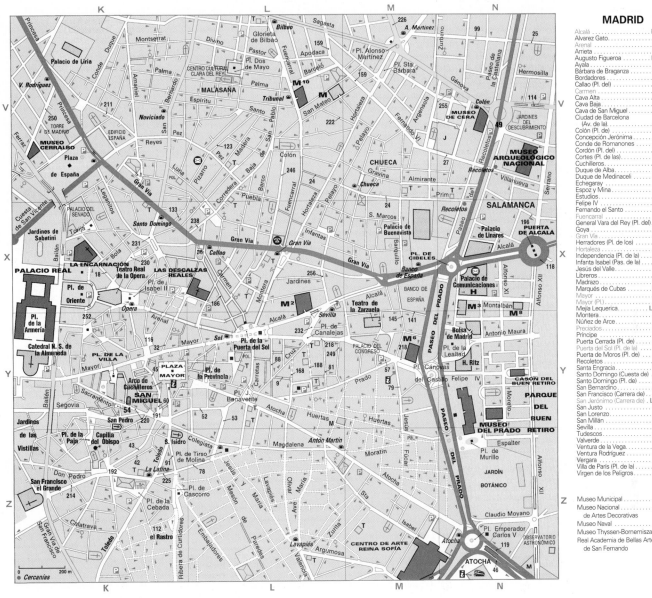

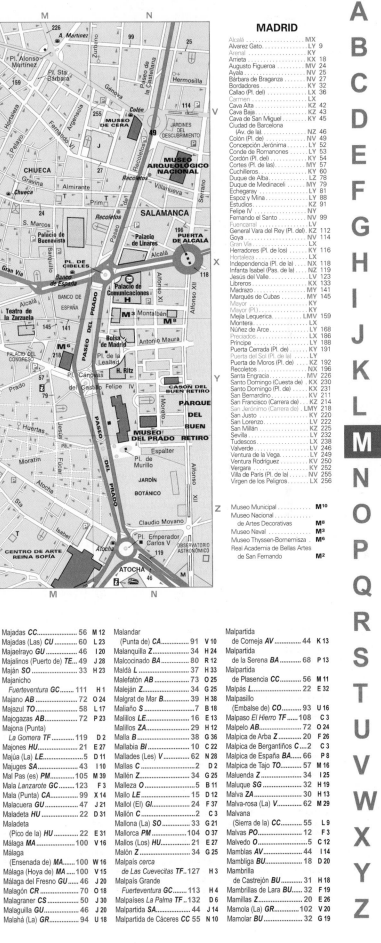

## MADRID

Alcalá ........ MX
Alvarez Gato ........ LY 9
Arenal ........ KY
Arrieta ........ KX 18
Augusto Figueroa ........ MV 24
Ayala ........ NV 25
Bárbara de Braganza ........ NV 27
Bordadores ........ KY 32
Callao (Pl. del) ........ LX 36
Carmen ........ LX
Cava Alta ........ KZ 42
Cava Baja ........ KZ 43
Cava de San Miguel ........ KY 45
Ciudad de Barcelona (Av. de la) ........ NZ 46
Colón (Pl. de) ........ NV 49
Concepción Jerónima ........ LY 52
Conde de Romanones ........ LY 53
Cordón (Pl. del) ........ KY 54
Cortes (Pl. de las) ........ MY 57
Cuchilleros ........ KY 60
Duque de Alba ........ LZ 78
Duque de Medinaceli ........ MY 79
Echegaray ........ LY 81
Espoz y Mina ........ LY 88
Estudios ........ KZ 91
Felipe IV ........ NY
Fernando el Santo ........ NV 99
Fuencarral ........ LV
General Vara del Rey (Pl. del) . KZ 112
Goya ........ NV 114
Gran Vía ........ LX
Herradores (Pl. de los) ........ KY 116
Hortaleza ........ LX
Independencia (Pl. de la) ........ NX 118
Infanta Isabel (Pas. de la) ........ NZ 119
Jesús del Valle ........ LV 123
Libreros ........ KX 133
Madrazo ........ MY 141
Marqués de Cubas ........ MY 145
Mayor ........ KY
Mayor (Pl.) ........ KY
Mejía Lequerica ........ LMV 159
Montera ........ LX
Núñez de Arce ........ LY 168
Preciados ........ LX 186
Príncipe ........ LY 188
Puerta Cerrada (Pl. de) ........ KY 191
Puerta del Sol (Pl. de la) ........ LY
Puerta de Moros (Pl. de) ........ KZ 192
Recoletos ........ NX 196
Santa Engracia ........ MV 226
Santo Domingo (Cuesta de) . KX 230
Santo Domingo (Pl. de) ........ KX 231
San Bernardino ........ KV 211
San Francisco (Carrera de) ........ KZ 214
San Jerónimo (Carrera de) . LMY 218
San Justo ........ KY 220
San Lorenzo ........ LV 222
San Millán ........ KZ 225
Sevilla ........ LY 232
Tudescos ........ LX 238
Valverde ........ LV 246
Ventura de la Vega ........ LY 249
Ventura Rodríguez ........ KV 250
Vergara ........ KY 252
Villa de París (Pl. de la) ........ NV 255
Virgen de los Peligros ........ LX 256

Museo Municipal ........ **M10**
Museo Nacional de Artes Decorativas ........ **M8**
Museo Naval ........ **M3**
Museo Thyssen-Bornemisza . **M6**
Real Academia de Bellas Artes de San Fernando **M2**

Maderuelo ***SG*** 32 H 19
Madre de las Marismas del Rocío ***H*** 91 U 10
Madremanya ***GI*** 25 G 38
Madrero (El) ***TO*** 57 N 15
Madrid ***M*** 46 K 19
Madridanos ***ZA*** 30 H 13
Madridejos ***TO*** 58 N 19
Madrideña (La) ***CR*** 70 P 19
Madrigal ***GU*** 33 I 21
Madrigal ***TO*** 57 M 16
Madrigal de la Vera ***CC*** 56 L 13
Madrigal de las Altas Torres ***AV*** 44 I 15
Madrigal del Monte ***BU*** 18 F 18
Madrigalejo ***CC*** 68 O 13
Madrigalejo del Monte ***BU*** 18 F 18
Madriguera ***SG*** 32 I 20
Madrigueras ***AB*** 72 O 24
Madrigueras (Estacíon de) ***J*** 82 R 19
Madroa ***PO*** 12 F 3
Madrona ***SG*** 45 J 17
Madroñal ***SA*** 43 K 11
Madroñera ***CC*** 56 N 12
Madroñera ***BA*** 67 Q 10
Madroñera (Embalse de) ***CC*** 56 N 12
Madroñera (Sierra) ***H*** 78 T 7
Madroño ***AB*** 73 Q 25
Madroño ***MU*** 84 S 24
Madroño ***MU*** 84 S 23
Madroño (El) ***AB*** 72 P 23
Madroño (El) ***SE*** 79 T 10
Madroños ***MU*** 84 S 23
Madruédano ***SO*** 32 H 20
Maella ***Z*** 50 I 30
Maello ***AV*** 45 J 16
Maestrat (El) ***CS*** 49 K 29
Maestre ***SE*** 92 U 14
Mafet ***L*** 37 G 33
Magacela ***BA*** 68 P 12
Magallón ***Z*** 34 G 25
Magaluf ***PM*** 104 N 37
Magán ***TO*** 58 M 18
Magaña ***SO*** 33 G 23
Magaz ***P*** 31 G 16
Magaz de Abajo ***LE*** 14 E 9
Magaz de Cepeda ***LE*** 15 E 11
Magazos ***AV*** 44 I 15
Magazos ***LU*** 4 B 7
Magdalena (Ermita) ***C*** 12 E 3
Magdalena (Ermita de la) *cerca de Aguaviva* ***TE*** 49 J 29
Magdalena (Ermita de la) *cerca de Mora de Rubielos* ***TE*** 62 L 27
Magdalena (La) ***LE*** 15 D 12
Magdalena (Puerto de la) ***LE*** 15 D 11
Mágina ***J*** 82 S 19
Magrero ***CR*** 70 P 19
Máguez ***GC*** 121 F 3
Maguilla ***BA*** 80 Q 12
Maguma ***BI*** 10 C 22
Mahamud ***BU*** 17 F 18
Mahide ***ZA*** 29 G 10
Mahón / Maó ***PM*** 106 M 42
Mahora ***AB*** 72 O 24
Mahoya ***MU*** 85 R 26
Maià de Montcal ***GI*** 24 F 38
Maials ***L*** 36 H 31
Maians ***B*** 37 H 35
Maicas ***TE*** 49 J 27
Maigmó ***A*** 74 Q 28
Maíllo (El) ***SA*** 43 K 11
Maimón ***AL*** 96 U 23
Mainar ***Z*** 48 I 26
Mainar (Puerto de) ***Z*** 34 I 26
Maire de Castroponce ***ZA*** 15 F 12
Mairena ***GR*** 95 U 20
Mairena del Alcor ***SE*** 92 T 12
Mairena del Aljarafe ***SE*** 91 T 11
Maitena ***GR*** 95 U 19
Majada (La) ***MU*** 85 T 25
Majada Blanca *Fuerteventura* ***GC*** 113 H 3
Majada de la Peña ***BA*** 68 P 14
Majada Madrid ***MA*** 99 W 14
Majada Ruiz ***CA*** 99 V 13
Majadahonda ***M*** 45 K 18
Majadas ***CC*** 56 M 12
Majadas (Las) ***CU*** 60 L 23
Majaelrayo ***GU*** 46 I 20
Majalinos (Puerto de) ***TE*** 49 J 28
Maján ***SO*** 33 H 23
Majanicho *Fuerteventura* ***GC*** 111 H 1
Majano ***AB*** 72 O 24
Majazul ***TO*** 58 L 17
Majogazas ***AB*** 72 P 23
Majona (Punta) *La Gomera* ***TF*** 119 D 2
Majones ***HU*** 21 E 27
Majúa (La) ***LE*** 5 D 11
Majuges ***SA*** 43 I 10
Mal Pas (es) ***PM*** 105 M 39
Mala *Lanzarote* ***GC*** 123 F 3
Mala (Punta) ***CA*** 99 X 14
Malacuera ***GU*** 47 J 21
Maladeta ***HU*** 22 D 31
Maladeta (Pico de la) ***HU*** 22 E 31
Málaga ***MA*** 100 V 16
Málaga (Ensenada de) ***MA*** 100 W 16
Málaga (Hoya de) ***MA*** 100 V 15
Málaga del Fresno ***GU*** 46 J 20
Malagón ***CR*** 70 O 18
Malagraner ***CS*** 50 J 30
Malaguilla ***GU*** 46 J 20
Malahá (La) ***GR*** 94 U 18
Malandar (Punta de) ***CA*** 91 V 10
Malanquilla ***Z*** 34 H 24
Malcocinado ***BA*** 80 R 12
Maldà ***L*** 37 H 33
Malefatón ***AB*** 73 O 25
Maleján ***Z*** 34 G 25
Malgrat de Mar ***B*** 39 H 38
Maliaño ***S*** 7 B 18
Malillos ***LE*** 16 E 13
Malillos ***ZA*** 29 H 12
Malla ***B*** 38 G 36
Mallabia ***BI*** 10 C 22
Mallades (Les) ***V*** 62 N 28
Mallas ***C*** 2 D 2
Mallén ***Z*** 34 G 25
Malleza ***O*** 5 B 11
Mallo ***LE*** 15 D 12
Mallol (El) ***GI*** 24 F 37
Mallón ***C*** 2 C 3
Mallona (La) ***SO*** 33 G 21
Mallorca ***PM*** 104 O 37
Mallos (Los) ***HU*** 21 E 27
Malón ***Z*** 34 G 25
Malpaís *cerca de Las Cuevecitas* ***TF*** 127 H 3
Malpaís Grande *Fuerteventura* ***GC*** 113 H 4
Malpaíses *La Palma* ***TF*** 132 D 6
Malpartida ***SA*** 44 J 14
Malpartida de Cáceres ***CC*** 55 N 10
Malpartida de Corneja ***AV*** 44 K 13
Malpartida de la Serena ***BA*** 68 P 13
Malpartida de Plasencia ***CC*** 56 M 11
Malpás ***L*** 22 E 32
Malpasillo (Embalse de) ***CO*** 93 U 16
Malpaso *El Hierro* ***TF*** 108 C 3
Malpelo ***AB*** 72 O 24
Malpica de Arba ***Z*** 20 F 26
Malpica de Bergantiños ***C*** 2 C 3
Malpica de España ***BA*** 66 P 8
Malpica de Tajo ***TO*** 57 M 16
Maluenda ***Z*** 34 I 25
Maluque ***SG*** 32 H 19
Malva ***ZA*** 30 H 13
Malva-rosa (La) ***V*** 62 M 29
Malvana (Sierra de la) ***CC*** 55 L 9
Malvas ***PO*** 12 F 3
Malvedo ***O*** 5 C 12
Mamblas ***AV*** 44 I 14
Mambliga ***BU*** 18 D 20
Mambrilla de Castrejón ***BU*** 31 H 18
Mambrillas de Lara ***BU*** 32 F 19
Mamillas ***Z*** 20 E 26
Mamola (La) ***GR*** 102 V 20
Mamolar ***BU*** 32 G 19

Mámoles ZA 29 H 11
Mampodre (Reserva nacional de) LE 6 C 13
Manacor PM 105 N 39
Manán LU 4 D 7
Manantial (El) CA 98 W 11
Manar (Sierra del) GR 94 U 19
Mancera de Abajo SA 44 J 14
Mancera de Arriba AV 44 J 14
Mancha (La) TF 71 O 19
Mancha Real J 82 S 19
Manchas (Las) Tenerife TF 126 C 3
Manchego (Collado) CU 48 K 24
Manchica (A) OR 13 F 6
Manchita BA 68 P 11
Manchones Z 48 I 25
Manchoya HU 21 E 29
Manciles BU 17 E 18
Mancor de la Vall PM 104 M 38
Mandaio C 3 C 5
Mandayona GU 47 J 21
Mandeo C 3 C 5
Mandiá C 3 B 5
Mandín OR 28 G 7
Maneta MU 73 Q 26
Manga (Cañada de la) AB 71 P 21
Manga del Mar Menor (La) MU 86 T 27
Manganese ZA 29 F 12
Manganeses de la Lampreana ZA 29 G 12
Manilla MU 84 S 25
Manilva MA 99 W 14
Maniños C 3 B 5
Manises V 62 N 28
Manjabálago AV 44 K 14
Manjarín LE 15 E 10
Manjarrés LO 19 E 21
Manjavacas (Ermita de) CU 59 N 21
Manjirón M 46 J 19
Manlleu B 24 F 36
Manojar (El) CR 70 N 17
Manquillo (Collado El) BU 18 F 20
Manquillos P 17 F 16
Manresa B 38 G 35
Mansilla BU 17 E 18
Mansilla SG 46 I 19
Mansilla de la Sierra LO 18 F 21
Mansilla de las Mulas LE 16 E 13
Mansilla del Páramo LE 15 E 12
Mansilla Mayor LE 16 E 13
Mantet (Portella de) GI 24 E 36
Mantiel GU 47 K 22
Mantinos P 16 D 15
Manuel V 74 O 28
Manuelas CO 81 R 16
Manurga VI 19 D 21
Manyà A 85 Q 27
Manzalvos OR 28 G 8
Manzanal (Puerto de) LE 15 E 11
Manzanal de los Infantes ZA 29 F 10
Manzanal del Barco ZA 29 H 12
Manzanal del Puerto LE 15 E 11
Manzanares CR 71 O 19
Manzanares de Rioja LO 18 E 21
Manzanares el Real M 45 J 18
Manzaneda O 5 C 12
Manzaneda OR 14 F 8
Manzaneda cerca de Truchas LE 15 F 11
Manzaneda (Cabeza de) OR 14 F 8
Manzaneda de Torío cerca de Garrafe de Torío LE 16 D 13
Manzanedo BU 18 D 18
Manzaneque TO 58 N 18
Manzanera TE 61 L 27
Manzaneruela CU 61 M 26
Manzanilla H 91 T 10
Manzanillo VA 31 H 17
Manzano SA 42 K 10
Manzano (El) SA 29 I 11
Mañaria BI 10 C 22
Mañeru NA 10 D 24
Mañón C 3 B 6
Mao OR 14 F 7
Maó / Mahón PM 106 M 42
Maqueda TO 57 L 16
Mar y Land PM 87 Q 34
Mara Z 34 I 25
Maracena GR 94 U 19
Marachón (Puerto de) GU 47 I 23
Maranchón GU 47 I 23
Maraña LE 6 C 14
Maraña (La) MU 85 R 25
Marañón NA 19 E 22
Marañón CR 71 O 20
Marañosa (La) M 58 L 19
Marauri BU 19 D 22
Maravillas (Gruta de las) H 79 S 10
Marazoleja SG 45 J 16
Marazovel SO 33 I 21
Marazuela SG 45 J 16
Marbella CO 93 T 17
Marbella MA 100 W 15
Marbella (Ensenada de) MA 100 W 15
Marboré HU 22 D 30
Marçà T 50 I 32
Marcaláin NA 11 D 24
Marce LU 13 E 6
Marcén HU 35 G 29
Marchagaz CC 55 L 11
Marchal GR 95 U 20
Marchal (El) AL 96 U 23
Marchal de Antón López (El) AL 102 V 22
Marchamalo GU 46 J 20
Marchena SE 92 U 13
Marchenilla CA 99 W 13
Marchenilla (Castillo) SE 92 U 12
Marcilla NA 20 F 24
Marcilla de Campos P 17 F 16
Marco LU 13 D 6
Marco (El) BA 66 O 8
Marco (Puerto El) PO 13 D 6
Marco de Alvare (Puerto) LU 4 C 8
Marco Fabio Quintiliano (Parador) Calahorra LO 19 F 24
Marcón PO 12 E 4
Marcos (Los) V 61 N 26
Marea (La) O 6 C 13
Marentes O 4 C 9
Mareny Blau (El) V 74 O 29
Mareny de Barraquetes (El) V 74 O 29
Mareny de Sant Llorenç (El) V 74 O 29
Mareny de Vilxes V 74 O 29
Mareo O 6 B 12
Mares (Hacienda Dos) MU 86 S 27
Mareta (Punta de la) Lanzarote GC 120 E 1
Marey LU 14 D 7
Margalef T 36 I 32
Marganell B 38 H 35
Margarida A 74 P 29
Margen (El) GR 83 T 22
Margolles O 6 B 14
María AL 84 S 23
María Andrés (Sierra de) BA 67 Q 9
María Cristina (Embassament de) CS 62 L 29
María de Huerva Z 35 H 27
María de la Salut PM 105 M 39
Mariana CU 60 L 23
Marías (Las) GU 47 K 21
Maribáñez SE 92 U 12
Maribáñez BA 68 O 13
Maridos (Los) J 83 Q 22
Marifranca CC 55 L 10
Marigenta H 79 T 10
Marigutiérrez AB 72 O 22
Marimínguez AB 73 O 25
Marín PO 12 E 3
Marin AL 103 V 22
Marina (La) T 51 I 33
Marina (La) A 86 R 28
Marina (La) V 74 O 29
Marina-Oasis A 86 R 27
Marinaleda SE 93 T 15
Marinas (Las) AL 102 V 22
Marines Llíria V 62 M 28
Marines Olocau V 62 M 28
Marines (Les) A 74 P 30
Marines (Los) H 79 S 10
Les Marines (Platjas) A 74 Q 30
Mariña (A) C 3 B 5
Maripérez AB 72 O 23
Marisán V 62 N 28
Marisánchez CR 71 P 20
Marismas (Puerto de las) BA 79 S 11
Marismilla SE 91 U 12
Mariz LU 3 C 6
Marjaliza TO 58 N 18
Markina BI 10 C 22
Marlín AV 44 J 15
Marmellar de Abajo BU 17 E 18
Marmellar de Arriba BU 18 E 18
Mármol J 82 R 19
Marmolejo J 82 R 17
Maro MA 101 V 18
Maroma MA 101 V 17
Maroñas C 2 D 3
Marqués (Casa del) AB 84 Q 24
Marqués de Vallejo LO 19 E 22
Marquina VI 19 D 21
Marquínez VI 19 D 22
Marracos Z 21 F 27
Marrero (Punta de) TF 126 E 2
Marroquí o de Tarifa (Punta) CA 99 X 13
Marrupe TO 57 L 15
Martés HU 21 E 27
Martiago SA 43 K 10
Martialay SO 33 G 22
Martiherrero AV 44 J 15
Martillán SA 42 J 9
Martimporra O 6 C 13
Martín LU 4 C 8
Martín (Río) TE 49 I 28
Martín (Río) CU 61 M 25
Martín de la Jara SE 93 U 15
Martín de Yeltes SA 43 J 11
Martín del Río TE 49 J 27
Martín Malo J 82 R 19
Martín Miguel SG 45 J 17
Martín Muñoz SG 32 I 19
Martín Muñoz de la Dehesa SG 45 I 15
Martín Muñoz de las Posadas SG 45 J 16
Martinet L 23 E 35
Martinete CO 93 T 16
Martínez AV 44 K 13
Martínez del Puerto (Los) MU 85 S 26
Martiñán LU 4 B 7
Martiño (Punta) Fuerteventura GC 111 J 1
Martorell B 38 H 35
Martorelles B 38 H 36
Martos J 82 S 18
Martos (Portillo de) J 94 T 17
Martul LU 3 C 7
Maruanas CO 81 S 16
Marugán SG 45 J 16
Maruri-Jatabe BI 8 B 21
Marzà GI 25 F 39
Marzales VA 30 H 14
Marzán LE 15 D 11
Marzoa C 3 C 4
Mas Buscà GI 25 F 39
Mas de Barberáns T 50 J 31
Mas de Batxero (El) CS 62 L 29
Mas de Bondia (El) L 37 H 33
Mas de Caballero V 61 N 26
Mas de Cortitxelles (El) V 74 N 28
Mas de Flors CS 62 L 29
Mas de Jacinto V 61 L 26
Mas de la Montalvana CS 50 K 29
Mas de las Altas TE 49 J 29
Mas de las Matas TE 49 J 29
Mas de Llorenç CS 62 L 29
Mas de Llosa CS 62 L 29
Mas de Pessetes CS 49 K 29
Mas-de-riudoms T 51 I 32
Mas del Carril V 62 N 27
Mas del Olmo V 61 L 26
Mas Llunés GI 24 G 38
Mas Nou GI 25 G 39
Masa BU 18 E 18
Masada (La) CS 62 L 28
Masada del Sordo CS 62 M 28
Masadas (Alto de) NA 20 F 25
Masarac GI 25 E 38
Masca Tenerife TF 126 B 3
Mascaraque TO 58 M 18
Mascarat (Barranc del) A 74 Q 30
Mascún (Barranco de) HU 21 F 29
Masdenverge T 50 J 31
Masegosa CU 47 K 23
Masegoso AB 72 P 23
Masegoso de Tajuña GU 47 J 21
Masella GI 24 E 35
Masía de los Pérez CS 62 M 27
Maside OR 13 E 5
Masies de Voltregà (Les) B 24 F 36
Masllorenç T 37 I 34
Masma LU 4 B 8
Masma (Golfo de la) LU 4 B 8
Masnou (El) B 38 H 36
Masos (Els) GI 25 G 39
Maspalomas Gran Canaria GC 117 E 4
Masquefa B 38 H 35
Masroig (El) T 50 I 32
Massalavés V 74 O 28
Massalcoreig L 36 H 31
Massalfassar V 62 N 29
Massamagrell V 62 N 29
Massanassa V 62 N 28
Massanes GI 38 G 37
Massoteres L 37 G 33
Masueco SA 28 I 10
Mata BU 18 E 18
Mata S 7 C 17
Mata CO 93 T 16
Mata (La) SG 45 I 18
Mata (La) LE 16 D 13
Mata (La) A 86 R 28
Mata (La) SE 92 U 13
Mata (La) Castelló CS 49 K 29
Mata (La) cerca de Carmena TO 57 M 16
Mata (La) cerca de Los Yébenes TO 58 N 18
Mata (Salines de la) A 86 R 27
Mata de Alcántara CC 55 M 9
Mata de Armuña (La) SA 43 I 13
Mata de Cuéllar SG 31 H 16
Mata de Hoz S 17 D 17
Mata de la Riba (La) LE 16 D 13
Mata de Ledesma (La) SA 43 J 12
Mata de los Olmos (La) TE 49 J 28
Mata de Monteagudo (La) LE 16 D 14
Mata del Páramo (La) LE 15 E 12
Matabuena SG 46 I 18
Matacas J 82 S 18
Matadeón de los Oteros LE 16 E 13
Matadepera B 38 H 36
Mataelpino M 45 J 18
Matagalls B 38 G 37
Matagorda AL 102 V 21
Matagorda CA 98 W 11
Matal de Toscal CO 81 S 16
Matalascañas H 91 U 10
Matalavilla LE 15 D 11
Matalebreras SO 33 G 23
Matalindo BU 18 F 19
Matallana GU 46 I 19
Matallana SE 92 U 12
Matallana de Torío LE 16 D 13
Matallana de Valmadrigal LE 16 E 13
Matalloso CR 69 P 16
Matalobos del Páramo LE 15 E 12
Mataluenga LE 15 D 12
Matamá PO 12 F 3
Matamala SG 46 I 18
Matamala de Almazán SO 33 H 22
Matamorisca P 17 D 17
Matamorosa S 17 D 17
Matanza LE 16 F 13
Matanza (La) A 85 R 26
Matanza de Acentejo (La) Tenerife TF 124 G 2
Matanza de Soria SO 32 H 20
Matanzas TE 49 K 28
Mataparta V 61 M 26
Mataporquera S 17 D 17
Matapozuelos VA 30 H 15
Matapuercas CO 81 R 16
Mataró B 38 H 37
Matarraña TE 50 J 30
Matarredonda SE 93 T 15
Matarrosa del Sil LE 15 D 10
Matarrubia GU 46 J 20
Matas (Las) M 45 K 18
Matas Blancas Fuerteventura GC 113 E 4
Matas de Lubia (Alto de) SO 33 H 22
Matas Verdes AB 72 O 22
Matasanos SE 92 T 13
Matasejún SO 33 G 23
Matea J 83 R 22
Mateo (Puerto de) MA 93 U 16
Matet CS 62 M 28
Matián GR 96 T 22
Matienzo S 8 C 19
Matilla (La) SG 45 I 18
Matilla (La) Fuerteventura GC 111 H 2
Matilla de Arzón ZA 16 F 13
Matilla de los Caños VA 30 H 15
Matilla de los Caños del Río SA 43 J 12
Matilla la Seca ZA 30 H 13
Matillas GU 47 J 21
Mato LU 3 C 7
Matola A 85 R 27
Matorro (Puerto El) BU 18 F 19
Matueca de Torío LE 16 D 13
Matute LO 19 F 21
Matute SO 33 H 22
Mauberme (Pic de) L 22 D 32
Maus de Salas OR 27 G 6
Mave P 17 D 17
Maxal LU 13 D 6
Maya / Amaiur NA 11 C 25
Maya (La) SA 43 J 13
Mayalde ZA 29 I 12
Mayor LU 4 B 8
Mayor (Cabo) S 8 B 18
Mayor (Isla) MU 85 S 27
Mayor (Isla) SE 91 U 11
Mayor (Río) LO 33 F 21
Mayorga VA 16 F 14
Mayorga BA 66 O 8
Mazagón H 90 U 9
Mazaleón TE 50 I 30
Mazalvete SO 33 G 23
Mazarabeas Altas TO 58 M 17
Mazarambroz TO 58 M 17
Mazarete GU 47 I 23
Mazaricos C 2 D 3
Mazariegos P 31 F 15
Mazariegos (Puerto) BU 32 F 19
Mazarracín TO 58 M 18
Mazarrón MU 97 T 26
Mazarrón H 91 T 10
Mazarrón (Golfo de) MU 97 T 26
Mazarulleque CU 59 L 21
Mazaterón SO 33 H 23
Mazo O 7 C 16
Mazo La Palma TF 132 D 5
Mazo (Collado del) CC 56 N 13
Mazorra (Puerto de La) BU 18 D 19
Mazueco BU 18 F 19
Mazuecos GU 59 L 20
Mazuecos de Valdeginate P 16 F 15
Mazuela BU 17 F 18
Mazuelo de M. BU 17 F 18
Meabia PO 13 E 4
Meaga SS 10 C 23
Meano NA 19 E 22
Meaño PO 12 E 3
Meca TO 98 X 11
Mecerreyes BU 32 F 19
Mecina Alfahar GR 102 V 20
Mecina Bombarón GR 102 V 20
Mecina Fondales GR 102 V 20
Meco M 46 K 20
Meda LU 4 C 7
Meda OR 13 E 7
Médano (El) Tenerife TF 129 F 5
Medeiros OR 27 G 7
Medellín BA 68 P 12
Medes (Illes) GI 25 F 39
Media Naranja (Punta de la) AL 103 V 24
Mediana Z 35 H 27
Mediana (La) H 91 U 10
Mediana de Voltoya AV 45 J 16
Medianero (Carpio) AV 44 K 13
Mediano (Embalse de) HU 22 E 30
Medida (La) Tenerife TF 127 H 3
Medín C 3 D 5
Medina Azahara CO 81 S 15
Medina de las Torres BA 79 Q 10
Medina de Pomar BU 18 D 19
Medina de Rioseco VA 30 G 14
Medina del Campo VA 30 I 15
Medina-Sidonia CA 99 W 12
Medinaceli SO 47 I 22
Medinilla AV 43 K 13
Medinyà GI 25 F 38
Mediona B 37 H 34
Medranda GU 46 J 21
Medrano LO 19 E 22
Medro MU 96 T 24
Medua OR 14 E 9
Médulas (Las) LE 14 E 9
Médulas (Las) (Localidad) LE 14 E 9
Megeces VA 31 H 16
Megina GU 48 K 24
Meilán LU 4 C 7
Meilán Mondoñedo LU 4 B 8
Meira LU 4 C 8
Meira PO 12 F 3
Meira (Sierra de) LU 4 C 8
Meirama C 3 C 4
Meirás cerca de Sada C 3 B 5
Meirás cerca de Valdoviño C 3 B 5
Meis PO 12 E 3
Mejara (Puerto) BA 68 P 13
Mejorada TO 57 L 15
Mejorada del Campo M 46 K 19
Melegís GR 101 V 19
Melegriz AB 72 P 24
Melendreros O 6 C 13
Melgar de Abajo VA 16 F 14
Melgar de Arriba VA 16 F 14
Melgar de Fernamental BU 17 E 17
Melgar de Tera ZA 29 G 11
Melgar de Yuso P 17 F 17
Melgarejo CR 71 P 20
Melgosa (La) CU 60 L 23
Melgoso MU 84 S 24
Meliana V 62 N 28
Melias OR 13 E 6
Melicena GR 102 V 20
Mélida NA 20 E 25
Melide C 3 D 5
Mellanzos LE 16 E 14
Melón OR 13 F 5
Melque SG 45 I 16
Membibre de la Hoz SG 31 H 17
Membribe SA 43 J 12
Membrilla CR 71 P 19
Membrilla CO 81 T 15
Membrillar P 17 E 15
Membrillera GU 46 J 21
Membrillo (El) TO 57 M 15
Membrillo (El) SE 79 S 12
Membrillo (Lucio del) CA 91 V 10
Membrillo Alto H 79 T 10
Membrío CC 54 N 8
Mena LE 29 G 11
Menagaray VI 8 C 20
Menàrguens L 36 G 32
Menas (Las) AL 95 U 22
Menas (Los) AL 96 T 24
Menasalbas TO 58 N 17
Menaza P 17 D 17
Mencal GR 95 T 20
Menchón de Abril (El) GR 94 T 18
Mendaro SS 10 C 22
Mendata BI 10 C 22
Mendavia NA 19 E 23
Mendaza NA 19 E 23
Mendeika BI 8 C 20
Mendexa BI 9 B 22
Méndez AB 84 Q 24
Mendigorría NA 20 E 24
Mendíjur VI 19 D 22
Mendióroz NA 11 D 25
Mendoza VI 19 D 21
Menera (Sierra de) TE 48 J 25
Meneses CU 60 N 23
Meneses de Campos P 30 G 15
Menga (Puerto de) AV 44 K 14
Menga y Viera (Cuevas de) MA 93 U 16
Mengabril BA 68 P 12
Mengamuñoz AV 44 K 15
Mengíbar J 82 S 18
Menjillán SE 92 U 13
Menor (Isla) SE 91 U 11
Menor (Mar) MU 85 S 27
Menorca PM 106 M 41
Menoyo VI 8 C 20
Mens C 2 C 3
Mentera S 8 C 19
Mentiras J 83 R 22
Méntrida TO 58 L 17
Menudero O 5 B 10

Menuza (Ermita de) Z 35 I 28
Meñaka BI 9 B 21
Meotz / Meoz NA 11 D 25
Meoz / Meotz NA 11 D 25
Mequinenza Z 36 H 30
Mequinenza
(Embalse de) Z 36 H 30
Mera LU 3 D 6
Mera cerca de Ortigueira C 3 A 6
Mera
cerca de Santa Cruz C 3 B 4
Meranges GI 23 E 35
Merás O 5 B 10
Merca (A) OR 13 F 6
Mercadal (es) PM 106 M 42
Mercadillo BI 8 C 20
Mercadillo BU 8 C 20
Mercadillos de Abajo AB 72 P 24
Meré O 6 B 15
Meredo O 4 B 8
Merelas C 3 C 5
Merendero LU 3 C 6
Meréns OR 13 F 5
Mérida BA 67 P 10
Merille LU 4 B 7
Merlán LU 3 D 6
Merli HU 22 E 31
Mero C 3 C 5
Merodio O 7 C 16
Merolla (Coll de) GI 24 F 36
Merou O 4 B 9
Merujal O 6 C 13
Merza PO 13 D 5
Mesa (La) J 82 R 19
Mesa (La) LO 33 F 22
Mesa del Mar
Tenerife TF 124 G 2
Mesa Roldán (La) AL 103 V 24
Mesas (Las) CU 71 N 21
Mesas (Las) MA 92 V 14
Mesas de Asta CA 91 V 11
Mesas de Ibor CC 56 M 13
Mesas de Santiago CA 91 V 12
Mesas
del Guadalora CO 80 S 14
Mesegar de Corneja AV 44 K 14
Mesegar de Tajo TO 57 M 16
Mesía C 3 C 5
Mesillas CC 56 L 12
Mesón do Vento C 3 C 4
Mesones GU 46 J 19
Mesones AB 84 Q 22
Mesones (Los) SA 43 I 12
Mesones de Isuela Z 34 H 25
Mesta AB 72 Q 22
Mesta de Con O 6 B 14
Mestanza CR 70 Q 17
Mestanza
(Puerto de) CR 70 Q 17
Mestas O 5 C 10
Las Mestas CC 43 K 11
Metauten NA 19 D 23
Mezalocha Z 34 H 26
Mezkiritz NA 11 D 25
Mezpelerreka-
El Regato BI 8 C 20
Mezquetillas SO 33 I 22
Mezquita (A) OR 28 F 8
Mezquita
(Estación de la) H 90 T 9
Mezquita (La) MA 93 U 15
Mezquita de Jarque TE 49 J 27
Mezquita de Loscos TE 48 I 26
Mezquitilla MA 101 V 17
Mezquitilla (La) SE 92 U 14
Miajadas CC 68 O 12
Miami Platja T 51 I 32
Mianos Z 21 E 27
Micereces de Tera ZA 29 G 12
Michos CR 69 P 16
Micieces de Ojeda P 17 D 16
Miedes Z 34 I 25
Miedes de Atienza GU 32 I 21
Miengo S 7 B 18
Miera S 8 C 18
Miera (La) CR 71 O 21
Mieres GI 24 F 37
Mieres O 5 C 12
Mierla (La) GU 46 J 20
Mieza SA 28 I 9
Migjorn Gran (es) PM 106 M 42
Miguel Esteban TO 59 N 20
Miguel Ibáñez SG 45 I 16
Miguelagua TO 58 N 18
Migueláñez SG 45 I 16
Miguelturra CR 70 P 18
Mijancas VI 19 D 21
Mijares AV 57 L 15
Mijares V 73 N 27
Mijares (Puerto de) AV 44 K 15
Mijas MA 100 W 16
Milagres
(Santuario Os) OR 13 F 7
Milagro NA 20 F 24
Milagro (El) CR 58 N 17
Milagro (Puerto del) TO 58 N 17
Milagros BU 32 H 18
Milán
Tenerife TF 124 H 1
Milano SA 42 I 10
Milano AB 71 P 22
Milanos GR 94 U 17
Milanos
(Estación de los) H 78 T 9
Miliana T 50 K 31
Miliario del Caudillo SG 32 H 18
Milla (Perales de) M 45 K 17
Milladoiro C 12 D 4
Millana GU 47 K 22
Millanes CC 56 M 13
Millarada (A) PO 13 E 5
Millares V 73 O 27
Millares (Los) H 90 T 7
Millares (Salto de) V 74 O 27
Millarón (El) CC 54 N 8
Miller J 83 R 22
Milles
de la Polvorosa ZA 29 G 12
Millón C 12 D 3
Milmarcos GU 48 I 24
Mina (La) HU 21 D 27
Mina de Rodes A 73 Q 27
Minas (La) TE 49 J 27
Minas (Las) CU 61 M 25
Minas (Las) AB 84 R 24
Minas (Las) AL 103 V 22
Minas de Cala H 79 S 10
Minas de Riotinto H 79 S 10
Minas
del Marquesado GR 95 U 20
Minateda AB 84 Q 25
Minateda
(Cuevas de) AB 84 Q 25
Minaya AB 72 O 23
Mingarnao AB 84 R 23
Minglanilla CU 61 N 25
Mingogil AB 84 Q 24
Mingorría AV 45 J 15
Mingorrubio M 45 K 18
Mingrano MU 84 S 24
Mínguez (Puerto) TE 49 J 26
Mini Hollywood AL 96 U 22
Minilla
(Embalse de la) SE 79 S 11
Mínima (Isla) SE 91 U 11
Miñagón O 4 B 9
Miñana SO 33 H 23
Miñano MU 84 R 24
Miñano Mayor VI 19 D 22
Miñarros MU 97 T 25
Miño C 3 B 5
Miño Cuevo ZA 29 G 11
Miño de Medina SO 47 I 22
Miño
de San Esteban SO 32 H 19
Miñóns C 2 D 2
Miñosa (La) GU 46 I 21
Miñotos LU 4 B 7
Mioma VI 18 D 20
Mioño S 8 B 20
Mira CU 61 M 25
Mira (La) CR 70 P 17
Mirabel SE 92 U 12
Mirabel CC 55 M 11
Mirabel (Ermita de) CC 56 N 13
Mirabueno GU 47 J 21
Miracle (El) L 37 G 34
Miradera
(Sierra de la) BA 68 Q 11
Mirador (El) MU 85 S 27
Mirador (Sierra del) LU 4 C 8
Mirador de Oseja LE 6 C 14
Mirador
del Romero (El) M 45 K 17
Miraelrío J 82 R 19
Miraflores BU 18 E 19
Miraflores de la Sierra M 46 J 18
Mirafuentes NA 19 E 23
Miralcamp L 37 H 32
Miralcampo AB 72 O 24
Miralrío GU 46 J 21
Miralsot de Abajo HU 36 H 30
Miramar PM 104 M 37
Mirambel TE 49 K 28
Miranda LU 4 D 8
Miranda MU 85 S 26
Miranda de Arga NA 20 E 24
Miranda de Azán SA 43 J 12
Miranda de Ebro BU 18 D 21
Miranda
del Castañar SA 43 K 12
Miranda del Rey J 82 Q 19
Mirandilla BA 67 O 11
Mirantes de Luna LE 15 D 12
Miravalles LE 14 D 9
Miraveche BU 18 D 20
Miravet T 50 I 31
Miravete TE 49 K 27
Miravete (Puerto de) CC 56 M 12
Miraz
cerca de Guitiriz LU 3 C 6
Miraz
cerca de Xermade LU 3 B 6
Mirón (El) AV 44 K 13
Mironcillo AV 44 K 15
Mirones S 8 C 18
Mirones (Los) CR 70 Q 18
Mirueña
de los Infanzones AV 44 J 14
Miyares O 6 B 14
Moal O 5 C 10
Moanes O 5 B 10
Moaña PO 12 F 3
Moar C 3 C 5
Moarves P 17 D 16
Mocanal El Hierro TF 109 D 2
Mocasilla GU 47 J 22
Mocejón TO 58 M 18
Mochales GU 47 I 23
Mochales SE 80 T 13
Mochila GR 94 T 19
Mochuelos (Los) J 83 Q 20
Moclín GR 94 T 18
Moclinejo MA 101 V 17
Modino LE 16 D 14
Modubar BU 18 F 19
Modúbar
de San Cibrián BU 18 F 19
Moeche C 3 B 6
Mogábar CO 81 Q 16
Mogán
Gran Canaria GC 116 C 3
Mogarraz SA 43 K 11
Mogatar ZA 29 H 12
Mogón J 83 R 20
Mogor PO 12 E 3
Mogorrita CU 48 K 24
Mogorrita GU 47 J 23
Mogro S 7 B 18
Moguer H 90 U 9
Moharras AB 72 O 22
Moheda (La) CC 55 L 10
Mohedas CC 55 L 11
Mohedas (Las) AB 72 Q 23
Mohedas de la Jara TO 57 N 14
Mohernando GU 46 J 20
Mohías O 4 B 9
Mohorte CU 60 L 23
Moià B 38 G 36
Moixent V 74 P 27
Mojácar AL 96 U 24
Mojados VA 31 H 16
Mojares GU 47 I 22
Mojón AL 95 T 22
Mojón (El) V 61 L 25
Mojón (El) A 85 S 27
Mojón (El) MU 85 R 27
Mojón Alto CU 60 M 22
Mojón Alto CO 93 T 16
Mojón Blanco TE 48 K 24
Mojón Gordo MA 92 V 14
Mojón Pardo
(Puerto) SO 32 G 21
Mojonera AL 102 V 21
Mola PM 87 Q 34
Mola (Cap de Sa) PM 104 N 37
Mola (Castell de la) A 85 Q 27
Mola (Far de la) PM 87 Q 34
Mola (La) B 38 H 36
Mola (La) Menorca PM 106 M 42
Molacillos ZA 29 H 13
Molar (El) T 36 I 32
Molar (El) M 46 J 19
Molar (El) J 83 S 20
Molares H 79 S 9
Molares (Los) SE 92 U 12
Molata MU 84 R 23
Molata (La) AB 72 P 23
Molatón AB 73 P 25
Moldes C 13 D 5
Moldones ZA 29 G 10
Molezuelas
de la Carballeda ZA 15 F 11
Moli (es) PM 87 P 33
Molí Azor (El) CS 49 L 28
Molí de l'Abad (El) CS 50 J 30
Molina (La) GI 24 E 35
Molina (La) BU 18 D 20
Molina de Aragón GU 48 J 24
Molina de Segura MU 85 R 26
Molina
de Ubierna (La) BU 18 E 19
Molinaferrera LE 15 E 10
Molinas (Los) AL 96 U 23
Molinaseca LE 15 E 10
Molinicos AB 84 Q 23
Molinilla VI 18 D 21
Molinillo SA 43 K 12
Molinillo (El) CR 58 N 17
Molinillo (El) GR 94 U 19
Molino (El) BA 66 P 8
Molino Blanco TO 57 M 16
Molinos TE 49 J 28
Molinos C 2 C 2
Molinos (Los) HU 22 E 30
Molinos (Los) M 45 J 17
Molinos (Los)
Fuerteventura GC 110 G 2
Molinos (Los)
Gran Canaria GC 114 B 3
Molinos de Duero SO 33 G 21
Molinos de Matachel
(Embalse de los) BA 67 Q 11
Molinos de Papel CU 60 L 23
Molinos de Razón SO 33 G 22
Molinos
del Río Aguas (Los) AL 96 U 23
Molinos
Marfagones MU 85 T 26
Molins de Rei B 38 H 36
Molledo S 7 C 17
Mollerussa L 37 H 32
Mollet GI 25 E 39
Mollet B 38 H 36
Mollina MA 93 U 16
Mollinedo S 8 C 20
Molló GI 24 E 37
Molsosa (La) L 37 G 34
Moluengo V 61 N 25
Molvízar GR 101 V 19
Momán
cerca de Cospeito LU 4 C 7
Momán
cerca de Xermade LU 3 C 6
Mombeltrán AV 57 L 14
Momblona SO 33 H 22
Mombuey ZA 29 F 11
Momediano BU 18 D 19
Momia CA 99 W 12
Mompichel AB 73 P 25
Mona (Punta de la) GR 101 V 18
Monachil GR 94 U 19
Monasterio SO 33 H 21
Monasterio GU 46 J 20
Monasterio
de la Sierra BU 32 F 20
Monasterio
de Rodilla BU 18 E 19
Monasterio de Vega VA 16 F 14
Monasterio del Coto O 4 C 9
Monasterioguren VI 19 D 22
Moncalián S 8 B 19
Moncalvillo BU 32 G 20
Moncalvillo
del Huete CU 59 L 21
Moncalvo SA 14 F 9
Moncayo GR 83 S 22
Moncayo
(Santuario del) Z 34 G 24
Moncelos LU 4 C 7
Moncelos (Puerto de) PO 13 F 5
Monclova (La) SE 92 T 14
Moncofa CS 62 M 29
Monda MA 100 W 15
Mondalindo M 46 J 18
Mondariz PO 13 F 4
Mondéjar GU 59 L 20
Mondoñedo LU 4 B 7
Mondragón /
Arrasate SS 10 C 22
Mondreganes LE 16 D 14
Mondriz LU 4 C 7
Mondrón MA 101 V 17
Mondújar GR 101 V 19
Mondúver (El) V 74 O 29
Monegrillo Z 35 H 28
Monegros
(Canal de) HU 21 F 28
Monegros (Los) Z 35 H 28
Monells GI 25 G 38
Moneo BU 18 D 19
Mones O 5 B 10
Monesma HU 36 G 30
Monesma HU 21 F 28
Monesterio BA 79 R 11
Moneva Z 49 I 27
Moneva (Embalse de) Z 49 I 27
Monfarracinos ZA 29 H 12
Monfero C 3 C 5
Monfero
(Monasterio de) C 3 B 5
Monflorite HU 21 F 28
Monforte de la Sierra SA 43 K 11
Monforte de Lemos LU 14 E 7
Monforte
de Moyuela TE 49 I 26
Monforte del Cid A 85 Q 27
Monfragüe
(Santuario de) CC 56 M 11
Monistrol de Calders B 38 G 36
Monistrol
de Montserrat B 38 H 35
Monistrolet B 37 G 35
Monjas (Las) CR 71 O 19
Monjas (Las) V 61 N 26
Monjas (Las) SE 92 U 13
Monleón SA 43 K 12
Monleras SA 29 I 11
Monòver A 85 Q 27
Monrabana V 62 M 27
Monreal NA 11 D 25
Monreal de Ariza Z 33 I 23
Monreal del Campo TE 48 J 25
Monreal del Llano CU 59 N 21
Monrepós
(Puerto de) HU 21 E 28
Monroy CC 55 N 11
Monroyo TE 50 J 29
Monsagro SA 43 K 11
Monsalud BA 67 Q 9
Monsalupe AV 44 J 15
Mont Cristina CS 62 L 29
Mont Horquera V 62 N 28
Mont-i-sol V 62 N 28
Mont-ral T 37 I 33
Mont-ras GI 25 G 39
Mont-roig del Camp T 51 I 32
Mont-ros L 23 E 32
Monta (La) TO 70 O 18
Montagut i Oix GI 24 F 37
Montalbán TE 49 J 27
Montalbán TO 57 M 16
Montalbán
de Córdoba CO 93 T 15
Montalbanejo CU 60 M 22
Montalbo CU 59 M 21
Montalbos TE 49 J 28
Montalvos AB 72 O 23
Montamarta ZA 29 H 12
Montan L 23 F 34
Montán Castelló CS 62 L 28
Montánchez CC 67 O 11
Montanchuelos CR 70 P 19
Montanejos CS 62 L 28
Montanúy HU 22 E 32
Montaña Blanca
Lanzarote GC 123 D 4
Montaña Clara (Isla de)
Lanzarote GC 120 E 2
Montañana HU 22 F 32
Montañana Z 35 G 27
Montañas
(Ermita de las) CA 92 V 13
Montañesa (Peña) HU 22 E 30
Montañeta (La)
Tenerife TF 127 F 3
Montaos C 3 C 4
Montardo L 22 E 32
Montareño L 23 E 33
Montargull L 37 G 33
Montarrón GU 46 J 20
Montaverner V 74 P 28
Montaves SO 33 F 23
Montblanc T 37 H 33
Montblanquet L 37 H 33
Montbrió de la Marca T 37 H 33
Montbrió del Camp T 51 I 33
Montcada V 62 N 28
Montcada i Reixac B 38 H 36
Montclar B 23 F 35
Montclar d'Urgell L 37 G 33
Montcortès L 23 F 33
Monte C 3 B 5
Monte LU 4 B 7
Monte (El) AB 72 P 23
Monte (Ermita del) SE 80 S 12
Monte Aloya
(Parque natural del) PO 12 F 3
Monte Alto CO 81 T 15
Monte Aragón
(Cordillera de) AB 73 P 24
Monte Aragón
(Monasterio de) HU 21 F 28
Monte Calderón GU 46 J 19
Monte de Luna
La Palma TF 132 D 6
Monte de Meda LU 3 D 7
Monte Hueco GU 46 J 20
Monte la Reina ZA 30 H 13
Monte Lope Álvarez J 82 S 17
Monte Perdido (Paradorde)
Bielsa HU 22 D 30
Monte Redondo GU 47 J 21
Monte Robledal M 59 L 20
Monteagú CR 82 Q 19
Monteagudo NA 34 G 24
Monteagudo MU 85 R 26
Monteagudo (Isla de) PO 12 F 3
Monteagudo
de las Salinas CU 60 M 24
Monteagudo
de las Vicarías SO 33 H 23
Monteagudo
del Castillo TE 49 K 27
Montealegre VA 30 G 15
Montealegre
del Castillo AB 73 P 26
Montearagón TO 57 M 16
Montecillo S 17 D 18
Monteclaro-
La Cabaña M 45 K 18
Montecorto MA 92 V 14
Montecubeiro LU 4 C 8
Montederramo OR 14 F 7
Montefrío GR 94 U 17
Montehermoso CC 55 L 10
Monteixo L 23 E 34
Montejaque MA 92 V 14
Montejícar GR 94 T 19
Montejo SA 43 K 13
Montejo de Arévalo SG 45 I 16
Montejo de Bricia BU 17 D 18
Montejo de Cebas BU 18 D 20
Montejo de la Sierra M 46 I 19
Montejo de la Vega SG 32 H 19
Montejo de Tiermes SO 32 H 20
Montejos del Camino LE 15 E 12
Montellà L 23 E 35
Montellano BI 8 C 20
Montellano SE 92 V 13
Montemayor AB 73 P 23
Montemayor CO 81 T 15
Montemayor
(Ermita de) H 90 U 9
Montemayor de Pililla VA 31 H 16
Montemayor del Río SA 43 K 12
Montemolín BA 79 R 11
Montenartró L 23 E 33
Montenebro M 46 J 19
Montenegro AL 95 U 21
Montenegro
de Cameros SO 33 F 21
Montepalacio SE 92 U 13
Monterde Z 48 I 24
Monterde
de Albarracín TE 48 K 25
Monteros (Los) TO 57 L 16
Monteros (Los) MA 100 W 15
Monterreal PO 12 F 3
Monterredondo OR 13 F 5
Monterrei OR 28 G 7
Monterrey TO 58 M 17
Monterroso LU 13 D 6
Monterrubio SG 45 J 16
Monterrubio ZA 15 F 10
Monterrubio
de Armuña SA 43 I 13
Monterrubio
de Demanda BU 18 F 20
Monterrubio
de la Serena BA 68 Q 13
Monterrubio
de la Sierra SA 43 J 12
Montes (Los) GR 94 T 18
Montes de Málaga (Parque
natural de los) MA 93 V 16
Montes de Mora TO 70 N 17
Montes de San Benito H 78 S 8
Montes de Valdueza LE 15 E 10
Montes Universales (Reserva
nacional de los) TE 48 K 24
Montesa V 74 P 28

MÁLAGA

CÓRDOBA, GRANADA
A 45 ↑ Finca de la Concepción

COLMENAR
A 6103 ↗ Santuario de la Virgen de la Victoria

CASTILLO DE GIBRALFARO · PARADOR · ALCAZABA
Museo Casa Natal Picasso · Museo Picasso · CATEDRAL · El Sagrario
Los Mártires · Santiago · Pl. de la Merced
PUERTO · ESTACIÓN MARÍTIMA · MAR MEDITERRÁNEO
CAC MÁLAGA · Cementerio Inglés
Parque de España

0 — 300 m

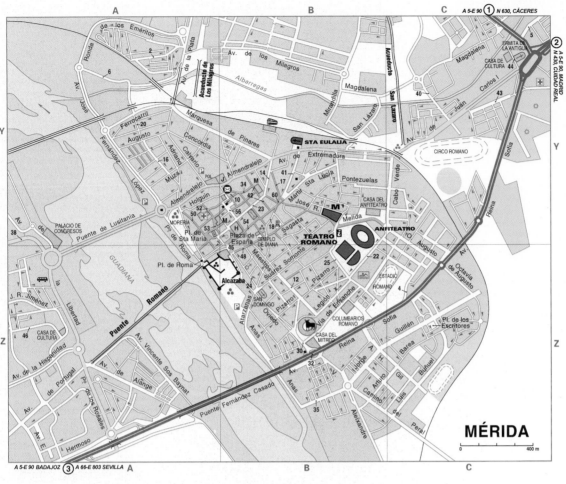

Abadias (Av. de las) ... AY 2
Artes y Oficios ... CZ 4
Ausonio ... CY 5
Avenal de Pancaliente ... AY 6
Berzocana ... BY 18
Calderon de la Barca ... BZ 12
Camillo José Cela ... BY 14
Capitan Francesco de Almaraz ... AY 16
Cervantes ... BY 17
Constitucion (Pl. de la) ... BY 10
Don César Lozano ... AY 20
Estudiantes (Av. de los) ... BZ 22
Félix Valverde Lillo ... BY 23
John Lennon ... BZ 24
José A. Saez de Buruaga ... BZ 25
Juan de Avalos (Glorieta) ... BZ 30
Juan de Avalos (Pl.) ... BZ 32
Louis Braille ... BY 34
Lusitania (Av. de) ... BZ 35
Manga del Matadero ... AY 38
Marques de Paterna ... CY 40
Mártir Sta. Eulalia (Rambla) ... BY 41
Moreno de Vargas ... BY 42
Muestra Senora de la Antigua CY 43
Nerja ... CY 44
Rastro (Pl. del) ... BZ 45
Reyes Catolicos (Av. de los) ... AZ 46
Romero Leal ... BZ 48
Salvador ... AY 50
Sancho Pèrez ... AY 52
Santa Clara (Pl. de) ... BY 53
Santa Eulalia ... AY 54
Trajano ... BY 56
Villa (Puerta de la) ... BY 60

Museo Nacional de Arte Romano ... BY M¹

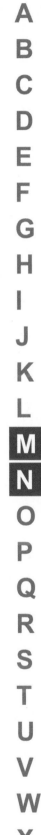

Morriondo LE ... 15 E 12
Morro Jable Fuerteventura GC ... 112 C 5
Morrón AB ... 73 Q 24
Morrón AL ... 102 V 21
Morrón de los Genoveses AL ... 103 V 23
Morrón del Puerto MU ... 73 Q 26
Morrones (Los) CR ... 71 Q 20
Morrones (Los) GR ... 94 T 19
Mortera (La) O ... 5 C 10
Mos PO ... 12 F 4
Moscán LU ... 14 D 7
Moscardón TE ... 48 L 25
Moscari PM ... 104 M 38
Moscaril GR ... 101 V 18
Moscoso PO ... 12 F 4
Mosende LU ... 3 A 7
Mosende PO ... 12 F 4
Mosqueruela TE ... 49 K 28
Mosqueruela (Puerto de) TE ... 49 K 28
Mosquete C ... 12 E 3
Mosteiro OR ... 13 F 5
Mosteiro Meis PO ... 12 E 3
Mosteiro Pol LU ... 4 C 7
Móstoles M ... 58 L 18
Mota (Fortaleza de la) J ... 94 T 18
Mota (La) GI ... 25 F 38
Mota (La) CA ... 92 V 14
Mota de Altarejos CU ... 60 M 23
Mota del Cuervo CU ... 59 N 21
Mota del Marqués VA ... 30 H 14
Motilla del Palancar CU ... 60 N 24
Motilleja AB ... 72 O 24
Motos GU ... 48 K 25
Motril GR ... 101 V 19
Moucide LU ... 4 B 7
Mougás PO ... 12 F 3
Mourentán PO ... 13 F 5
Mourisca OR ... 14 F 8
Mouriscados PO ... 13 F 4
Mourulle LU ... 13 D 6
Mousende LU ... 4 B 8
Moutas O ... 5 B 11
Moveros ZA ... 29 H 11
Moya CU ... 61 M 25
Moya Gran Canaria GC ... 115 D 2
Moyas (Las) CR ... 71 O 20
Moyuela Z ... 49 I 27
Mozaga Lanzarote GC ... 123 D 4
Mózar de Valverde ZA ... 29 G 12
Mozárbez SA ... 43 J 13
Mozas (Monte de las) CU ... 72 O 23
Mozoncillo SG ... 45 I 17
Mozóndiga LE ... 15 E 12
Mozos de Cea LE ... 16 E 14
Mozota Z ... 34 H 26
Muchachos (Roque de los) La Palma TF ... 130 C 3
Mucientes VA ... 30 G 15
Mudá P ... 17 D 16
Mudapelos J ... 82 S 17
Mudela CR ... 70 Q 19
Muduex GU ... 46 J 21
Mudurra (La) VA ... 30 G 15
Muel Z ... 34 H 26
Muela AB ... 73 P 25
Muela MU ... 85 S 25
Muela CO ... 80 R 13
Muela BU ... 32 F 19
Muela cerca de Cantavieja TE ... 49 K 28
Muela cerca de Manzanera TE 61 L 27
Muela (La) Z ... 34 H 26
Muela (La) V ... 61 M 26
Muela (La) cerca de Algodonales CA ... 92 V 13
Muela (La) cerca de Vejer CA ... 99 X 12
Muela (Sierra de la) GU ... 47 I 21
Muela (Sierra de la) cerca de Cartagena MU 97 T 26
Muela de Cortes (Reserva nacional de la) V ... 73 O 27
Muelas de los Caballeros ZA ... 15 F 10
Muelas del Pan ZA ... 29 H 12
Mués NA ... 19 E 23
Muez NA ... 10 D 24
Muga BU ... 34 G 24
Muga (La) (Riu) GI ... 24 E 37
Muga de Alba ZA ... 29 G 11
Muga de Sayago ZA ... 29 H 11
Mugardos C ... 3 B 5
Mugares OR ... 13 F 6
Mugueimes OR ... 27 G 6
Muides O ... 4 B 9
Muimenta LU ... 4 C 7
Muimenta PO ... 13 D 5
Muiña LU ... 4 C 8
Muiños OR ... 27 G 6
Mujeres Muertas (Pozo de las) O ... 4 C 9
Mula MU ... 85 R 25
Mulato (Embalse del) Gran Canaria GC ... 116 C 3
Mulería (La) AL ... 96 U 24
Mulhacén GR ... 95 U 20
Mullidar AB ... 72 Q 24
Mulva (Castillo de) SE ... 80 S 12
Munárriz NA ... 10 D 24
Mundaka BI ... 9 B 21
Mundo (Nacimiento del Río) AB ... 84 Q 22
Munébrega Z ... 34 I 24
Munera AB ... 72 O 22
Mungia BI ... 9 B 21
Múnia (La) B ... 37 I 34
Munia (Mont la) HU ... 22 D 30
Muniáin de la Solana NA ... 19 E 23
Muniellos (Coto national de) O ... 4 C 9
Muniesa TE ... 49 I 27
Muniferral C ... 3 C 5
Munilla LO ... 19 F 23
Munitibar-Arbatzegui Gerrikaitz BI ... 10 C 22
Muntanyola B ... 38 G 36
Muntells (Els) T ... 50 K 32
Muña (La) J ... 82 S 18
Muñana AV ... 44 K 14
Muñas O ... 5 B 10
Muñecas SO ... 32 G 20
Muñecas (Las) BI ... 8 C 20
Múñez AV ... 44 K 15
Muñico AV ... 44 J 14
Muñique Lanzarote GC ... 123 D 3
Muñis LU ... 4 D 9
Muño O ... 6 B 13
Muñoces (Los) MU ... 85 S 26
Muñogalindo AV ... 44 K 15
Muñogrande AV ... 44 J 15
Muñomer del Peco AV ... 44 J 15
Muñopedro SG ... 45 J 16
Muñopepe AV ... 44 K 15
Muñosancho AV ... 44 J 14
Muñotello AV ... 44 K 14
Muñoveros SG ... 45 I 18
Muñoyerro AV ... 44 J 15
Muñoz SA ... 43 J 11
Mur (Castell de) L ... 22 F 32
Mura B ... 38 G 35
Muradelle LU ... 13 E 6
Muras LU ... 3 B 6
Murchante NA ... 20 F 25
Murchas GR ... 101 V 19
Murcia MU ... 85 S 26
Murciélagos (Cueva de los) CO ... 93 T 17
Murero Z ... 48 I 25
Mures J ... 94 T 18
Murguía VI ... 19 D 21
Murias LE ... 15 E 11
Murias ZA ... 14 F 10
Murias cerca de Santibáñez O ... 6 C 12
Murias de Paredes LE ... 15 D 11
Murias de Ponjos LE ... 15 D 11
Muriedas S ... 7 B 18
Muriel GU ... 46 J 20
Muriel de la Fuente SO ... 32 G 21
Muriel de Zapardiel VA ... 44 I 15
Muriel Viejo SO ... 32 G 21
Muriellos O ... 5 C 12
Murieta NA ... 19 E 23
Murillo Berroya NA ... 11 D 26
Murillo de Calahorra LO ... 19 E 24
Murillo de Gállego Z ... 21 E 27
Murillo de Río Leza LO ... 19 E 23
Murillo el Cuende NA ... 20 E 25
Murillo el Fruto NA ... 20 E 25
Murla A ... 74 Q 29
Muro PM ... 105 M 39
Muro de Ágreda SO ... 33 G 24
Muro de Aguas LO ... 19 F 23
Muro de Alcoy A ... 74 P 28
Muro en Cameros LO ... 19 F 22
Muros C ... 12 D 2
Muros de Nalón O ... 5 B 11
Muros y Noia (Ría de) PO ... 12 D 2
Murta (La) MU ... 85 S 26
Murtas GR ... 102 V 20
Murtas (Las) MU ... 84 R 24
Murtiga H ... 78 R 9
Muruarte de Reta NA ... 11 D 25
Murueta BI ... 9 B 21
Muruzábal NA ... 10 D 24
Muruzábal de Andión NA ... 20 E 24
Musel (El) O ... 6 B 12
Museros V ... 62 N 28
Musitu VI ... 19 D 22
Muskilda (Santuario de) NA ... 11 D 26
Mussara (La) T ... 37 I 33
Mussara (Serra de la) T ... 37 I 33
Mustio (El) H ... 78 S 8
Mutiloa SS ... 10 C 23
Mutiloagoiti / Mutilva Alta NA ... 11 D 25
Mutilva Alta / Mutiloagoiti NA ... 11 D 25
Mutriku SS ... 10 C 22
Mutxamel A ... 86 Q 28
Muxia C ... 2 C 2
Muyo (El) SG ... 32 I 20

## N

Na Macaret PM ... 106 L 42
Na Xamena PM ... 87 O 34
Nabarniz BI ... 10 C 22
Nacha HU ... 36 G 31
Nacimiento CO ... 93 T 16
Nacimiento AL ... 95 U 22
Nadela LU ... 4 D 7
Nafría de Ucero SO ... 32 G 20
Nafría la Llana SO ... 33 H 21
Naharros GU ... 46 I 21
Naharros CU ... 60 L 22
Najarra M ... 45 J 18
Nájera LO ... 19 E 21
Najurrieta NA ... 11 D 25
Nalda LO ... 19 E 22
Nalec L ... 37 H 33
Nambroca TO ... 58 M 18
Nambroca (Sierra de) TO ... 58 M 18
Nanclares cerca de Ariñez VI ... 19 D 21
Nanclares de Gamboa cerca de Embalse de Ullíva VI ... 19 D 22
Napal NA ... 11 D 26
Náquera V ... 62 N 28
Naraío C ... 3 B 5
Naranjal (Sierra del) BA ... 66 O 8
Naranjeros (Los) Tenerife TF ... 124 H 2
Naraval O ... 5 B 10
Narbarte NA ... 11 C 25
Narboneta CU ... 61 M 25
Nariga (Punta de) C ... 2 C 3
Narila GR ... 102 V 20
Nariz (Punta de la) La Gomera TF ... 118 B 3
Narla LU ... 3 C 6
Narón LU ... 13 D 6
Narón C ... 3 B 5
Narrillos del Álamo AV ... 44 K 13
Narrillos del Rebollar AV ... 44 K 15
Narros SO ... 33 G 23
Narros de Cuéllar SG ... 31 I 16
Narros de Matalayegua SA ... 43 J 12
Narros de Saldueña AV ... 44 J 15
Narros del Castillo AV ... 44 J 14
Narros del Puerto AV ... 44 K 15
Narvaja VI ... 19 D 22
Nati (Punta) PM ... 106 L 41
Natón C ... 2 C 3
Natxitua BI ... 9 B 22
Nau (Cap de la) A ... 75 P 30

## MURCIA

Alfonso X el Sabio (Gran Vía) DY 2
Cardenal Belluga (Pl.) DY 5
Colón (Alameda de) DZ
España (Glorieta de) DZ 15
Floridablanca DZ 18
Garay (Pas. de) DZ 20
Gómez Cortina CY 28
Infante Don Juan Manuel (Av.) DZ 33
Isidoro de la Cierva DY 40
José Antonio Ponzoa DY 44
Licenciado Cascales DY 56
Marcos Redondo CY 60
Martínez Tornel (Pl.) DZ 65
Platería DY
Proclamación DZ 75
San Francisco (Plano de) CYZ 78
Sociedad DY 80
Teniente Flomesta (Av.) DZ 83
Trapería DY

Nava **O** 6 B 13
Nava (Estación de la) **H** 79 S 9
Nava (La) **CR** 82 Q 19
Nava (La) **H** 79 S 9
Nava (La) **SE** 80 R 13
Nava (La) **BA** 68 P 13
Nava (Laguna la) **CR** 70 O 18
Nava (Puerto de la) **BA** 68 P 14
Nava de Abajo **AB** 72 Q 24
Nava de Arévalo **AV** 44 J 15
Nava de Arriba **AB** 72 P 24
Nava de Béjar **SA** 43 K 12
Nava de Campana **AB** 84 Q 25
Nava de Francia **SA** 43 K 11
Nava de Jadraque (La) **GU** 46 I 20
Nava de la Asunción **SG** 45 I 16
Nava de los Caballeros **LE** 16 E 14
Nava de Mena **BU** 8 C 20
Nava de Pablo **J** 83 S 21
Nava de Ricomalillo (La) **TO** 57 N 15
Nava-de Roa **BU** 31 H 18
Nava de San Pedro **J** 83 S 21
Nava de Santiago (La) **BA** 67 O 10
Nava de Sotrobal **SA** 44 J 14
Nava del Barco **AV** 56 L 13
Nava del Rey **VA** 30 I 14
Nava el Zar **J** 82 Q 18
Navacarros **SA** 43 K 12
Navacepeda de Tormes **AV** 44 K 14
Navacepedilla de Corneja **AV** 44 K 14
Navacerrada **M** 45 J 17
Navacerrada **CR** 69 P 16
Navacerrada (Puerto de) **M** 45 J 17
Navachica **MA** 101 V 18
Navaconcejo **CC** 56 L 12
Navadijos **AV** 44 K 14
Navaescurial **AV** 44 K 14
Navafría **SG** 45 I 18
Navafría **LE** 16 E 13
Navafría (Puerto de) **M** 45 J 18
Navahermosa **TO** 57 N 16
Navahermosa **MA** 93 U 15
Navahermosa *cerca de Aracena* **H** 79 S 9
Navahermosa *cerca de Valdeverde del C.* **H** 91 T 9
Navaholguín **SE** 80 S 12
Navahombela **SA** 44 K 13
Navahondilla **AV** 45 L 16
Navajarra **CR** 69 O 16
Navajarra (Sierra de) **CR** 69 O 16
Navajas **CS** 62 M 28
Navajún **LO** 33 G 23
Naval **HU** 22 F 30
Navalacruz **AV** 44 K 15
Navalafuente **M** 46 J 18
Navalagamella **M** 45 K 17
Navalatienda **CR** 69 P 15
Navalavaca **CR** 71 Q 20
Navalcaballo **SO** 33 G 22
Navalcán **TO** 57 L 14
Navalcán (Embalse de) **TO** 57 L 14
Navalcarnero **M** 58 L 17
Navalcuervo **CO** 80 R 14
Navalengua **AB** 72 P 23
Navaleno **SO** 32 G 20
Navales **SA** 44 J 13
Navalguijo **AV** 56 L 13
Navalices **CR** 58 N 17
Navalilla **SG** 31 H 18
Navalmanzano **SG** 45 I 17
Navalmoral **AV** 44 K 15
Navalmoral (Puerto de) **AV** 44 K 15
Navalmoral de Béjar **SA** 43 K 12
Navalmoral de la Mata **CC** 56 M 13
Navalmoralejo **TO** 57 M 14
Navalmorales (Los) **TO** 57 M 16
Navalón **CU** 60 L 23
Navalón de Abajo **V** 73 P 27
Navalón de Arriba **V** 73 P 27
Navalonguilla **AV** 56 L 13
Navalosa **AV** 44 K 15
Navalperal de Pinares **AV** 45 K 16
Navalperal de Tormes **AV** 44 K 14
Navalpino **CR** 69 O 16
Navalpotro **GU** 47 J 22
Navalrincón **CR** 69 O 16
Navalsáuz **AV** 44 K 14
Navaltoril **TO** 57 N 15
Navalucillos (Los) **TO** 57 M 16
Navaluenga **AV** 44 K 15
Navalvillar **SE** 80 S 13
Navalvillar de Ibor **CC** 56 N 13
Navalvillar de Pela **BA** 68 O 13
Navamorales **SA** 44 K 13
Navamorcuende **TO** 57 L 15
Navamuel **S** 17 D 17
Navandrinal **AV** 44 K 15
Navapalos **SO** 32 H 20
Navaquesera **AV** 44 K 15
Navarcles **B** 38 G 35
Navardún **Z** 20 E 26
Navares **MU** 84 R 24
Navares de Ayuso **SG** 32 H 18
Navares de Enmedio **SG** 32 H 18
Navares de las Cuevas **SG** 32 H 18
Navaridas **VI** 19 E 22
Navarredonda **M** 46 J 18
Navarredonda **SE** 92 U 14
Navarredonda de Gredos **AV** 44 K 14
Navarredonda de la Rinconada **SA** 43 K 11
Navarredonda de Salvatierra **SA** 43 K 12
Navarredondilla **AV** 44 K 15
Navarrés **V** 74 O 27
Navarrete **VI** 19 E 22
Navarrete **LO** 19 E 22
Navarrete del Río **TE** 48 J 26
Navarrevisca **AV** 44 K 15
Navàs **B** 38 G 35
Navas (Embalse de las) **HU** 21 F 28
Navas (Las) **TO** 70 N 17
Navas (Las) **CO** 94 T 17
Navas (Las) **SE** 91 V 12
Navas de Buitrago **M** 46 J 19
Navas de Bureba **BU** 18 D 20
Navas de Estena **CR** 57 N 16
Navas de Jadraque **GU** 46 I 20
Navas de Jorquera **AB** 72 O 24
Navas de la Concepción (Las) **SE** 80 S 13
Navas de Oro **SG** 45 I 16
Navas de Riofrío **SG** 45 J 17
Navas de San Antonio **SG** 45 J 17
Navas de San Juan **J** 83 R 20
Navas de Selpillar **CO** 93 T 16
Navas de Tolosa (Las) **J** 82 R 19
Navas del Madroño **CC** 55 N 10
Navas del Marqués (Las) **AV** 45 K 17
Navas del Pinar **BU** 32 G 20
Navas del Rey **M** 45 K 17
Navasa **HU** 21 E 28
Navascués **NA** 11 D 26
Navasfrías **SA** 42 L 9
Navata **GI** 25 F 38
Navata (La) **M** 45 K 18
Navatalgordo **AV** 44 K 15
Navatejares **AV** 44 K 13
Navatrasierra **CC** 56 N 14
Navazos (Los) **CR** 71 P 21
Navazuelo **CO** 93 T 16
Navazuelo (El) **GR** 94 T 19
Návea **OR** 14 F 7
Navelgas **O** 5 B 10
Navelonga (Ermita de) **CC** 55 L 9
Naveros **CA** 99 W 12
Navès **L** 37 G 34
Naveta des Tudons **PM** 106 M 41
Navezuelas *cerca de Mirabel* **CC** 56 M 11
Navezuelas *cerca de Roturas* **CC** 56 N 13
Navia **O** 4 B 9
Navia (Río) **ESP** 4 C 9
Navia (Valle del) **O** 4 C 9
Navia de Suarna **LU** 4 D 8
Navianos de Alba **ZA** 29 G 12
Navianos de Valverde **ZA** 29 G 12
Navilla **BA** 68 P 11
Navillas (Las) **TO** 57 N 16
Naya (La) **H** 79 S 10
Nazar **NA** 19 E 23
Nazaret **V** 62 N 29
Nazaret (Ermita de) **J** 83 Q 20
Neblines **SE** 92 T 13
Nebra **C** 12 D 3
Nebreda **BU** 32 G 19
Nechite **GR** 95 U 20
Neda **C** 3 B 5
Neda (Cordal de) **LU** 4 B 7
Negra (Punta) **MU** 97 T 27
Negra (Punta) **GR** 102 V 20
Negra (Punta) *Tenerife* **TF** 126 B 3
Negra (Punta) *Tenerife* **TF** 128 C 5
Negra (Punta) *Tenerife* **TF** 128 E 5
Negradas **LU** 3 A 6
Negrales-Los Llanos (Los) **M** 45 K 17
Negras (Las) **AL** 103 V 23
Negredo **GU** 46 I 21
Negredo (El) **SG** 32 I 20
Negreira **C** 2 D 3
Negrete (Cabo) **MU** 97 T 27
Negrilla de Palencia **SA** 44 I 13
Negrón **V** 61 L 25
Negrón (Túnel de) **LE** 15 D 12
Negueira de Muñiz **LU** 4 C 9
Neguillas **SO** 33 H 22
Neila **BU** 32 F 21
Neila de San Miguel **AV** 43 K 13
Neira **LU** 4 D 8
Neiro **LU** 4 C 8
Nela **BU** 18 D 19
Nembro **O** 5 B 12
Nemeño **C** 2 C 3
Nemiña **C** 2 C 2
Nepas **SO** 33 H 22
Nerín **HU** 22 E 30
Nerja **MA** 101 V 18
Nerja (Cueva de) **MA** 101 V 18
Nerpio **AB** 84 R 23
Nerva **H** 79 S 10
Nespereira **LU** 13 D 6
Nestar **P** 17 D 17
Nestares **LO** 19 F 22
Neulos (Pic) **GI** 25 E 38
Neves (As) **PO** 13 F 4
Neves (As) **C** 3 B 6
Nicho (Ermita del) **J** 83 S 20
Niebla **H** 91 T 9
Niefla (Puerto de) **CR** 69 Q 16
Nietos (Los) **MU** 85 T 27
Nieva **SG** 45 I 16
Nieva de Cameros **LO** 19 F 21
Nieve (Pozo de la) **AL** 95 U 22
Nieves **C** 3 B 5
Nieves **CU** 60 L 24
Nieves (Ermita de las) *Lanzarote* **GC** 123 E 3
Nieves (Las) **TO** 58 M 18
Nieves (Las) **SE** 79 T 11
Nieves (Pozo de las) *Gran Canaria* **GC** 117 E 3
Nigoi **PO** 13 E 4
Nigrán **PO** 12 F 3
Nigüelas **GR** 101 V 19
Nigüella **Z** 34 H 25
Niharra **AV** 44 K 15
Níjar **AL** 103 V 23
Níjar (Campo de) **AL** 103 V 23
Niñas (Las) **CO** 81 S 15
Niño (El) **MU** 85 R 25
Niñodaguia **OR** 13 F 7
Niñons **C** 2 C 3
Nistal **LE** 15 E 11
Niveiro **C** 2 C 4
Noáin **NA** 11 D 25
Noalejo **J** 94 T 19
Noalla **PO** 12 E 3
Noarre **L** 23 D 33
Nobeda **CU** 60 L 23
Noblejas **TO** 59 M 19
Noceco *cerca de Espinosa de los M.* **BU** 8 C 19
Noceda **LU** 14 D 8
Noceda *cerca de Castrillo de Cabrera* **LE** 15 E 10
Noceda del Bierzo *cerca de Toreno* **LE** 15 D 10
Nocedo *cerca de Sedano* **BU** 18 D 18
Nocedo de Curueño **LE** 16 D 13
Nocedo do Val **OR** 28 F 7
Noche **LU** 3 C 6
Nocito **HU** 21 F 29
Nódalo **SO** 33 G 21
Nodar **LU** 3 C 6
Noez **TO** 58 M 17
Nofuentes **BU** 18 D 19
Nogais (As) **LU** 14 D 8
Nogal de las Huertas **P** 17 E 16
Nogales **MA** 100 V 16
Nogales **BA** 67 Q 9
Nogales **P** 17 D 17
Nogales (Embalse de) **BA** 67 Q 9
Nogales (Los) **TO** 57 L 16
Nogalte (Rambla de) **MU** 96 T 24
Nogar **LE** 15 F 10
Nogarejas **LE** 15 F 11
Nograles **SO** 32 H 21
Nograro **VI** 18 D 20
Nogueira **LU** 13 E 6
Nogueira **OR** 13 E 5
Nogueira **PO** 12 E 3
Noguera **TE** 48 K 25
Noguera de Tort (La) (Riu) **L** 22 E 32
Noguera Pallaresa (Vall de la) **L** 23 E 33
Noguera Ribagorçana (Vall del) **HU** 22 E 32
Nogueras **TE** 48 I 26
Nogueras (Las) **V** 61 N 26
Noguero **HU** 22 F 31
Noguerones (Los) **J** 82 T 17
Nogueruela (La) **CU** 61 L 25
Nogueruelas **TE** 62 L 28
Nohalos **TO** 58 M 17
Noharre **AV** 44 J 15
Noia **C** 12 D 3
Noicela **C** 2 C 4
Nois **LU** 4 B 8
Noja **S** 8 B 19
Nolay **SO** 33 H 22
Nombela **TO** 57 L 16
Nombrevilla **Z** 48 I 25
Nomparedes **SO** 33 H 23
Nonaspe **Z** 36 I 30
Nora **BA** 78 R 9
Nora (La) **LE** 15 F 12
Noreña **O** 5 B 12
Norfeu (Cap de) **GI** 25 F 39
Norias (Las) **CR** 70 Q 19
Norias (Las) *cerca de Huércal Overa* **AL** 96 T 24
Norias de Daza (Las) *cerca de Almerimar* **AL** 102 V 21
Noriega **O** 7 B 16
Norís **L** 23 E 34
Norte (Punta) *El Hierro* **TF** 109 D 1
Nostra Senyora de Bellmunt **B** 24 F 36
Nostra Senyora de la Misericordia **B** 38 H 37
Nostra Senyora de la Salut **GI** 24 F 37
Nostra Senyora de Lluc (Monestir de) **PM** 104 M 38
Nostra Senyora de Queralt **B** 24 E 35

Nostra Senyora del Far GI 24 F 37
Nostra Senyora del Mont GI 24 F 38
Nostra Senyora dels Àngels GI 25 G 38
Notáez GR 102 V 20
Nou (La) B 24 F 35
Nou de Gaiá (La) T 37 I 34
Novales HU 21 F 29
Novales S 7 B 17
Novaliches CS 62 M 28
Novallas Z 34 G 24
Novelda A 85 Q 27
Novelda del Guadiana BA 67 P 9
Novellaco Z 20 E 26
Novellana O 5 B 11
Novés HU 21 E 28
Novés TO 58 L 17
Noves de Segre L 23 F 34
Noviales SO 32 H 20
Noviercas SO 33 G 23
Novillas Z 34 G 25
Novo Sancti Petri CA 98 W 11
Nuarbe SS 10 C 23
Nubledo O 5 B 12
Nublo (Roque) *Gran Canaria* GC 116 D 3
Nucia (La) A 74 Q 29
Nueno HU 21 F 28
Nueros TE 48 J 26
Nuestra Santa Fátima (Ermita de) BA 80 Q 13
Nuestra Señora de Alarcos CR 70 P 17
Nuestra Señora de Altagracia (Ermita de) BA 69 P 14
Nuestra Señora de Angosto VI 18 D 20
Nuestra Señora de Araceli CO 93 T 16
Nuestra Señora de Aranz (Ermita de) GU 47 J 22
Nuestra Señora de Arnotegui NA 10 D 24
Nuestra Señora de Bella H 90 U 8
Nuestra Señora de Chilla (Santuario de) AV 56 L 14
Nuestra Señora de Codés NA 19 E 22
Nuestra Señora de Cortés (Santuario) AB 72 P 22
Nuestra Señora de Escardiel (Ermita) SE 79 S 11
Nuestra Señora de Fuensanta MA 100 W 15
Nuestra Señora de Gador AL 102 V 21
Nuestra Señora de Garón (Ermita de) P 31 G 17
Nuestra Señora de Gracia BA 78 R 9
Nuestra Señora de Gràcia (Ermita de) CS 62 M 29
Nuestra Señora de Guadalupe SS 10 B 24
Nuestra Señora de Guadalupe (Ermita de) *La Gomera* TF 119 E 2
Nuestra Señora de Hontanares (Ermita de) SG 32 I 19
Nuestra Señora de la Antigua (Ermita de) BA 68 P 12
Nuestra Señora de la Antigua (Santuario de) CR 71 P 20
Nuestra Señora de la Anunciada VA 30 G 14
Nuestra Señora de la Bienvenida GU 47 K 22
Nuestra Señora de la Cabeza GU 48 J 24
Nuestra Señora de la Carrasca (Ermita) TE 48 J 25
Nuestra Señora de la Consolación SE 92 U 12
Nuestra Señora de la Esperanza MU 84 R 24
Nuestra Señora de la Estrella J 82 R 19
Nuestra Señora de la Fuensanta CO 81 S 15
Nuestra Señora de la Fuensanta J 83 R 21
Nuestra Señora de la Hoz GU 47 J 23
Nuestra Señora de la Luz (Ermita de) CC 55 N 10
Nuestra Señora de la Luz (Santuario de) CA 99 X 13
Nuestra Señora de la Misericordia (Santuario de) Z 34 G 25
Nuestra Señora de la Peña (Ermita de) CC 55 L 9
Nuestra Señora de la Peña (Ermita de) *Fuerteventura* GC 110 F 3
Nuestra Señora de la Rosa (Ermita de) TE 49 J 27
Nuestra Señora de la Sierra (Ermita de) CO 93 T 16
Nuestra Señora de la Soledad H 90 U 9
Nuestra Señora de las Nieves BU 8 C 19
Nuestra Señora de las Nieves CR 70 P 19
Nuestra Señora de las Viñas BU 18 F 19
Nuestra Señora de Lebeña S 7 C 16
Nuestra Señora de Linares CO 81 S 15
Nuestra Señora de los Ángeles H 79 S 9
Nuestra Señora de los Desamparados CU 47 K 21
Nuestra Señora de los Hilos (Ermita de) CC 55 M 9
Nuestra Señora de los Reyes (Ermita) *El Hierro* TF 108 B 3
Nuestra Señora de Melque TO 57 M 16
Nuestra Señora de Monlora (Santuario de) Z 21 F 27
Nuestra Señora de Oca BU 18 E 20
Nuestra Señora de Piedras Albas H 90 T 8
Nuestra Señora de Pineta HU 22 D 30
Nuestra Señora de Regla CA 91 V 10
Nuestra Señora de Setefilla SE 80 S 13
Nuestra Señora de Valvanera (Monasterio) LO 18 F 21
Nuestra Señora de Vico (Monasterio de) LO 19 F 23
Nuestra Señora de Zuqueca CR 70 P 18
Nuestra Señora del Campo (Ermita de) TE 48 J 26
Nuestra Señora del Campo (Ermita de) CC 55 N 9
Nuestra Señora del Castillo BU 17 E 18
Nuestra Señora del Castillo (Ermita de) SA 43 I 11
Nuestra Señora del Llano AB 72 O 23
Nuestra Señora del Oro VI 19 D 21
Nuestra Señora del Pasico (Ermita) MU 85 S 27
Nuestra Señora del Prado (Ermita de) H 79 S 10
Nuestra Señora del Puerto H 79 S 11
Nuestra Señora del Puerto (Ermita de) CC 56 L 11
Nuestra Señora del Pueyo Z 35 I 27
Nuestra Señora del Remedio (Ermita de) V 61 N 26
Nuestra Señora del Remedio (Santuario) V 61 M 27
Nuestra Señora del Tremedal (Ermita de) TE 48 K 25
Nuestra Señora del Yugo NA 20 F 25
Nuestra Señora dels Àngels (Ermita de) CS 50 K 30
Nueva O 6 B 15
Nueva (La) O 6 C 12
Nueva Andalucía MA 100 W 15
Nueva Carteya CO 93 T 16
Nueva Jarilla CA 91 V 11
Nueva Villa de las Torres VA 30 I 14
Nuévalos Z 48 I 24
Nuevo Baztán M 46 K 20
Nuevo Chinchón M 59 L 19
Nuevo Guadiaro CA 99 X 14
Nuevo Rocío SE 91 U 11
Nuevo Toboso M 46 K 18
Nuevos J 83 Q 21
Nuez ZA 29 G 10
Nuez de Abajo (La) BU 17 E 18
Nuez de Arriba (La) BU 17 E 18
Nuez de Ebro Z 35 H 27
Nules CS 62 M 29
Nullán LU 14 D 8
Nulles T 37 I 33
Numancia SO 33 G 22
Numancia de la Sagra TO 58 L 18
Nuño Gómez TO 57 L 16
Nuñomoral CC 43 K 11
Núria GI 24 E 36
Ñora (La) MU 85 S 26

## O

O Burgo C 3 C 4
Oba BI 9 C 21
Obando BA 68 O 13
Obanos NA 10 D 24
Obejo CO 81 R 15
Obispo (Torre del) J 82 R 19
Obispo Hernández V 61 M 26
Oblea SA 43 J 11
Obón TE 49 J 27
Obona O 5 B 10
Obra C 13 D 4
Obregón S 7 B 18
Oca BU 18 E 19
Oca (Montes de) BU 18 E 19
Ocaña TO 58 M 19
Ocaña AL 95 U 21
Oceja de Valdellorma LE 16 D 14
Ocejo de la Peña LE 16 D 14
Ocejón GU 46 I 20
Ocentejo GU 47 J 22
Ocero LE 14 D 10
Ochagavía NA 11 D 26
Ochando SG 45 I 16
Ochavillo del Río CO 80 S 14
Ochíchar GR 94 U 18
Ocio VI 19 E 21
Oco NA 19 E 23
Oco AV 44 K 15
Ocón LO 19 F 23
Odèn L 23 F 34
Odena B 37 H 34
Oderitz NA 10 D 24
Odiel (Embalse de) H 79 S 10
Odollo LE 15 E 10
Odón TE 48 J 25
Odres (Los) MU 84 R 23
Oencia LE 14 E 9
Ogassa GI 24 F 36
Ogern L 23 F 34
Ogíjares GR 94 U 19
Oguina VI 19 D 22
Ohanes AL 95 U 21
Oia PO 12 F 3
Oiartzun SS 10 C 24
Oibar / Aibar NA 20 E 25
Oieregi NA 11 C 25
Oimbra OR 28 G 7
Oins C 3 D 5
Oirán LU 4 B 7
Oirás LU 4 B 7
Ois C 3 C 5
Oitura Z 34 G 26
Oitz NA 11 C 24
Oix GI 24 F 37
Ojacastro LO 18 E 20
Ojebar S 8 C 19
Ojedo S 7 C 16
Ojén MA 100 W 15
Ojén (Puerto de) CA 99 X 13
Ojén (Puerto de) MA 100 W 15
Ojo Guareña BU 8 C 19
Ojós MU 85 R 25
Ojos-Albos AV 45 J 16
Ojos de Garza GC 117 G 3
Ojos Negros TE 48 J 25
Ojuel SO 33 G 23
Ojuelos CO 80 R 13
Ojuelos (Los) SE 92 U 14
Okondo BI 8 C 20
Ola HU 21 F 29
Olaberri NA 11 D 25
Olaberria SS 10 C 23
Olaeta VI 10 C 22
Olague NA 11 D 25
Oláiz NA 11 D 25
Olalla TE 48 J 26
Olas (Punta de las) C 2 C 4
Olatz SS 10 C 22
Olave NA 11 D 25
Olaz (Puerto) NA 20 E 25
Olazagutia / Olazti NA 19 D 23
Olazti / Olazagutia NA 19 D 23
Olba TE 62 L 28
Olcoz NA 20 E 24
Olea S 17 D 17
Olea de Boedo P 17 E 16
Oleiros LU 3 C 7
Oleiros *cerca de Ribeira* C 12 E 2
Oleiros *cerca de Sada* C 3 B 5
Olejua NA 19 E 23
Olelas OR 27 G 5
Olèrdola B 37 I 35
Olesa de Bonesvalls B 38 H 35
Olesa de Montserrat B 38 H 35
Oliana L 23 F 33
Oliana (Pantà d') L 23 F 34
Olías MA 100 V 17
Olías del Rey TO 58 M 18
Oliete TE 49 J 27
Oliola L 37 G 33
Olite NA 20 E 25
Olius L 23 F 34
Oliva V 74 P 29
Oliva (Ermita de la) CA 99 X 12
Oliva (La) *Fuerteventura* GC 111 H 2
Oliva (Monasterio de la) NA 20 E 25
Oliva de la Frontera BA 78 R 9
Oliva de Mérida BA 67 P 11
Oliva de Plasencia CC 56 L 11
Oliván HU 21 E 29
Olivar (Convento del) TE 49 J 28
Olivar (El) LO 19 E 23
Olivar (El) GU 47 K 21
Olivares SE 91 T 11
Olivares (Los) GR 94 T 18
Olivares de Duero VA 31 H 16
Olivares de Júcar CU 60 M 22
Oliveira PO 12 F 4
Olivella B 38 I 35
Olivenza BA 66 P 8
Olives PO 13 D 4
Olivillo (El) CA 91 V 11
Olivos NA 20 F 24
Olla (L') A 74 Q 29
Ollauri LO 19 E 21
Olleria (L') V 74 P 28
Olleros LE 16 D 14
Olleros (Ullíbarri de los) VI 19 D 22
Olleros de Alba LE 15 D 12
Olleros de Paredes Rubias P 17 D 17
Olleros de Pisuerga P 17 D 17
Olleros de Tera ZA 29 G 11
Olleta NA 20 E 25
Ollo NA 10 D 24
Olloniego O 5 C 12
Olmeda (La) SO 32 H 20
Olmeda (La) CU 61 M 26
Olmeda de Cobeta GU 47 J 23
Olmeda de Eliz CU 60 L 22
Olmeda de Jadraque (La) GU 47 I 21
Olmeda de la Cuesta CU 60 L 22
Olmeda de las Fuentes M 46 K 20

## OVIEDO

Adelantado de la Florida BY 2
Alcalde G. Conde BY 3
Alfonso II (Pl.) BZ 4
Antiguo Hospital del Principado AY
Argüelles ABY 5
Arzobispo Guisasola BZ 6
Cabo Noval AZ 7
Campo de los Patos (Pl.) BY 8
Canóniga BZ 9
Cimadevilla BZ 10
Constitución (Pl. de la) BZ 12
Covadonga AY 13
Daoiz y Velarde (Pl. de) BZ 14
División Azul AZ 15
Fruela ABZ 17
Ingeniero Marquina AY 18
Marqués de Gastañaga BZ 20
Marqués de Santa Cruz AZ 21
Martínez Marina ABZ 22
Martínez Vigil BY 23
Melquíades Álvarez AY 25
Monumentos (Av. de los) AY 27
Museo de Bellas Artes de Asturias BZ
Padre Vinjoy AZ 28
Palacio Valdés AY 29
Pelayo AYZ 30
Pérez de la Sala AZ 31
Porlier (Pl. de) BZ 32
Postigo Alto BZ 33
Riego (Pl.) BZ 34
San Antonio BZ 36
San Francisco ABZ 37
San José BZ 38
San Vicente BYZ 39
Tenderina (La) BY 42
Teniente Alfonso Martínez BY 44
Uría AY 45

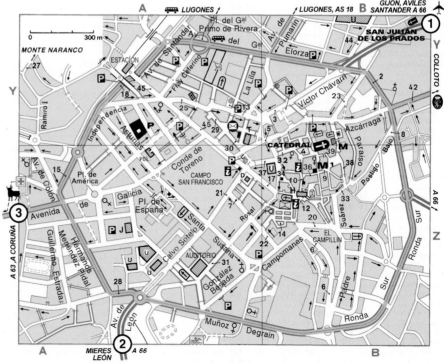

Olmeda del Extremo GU ... 47 J 21
Olmeda del Rey CU ... 60 M 23
Olmedilla de Alarcón CU ... 60 N 23
Olmedilla del Campo CU ... 59 L 21
Olmedillas GU ... 47 I 22
Olmedillas (Las) V ... 61 M 26
Olmedillo de Roa BU ... 31 G 18
Olmedo VA ... 31 I 15
Olmedo de Camaces SA ... 42 J 10
Olmillos SO ... 32 H 20
Olmillos de Castro ZA ... 29 G 12
Olmillos de Muñó BU ... 17 F 18
Olmillos de Sasamón BU ... 17 E 17
Olmillos de Valverde ZA ... 29 G 12
Olmo (El) SG ... 32 I 19
Olmo de la Guareña ZA ... 44 I 14
Olmos (Los) TE ... 49 J 28
Olmos de Esgueva VA ... 31 G 16
Olmos de la Picaza BU ... 17 E 18
Olmos de Ojeda P ... 17 D 16
Olmos de Peñafiel VA ... 31 H 17
Olmos de Pisuerga P ... 17 E 17
Olocau V ... 62 M 28
Olocau (Barranco de) V ... 62 N 28
Olocau del Rey CS ... 49 K 28
Olombrada SG ... 31 H 17
Olóriz NA ... 20 E 25
Olost B ... 38 G 36
Olot GI ... 24 F 37
Olp L ... 23 E 33
Olsón HU ... 22 F 30
Oluges (Les) L ... 37 G 33
Olula de Castro AL ... 95 U 22
Olula del Río AL ... 96 T 23
Olvan B ... 24 F 35
Olveda LU ... 13 D 6
Ólvega SO ... 33 G 24
Olveira C ... 12 E 2
Olveiroa C ... 2 D 2
Olvena HU ... 22 F 30
Olvera CA ... 92 V 14
Olvés Z ... 34 I 25
Olza NA ... 10 D 24
Olzinelles B ... 38 H 37
Omañas (Embalse de) LE ... 15 D 12
Omañas (Las) LE ... 15 D 12
Omañón LE ... 15 D 11
Ombreiro LU ... 3 C 7
Omellons (Els) L ... 37 H 32
Omells de Na Gaia (Els) L ... 37 H 33
Omeñaca SO ... 33 G 23
Onamio LE ... 15 E 10
Oncala SO ... 33 G 23
Oncala (Puerto de) SO ... 33 G 23
Oncebreros AB ... 73 P 25
Onceta (Isla de) PO ... 12 E 3
Onda CS ... 62 M 29
Ondara A ... 74 P 30
Ondarroa BI ... 10 C 22
Ondes O ... 5 C 11
Ongoz NA ... 11 D 26
Onil A ... 74 Q 27
Onón O ... 5 C 10
Ons PO ... 12 E 3
Ons (Isla de) PO ... 12 E 3
Onsares J ... 83 Q 22
Ontalafia (Laguna de) AB ... 72 P 24
Ontalafia (Sierra de) AB ... 72 P 24
Ontalvilla de Almazan SO ... 33 H 22
Ontaneda S ... 7 C 18
Ontano (El) TO ... 70 O 18
Ontígola TO ... 58 L 19
Ontinar del Salz Z ... 35 G 27
Ontinyent V ... 74 P 28
Ontiñena HU ... 36 G 30
Onton S ... 8 B 20
Ontur AB ... 73 Q 25
Onza SE ... 80 R 13
Onzonilla LE ... 16 E 13
Oña BU ... 18 D 19
Oña (Sierra de) BU ... 18 D 19
Oñati SS ... 10 C 22
Opacua VI ... 19 D 22
Opacua (Puerto de) VI ... 19 D 23
Oqueales GR ... 95 T 20
Oquillas BU ... 32 G 18
Orallo LE ... 15 D 10
Oraque H ... 90 T 9
Orba A ... 74 P 29
Orbada (La) SA ... 44 I 13
Orbaitzeta NA ... 11 D 26
Orbaneja del Castillo BU ... 18 D 18
Orbaneja-Riópico BU ... 18 E 19
Orbara NA ... 11 D 26
Órbigo CL ... 15 F 12
Orbiso VI ... 19 D 23
Orbita AV ... 45 I 16
Orcajo Z ... 48 I 25
Orcau L ... 23 F 32
Orce GR ... 83 S 22
Orcera J ... 83 R 22
Orchilla (Punta de) *El Hierro* TF ... 108 B 3
Ordal B ... 38 H 35
Ordaliego O ... 6 C 13
Ordejón de Arriba BU ... 17 E 17
Orden (Pozo de la) J ... 82 S 17
Ordes C ... 3 C 4
Ordes (Les) T ... 37 H 34
Ordesa (Valle de) HU ... 21 E 29
Ordesa y Monte Perdido (Parque nacional de) HU ... 22 D 29
Ordial (El) GU ... 46 I 20
Ordis GI ... 25 F 38
Ordizia SS ... 10 C 23
Ordoeste C ... 2 D 3
Ordunte (Embalse de) BU ... 8 C 20
Ordunte (Montes de) BU ... 8 C 19
Orduña BI ... 18 D 20
Orduña (Monte) GR ... 94 U 19
Orduña (Puerto de) BU ... 18 D 20
Orea GU ... 48 K 24
Oreja TO ... 58 L 19
Orejana SG ... 46 I 18
Orejanilla SG ... 45 I 18
Orellan LE ... 14 E 9
Orellana (Embalse de) BA ... 68 P 13
Orellana de la Sierra BA ... 68 O 13
Orellana la Vieja BA ... 68 O 13
Oreña S ... 7 B 17
Orera Z ... 34 I 25
Orés Z ... 20 F 27
Orexa SS ... 10 C 24
Orfes GI ... 25 F 38
Órganos (Los) *La Gomera* TF ... 118 B 1
Organos de Montoro TE ... 49 J 28
Organyà L ... 23 F 33
Orgaz TO ... 58 N 18
Orgiva GR ... 102 V 19
Oria AL ... 96 T 23
Oria (Rambla de) AL ... 96 T 22
Oria (Sierra de) AL ... 96 T 23
Oricáin NA ... 11 D 25
Orient PM ... 104 M 38
Orihuela A ... 85 R 27
Orihuela del Tremedal TE ... 48 K 25
Orillares SO ... 32 G 20
Orille OR ... 13 F 6
Orillena HU ... 35 G 29
Oriñón S ... 8 B 20
Orio SS ... 10 C 23
Oris B ... 24 F 36
Orisoain NA ... 20 E 25
Oristà B ... 38 G 36
Orito A ... 86 Q 27
Orjal C ... 3 D 5
Orlé O ... 6 C 14
Ormaiztegi SS ... 10 C 23
Ormijana VI ... 18 D 21
Orna de Gállego HU ... 21 E 28
Oro SS ... 4 C 9
Oro (El) V ... 73 O 27
Oro (Sierra del) BA ... 68 Q 13
Oroel HU ... 21 E 28
Oroel (Puerto de) HU ... 21 E 28
Orokieta-Erbiti NA ... 10 C 24
Orón BU ... 18 D 21
Oronoz-Mugairi NA ... 11 C 25
Oronz NA ... 11 D 26
Oropesa TO ... 57 M 14
Oropesa del Mar / Orpesa CS ... 62 L 30
Ororbia NA ... 10 D 24
Oros HU ... 21 E 29
Orosa LU ... 13 D 6
Oroso OR ... 13 E 5
Orotava (La) *Tenerife* TF ... 127 F 3
Oroz-Betelu NA ... 11 D 26
Orozketa BI ... 9 C 21
Orpesa / Oropesa del Mar CS ... 62 L 30
Orpí B ... 37 H 34
Orreaga / Roncesvalles NA ... 11 C 26
Orriols GI ... 25 F 38
Orrios TE ... 49 K 27
Òrrius B ... 38 H 37
Ortedó L ... 23 E 34
Ortegal (Cabo) C ... 3 A 6
Ortegas (Los) CO ... 80 S 14
Ortegicar MA ... 100 V 15
Ortiga BA ... 68 P 12
Ortigosa AB ... 71 P 21
Ortigosa LO ... 19 F 21
Ortigosa de Pestaño SG ... 45 I 16
Ortigosa de Rioalmar AV ... 44 J 14
Ortigosa del Monte SG ... 45 J 17
Ortigueira C ... 3 A 6
Ortiguera O ... 4 B 9
Ortilla HU ... 21 F 28
Ortuella BI ... 8 C 20
Orús HU ... 21 E 29
Orusco de Tajuña M ... 59 L 20
Orxa (L') A ... 74 P 29
Orxeta A ... 74 Q 29
Orzanzurieta NA ... 11 C 26
Orzola *Lanzarote* GC ... 121 F 2
Orzonaga LE ... 16 D 13
Os de Balaguer L ... 36 G 32
Os de Civis L ... 23 E 34
Osa de la Vega CU ... 59 N 21
Osácar NA ... 10 D 24
Oscuro GR ... 94 T 19
Oseja Z ... 34 H 24
Oseja de Sajambre LE ... 6 C 14
Oselle LU ... 14 D 8
Osera Z ... 35 H 28
Oset V ... 61 M 27
Osia HU ... 21 E 27
Osinaga NA ... 10 D 24
Osma VI ... 18 D 20
Oso (El) AV ... 44 J 15
Osona SO ... 33 H 21
Osonilla SO ... 33 H 21
Osor GI ... 24 G 37
Osormillo P ... 17 E 17
Osorno la Mayor P ... 17 E 16
Ossa de Montiel AB ... 71 P 21
Ossero (El) AB ... 71 P 21
Osso HU ... 36 G 30
Ossó de Sió L ... 37 G 33
Ostiz NA ... 11 D 25
Osuna SE ... 92 U 14
Otano NA ... 11 D 25
Otañes S ... 8 C 20
Otazu VI ... 19 D 22
Oteiza NA ... 19 E 24
Oteo BU ... 18 C 20
Oter GU ... 47 J 22
Oterico LE ... 15 D 12
Otero LE ... 15 E 11
Otero LU ... 4 C 7
Otero TO ... 57 L 16
Otero (El) VA ... 31 H 16
Otero de Bodas ZA ... 29 G 11
Otero de Guardo P ... 16 D 15
Otero de Herreros SG ... 45 J 17
Otero de las Dueñas LE ... 15 D 12
Otero de Naragantes LE ... 15 D 10
Otero de Sanabria ZA ... 29 F 10
Otero de Sariegos ZA ... 30 G 13
Oteros (Los) CU ... 60 L 24
Oteruelo del Valle M ... 45 J 18
Oteruelos SO ... 33 G 22
Otilla GU ... 48 J 24
Otiñano NA ... 19 E 23
Otita Leitzaran SS ... 10 C 24
Otívar GR ... 101 V 18
Oto HU ... 21 E 29
Oto Goien VI ... 19 D 21
Otones de Benjumez SG ... 45 I 17
Otos MU ... 84 R 23
Otos V ... 74 P 28
Otur O ... 5 B 10
Otura GR ... 94 U 19
Oturia HU ... 21 E 29
Otxandio BI ... 10 C 22
Otxaran BI ... 8 C 20
Otxondo (Puerto de) NA ... 11 C 25
Oubiña PO ... 12 E 3
Oulego OR ... 14 E 9
Oural LU ... 14 D 7
Ourense OR ... 13 E 6
Ouría O ... 4 B 8
Ouro LU ... 4 B 7
Ourol LU ... 3 B 7
Outara LU ... 14 E 7
Outeiro LU ... 14 E 8
Outeiro OR ... 13 E 6
Outeiro de Augas (Puerto de) OR ... 13 F 5
Outeiro de Rei LU ... 3 C 7
Outes C ... 12 D 3
Outomuro OR ... 13 F 5
Ouviaño LU ... 4 C 9
Ouzande PO ... 13 D 4
Ovanes O ... 5 B 11
Ove LU ... 4 B 8
Oviedo O ... 5 B 12
Oville LE ... 16 D 13
Oyón VI ... 19 E 22
Oza *cerca de Carballo* C ... 2 C 3
Oza *cerca de Teo* C ... 12 D 4
Oza dos Ríos C ... 3 C 5
Ozaeta VI ... 19 D 22
Ozón C ... 2 C 2
Ozuela LE ... 14 E 10

## PALENCIA

Antigua Florida (Av. de la) ... AY 2
Asturias (Av. de) ... AY 3
Barrio y Mier ... AY 4
Cardenal Almaraz ... AZ 5
Cervantes (Pl.) ... AY 8
La Cestilla ... AZ 23
Eduardo Dato ... AY 14
Gil de Fuentes ... AZ 17
Ignacio Martínez de Azcoitia ... BY 20
Jorge Manrrique ... AY 21
Juan de Castilla ... AY 22
Mayor ... AYZ
Mayor (Pl.) ... AY 24
Mayor (Puente) ... AZ 25
Menéndez Pelayo ... AY 26
Padre Faustino Calvo (Pas. del) ... AZ 28
Salvino Sierra ... AY 32
Santander (Av. de) ... ABY 38
Santo Domingo de Guzmán ... AY 40
San Francisco (Pl.) ... BZ 6
San Juan de Dios ... BZ 33
San Marcos ... AZ 34

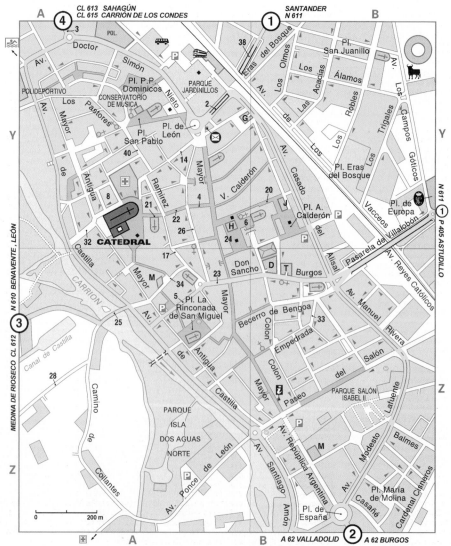

# P

Paca (La) MU 84 S 24
Pachecas (Las) CR 71 O 20
Pacios cerca de Baamonde LU 3 C 6
Pacios cerca de Castro de Rei LU 4 C 7
Pacios Paradella LU 14 D 7
Pacs del Penedès B 37 H 35
Padastro MA 93 V 14
Paderne C 3 C 5
Paderne de Allariz OR 13 F 6
Padiernos AV 44 K 15
Padilla de Abajo BU 17 E 17
Padilla de Arriba BU 17 E 17
Padilla de Duero VA 31 H 17
Padilla de Hita GU 46 J 21
Padilla del Ducado GU 47 J 22
Padornelo ZA 28 F 9
Padrastro AB 72 Q 23
Padre Caro H 79 S 10
Padrenda OR 13 F 5
Padrón C 12 D 4
Padrón (O) LU 4 C 8
Padrona (Puerto) SE 79 S 11
Padrones de Bureba BU 18 D 19
Padróns PO 12 F 4
Padul GR 94 U 19
Padules AL 102 V 21
Pagán (Lo) MU 85 S 27
Paganes (Los) MU 85 S 26
Páganos VI 19 E 22
Pago del Humo CA 98 W 11
Pagoaga SS 10 C 24
Pagoeta SS 10 C 23
Paja (La) GR 83 S 21
Pajanosas (Las) SE 91 T 11
Pajar de Marta AB 71 P 22
Pájara Fuerteventura GC 113 F 3
Pajarejos SG 32 H 19
Pajares VA 30 F 14
Pajares O 5 C 12
Pajares CU 60 L 23
Pajares GU 47 J 21
Pajares (Los) SE 80 T 12
Pajares (Puerto de) LE 5 D 12
Pajares de Adaja AV 45 J 16
Pajares de Fresno SG 32 H 19
Pajares de Hinojosos de Abajo TO 57 M 14
Pajares de la Laguna SA 44 I 13
Pajares de la Lampreana ZA 29 G 12
Pajares de los Oteros LE 16 F 13
Pajarete CA 99 W 12
Pajarón CU 60 M 24
Pajaroncillo CU 60 M 24
Pajonales (Morro) Gran Canaria GC 116 D 3
Pal (Collado de) B 24 F 35
Palacio de Jamuz LE 15 F 11
Palacio de las Cabezas CC 56 M 12
Palacio de Torío LE 16 D 13
Palacio de Valdellorma LE 16 D 14
Palacio Quemado BA 67 P 11
Palacios (Los) CR 71 P 20
Palacios de Benaver BU 17 E 18
Palacios de Campos VA 30 G 15
Palacios de Goda AV 44 I 15
Palacios de la Sierra BU 32 G 20
Palacios de la Valduerna LE 15 E 12
Palacios de Riopisuerga BU 17 E 17
Palacios de Salvatierra SA 43 K 12
Palacios de Sanabria ZA 29 F 10
Palacios del Alcor P 17 F 16
Palacios del Arzobispo SA 43 I 12
Palacios del Pan ZA 29 H 12
Palacios del Sil LE 15 D 10
Palacios Rubios AV 44 I 15
Palacios y Villafranca (Los) SE 91 U 12
Palaciosrubios SA 44 I 14
Palafolls B 39 G 38
Palafrugell GI 25 G 39
Palamós GI 25 G 39
Palancar CC 55 M 10
Palancares GU 46 I 20
Palancares (Estación de) CU 60 M 24
Palancas CR 71 O 19
Palanques CS 49 J 29
Palas (Las) MU 85 T 26
Palas de Rei LU 13 D 6
Palau d'Anglesola (El) L 37 H 32
Palau de Noguera L 23 F 32
Palau-sator GI 25 F 39
Palau-saverdera GI 25 F 39
Palau-solità i Plegamans B 38 H 36
Palazuelo BA 68 O 12
Palazuelo cerca de Boñar LE 16 D 14
Palazuelo de las Cuevas ZA 29 G 11
Palazuelo de Torío cerca de León LE 16 D 13
Palazuelo de Vedija VA 30 G 14
Palazuelo-Empalme (Estación de) CC 56 M 11
Palazuelos GU 47 I 21
Palazuelos de Eresma SG 45 J 17
Palazuelos de la Sierra BU 18 F 19
Palazuelos de Muñó BU 17 F 18
Palazuelos de Villadiego BU 17 E 17
Paleira LU 3 B 6
Palencia P 31 F 16
Palencia de Negrilla SA 44 I 13
Palenciana CO 93 U 16
Palenzuela P 31 F 17
Pallaresos (Els) T 37 I 33
Pallargues (Les) L 37 G 33
Pallars-Aran (Reserva nacional de Alto) L 23 D 32
Pallaruelo de Monegros HU 35 G 29
Pallejà B 38 H 35
Paller B 24 F 35
Pallerol HU 22 E 32
Pallerols L 23 E 33
Palm-Mar Tenerife TF 128 D 5
Palma PM 104 N 37
Palma (La) MU 85 S 27
Palma de Gandia V 74 P 29
Palma d'Ebre (La) T 36 I 31
Palma del Condado (La) H 91 T 10
Palma del Río CO 80 S 14
Pálmaces (Embalse de) GU 46 I 21
Pálmaces de Jadraque GU 46 I 21
Palmanova PM 104 N 37
Palmanyola PM 104 N 37
Palmar (El) MU 85 S 26
Palmar (El) V 74 O 29
Palmar (El) CA 98 X 11
Palmar de Troya (El) SE 92 U 12
Palmas de Gran Canaria (Las) Gran Canaria GC 115 G 2
Palmeira C 12 E 3
Palmer (es) PM 105 N 39
Palmeral (El) A 86 R 27
Palmeras (Las) Mallorca PM 104 N 38
Palmeres (Les) V 74 O 29
Palmeritas (Las) H 90 U 8
Palmerola GI 24 F 36
Palmés OR 13 E 6
Palmes (Desert de les) CS 62 L 29
Palmitos Park Gran Canaria GC 116 D 4
Palmones CA 99 X 13
Palo HU 22 F 30
Palo (El) MA 100 V 16
Palo (Puerto del) O 4 C 9
Palo (Punta del) Gran Canaria GC 115 G 2
Palojo CO 93 T 16
Palol de Revardit GI 25 F 38
Paloma (Lagunas de) TO 59 N 20
Paloma (Punta) CA 99 X 12
Palomar CO 93 T 15
Palomar (El) V 74 P 28
Palomar (El) AB 71 Q 22
Palomar (El) SE 92 T 13
Palomar de Arroyos TE 49 J 27
Palomares AL 96 U 24
Palomares de Alba SA 44 J 13
Palomares del Campo CU 59 M 22
Palomares del Río SE 91 U 11
Palomas BA 67 P 11
Palomas (Las) Tenerife TF 129 F 5
Palomas (Puerto de las) CA 92 V 13
Palombera (Puerto de) S 7 C 17
Palomeque TO 58 L 18
Palomera CU 60 L 23
Palomera (Monte) V 73 O 26
Palomera (Sierra) TE 48 K 26
Palomero CC 55 L 11
Palomes (Puerto de Las) J 94 T 18
Palomitas (Casas de) TE 49 K 28
Palos de la Frontera H 90 U 9
Palou de Sanaüja L 37 G 33
Palou de Torà L 37 G 34
Pals GI 25 G 39
Pámanes S 8 B 18
Pampaneira GR 102 V 19
Pampanico AL 102 V 21
Pampliega BU 17 F 18
Pamplona NA 11 D 25
Panadella (La) B 37 H 34
Pánchez (Los) CO 80 R 14
Pancorbo BU 18 E 20
Pancrudo TE 49 J 26
Pandenes O 6 B 13
Panderruedas (Puerto de) LE 6 C 15
Pandetrave (Puerto de) LE 6 C 15
Pando BI 8 C 20
Pando (Puerto del) LE 16 D 14
Pandorado LE 15 D 12
Pandos (Casa de los) AB 73 P 26
Panera CC 56 L 12
Panes O 7 C 16
Panillo HU 22 F 30
Paniza Z 34 I 26
Paniza (Puerto de) Z 34 I 26
Panizares BU 18 D 19
Pano HU 22 F 30
Pansas MU 85 Q 26
Pantano de Navabuena CC 56 M 12
Panticosa HU 21 D 29
Pantoja TO 58 L 18
Pantón LU 13 E 7
Panxón PO 12 F 3
Panzano HU 21 F 29
Paones SO 32 H 21
Papagayo (Punta del) Lanzarote GC 122 B 5
Papatrigo AV 44 J 15
Papiol (El) B 38 H 36
Paracuellos CU 60 M 24
Paracuellos de Jarama M 46 K 19
Paracuellos de Jiloca Z 34 I 25
Paracuellos de la Ribera Z 34 H 25
Parada C 3 C 4
Parada (Monte) CU 60 M 24
Parada de Arriba SA 43 J 12
Parada de Rubiales SA 44 I 13
Parada do Sil OR 13 E 7
Parada dos Montes LU 14 E 8
Paradas SE 92 U 13
Paradaseca LE 14 D 9
Paradaseca OR 14 F 7
Paradasolana LE 15 E 10
Paradavella LU 4 C 8
Paradela C 3 D 6
Paradela PO 13 D 4
Paradela LU 13 D 7
Paradilla LE 16 E 13
Paradilla (La) M 45 K 17
Paradilla de Gordón LE 15 D 12
Paradinas SG 45 I 16
Paradinas de San Juan SA 44 J 14
Parador (El) AL 102 V 22
Paraisás OR 14 F 8
Paraíso (Balneario del) TE 61 L 27
Paraíso (El) M 45 K 17
Paraíso Alto TE 61 L 27
Paraíso Bajo TE 61 L 27
Paraiso-Barronal MA 100 W 14
Parajas O 5 C 10
Parajes LU 4 C 8
Paralacuesta BU 18 D 19
Paramera (Puerto de la) AV 45 K 16
Paramíos O 4 B 8
Páramo LU 14 D 7
Páramo O 5 C 11
Paramo de Boedo P 17 E 16
Parámo de Masa (Puerto de) BU 18 E 18
Páramo del Sil LE 15 D 10
Paramos C 2 D 3
Paraño (Alto de) OR 13 E 5
Paraños PO 13 F 4
Parapanda GR 94 U 18
Parauta MA 100 W 14
Paraya (La) O 6 C 13
Parbayón S 7 B 18
Parcelas (Las) CR 81 Q 16
Parcent A 74 P 29
Parchel (Punta del) Gran Canaria GC 116 C 4
Parchite (Estación de) MA 92 V 14
Parda (Cabeza) J 82 R 18
Pardal (El) AB 84 Q 23
Pardavé LE 16 D 13
Pardellas LU 3 C 6
Pardemarín PO 13 D 4
Pardesivil LE 16 D 13
Pardilla BU 32 H 18
Pardines GI 24 F 36
Pardo (El) M 45 K 18
Pardo (Embalse de El) M 45 K 18
Pardornelo (Portilla de) ZA 28 F 9
Pardos GU 48 J 24
Pardos (Rambla de los) AL 96 T 23
Pared AL 95 U 22
Pared (La) AB 73 O 26
Pared (La) Fuerteventura GC 112 E 4
Paredes O 5 B 10
Paredes OR 14 F 7
Paredes PO 12 E 4
Paredes CU 59 L 21
Paredes de Buitrago M 46 I 19
Paredes de Escalona TO 57 L 16
Paredes de Monte P 31 G 16
Paredes de Nava P 17 F 15
Paredes de Sigüenza GU 33 I 21
Paredesroyas SO 33 H 23
Paredón BA 69 O 14
Pareja GU 47 K 22
Parellades (Les) T 50 J 31
Parets B 38 H 36
Parga LU 3 C 6
Parilla (La) MA 93 U 16
Parla M 58 L 18
Parladé SE 79 S 11
Parlavà GI 25 F 39
Parlero O 4 B 9
Parolis las Juntas AB 84 R 22
Parque Calablanca A 75 P 30
Parque Coimbra M 58 L 18
Parque del Cubillas GR 94 U 18
Parque Robledo SG 45 J 17
Parquelagos M 45 K 18
Parra TO 70 N 19
Parra (La) AV 57 L 14
Parra (La) AL 102 V 20
Parra (La) BA 67 Q 10
Parra de las Vegas (La) CU 60 M 23
Parral (El) AV 44 J 15
Parralejo (El) cerca de Casicas del Río Segura J 83 R 22
Parralejo Nuevo CA 99 W 12
Parralillo (Embalse de El) GC 114 C 3
Parras de Castellote (Las) TE 49 J 29
Parras de Martín (Las) TE 49 J 27
Parres O 6 B 15
Parres Arriondas O 6 B 14
Parrilla (La) VA 31 H 16
Parrilla (La) SE 79 S 12
Parrillas TO 57 L 14
Parrillas (Las) CU 60 L 24
Parroquia (La) MU 84 S 24
Parroquia d'Hortó (La) L 23 F 34
Parsa SE 92 T 13
Partaloa AL 96 T 23
Parte de Bureba (La) BU 18 D 19
Parte de Sotoscueva (La) BU 8 C 18
Partidor (El) MU 85 R 26
Partidores (Los) AB 72 P 23
Partija-Santa Mónica (La) M 46 K 19
Partovia OR 13 E 5
Parzán HU 22 E 30
Pas (El) T 50 K 31
Pasai Donibane SS 10 C 24
Pasai San Pedro / Pasajes de San Pedro SS 10 C 24
Pasajes de San Pedro / Pasai San Pedro SS 10 C 24
Pasarela C 2 C 2
Pasariegos ZA 29 H 11
Pasarón de la Vera CC 56 L 12
Pascualcobo AV 44 K 14
Pascuales SG 45 I 16
Pascuales (Los) J 83 Q 21
Paso Tenerife TF 125 J 1
Paso (El) La Palma TF 132 C 5
Paso Chico (Punta de) Fuerteventura GC 111 G 2
Passanant T 37 H 33
Pasteral (El) GI 24 G 37
Pasteral (Pantà del) GI 24 G 37
Pastillos (Sierra de los) BA 68 O 14
Pastor C 3 C 5
Pastor (Monumento al) BU 18 E 20
Pastores SA 42 K 10
Pastores (Los) TE 62 L 28
Pastores (Los) CA 99 X 13
Pastoriza C 3 A 6
Pastoriza LU 4 C 7
Pastrana GU 46 K 21
Pastrana MU 97 T 25
Pastriz Z 35 H 27
Pata de Mulo CO 93 T 15
Pata del Caballo (Coto nacional de la) H 91 T 10
Paterna V 62 N 28
Paterna de Rivera CA 99 W 12
Paterna del Campo H 91 T 10
Paterna del Madera AB 72 Q 22
Paterna del Río AL 95 U 21
Paternáin NA 10 D 24
Patones de Abajo M 46 J 19
Patrás H 79 S 9
Patrite CA 99 W 12
Patrocinio (El) J 82 Q 18
Patudas (Las) CO 80 Q 14
Pau GI 25 F 39
Paul (El) TE 61 L 27
Paúl (La) HU 35 G 27
Paular (El) M 45 J 18
Paulenca AL 103 V 22
Paúles HU 22 F 30
Paules Z 21 F 27
Paúles AB 84 R 22
Paúles de Lara BU 18 F 19
Paules del Agua BU 31 F 18
Paúls T 50 J 31
Pava MU 73 Q 26
Pavías CS 62 M 28
Paxareiras C 2 D 2
Paymogo H 78 S 7
Payo (El) SA 42 L 9
Payo de Ojeda P 17 D 16
Payosaco C 3 C 4
Payueta VI 19 E 21
Paz (La) CO 81 T 15
Pazo LU 3 B 6
Pazo de Mariñan C 3 C 5
Pazo de Oca PO 13 D 4
Pazos cerca de Cortegada OR 13 F 7
Pazos cerca de Lamas C 2 C 3
Pazos cerca de Leiro OR 13 E 5
Pazos cerca de Ponte-Ceso C 2 C 3
Pazos de Borbén PO 12 F 4
Pazuengos LO 18 F 21
Peal de Becerro J 83 S 20
Peares (Embalse de los) LU 13 E 6
Peares (Os) OR 13 E 6
Pecá CU 60 L 23
Pechina AL 103 V 22
Pechiquera (Punta) Lanzarote GC 122 A 5
Pechón S 7 B 16
Pedernoso (El) CU 59 N 21
Pedra C 3 A 6
Pedra (La) L 23 F 34
Pedrafita Camporredondo LU 4 D 8
Pedrafita do Cebreiro LU 14 D 8
Pedrafita do Cebreiro (Puerto de) LU 14 D 8
Pedraja SO 32 H 20
Pedraja de Portillo (La) VA 31 H 16
Pedrajas SO 33 G 22
Pedrajas de San Esteban VA 31 H 16
Pedralba V 62 N 27
Pedralba de la Pradería ZA 28 F 9
Pedraza LU 13 D 6
Pedraza de Alba SA 44 J 13
Pedraza de Campos P 30 G 15
Pedraza de la Sierra SG 45 I 18
Pedre PO 13 E 4
Pedredo LE 15 E 11
Pedregal (El) GU 48 J 25
Pedreguer A 74 P 30
Pedreira C 13 D 5
Pedreira PO 13 E 4
Pedreiro LU 3 B 6
Pedreña S 8 B 18
Pedrera TO 58 N 18
Pedrera SE 93 U 15
Pedrera (Embassament de la) A 85 R 27
Pedret GI 25 F 39
Pedrezuela M 46 J 19
Pedrezuela (Embalse de) M 46 J 19
Pedro SO 32 I 20
Pedro Abad CO 81 S 16
Pedro Andrés AB 84 R 22
Pedro Barba Lanzarote GC 121 F 2
Pedro Bernardo AV 57 L 15
Pedro Díaz CO 80 S 14
Pedro Gómez (Sierra de) CC 56 N 12
Pedro Izquierdo CU 61 M 25
Pedro Malo CR 71 O 20
Pedro Marín (Embalse de) J 82 S 19
Pedro Martínez GR 95 T 20
Pedro Muñoz CR 71 N 21
Pedro Pidal O 6 C 15
Pedro Rodríguez AV 44 J 15
Pedroche CO 81 Q 15
Pedrola Z 34 G 26
Pedrones (Los) V 73 N 26
Pedroñeras (Las) CU 59 N 21
Pedrosa (La) CA 99 V 12
Pedrosa de Duero BU 31 G 18
Pedrosa de la Vega P 16 E 15
Pedrosa de Muñó BU 17 F 18
Pedrosa de Río Urbel BU 17 E 18
Pedrosa de Tobalina BU 18 D 19
Pedrosa del Páramo BU 17 E 18
Pedrosa del Príncipe BU 17 F 17
Pedrosa del Rey VA 30 H 14
Pedrosas (Las) Z 21 F 27
Pedrosillo (El) SE 79 T 10
Pedrosillo de Alba SA 44 J 13
Pedrosillo de los Aires SA 43 J 12
Pedrosillo el Ralo SA 44 I 13
Pedroso LO 19 F 21
Pedroso O 6 B 15
Pedroso C 3 B 5
Pedroso (El) O 6 B 13
Pedroso (El) CA 99 W 12
Pedroso (El) SE 80 S 12
Pedroso (Sierra del) MA 93 U 16
Pedroso de Acim CC 55 M 10
Pedroso de la Armuña (El) SA 44 I 13
Pedroso de la Carballeda ZA 29 G 10
Pedrotoro SA 43 K 10
Pedrouzo (O) C 3 D 4
Pedrouzos C 12 D 3
Pedroveya O 5 C 12
Pedrún de Torío LE 16 D 13
Pegalajar J 82 S 19
Pego A 74 P 29
Pego (El) ZA 30 I 13
Peguera PM 104 N 37
Peguerillas H 90 T 9
Peguerinos AV 45 K 17
Peinao (El) TE 48 K 25

**A**

Pela (Sierra de) *GU* .............. 32 I 20
Pela (Sierra de) *BA* .............. 68 O 13
Pelabravo *SA* .............. 44 J 13
Pelada (Sierra) *CR* .............. 70 P 19
Pelada (Sierra) *H* .............. 78 S 9
Pelado *AL* .............. 96 T 22
Pelahustán *TO* .............. 57 L 16
Pelarda
  (Santuario de) *TE* .............. 48 J 26
Pelarrodríguez *SA* .............. 43 J 11
Pelayo *CO* .............. 81 R 14
Pelayos *SA* .............. 44 K 13
Pelayos de la Presa *M* .............. 45 K 17
Pelayos del Arroyo *SG* .............. 45 I 18
Peleagonzalo *ZA* .............. 30 H 13
Peleas de Abajo *ZA* .............. 29 H 12
Peleas de Arriba *ZA* .............. 29 I 12
Pelegrina *GU* .............. 47 I 22
Pelejaneta (La) *CS* .............. 62 L 29
Peligro (Punta del)
  *La Gomera TF* .............. 118 B 1
Peligros *GR* .............. 94 U 19
Pelilla *SA* .............. 29 I 11
Peloche *BA* .............. 69 O 14
Pelugano *O* .............. 6 C 13
Pembes *S* .............. 6 C 15
Pena *LU* .............. 3 C 6
Pena (A) *C* .............. 2 D 3
Pena (A) *OR* .............. 13 F 6
Penacaballera *SA* .............. 43 K 12
Penagos *S* .............. 7 B 18
Penàguila *A* .............. 74 P 28
Penamil *LU* .............. 14 D 8

Penarrubia *LU* .............. 4 D 8
Penas *LU* .............. 13 D 6
Pendilla *LE* .............. 5 C 12
Pendones *O* .............. 6 C 14
Pendueles *O* .............. 7 B 16
Penedo (Punta de)
  *Lanzarote GC* .............. 123 D 3
Penela *LU* .............. 14 E 7
Penelles *L* .............. 37 G 32
Penilla *S* .............. 7 C 18
Penilla (La) *S* .............. 7 C 18
Peníscola /
  Peñíscola *CS* .............. 50 K 31
Peníscola
  (Estació de) *CS* .............. 50 K 31
Penoselo *LE* .............. 14 D 9
Penouta *O* .............. 4 B 9
Pentedura *BU* .............. 32 F 19
Pentes *OR* .............. 28 F 8
Penyagolosa *CS* .............. 62 L 28
Penyal d'Ifac *A* .............. 74 Q 30
Penzol *O* .............. 4 B 9
Peña (La) *SA* .............. 29 I 10
Peña (Mirador de la)
  *El Hierro TF* .............. 109 D 2
Peña (Montes La) *BU* .............. 8 C 19
Peña (Sierra de la) *HU* .............. 21 E 27
Peña de Cabra *SA* .............. 43 J 12
Peña de Francia *SA* .............. 43 K 11
Peña del Águila *CA* .............. 98 V 10
Peña Migjorn *A* .............. 74 Q 28
Peña Mira *ZA* .............. 29 G 10
Peña Negra *LE* .............. 15 F 10

Peña Negra *SO* .............. 33 F 21
Peña Negra *O* .............. 5 C 11
Peña Negra
  (Puerto de la) *AV* .............. 44 K 14
Peña Sacra *M* .............. 45 J 18
Peña Santa *LE* .............. 6 C 15
Peña-Tú *O* .............. 7 B 15
Peña Utrera *BA* .............. 67 Q 9
Peñablanca *TE* .............. 48 K 24
Peñacerrada *VI* .............. 19 E 21
Peñadiz *OR* .............. 13 F 7
Peñafiel *VA* .............. 31 H 17
Peñaflor *Z* .............. 35 G 27
Peñaflor *O* .............. 5 B 11
Peñaflor *SE* .............. 80 S 13
Peñaflor de Hornija *VA* .............. 30 G 15
Peñafuente *O* .............. 4 C 9
Peñagua *SE* .............. 92 U 13
Peñalagos *GU* .............. 47 K 21
Peñalajos *CR* .............. 70 Q 19
Peñalba *HU* .............. 36 H 29
Peñalba *SO* .............. 32 H 20
Peñalba *Castelló CS* .............. 62 M 28
Peñalba de Ávila *AV* .............. 44 J 15
Peñalba de Castro *BU* .............. 32 G 19
Peñalba de Cilleros *LE* .............. 15 D 11
Peñalba de la Sierra *GU* .............. 46 I 19
Peñalba de Santiago *LE* .............. 15 E 10
Peñalén *GU* .............. 47 K 23
Peñalosa *CO* .............. 80 S 14
Peñaloscintos *LO* .............. 19 F 21
Peñalsordo *BA* .............. 69 P 14

Peñalver *GU* .............. 46 K 21
Peñaparda *SA* .............. 42 L 9
Peñaranda
  de Bracamonte *SA* .............. 44 J 14
Peñaranda
  de Duero *BU* .............. 32 G 19
Peñarandilla *SA* .............. 44 J 13
Peñarrodrigo *CR* .............. 81 Q 16
Peñarroya *TE* .............. 49 K 28
Peñarroya
  (Embalse de) *CR* .............. 71 O 21
Peñarroya
  (Ermita de) *CR* .............. 71 O 20
Peñarroya
  de Tastavíns *TE* .............. 50 J 30
Peñarroya-
  Pueblonuevo *CO* .............. 80 R 14
Peñarroyas *TE* .............. 49 J 27
Peñarrubia *S* .............. 7 C 16
Peñarrubia *cerca*
  *de Elche AB* .............. 84 Q 23
Peñarrubia *cerca*
  *de Peñascosa AB* .............. 72 P 23
Peñarrubia (Monte) *AB* .............. 73 O 25
Peñarrubias
  *de Pirón SG* .............. 45 I 17
Peñas *cerca de Calaf B* .............. 37 G 34
Peñas (Cabo de) *O* .............. 5 B 12
Peñas Blancas
  (Puerto de) *MA* .............. 99 W 14
Peñas
  de Riglos (Las) *HU* .............. 21 E 27
Peñas
  de San Pedro *AB* .............. 72 P 23

Peñas Negrillas
  (Coto nacional de) *CR* .............. 82 Q 19
Peñascales (Los) *M* .............. 45 K 18
Peñascosa *AB* .............. 72 P 22
Peñaullán *O* .............. 5 B 11
Peñausende *ZA* .............. 29 I 12
Peñazcola *CS* .............. 93 T 17
Peñíscola /
  Peníscola *CS* .............. 50 K 31
Peñita *CO* .............. 80 R 13
Peñolite *J* .............. 83 R 21
Peñón (Alto del) *ZA* .............. 15 F 10
Peñón (El) *AB* .............. 84 R 23
Peñón (El) *GR* .............. 97 T 20
Peñoso *MU* .............. 84 S 24
Peñuela *GR* .............. 94 T 18
Peñuela (La) *H* .............. 71 T 9
Peñuelas *GR* .............. 94 U 18
Peón *O* .............. 6 B 13
Pepino *TO* .............. 57 L 15
Pepino (El) *GU* .............. 46 K 20
Peque *ZA* .............. 15 F 11
Pera (Sierra de) *GR* .............. 94 U 18
Pera
  (Puerto de la) *CR* .............. 70 O 17
Peral (Barranco del) *AL* .............. 96 U 23
Peral (El) *CU* .............. 60 N 24
Peral (La) *O* .............. 5 B 12
Peral de Arlanza *BU* .............. 31 F 17

Peralada *GI* .............. 25 F 39
Peralba *L* .............. 37 G 32
Peraleda de la Mata *CC* .............. 56 M 13
Peraleda
  de San Román *CC* .............. 56 M 13
Peraleda
  del Zaucejo *BA* .............. 80 Q 13
Peraleja (La) *CU* .............. 59 L 22
Peralejo *M* .............. 45 K 17
Peralejo *SO* .............. 32 I 20
Peralejos (El) *SE* .............. 79 S 10
Peralejos *V* .............. 49 K 26
Peralejos de Abajo *SA* .............. 43 I 10
Peralejos de Arriba *SA* .............. 43 I 10
Peralejos
  de las Truchas *GU* .............. 48 K 24
Perales *P* .............. 17 F 16
Perales (Los) *CC* .............. 55 N 9
Perales (Puerto de) *CC* .............. 55 L 9
Perales de Tajuña *M* .............. 59 L 19
Perales del Alfambra *TE* .............. 49 K 26
Perales del Puerto *CC* .............. 55 L 9
Perales del Río *M* .............. 58 L 19
Peralosa
  (Puerto de la) *CR* .............. 70 O 17
Peralosas (Las) *CR* .............. 70 O 17
Peralta *NA* .............. 20 E 24
Peralta de Alcofea *HU* .............. 35 G 29
Peralta de la Sal *HU* .............. 36 G 31
Peraltilla *HU* .............. 22 F 29
Peralveche *GU* .............. 47 K 22
Peralvillo Alto *CR* .............. 70 O 18
Peramato *SA* .............. 43 J 11

## PALMA DE MALLORCA

Almoina (Pl.) .......... GZ 6
Antoni Maura (Av.) .......... GZ 12
Antoni Planas i Franch. .......... HZ 13
Apuntadors .......... FZ 15
Arnau Rossiñol. .......... EY 18
Balanguera .......... FX 24
Ballester (Travessia) .......... HY 25

Baro de Pinopar .......... GX 27
Bayarte .......... EY 28
Bisbe Berenguer de Palou (Pl.) GX 31
Bisbe Campins .......... GX 33
Born (Pas. des) .......... FY
Bosseria .......... HY 34
Cadena. .......... GZ 36
Calatrava .......... HZ 37
Can Pueyo .......... GY 40
Can Savellà .......... HZ 42
Can Serra .......... HZ 43

Catalunya .......... FY 46
Cerdanya .......... FX 48
Conquistador .......... GZ 50
Constitució .......... GZ 51
Convent dels Caputxins .......... HX 52
Convent de Santa Magdalena . GY 55
Convent de Sant Francesc .......... HZ 54
Corderia .......... HY 57
Drassana (Pl.) .......... FZ 58
Ducs de Palma de Mallorca
  (Rambla dels) .......... GXY 60

Enric Alzamora .......... HX 63
Escola Graduada .......... HY 64
Forn de la Gloria .......... FZ 69
General Ricardo Ortega .......... HY 81
Jaume II. .......... GY 85
Jaume III (Av.). .......... FY
Joan March (Av.) .......... HX 91
Josep Maria Quadrado (Pl.) .. HY 94
Josep Tous i Ferrer .......... HY 95
Llibertat .......... EX 97
Monsenyor Palmer .......... EZ 106

Monti-Sion .......... HZ 108
Palau Reial .......... GZ 109
Pasqual Ribot .......... FX 110
Porta de Santa Catalina (Pl.) . FX 112
Portella .......... GZ 114
Rafael Rodriguez Méndez .......... FX 117
Ramón Llull .......... HZ 118
Reina (Pl.) .......... GZ 120
Rei Joan Carles I (Pl.) .......... GY 119
Riera .......... GY 121
Rodriguez de Arias .......... FX 123

Rubén Dario .......... FX 126
Ruiz de Alda .......... FX 127
Santa Clara .......... HZ 135
Sant Bartomeu .......... GY 130
Sant Francesc (Pl.) .......... HZ 132
Sant Pere Nolasc. .......... GZ 133
Sastre Roig .......... GY 136
Temple. .......... HZ 141
Teodor Llorente .......... FY 142
Tous i Maroto .......... GY 144
Weyler (Pl.) .......... GY 148

Ayuntamiento . . . . . . . . . . . . . . GZ **H**   Casa Berga . . . . . . . . . . . . . . GY **J**   Museo del Mallorca . . . . . . . . . . . GZ **M¹**   Museo Diocesano . . . . . . . . . . . GZ **M²**   Palau Solleric . . . . . . . . . . . GY **Z**

| | | | |
|---|---|---|---|
| Peramea *L* | 23 | F 33 |
| Peramola *L* | 23 | F 33 |
| Peranzanes *LE* | 15 | D 10 |
| Perarrúa *HU* | 22 | F 31 |
| Peratallada *GI* | 25 | G 39 |
| Perazancas *P* | 17 | D 16 |
| Perbes *C* | 3 | B 5 |
| Perdices *SO* | 33 | H 22 |
| Perdido (Monte) *HU* | 22 | D 30 |
| Perdigón *BA* | 78 | R 8 |
| Perdigón (El) *ZA* | 29 | H 12 |
| Perdiguera *Z* | 35 | G 28 |
| Perdiguero *HU* | 22 | D 31 |
| Perdoma (La) | | |
| Tenerife *TF* | 127 | F 3 |
| Perdón *NA* | 11 | D 24 |
| Perdón (Puerto del) *NA* | 10 | D 24 |
| Perea *GR* | 83 | T 22 |
| Pereda (La) *O* | 6 | B 15 |
| Pereda de Ancares *LE* | 14 | D 9 |
| Peredilla *LE* | 16 | D 13 |
| Peregrina (La) *LE* | 16 | E 14 |
| Pereira *C* | 3 | C 4 |
| Pereira *LU* | 13 | E 6 |
| Pereiriña *C* | 2 | C 2 |
| Pereiro *OR* | 28 | F 8 |
| Pereiro de Aguiar *OR* | 13 | E 6 |
| Pereje *LE* | 14 | E 9 |
| Perelló (El) *T* | 50 | J 32 |
| Perelló (El) *V* | 74 | O 29 |
| Perellonet (El) *V* | 74 | O 29 |
| Perenos (Los) *SE* | 93 | U 15 |
| Pereña *SA* | 29 | I 10 |
| Perera (La) *SO* | 32 | H 20 |
| Perero *H* | 78 | S 8 |
| Pereruela *ZA* | 29 | H 12 |
| Perex *BU* | 18 | D 20 |
| Pérez (Los) *SE* | 93 | U 13 |
| Periana *MA* | 101 | V 17 |
| Pericay (Sierra del) *MU* | 84 | S 24 |
| Pericón (El) *MU* | 85 | T 25 |
| Perilla de Castro *ZA* | 29 | G 12 |
| Perín *MU* | 85 | T 26 |
| Perla-Torremuelle (La) *MA* | 100 | W 16 |
| Pernía *SE* | 93 | T 15 |
| Pernia (La) *P* | 17 | D 16 |
| Perobéques *TO* | 58 | M 16 |
| Perogordo *SG* | 45 | J 17 |
| Peromingo *SA* | 43 | K 12 |
| Perona (Monte) *MU* | 85 | S 25 |
| Perorrubio *SG* | 32 | I 18 |
| Perosillo *SG* | 31 | H 17 |
| Peroxa (A) *OR* | 13 | E 6 |
| Perro (Punta del) *CA* | 91 | V 10 |
| Perrunal (El) *H* | 78 | S 9 |
| Pertusa *HU* | 35 | G 29 |
| Peruyes *O* | 6 | B 14 |
| Pesadas de Burgos *BU* | 18 | D 19 |
| Pesadoira *C* | 2 | D 3 |
| Pesaguero *S* | 7 | C 16 |
| Pescadores (Puerto de los) *MA* | 100 | W 15 |
| Pescadores (Refugio de) *HU* | 36 | H 30 |
| Pescueza *CC* | 55 | M 10 |
| Pesebre *AB* | 72 | P 22 |
| Pesebre (Punta) Fuerteventura *GC* | 112 | B 5 |
| Pesga (La) *CC* | 43 | L 11 |
| Pesoz *O* | 4 | C 9 |
| Pesqueira *C* | 12 | E 3 |
| Pesquera *BU* | 18 | D 18 |
| Pesquera *S* | 7 | C 17 |
| Pesquera *LE* | 16 | D 14 |
| Pesquera (Dársena) Tenerife *TF* | 125 | J 2 |
| Pesquera (La) *CU* | 61 | N 25 |
| Pesquera de Duero *VA* | 31 | H 17 |
| Pesquerín *O* | 6 | B 14 |
| Pesqueruela *VA* | 30 | H 15 |
| Pessó (Pic del) *L* | 23 | E 32 |
| Pesués *S* | 7 | B 16 |
| Petilla de Aragón *NA* | 20 | E 26 |
| Petín *OR* | 14 | E 8 |
| Petit I (Embalse de) *CC* | 55 | N 10 |
| Petra *PM* | 105 | N 39 |
| Petrer *A* | 85 | Q 27 |
| Pétrola *AB* | 73 | P 25 |
| Pétrola (Laguna de) *AB* | 73 | P 25 |
| Peza (La) *GR* | 95 | U 20 |
| Pezuela de las Torres *M* | 46 | K 20 |
| Pi de Sant Just (El) *L* | 37 | G 34 |
| Pías *ZA* | 14 | F 9 |
| Pías (Embalse de) *ZA* | 14 | F 9 |
| Piatones (Sierra de) *CC* | 56 | M 12 |
| La Pica *H* | 79 | S 9 |
| Picacho *CA* | 92 | V 13 |
| Picacho de la Barre (Faro El) *H* | 90 | U 9 |
| Picaio *V* | 62 | N 29 |
| Picamoixons *T* | 37 | I 33 |
| Picanya *V* | 62 | N 28 |
| Picassent *V* | 74 | N 28 |
| Picazo *GU* | 47 | J 21 |
| Picazo (El) *CU* | 60 | N 23 |
| Picazo (Embalse de El) *CU* | 60 | N 23 |
| Picena *GR* | 102 | V 20 |
| Pico (Puerto del) *AV* | 44 | L 14 |
| Pico de las Flores (Mirador) Tenerife *TF* | 124 | H 2 |
| Pico del Castrón (Mirador del) *S* | 7 | C 17 |
| Pico del Inglés (Mirador de) Tenerife *TF* | 125 | I 2 |
| Picón *CR* | 70 | O 17 |
| Piconcillo *CO* | 80 | R 13 |
| Picones *SA* | 42 | I 10 |
| Picorzo *CU* | 59 | M 21 |
| Picorzos *AB* | 84 | Q 23 |
| Picos de Europa (Parque nacional de los) *LE* | 6 | C 15 |
| Picota *C* | 2 | D 3 |
| Picouto *OR* | 13 | F 6 |
| Piedra *Z* | 48 | I 24 |
| Piedra (La) *BU* | 17 | E 18 |
| Piedra (La) *GR* | 84 | S 22 |
| Piedra (Monasterio de) *Z* | 48 | I 24 |
| Piedra Aguda (Embalse de) *BA* | 66 | Q 8 |
| Piedra del Sol *OR* | 14 | E 7 |
| Piedra Escrita (Ermita de) *BA* | 68 | P 13 |
| Piedra San Martin (Collado de la) *NA* | 11 | D 27 |
| Piedrabuena *BA* | 67 | O 9 |
| Piedrabuena *CR* | 70 | O 17 |
| Piedraescrita *TO* | 57 | N 15 |
| Piedrafita *HU* | 21 | D 29 |
| Piedrafita *LE* | 6 | C 13 |
| Piedrafita de Babia *LE* | 15 | D 11 |
| Piedrafitas (Mirador de) *LE* | 6 | C 15 |
| Piedrahita *AV* | 44 | K 14 |
| Piedrahita *TE* | 48 | I 26 |
| Piedrahita de Castro *ZA* | 29 | G 12 |
| Piedralá *CR* | 70 | O 17 |
| Piedralaves *AV* | 44 | L 15 |
| Piedramillera *NA* | 19 | E 23 |
| Piedras *H* | 90 | U 8 |
| Piedras (Canal del) *H* | 90 | U 8 |
| Piedras (Embalse) *H* | 90 | T 8 |
| Piedras (Las) *CO* | 93 | T 17 |
| Piedras Albas *CC* | 55 | M 9 |
| Piedras Blancas *O* | 5 | B 12 |
| Piedrasluengas *P* | 7 | C 16 |
| Piedrasluengas (Puerto de) *P* | 7 | C 16 |
| Piedratajada *Z* | 21 | F 27 |
| Piedros (Los) *CO* | 93 | T 16 |
| Piera *B* | 37 | H 35 |
| Piérnigas *BU* | 18 | E 19 |
| Pierola *B* | 38 | H 35 |
| Pieros *LE* | 14 | E 9 |
| Pierre *GR* | 95 | T 20 |
| Piescolgados *AL* | 96 | U 23 |
| Pigüeña *O* | 5 | C 11 |
| Pijotilla (La) *BA* | 67 | P 10 |
| Pila *MU* | 85 | R 26 |
| Pila (Sierra de la) *GU* | 47 | I 21 |
| Pilar (El) *AL* | 96 | U 23 |
| Pilar (Ermita del) *TE* | 49 | K 27 |
| Pilar de Jaravia *AL* | 96 | T 24 |
| Pilar de la Horadada *A* | 85 | S 27 |
| Pilar de Moya *J* | 82 | S 17 |
| Pilar del Prado *MA* | 100 | V 16 |
| Pilares *SE* | 92 | U 13 |
| Pilas *SE* | 91 | U 11 |
| Pilas (Casas de) *BA* | 80 | R 12 |
| Pilas (Puerto de las) *AV* | 45 | K 16 |
| Pilas Verdes *AB* | 71 | Q 21 |
| Piles *V* | 74 | P 29 |
| Piles (Les) *T* | 37 | H 34 |
| Pileta (Cueva de la) *MA* | 99 | V 14 |
| Pililla *CU* | 60 | M 23 |
| Pilillas *CO* | 81 | S 15 |
| Piloño *PO* | 13 | D 5 |
| Pilzán *HU* | 22 | F 31 |
| Pimpollar (El) *M* | 45 | K 17 |
| Pina *Mallorca PM* | 104 | N 38 |
| Pina de Ebro *Z* | 35 | H 28 |
| Pina de Montalgrao *CS* | 62 | L 28 |
| Pinar *CA* | 92 | V 13 |
| Pinar (Cap des) cerca de Alcúdia *PM* | 105 | M 39 |
| Pinar (El) *M* | 45 | K 18 |
| Pinar (El) Castelló *CS* | 63 | L 30 |
| Pinar (Ermita del) *SG* | 31 | I 18 |
| Pinar de Almorox (El) *TO* | 57 | L 16 |
| Pinar de Antequera *VA* | 30 | H 15 |
| Pinar de C. (El) *A* | 85 | S 27 |
| Pinar de la Mola (El) *PM* | 87 | P 34 |
| Pinar de los Franceses *CA* | 98 | W 11 |
| Pinar de Puenteviejo *AV* | 45 | J 16 |
| Pinar Negro *MU* | 84 | R 24 |
| Pinarejo *CU* | 60 | N 22 |
| Pinarejos *SG* | 31 | I 17 |
| Pinarnegrillo *SG* | 45 | I 17 |
| Pindo (O) *C* | 2 | D 2 |
| Pineda de Gigüela *CU* | 60 | L 22 |
| Pineda de la Sierra *BU* | 18 | F 20 |
| Pineda de Mar *B* | 38 | H 38 |
| Pineda-Trasmonte *BU* | 32 | G 18 |
| Pinedas *SA* | 43 | K 12 |
| Pinedas (Las) *CO* | 81 | S 15 |
| Pinedillo *BU* | 31 | F 18 |
| Pinel *LU* | 14 | E 7 |
| Pinell *L* | 37 | G 34 |
| Pinell de Brai (El) *T* | 50 | I 31 |
| Pinet (El) *V* | 86 | R 28 |
| Pineta (Valle de) *HU* | 22 | E 30 |
| Pinganillo *SE* | 92 | U 12 |
| Pinilla *LE* | 15 | F 11 |
| Pinilla cerca de Fuente Alamo *AB* | 73 | P 25 |
| Pinilla cerca de Fuente-Higuera *AB* | 84 | Q 23 |
| Pinilla cerca de Salinas de Pinilla *AB* | 71 | P 22 |
| Pinilla (Embalse de) *M* | 45 | J 18 |
| Pinilla (La) *SG* | 46 | I 19 |

## LAS PALMAS DE GRAN CANARIA

| | | |
|---|---|---|
| Alfonso XII | AU | 2 |
| Ansite (Av.) | AT | 4 |
| Cornisa (Pas.) | AT | 12 |
| Doctor Marañón | AU | 14 |
| Don Benito (Pl. de) | AU | 17 |
| Fernando Guanarteme | AS | 20 |
| Ingeniero Léon y Castillo (Pl.) | AU | 28 |
| Juan Rejón | AS | 36 |
| Juan XXIII (Av.) | AT | 37 |
| Léon y Castillo | AT | 40 |
| Lugo (Pas. de) | AT | 44 |
| Luis Correa Medina | AU | 46 |
| Marítima del Sur (Av.) | AU | 52 |
| Mata (Carret. de) | AU | 53 |
| M. González Martin | AT | 49 |
| La Naval | AS | |
| Ortiz de Zàrate | AT | 59 |
| Pérez Muñoz | AS | 63 |
| Pino Apolinario | AU | 65 |
| Pío XII | AT | 66 |
| San José (Pas.) | AU | 76 |
| Secretario Padilla | AT | 80 |
| Simancas | AT | 81 |
| Tecen | AS | 83 |
| Tomás Morales (Pas.) | ATU | 85 |
| Zaragoza | AU | 90 |

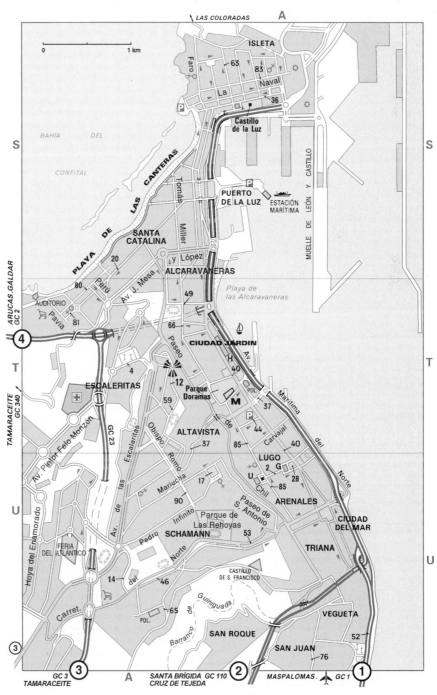

A
B
C
D
E
F
G
H
I
J
K
L
M
N
O
P
Q
R
S
T
U
V
W
X
Y
Z

## PAMPLONA

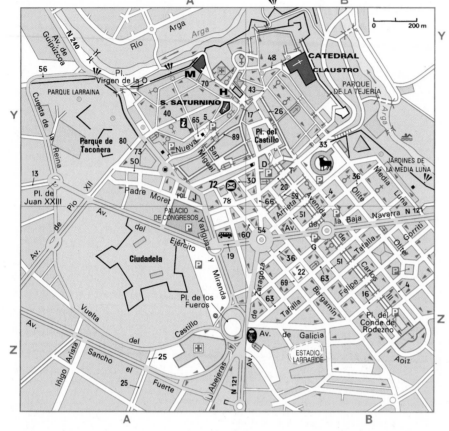

Museo de Navarra . . . . . . . . . . . . . . . . . . . . . . M

Playa de los Cancajos
La Palma *TF*.............. 132  D 5
Playa de los Cardones
El Hierro *TF*.............. 109  D 3
Playa de los Mozos
El Hierro *TF*.............. 108  B 3
Playa de los Palos
El Hierro *TF*.............. 108  B 2
Playa de los Pocillos
Lanzarote *GC* ............ 123  D 5
Playa de los Troches
Tenerife *TF*.............. 125  I 1
Playa de Louro *C*.............. 12  D 2
Playa
de Marchamalo *MU* ...... 86  S 27
Playa de Maspalomas
Gran Canaria *GC* ...... 116  D 5
Playa de Matagorda
Lanzarote *GC* ............ 123  D 5
Playa
de Matalascañas *CA* ...... 91  V 10
Playa de Mazagón *H*.......... 90  U 9
Playa de Mont-roig *T*.... 51  I 32
Playa de Montalvo *PO*.... 12  E 3
Playa de Ojos
Fuerteventura *GC*........ 112  B 5
Playa de Puerto Rey *AL*.. 96  U 24
Playa
de Punta Umbría *H*........ 90  U 8
Playa de Rapadoira *LU*.... 4  B 8
Playa de Regla *CA*.......... 91  V 10

Playa de Riazor *C* ............ 3  B 4
Playa de Roda *PO*........ 12  F 3
Playa de Rodiles *O*......6  B 13
Playa de Samil *PO*........ 12  F 3
Playa
de San Cristóbal *GR*.. 101  V 18
Playa de San Juan
Tenerife *TF*.............. 128  C 4
Playa de San Marcos
Tenerife *TF*.............. 126  D 3
Playa de San Xorxe *C* ...... 3  B 5
Playa de Santa Catalina
La Gomera *TF* ...... 118  B 1
Playa de Santa Comba *C* ...... 3  B 5
Playa de Santiago
La Gomera *TF* ...... 119  C 3
Playa de Sotavento
Fuerteventura *GC*........ 112  E 5
Playa de Tarajalejo
Fuerteventura *GC*........ 113  F 4
Playa de Tasarte
Gran Canaria *GC*........ 116  B 3
Playa de Tebeto
Fuerteventura *GC*........ 111  G 2
Playa de Torre
del Mar *MA*.............. 101  V 17
Playa
de Torremolinos *MA*.... 100  W 16
Playa de Traba *C*........ 2  C 2
Playa de Vallehermoso
La Gomera *TF* ...... 118  C 1

Playa de Velilla *GR*........ 101  V 19
Playa
de Vila-seca *T*.......... 51  I 33
Playa del Abrigo
Tenerife *TF*.............. 129  H 4
Playa del Asno
Gran Canaria *GC*........ 116  B 3
Playa del Azufre
La Palma *TF*.............. 132  D 6
Playa del Bajo de la Burra
Fuerteventura *GC*........ 111  I 1
Playa del Cabrito
La Gomera *TF* ...... 119  D 3
Playa del Cantadal
El Hierro *TF*.............. 109  D 2
Playa del Cardón
Gran Canaria *GC*........ 117  F 4
Playa del Castro *LU* ...... 4  B 8
Playa del Hoyo
La Palma *TF*.............. 132  D 5
Playa del Inglés
Gran Canaria *GC*........ 117  E 4
Playa del Matorral
Fuerteventura *GC*........ 111  I 3
Playa del Matorral
Fuerteventura *GC*........ 112  D 5
Playa del Médano
Tenerife *TF*.............. 129  F 5
Playa del Medio
Tenerife *TF*.............. 129  G 5
Playa del Mojón *A*........ 85  S 27

Playa del Muerto
Tenerife *TF*.............. 125  I 2
Playa
del Pedrucho *MU*........ 85  S 27
Playa
del Pudrimal *MU*........ 85  S 27
Playa del Puerco *CA*........ 98  X 11
Playa del Reducto
Lanzarote *GC*.............. 123  E 4
Playa del Río
Tenerife *TF*.............. 129  G 5
Playa del Risco
Gran Canaria *GC*........ 114  C 2
Playa del Risco
Lanzarote *GC*.............. 121  F 2
Playa del Rostro *C*........ 2  D 2
Playa del Socorro
Tenerife *TF*.............. 127  E 3
Playa del Tarajalillo
Gran Canaria *GC*........ 117  E 4
Playa del Viejo Rey *GC*.. 112  E 4
Playa Francesa
Lanzarote *GC*.............. 120  E 2
Playa Granada *GR*........ 101  V 19
Playa Honda *MU*........ 85  T 27
Playa Honda
Lanzarote *GC*.............. 123  D 4
Playa Pozo Negro
Fuerteventura *GC*........ 113  I 4
Playa Quemada
Lanzarote *GC*.............. 122  C 5
Playa Río Sieira *C*........ 12  E 2

Playas (Las)
El Hierro *TF*.............. 109  D 3
Playas (Mirador de las)
El Hierro *TF*.............. 109  D 3
Playas de Chacón *Z*........ 36  I 29
Playas de Corralejo
Fuerteventura *GC*........ 111  I 1
Playas
de Estepona *MA* ...... 100  W 14
Playas
de Fuengirola *MA* ...... 100  W 16
Playas de Marbella *MA*.. 100  W 15
Playas de Troya
Tenerife *TF*.............. 128  D 5
Playas Largas
El Hierro *TF*.............. 109  E 2
Playas Negras
Fuerteventura *GC*........ 112  E 4
Playitas (Las)
Fuerteventura *GC*........ 113  H 4
Plaza *CU* .............. 59  M 20
Plaza *CR* .............. 70  O 19
Plaza (La) *O* .............. 5  C 11
Plaza *Z* .............. 34  G 26
Pleitas *Z* .............. 34  G 26
Plenas *Z* .............. 49  I 27
Plentzia *BI* .............. 8  B 21
Pliego *MU* .............. 85  S 25
Plomo (El) *AL* ...... 103  V 24
Plou *TE* .............. 49  J 27
Poal (El) *L* .............. 37  G 32
Pobelnou
del Delta (El) *T*.......... 50  K 32
Pobes *VI* .............. 18  D 21
Pobla (A) *OR* .............. 14  E 8
Pobla (Sa) *PM* ...... 105  M 39
Pobla
de Benifassà (La) *CS*.. 50  K 30
Pobla
de Cérvoles (La) *L*...... 37  H 32
Pobla
de Claramunt (La) *B*...... 37  H 35
Pobla de Farnals (La) /
Puebla de Farnals *V*...... 62  N 29
Pobla de Lillet (La) *B*...... 24  F 35
Pobla de Mafumet (La) *T*.. 37  I 33
Pobla
de Massaluca (La) *T*.... 36  I 31
Pobla
de Montornès (La) *T*.... 37  I 34
Pobla de Segur (La) *L*.... 23  F 32
Pobla de Vallbona (La) *V*.. 62  N 28
Pobla del Duc (es) *PM*.. 104  N 38
Pobla Llarga (La) *V*...... 74  O 28
Pobla Tornesa (La) *CS*.. 62  L 29
Población (La) *S*...... 7  C 18
Población de Abajo *S*...... 17  D 18
Población de Arroyo *P*.... 16  E 15
Población de Campos *P*.. 17  F 16
Población de Cerrato *P*.. 31  G 16
Población
de Valdivielso *BU*...... 18  D 19
Poblado
de Santiago *CR*...... 69  O 16
Pobladura de Aliste *ZA*.. 29  G 10
Pobladura
de la Sierra *LE*...... 15  E 10
Pobladura
de las Regueras *LE*...... 15  D 11
Pobladura
de Pelayo García *LE*.. 15  F 12
Pobladura
de Sotiedra *VA*...... 30  H 14
Pobladura
de Valderaduey *ZA*.. 30  G 13
Pobladura del Valle *ZA*.. 15  F 12
Poble de Tous *V*.............. 74  O 28
Poble Nou
de Benitatxell (El) *A*.. 75  P 30
Pobles (Les) *T*.............. 37  H 34
Poblet (Monestir de) *T*.. 37  H 33
Pobleta de Bellveí (La) *L*.. 23  E 32
Poblete *CR* .............. 70  P 18
Poblets (Els) *A* .............. 75  P 30
Pobo (El) *TE* .............. 49  K 27
Pobo (Sierra del) *TE*...... 49  K 27
Pobo de Dueñas (El) *GU*.. 48  J 25
Poboleda *T* .............. 37  I 32
Pobra de Brollón (A) *LU*.. 14  E 7
Pobra
do Caramiñal (A) *C*.. 12  E 3
Pobre (Punta del)
Lanzarote *GC* ...... 120  E 2

Pocetas (Las) *GC* ...... 111  G 3
Pocicas (Las) *AL* ...... 96  T 23
Pocico (El) *AL* .............. 96  U 23
Pocicos (Los) *AB* ...... 72  P 24
Podes *O* .............. 5  B 12
Poio *PO* .............. 12  E 3
Pol *OR* .............. 13  E 5
Pol cerca de Reguntille *LU*..4  C 8
Pola de Allande *O* ...... 5  C 10
Pola de Gordón (La) *LE*.. 16  D 13
Pola de Laviana *O* ...... 6  C 13
Pola de Lena *O* .............. 5  C 12
Pola de Siero *O* .............. 6  B 13
Pola de Somiedo *O* ...... 5  C 11
Pola del Pino *O* .............. 6  C 13
Polacra (Punta de la) *AL*.103  V 24
Polán *TO* .............. 58  M 17
Polanco *S* .............. 7  B 17
Poleñino *HU* .............. 35  G 29
Polícar *GR* .............. 95  U 20
Polientes *S* .............. 17  D 18
Polinyà de Xúquer *V*...... 74  O 28
Polinyà del Vallès *B*...... 38  H 36
Pollença *PM* ...... 104  M 39
Pollos *VA* .............. 30  H 14
Pollosa (Coll de la) *B*...... 38  G 36
Polop *A* .............. 74  Q 29
Polop (Ermita del) *A*...... 74  P 28
Polopos (El) *S* .............. 7  C 18
Polopos *GR* ...... 102  V 20
Poloria *GR* .............. 94  T 19
Polvoredo *LE* .............. 6  C 14
Polvorosa *P* .............. 17  E 16
Pomaluengo *S* .............. 7  C 18
Pomar *HU* .............. 36  G 30
Pomar de Valdivia *P*...... 17  D 17
Pombeiro *LU* .............. 13  E 6
Pombriego *LE* .............. 14  E 9
Pomer *Z* .............. 34  H 24
Pompajuela *TO* ...... 57  M 15
Pompenillo *HU* .............. 21  F 28
Poncebos *O* .............. 6  C 15
Ponferrada *LE* .............. 15  E 10
Ponjos *LE* .............. 15  D 11
Pons *T* .............. 50  J 32
Pont d'Armentera (El) *T*.. 37  H 34
Pont d'Arròs *L* ...... 22  D 32
Pont de Bar (El) *L*...... 23  E 34
Pont de Molins *GI*...... 25  F 38
Pont de Suert *L* ...... 22  E 32
Pont de Vilomara (El) *B*.. 38  G 35
Pont d'Inca (es) *PM*.. 104  N 38
Ponte (A) *OR* .............. 14  F 9
Ponte (A) Arnoia *OR*...... 13  F 5
Ponte Albar *C* .............. 2  D 4
Ponte Ambía *OR* ...... 13  F 6
Ponte Barxas *OR* ...... 13  F 5
Ponte-Caldelas *PO* ...... 12  E 4
Ponte Carreira *C* ...... 3  C 5
Ponte do Porto *C*...... 2  C 2
Ponte Ledesma *PO* ...... 13  D 4
Ponte Nafonso *C*...... 12  D 3
Ponte Ulla *C* .............. 13  D 4
Ponte Valga *PO* .............. 12  D 4
Ponteareas *PO* .............. 12  F 4
Ponteceso *C* .............. 2  C 3
Pontecesures *PO* .............. 12  D 4
Pontedeume *C* .............. 3  B 5
Pontedeva *OR* .............. 13  F 5
Pontedo *LE* .............. 16  D 13
Pontejos *ZA* .............. 29  H 12
Pontenova (A) *LU*...... 4  B 8
Pontes de García Rodríguez
(As) *C*.............. 3  B 6
Pontevedra *PO*.............. 12  E 4
Pontevedra (Ría de) *PO*.. 12  E 3
Pontils *T* .............. 37  H 34
Pontigón *O* .............. 5  B 10
Pontón (El) *V* .............. 61  N 26
Pontón (Puerto del) *LE*.. 6  C 14
Pontón Alto *J* .............. 83  R 21
Pontón de la Oliva
(Embalse del) *M*...... 46  J 19
Pontones *J* .............. 83  R 21
Pontons *B* .............. 37  H 34
Pontós *GI* .............. 25  F 38
Ponts *L* .............. 38  G 33
Ponzano *HU* .............. 21  F 29
Porcía *O* .............. 5  B 9
Porciles (Alto de) *O*...... 5  C 10
Porcún *SE* .............. 92  T 13
Porcuna *J* .............. 82  S 17
Poreño *O* .............. 6  B 13
Porís de Abona
Tenerife *TF*.............. 129  G 4
Porma (Embalse del) *LE*.. 16  D 14

## PONTEVEDRA

VILAGARCÍA DE AROUSA
A CORUÑA SANTIAGO DE C.
N 550 de Compostella
0    200 m
Av. de Domingo Fontán
LÉREZ
Av. da Coruña
PAVILLÓN MUNICIPAL DE DEPORTES
Av. de Alexandre Boveda
PARQUE DE ROSALIA DE CASTRO
PAZO DE CONGRESOS
N 541 : OURENSE
Puente del Burgo
Uruguay
STA MARÍA LA MAYOR
Av. de Buenos Aires
Puente de Santiago
La Barca
Echegaray
Pl. del Teucro
Real
M Sierra
Santa Clara
PL DE LA LEÑA
San Francisco
Av. de Colón
Alameda
Oliva
Peregrina
Riestra
Benito
Pl. de Barcelos
JARDINES DE VINCENTI
Av.-R. Victoria
Corbal
Pl. de Galicia
POL
Joaquin Costa
N541
Rosalia de Castro
Av. de Marín
Av. Manuel del Palacio
Gafos
Av. Augusto G. Sánchez
Pl. de la Constitución
SAN JOSÉ
A CANIZA
PO 532
N 550
A VIGO
MARÍN CANGAS
PO 12
VIGO REDONDELA
N 550
Mirador de Coto Redondo

Alfonso XIII . . . . . . . . . . . . . . . AY 2
Andrés Mellado. . . . . . . . . . . . BZ 3
Andrés Muruais . . . . . . . . . . . BZ 5
Arzobispo Malvar . . . . . . . . . . AY 6
Augusto González Besada . . . . AZ 7
Benito Corbal. . . . . . . . . . . . . BZ
Buenos Aires (Av. de). . . . . . BY
Charino (Paio Gómez) . . . . . . AY 8
Cobián Roffignac . . . . . . . . . AY 9
Concepción Arenal (Pl.) . . . . . AY 10
Condesa Pardo Bazán . . . . . . BY 11
Cruz Vermella . . . . . . . . . . . . BY 12
Daniel de la Sota . . . . . . . . . . BZ 14
Eduardo Pondal (Av. de) . . . . . BZ 15
España (Pr. de) . . . . . . . . . . AZ 16
Ferrería (Pl. de la) . . . . . . . . . BZ 17

Fray Juan de Navarrete . . . . . BZ 18
General Martitegui . . . . . . . AY 20
Gen. Gutiérrez Mellado . . . . . AY 19
Isabel II. . . . . . . . . . . . . . . . AY 22
Juan Bautista Andrade . . . . . BY 24
Juan Manuel Pintos . . . . . . . BY 25
Manuel Quirogaz . . . . . . . . AY 29
Michelena . . . . . . . . . . . . . . BZ 31
Montero Ríos (Gran Vía de) . . . AZ 32
Oliva . . . . . . . . . . . . . . . . . BZ
Padre Amoedo Carballo . . . . . BY 36
Padre Feijóo . . . . . . . . . . . . BZ 38
Padre Fernando Olmedo . . . . . BZ 37
Padre Gaite . . . . . . . . . . . . . BZ 39
Pedreira (Pr. de la) . . . . . . . . BY 40
Peirao (Pr. do) . . . . . . . . . . AY 41

Peregrina . . . . . . . . . . . . . . BZ 42
Peregrina (Pr.) . . . . . . . . . . . BZ 43
Real . . . . . . . . . . . . . . . . . . BY
Sagasta . . . . . . . . . . . . . . . BZ 44
Santa María (Av. de) . . . . . . . AY 51
San Bartolomé
(Arcos de) . . . . . . . . . . . . BY 45
San José (Pl. de) . . . . . . . . . AZ 46
San Nicolás . . . . . . . . . . . . . AY 47
San Roque. . . . . . . . . . . . . . AZ 48
Sarmiento . . . . . . . . . . . . . . BY 50
Soportales da Ferrería. . . . . . . BZ 52
Valentín García Escudero
(Pr.) . . . . . . . . . . . . . . . . BY 55
Verdura (Pr. da) . . . . . . . . . . BY 56
Virgen del Camino. . . . . . . . . BZ 58

A B C D E F G H I J K L M N O P Q R S T U V W X Y Z

Porqueira (A) OR 13 F 6
Porquera P 17 D 17
Porquera (Ermita de la) CA 99 X 12
Porqueres GI 24 F 38
Porqueriza SA 43 J 12
Porquero LE 15 E 11
Porrejón M 46 I 19
Porrera T 37 I 32
Porreres PM 105 N 39
Porriño PO 12 F 4
Porrón AB 84 Q 24
Porrosa (La) J 83 R 21
Porrosillo J 82 R 19
Porrúa O 6 B 15
Port (El) Castelló CS 62 M 29
Port Ainé L 23 E 33
Port Aventura T 51 I 33
Port d'Alcúdia PM 105 M 39
Port d'Andratx PM 104 N 37
Port de Beseit (Reserva nacional de) T 50 J 30
Port de Caldes L 22 E 32
Port de la Selva (El) GI 25 E 39
Port de Llançà (El) GI 25 E 39
Port de Pollença / Puerto de Pollença PM 105 M 39
Port de Sagunt (El) V 62 N 29
Port de Sant Miquel PM 87 O 34
Port de Sóller / Puerto de Sóller PM 104 M 38
Port de Valldemossa PM 104 M 37
Port del Balís B 38 H 37
Port del Comte L 23 F 34
Port des Canonge PM 104 M 37
Port des Torrent PM 87 P 33
Port Vell PM 105 N 40
Portaceli (Monestir de) V 62 M 28
Portaje CC 55 M 10
Portaje (Embalse de) CC 55 M 10
Portal (El) CA 98 W 11
Portalet (Puerto del) HU 21 D 28
Portalrubio TE 49 J 26
Portalrubio de Guadamajud CU 59 L 22
Portals Nous PM 104 N 37
Portals Vells PM 104 N 37
Portas PO 12 E 4
Portas (Embalse de Las) OR 14 F 8
Portazgo Z 35 G 27
Portbou GI 25 E 39
Portela C 3 D 5
Portela OR 14 E 9
Portela *cerca de Barro* PO 12 E 4
Portela *cerca de Bueu* PO 12 F 3
Portela de Aguiar LE 14 E 9
Portelárbol SO 33 G 22
Portell L 37 G 34
Portell de Morella CS 49 K 29
Portella (La) L 36 G 31
Portellada (La) TE 50 J 30
Portera (La) V 73 N 26
Portet de Moraira (El) A 75 P 30
Portezuelo CC 55 M 10
Porticholl A 85 Q 27
Portichuelo MU 73 Q 26
Portil (El) H 90 U 8
Portilla VI 19 D 21
Portilla CU 60 L 23
Portilla (La) LE 15 F 12
Portilla (La) AL 96 U 24
Portilla Alta CC 43 K 11
Portilla de la Reina LE 6 C 15
Portilla de Luna LE 15 D 12
Portillas (Alto de las) LE 16 D 15
Portillejo P 17 E 16
Portillinas (Alto Las) LE 15 E 10
Portillo VA 31 H 16
Portillo (El) SA 43 K 11
Portillo (El) V 61 N 27
Portillo de la Villa (El) *Tenerife* TF 127 F 3
Portillo de Soria SO 33 H 23
Portillo de Toledo TO 58 L 17
Portillón (Collado del) L 22 D 31
Portinatx PM 87 O 34
Portiña (Embalse de la) TO 57 L 15
Portlligat GI 25 F 39
Portman MU 97 T 27
Porto ZA 14 F 9
Porto Cristo PM 105 N 40
Porto de Abaixo LU 4 B 8
Porto de Bares C 3 A 6
Porto de Celeiro LU 4 A 7
Porto de Espasante C 3 A 6
Porto do Barqueiro C 3 A 6
Porto do Son C 12 D 2
Portobravo C 12 D 3
Portocamba OR 14 F 7
Portocelo LU 4 A 7
Portocolom PM 105 N 39
Portocristo Novo PM 105 N 39
Portodemouros (Embalse de) C 13 D 5
Portol PM 104 N 38
Portomarín LU 13 D 7
Portomourisco OR 14 E 8
Portomouro C 2 D 4
Portonovo PO 12 E 3
Portopetro PM 105 N 39
Portosín C 12 D 3
Ports (Els) CS 50 K 29
Portugalete BI 8 C 20
Portugos GR 102 V 20
Portuguesa (La) BA 67 P 9
Pórtus (Coll de) GI 25 E 38
Portús (El) MU 97 T 26
Porvenir (El) CO 80 R 14
Porzomillos C 3 C 5
Porzún O 4 B 8
Porzuna CR 70 O 17
Posada O 5 B 12
Posada de Llanes O 6 B 15
Posada de Omaña LE 15 D 11
Posada de Valdeón LE 6 C 15
Posadas LO 18 F 20
Posadas CO 80 S 14
Posadilla LE 15 E 12
Posadilla CO 80 R 14
Posets HU 22 E 31
Potes S 7 C 16
Potiche AB 72 Q 23
Potries V 74 P 29
Poublanc A 85 Q 27
Poulo OR 13 F 5
Poutomillos LU 3 D 7
Poveda AV 44 K 14
Poveda (La) M 58 L 19
Poveda de la Obispalía CU 60 M 22
Poveda de la Sierra GU 47 K 23
Poveda de las Cintas SA 44 I 14
Póveda de Soria (La) SO 33 F 22
Povedilla AB 71 P 22
Povedillas (Las) CR 70 O 17
Poyales del Hoyo AV 57 L 14
Poyatas (Las) BA 67 P 11
Poyato MA 99 W 14
Poyatos CU 47 K 23
Poyo (El) ZA 29 G 10
Poyo (Puerto El) LU 14 D 8
Poyo del Cid (El) TE 48 J 25
Poza de la Sal BU 18 E 19
Poza de la Vega P 16 E 15
Pozal de Gallinas VA 30 I 15
Pozáldez VA 30 H 15
Pozalet (Mas de) V 62 N 28
Pozalmuro SO 33 G 23
Pozán de Vero HU 22 F 30
Pozancos P 17 D 17
Pozancos GU 47 I 22
Pozazal (Puerto) S 17 D 17
Pozo (El) AB 83 R 22
Pozo Alcón J 83 S 21
Pozo Aledo MU 85 S 27
Pozo Amargo CA 92 U 13
Pozo Cañada AB 72 P 24
Pozo de Abajo AB 83 Q 22
Pozo de Almoguera GU 46 K 20
Pozo de Guadalajara GU 46 K 20
Pozo de la Peña AB 72 P 24
Pozo de la Rueda GR 84 S 23
Pozo de la Serna CR 71 P 20
Pozo de las Calcosas *El Hierro* TF 109 D 1
Pozo de los Frailes AL 103 V 23
Pozo de Sabinosa *El Hierro* TF 108 B 2
Pozo de Urama P 16 F 15
Pozo del Camino H 90 U 8
Pozo del Esparto (El) AL 96 T 24
Pozo Estrecho MU 85 S 27
Pozo Higuera MU 96 T 24
Pozo Lorente AB 73 O 25
Pozo Negro *Fuerteventura* GC 113 I 4
Pozo Usero (El) AL 103 V 23
Pozoamargo CU 72 N 23
Pozoantiguo ZA 30 H 13
Pozoblanco CO 81 Q 15
Pozohondo AB 72 P 24
Pozondón TE 48 K 25
Pozorrubio CU 59 M 21
Pozos LE 15 F 11
Pozos de Hinojo SA 43 J 10
Pozoseco CU 60 N 24
Pozuel de Ariza Z 33 H 23
Pozuel del Campo TE 48 J 25
Pozuelo AB 72 P 23
Pozuelo (El) CU 47 K 23
Pozuelo (El) GR 102 V 20
Pozuelo (El) H 79 T 9
Pozuelo (Monte) GR 94 T 18
Pozuelo de Alarcón M 45 K 18
Pozuelo de Aragón Z 34 G 25
Pozuelo de Calatrava CR 70 P 18
Pozuelo de la Orden VA 30 G 14
Pozuelo de Tábara ZA 29 G 12
Pozuelo de Vidriales ZA 29 F 12
Pozuelo de Zarzón CC 55 L 10
Pozuelo del Páramo LE 15 F 12
Pozuelo del Rey M 46 K 20
Pozuelos de Calatrava (Los) CR 70 P 17
Pozuelos del Rey P 16 F 15
Prada OR 14 F 8
Prada (Embalse de) OR 14 F 8
Pradales SG 32 H 18
Prádanos de Bureba BU 18 E 19
Prádanos de Ojeda P 17 D 16
Pradejón LO 19 E 23
Pradela LE 14 E 9
Pradell T 37 I 32
Prádena SG 46 I 18
Prádena de Atienza GU 46 I 20
Prádena del Rincón M 46 I 19
Pradera de Navalhorno (La) SG 45 J 17
Prades T 37 I 32
Pradet L 22 D 32
Pradilla GU 48 J 24
Pradilla de Ebro Z 34 G 26
Prado O 5 C 11
Prado LU 3 C 6
Prado OR 13 F 7
Prado ZA 30 G 13
Prado *Caravia* O 6 B 14
Prado *cerca de Maceira* PO 13 F 5
Prado *cerca de Ponteareas* PO 12 F 4
Prado *cerca de Silleda* PO 13 D 5
Prado (Sierra del) BA 80 Q 12
Prado de la Guzpeña LE 16 D 14
Prado del Rey CA 92 V 13
Prado Llano GR 94 U 19
Prado Norte M 46 K 19
Prado y Eritas H 78 S 9
Pradoalvar OR 14 F 8
Pradochano CC 55 L 11
Pradolongo OR 14 F 8
Pradoluengo BU 18 F 20
Pradorredondo AB 72 P 23
Pradorrey LE 15 E 11
Prados MU 84 R 24
Prados (Los) AB 84 Q 22
Prados (Los) CO 94 T 17
Prados de Armijo J 83 R 21
Prados Redondos GU 48 J 24
Pradosegar AV 44 K 14
Pradoviejo (Alto de) BU 17 E 18
Pradreiro C 2 C 3
Prat de Llobregat (El) B 38 I 36
Prat del Comte T 50 J 31
Pratdip T 51 I 32
Prats de Cerdanya L 24 E 35
Prats de Lluçanès B 24 F 36
Prats de Rei (Els) B 37 G 34
Praves S 8 B 19
Pravia O 5 B 11
Predaja (Puerto de la) BU 18 E 19
Preixana L 37 H 33
Preixens L 37 G 33
Préjano LO 19 F 23
Premià de Dalt B 38 H 37
Premià de Mar B 38 H 37
Prenafeta T 37 H 33
Prendes O 5 B 12
Prendones O 4 B 9
Prenyanosa (La) L 37 G 33
Presa BI 8 C 19
Présaras C 3 C 5
Presas (Las) CO 81 R 17
Presedo C 3 C 5
Presencio BU 17 F 18
Preses (Les) GI 24 F 37
Presillas Bajas (Las) AL 103 V 23
Preso (El) CR 71 O 20
Presqueira PO 13 E 4
Prevediños C 13 D 4
Prexigueiro OR 13 F 5
Priaranza de la Valduerna LE 15 F 11
Priaranza del Bierzo LE 14 E 10
Priego CU 47 K 23
Priego de Córdoba CO 93 T 17
Priero O 5 B 11
Priesca O 6 B 13
Priescas O 6 C 14
Prieta MA 100 V 15
Prieta (Punta) *Lanzarote* GC 121 F 2
Prieto MA 100 V 15
Prim (Castillo de) CR 70 N 17
Primajas LE 16 D 14
Príncipe de Viana (Parador) *Olite* NA 20 E 25
Prioiro C 3 B 5
Prior (Cabo) C 3 B 5
Priorato SE 80 S 13
Prioriño (Cabo) C 3 B 4
Prioro LE 16 D 15
Pris (El) *Tenerife* TF 124 G 2
Proacina *cerca de Proaza* O 5 C 11
Proaño S 7 C 17
Proaza O 5 C 11
Progo OR 28 G 8
Propios del Guadiana (Los) J 83 S 20
Proserpina (Embalse de) BA 67 P 10
Provadura OR 13 E 6
Provencio (El) CU 71 N 22
Providencia (La) O 6 B 13
Pruit B 24 F 37
Prullans L 23 E 35
Pruna SE 92 V 14
Pruvia O 5 B 12
Púbol GI 25 F 38
Puçol V 62 N 29
Puebla (La) CR 70 P 18
Puebla (La) MU 85 S 27
Puebla de Albortón Z 35 H 27
Puebla de Alcocer BA 68 P 14
Puebla de Alcollarín BA 68 O 12
Puebla de Alfindén Z 35 H 27
Puebla de Almenara CU 59 M 21
Puebla de Almoradiel (La) TO 59 N 20
Puebla de Arenoso CS 62 L 28
Puebla de Arganzón (La) BU 19 D 21
Puebla de Argeme CC 55 M 10
Puebla de Azaba SA 42 K 9
Puebla de Beleña GU 46 J 20
Puebla de Castro (La) HU 22 F 30
Puebla de Cazalla (Embalse de la) SE 92 U 14
Puebla de Cazalla (La) SE 92 U 14
Puebla de Don Fadrique GR 84 S 22
Puebla de Don Rodrigo CR 69 O 16
Puebla de Eca SO 33 H 22
Puebla de Fantova (La) HU 22 F 31
Puebla de Farnals (La) / Pobla de Farnals (La) V 62 N 29
Puebla de Guzmán H 78 T 8
Puebla de Híjar (La) TE 35 I 28
Puebla de la Calzada BA 67 P 10
Puebla de la Reina BA 67 Q 11
Puebla de la Sierra M 46 I 19
Puebla de Lillo LE 6 C 14
Puebla de los Infantes (La) SE 80 S 13
Puebla de Montalbán (La) TO 57 M 16
Puebla de Mula (La) MU 85 R 25
Puebla de Obando BA 67 O 10
Puebla de Pedraza SG 45 I 18
Puebla de Roda (La) HU 22 F 31
Puebla de San Julián LU 14 D 7
Puebla de San Medel SA 43 K 12
Puebla de Sanabria ZA 28 F 10
Puebla de Sancho Pérez BA 79 Q 10
Puebla de Trives OR 14 E 8
Puebla de Valdavia (La) P 17 D 16
Puebla de Valles GU 46 J 20
Puebla de Valverde (La) TE 61 L 27
Puebla de Yeltes SA 43 K 11
Puebla del Maestre BA 79 R 11
Puebla del Príncipe CR 71 Q 21
Puebla del Prior BA 67 Q 11
Puebla del Río (La) SE 91 U 11
Puebla del Salvador CU 60 N 24
Pueblanueva (La) TO 57 M 15
Pueblica de Valverde ZA 29 G 12
Pueblo O 30 H 13
Pueblo Nuevo de Miramontes CC 56 L 13
Puebloblanco AL 103 V 23
Pueblonuevo del Guadiana BA 67 P 9
Puelo O 5 C 10
Puendeluna Z 21 F 27
Puente (El) S 8 B 20
Puente (La) CR 71 O 20
Puente Agüera O 6 B 14
Puente Almuhey LE 16 D 15
Puente Arce S 7 B 18
Puente de Domingo Flórez LE 14 E 9
Puente de Génave J 83 Q 21
Puente de Híjar AB 84 Q 24
Puente de la Cerrada (Embalse del) J 83 S 20
Puente de la Sierra J 82 S 18
Puente de la Sierra M 45 K 17
Puente de las Herrerías J 83 S 21
Puente de los Fierros O 5 C 12
Puente de Montañana HU 22 F 32
Puente de San Martín O 5 B 11
Puente de San Miguel S 7 B 17
Puente de Sanabria ZA 14 F 10
Puente de Vadillos CU 47 K 23
Puente de Valderredible S 17 D 18
Puente del Arzobispo (El) TO 57 M 14
Puente del Congosto SA 44 K 13
Puente del Obispo J 82 S 19
Puente del Río AL 102 V 21
Puente del Villar J 82 S 18
Puente Duda GR 83 S 22
Puente Duero VA 30 H 15
Puente-Genil CO 93 T 15
Puente Grande CO 94 T 17
Puente la Reina NA 10 D 24
Puente la Reina de Jaca HU 21 E 27
Puente Nuevo AV 45 K 16
Puente Nuevo J 82 S 18
Puente Nuevo (Embalse de) CO 81 R 14
Puente Porto (Embalse de) ZA 14 F 9
Puente Pumar S 7 C 16
Puente Torres AB 73 O 25
Puente Viesgo S 7 C 18
Puenteciella O 5 C 10
Puentedey BU 18 D 18
Puentenansa S 7 C 16
Puentes (Embalse de) MU 84 S 24
Puentevea C 12 D 4
Puercas ZA 29 G 11
Puerta (La) GU 47 K 22
Puerta de Segura (La) J 83 Q 21
Puertas SA 43 I 11
Puertas de Villafranca (Las) TO 59 N 19
Puertecico AL 96 T 24
Puertito (El) *Fuerteventura* GC 111 J 1
Puertito de Güímar (El) *Tenerife* TF 127 H 3
Puerto GR 101 V 18
Puerto (El) CU 61 M 26
Puerto (El) AL 102 V 22
Puerto (El) H 78 S 9
Puerto Alegre CO 93 T 15
Puerto Alto J 82 S 18
Puerto Banús MA 100 W 15
Puerto Cabopino MA 100 W 15
Puerto Calero *Lanzarote* GC 122 C 5
Puerto Castilla AV 56 L 13
Puerto de Béjar SA 43 K 12
Puerto de Cotos ESP 45 J 18
Puerto de la Cruz *Fuerteventura* GC 112 B 5
Puerto de la Cruz *Tenerife* TF 124 F 2
Puerto de la Encina SE 92 U 14
Puerto de la Estaca *El Hierro* TF 109 E 2
Puerto de la Peña *Fuerteventura* GC 110 F 3
Puerto de la Torre MA 100 V 16
Puerto de las Nieves *Gran Canaria* GC 114 C 2
Puerto de Mazarrón MU 97 T 26
Puerto de Mogán *Gran Canaria* GC 116 B 4
Puerto de Motril GR 101 V 19
Puerto de Pollença / Port de Pollença PM 105 M 39
Puerto de San Vicente TO 57 N 14
Puerto de Santa Cruz CC 68 O 12
Puerto de Santa María (El) CA 98 W 11
Puerto de Santiago *Tenerife* TF 128 B 4
Puerto de Sardina *Gran Canaria* GC 114 C 1
Puerto de Sóller / Port de Sóller PM 104 M 38
Puerto de Tazacorte *La Palma* TF 130 B 5
Puerto de Vega O 5 B 10
Puerto del Carmen *Lanzarote* GC 123 D 5
Puerto del Castaño CA 99 W 13
Puerto del Pino AB 84 Q 23
Puerto del Rosario *Fuerteventura* GC 111 I 3
Puerto Espíndola *La Palma* TF 131 D 3
Puerto Gil H 79 S 10
Puerto Haza de Lino GR 102 V 20
Puerto Hurraco BA 68 Q 13
Puerto Lajas *Fuerteventura* GC 111 I 2
Puerto Lápice CR 70 O 19
Puerto López GR 94 T 18
Puerto-Lucía H 79 S 9
Puerto Lumbreras MU 96 T 24
Puerto Moral H 79 S 10
Puerto Naos *La Palma* TF 132 C 5
Puerto Nuevo *Gran Canaria* GC 114 D 1
Puerto Real CA 98 W 11
Puerto Rey TO 57 N 14
Puerto Rey AL 96 U 24
Puerto Rico *Gran Canaria* GC 116 C 4
Puerto San Nicolás *Gran Canaria* GC 114 B 2
Puerto Seguro SA 42 J 9
Puerto Serrano CA 92 V 13
Puértolas HU 22 E 30
Puertollanillo CA 92 V 12
Puertollano CR 70 P 17
Puertomingalvo TE 62 L 28
Puertos (Los) T 50 J 31
Pueyo NA 20 E 25
Pueyo (El) HU 21 D 29
Pueyo (Monasterio de) HU 22 F 30
Pueyo (Monte) HU 21 E 29
Pueyo de Araguás (El) HU 22 E 30
Pueyo de Fañanás HU 21 F 29
Pueyo de Santa Cruz HU 36 G 30
Puibolea HU 21 F 28
Puig V 62 N 29
Puig campana A 74 Q 29
Puig Moreno TE 49 I 29
Puig-reig B 38 G 35
Puig Rom GI 25 F 39
Puigcercós L 22 F 32
Puigcerdà GI 24 E 35
Puigdàlber B 37 H 35
Puiggròs L 37 H 32
Puigmal GI 24 E 36

España 181


Puigmoreno de Franco TE 49 I 29
Puigpedròs GI 23 E 35
Puigpelat T 37 I 33
Puigpunyent PM 104 N 37
Puigsacalm GI 24 F 37
Puigverd d'Agramunt L 37 G 33
Puigverd de Lleida L 36 H 32
Puilatos Z 35 G 27
Pujal (El) L 23 F 33
Pujalt B 37 G 34
Pujarnol GI 24 F 38
Pujayo S 7 C 17
Pujerra MA 100 W 14
Pujols (es) PM 87 P 34
Pulgar TO 58 M 17
Pulgosa (La) AB 72 P 24
Pulido (Puerto) CR 69 Q 16
Pulpí AL 96 T 24
Pulpite GR 95 T 22
Pulpites (Los) MU 85 R 26
Pumalverde S 7 C 17
Pumarejo de Tera ZA 29 G 11
Pumares OR 14 E 9
Punta (Sa) GI 25 G 39
Punta (Sa) Mallorca PM 105 N 39
Punta Alta L 22 E 32
Punta Bombarda A 74 Q 29
Punta Brava Tenerife TF 124 F 2
Punta de Deià PM 104 M 37
Punta de Moraira A 75 P 30
Punta Mala CA 99 X 14
Punta Mujeres Lanzarote GC 121 F 3
Punta ó Sénia Sevilla (La) CS 62 L 30
Punta Prima A 86 S 27
Punta Prima Menorca PM 106 M 42
Punta Umbría H 90 U 9
Puntagorda La Palma TF 130 B 3
Puntal MA 93 U 16
Puntal (El) O 6 B 13
Puntal (El) V 73 P 27
Puntal de la Mina AB 71 Q 22
Puntales (Sierra de los) CO 81 R 15
Puntallana La Palma TF 131 E 4
Puntalón GR 101 V 19
Punxín OR 13 E 5
Puras BU 18 E 20
Puras VA 45 I 16
Purchena AL 96 T 22
Purchena H 91 T 10
Purchil GR 94 U 19
Purias MU 96 T 25
Purias (Puerto) MU 96 T 25
Purón O 7 B 15
Purroy Z 34 H 25
Purroy de la Solana HU 22 F 31
Purujosa Z 34 G 24
Purullena GR 95 U 20
Puyarruego HU 22 E 30

## Q

Quar (La) B 24 F 35
Quart de les Valls V 62 M 29
Quart de Poblet V 62 N 28
Quart d'Onyar GI 25 G 38
Quatretonda V 74 P 28
Quatretondeta A 74 P 29
Quebrada (Sierra) BA 79 R 11
Quebradas AB 84 Q 24
Quecedo BU 18 D 19
Queguas OR 27 G 5
Queimada C 3 C 5
Queipo de Llano SE 91 U 11
Queirogás OR 28 G 7
Queiruga C 12 D 2
Queixa (Sierra de) OR 14 F 7
Queixans GI 24 E 35
Queixas C 3 C 4
Queizán LU 4 D 8
Quejana VI 8 C 20
Quejigal SA 43 J 12
Quejigo BA 69 O 15
Quejo VI 18 D 20
Quel LO 19 F 23
Quemada BU 32 G 19
Quéntar GR 94 U 19
Quéntar (Embalse de) GR 94 U 19
Quer GU 46 K 20
Quer Foradat (El) L 23 F 34
Queralbs GI 24 E 36
Queralt B 37 H 34
Querencia GU 47 I 21
Quero TO 59 N 20
Querol T 37 H 34
Querolt L 23 F 34
Ques O 6 B 13
Quesa V 74 O 27
Quesada J 83 S 20
Quesada (Estación de) J 83 S 20
Quesada (Peña de) GR 83 S 21
Quesera (Collado de la) GU 46 I 19
Queveda S 7 B 17
Quicena HU 21 F 28
Quiebrajano (Embalse de) J 94 T 18
Quijas S 7 B 17
Quijorna M 45 K 17
Quiles (Los) CR 70 O 18
Quilmas C 2 D 2
Quilós LE 14 E 9
Quincoces de Yuso BU 18 D 20
Quindous LU 14 D 9
Quines OR 13 F 5
Quinta (la) M 46 K 18
Quinta (La) MA 92 V 14
Quintana VI 19 E 22
Quintana ZA 14 F 9
Quintana cerca de Albariza O 5 C 11
Quintana cerca de Astrana S 8 C 19
Quintana cerca de Nava O 6 B 13
Quintana cerca de Vega O 6 B 13
Quintana cerca de Villegar S 7 C 18
Quintana (La) S 17 D 17
Quintana (Sierra de) J 81 Q 17
Quintana de Fuseros LE 15 D 11
Quintana de la Serena BA 68 P 12
Quintana de Rueda LE 16 E 14
Quintana del Castillo LE 15 E 11
Quintana del Marco LE 15 F 12
Quintana del Monte LE 16 E 14
Quintana del Pidio BU 32 G 18
Quintana del Puente P 31 F 17
Quintana María BU 18 D 20
Quintana-Martín Galíndez BU 18 D 20
Quintana Redonda SO 33 H 22
Quintana y Congosto LE 15 F 11
Quintanabureba BU 18 E 19
Quintanadueñas BU 18 E 18
Quintanaélez BU 18 E 20
Quintanaloma BU 18 D 18
Quintanaloranco BU 18 E 20
Quintanamanvirgo BU 31 G 18
Quintanaopio BU 18 D 19
Quintanaortuño BU 18 E 18
Quintanapalla BU 18 E 19
Quintanar (Collado de) BU 32 F 20
Quintanar de la Orden TO 59 N 20
Quintanar de la Sierra BU 32 G 20
Quintanar del Rey CU 72 N 24
Quintanarejo (El) SO 33 G 21
Quintanarraya BU 32 G 19
Quintanarruz BU 18 E 19
Quintanas de Gormaz SO 32 H 21
Quintanas de Valdelucio BU 17 D 17
Quintanas Rubias de Abajo SO 32 H 20
Quintanas Rubias de Arriba SO 32 H 20
Quintanatello de Ojeda P 17 D 16
Quintanavides BU 18 E 19
Quintanilla S 7 C 16
Quintanilla BU 17 E 18
Quintanilla de Arriba VA 31 H 17
Quintanilla de Babia LE 15 D 11
Quintanilla de Flórez LE 15 F 11
Quintanilla de la Berzosa P 17 D 16
Quintanilla de la Cueza P 16 F 15
Quintanilla de la Mata BU 32 G 18
Quintanilla de las Torres P 17 D 17
Quintanilla de las Viñas BU 18 F 19
Quintanilla de los Oteros LE 16 F 13
Quintanilla de Losada LE 15 F 10
Quintanilla de Nuño Pedro SO 32 G 20
Quintanilla de Onésimo VA 31 H 16
Quintanilla de Onsoña P 17 E 16
Quintanilla de Pienza BU 18 D 19
Quintanilla de Riopisuerga BU 17 E 17
Quintanilla de Rueda LE 16 D 14
Quintanilla de Sollamas LE 15 E 12
Quintanilla de Somoza LE 15 E 11
Quintanilla de Tres Barrios SO 32 H 20
Quintanilla de Trigueros VA 31 G 16
Quintanilla de Urz ZA 29 F 12
Quintanilla de Yuso LE 15 F 10
Quintanilla del Agua BU 32 F 19
Quintanilla del Coco BU 32 G 19
Quintanilla del Molar VA 30 G 13
Quintanilla del Monte ZA 30 G 13
Quintanilla del Monte LE 15 E 12
Quintanilla del Olmo ZA 30 G 13
Quintanilla del Valle LE 15 E 12
Quintanilla la Ojada BU 18 D 20
Quintanilla-Pedro Abarca BU 17 E 18
Quintanilla San García BU 18 E 20
Quintanilla-Sobresierra BU 18 E 18
Quintanilla-Vivar BU 18 E 18
Quintanillabón BU 18 E 20
Quintanillas (Las) BU 17 E 18
Quintás C 3 C 5
Quintás OR 27 G 5
Quintela LE 14 D 9
Quintela LU 4 C 7
Quintela de Leirado OR 13 F 5
Quintera (La) SE 80 S 13
Quintería (La) J 82 R 18
Quintes O 6 B 13
Quintillo (El) CR 70 P 19
Quintinilla-Rucandio S 17 D 18
Quinto Z 35 H 28
Quintos de Mora (Coto nacional) TO 70 N 17
Quintueles O 6 B 13
Quinzano HU 21 F 28
Quiñonería (la) SO 33 H 23
Quireza PO 13 E 4
Quiroga LU 14 E 8
Quiruelas ZA 29 F 12
Quismondo TO 58 L 17

## R

Rabadá y Navarro TE 61 L 26
Rábade LU 3 C 7
Rabadeira C 2 C 3
Rábago S 7 C 16
Rabal cerca de Chandrexa OR 14 F 7
Rabal cerca de Verín OR 28 G 7
Rabanal de Fenar LE 16 D 13
Rabanal del Camino LE 15 E 11
Rabanales ZA 29 G 11
Rabanera LO 19 F 22
Rabanera del Pinar BU 32 G 20
Rábano VA 31 H 17
Rábano de Aliste ZA 29 G 10
Rábano de Sanabria ZA 14 F 10
Rábanos BU 18 F 20
Rábanos Los) SO 33 G 22
Rabassa (La) L 37 H 34
Rabassa (La) BA 66 O 8
Rabé BU 32 G 18
Rábida (Monasterio de la) H 90 U 9
Rabinadas (Las) CR 70 O 17
Rabisca (Punta de) La Palma TF 130 B 2
Rábita MA 93 U 15
Rábita (La) GR 102 V 20
Rábita (La) J 94 T 17
Rabizo (Alto del) LE 16 D 13
Rabós GI 25 E 39
Racó de Loix A 74 Q 29
Racó de Santa Llucía B 37 I 35
Rad (La) SA 43 J 12
Rada (La) NA 20 F 25
Rada de Haro CU 59 N 22
Radiquero HU 22 F 30
Radona SO 33 I 22
Rafal A 85 R 27
Ráfales TE 50 J 30
Rafalet A 75 P 30
Rafelbunyol V 62 N 28
Rafelguaraf V 74 O 28
Ràfol d'Almunia (El) A 74 P 29
Rágama SA 44 J 14
Rágol AL 102 V 21
Ragua (Puerto de la) GR 95 U 20
Ragudo (Cuesta de) CS 62 M 28
Raguero de Bajo MU 85 S 25
Raices C 12 D 4
Raíces (Las) Tenerife TF 124 H 2
Raigada OR 14 F 8
Raïmat L 36 G 31
Rairiz de Veiga OR 13 F 6
Raixa PM 104 M 38
Rajadell B 37 G 35
Rajita (La) La Gomera TF 118 B 3
Rala AB 84 Q 23
Ramacastañas AV 57 L 14
Ramales de la Victoria S 8 C 19
Ramallosa C 12 D 4
Ramallosa (A) PO 12 F 3
Rambla (La) AB 72 P 23
Rambla (La) CO 93 T 15
Rambla Aljibe (La) GR 95 U 23
Rambla de Castellar CR 71 Q 20
Rambla de Martín (La) TE 49 J 27
Rambla del Agua AL 95 U 21
Ramblas (Las) AB 84 Q 24
Ramil LU 4 C 7
Ramilo OR 14 F 9
Ramirás OR 13 F 5
Ramiro VA 30 I 15
Ramonete (Ermita del) MU 97 T 25
Rancajales (Los) M 46 J 18
Randa PM 104 N 38
Randín OR 27 G 6
Ranedo BU 18 D 20
Ranera BU 18 D 20
Ranera (Monte) CU 61 M 26
Ranero BI 8 C 19
Raneros LE 16 E 13
Ranin HU 22 E 30
Rante OR 13 F 6
Rañadoiro (Puerto de) O 4 C 9
Rañadoiro (Sierra de) O 4 C 9
Rañas del Avellanar CR 57 N 15
Rao LU 4 D 9
Rapariegos SG 45 I 16
Rápita (La) B 37 I 34
Ràpita (sa) Mallorca PM 104 N 38
Rasa (La) SO 32 H 20
Rasal HU 21 E 28
Rasca (Faro de la) Tenerife TF 128 D 6
Rasca (Punta de la) Tenerife TF 128 D 5
Rascafría M 45 J 18
Rascanya (La) V 62 N 28
Rasillo (El) LO 19 F 21
Rasines S 8 C 19
Raso (El) AV 56 L 13
Rasos de Peguera B 23 F 35
Raspay MU 85 Q 26
Raspilla AB 84 Q 22
Rasquera T 50 I 31
Rasueros AV 44 I 14
Rates (Coll de) A 74 P 29
Rauric T 37 H 34
Raval de Crist T 50 J 31
Raval de Jesús T 50 J 31
Raxo PO 12 E 3
Raxón C 3 B 5
Raya del Palancar-Guadamonte (La) M 45 K 18
Rayo (Puerto del) CR 69 P 15
Rayo (Sierra del) TE 49 K 28
Razbona GU 46 J 20
Razo C 2 C 3
Real (Caño) SE 91 V 10
Real (Lucio) CA 91 V 11
Real Cortijo de San Isidro cerca de Aranjuez M 58 L 19
Real de la Jara (El) SE 79 S 11
Real de Montroi V 74 N 28
Real de San Vicente (El) TO 57 L 15
Realejo Alto Tenerife TF 127 E 3
Realejo Bajo Tenerife TF 127 E 3
Realejos (Los) Tenerife TF 127 E 3
Reales MA 99 W 14
Rebanal de las Llantas P 17 D 16
Rebide LU 14 E 8
Reboiró LU 14 D 7
Rebolado de Traspeña BU 17 D 17
Rebollada cerca de Laviana O 6 C 13
Rebollada cerca de Mieres O 5 C 12
Rebollar SO 33 G 22
Rebollar O 15 D 10
Rebollar V 61 N 26
Rebollar CC 56 L 12
Rebolledo (El) A 86 Q 28
Rebolledo de la Torre BU 17 D 17
Rebollera CR 82 Q 17
Rebollo SG 45 I 18
Rebollo SO 33 H 21
Rebollo (Monte) CU 61 M 25
Rebollo (Monte) CU 60 M 22
Rebollosa de Hita GU 46 J 20
Rebollosa de Jadraque GU 47 I 21
Rebollosa de Pedro SO 32 I 20
Reboredo cerca de Boiro C 12 D 3
Reboredo cerca de O Grove PO 12 E 3
Reboredo cerca de Oza dos Ríos C 3 C 5
Rebost B 24 F 35
Recajo LO 19 E 23
Recaré LU 4 B 7
Recas TO 58 L 18
Recueja (La) AB 73 O 25
Recuenco (El) GU 47 K 22
Recuerda SO 32 H 21
Redal (El) LO 19 E 23
Redecilla del Campo BU 18 E 20
Redipollos LE 6 C 14
Redipuertas LE 6 C 13
Redonda C 2 D 2
Redonda (La) SA 42 J 9
Redonda (Peña) LU 14 E 8
Redondal LE 15 E 10
Redondela PO 12 F 4
Redondela (La) H 90 U 8
Redondo BU 8 C 19
Redondo Tenerife TF 126 D 3
Redondo (Puerto) BU 32 G 20
Redován A 85 R 27
Redueña M 46 J 19
Refoxos PO 13 E 5
Refugi (El) CS 62 L 30
Regadas OR 13 F 5
Regencós GI 25 G 39
Regla (La) O 5 C 10
Régola (La) L 36 G 32
Reguengo PO 12 F 4
Regueral O 5 B 12
Regueras de Arriba LE 15 F 12
Reguërs (Els) T 50 J 31
Regumiel de la Sierra BU 32 G 21
Reguntille LU 4 C 7
Reigada O 5 C 10
Reigosa LU 4 C 7
Reillo CU 60 M 24
Reina BA 80 R 12
Reina (Mirador de la) O 6 C 14
Reinante LU 4 B 8
Reino (El) OR 13 E 5
Reinosa S 17 C 17
Reinosilla S 17 D 17
Reinoso BU 18 E 19
Reinoso de Cerrato P 31 G 16
Rejano SE 93 U 15
Rejas SO 32 H 20
Rejas de Ucero SO 32 G 20
Relaño (El) MU 85 R 26
Relea P 17 E 15
Reliegos LE 16 E 13
Rellanos O 5 B 10
Relleu A 74 Q 29
Rellinars B 38 H 35
Rello SO 33 H 21
Reloj CA 92 V 13
Relumbrar AB 83 Q 21
Remedios (Ermita de los) BA 79 R 10
Remedios (Punta dos) C 12 D 2
Remendia NA 20 D 26
Remolina LE 16 D 14
Remolino (El) CO 93 T 15
Remolinos Z 34 G 26
Remondo SG 31 H 16
Rena BA 68 O 12
Renales GU 47 J 22
Renales (Cabeza) SG 45 J 17
Renche LU 14 D 8
Rendona (La) CA 99 W 12
Renedo VA 31 H 16
Renedo S 7 B 18
Renedo de Cabuérniga S 7 C 17
Renedo de la Vega P 17 E 15
Renedo de Valdavia P 17 E 16
Renedo de Valderaduey LE 16 E 15
Renedo de Valdetuéjar LE 16 D 14
Renera GU 46 K 20
Rengos O 5 C 10
Renieblas SO 33 G 22
Renodo P 17 D 17
Rentería / Errenteria SS 10 C 24
Renúñez Grande CR 71 P 20
Reocín S 7 B 17
Reolid AB 71 Q 22
Repilado (El) H 79 S 9
Repollés (Masía del) TE 49 K 28
Repostería LU 13 D 6
Represa LE 16 E 13
Requejada (Embalse de la) P 17 D 16
Requejo S 17 C 17
Requejo ZA 28 F 9
Requena V 61 N 26
Requena de Campos P 17 F 16
Requiás OR 27 G 6
Requijada SG 45 I 18
Resconorio S 7 C 18
Residencial Montelar GU 46 J 19
Resinera (La) GR 101 V 18
Resinera-Voladilla MA 100 W 14
Resoba P 17 D 16
Respaldiza VI 8 C 20
Respenda de la Peña P 17 D 15
Restábal GR 101 V 19
Restiello O 5 C 11
Restinga (La) El Hierro TF 109 D 4
Retama CR 69 O 16
Retamal BA 67 P 10
Retamal de Llerena BA 68 Q 12
Retamar CR 70 P 17
Retamar AL 103 V 23
Retamar (El) Tenerife TF 126 C 3
Retamosa CC 56 N 13
Retamosa (La) CR 69 P 16
Retamoso de la Jara TO 57 M 15
Retascón Z 48 I 25
Retiendas GU 46 J 20
Retorno (El) V 73 N 25
Retorta LU 3 D 6
Retorta OR 28 F 7
Retortillo S 17 D 17
Retortillo SA 43 J 10
Retortillo (Embalse de derivación del) SE 80 S 14
Retortillo de Soria SO 32 I 21
Retuerta BU 32 F 19
Retuerta del Bullaque CR 57 N 16
Retuerto LE 6 C 14
Reus T 37 I 33
Revalbos SA 44 K 13
Revell (Coll de) GI 24 G 37
Revellinos ZA 30 G 13
Revenga BU 17 F 18
Revenga SG 45 J 17
Revenga de Campos P 17 F 16
Reventón La Palma TF 132 D 5
Reventón (Puerto del) CR 70 P 18
Revilla S 7 B 18
Revilla P 17 D 17
Revilla HU 22 E 30
Revilla (La) BU 32 F 20
Revilla (La) S 7 B 16
Revilla de Calatañazor (La) SO 33 H 21
Revilla de Campos P 31 F 15
Revilla de Collazos P 17 E 16
Revilla del Campo BU 18 F 19
Revilla-Vallegera BU 17 F 17
Revillarruz BU 18 F 19
Revolcaderos MU 84 R 23


A B C D E F G H I J K L M N O P Q R S T U V W X Y Z

Rey (Embalse del) M 58 L 19
Rey (Sierra del) CR 81 Q 17
Reyero LE 16 D 14
Reyertas (Las) SE 92 V 13
Reyertilla SE 92 U 13
Reyes (Bahía de los) *El Hierro* TF 108 B 3
Reznos SO 33 H 23
Ría de Abres O 4 B 8
Riaguas de San Bartolomé SG 32 H 19
Riahuelas SG 32 H 19
Rial C 2 C 4
Rial *cerca de Rianxo* C 12 E 3
Rial *Soutomaior* PO 12 F 4
Rialb (Pantà de) L 23 F 33
Rialp L 23 E 33
Riancho S 8 C 19
Riano O 5 C 12
Riánsares (Estación de) CU 59 L 21
Rianxo C 12 E 3
Riaño S 8 B 19
Riaño LE 16 D 15
Riaño (Embalse de) LE 16 D 14
Riaño (Reserva nacional de) LE 6 C 14
Rías Altas C 3 B 4
Rías Baixas / Rías Bajas PO 12 E 2
Rías Bajas / Rías Baixas PO 12 E 2
Rías Gallegas C 2 C 2
Riaza SG 32 I 19
Riba S 8 C 19
Riba (La) T 37 I 33
Riba de Escalote (La) SO 33 H 21
Riba de Saelices GU 47 J 23
Riba de Santiuste GU 47 I 21
Riba de Valdelucio (La) BU 17 D 17
Riba-roja (Pantà de) T 36 I 31
Riba-roja de Túria V 62 N 28
Riba-roja d'Ebre T 36 I 31
Ribabellosa VI 18 D 21
Ribadavia OR 13 F 5
Ribadedeva O 7 B 16
Ribadelago ZA 14 F 9
Ribadeo LU 4 B 8
Ribadeo (Ría de) LU 4 B 8
Ribadesella O 6 B 14
Ribadeume C 3 B 6
Ribadulla C 13 D 4
Ribadumia PO 12 E 3
Ribaforada NA 34 G 25
Ribafrecha LO 19 E 22
Ribagorda CU 47 K 23
Ribagorda (Ermita de) GU 48 K 24
Ribarredonda GU 47 J 23
Ribarroya SO 33 H 22
Ribarteme PO 13 F 4
Ribas LE 15 F 12
Ribas de Campos P 17 F 16
Ribas de Miño LU 13 E 6
Ribas de Sil LU 14 E 8
Ribas de Sil (Monasterio de) OR 13 E 6
Ribas Pequeñas LU 14 E 7
Ribasaltas LU 14 E 7
Ribatajada CU 47 K 23
Ribatajadilla CU 60 L 23
Ribatejada M 46 K 19
Ribeira LU 14 D 8
Ribeira C 12 E 3
Ribeira (Embalse de la) C 3 B 6
Ribera J 94 T 18
Ribera (La) LE 15 E 10
Ribera Baja J 94 T 18
Ribera de Arriba O 5 C 12
Ribera de Cabanes CS 62 L 30
Ribera de Cardós L 23 E 33
Ribera de Los Molinos BA 79 R 11
Ribera de Molina MU 85 R 26
Ribera de Piquín LU 4 C 8
Ribera de Vall HU 22 F 32
Ribera del Fresno BA 67 Q 11
Ribera-Oveja CC 43 L 11
Riberas O 5 B 11
Riberas de Lea LU 4 C 7
Riberos de la Cueza P 16 F 15
Ribes de Freser GI 24 F 36
Ribesalbes CS 62 L 29
Ribota BU 8 C 20
Ribota SG 32 H 19
Ricabo O 5 C 12
Ricardo Roca (Mirador) PM 104 N 37
Ricla Z 34 H 25
Ricobayo ZA 29 H 12
Ricote MU 85 R 25
Riego de Ambros LE 15 E 10
Riego de la Vega LE 15 E 12
Riego del Camino ZA 29 G 12
Riego del Monte LE 16 E 13
Riegoabajo O 5 B 11
Riello LE 15 D 12
Riells *cerca de Breda* GI 38 G 37
Riells *cerca de l'Escala* GI 25 F 39
Riells del Fai B 38 G 36
Rielves TO 58 M 17
Rienda GU 33 I 21
Riensena O 6 B 14
Riera (La) T 37 I 34
Riera (La) LE 15 D 11
Riera (La) *cerca de Aguasmestas* O 5 C 11
Riera (La) *cerca de Covadonga* O 6 C 14
Riera (Sa) GI 25 G 39
Riglos HU 21 E 27
Rigueira LU 4 B 7
Rigüelo SE 93 U 15
Rilleira C 3 C 6
Rillo TE 49 J 27
Rillo de Gallo GU 48 J 24
Rincón (El) AB 73 P 25
Rincón (El) MU 84 S 24
Rincón de Ballesteros CC 67 O 10
Rincón de la Victoria MA 101 V 17
Rincón de Olivedo LO 33 F 24
Rincón de Soto LO 20 F 24
Rincón del Moro AB 72 Q 24
Rincón del Obispo CC 55 M 10
Rinconada AV 44 J 14
Rinconada (La) AV 45 K 16
Rinconada (La) AB 72 P 23
Rinconada (La) SE 91 T 12
Rinconada de la Sierra (La) SA 43 K 11
Rinconadas (Las) CU 61 M 26
Rinconcillo (El) CA 99 X 13
Rinconcillo (El) CO 81 S 15
Riner L 37 G 34
Rinlo LU 4 B 8
Río OR 14 E 8
Río LU 14 D 8
Río (El) CR 70 O 17
Río (El) LO 18 F 21
Río (El) *Tenerife* TF 129 F 4
Río (Mirador del) *Lanzarote* GC 121 F 2
Río (Punta del) AL 103 V 22
Río Aragón ESP 21 E 27
Río Cedena TO 57 N 16
Río Chico (El) AL 102 V 21
Río Cofio M 45 K 17
Río de Losa BU 18 D 20
Río de Lunada BU 8 C 19
Río de Trueba BU 8 C 19
Río Duero CL 33 G 22
Río Ería CL 15 F 12
Río Frío CR 69 O 16
Río Gállego AR 21 E 29
Río Juanes V 73 N 27
Río Madera AB 72 Q 23
Río Órbigo CL 15 F 12
Río Sil ESP 14 E 7
Río Tajo (Estación de) CC 55 M 10
Río Tirón ESP 18 F 20
Río Valderaduey CL 16 E 15
Riobarba LU 3 A 6
Riocabado AV 44 J 15
Riocavado de la Sierra BU 18 F 20
Riocerezo BU 18 E 19
Riocobo LU 4 A 7
Rioconejos ZA 15 F 10
Riocorvo S 7 C 17
Riodeva TE 61 L 26
Riofabar O 6 C 13
Riofrío AV 44 K 15
Riofrío LE 15 E 12
Riofrío GR 93 U 17
Riofrío de Aliste ZA 29 G 11
Riofrío de Riaza SG 32 I 19
Riofrío del Llano GU 47 I 21
Riogordo MA 101 V 17
Rioja AL 103 V 22
Riola V 74 O 29
Riolago LE 15 D 11
Riolobos CC 55 M 11
Riomalo de Arriba CC 43 K 11
Riomanzanas ZA 29 G 10
Ríomao OR 14 E 8
Rionegro del Puente ZA 29 F 11
Riópar AB 84 Q 22
Riós OR 28 G 8
Ríos (Los) J 82 R 18
Ríos de Abajo CS 62 M 27
Ríos Menudos P 17 D 16
Riosalido GU 47 I 21
Rioscuro LE 15 D 11
Rioseco O 6 C 13
Rioseco *cerca de Laredo* S 8 B 20
Rioseco *cerca de Reinosa* S 7 C 17
Rioseco de Soria SO 33 H 21
Rioseco de Tapia LE 15 D 12
Riosequillo (Embalse de ) M 46 J 18
Riosequino de Torío LE 16 D 13
Rioseras BU 18 E 19
Riospaso O 5 C 12
Riotorto LU 4 B 8
Rioxuán LU 4 C 8
Rípodas NA 11 D 26
Ripoll GI 24 F 36
Ripollet B 38 H 36
Ris S 8 B 19
Risco BA 69 P 14
Risco (Embalse del) H 78 T 8
Risco de las Moras CC 57 N 14
Riudarenes GI 24 G 38
Riudaura GI 24 F 37
Riudecanyes T 51 I 32
Riudecols T 37 I 32
Riudellots de la Selva GI 25 G 38
Riumar T 51 J 32
Riumors GI 25 F 39
Riva (La) S 7 C 18
Rivas Z 20 F 26
Rivas de Tereso LO 19 E 21
Rivas-Vaciamadrid M 46 L 19
Rivero S 7 C 17
Rivero de Posadas CO 80 S 14
Rivilla de Barajas AV 44 J 15
Roa de Duero BU 31 G 18
Roales VA 30 F 13
Roales ZA 29 H 12
Robla (La) LE 16 D 13
Robladillo VA 30 H 15
Robladillo de Ucieza P 17 E 16
Roble AB 72 P 23
Robleda SA 42 K 10
Robleda-Cervantes ZA 14 F 10
Robledillo AV 44 K 15
Robledillo TO 57 N 15
Robledillo (El) TO 70 N 18
Robledillo de Gata CC 43 L 10
Robledillo de la Jara M 46 J 19
Robledillo de la Vera CC 56 L 13
Robledillo de Mohernando GU 46 J 20
Robledillo de Trujillo CC 68 O 12
Robledo O 6 B 14
Robledo LE 15 F 11
Robledo LU 14 D 9
Robledo OR 14 E 9
Robledo ZA 29 F 10
Robledo AB 72 P 22
Robledo (El) CR 70 O 17
Robledo (El) J 83 R 21
Robledo de Caldas LE 15 D 12
Robledo de Chavela M 45 K 17
Robledo de Corpes GU 46 I 21
Robledo de las Traviesas LE 15 D 10
Robledo del Buey TO 57 N 15
Robledo del Mazo TO 57 N 15
Robledo Hermoso SA 43 I 10
Robledollano CC 56 N 13
Robledondo M 45 K 17
Roblelacasa GU 46 I 20
Robleluengo GU 46 I 20
Robles de la Valcueva LE 16 D 13
Roblido OR 14 E 8
Robliza de Cojos SA 43 J 12
Robredo BU 18 D 20
Robredo-Temiño BU 18 E 19
Robregordo M 46 I 19
Robres HU 35 G 28
Robres del Castillo LO 19 F 23
Robriguero O 7 C 16
Roca LU 3 C 6
Roca (La) M 45 J 18
Roca de la Sierra (La) BA 67 O 9
Roca del Vallès (La) B 38 H 36
Roca Grossa GI 39 G 38
Roca Llisa PM 87 P 34
Rocabruna GI 24 E 37
Rocacorba GI 24 F 38
Rocafort L 37 H 33
Rocafort B 38 G 35
Rocafort V 62 N 28
Rocafort de Queralt T 37 H 33
Rocaforte NA 20 E 26
Rocagrossa GI 39 G 38
Rocallaura L 37 H 33
Rocamudo S 17 D 18
Rocas Doradas T 51 J 32
Rocha (Puerto de la) PO 13 E 5
Roche MU 85 T 27
Roche CA 98 W 11
Roche (Cabo) CA 98 X 11
Rociana del Condado H 91 U 10
Rocina (El) H 91 U 10
Rocío (El) H 91 U 10
Roda MU 85 S 27
Roda (La) O 4 B 9
Roda (La) AB 72 O 23
Roda de Andalucía (La) SE 93 U 15
Roda de Barà T 37 I 34
Roda de Eresma SG 45 I 17
Roda de Isábena HU 22 F 31
Roda de Ter B 38 G 36
Rodalquilar AL 103 V 23
Rodanas (Santuario de) Z 34 H 25
Rodanillo LE 15 E 10
Rodeche TE 62 L 28
Rodeiro PO 13 E 6
Rodellar HU 21 F 29
Rodén Z 35 H 28
Ródenas TE 48 K 25
Rodeos (Embalse de los) MU 85 R 26
Rodeos (Los) MU 85 R 26
Rodezno LO 19 E 21
Rodical (El) O 5 C 10
Rodicio (Alto del) OR 13 F 7
Rodiezmo LE 15 D 12
Rodilana VA 30 H 15
Rodiles O 5 B 11
Rodillazo LE 16 D 13
Rodiño C 13 D 4
Rodonyà T 37 I 34
Rodrigas LU 4 B 8
Rodrigatos de la Obispalía LE 15 E 11
Rodrigatos de las Regueras LE 15 D 11
Rodriguillo A 85 Q 26
Roelos ZA 29 I 11
Roglà i Corberà V 74 O 28
Roig (Cap) (Jardín botànic) GI 25 G 39
Roimil LU 3 C 6
Rois C 12 D 3
Roitegui VI 19 D 22
Roiz S 7 C 16
Roja (Punta) *Tenerife* TF 129 F 5
Rojal (El) C 3 B 5
Rojales A 85 R 27
Rojals T 37 H 33
Rojas BU 18 E 19
Roldán MU 85 S 26
Roldán (Faro) AL 103 V 24
Roldán (Salto de) HU 21 F 28
Rollamienta SO 33 G 22
Rollán SA 43 J 12
Roma V 61 N 26
Romai PO 12 D 3
Romana (La) A 85 Q 27
Romana (Villa) VA 45 I 15
Romancos GU 46 J 21
Romanes (Los) MA 101 V 17
Romaneta (La) A 85 Q 27
Romangordo CC 56 M 12
Romaní (El) V 74 O 28
Romanillos de Atienza GU 32 I 21
Romanillos de Medinaceli SO 33 I 22
Romanones GU 46 K 21
Romanos Z 48 I 26
Romanyà de la Selva GI 25 G 38
Romariz LU 4 B 7
Romeán LU 4 C 7
Romedales (Los) CU 60 L 23
Romedios (Ermita de los) BA 68 P 12
Romelle C 2 C 3
Romera AB 71 O 21
Romeral TO 59 N 19
Romeral (Cueva del) MA 93 U 16
Romeral (El) TO 59 M 19
Romeral (El) V 62 M 28
Romeral (El) MA 100 V 16
Romerano (El) H 90 T 7
Romeros (Los) H 79 S 9
Rompido (Barra de El) H 90 U 8
Rompido (El) H 90 U 8
Roncadoira (Punta) LU 4 A 7
Roncal / Erronkari NA 11 D 27
Roncesvalles / Orreaga NA 11 C 26
Roncudo (Punta) C 2 C 3
Ronda MA 92 V 14
Ronda (Serranía de) MA 100 V 14
Ronda la Vieja MA 92 V 14
Rondín CR 70 P 18
Roní L 23 E 33
Ronquillo (El) SE 79 S 11
Ronquillo (El) BA 67 P 9
Ropera (La) J 82 R 17
Roperuelos del Páramo LE 15 F 12
Roque *Fuerteventura* GC 111 H 1
Roque del Faro *La Palma* TF 130 C 3
Roques (Bahía de los) *La Palma* TF 132 D 6
Roquetas de Mar AL 102 V 22
Roquetas de Mar (Urbanización) AL 102 V 22
Roquetes T 50 J 31
Ros BU 17 E 18
Rosa (La) BA 67 P 9
Rosal PO 26 G 3
Rosal (El) CO 81 S 15
Rosal Alto (El) SE 92 T 12
Rosal de la Frontera H 78 S 8
Rosalejo CC 56 M 13
Rosales BU 18 D 19
Rosales (Los) TO 57 L 16
Rosales (Los) J 83 S 20
Rosales (Los) SE 92 T 12
Rosamar GI 39 G 38
Rosario (Ermita del) V 73 O 26
Rosarito (Embalse de) TO 56 L 14
Rosas / Roses GI 25 F 39
Rosas (Las) *La Gomera* TF 118 C 1
Rosas (Las) *Tenerife* TF 124 H 2
Roscales P 17 D 16
Roses / Rosas GI 25 F 39
Roses (Golf de) GI 25 F 39
Rosildos (Els) CS 50 L 29
Rosinos de la Requejada ZA 15 F 10
Rossell CS 50 K 30
Rosselló L 36 G 31
Rosso SE 93 U 14
Rostro (El) CR 69 O 16
Rota CA 98 W 10
Rotes (Les) A 75 P 30
Rótova V 74 P 29
Roturas VA 31 G 17
Roturas CC 56 N 13
Rouch (Monte) L 23 D 33
Roupar LU 3 B 6
Rourell (El) T 37 I 33
Royo AB 72 P 23
Royo (El) SO 33 G 22
Royo Odrea AB 72 Q 23
Royos (Los) MU 84 S 23
Royuela TE 48 K 25
Royuela de Río Franco BU 31 G 18
Rozadas *cerca de Boal* O 4 B 9
Rozadas *cerca de El Pedroso* O 6 B 13
Rozadas *cerca de Sotrondio* O 6 C 13
Rozadio S 7 C 16
Rozalejo (El) SE 92 U 13
Rozalén del Monte CU 59 M 21
Rozas S 8 C 19
Rozas ZA 14 F 10
Rozas (Embalse de las) LE 15 D 10
Rozas (Las) S 17 D 17
Rozas (Monte) M 45 K 18
Rozas de Madrid (Las) M 45 K 18
Rozas de Puerto Real M 57 L 16
Rúa LU 4 B 7
Rúa (A) OR 14 E 8
Rúanales S 17 D 18
Ruanes CC 68 O 11
Rubalcaba S 8 C 18
Rubayo S 8 B 18
Rubena BU 18 E 19
Rubí B 38 H 36
Rubí de Bracamonte VA 30 I 15
Rubia OR 14 E 9
Rubia (La) SO 33 G 22
Rubia (Peña) *cerca de Lorca* MU 84 T 24
Rubiales TE 61 L 26
Rubiales BA 80 Q 12
Rubián LU 14 E 7
Rubiáns PO 12 E 3
Rubiás LU 4 C 7
Rubiás OR 14 F 8
Rubielos Altos CU 60 N 23
Rubielos Bajos CU 60 N 23
Rubielos de la Cérida TE 48 J 26
Rubielos de Mora TE 62 L 28
Rubillas Bajas CO 81 S 16
Rubinat L 37 H 33
Rubió B 37 H 34
Rubió *cerca de Foradada* L 37 G 32
Rubió *cerca de Sort* L 23 E 33
Rubio (El) *cerca de Montellano* SE 92 V 12
Rubio (El) *cerca de Osuna* SE 93 T 15
Rubiós PO 13 F 4
Rubios (Los) BA 80 R 13
Rubite GR 102 V 19
Rublacedo de Abajo BU 18 E 19
Rucandio S 8 B 18
Rucandio BU 18 D 19
Rucayo LE 16 D 14
Rudilla TE 49 J 26
Rudilla (Puerto de) TE 48 I 26
Ruecas BA 68 O 12
Ruecas (Río) BA 68 O 12
Rueda VA 30 H 15
Rueda GU 48 J 24
Rueda (Monasterio de) Z 35 I 29
Rueda de Jalón Z 34 H 26
Rueda de Pisuerga P 17 D 16
Ruedas de Ocón (Las) LO 19 F 23
Ruenes O 7 C 15
Ruente S 7 C 17
Rúerrero S 17 D 18
Ruesca Z 34 I 25
Ruescas AL 103 V 23
Ruesga P 17 D 16
Rugat V 74 P 28
Ruguilla GU 47 J 22
Ruices (Los) AB 73 P 25
Ruices (Los) MU 85 T 26
Ruices (Los) V 61 N 26
Ruidera CR 71 P 21
Ruidera (Lagunas de) AB 71 P 21
Ruidoms T 51 I 33
Ruiforco de Torío LE 16 D 13
Ruiloba S 7 B 17
Ruiseñada S 7 B 17
Rumblar J 82 R 18
Rumblar (Embalse del) J 82 R 18
Rupià GI 25 F 39
Rupit B 24 F 37
Rus C 2 C 3
Rus J 82 R 19
Rus (Río) CU 60 N 22
Rute CO 93 U 16
Ruyales del Agua BU 31 F 18
Ruyales del Páramo BU 17 E 18

## S

Saavedra LU 3 C 7
Sabadell B 38 H 36
Sabadelle LU 13 E 6
Sabadelle OR 13 E 6
Sabando VI 19 D 22
Sabar MA 101 V 17

## SALAMANCA

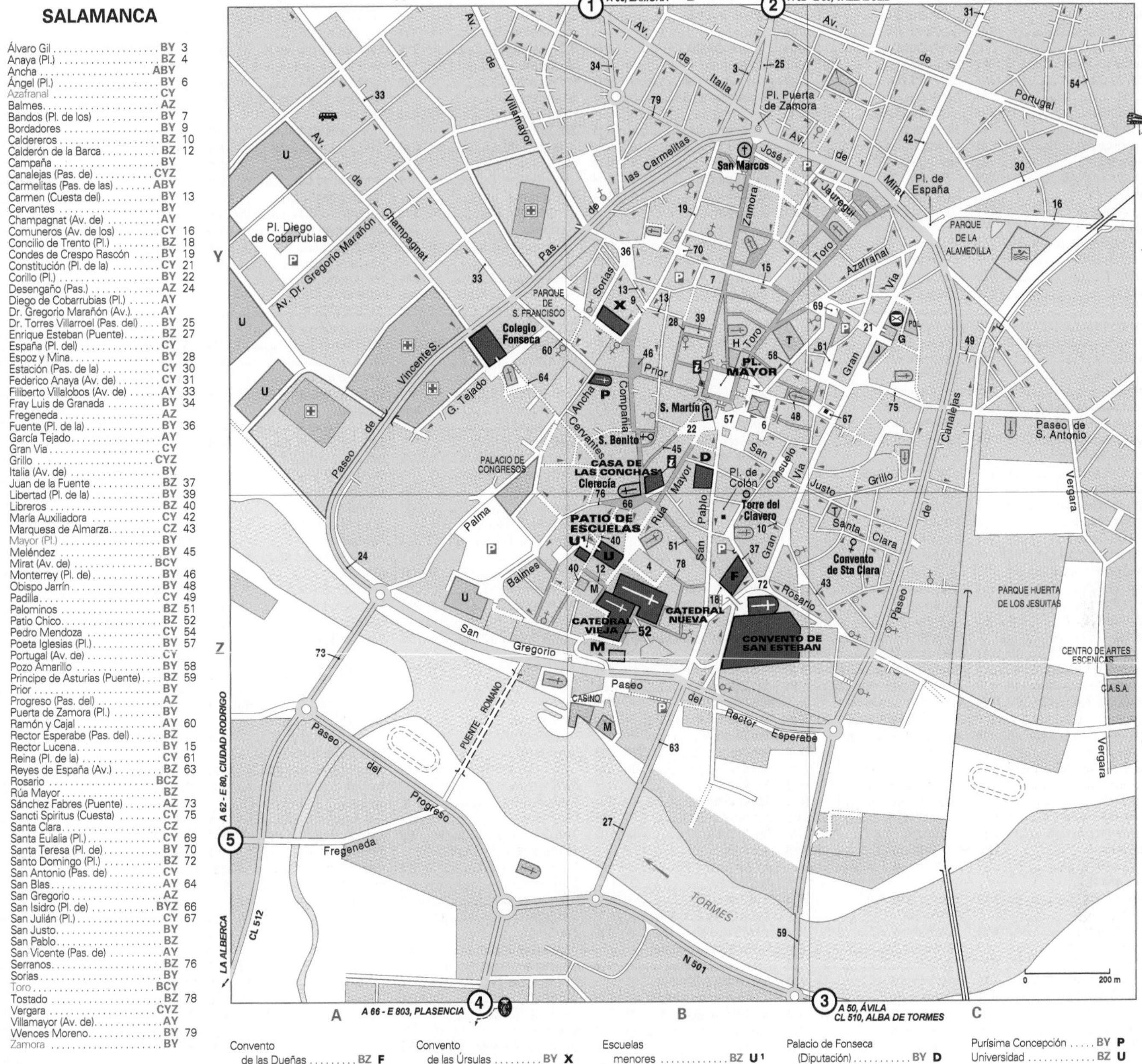

Salmeroncillos de Abajo CU 47 K 22
Salmeroncillos de Arriba CU 47 K 22
Salmor (Roque) El Hierro TF 109 D 2
Salmoral SA 44 J 14
Salo B 37 G 34
Salobral AV 44 K 15
Salobral (El) AB 72 P 24
Salobralejo AV 44 K 15
Salobralejo (Laguna del) AB 73 P 25
Salobre cerca de Alcaraz AB 72 Q 22
Salobre cerca de Munera AB 72 O 22
Salobreña GR 101 V 19
Salomó T 37 I 34
Salón BU 8 C 19
Salor (Embalse del) CC 67 N 11
Salorino CC 55 N 8
Salou T 51 I 33
Salou (Cabo) T 51 I 33
Salse (El) A 74 P 27
Salt GI 25 G 38
Saltador (El) AL 96 T 24
Salteras SE 91 T 11
Saltes (Isla de) H 90 U 9
Salto al Cielo (Ermita) CA 99 W 11
Salto de Bolarque GU 47 K 21
Salto de Villalba CU 60 L 23
Salto de Villora CU 61 M 25
Salto del Ciervo SE 93 T 14
Salto del Negro MA 101 V 17
Salto Saucelle SA 42 I 9
Saltor GI 24 F 36
Saltos (Punta de los) El Hierro TF 109 D 4
Saludes de Castroponce LE 15 F 12
Salvacañete CU 61 L 25
Salvadiós AV 44 J 14
Salvador (Ermita El) CS 62 M 29
Salvador de Zapardiel VA 44 I 15
Salvaje (Punta del) Fuerteventura GC 110 G 2
Salvaleón BA 67 Q 9
Salvaterra de Miño PO 12 F 4
Salvatierra / Agurain VI 19 D 22
Salvatierra de Escá Z 11 D 26
Salvatierra de los Barros BA 67 Q 9
Salvatierra de Santiago CC 68 O 11
Salvatierra de Tormes SA 43 K 13
Sálvora (Isla de) C 12 E 2
Salzadella (La) CS 50 K 30
Sama de Grado O 5 C 11
Sama de Langreo O 6 C 12
Samaniego VI 19 E 21
Sámano S 8 B 20
Samara (Montaña) Tenerife TF 126 D 3
Sambana CA 99 W 13
Samboal SG 31 I 16
Sambreixo LU 13 D 6
Sames O 6 C 14
Samieira PO 12 E 3
Samir de los Caños ZA 29 G 11
Samos LU 14 D 8
Samper HU 22 E 30
Samper de Calanda TE 49 I 28
Samper del Salz Z 35 I 27
Samprizón PO 13 E 5
San Adrián LE 16 D 14
San Adrián NA 19 E 24
San Adrián (Cabo de) C 2 B 3
San Adrián de Juarros BU 18 F 19
San Adrián de Sasabe (Ermita de) HU 21 D 28
San Adrián del Valle LE 15 F 12
San Adriano LU 4 B 8
San Agustín TE 62 L 27
San Agustín AL 102 V 21
San Agustín Gran Canaria GC 117 E 4
San Agustín (Convento de) CU 60 L 24
San Agustín (Ermita de) Fuerteventura GC 111 H 2
San Agustín del Guadalix M 46 J 19
San Agustín del Pozo ZA 30 G 13
San Amancio (Ermita de) GU 48 J 24
San Amaro OR 13 E 5
San Andrés O 5 C 12
San Andrés O 6 C 13
San Andrés LO 33 F 22
San Andrés cerca de Potes S 7 C 16
San Andrés cerca de San Miguel S 7 C 18
San Andrés El Hierro TF 109 D 2
San Andrés La Palma TF 131 D 3
San Andrés Tenerife TF 125 J 2
San Andrés de Arroyo P 17 D 16
San Andrés de la Regla P 16 E 15
San Andrés de las Puentes LE 15 E 10
San Andrés de San Pedro SO 33 G 23
San Andrés de Teixido C 3 A 6
San Andrés del Congosto GU 46 J 20
San Andrés del Rabanedo LE 16 E 13
San Andrés del Rey GU 47 K 21
San Antolín (Monasterio de) O 6 B 15
San Antolín de Ibias O 4 C 9
San Antón SE 93 T 14
San Antón BU 17 E 18
San Antón (Ermita de) GU 47 K 21
San Antón (Ermita de) CC 54 N 8
San Antón (Puerto de) SS 10 C 24
San Antoniño PO 12 E 4
San Antonio V 61 N 26
San Antonio CO 81 S 16
San Antonio (Ermita de) C 3 B 6
San Antonio (Ermita de) cerca de Aliaguilla CU 61 M 26
San Antonio (Ermita de) cerca de Cardenete CU 60 M 25
San Antonio (Ermita de) La Palma TF 130 C 3
San Antonio (Volcán de) La Palma TF 132 C 7
San Antonio de Banaixeve V 62 N 28
San Antonio de Portmany / Sant Antoni de Portmany PM 87 P 33
San Antonio del Fontanar SE 92 U 14
San Asensio LO 19 E 21
San Bartolomé CU 59 L 21
San Bartolomé LO 19 F 23
San Bartolomé Lanzarote GC 123 D 4
San Bartolomé (Ermita de) TE 48 J 26
San Bartolomé (Ermita de) CC 68 O 12
San Bartolomé de Béjar AV 43 K 13
San Bartolomé de Corneja AV 44 K 13
San Bartolomé de la Torre H 90 T 8
San Bartolomé de las Abiertas TO 57 M 15
San Bartolomé de Pinares AV 45 K 16
San Bartolomé de Rueda LE 16 D 14
San Bartolomé de Tirajana Gran Canaria GC 117 E 3
San Bartolomé de Tormes AV 44 K 14
San Baudelio (Ermita de) SO 33 H 21
San Benito V 73 P 26
San Benito cerca de Almadén CR 69 Q 15
San Benito cerca de Ciudad Real CR 70 P 17
San Benito (Convento) CC 55 M 9
San Benito (Ermita de) TE 49 K 27
San Benito (Ermita de) SE 80 S 12
San Benito de la Contienda BA 66 Q 8
San Bernabé CA 99 X 13
San Bernabé (Sierra de) CC 56 L 11
San Bernardo de Valbuena VA 31 H 17
San Bernardino CA 92 V 12
San Bernardo (Sierra de) BA 79 R 11
San Blas TE 48 K 26
San Blas ZA 29 G 10
San Bruno CR 82 Q 18
San Calixto CO 80 S 14
San Caprasio (Collado de) HU 22 F 30
San Carlos BU 32 G 19
San Carlos del Valle CR 71 P 20
San Cebrián P 17 D 16
San Cebrián de Campos P 17 F 16
San Cebrián de Castro ZA 29 G 12
San Cebrián de Mazote VA 30 G 14
San Cibrao OR 14 F 8
San Cibrau OR 28 G 7
San Cibrián de Arriba LE 16 E 13
San Cibrián de la Somoza LE 16 D 14
San Ciprián LU 4 A 7
San Ciprián ZA 14 F 10
San Ciprian cerca de Hermisende ZA 28 G 9
San Ciprián de Viñas OR 13 F 6
San Cipriano del Condado LE 16 E 13
San Claudio O 5 B 12
San Claudio C 3 B 6
San Clemente CU 72 N 22
San Clemente de Valdueza LE 15 E 10
San Clodio LU 14 E 8
San Cosme O 5 B 11
San Cosme LU 4 B 8
San Crispín M 46 K 18
San Cristóbal NA 11 D 25
San Cristóbal CU 60 L 22
San Cristóbal CR 71 Q 21
San Cristóbal SE 80 S 13
San Cristóbal BA 79 R 9
San Cristóbal CC 68 O 13
San Cristóbal Gran Canaria GC 115 G 2
San Cristóbal (Ermita de) CA 98 W 11
San Cristóbal (Ermita de) cerca de Andorra TE 49 J 28
San Cristóbal (Ermita de) cerca de Barrachina TE 48 J 26
San Cristóbal (Ermita de) cerca de Bronchales TE 48 K 25
San Cristóbal (Ermita de) cerca de Sarrión TE 61 L 27
San Cristóbal (Santuario) Z 48 I 25
San Cristóbal de Boedo P 17 E 16
San Cristóbal de Cea OR 13 E 6
San Cristóbal de Chamoso LU 4 D 7
San Cristóbal de Cuéllar SG 31 H 16
San Cristóbal de Entreviñas ZA 30 F 13
San Cristóbal de la Cuesta SA 43 I 13
San Cristóbal de la Polantera LE 15 E 12
San Cristóbal de la Vega SG 45 I 16
San Cristóbal de Segovia SG 45 J 17
San Cristóbal de Trabancos AV 44 J 14
San Cristóbal de Valdueza LE 15 E 10
San Cristóbal del Monte BU 18 E 20
San Cristóbal I TE 48 J 26
San Cristobo OR 28 G 8
San Cucao O 5 B 12
San Diego CA 99 X 14
San Diego (Ermita de) SE 80 R 13
San Emiliano O 4 C 9
San Emiliano LE 15 D 12
San Enrique de Guadiaro CA 99 X 14
San Esteban O 5 B 11
San Esteban de Gormaz SO 32 H 20
San Esteban de la Sierra SA 43 K 12
San Esteban de Litera HU 36 G 30
San Esteban de los Buitres O 4 C 9
San Esteban de los Patos AV 45 J 16
San Esteban de Nogales LE 15 F 12
San Esteban de Valdueza LE 15 E 10
San Esteban de Zapardiel AV 44 I 15
San Esteban del Molar ZA 30 G 13
San Esteban del Valle AV 57 L 15
San Facundo OR 13 E 5
San Felices BU 17 D 18
San Felices SO 33 G 23
San Felices de los Gallegos SA 42 J 9
San Felipe C 3 B 5
San Felipe CU 48 K 24
San Feliú HU 22 E 31
San Feliú de Guíxols / Sant Feliu de Guíxols GI 39 G 39
San Feliz de las Lavanderas LE 15 D 12
San Feliz de Torío LE 16 D 13
San Fernando CA 98 W 11
San Fernando Gran Canaria GC 115 D 2
San Fernando de Henares M 46 K 19
San Fiz do Seo LE 14 E 9
San Francisco AL 96 T 24
San Francisco Mallorca PM 104 N 38
San Francisco (Convento de) VA 30 G 14
San Francisco (Mirador) BU 32 F 20
San Francisco de Olivenza BA 66 P 8
San Franscisco (Ermita de) Fuerteventura GC 111 H 3
San Frutos (Ermita de) SG 31 I 18
San Fulgencio A 85 R 27
San Gabriel Lanzarote GC 123 E 4
San García de Ingelmos AV 44 J 14
San Gil CC 55 M 11
San Gil (Ermita de) Z 21 F 27
San Ginés TE 48 K 25
San Glorio (Puerto de) S 6 C 15
San Gregorio SS 19 D 23
San Gregorio TO 59 N 20
San Gregorio CO 81 Q 16
San Gregorio (Basílica de) NA 19 E 23
San Gregorio (Ermita de) GU 48 J 24
San Gregorio (Ermita de) BA 67 P 10
San Ignacio de Loiola SS 10 C 23
San Ignacio del Viar SE 91 T 12
San Ildefonso o la Granja SG 45 J 17
San Isidoro (Ermita de) BA 68 P 13
San Isidro CR 70 P 19
San Isidro GU 59 L 21
San Isidro AB 73 O 25
San Isidro cerca de Berlanga BA 80 R 12
San Isidro cerca de Huércal Overa AL 96 T 24
San Isidro cerca de Navalmorales TO 57 M 16
San Isidro cerca de Níjar AL 103 V 23
San Isidro Gran Canaria GC 114 D 2
San Isidro Gran Canaria GC 115 E 2
San Isidro Tenerife TF 125 I 2
San Isidro Tenerife TF 129 F 5
San Isidro (Ermita de) CU 60 N 24
San Isidro (Ermita de) V 61 M 26
San Isidro (Ermita de) BA 79 R 10
San Isidro (Puerto de) LE 6 C 13
San Isidro de Guadalete CA 99 W 12
San Isidro del Pinar NA 20 E 25
San Javier MU 85 S 27
San Jerónimo CO 81 S 15
San Jerónimo de Lagar (Ermita de) CC 55 N 10
San Joaquím GU 59 L 20
San Jorge HU 35 G 28
San Jorge BA 67 Q 10
San Jorge / Sant Jordi CS 50 K 30
San Jorge (Ermita de) V 61 N 27
San Jorge de Alor BA 66 Q 8
San José AB 71 P 21
San José AL 103 V 23
San José BA 79 Q 9
San José Lanzarote GC 123 E 4
San José (Embalse de) VA 30 H 14
San José (Ermita) MU 84 R 24
San José (Ermita de) TE 50 J 29
San José (Ermita de) J 82 R 17
San José (Ermita de) Tenerife TF 126 C 3
San José de la Rábita J 94 T 17
San José de la Rinconada SE 91 T 12
San José de Malcocinado CA 99 W 12
San José del Valle CA 99 W 12
San Juan M 45 K 17
San Juan V 61 N 26
San Juan MA 93 U 16
San Juan CC 55 L 10
San Juan (Embalse de) M 45 K 16
San Juan (Ermita de) cerca de Cedrillas TE 49 K 27
San Juan (Ermita de) cerca de Montalbán TE 49 J 28
San Juan (Sierra de) SE 92 U 13
San Juan de Aznalfarache SE 91 T 11
San Juan de Gredos AV 44 K 14
San Juan de la Cuesta ZA 14 F 10
San Juan de la Encinilla AV 44 J 15
San Juan de la Mata LE 14 E 10
San Juan de la Nava AV 44 K 15
San Juan de la Peña (Monasterio de) HU 21 E 27
San Juan de la Rambla Tenerife TF 126 E 3
San Juan de los Terreros AL 96 T 25
San Juan de Mozarrifar Z 35 G 27
San Juan de Nieva O 5 B 12
San Juan de Ortega BU 18 E 19
San Juan de Plan HU 22 E 31
San Juan del Flumen HU 35 G 29
San Juan del Molinillo AV 44 K 15
San Juan del Monte BU 32 G 19
San Juan del Olmo AV 44 K 14
San Juan del Puerto H 90 U 9
San Juan del Rebollar ZA 29 G 10
San Juan-Los Vallejos (Valle de) M 59 L 19
San Juan Muskiz BI 8 C 20
San Juan Perales Tenerife TF 124 H 2
San Juanico el Nuevo ZA 29 F 11
San Julián O 6 B 13
San Julián C 12 D 2
San Julián J 81 R 17
San Julián MU 97 T 27
San Julián de Banzo HU 21 F 28
San Julián de Sales / San Xulian de Sales C 13 D 4
San Just (Ermita de) TE 49 J 27
San Just (Puerto de) TE 49 J 27
San Just (Sierra de) TE 49 J 27
San Justo ZA 14 F 10
San Justo de Cabanillas LE 15 D 10
San Justo de la Vega LE 15 E 11
San Leandro SE 91 U 12
San Leonardo de Yagüe SO 32 G 20
San Llorente VA 31 G 17
San Llorente de la Vega BU 17 E 17
San Llorente del Páramo P 16 E 15
San Lorenzo ZA 29 G 12
San Lorenzo HU 35 G 29
San Lorenzo LO 18 F 21
San Lorenzo Gran Canaria GC 115 F 2
San Lorenzo (Ermita de) TE 48 J 26
San Lorenzo (Ermita de) GU 48 K 24
San Lorenzo de Calatrava CR 82 Q 18
San Lorenzo de El Escorial M 45 K 17
San Lorenzo de la Parrilla CU 60 M 22
San Lorenzo de Tormes AV 44 K 13
San Lourenzo OR 28 G 8
San Luis Tenerife TF 124 H 2
San Luis de Sabinillas MA 99 W 14
San Mamed ZA 29 G 10
San Mamed cerca de Viana do Bolo OR 14 F 8
San Mamede C 3 B 6
San Mamede cerca de Xinzo OR 27 F 6
San Mamés BU 17 E 18
San Mamés M 46 J 18
San Mamés de Abar BU 17 D 17
San Mamés de Campos P 17 E 16
San Mamés de Meruelo S 8 B 19
San Marcial ZA 29 H 12
San Marco C 3 C 5
San Marcos C 3 B 5
San Marcos CA 98 W 11
San Marcos CC 56 M 13
San Marcos NA 19 E 24
San Marcos (Ermita de) cerca de Alustante GU 48 K 24
San Marcos (Ermita de) cerca de Tordesilos GU 48 J 25
San Martín HU 22 E 31
San Martín BU 18 D 18
San Martín NA 19 D 23
San Martín O 5 C 11
San Martín AV 44 J 15
San Martín de Boniches CU 61 M 25
San Martín de Castañeda ZA 14 F 9
San Martín de Don BU 18 D 20
San Martín de Elines S 17 D 18
San Martín de Galvarín BU 19 D 21
San Martín de la Falamosa LE 15 D 12
San Martín de la Tercia LE 15 D 12
San Martín de la Vega M 58 L 19
San Martín de la Vega del Alberche AV 44 K 14
San Martín de la Virgen de Moncayo Z 34 G 24
San Martín de los Herreros P 17 D 16
San Martín de Luiña O 5 B 11
San Martín de Mondoñedo LU 4 B 8
San Martín de Montalbán TO 57 M 16
San Martín de Moreda LE 14 D 9
San Martín de Oscos O 4 C 9
San Martín de Pusa TO 57 M 16
San Martín de Rubiales BU 31 H 18
San Martín de Tábara ZA 29 G 12
San Martín de Torres LE 15 F 12
San Martín de Trevejo CC 55 L 9
San Martín de Unx NA 20 E 25

A B C D E F G H I J K L M N O P Q R S T U V W X Y Z

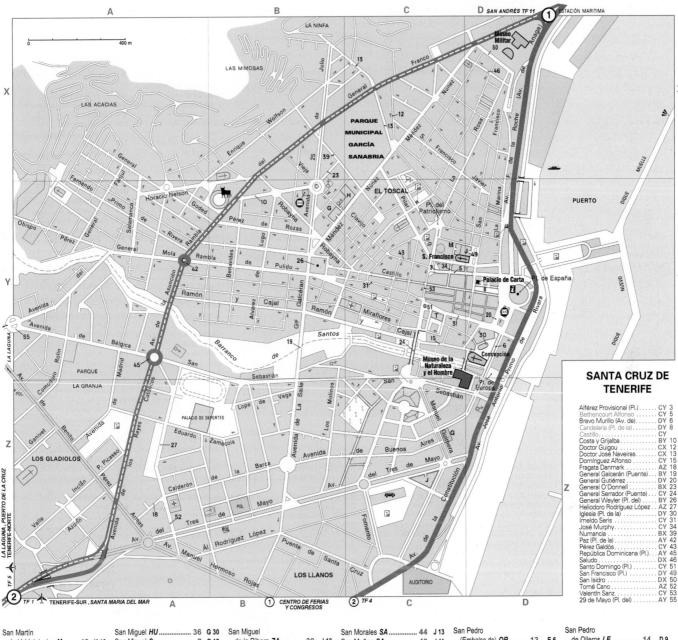

## SANTA CRUZ DE TENERIFE

Alférez Provisional (Pl.) . . . . . . CY 3
Bethencourt Alfonso . . . . . . . CY 5
Bravo Murillo (Av. de). . . . . . . DY 6
Candelaria (Pl. de la). . . . . . . . DY 8
Castillo. . . . . . . . . . . . . . . . . . CY
Costa y Grijalba . . . . . . . . . . . BY 10
Doctor Guigou . . . . . . . . . . . . CX 12
Doctor José Naveiras. . . . . . . CX 13
Domínguez Alfonso . . . . . . . . CY 15
Fragata Danmark . . . . . . . . . . AZ 18
General Galcerán (Puente). . . BY 19
General Gutiérrez . . . . . . . . . . DY 20
General O'Donnell . . . . . . . . . BX 23
General Serrador (Puente) . . . CY 24
General Weyler (Pl. del) . . . . . BY 26
Heliodoro Rodríguez López . . AZ 27
Iglesia (Pl. de la) . . . . . . . . . . DY 30
Imeldo Seris . . . . . . . . . . . . . CY 31
José Murphy. . . . . . . . . . . . . . CY 34
Numancia . . . . . . . . . . . . . . . . BX 39
Paz (Pl. de la) . . . . . . . . . . . . . AY 42
Pérez Galdós. . . . . . . . . . . . . . CY 43
República Dominicana (Pl.). . . AY 45
Saludo . . . . . . . . . . . . . . . . . . DX 46
Santo Domingo (Pl.) . . . . . . . . CY 51
San Francisco (Pl.) . . . . . . . . . DY 49
San Isidro . . . . . . . . . . . . . . . DX 50
Tomé Cano . . . . . . . . . . . . . . . AZ 52
Valentín Sanz. . . . . . . . . . . . . CY 53
29 de Mayo (Pl. del) . . . . . . . . AY 55

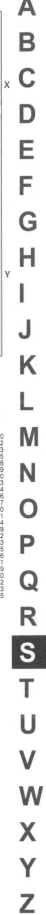

San Martín de Valdeiglesias ***M*** ......... 45 K 16
San Martín de Valderaduey ***ZA*** ........ 30 G 13
San Martín de Valvení ***VA*** ................ 31 G 16
San Martín del Camino ***LE*** ............... 15 E 12
San Martín del Castañar ***SA*** ............ 43 K 11
San Martín del Monte ***P*** .................... 17 E 16
San Martín del Pedreso ***ZA*** .............. 29 G 10
San Martín del Pimpollar ***AV*** ............ 44 K 14
San Martín del Río ***TE*** ....... 48 I 25
San Martín del Rojo ***BU*** .... 18 D 18
San Martín del Tesorillo ***CA*** .............. 99 W 14
San Martín del Valledor ***O*** .... 4 C 9
San Martín y Mudrián ***SG***.. 31 I 17
San Martiño *cerca de Castro Caldelas* ***OR***.. 14 E 7
San Martiño *cerca de Cualedro* ***OR***... 27 G 7
San Martiño (Isla de) ***PO***... 12 F 3
San Martzial ***SS*** ................. 10 C 24
San Mateo de Gállego ***Z***... 35 G 27
San Mauro ***C*** ........................ 3 C 5
San Medel ***SA*** ................... 43 K 12
San Miguel ***HU*** .................. 36 G 30
San Miguel ***S*** ......................... 7 C 18
San Miguel ***M*** .................... 58 L 19
San Miguel ***Z*** ...................... 34 H 26
San Miguel ***O*** ......................... 5 C 12
San Miguel ***OR*** .................. 14 F 8
San Miguel ***J*** ...................... 83 S 20
San Miguel *Tenerife* ***TF***... 128 E 5
San Miguel (Ermita de) ***CU*** ............... 47 K 22
San Miguel (Ermita de) *cerca de la Virgen de la Vega* ***TE***..... 49 K 28
San Miguel (Ermita de) *cerca de Orrios* ***TE*** ......... 61 K 27
San Miguel (Ermita de) *cerca de Valderrobres* ***TE*** ........ 50 J 30
San Miguel de Aguayo ***S*** ...... 7 C 17
San Miguel de Aralar (Santuario de) ***NA*** .......... 10 D 24
San Miguel de Aras ***S*** ........... 8 C 19
San Miguel de Bernuy ***SG*** ................ 31 H 18
San Miguel de Corneja ***AV*** ............... 44 K 14
San Miguel de Escalada ***LE*** ............. 16 E 14
San Miguel de Foces ***HU***.. 21 F 29
San Miguel de la Dueñas ***LE*** ............ 15 E 10
San Miguel de la Puebla ***CS*** ............. 49 K 29
San Miguel de la Ribera ***ZA*** ............. 30 I 13
San Miguel de Lillo ***O*** ........... 5 B 12
San Miguel de Meruelo ***S*****..... 8 B 19
San Miguel de Montañán ***LE*** ............ 16 F 14
San Miguel de Pedroso ***BU*** .............. 18 E 20
San Miguel de Serrezuela ***AV*** ........... 44 J 14
San Miguel de Tajao *Tenerife* ***TF*** .................. 129 G 5
San Miguel de Valero ***SA***.. 43 K 12
San Miguel del Arroyo ***VA*** ................. 31 H 16
San Miguel del Camino ***LE*** ............... 15 E 12
San Miguel del Pino ***VA***..... 30 H 15
San Miguel del Valle ***ZA***.... 30 F 13
San Millán ***BU*** ................... 18 D 20
San Millán ***OR*** ................... 27 G 7
San Millán (Monte) ***BU***...... 18 F 20
San Millán de Juarros ***BU*** ............... 18 F 19
San Millán de la Cogolla ***LO*** ............ 18 F 21
San Millán de Lara ***BU***...... 18 F 19
San Millán de los Caballeros ***LE***..... 16 F 13
San Millán de Yécora ***LO*** ................ 18 E 20
San Morales ***SA*** ................ 44 J 13
San Muñoz ***SA*** ................... 43 J 11
San Nicolás *La Palma* ***TF*** 132 C 5
San Nicolás del Puerto ***SE*** ................ 80 S 13
San Pablo ***SE*** .................... 92 T 12
San Pablo de Buceite ***CA*** ................ 99 W 13
San Pablo de la Moraleja ***VA*** ........... 44 I 15
San Pablo de los Montes ***TO*** .......... 58 N 17
San Paio ***OR*** ...................... 27 G 6
San Pantaleón de Losa ***BU*** ..................... 18 D 20
San Pascual ***AV*** ................. 44 J 15
San Payo ***LU*** ........................ 4 C 7
San Pedro ***S*** .......................... 8 C 19
San Pedro ***P*** ....................... 17 D 16
San Pedro ***LU*** .................... 14 D 8
San Pedro ***PO*** .................... 13 E 5
San Pedro ***CC*** .................... 54 N 8
San Pedro ***AL*** .................. 103 V 24
San Pedro *cerca de Grado* ***O*** ............. 5 B 11
San Pedro *cerca de Oviedo* ***O*** ............ 5 B 12
San Pedro *cerca de Parres* ***O*** ............ 6 B 14
San Pedro *cerca de Segovia* ***SG***..... 45 I 17
San Pedro (Embalse de) ***OR*** ........... 13 E 6
San Pedro (Ermita de) ***LU***.... 4 C 8
San Pedro (Puerto de) ***MU*** ............. 85 S 27
San Pedro (Sierra de) ***CC*** ................ 67 O 10
San Pedro (Torrico de) ***CC*** .............. 55 N 9
San Pedro Bercianos ***LE*** ................. 15 E 12
San Pedro Cansoles ***P***...... 16 D 15
San Pedro de Alcantara ***AV*** ............. 57 L 14
San Pedro de Alcántara ***MA*** .......... 100 W 15
San Pedro de Arlanza (Ermita) ***BU*** .................... 32 F 19
San Pedro de Cardeña ***BU*** .............. 18 F 19
San Pedro de Ceque ***ZA***... 29 F 11
San Pedro de Gaíllos ***SG*** ................ 31 I 18
San Pedro de la Nave ***ZA***.. 29 H 12
San Pedro de la Viña ***ZA***... 15 F 11
San Pedro de las Herrerías ***ZA*** ........ 29 G 10
San Pedro de Latarce ***VA*** ................ 30 G 14
San Pedro de Mérida ***BA*** ................. 67 P 11
San Pedro de Olleros ***LE*** ................. 14 D 9
San Pedro de Paradela ***LE*** ............. 15 D 10
San Pedro de Rozados ***SA*** ............. 43 J 12
San Pedro de Rudaguera ***S*** ................ 7 B 17
San Pedro de Valderaduey ***LE*** ........ 16 E 15
San Pedro de Viveiro ***LU***...... 4 B 7
San Pedro de Zamudia ***ZA*** ............. 29 G 12
San Pedro del Arroyo ***AV***... 44 J 15
San Pedro del Pinatar ***MU*** ............... 85 S 27
San Pedro del Romeral ***S***..... 7 C 18
San Pedro del Valle ***SA***..... 43 I 12
San Pedro Manrique ***SO***... 33 F 23
San Pedro Palmiches ***CU*** ................ 47 K 22
San Pedro Samuel ***BU***...... 17 E 18
San Pelayo ***BU*** ...................... 8 C 19
San Pelayo ***VA*** .................. 30 G 14
San Pelayo ***BI*** ........................ 9 B 21
San Pelayo de Guareña ***SA*** ............. 43 I 12
San Quintín ***CR*** ................. 70 P 17
San Quirce de Riopisuerga ***P*** .......... 17 E 17
San Rafael ***SG*** .................. 45 J 17

## SANTANDER

Alfonso XIII (Av.) . . . . . . . . . . . . EZ 4
Andrés del Rio . . . . . . . . . . . . . FZ 6
Arrabal . . . . . . . . . . . . . . . . . . EFZ 10
Atalaya (Cuesta de la) . . . . . . . EZ 12
Atilano Rodríguez . . . . . . . . . . EZ 13
Calderón de la Barca (Av.). . . . . EZ 15
Calvo Sotelo (Av.) . . . . . . . . . . EZ
Cañadio (Pl.) . . . . . . . . . . . . . . FZ 19
Casimiro Sáinz . . . . . . . . . . . . EZ 21
Daoíz y Velarde . . . . . . . . . . . . EZ 27
Escalantes . . . . . . . . . . . . . . . EZ 30
Francisco de Quevedo . . . . . . . FZ 32
Hospital (Cuesta del) . . . . . . . . EZ 37
Jesús de Monasterio . . . . . . . . EZ 42
José Antonio (Pl.) . . . . . . . . . . FZ 44
Juan de Herrera . . . . . . . . . . . . EZ 46
Juan de la Cosa . . . . . . . . . . . . FZ 47
Lealtad . . . . . . . . . . . . . . . . . . EZ 49
Marcelino Sautuola . . . . . . . . . EZ 55
Matías Montero (Pl.) . . . . . . . . FZ 56
Peña Herbosa . . . . . . . . . . . . . FZ 69
Porticada (Pl.) . . . . . . . . . . . . . EZ 72
Ramón Dóriga . . . . . . . . . . . . . FZ 75
Rúalasal . . . . . . . . . . . . . . . . . EZ
Rubio . . . . . . . . . . . . . . . . . . . . EZ 78
San Francisco . . . . . . . . . . . . . EZ 82
Valliciergo . . . . . . . . . . . . . . . . FZ 90

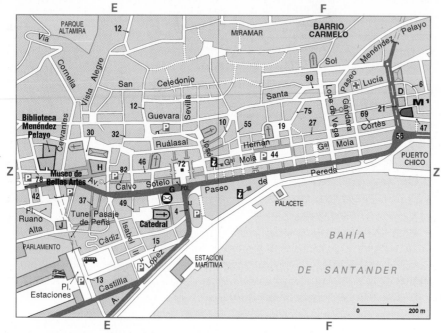

Museo Regional de Prehistoria y Arqueología . . . . . FZ **M¹**

San Rafael ***CA*** 92 V 12
San Rafael de Navallana (Embalse de) ***CO*** 81 S 16
San Rafael de Olivenza ***BA*** 66 P 8
San Ramón ***M*** 45 K 16
San Ramón ***C*** 3 B 5
San Román ***S*** 7 B 18
San Román ***ZA*** 29 F 12
San Román *cerca de Bembibre* ***LE*** 15 E 10
San Román *cerca de Piloña* ***O*** 6 B 14
San Román *cerca de Portomarín* ***LU*** 14 D 7
San Román *cerca de Pravia* ***O*** 5 B 11
San Román *cerca de Santas Martas* ***LE*** 16 E 13
San Román *Cervantes* ***LU*** 14 D 8
San Román de Basa ***HU*** 21 E 29
San Román de Cameros ***LO*** 19 F 22
San Román de Campezo ***VI*** 19 D 22
San Román de Castro ***HU*** 22 F 30
San Román de Hornija ***VA*** 30 H 14
San Román de la Cuba ***P*** 16 F 15
San Román de la Vega ***LE*** 15 E 11
San Román de los Caballeros ***LE*** 15 E 12
San Román de los Infantes ***ZA*** 29 H 12
San Román de los Montes ***TO*** 57 L 15
San Román de San Millán ***VI*** 19 D 22
San Roque ***O*** 7 B 15
San Roque ***C*** 2 C 3
San Roque ***OR*** 13 F 5
San Roque ***CA*** 99 X 13
San Roque (Ermita de) ***TE*** 61 L 26
San Roque (Ermita de) *cerca de Alustante* ***GU*** 48 K 25
San Roque (Ermita de) *cerca de la Yunta* ***GU*** 48 J 24
San Roque de Riomiera ***S*** 8 C 18
San Roque Torre Guadiaro ***CA*** 99 X 14
San Sadurniño ***C*** 3 B 5
San Salvador ***VA*** 30 H 14
San Salvador ***LU*** 3 C 6
San Salvador *cerca de Teverga* ***O*** 5 C 11
San Salvador de Cantamuda ***P*** 17 D 16
San Salvador de Meis ***PO*** 12 E 3
San Salvador de Poyo ***PO*** 12 E 3
San Salvador del Valledor *cerca de Negueira* ***O*** 4 C 9
San Saturio (Ermita de) ***SO*** 33 G 22
San Sebastián ***PO*** 13 D 4
San Sebastián (Castillo de) ***CA*** 98 W 11
San Sebastián (Embalse de) ***ZA*** 14 F 9
San Sebastían (Ermita de) ***Z*** 34 G 25
San Sebastián (Ermita de) ***BA*** 69 P 14
San Sebastián de Garabandal ***S*** 7 C 16
San Sebastián de la Gomera *La Gomera* ***TF*** 119 D 2
San Sebastián de los Ballesteros ***CO*** 81 T 15
San Sebastián de los Reyes ***M*** 46 K 19
San Segundo (Ermita de) ***GU*** 48 J 24
San Serván ***BA*** 67 P 10
San Silvestre de Guzmán ***H*** 90 T 7
San Telmo ***H*** 78 S 9
San Telmo (Parador) *Tui* ***PO*** 12 F 4
San Tirso ***LE*** 14 E 9
San Tirso *cerca de Oviedo* ***O*** 5 C 12
San Tirso *cerca de Pravia* ***O*** 5 B 11
San Torcuato ***LO*** 18 E 21
San Urbez (Santuario de) ***HU*** 21 F 29
San Vicente ***NA*** 11 D 26
San Vicente ***OR*** 14 E 8
San Vicente ***SA*** 44 J 13
San Vicente de Alcántara ***BA*** 54 N 8
San Vicente de Arévalo ***AV*** 44 J 15
San Vicente de la Barquera ***S*** 7 B 16
San Vicente de la Sonsierra ***LO*** 19 E 21
San Vicente de León ***S*** 7 C 17
San Vicente de Robres ***LO*** 19 F 23
San Vicente de Toranzo ***S*** 7 C 18
San Vicente del Grove ***PO*** 12 E 3
San Vicente del Mar ***PO*** 12 E 3
San Vicente del Monte ***S*** 7 C 17
San Vicente del Palacio ***VA*** 30 I 15
San Vicente Ferrer ***SE*** 91 U 11
San Vicentejo ***BU*** 19 D 21
San Victorian (Monasterio de) ***HU*** 22 E 30
San Vincente de la Cabeza ***ZA*** 29 G 11
San Vincente del Valle ***BU*** 18 E 20
San Vitero ***ZA*** 29 G 10
San Xulian de Sales / San Julián de Sales ***C*** 13 D 4
San Xurxo de Piquín ***LU*** 4 C 8
San Zadornil ***BU*** 18 D 20
Sanabria (Lago de) ***ZA*** 14 F 9
Sanabria (Valle de) ***ZA*** 14 F 9
Sanatorio de Abona *Tenerife* ***TF*** 129 G 4
Sanaüja ***L*** 37 G 33
Sancedo ***LE*** 14 E 10
Sanchicorto ***AV*** 44 K 15
Sanchidrián ***AV*** 45 J 16
Sancho (Embalse de) ***H*** 90 T 8
Sancho Abarca ***Z*** 34 G 26
Sancho Abarca (Monte) ***Z*** 20 F 26
Sancho Leza (Collado de) ***LO*** 19 F 22
Sanchogómez ***SA*** 43 J 12
Sanchón de la Ribera ***SA*** 43 I 10
Sanchón de la Sagrada ***SA*** 43 J 11
Sanchonuño ***SG*** 31 I 17
Sanchorreja ***AV*** 44 K 15
Sanchotello ***SA*** 43 K 12
Sancti Petri ***CA*** 98 W 11
Sancti Petri (Isla) ***CA*** 98 W 11
Sancti-Spíritus ***SA*** 43 J 10
Sancti Spíritus ***BA*** 69 P 14
Sandamias ***O*** 5 B 11
Sande ***OR*** 13 F 5
Sandiás ***OR*** 13 F 6
Sandiche ***O*** 5 B 11
Sandín ***ZA*** 29 G 10
Sandinies ***HU*** 21 D 29
Sando ***SA*** 43 J 11
Sandoval de la Reina ***BU*** 17 E 17
Sanet y Negrals ***A*** 74 P 29
Sangarcía ***SG*** 45 J 16
Sangarrén ***HU*** 21 F 28
Sangenjo / Sanxenxo ***PO*** 12 E 3
Sangonera la Verde ***MU*** 85 S 26
Sangüesa / Zangoza ***NA*** 20 E 26
Sanlúcar de Barrameda ***CA*** 91 V 10
Sanlúcar de Guadiana ***H*** 90 T 7
Sanlúcar la Mayor ***SE*** 91 T 11
Sansoáin *cerca de Lumbier* ***NA*** 11 D 26
Sansoáin *cerca de Taffala* ***NA*** 20 E 25
Sansol ***NA*** 19 E 23
Sansomain ***NA*** 20 E 25
Sant Adrià de Besòs ***B*** 38 H 36
Sant Agustí *Ibiza* ***PM*** 87 P 33
Sant Agustí de Lluçanès ***B*** 24 F 36
Sant Andreu ***L*** 23 E 33
Sant Andreu de la Barca ***B*** 38 H 35
Sant Andreu de Llavaneres ***B*** 38 H 37
Sant Andreu Salou ***GI*** 25 G 38
Sant Aniol ***GI*** 24 F 37
Sant Aniol de Finestres ***GI*** 24 F 37
Sant Antolí i Vilanova ***L*** 37 H 34
Sant Antoni (Cap de) ***A*** 75 P 30
Sant Antoni (Ermita de) ***A*** 74 P 28
Sant Antoni (Pantà de) ***L*** 23 F 32
Sant Antoni de Calonge ***GI*** 25 G 39
Sant Antoni de Portmany / San Antonio de Portmany ***PM*** 87 P 33
Sant Bartolomeu del Grau ***B*** 38 G 36
Sant Bartomeu d'Almisdrà ***A*** 85 R 27
Sant Bernabé de les Tenes ***GI*** 24 F 36
Sant Boi ***B*** 38 H 36
Sant Boi de Lluçanès ***B*** 24 F 36
Sant Carles *Ibiza* ***PM*** 87 O 34
Sant Carles de la Ràpita ***T*** 50 K 31
Sant Cebrià de Vallalta ***B*** 38 H 37
Sant Celoni ***B*** 38 G 37
Sant Cerni ***L*** 23 F 32

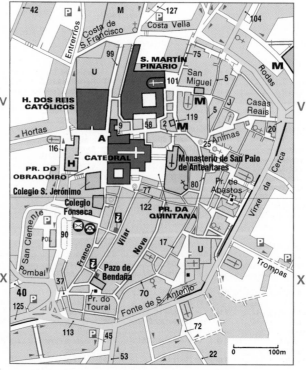

## SANTIAGO DE COMPOSTELA

Acibechería . . . . . . . . . . V 2
Algalia de Arriba . . . . . . V 5
Arco de Palacio . . . . . . . V 9
Caldeirería . . . . . . . . . . . X 17
Camiño (Porta do) . . . . . V 20
Castrón Douro . . . . . . . . X 22
Cervantes (Pr. de) . . . . . V 25
Faxeiras (Porta da) . . . . X 37
Ferradura (Pas. da) . . . . X 40
Galeras . . . . . . . . . . . . . V 42
Galicia (Pr. de) . . . . . . . X 45
Hórreo . . . . . . . . . . . . . . X 53
Immaculada (Pr. da) . . . . V 58
Nova (R.) . . . . . . . . . . . . X
Orfas . . . . . . . . . . . . . . . X 70
Palacio Gelmírez . . . . . . .
Patio de Madres . . . . . . . X 72
Pena (Porta da) . . . . . . . V 75
Praterías (Pr. das) . . . . . VX 77
Preguntoiro . . . . . . . . . . V 80
Rodrigo de Padrón (Av. de) . . . . . . . . . . . . X 90
San Francisco . . . . . . . . V 99
San Martiño (Pr. de) . . . . V 101
San Roque . . . . . . . . . . . V 104
Senra . . . . . . . . . . . . . . . X 113
Trinidade . . . . . . . . . . . . V 116
Troia . . . . . . . . . . . . . . . V 119
Vilar (R. do) . . . . . . . . . . X
Xelmírez . . . . . . . . . . . . . X 122
Xoán Carlos I (Av.) . . . . . V 125
Xoán XXIII (Av. de) . . . . . V 127

Sant Climent
  *Menorca PM* ............106 M 42
Sant Climent
  de Llobregat *B* ............38 H 35
Sant Climent
  Sescebes *GI* ............25 E 38
Sant Cristófol *V* ............74 O 28
Sant Cugat del Vallès *B* ............38 H 36
Sant Doménec *V* ............62 N 28
Sant Elm *Mallorca PM* ......104 N 37
Sant Esperit
  (Monestir) *V* ............62 M 28
Sant Esteve
  de la Sarga *L* ............22 F 32
Sant Esteve
  de Palautordera *B* ............38 G 37
Sant Esteve d'En Bas *GI* ...24 F 37
Sant Esteve
  Sesrovires *B* ............38 H 35
Sant Felip de Neri *A* ......85 R 27
Sant Feliu *B* ............38 H 36
Sant Feliu de Boada *GI* ...25 G 39
Sant Feliu
  de Buixalleu *GI* ............38 G 37
Sant Feliu de Codines *B* ...38 G 36
Sant Feliu de Guíxols /
  San Feliú de Guíxols *GI* .39 G 39
Sant Feliu
  de Pallerols *GI* ............24 F 37
Sant Feliu del Racó *B* ......38 H 36
Sant Feliu Sasserra *B* ......38 G 36
Sant Ferran
  *Formentera PM* ............87 P 34
Sant Francesc *PM* ............87 P 34
Sant Francesc
  de s'Estany *PM* ............87 P 34
Sant Fruitós de Bages *B* ...38 G 35
Sant Genís *B* ............39 H 38
Sant Gerard *V* ............62 N 28
Sant Grau *GI* ............39 G 38
Sant Gregori *GI* ............24 G 38
Sant Gregori (Mont) *GI* ...24 G 37
Sant Guim
  de Freixenet *L* ............37 H 34
Sant Guim de la Plana *L* ...37 G 33
Sant Hilari Sacalm *GI* ......24 G 37
Sant Hipòlit
  de Voltregà *B* ............24 F 36
Sant Iscle de Vallalta *B* ...38 H 37
Sant Isidre *V* ............62 N 28
Sant Isidre d'Albatera *A* ...85 R 27
Sant Jaume
  (Ermita de) *V* ............74 P 28
Sant Jaume
  de Frontanyà *B* ............24 F 36
Sant Jaume
  de Llierca *GI* ............24 F 37
Sant Jaume
  dels Domenys *T* ............37 I 34
Sant Jaume d'Enveja *T* ...50 J 32
Sant Jeroni *B* ............38 H 35
Sant Jeroni
  (Convent de) *V* ............74 P 29
Sant Joan *PM* ............105 N 39
Sant Joan
  (Banyos de) *PM* ............105 N 39
Sant Joan d'Alacant *A* ...86 Q 28
Sant Joan
  de Labritja *PM* ............87 O 34
Sant Joan de l'Erm *L* ......23 E 33
Sant Joan
  de les Abadesses *GI* ...24 F 36
Sant Joan de Mollet *GI* ...25 F 38
Sant Joan de Moró *CS* ......62 L 29
Sant Joan
  de Penyagolosa *CS* ......62 L 28
Sant Joan
  de Vilatorrada *B* ............38 G 35
Sant Joan
  de Vinyafrescal *L* ............23 F 32
Sant Joan Fumat *L* ............23 E 34
Sant Joan les Fonts *GI* ......24 F 37
Sant Joaquim *CS* ............49 J 29
Sant Jordi *A* ............74 Q 29
Sant Jordi *Ibiza PM* ............87 P 34
Sant Jordi *Mallorca PM* ...104 N 38
Sant Jordi /
  San Jorge *CS* ............50 K 30
Sant Jordi (Golf de) *T* ......51 J 32
Sant Jordi d'Alfama *T* ......51 J 32
Sant Jordi Desvalls *GI* ...25 F 38
Sant Josep *Ibiza PM* ......87 P 33
Sant Josep
  (Grutes de) *CS* ............62 M 29
Sant Julià *GI* ............24 F 37
Sant Julià
  de Cerdanyola *B* ............24 F 35

Sant Julià
  de Vilatorta *B* ............38 G 36
Sant Llorenç *GI* ............25 G 38
Sant Llorenç *Ibiza PM* ...87 O 34
Sant Llorenç
  de la Muga *GI* ............25 F 38
Sant Llorenç
  de Montgai *L* ............36 G 32
Sant Llorenç
  de Morunys *L* ............23 F 34
Sant Llorenç del Munt *B* ...38 H 36
Sant Llorenç del Munt
  (Parc natural de) *B* ...38 G 35
Sant Llorenç
  des Cardassar *PM* ......105 N 39
Sant Llorenç
  d'Hortons *B* ............38 H 35
Sant Llorenç Savall *B* ......38 G 36
Sant Lluís *PM* ............106 M 42
Sant Magí (Santuari) *T* ......37 H 34
Sant Marçal (Ermita) *B* ...38 G 37
Sant Martí (Cap de) *A* ......75 P 30
Sant Martí d'Albars *B* ......24 F 36
Sant Martí
  de Barcedana *L* ............23 F 32
Sant Martí
  de Centelles *B* ............38 G 36
Sant Martí
  de Llémena *GI* ............24 F 37
Sant Martí de Ogassa *GI* ...24 F 36
Sant Martí de Riucorb *L* ...37 H 33
Sant Martí
  de Surroca *GI* ............24 F 36
Sant Martí
  de Torroella *B* ............38 G 35
Sant Martí de Tous *B* ......37 H 34
Sant Martí Sacalm *GI* ......24 F 37
Sant Martí Sapresa *GI* ......24 G 37
Sant Martí Sarroca *B* ......37 H 34
Sant Martí Sescorts *GI* ...24 F 36
Sant Martí
  Sesgueioles *B* ............37 G 34
Sant Martí Sesserres *GI* ...25 F 38
Sant Martí Vell *GI* ............25 F 38
Sant Mateu *GI* ............25 G 38
Sant Mateu *Castelló CS* ...50 K 30
Sant Mateu *Ibiza PM* ......87 O 34
Sant Mateu de Bages *B* ...37 G 34
Sant Maurici *B* ............24 F 35
Sant Maurici
  (Estany de) *L* ............23 E 32
Sant Miguel
  de Salinas *A* ............85 S 27
Sant Miquel *Ibiza PM* ......87 O 34
Sant Miquel
  *Mallorca PM* ............105 N 39
Sant Miquel (Ermita de)
  *Castelló CS* ............63 L 30
Sant Miquel
  de Campmajor *GI* ......24 F 38
Sant Miquel
  de Cladells *GI* ............24 G 37
Sant Miquel de Fluvià *GI* ...25 F 38
Sant Miquel
  de la Pobla *V* ............61 L 26
Sant Miquel
  de la Pobla *CS* ............49 K 29
Sant Miquel del Fai *B* ......38 G 36
Sant Mori *GI* ............25 F 38
Sant Nicolau *L* ............22 E 32
Sant Pasqual
  (Ermita de) *A* ............86 Q 28
Sant Pau *CS* ............50 K 29
Sant Pau de Segúries *GI* ...24 F 37
Sant Pau d'Ordal *B* ............38 H 35
Sant Pere
  de Casserres *B* ............24 G 37
Sant Pere de Ribes *B* ......38 I 35
Sant Pere
  de Riudebitlles *B* ............37 H 35
Sant Pere de Rodes
  (Monestir de) *GI* ............25 F 39
Sant Pere de Torelló *B* ...24 F 36
Sant Pere
  de Vilamajor *B* ............38 G 37
Sant Pere Despuig *GI* ......24 F 37
Sant Pere i Sant Pau *T* ...51 I 33
Sant Pere Pescador *GI* ...25 F 39
Sant Pere Sallavinera *B* ...37 G 34
Sant Pol de Mar *B* ............38 H 37
Sant Ponç (Pantà de) *L* ...23 F 34
Sant Privat d'En Bas *GI* ...24 F 37
Sant Quintí
  de Mediona *B* ............37 H 34
Sant Quirze *B* ............38 H 35
Sant Quirze
  de Besora *B* ............24 F 36

Sant Quirze de Pedret *B* ...24 F 35
Sant Quirze Safaja *B* ......38 G 36
Sant Rafael *A* ............74 Q 29
Sant Rafel *A* ............74 P 28
Sant Rafel *Ibiza PM* ......87 P 34
Sant Rafel del Riu *CS* ......50 K 31
Sant Ramon *L* ............37 G 34
Sant Romà d'Abella *L* ......23 F 33
Sant Sadurní d'Anoia *B* ...38 H 35
Sant Sadurní
  de l'Heura *GI* ............25 G 38
Sant Àgata
Sant Sadurní
  d'Osormort *B* ............24 G 37
Sant Salvador *T* ............37 I 34
Sant Salvador (Monestir)
  *Mallorca PM* ............105 N 39
Sant Salvador
  (Monte) *GI* ............25 F 39
Sant Salvador
  de Bianya *GI* ............24 F 37
Sant Salvador
  de Guardiola *B* ............37 G 35
Sant Salvador de Toló *L* ...23 F 33
Sant Sebastià
  (Cap de) *GI* ............25 G 39
Sant Sebastià
  (Ermita de) *V* ............74 P 27
Sant Sebastià
  de Montmajor *B* ............38 H 36
Sant Tomàs *PM* ............106 M 42
Sant Vicenç
  de Castellet *B* ............38 G 35
Sant Vicenç
  de Montalt *B* ............38 H 37
Sant Vicenç de Torelló *B* ...24 F 36
Sant Vicenç
  dels Horts *B* ............38 H 36
Sant Vicent *Castelló CS* ...62 L 28
Sant Vicent *Ibiza PM* ......87 O 34
Sant Vicent
  (Ermita de) *V* ............62 N 28

Sant Vicent
  (Ermita de) *A* ............86 R 28
Sant Vicent
  del Raspeig *A* ............86 Q 28
Santa (Cova) *PM* ............87 P 33
Santa (La) *LO* ............19 F 22
Santa (La)
  *Lanzarote GC* ............122 C 3
Santa
  (Monasterio La) *MU* ...85 S 25
Santa Afra *GI* ............24 F 38
Santa Àgata
  *Castelló CS* ............50 K 30
Santa Agnès *Ibiza PM* ...87 O 34
Santa Agnès
  de Malanyanes *B* ............38 H 37
Santa Agueda
  *Menorca PM* ............106 L 42
Santa Agueda
  (Ermita de) *H* ............91 T 10
Santa Amalia *BA* ............68 O 11
Santa Ana *O* ............6 C 13
Santa Ana *ZA* ............29 G 10
Santa Ana *TO* ............58 L 17
Santa Ana *MU* ............85 S 26
Santa Ana *J* ............94 T 18
Santa Ana *CC* ............68 O 12
Santa Ana
  cerca de Albacete *AB* ...72 P 24
Santa Ana
  cerca de Alcadozo *AB* ...72 P 23
Santa Ana
  (Ermita de) *CC* ............68 O 12
Santa Ana
  cerca de Alfambra *TE* ...48 K 26
Santa Ana (Ermita de)
  cerca de
  Rubielos de la Cérida *GU* 48 J 26
Santa Ana
  (Monasterio de) *MU* ...85 Q 26
Santa Ana (Sierra) *MU* ...85 Q 26

Santa Ana de Abajo *AB* ....72 P 24
Santa Ana de Arriba *AB* ...72 P 23
Santa Ana de Pusa *TO* ...57 M 15
Santa Ana la Real *H* ......79 S 9
Santa Anastasia *Z* ............20 F 26
Santa Anna (Pantà de) *L* ...36 G 31
Santa Bárbara *T* ............50 J 31
Santa Bárbara *O* ............6 C 13
Santa Bárbara *A* ............96 T 24
Santa Bárbara *CC* ............56 L 11
Santa Bárbara *NA* ............20 D 27
Santa Bárbara
  (Alto de) *HU* ............21 E 27
Santa Bárbara
  (Ermita de) *GI* ............24 G 37
Santa Bárbara
  (Ermita de) *HU* ............21 E 27
Santa Bárbara
  (Ermita de) *CU* ............47 L 22
Santa Bárbara (Ermita de)
  cerca de Alcañiz *TE* ......50 J 29
Santa Bárbara (Ermita de)
  cerca de Calamocha *TE* 48 J 25
Santa Bárbara (Ermita de)
  cerca de Camarena
  de la Sierra *TE* ............61 L 26
Santa Bárbara (Ermita de)
  cerca de Celadas *TE* ...49 K 26
Santa Bárbara (Ermita de)
  cerca de Perales
  del Alfambra *TE* ............48 K 26
Santa Bárbara (Ermita de)
  cerca de Teruel *TE* ......48 K 26
Santa Bárbara (Ermita de)
  cerca de
  Villalba Baja *TE* ............49 K 26
Santa Bárbara (Ermita de)
  (Monte) *GR* ............95 T 21
Santa Bárbara de Casa *H.* 78 S 8
Santa Brígida

Santa Brígida
  (Ermita de) *CR* ............70 P 17
Santa Casilda
  (Santuario de) *BU* ......18 E 19
Santa Catalina *C* ............2 C 3
Santa Catalina *TO* ............58 M 17
Santa Catalina *J* ............82 S 18
Santa Catalina *SE* ............92 T 12
Santa Catalina
  (Ermita de) *V* ............61 M 26
Santa Cecilia *BU* ............31 F 18
Santa Cecilia *SO* ............33 F 22
Santa Cecilia
  (Ermita) *B* ............38 H 35
Santa Cecilia
  de Voltregà *B* ............38 G 36
Santa Cecilia del Alcor *P* ...31 G 16
Santa Cilia *HU* ............21 F 29
Santa Cilia de Jaca *HU* ...21 E 27
Santa Clara *CR* ............69 P 16
Santa Clara *CO* ............69 Q 14
Santa Clara
  de Avedillo *ZA* ............29 H 12
Santa Coloma *LO* ............19 E 22
Santa Coloma
  de Farners *GI* ............24 G 38
Santa Coloma
  de Queralt *T* ............37 H 34
Santa Coloma
  de Curueño *LE* ............16 D 13
Santa Coloma
  de la Carabias *ZA* ......30 F 13
Santa Coloma
  de las Monjas *ZA* ......29 G 12
Santa Coloma
  de Somoza *LE* ............15 E 11
Santa Comba *C* ............2 C 3
Santa Comba *LU* ............4 D 7
Santa Comba
  de Bande *OR* ............27 G 6
Santa Cova *B* ............38 H 35

**SEGOVIA**

Azoguejo (Pl. de) ..... BY 8
Cervantes ............. BY 15
Colón ................. BY 18
Conde de Cheste
  (Pl. del) ........... BY 21
Cronista Lecea ........ BY 23
Doctor Laguna ......... BY 24
Escuderos ............. AY 25
Fernández Ladreda
  (Av.) ............... BY 27
Gobernador F.
  Jiménez ........... BY 30

Independencia ........ BY 36
Isabel la Católica .... BY 39
Juan Bravo ........... BY 47
Juderia Vieja ........ AY 51
Marqués del Arco ..... AY 56
Mayor (Pl.) .......... ABY 62
Merced (Pl. de la) ... AX 62
Obispo Gandasegui ... BY 67
Padre Claret (Av.) ... BY 70
Ruiz de Alda ......... BY 73
Salón (Pas. del) ..... BY 76
Santiago (Puerta de). AX 83

San Martín (Pl.) ...... BY 78
San Quirce ............ BX 81
Serafín ............... BY 88
Socorro ............... AY 91

Valdeláguila .......... BX 94
Zuloaga .............. BY 96

## SEVILLA

Ada ........ FR 3
Alameda de Hércules ........ FR 5
Alcade Juan Fernández ........ FR 8
América (Pl. de) ........ FR 24
Antonio Bienvenida ........ FR 28
Asunción ........ FR 33
Borbolla (Av. de) ........ FR 38
Capuchinos (Ronda) ........ FR 45
Cardenal Ilundain ........ FS 46
Carlos V (Av.de) ........ FR 52
Castilla ........ ER 57
Chapina (Puente) ........ FR 59
Ciudad Jardín (Av.) ........ FR 60
Cristóbal Colón (Pas. de) ........ FR 72
Cruz del Campo (Av.) ........ FR 80
Delicias (Pas. de las) ........ FR 82
Diego Martínez Barrio ........ FR 85
Doctor Fedriani ........ FP 87
Don Fabrique ........ FP 92
Eduardo Dato (Av.) ........ FR 100
Éfeso ........ FR 102
Enramadilla ........ FR 107
Eritaña (Av.) ........ FR 110
España (Pl. de) ........ FR 114
Federico Mayo Gayarre ........ GR 117
Felipe II ........ FR 120
Francisco Buendía ........ FR 125
Generalísimo (Puente del) ........ FR 136
General Merry ........ FR 132
El Greco (Av.) ........ FR 139
Isabel II o de Triana (Puente) ........ FR 145
López de Gomara ........ ER 157
Luis de Morales ........ FR 161
Manuel Fal Conde ........ FS 165
Manuel Siurot (Av.) ........ FS 167
Maqueda ........ GR 170
María Auxiliadora ........ FR 175
María Luisa (Av.) ........ FR 177
Marqués de Luca de Tena ........ FS 182
Marqués de Paradas (Av.) ........ FR 185
Marqués de Pickman ........ FR 187
Menéndez Pelayo ........ FR 195
Miraflores (Av.) ........ FR 198
Padre García Tejero (Av.) ........ FS 212
Páez de Rivera ........ FS 215
Pagés del Corro ........ FR 217
Pedro Gual Villalbi (Av.) ........ FP 225
Pío XII (Ronda) ........ FP 229
Quintillo (Camino) ........ FS 244
Ramón de Carranza (Av.) ........ FR 249
Ramón y Cajal (Av.) ........ FR 247
Recaredo ........ FR 252
República Argentina (Av.) ........ ER 255
Resolana ........ FR 257
Rubén Darío ........ ER 265
Sánchez Pizjuán (Av.) ........ FP 292
Santa Fé ........ FR 295
San Fernando ........ FR 267
San Francisco Javier (Av.) ........ FR 270
San Juan de la Cruz (Av.) ........ GR 275
San Juan de la Salle ........ FP 282
San Juan de Ribera ........ FP 283
San Luis ........ FR 285
San Telmo (Puente de) ........ FR 290
Tesalónica ........ GR 305
Virgen de Luján ........ FPR 322

Santa Cristina ***CU***........ 47 **K 23**
Santa Cristina (Ermita de) ***GI***........ 39 **G 38**
Santa Cristina d'Aro ***GI***........ 25 **G 39**
Santa Cristina de la Polvorosa ***ZA***........ 29 **F 12**
Santa Cristina de Lena ***O***........ 5 **C 12**
Santa Cristina de Valmadrigal ***LE***........ 16 **E 14**
Santa Croya de Tera ***ZA***........ 29 **G 12**
Santa Cruz ***SG***........ 32 **I 18**
Santa Cruz ***BI***........ 8 **C 20**
Santa Cruz ***O***........ 5 **B 12**
Santa Cruz ***CO***........ 81 **S 16**
Santa Cruz ***MU***........ 85 **R 26**
Santa Cruz *cerca de A Coruñia* ***C***........ 3 **B 4**
Santa Cruz *cerca de Espiñaredo* ***C***........ 3 **B 6**
Santa Cruz (Ermita de) ***TE***........ 49 **K 27**
Santa Cruz (Sierra de) ***CC***........ 68 **O 12**
Santa Cruz de Abranes ***ZA***........ 28 **G 9**
Santa Cruz de Bezana ***S***........ 7 **B 18**
Santa Cruz de Boedo ***P***........ 17 **E 16**
Santa Cruz de Campezo ***VI***........ 19 **D 22**
Santa Cruz de Grío ***Z***........ 34 **H 25**
Santa Cruz de Juarros ***BU*** 18 **F 19**
Santa Cruz de la Palma *La Palma* ***TF***........ 131 **D 4**
Santa Cruz de la Salceda ***BU***........ 32 **H 19**
Santa Cruz de la Serós ***HU***........ 21 **E 27**
Santa Cruz de la Sierra ***CC***........ 68 **N 12**
Santa Cruz de la Zarza ***TO***........ 59 **M 20**
Santa Cruz de los Cañamos ***CR***........ 71 **Q 21**
Santa Cruz de Marchena ***AL***........ 95 **U 22**
Santa Cruz de Mieres ***O***........ 5 **C 12**
Santa Cruz de Moncayo ***Z***........ 34 **G 24**
Santa Cruz de Moya ***CU***........ 61 **M 26**
Santa Cruz de Mudela ***CR***........ 70 **Q 19**
Santa Cruz de Nogueras ***TE***........ 48 **I 26**
Santa Cruz de Paniagua ***CC***........ 55 **L 11**
Santa Cruz de Pinares ***AV***........ 45 **K 16**
Santa Cruz de Tenerife *Tenerife* ***TF***........ 125 **J 2**
Santa Cruz de Yanguas ***SO***........ 33 **F 22**
Santa Cruz del Comercio ***GR***........ 94 **U 18**
Santa Cruz del Monte ***P***........ 17 **E 16**
Santa Cruz del Retamar ***TO***........ 58 **L 17**
Santa Cruz del Tozo ***BU***........ 17 **E 18**
Santa Cruz del Valle ***AV***........ 57 **L 15**
Santa Cruz del Valle Urbión ***BU***........ 18 **F 20**
Santa Elena ***HU***........ 21 **D 29**
Santa Elena ***J***........ 82 **Q 19**
Santa Elena (Ermita de) ***TE***........ 61 **L 26**
Santa Elena (Monasterio de) ***HU***........ 21 **E 29**
Santa Elena de Jamuz ***LE***........ 15 **F 12**
Santa Emilia ***TO***........ 57 **M 15**
Santa Engracia ***Z***........ 34 **G 26**
Santa Engracia ***HU***........ 21 **E 27**
Santa Engracia del Jubera ***LO***........ 19 **F 23**
Santa Eufemia ***CO***........ 69 **Q 15**
Santa Eufemia del Arroyo ***VA***........ 30 **G 14**
Santa Eufemia del Barco ***ZA***........ 29 **G 12**
Santa Eugenia ***C***........ 12 **E 3**
Santa Eugènia *Mallorca* ***PM***........ 104 **N 38**
Santa Eugènia de Berga ***B***........ 38 **G 36**
Santa Eulalia ***S***........ 7 **C 16**
Santa Eulalia ***TE***........ 48 **K 26**
Santa Eulalia ***ZA***........ 29 **F 11**
Santa Eulalia ***J***........ 82 **R 19**
Santa Eulalia *Cabranes* ***O***........ 6 **B 13**
Santa Eulalia *Morcín* ***O***........ 5 **C 12**
Santa Eulalia (Ermita de) ***H***........ 79 **S 10**
Santa Eulalia Bajera ***LO***........ 19 **F 23**
Santa Eulalia de Bóveda ***LU***........ 3 **D 6**
Santa Eulalia de Cabrera ***LE***........ 15 **F 10**
Santa Eulalia de Gállego ***Z***........ 21 **F 27**
Santa Eulalia de la Peña ***HU***........ 21 **F 28**
Santa Eulalia de Oscos ***O***........ 4 **C 8**
Santa Eulàlia de Puig-oriol ***B***........ 24 **F 36**
Santa Eulàlia de Riuprimer ***B***........ 38 **G 36**
Santa Eulàlia de Ronçana ***B***........ 38 **H 36**
Santa Eulalia de Tábara ***ZA***........ 29 **G 12**
Santa Eulalia del Río / Santa Eulària des Riu ***PM***........ 87 **P 34**
Santa Eulalia La Mayor ***HU***........ 21 **F 29**
Santa Eulària des Riu / Santa Eulalia del Río ***PM***........ 87 **P 34**
Santa Euxea ***LU***........ 13 **D 7**
Santa Faç ***A***........ 86 **Q 28**
Santa Fe ***L***........ 37 **G 34**
Santa Fe ***GR***........ 94 **U 18**
Santa Fe (Pantà de) ***B***........ 38 **G 37**
Santa Fe de Mondújar ***AL***........ 103 **V 22**
Santa Filomena (Ermita de) ***A***........ 85 **R 27**
Santa Gadea ***BU***........ 17 **D 18**
Santa Gadea del Cid ***BU***........ 18 **D 20**
Santa Genoveva ***SE***........ 92 **T 12**
Santa Gertrudis ***PM***........ 87 **P 34**
Santa Iglesia ***SE***........ 92 **T 13**
Santa Inés ***BU***........ 32 **F 18**
Santa Inés ***SA***........ 44 **J 13**
Santa Inés ***BA***........ 68 **Q 13**
Santa Inés (Puerto de) ***SO***........ 33 **F 21**
Santa Isabel ***Z***........ 35 **H 27**
Santa Juliana ***SE***........ 92 **T 13**
Santa Lecina ***HU***........ 36 **G 30**
Santa Liestra y San Quilez ***HU***........ 22 **F 31**
Santa Linya ***L***........ 36 **G 32**
Santa Lucia ***LO***........ 19 **F 23**
Santa Lucía ***PO***........ 12 **E 4**
Santa Lucía *Gran Canaria* ***GC***........ 117 **E 3**
Santa Lucía (Ermita de) ***TE***........ 48 **K 25**
Santa Lucía de Valdueza ***LE***........ 14 **E 10**
Santa Magdalena ***PM***........ 104 **M 38**
Santa Magdalena (Ermita de) ***T***........ 50 **J 31**
Santa Magdalena de Pulpís ***CS***........ 50 **K 30**
Santa Margalida *Mallorca* ***PM***........ 105 **M 39**
Santa Margarida ***GI***........ 25 **F 39**
Santa Margarida de Montbui ***B***........ 37 **H 34**
Santa Margarida i els Monjós ***B***........ 37 **I 35**
Santa Margarita ***CA***........ 99 **X 14**
Santa Margarita (Ermita de) ***TE***........ 61 **M 27**
Santa Margarita (Portillo de) ........ 20 **F 25**
Santa María ***HU***........ 21 **E 27**
Santa María ***O***........ 5 **B 12**
Santa María ***CR***........ 71 **P 21**
Santa María ***BA***........ 67 **P 10**
Santa María ***P***........ 17 **D 16**
Santa Maria *cerca de Luciana* ***CR***........ 69 **O 16**
Santa María (Ermita de) ***SG***........ 31 **I 17**
Santa María (Sierra de) ***BA***........ 67 **Q 9**
Santa María de Bellpuig ***L***........ 36 **G 32**

## SEVILLA

Agua (Callejón del) CY 4
Alemanes BX 12
Alfaro (Pl. de) CXY 15
Alianza (Pl.) BX 19
Almirante Apodaca CV 20
Almirante Lobo BY 21
Álvarez Quintero BX 22
Amador de los Ríos CV 23
Antillano Campos AX 26
Aposentadores BV 29
Arco de la Judería BY 30
Argote de Molina BX 31
Banderas (Patio de las) BXY 35
Capitán Vigueras CY 42
Cardenal Spínola AV 47
Castelar AX 55
Chapina (Puente) AX 59
Doña Elvira (Pl. de) BX 95
Doña Guiomar AX 97
Escuelas Pías CV 112
Farmacéutico E. Murillo Herrera AY 115
Feria BV
Francisco Carrión Mejías CV 126
Francos BX
Fray Ceferino González BX 127
García de Vinuesa BX 130
General Polavieja BX 135
Gloria BXY 137
Gonzalo Bilbao CV 138
Hospital de los Venerables BX
Jesús de la Vera Cruz AV 147
José Laguillo (Av.) CV 302
José María Martínez Sánchez Arjona AY 150
Julio César AX 152
Júpiter CV 153
Luis Montoto CX 160
Marcelino Champagnat AY 172
Marqués de Paradas (Av.) AVX 185
Martín Villa BV 190
Mateos Gago BX 192
Mesón del Moro BX 197
Murillo AV 202
Museo (Pl. del) AV 205
Navarros CVX 207
O'Donnell BV 210
Pascual de Gayangos AV 220
Pastor Landero AX 222
Pedro del Toro AV 227
Pimienta o Susona BCY 228
Ponce de León (Pl.) CV 234
Puente y Pellón BV 242
Puerta de Jerez BY 243
República Argentina (Av.) AY 255
Reyes Católicos AX 260
Rodrigo Caro (Callejón de) BX 261
Romero Morube BX 264
Santander BY 300
Santa Isabel (Pl. de) CV 296
Santa María La Blanca CX 297
Santa Marta (Pl. de) BX 298
Santa Teresa CX 299
San Gregorio BY 272
San Juan de la Palma BV 277
San Pedro (Pl.) BV 286
San Sebastián (Pl.) CY 287
Sierpes BVX
Temprado BY 304
Tetuán BX
Tres Cruces (Pl. de las) CX 306
Triunfo (Pl. del) BX 307
Velázquez BV 310
Venerables (Pl. de los) BCX 312
Virgen de los Reyes (Pl. de la) BX 324
Viriato BV 329

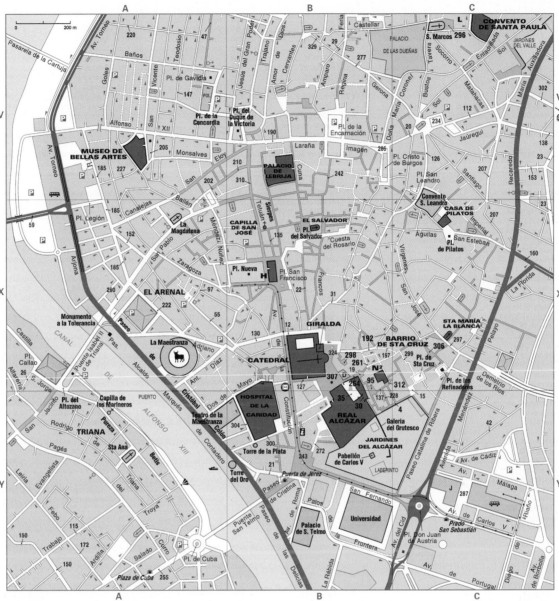

Santa María de Bendones *O* 5 B 12
Santa María de Besora *B* 24 F 36
Santa María de Cayón *S* 7 C 18
Santa María de Corcó *B* 24 F 37
Santa María de Guía *Gran Canaria GC* 114 D 1
Santa María de Huerta *SO* 33 I 23
Santa María de la Alameda *M* 45 K 17
Santa María de la Isla *LE* 15 E 12
Santa María de la Vega *ZA* 15 F 12
Santa María de las Hoyas *SO* 32 G 20
Santa María de las Lomas *CC* 56 L 13
Santa María de Llorell *GI* 39 G 38
Santa María de los Caballeros *AV* 44 K 13
Santa María de los Llanos *CU* 59 N 21
Santa María de Mave *P* 17 D 17
Santa María de Meià *L* 37 G 32
Santa María de Mercadillo *BU* 32 G 19
Santa María de Merlès *B* 24 F 35
Santa María de Mezonzo *C* 3 C 5
Santa María de Miralles *B* 37 H 34
Santa María de Nieva *AL* 96 T 24
Santa María de Ordás *LE* 15 D 12
Santa María de Palautordera *B* 38 G 37
Santa María de Redondo *P* 17 D 16
Santa María de Riaza *SG* 32 H 19
Santa María de Sando *SA* 43 J 11
Santa María de Siones *BU* 8 C 20
Santa María de Tentudía (Santuario de) *BA* 79 R 10
Santa María de Trassierra *CO* 81 S 15
Santa María de Valverde *ZA* 29 G 12
Santa María de Zújar (Ermita de) *BA* 68 P 12
Santa María del Águila *AL* 102 V 21
Santa María del Arroyo *AV* 44 K 15
Santa María del Berrocal *AV* 44 K 13
Santa María del Camí *B* 37 H 34
Santa María del Camí *Mallorca PM* 104 N 38
Santa María del Campo *BU* 17 F 18
Santa María del Campo Rus *CU* 60 N 22
Santa María del Cerro *SG* 46 I 18
Santa María del Cubillo *AV* 45 J 16
Santa María del Espino *GU* 47 J 23
Santa María del Invierno *BU* 18 E 19
Santa María del Mar *O* 5 B 11
Santa María del Monte de Cea *LE* 16 E 14
Santa María del Monte del Condado *LE* 16 D 13
Santa María del Páramo *LE* 15 E 12
Santa María del Prado *SO* 33 H 22
Santa María del Puerto *O* 5 C 11
Santa María del Río *LE* 16 E 14
Santa María del Tietar *AV* 57 L 16
Santa María del Val *CU* 47 K 23
Santa María d'Oló *B* 38 G 36
Santa María la Real de Nieva *SG* 45 I 16
Santa María La Real de Oseira (Monasterio) *OR* 13 E 6
Santa María Magdalena *A* 85 Q 27
Santa María-Ribarredonda *BU* 18 E 20
Santa Marina *O* 5 C 12
Santa Marina *LE* 15 E 10
Santa Marina *PO* 12 D 4
Santa Marina *LO* 19 F 22
Santa Marina de Somoza *LE* 15 E 11
Santa Marina de Valdeón *LE* 6 C 15
Santa Marina del Rey *LE* 15 E 12
Santa Mariña *C* 2 C 3
Santa Mariña de Augas Santas *OR* 13 F 6
Santa Marta *AB* 72 O 23
Santa Marta *BA* 67 Q 10
Santa Marta *MA* 100 W 14
Santa Marta de Magasca *CC* 56 N 11
Santa Marta de Ortigueira (Ría de) *C* 3 A 6
Santa Marta de Tera *ZA* 29 G 12
Santa Marta de Tormes *SA* 43 J 13
Santa Olaja *BU* 8 C 20
Santa Olaja *LE* 16 D 14
Santa Olaja de la Varga *LE* 16 D 14
Santa Olaja de la Vega *P* 16 E 15
Santa Olalla *TO* 57 L 16
Santa Olalla (Sierra de) *CC* 55 L 9
Santa Olalla de Bureba *BU* 18 E 19
Santa Olalla de Yeltes *SA* 43 J 11
Santa Olalla del Cala *H* 79 S 11
Santa Oliva *T* 37 I 34
Santa Pau *GI* 24 F 37
Santa Paula *TO* 57 M 15
Santa Pelada (Ermita de la) *CR* 70 P 19
Santa Pellaia *GI* 25 G 38
Santa Perpètua *T* 37 H 34
Santa Perpètua *B* 38 H 36
Santa Pola *A* 86 R 28
Santa Pola (Cap de) *A* 86 R 28
Santa Pola de l'Est *A* 86 R 28
Santa Ponça *PM* 104 N 37
Santa Quiteria *CR* 69 O 16
Santa Quiteria *TO* 57 N 15
Santa Quiteria (Ermita de) *TE* 49 K 27
Santa Quitería (Ermita de) *GU* 48 K 24
Santa Rita *AB* 71 P 21
Santa Rosa *O* 5 C 12
Santa Rosa (Casa de) *AB* 73 P 26
Santa Rosalía *MU* 85 S 27
Santa Rosalía *MA* 100 V 16
Santa Sabiña *C* 2 C 3
Santa Susanna *B* 38 H 38
Santa Tecla *PO* 26 G 3
Santa Teresa *SA* 44 J 13
Santa Teresa *CA* 98 W 11
Santa Teresa (Embalse de) *SA* 43 K 13
Santa Teresa (Ermita) *MU* 84 S 24
Santa Úrsula *Tenerife TF* 124 G 2
Santaballa *LU* 3 C 6
Santacara *NA* 20 E 25
Santaella *CO* 93 T 15
Santalavilla *LE* 14 E 10
Santamera *GU* 47 I 21
Santander *S* 8 B 18
Santandria *PM* 106 M 41
Santanyí *PM* 105 N 39
Santaolalla *GR* 95 T 21
Santas (Las) *OR* 13 E 5
Santas Martas *LE* 16 E 13
Santaya *C* 3 C 5
Sante *O* 4 B 9
Sante *LU* 4 B 8
Santed *Z* 48 I 25
Santed (Puerto de) *Z* 48 I 25
Santeles *PO* 13 D 4
Santelices *BU* 18 D 18

Santervás SO 32 G 20
Santervás de Campos VA 16 F 14
Santervás de la Vega P 16 E 15
Santes Creus T 37 G 33
Santes Creus (Monestir) T 37 H 34
Santesteban / Doneztebe NA 11 C 24
Santi Petri MA 100 V 16
Santiago J 82 S 17
Santiago CC 54 N 8
Santiago (Ermita de) CR 70 P 19
Santiago (Sierra de) BA 67 O 9
Santiago de Alcántara CC 54 N 8
Santiago de Calatrava J 82 S 17
Santiago de Compostela C 12 D 4
Santiago de la Espada J 83 R 22
Santiago de la Puebla SA 44 J 14
Santiago de la Requejada ZA 15 F 10
Santiago de la Ribera MU 85 S 27
Santiago de Mora AB 73 Q 25
Santiago de Tormes AV 44 L 13
Santiago del Arroyo VA 31 H 16
Santiago del Campo CC 55 N 10
Santiago del Collado AV 44 K 13
Santiago del Monte O 5 B 11
Santiago del Teide *Tenerife* TF 126 C 3
Santiago Millas LE 15 E 11
Santiagos (Los) CR 70 P 17
Santianes *cerca de Tineo* O 5 C 10
Santianes *cerca de Pravia* O 5 B 11
Santianes *cerca de Ribadesella* O 6 B 14
Santianes *cerca de Santo Adriano* O 5 C 11
Santibánez S 7 C 18
Santibáñez O 6 C 13
Santibáñez LE 16 D 13
Santibañez de Ayllón SG 32 H 20
Santibáñez de Béjar SA 43 K 13
Santibañez de Ecla P 17 D 16
Santibáñez de Esgueva BU 32 G 18
Santibáñez de la Peña P 17 D 15
Santibáñez de la Sierra SA 43 K 12
Santibáñez de Montes LE 15 E 11
Santibáñez de Porma LE 16 E 13
Santibáñez de Resoba P 17 D 16
Santibáñez de Rueda LE 16 D 14
Santibáñez de Tera ZA 29 G 12
Santibáñez de Valcorba VA 31 H 16
Santibáñez de Vidriales ZA 29 F 11
Santibáñez del Val BU 32 G 19
Santibáñez el Alto CC 55 L 10
Santibáñez el Bajo CC 55 L 11
Santibáñez-Zarzaguda BU 18 E 18
Santidad *Gran Canaria* GC 115 E 2
Santigosa (Coll de) GI 24 F 36
Santigoso OR 14 E 9
Santillán P 17 E 15
Santillana AL 95 U 21
Santillana (Embalse de) M 45 J 18
Santillana de Castilla P 17 E 16
Santillana del Mar S 7 B 17
Santimamiñe BI 9 B 22
Santiorxo LU 13 E 7
Santiponce SE 91 T 11
Santiscal (El) CA 92 V 12
Santisima Trinidad NA 10 D 24
Santiso C 13 D 5
Santisteban del Puerto J 83 R 20
Santiurde de Reinosa S 7 C 17
Santiurde de Toranzo S 7 C 18
Santiuste SO 32 H 21
Santiuste GU 47 I 21
Santiuste de Pedraza SG 45 I 18
Santiuste de San Juan Bautista SG 45 I 16
Santiz SA 29 I 12
Santo (Ermita del) CC 68 O 12
Santo (Peñon del) GR 101 V 18
Santo Adriano O 5 C 11
Santo Domingo M 46 K 19
Santo Domingo CO 81 S 15
Santo Domingo SE 92 T 13
Santo Domingo BA 66 Q 8
Santo Domingo Z 21 E 27
Santo Domingo (Ermita de) CC 55 N 10
Santo Domingo (Puerto de) BA 79 Q 10
Santo Domingo (Punta y Prois de) *La Palma* TF 130 B 3
Santo Domingo de Huebra SA 43 K 12
Santo Domingo de la Calzada LO 18 E 21
Santo Domingo de las Posadas AV 45 J 16
Santo Domingo de Moya CU 61 M 25
Santo Domingo de Pirón SG 45 I 18
Santo Domingo de Silos BU 32 G 19
Santo Estevo (Embalse de) LU 14 E 7
Santo Niño (Ermita del) TO 58 M 19
Santo Tomé LU 4 B 8
Santo Tomé OR 13 F 5
Santo Tomé J 83 R 20
Santo Tomé de Rozados SA 43 J 12
Santo Tomé de Zabarcos AV 44 J 15
Santo Tomé del Puerto SG 46 I 19
Santo Toribio de Liébana S 7 C 16
Santolea TE 49 J 28
Santolea (Embalse de) TE 49 J 29
Santomera MU 85 R 26
Santoña S 8 B 19
Santopétar AL 96 T 23
Santopitar MA 101 V 17
Santorcaz M 46 K 20
Santoréns HU 22 E 32
Santos (Ermita de los) TE 50 J 30
Santos (Ermita de los) CA 99 W 12
Santos (Los) SA 43 K 12
Santos (Los) V 61 L 26
Santos (Los) CO 93 T 16
Santos (Sierra de los) CO 80 R 13
Santos (Sierra de los) BA 79 Q 11
Santos de la Humosa (Los) M 46 K 20
Santos de la Piedra (Ermita de los) TE 48 K 25
Santos de Maimona (Los) BA 79 Q 10
Santoseco O 5 B 11
Santotis BU 18 D 19
Santotis S 7 C 16
Santovenia ZA 29 G 12
Santovenia SG 45 J 16
Santovenia de la Valdoncina LE 16 E 13
Santovenia de Oca BU 18 E 19
Santovenia de Pisuerga VA 31 G 15
Santovenia del Monte LE 16 E 13
Santoveña O 6 B 15
Santoyo P 17 F 16
Santpedor B 38 G 35
Santuario de Belén AB 73 P 26
Santullán S 8 B 20
Santullano O 5 B 12
Santurde de Rioja LO 18 E 21
Santurdejo LO 18 E 21
Santurio O 6 B 13
Santurtzi BI 8 B 20
Sanxenxo / Sangenjo PO 12 E 3
Sanxián PO 26 G 3
Sanzo O 4 C 9
Sanzoles ZA 30 H 13
Saornil de Voltoya AV 45 J 16
Sapeira L 22 F 32
Sar C 12 D 4
Sarandón C 13 D 4
Sarasa NA 10 D 24
Saraso BU 19 D 22
Saratxo VI 8 C 20
Saravillo HU 22 E 30
Sarceda S 7 C 16
Sarces C 2 C 2
Sardas HU 21 E 29
Sardina *Gran Canaria* GC 117 F 4
Sardina (Punta de) *Gran Canaria* GC 114 C 1
Sardinas J 83 R 20
Sardinero SE 80 S 13
Sardinero (El) S 8 B 18
Sardineros (Los) V 73 N 26
Sardinilla J 82 R 17
Sardiñeiro de Abaixo C 2 D 2
Sardón de Duero VA 31 H 16
Sardón de los Frailes SA 29 I 11
Sarga (Pico de la) AB 83 Q 22
Sargadelos LU 4 B 7
Sargentes de la Lora BU 17 D 18
Sargilla (La) AB 72 Q 23
Sariego O 6 B 13
Sariegos LE 16 E 13
Sariñena HU 35 G 29
Saro S 7 C 18
Sarón S 7 C 18
Sarrablo (Puerto del) HU 21 E 29
Sarracín BU 18 F 18
Sarracín de Aliste ZA 29 G 11
Sarral T 37 H 33
Sarreaus OR 13 F 7
Sarria LU 14 D 7
Sarrià de Ter GI 25 F 38
Sarriés / Sartze NA 11 D 26
Sarrión TE 61 L 27
Sarroca de Bellera L 22 E 32
Sarroca de Lleida L 36 H 31
Sarroqueta L 22 E 32
Sarsamarcuello HU 21 F 27
Sartaguda NA 19 E 23
Sartajada TO 57 L 15
Sartze / Sarriés NA 11 D 26
Sarvisé HU 21 E 29
Sarzol O 4 C 9
Sas de Penelas OR 14 E 7
Sasa del Abadiado HU 21 F 29
Sasal HU 21 E 28
Sasamón BU 17 E 17
Sasdónigas LU 4 B 7
Sáseta BU 19 D 22
Sástago Z 35 I 28
Sastres CR 69 O 16
Saturrarán SS 10 C 22
Sau (Pantà de) B 24 G 37
Sauca GU 47 I 22
Saúca (Ermita de) GU 47 K 21
Sauceda CC 43 L 10
Sauceda (La) MA 99 W 13
Saucedilla CC 56 M 12
Saucejo (El) SE 92 U 14
Saucelle SA 42 I 9
Sauceral (El) TO 58 N 17
Sauces (Los) *La Palma* TF 131 D 3
Sauco AL 95 U 22
Saúgo (El) SA 42 K 10
Sauquillo de Boñices SO 33 H 22
Sauquillo de Cabezas SG 45 I 17
Sauquillo de Paredes SO 32 H 21
Sauquillo del Campo SO 33 H 22
Saus GI 25 F 38
Sauvegarde (Pico de) HU 22 D 31
Sauzal (El) *Tenerife* TF 124 G 2
Savallà del Comtat T 37 H 33
Savina (La) PM 87 P 34
Saviñán Z 34 H 25
Saviñao LU 13 E 7
Sax A 73 Q 27
Sayago (Palazuelo de) ZA 29 H 11
Sayalonga MA 101 V 17
Sayatón GU 47 K 21
Sazadón (Portillo de) ZA 29 G 11
Seadur OR 14 E 8
Seara LU 14 E 8
Seara (A) OR 13 F 5
Seares O 4 B 8
Seavia C 2 C 3
Sebo (Punta del) H 90 U 9
Sebúlcor SG 31 I 18
Seca (La) SO 33 H 21
Seca (La) VA 30 H 15
Seca (La) LE 16 D 13
Secastilla HU 22 F 30
Secuita (La) T 37 I 33
Sedano BU 18 D 18
Sedella MA 101 V 17
Sedes C 3 B 5
Sediles Z 34 H 25
Segán LU 13 D 6
Segarró (El) CS 50 K 29
Segart V 62 M 28
Sege AB 84 R 23
Segóbriga (Ruinas romanas de) CU 59 M 21
Segorbe CS 62 M 28
Segovia SG 45 J 17
Segoyuela de los Cornejos SA 43 K 11
Segre (Vall du) L 23 E 34
Segur de Calafell T 37 I 34
Segura T 37 H 33
Segura SS 10 C 23
Segura (Puerto de) TE 49 J 27
Segura de la Sierra J 83 R 22
Segura de Léon BA 79 R 10
Segura de los Baños TE 49 J 27
Segura de Toro CC 56 L 12
Segurilla TO 57 L 15
Seguro (El) S 7 C 18
Seira HU 22 E 31
Seixido PO 13 E 4
Seixo PO 12 E 3
Seixo (O) PO 12 G 3
Seixón LU 3 C 6
Sejas de Aliste ZA 29 G 10
Sel de la Carrera S 7 C 18
Sela PO 13 F 4
Selas GU 47 J 23
Selaya S 7 C 18
Selgas O 5 B 11
Selgua HU 36 G 30
Sella A 74 Q 29
Selladores (Casa Forestal de) J 82 Q 18
Sellent V 74 O 28
Selorio O 6 B 13
Selva MU 84 S 24
Selva *Mallorca* PM 104 M 38
Selva de Mar (La) GI 25 F 39
Selva del Camp (La) T 37 I 33
Selvanera L 37 G 33
Selviella O 5 C 11
Semillas GU 46 I 20
Sena HU 36 G 29
Sena de Luna LE 15 D 12
Senan T 37 H 33
Senande C 2 C 2
Sencelles PM 104 N 38
Sendadiano VI 18 D 21
Sendelle C 3 D 5
Senegüe HU 21 E 28
Senés AL 96 U 22
Senés de Alcubierre HU 35 G 28
Senet L 22 E 32
Senet (Pantà de) HU 22 E 32
Sénia (La) T 50 K 30
Sénia (Riu de la) CS 50 K 31
Senija A 74 P 30
Seno TE 49 J 29
Senra LE 15 D 11
Senterada L 23 F 32
Sentfores B 38 G 36
Sentiu de Sió (La) L 37 G 32
Sentmenat B 38 H 36
Senz HU 22 E 31
Seña S 8 B 19
Señales (Las) LE 6 C 14
Señora BA 66 Q 8
Señorio de Bertiz (Parque natural) NA 11 C 25
Señuela SO 33 H 22
Señuela (La) SE 91 U 11
Seo de Urgel / Seu d'Urgell (La) L 23 E 34
Seoane *cerca de Fonsagrada* LU 4 C 8
Seoane *cerca de Monforte* LU 14 E 7
Seoane *cerca del Puerto El Buey* LU 14 E 8
Sepulcro Hilario SA 43 J 11
Sepúlveda SG 32 I 18
Sequera de Fresno SG 32 H 19
Sequera de Haza (La) BU 31 H 18
Sequero (Ermita de) CC 55 M 9
Sequeros SA 43 K 11
Ser C 2 C 3
Serandinas O 4 B 9
Seranillo CR 70 Q 18
Serantes C 3 B 5
Serantes M 58 L 17
Serantes O 4 B 9
Serantes *cerca de Ferrol* C 3 B 5
Serantes *cerca de Melide* C 13 D 5
Serena AL 96 U 24
Serena (La) BA 68 P 13
Serín O 5 B 12
Serinyà GI 24 F 38
Serna (La) P 17 E 16
Serna del Monte (La) M 46 I 19
Serón AL 95 T 22
Serón de Nágima SO 33 H 23
Serones (Embalse de) AV 45 J 16
Serós L 36 H 31
Serpos H 79 S 9
Serra V 62 M 28
Serra d'Almos (La) T 50 I 32
Serra de Daró GI 25 F 39
Serra de Outes C 12 D 3
Serra d'en Galceran CS 62 L 29
Serra Perenxisa V 62 N 28
Serracines M 46 K 19
Serrada VA 30 H 15
Serrada (La) AV 44 K 15
Serrada de la Fuente M 46 J 19
Serradell L 23 F 32
Serradero (Punta del) *La Palma* TF 130 A 3
Serradiel AB 73 O 25
Serradilla CC 56 M 11
Serradilla del Arroyo SA 43 K 10
Serradilla del Llano SA 43 K 10
Serradúy HU 22 F 31
Serramo C 2 C 3
Serrana (Puerto de la) CC 56 M 11
Serranía de Cuenca CU 47 K 23
Serranía de Cuenca (Reserva nacional) CU 60 L 23
Serranillo SA 42 J 9
Serranillo CR 71 P 20
Serranillos AV 44 K 15
Serranillos (Collado de) AV 44 L 15
Serranillos del Valle M 58 L 18
Serranillos Playa TO 57 L 15
Serrano MU 85 R 26
Serrapio PO 13 E 4
Serrata MU 84 R 23
Serrateix B 37 G 35
Serratella (La) CS 50 L 30
Serrató MA 100 V 15
Serrejón CC 56 M 12
Serrejón (Sierra de) CC 56 M 12
Serrella (La) A 74 P 29
Serres C 12 D 2
Serreta MU 96 T 24
Serreta GR 95 T 20
Serué HU 21 E 28
Serval GR 94 T 17
Serveto HU 22 E 30
Servoi OR 28 F 7
Ses Illetes PM 104 N 37
Ses Meravelles PM 104 N 38
Ses Salines PM 105 N 39
Ses Salines (Cap de) PM 105 O 39
Sesa HU 35 G 29
Sésamo LE 14 D 10
Seseña TO 58 L 18
Seseña Nuevo TO 58 L 19
Sesga V 61 L 26
Sesma NA 19 E 23
Sesnández ZA 29 G 11
Sestao BI 8 C 21
Sestorraso O 5 C 10
Sestrica Z 34 H 25
Sesué HU 22 E 31
Setcases GI 24 E 36
Setefilla SE 80 S 13
Setenil (Estación de) CA 92 V 14
Setenil de las Bodegas CA 92 V 14
Seteventos LU 14 D 8
Setiles GU 48 J 25
Seu d'Urgell (La) / Seo de Urgel L 23 E 34
Seva B 38 G 36
Sevares O 6 B 14
Sever CC 54 N 7
Sevilla SE 91 T 12
Sevilla (Puerto de) BA 67 P 10
Sevilla la Nueva M 45 K 17
Sevilleja J 82 R 18
Sevilleja de la Jara TO 57 N 15
Sevillejas (Sierra de) TO 57 N 15
Sexmiro SA 42 J 9
Sexmo (El) MA 100 V 16
Shangril-La PM 106 M 42
Sía (Puerto de la) S 8 C 19
Sidamon L 36 H 32
Sienes GU 47 I 22
Siero O 5 B 12
Siero de la Reina LE 16 D 15
Sierpe (La) SA 43 K 12
Sierra AB 73 Q 25
Sierra (Faramontanos de la) ZA 15 F 10
Sierra (La) HU 22 E 30
Sierra (La) AB 83 Q 22
Sierra (La) CA 91 V 12
Sierra (Pico de la) BU 32 G 19
Sierra (Villarejo de la) ZA 15 F 10
Sierra Boyera (Embalse de) CO 80 R 14
Sierra Brava (Embalse de) CC 68 O 13
Sierra de Andújar (Parque natural de la) J 82 Q 17
Sierra de Aracena y Picos de Aroche (Parque natural de la) H 79 R 9
Sierra de Baza (Parque natural de la) GR 95 T 21
Sierra de Cobeza Llana AB 84 Q 24
Sierra de Espuña (Parque natural de la) MU 85 S 25
Sierra de Fuentes CC 55 N 11
Sierra de Grazalema (Parque natural de la) CA 99 W 13
Sierra de Hornachuelos (Parque natural de la) CO 80 S 13
Sierra de Huétor (Parque natural) GR 94 U 19
Sierra de las Nieves SE 92 V 14
Sierra de Luna Z 21 F 27
Sierra de Tejeda (Reserva nacional de) MA 101 V 18
Sierra de Yeguas MA 93 U 15
Sierra Mágina (Parque natural de la) J 82 S 19
Sierra Mayor (Puerto) HU 21 F 27
Sierra Nevada AN 95 U 19
Sierra Nevada (Parque natural de la) GR 94 U 19
Sierra Nevada (Reserva nacional de) GR 94 U 19
Sierra Norte de Sevilla (Parque natural de la) SE 80 S 12
Sierro AL 96 U 22
Sieso de Huesca HU 21 F 29
Siesta PM 87 P 34
Siétamo HU 21 F 29
Siete Aguas V 61 N 27
Siete Iglesias de Trabancos VA 30 H 14
Sieteiglesias M 46 J 19
Sieteiglesias de Tormes SA 44 J 13
Sietes O 6 B 13
Sigena (Monasterio de) HU 36 G 29
Sigeres AV 44 J 15
Sigrás C 3 C 4
Sigüeiro C 3 D 4
Sigüenza GU 47 I 22
Siguero SG 46 I 19
Sigueruelo SG 46 I 19
Sigüés Z 20 E 26
Sigüeya LE 14 E 10
Sil (Gargantas del) OR 13 E 6
Sil (Río) ESP 14 E 7
Silán LU 4 B 7
Silanes BU 18 D 20
Sileras CO 94 T 17
Siles J 83 Q 22
Sililos CO 80 S 14
Sililos (Embalse de) H 79 T 9
Silió S 7 C 17
Silla V 74 N 28
Silla de Felipe II M 45 K 17
Silladores J 82 Q 18
Sillar Baja GR 94 T 19
Silleda PO 13 D 5

## SORIA

LOGROÑO
PUERTO DE PIQUERAS

A — 1 — B

21

0    300 m

N 234 : BURGOS

N 122 : VALLADOLID — 4

Merineros   60
33
PLAZA DE TOROS
67
29
ALAMEDA DE CERVANTES
Nicolás Rabal
Pl. J. Antonio
Po San Francisco

Clemente Saenz
39
18
Tejera   Sto Tomé
15
M   42
66   70
69
63
8
12   D
45
Santa   Clara

Paseo   del   Mirón
Camino de la Sta Cruz
SANTO DOMINGO
36   78
San Pedro
27
57
5
24
48 H
71   75
Betetas
31

Duero
San Juan de Duero
San Agustín
San Juan de Duero
54

Real   Postas
Parque   del   Castillo

CASTILLO

N 122 : ZARAGOZA
N 234 CALATAYUD — 2
Carret. de Agreda

MEDINACELI, A 15
MADRID — 3 — A   B   Ermita de San Saturio

| | | | | | |
|---|---|---|---|---|---|
| Aguirre | B 5 | García Solier | A 33 | Pedrizas | A 60 |
| Alfonso VIII | A 8 | Hospicio | B 36 | Ramón Benito Aceña (Pl.) | A 66 |
| Caballeros | A 12 | Logroño (Carret.) | B 39 | Ramón y Cajal (Pl.) | A 63 |
| Campo | A 15 | Mariano Granados (Pl.) | A 42 | San Benito | A 67 |
| Cardenal Frías | A 18 | Mariano Vicén (Av.) | A 45 | San Blás y el Rosel (Pl.) | A 69 |
| Casas | A 21 | Mayor (Pl.) | B 48 | San Clemente | A 70 |
| Collado | A 24 | Nuestra Señora de Calatañazor | B 54 | San Juan de Rabanera | B 71 |
| Condes de Gómara | A 27 | | | Sorovega | B 75 |
| Espolón (Pas. del) | A 29 | Obispo Augustín | B 57 | Tirso de Molina | B 78 |
| Fortún López | B 31 | | | | |

| | | | | | | |
|---|---|---|---|---|---|---|
| Soto de Cerrato *P.* | 31 | G 16 | Tabar *NA* | 11 | D 25 | |
| Soto de Dueñas *O.* | 6 | B 14 | Tábara *ZA* | 29 | G 12 | |
| Soto de la Marina *S* | 7 | B 18 | Tabarca (Illa de) *A* | 86 | R 28 | |
| Soto de la Vega *LE* | 15 | F 12 | Tabayesco | | | |
| Soto de los Infantes *O.* | 5 | B 11 | *Lanzarote GC* | 121 | F 3 | |
| Soto de Luiña *O.* | 5 | B 11 | Tabaza *O.* | 5 | B 12 | |
| Soto de Ribera *O.* | 5 | C 12 | Tabeaio *C.* | 3 | C 4 | |
| Soto de Sajambre *LE* | 6 | C 14 | Tabeirós *PO* | 13 | E 4 | |
| Soto de Trevias *O.* | 5 | B 10 | Tabera de Abajo *SA* | 43 | J 11 | |
| Soto de Viñuelas *M* | 46 | K 18 | Tabera de Arriba *SA* | 43 | J 11 | |
| Soto del Barco *O.* | 5 | B 11 | Tabernanova *C.* | 2 | C 4 | |
| Soto del Real *M* | 45 | J 18 | Tabernas *AL* | 96 | U 22 | |
| Soto en Cameros *LO* | 19 | F 22 | Tabernas | | | |
| Soto y Amío *LE* | 15 | D 12 | (Rambla de) *AL* | 103 | V 22 | |
| Sotobañado | | | Taberno *AL* | 96 | T 23 | |
| y Priorato *P.* | 17 | E 16 | Tablada *M* | 45 | J 17 | |
| Sotoca *CU* | 60 | L 22 | Tablada | | | |
| Sotoca de Tajo *GU* | 47 | J 22 | de Villadiego *BU* | 17 | E 18 | |
| Sotodosos *GU* | 47 | J 22 | Tablada del Rudrón *BU* | 17 | D 18 | |
| Sotograncle *CA* | 99 | X 14 | Tabladillo *SG* | 45 | I 16 | |
| Sotojusto *PO* | 12 | F 4 | Tabladillo *LE* | 15 | E 11 | |
| Sotón (Rio) *HU* | 21 | F 28 | Tablado (El) | | | |
| Sotonera | | | Tenerife TF | 47 | K 21 | |
| (Embalse de) *HU* | 21 | F 27 | Tablado (El) | | | |
| Sotonera (La) *HU* | 21 | F 28 | *La Palma TF* | 130 | C 3 | |
| Sotopalacios *BU* | 18 | E 18 | Tablado | | | |
| Sotos *CU* | 60 | L 23 | (Puerto de) *BA* | 79 | R 9 | |
| Sotos del Burgo *SO* | 32 | H 20 | Tablado de Riviella *O.* | 5 | B 10 | |
| Sotosalbos *SG* | 45 | I 18 | Tablas de Daimiel | | | |
| Sotoserrano *SA* | 43 | K 11 | (Parque nacional) *CR* | 70 | O 19 | |
| Sotovellanos *BU* | 17 | E 17 | Tablero (El) | | | |
| Sotragero *BU* | 18 | E 18 | *Gran Canaria GC* | 116 | D 4 | |
| Sotres *O.* | 7 | C 15 | Tablillas | | | |
| Sotresgudo *BU* | 17 | E 17 | (Embalse de) *CR* | 70 | Q 17 | |
| Sotrondio *O.* | 6 | C 13 | Tablones (Los) *GR* | 102 | V 19 | |
| Sotuélamos *AB* | 71 | O 22 | Taboada *C.* | 3 | B 5 | |
| Sousas *OR* | 28 | G 7 | Taboada *LU* | 13 | D 6 | |
| Soutelo *PO* | 13 | E 5 | Taboada *PO* | 13 | D 5 | |
| Soutelo Verde *OR* | 14 | F 7 | Taboada dos Freires *LU* | 13 | D 6 | |
| Souto cerca | | | Taboadela *OR* | 13 | F 6 | |
| de Betanzos *C.* | 3 | C 5 | Taborno *Tenerife TF* | 125 | I 1 | |
| Souto Toques *C.* | 3 | D 6 | Tabuenca *Z* | 34 | G 25 | |
| Soutochao *OR* | 28 | G 8 | Taburiente (Caldera de) | | | |
| Soutolongo *PO* | 13 | E 5 | *La Palma TF* | 130 | C 4 | |
| Soutomaior *PO* | 12 | E 4 | Tabuyo del Monte *LE* | 15 | F 11 | |
| Soutopenedo *OR* | 13 | F 6 | Taca *Fuerteventura GC* | 111 | G 2 | |
| Su *L.* | 37 | G 34 | Taco *Tenerife TF* | 125 | I 2 | |
| Suances *S* | 7 | B 17 | Tacones *TO* | 57 | M 16 | |
| Suano *S.* | 17 | D 17 | Tacoronte *Tenerife TF* | 124 | H 2 | |
| Suarbol *LE* | 14 | D 9 | Tafalla *NA* | 20 | E 24 | |
| Suarna *LU* | 4 | C 8 | Tafira Alta | | | |
| Subijana *VI* | 18 | D 21 | *Gran Canaria GC* | 115 | F 2 | |
| Subirats *B.* | 38 | H 35 | Tagamanent *B.* | 38 | G 36 | |
| Subiza *NA* | 11 | D 24 | Taganana *Tenerife TF* | 125 | J 1 | |
| Sucina *MU* | 85 | S 27 | Tagarabuena *ZA* | 30 | H 13 | |
| Sudanell *L.* | 36 | H 31 | Tagle *S.* | 7 | B 17 | |
| Sueca *V.* | 74 | O 29 | Taguluche | | | |
| Suellacabras *SO* | 33 | G 23 | *La Gomera TF* | 118 | B 2 | |
| Suelza (Punta) *HU* | 22 | E 30 | Tahal *AL* | 96 | U 23 | |
| Suera *CS* | 62 | M 28 | Tahiche *Lanzarote GC* | 123 | E 4 | |
| Sueros de Cepeda *LE* | 15 | E 11 | Tahivilla *CA* | 99 | X 12 | |
| Suertes *LE* | 14 | D 9 | Taialà *GI* | 25 | F 38 | |
| Suevos | | | Taibilla (Embalse de) *AB* | 84 | R 23 | |
| cerca de Carnota *C.* | 2 | D 2 | Taibique *El Hierro TF* | 109 | D 3 | |
| Suevos | | | Taja *O.* | 5 | C 11 | |
| cerca de La Coruña *C.* | 3 | B 4 | Tajahuerce *SO* | 33 | G 23 | |
| Suflí *AL* | 96 | T 22 | Tajera | | | |
| Suido (Sierra del) *PO* | 12 | F 4 | (Embalse de la) *GU* | 47 | J 22 | |
| Sukarieta *BI* | 9 | B 21 | Tajo de la Encantada | | | |
| Sumacàrcer *V.* | 74 | O 28 | (Embalse) *MA* | 100 | V 15 | |
| Sumoas *LU* | 4 | A 7 | Tajo de las Figuras | | | |
| Sunbilla *NA* | 11 | C 24 | (Cuevas del) *CA* | 99 | X 12 | |
| Sunyer *L.* | 36 | H 31 | Tajo-Urtajo | | | |
| Super Molina *GI* | 37 | F 35 | (Balcón del) *M* | 58 | L 19 | |
| Suquets *L.* | 36 | G 31 | Tajonar / Taxoare *NA* | 11 | D 25 | |
| Sureste | | | Tajonera *TO* | 59 | M 20 | |
| (Parque regional del) *M.* | 58 | L 19 | Tajoneras (Las) *CR* | 71 | Q 20 | |
| Súria *B.* | 37 | G 35 | Tajueco *SO* | 33 | H 21 | |
| Surp *L.* | 23 | E 33 | Tajuya *La Palma TF* | 132 | C 5 | |
| Susana *S.* | 3 | D 4 | Tala (La) *SA* | 44 | K 13 | |
| Susañe *LE* | 15 | D 10 | Talaies (Les) *CS* | 50 | K 31 | |
| Susinos del Páramo *BU* | 17 | E 18 | Talaies | | | |
| Suso | | | d'Alcalà (Les) *CS* | 50 | K 30 | |
| (Monasterio de) *LO.* | 18 | F 21 | Talamanca *B.* | 38 | G 35 | |
| Suspiro del Moro | | | Talamanca *Ibiza PM* | 87 | P 34 | |
| (Puerto del) *GR* | 94 | U 19 | Talamanca de Jarama *M.* | 46 | J 19 | |
| Susqueda (Pantà de) *GI.* | 24 | G 37 | Talamantes *Z* | 34 | G 24 | |
| Suterranya *L.* | 23 | F 32 | Talamillo del Tozo *BU* | 17 | E 18 | |
| | | | Talarn *L.* | 23 | F 32 | |
| **T** | | | Talarrubias *BA.* | 68 | O 14 | |
| Taale *GR* | 83 | S 22 | Talatí de Dalt *PM* | 106 | M 42 | |
| Tabagón *PO* | 26 | G 3 | Talaván *CC* | 55 | M 11 | |
| Tabanera de Cerrato *P.* | 31 | F 17 | Talaván | | | |
| Tabanera de Valdavia *P.* | 17 | E 15 | (Embalse de) *CC* | 55 | M 11 | |
| Tabanera la Luenga *SG* | 45 | I 17 | Talave *AB.* | 84 | Q 24 | |
| Tabaqueros *AB* | 73 | N 25 | Talave (Embalse de) *AB* | 84 | Q 24 | |

| | | | | | | |
|---|---|---|---|---|---|---|
| Silleiro (Cabo) *PO* | 12 | F 3 | Sobredo *LE* | 14 | E 9 | |
| Silleta *CC* | 55 | M 10 | Sobrefoz *O.* | 6 | C 14 | |
| Silos (Los) *H.* | 78 | S 9 | Sobrelapeña *S.* | 7 | C 16 | |
| Silos (Los) *Tenerife TF* | 126 | C 3 | Sobremunt *B.* | 24 | F 36 | |
| Sils *GI.* | 39 | G 38 | Sobrón *VI.* | 18 | D 20 | |
| Silva *C.* | 2 | C 4 | Socorro (El) *SE* | 92 | T 12 | |
| Silva (La) *LE* | 15 | E 11 | Socorro (El) *Tenerife TF* | 124 | H 2 | |
| Silván *LE* | 14 | E 9 | Socorro (El) *Tenerife TF* | 127 | H 3 | |
| Silvón *O.* | 4 | B 9 | Socovos *AB* | 84 | Q 24 | |
| Silvosa *C.* | 12 | D 3 | Socuéllamos *CR.* | 71 | O 21 | |
| Silvoso *PO.* | 12 | E 4 | Sodupe *BI.* | 8 | C 20 | |
| Simancas *VA* | 30 | H 15 | Sofán *C.* | 2 | C 4 | |
| Simarro (El) *CU* | 72 | N 23 | Sofuentes *Z.* | 20 | E 26 | |
| Simat de la Valldigna *V* | 74 | O 29 | Soga (Punta de la) | | | |
| Simón *AL* | 96 | T 23 | *Gran Canaria GC* | 116 | B 3 | |
| Sín *HU* | 22 | E 30 | Sogo *ZA* | 29 | H 12 | |
| Sinarcas *V.* | 61 | M 26 | Sograndio *O.* | 5 | B 12 | |
| Sineu *PM* | 105 | N 39 | Soguillo *LE* | 15 | F 12 | |
| Singla *MU* | 84 | R 24 | Sojo *VI.* | 8 | C 20 | |
| Singra *TE* | 48 | K 26 | Sojuela *LO* | 19 | E 22 | |
| Sinlabajos *AV* | 44 | I 15 | Sol *MU* | 84 | Q 24 | |
| Sinués *HU* | 21 | E 28 | Sol *MA* | 94 | V 18 | |
| Sió (El) (Riu) *L.* | 37 | G 33 | Sol (Punta del) | | | |
| Sios *LU* | 13 | E 7 | *Tenerife TF* | 124 | G 2 | |
| Sipán *HU* | 21 | F 29 | Sol (Valle del) *M* | 45 | K 17 | |
| Siresa *HU* | 21 | D 27 | Sol i Mar *CS* | 62 | L 30 | |
| Siruela *BA* | 69 | P 14 | Solán de Cabras *CU* | 47 | K 23 | |
| Sisamo *C.* | 2 | C 3 | Solana *CU* | 56 | N 13 | |
| Sisamón *Z* | 47 | I 23 | Solana (La) *AB* | 72 | P 23 | |
| Sisante *CU* | 72 | N 23 | Solana (La) *CR* | 71 | P 20 | |
| Sisargas (Illas) *C.* | 2 | B 3 | Solana (Serra de la) *V.* | 73 | P 27 | |
| Sisca (Masía de la) *TE* | 49 | J 28 | Solana de Ávila *AV.* | 43 | L 13 | |
| Siscar *MU* | 85 | R 26 | Solana de los Barros *BA.* | 67 | P 10 | |
| Sistallo *LU* | 4 | C 7 | Solana de Rioalmar *AV* | 44 | J 14 | |
| Sisterna *O.* | 14 | D 10 | Solana del Pino *CR* | 82 | Q 17 | |
| Sistín *OR* | 14 | E 7 | Solana del Valle *SE* | 80 | S 12 | |
| Sisto *LU.* | 3 | B 6 | Solanara *BU.* | 32 | G 19 | |
| Sit (Penya del) *A* | 85 | Q 27 | Solanas | | | |
| Sitges *B.* | 38 | I 35 | de Valdelucio *BU.* | 17 | D 17 | |
| Sitrama | | | Solanazo *CR* | 69 | O 16 | |
| de Trasmonte *ZA* | 29 | F 12 | Solanell *L.* | 23 | E 34 | |
| Siurana *GI.* | 25 | F 38 | Solanilla *AB.* | 72 | P 22 | |
| Siurana de Prades *T.* | 37 | I 32 | Solanillos | | | |
| Sober *LU.* | 13 | E 7 | del Extremo *GU.* | 47 | J 21 | |
| Sobradelo *OR.* | 14 | E 9 | Solares *S.* | 8 | B 18 | |
| Sobradiel *Z.* | 34 | G 26 | Solbeira *OR.* | 14 | F 8 | |
| Sobradillo *SA.* | 42 | J 9 | Soldeu *OR.* | 18 | E 19 | |
| Sobradillo (El) | | | Soldón *J.* | 82 | S 19 | |
| *Tenerife TF.* | 125 | I 2 | Solduengo *BU.* | 18 | E 19 | |
| Sobradillo | | | Solera *J.* | 82 | S 19 | |
| de Palomares *ZA.* | 29 | H 12 | Solera del Gabaldón *CU* | 60 | M 24 | |
| Sobrado *O.* | 5 | C 10 | Soleràs (El) *L.* | 36 | H 32 | |
| Sobrado *LE* | 14 | E 9 | Solipueyo *HU* | 21 | E 30 | |
| Sobrado *LU.* | 14 | D 7 | Solius *GI.* | 25 | G 38 | |
| Sobrado *OR.* | 14 | F 8 | Solivella *T.* | 37 | H 33 | |
| Sobrado dos Monxes *C.* | 3 | C 5 | Sollana *V.* | 74 | O 28 | |
| | | | | | | |
| Sollavientos | | | Soraluze-Placencia | | | |
| (Puerto de) *TE.* | 49 | K 27 | de las Armas *SS* | 10 | C 22 | |
| Sóller *PM* | 104 | M 38 | Sorana de Torralba *J.* | 83 | S 20 | |
| Sollube *BI.* | 9 | B 21 | Sorbas *AL* | 96 | U 23 | |
| Sollube (Alto del) *BI.* | 9 | B 21 | Sorbeda *LE* | 15 | D 10 | |
| Solórzano *S.* | 8 | B 19 | Sorbeira *LE* | 14 | D 9 | |
| Solosancho *AV.* | 44 | K 15 | Sorbito (Estación El) *SE.* | 92 | U 12 | |
| Solsiá *MU.* | 85 | Q 26 | Sordillos *BU.* | 17 | E 17 | |
| Solsona *L.* | 37 | G 34 | Sordo *MU.* | 84 | S 24 | |
| Solvito *CO.* | 94 | T 17 | Sordo (El) *H.* | 91 | U 10 | |
| Solyplayas | | | Suarbol *LE* | 14 | D 9 | |
| *Fuerteventura GC.* | 111 | I 1 | Soria (Embalse de) | | | |
| Somaén *SO.* | 47 | I 23 | *Gran Canaria GC* | 116 | D 3 | |
| Somanés *HU.* | 21 | E 27 | Soria (Parador) *SO.* | 33 | G 22 | |
| Sombrera (La) | | | Soriguera *L.* | 23 | E 33 | |
| *Tenerife TF.* | 129 | G 4 | Sorihuela *SA.* | 43 | K 12 | |
| Somiedo | | | Sorihuela | | | |
| (Parque natural de) *O.* | 5 | C 11 | del Guadalimar *J.* | 83 | R 20 | |
| Somió *O.* | 6 | B 13 | Sorita *CS.* | 49 | J 29 | |
| Somolinos *GU.* | 32 | I 20 | Sorogain-Lastur *NA.* | 11 | C 25 | |
| Somontín *AL.* | 96 | T 22 | Sorpe *L.* | 23 | E 33 | |
| Somosierra *M.* | 46 | I 19 | Sorre *L.* | 23 | E 33 | |
| Somosierra | | | Sorriba *LE* | 16 | D 14 | |
| (Puerto de) *M.* | 46 | I 19 | Sorribes *L.* | 23 | F 34 | |
| Somozas *C.* | 3 | B 6 | Sorribos de Alba *LE* | 16 | D 13 | |
| Somport (Puerto de) *HU.* | 21 | D 28 | Sorvilán *GR.* | 102 | V 20 | |
| Somport (Túnel de) *HU.* | 21 | D 28 | Sorzano *LO.* | 19 | E 22 | |
| Son *L.* | 23 | E 33 | Sos (Puerto de) *Z.* | 20 | E 22 | |
| Son Bou *PM.* | 106 | M 42 | Sos del Rey Católico *Z.* | 20 | E 26 | |
| Son Carrió *PM.* | 105 | N 39 | Soses *L.* | 36 | H 31 | |
| Son del Puerto *TE.* | 49 | J 27 | Sot de Chera *V.* | 61 | N 27 | |
| Son Ferriol *PM.* | 104 | N 38 | Sot de Ferrer *CS.* | 62 | M 28 | |
| Son Marroig *PM.* | 104 | M 37 | Sotalvo *AV.* | 44 | K 15 | |
| Son Moll *PM.* | 105 | M 40 | Sotés *LO.* | 19 | E 22 | |
| Son Moro *PM.* | 105 | N 40 | Sotiel Coronada *H.* | 78 | T 9 | |
| Son Olivaret *PM.* | 106 | M 41 | Sotiello cerca de Gijón *O.* | 5 | B 12 | |
| Son Sardina *PM.* | 104 | N 37 | Sotiello cerca de Lena *O.* | 5 | C 12 | |
| Son Serra | | | Sotillo *SG* | 32 | I 19 | |
| de Marina *PM.* | 105 | M 39 | Sotillo *CR* | 70 | O 17 | |
| Son Servera *PM.* | 105 | N 40 | Sotillo (El) *GU.* | 47 | J 22 | |
| Son Vida *PM.* | 104 | N 37 | Sotillo (Sierra del) *CR.* | 82 | Q 19 | |
| Soncillo *BU.* | 18 | D 18 | Sotillo de la Adrada *AV.* | 57 | L 16 | |
| Sondika *BI.* | 8 | C 21 | Sotillo de la Ribera *BU.* | 31 | G 18 | |
| Soneja *CS.* | 62 | M 28 | Sotillo | | | |
| Sonseca *TO.* | 58 | M 18 | de las Palomas *TO.* | 57 | L 15 | |
| Sonsoto *SG.* | 45 | J 17 | Sotillo de Sanabria *ZA.* | 14 | F 9 | |
| Sopalmo *AL.* | 96 | U 24 | Sotillo del Rincón *SO.* | 33 | G 22 | |
| Sopeira *HU.* | 22 | F 32 | Sotillos *SO.* | 32 | I 20 | |
| Sopelana *BI.* | 8 | B 21 | Sotillos *LE.* | 16 | D 14 | |
| Soportújar *GR.* | 102 | V 19 | Soto (El) *S.* | 7 | C 18 | |
| Sopuerta *BI.* | 8 | C 20 | Soto (El) *M.* | 46 | K 19 | |
| Sor *C.* | 3 | B 6 | Soto de Cangas *O.* | 6 | B 14 | |
| Sora *B.* | 24 | F 36 | Soto de Caso *O.* | 6 | C 14 | |

Alfabeto lateral: A B C D E F G H I J K L M N O P Q R S T U V W X Y Z

Talavera *L* ........ 37 H 34
Talavera *AL* ........ 95 T 22
Talavera de la Reina *TO* .... 57 M 15
Talavera la Nueva *TO* ........ 57 M 15
Talavera la Real *BA* ........ 67 P 9
Talaveruela *CC* ........ 56 L 13
Talayón *CU* ........ 61 L 25
Talayón *MU* ........ 97 T 25
Talayuela *CC* ........ 56 M 13
Talayuelas *CU* ........ 61 M 26
Talayuelo *CU* ........ 60 M 23
Tales *CS* ........ 62 M 29
Táliga *BA* ........ 66 Q 8
Talisca Negra (Punta)
*La Gomera TF* ........ 118 A 2
Tallada (La) *GI* ........ 25 F 39
Tallante *MU* ........ 85 T 26
Tállara *C* ........ 12 D 3
Tallón *HU* ........ 21 D 29
Talltendre *L* ........ 23 E 35
Talveila *SO* ........ 32 G 21
Tama *S* ........ 7 C 16
Tamadaba
*Gran Canaria GC* ........ 114 C 2
Tamadaba (Pinar de)
*Gran Canaria GC* ........ 114 C 2
Tamadite (Punta de)
*Tenerife TF* ........ 125 I 1
Tamaduste *El Hierro TF* .. 109 E 2
Tamaguelos *OR* ........ 28 G 7
Tamaimo *Tenerife TF* ........ 128 C 4
Tamajón *GU* ........ 46 I 20
Tamallancos *OR* ........ 13 E 6
Tamallanes *O* ........ 5 C 10
Tamame *ZA* ........ 29 I 12
Tamames *SA* ........ 43 K 11
Támara *P* ........ 17 F 16
Tamaraceite
*Gran Canaria GC* ........ 115 F 2
Tamaral (El) *CR* ........ 82 Q 18
Tamarinda *PM* ........ 106 M 41
Tamarite de Litera *HU* ........ 36 G 31
Tamariu *GI* ........ 25 G 39
Tamariz de Campos *VA* ........ 30 G 14
Tamarón *BU* ........ 17 F 18
Tamayo *V* ........ 73 N 25
Tambor
(Monumento al) *TE* ........ 49 I 29
Tambre *C* ........ 3 D 3
Tameirón *OR* ........ 28 F 8
Támoga *LU* ........ 3 C 7
Tamurejo *BA* ........ 69 P 15
Tanes (Embalse de) *O* ........ 6 C 13
Tangel *A* ........ 86 Q 28
Taniñe *SO* ........ 33 F 23
Tanorio *PO* ........ 12 E 4
Tanque (El) *Tenerife TF* ... 126 C 3
Tanque del Vidrio
(Punta del) *Tenerife TF* .. 129 F 5
Tañabuyes *BU* ........ 18 F 19
Tao *Lanzarote GC* ........ 123 D 4
Tapia *BU* ........ 17 E 17
Tapia (Paso) *NA* ........ 11 D 26
Tapia de Casariego *O* ........ 4 B 9
Tapioles *ZA* ........ 30 G 13
Tàpis *GI* ........ 24 E 38
Tapuelo (El) *TO* ........ 57 L 16
Tara *LE* ........ 14 E 9
Taracena *GU* ........ 46 K 20
Taradell *B* ........ 38 G 36
Taragoña *C* ........ 12 D 3
Taragudo *GU* ........ 46 J 20
Taraguilla *CA* ........ 99 X 13
Tarajalejo
*Fuerteventura GC* ........ 113 F 4
Taramay *GR* ........ 101 V 18
Taramundi *O* ........ 4 B 8
Tarancón *CU* ........ 59 L 20
Tarancueña *SO* ........ 32 H 20
Taranes *O* ........ 6 C 14

## TERUEL

Abadía .............. Z 2
Amantes ............. Y 3
Amantes (Pl. de los) .... Z 4
Ambeles (Ronda de) ... Z 5
Bretón (Pl.) ........... Z 6
Carlos Castel
o del Torico (Pl.) .... YZ 7
Catedral (Pl. de la) ..... Y 8
Chantria ............ Z 9
Comte Fortea .......... Y 10
Cristo Rey (Pl. de) ..... Y 12
Dámaso Torán
(Ronda de) ......... Y 13
Fray Anselmo
Polanco (Pl.) ........ Y 14
General Pizarro ........ Z 20
Joaquín Costa ......... Y 15
Miguel Ibáñez ......... Y 16
Óvalo (Pas.) .......... Z 18
Pérez Prado (Pl.) ...... Y 19
Ramón y Cajal ........ Z 22
Rubio ............... Y 23
Salvador ............ Z 24
San Francisco ......... Z 25
San Juan (Pl.) ......... Z 27
San Martín ........... Y 28
San Miguel ........... Y 29
Temprado ............ Y 30
Venerable F. de
Aranda (Pl.) ......... Y 35
Yagüe de Salas ....... Y 37

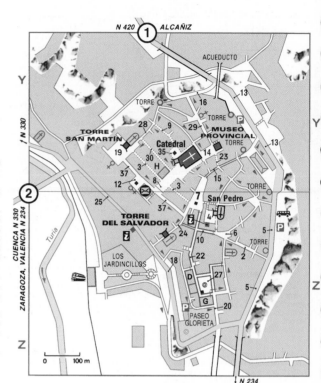

## TARRAGONA

Àngels (Pl.) ............... DZ 2
Baixada de Misericòrdia ..... DZ 3
Baixada de Toro .......... DZ 5
Baixada Roser ............ DZ 8
Cavallers ................ DZ 9
Civadería ............... DZ 10
Coques (Les) ............ DZ 12
Enginyer Cabestany ........ CZ 14
López Peláez ............. CZ 19
Mare de Déu del Claustre ... DZ 22
Nova (Rambla) .......... CDZ
Pau Casals (Av.) .......... CZ 27
Pla de la Seu ............. DZ 29
Pla de Palau .............. DZ 32
Ponç d'Icart .............. CZ 33
Portalet ................. DZ 34
Ramón i Cajal
(Av.) ................. CZ 40
Roser (Portal del) ......... DZ 43
Sant Agustí .............. DZ
Sant Antoni (Portal de) ..... DZ 46
Sant Joan (Pl.) ............ DZ 52
Unió .................... CZ
William J. Bryant ........... DZ 55

Taranilla *LE* ........ 16 D 15
Taravilla *GU* ........ 47 J 24
Taray (Laguna del) *TO* ..... 59 N 20
Tarayuela *TE* ........ 49 K 28
Tarazona *Z* ........ 34 G 24
Tarazona
de Guareña *SA* ........ 44 I 14
Tarazona
de la Mancha *AB* ........ 72 O 24
Tàrbena *A* ........ 74 P 29
Tardáguila *SA* ........ 44 I 13
Tardajos *BU* ........ 17 E 18
Tardajos de Duero *SO* ..... 33 G 22
Tardelcuende *SO* ........ 33 H 22
Tardesillas *SO* ........ 33 G 22
Tardienta *HU* ........ 35 G 28
Tardobispo *ZA* ........ 29 H 12
Tariego de Cerrato *P* ........ 31 G 16
Tarifa *CA* ........ 99 X 13
Tariquejo *H* ........ 90 T 8
Tarna *O* ........ 6 C 14
Tarna (Puerto de) *LE* ........ 6 C 14
Taroda *SO* ........ 33 H 22
Tarragolla *MU* ........ 84 S 23
Tarragona *T* ........ 51 I 33
Tarrasa / Terrassa *B* ........ 38 H 36
Tàrrega *L* ........ 37 H 33
Tarrés *L* ........ 37 H 33
Tarrío *C* ........ 3 C 4
Tarro (El) *BA* ........ 67 O 9
Tarroja de Segarra *L* ........ 37 G 33
Tarrós (El) *L* ........ 37 G 33
Tartanedo *GU* ........ 48 J 24
Tasarte
*Gran Canaria GC* ........ 116 B 3
Tauce (Boca de)
*Tenerife TF* ........ 128 D 4
Taüll *L* ........ 22 E 32
Taús *L* ........ 23 F 33
Tauste *Z* ........ 34 G 26
Tauste (Canal) *Z* ........ 34 G 26
Tavascan *L* ........ 23 E 33
Tavernes Blanques *V* ........ 62 N 28
Tavernes
de la Valldigna *V* ........ 74 O 29
Tavèrnoles *B* ........ 38 G 36
Tavertet *B* ........ 24 G 37
Taxoare / Tajonar *NA* ........ 11 D 25
Tazacorte *La Palma TF* .. 130 B 5
Tazo *La Gomera TF* ........ 118 B 1
Tazona *AB* ........ 84 R 24
Tazones *O* ........ 6 B 13
Tazones (Punta de) *O* ........ 6 B 13
Tea *PO* ........ 13 F 4
Teatinos (Los) *J* ........ 83 R 20
Teayo *C* ........ 12 D 3
Teba *MA* ........ 100 V 15
Tébar *CU* ........ 60 N 23
Tebongo *O* ........ 5 C 10
Tebra *PO* ........ 12 F 3
Tedín *C* ........ 2 D 2
Tefía *Fuerteventura GC* ... 111 H 2
Tegueste *Tenerife TF* ........ 124 H 2
Teguise *Lanzarote GC* ..... 123 E 4
Teià *B* ........ 38 H 36
Teide (Pico del)
*Tenerife TF* ........ 127 E 3
Teixeira (A) *OR* ........ 14 E 7
Teixeiro *LU* ........ 4 C 7
Teixeiro *C* ........ 3 C 5
Teixeta (Coll de la) *T* ........ 37 I 32
Teja Chueca *CR* ........ 69 O 16
Tejada *BU* ........ 32 G 19
Tejada *H* ........ 91 T 10
Tejadillos *CU* ........ 61 L 25
Tejado *SO* ........ 33 H 23
Tejado (El) *SA* ........ 44 K 13
Tejados *LE* ........ 15 E 11
Tejar (El) *CO* ........ 93 U 16
Tejarejo *BA* ........ 67 N 9
Tejares *SG* ........ 31 H 18
Tejares *SA* ........ 43 J 12
Tejares Abarca *V* ........ 73 O 26
Tejeda
*Gran Canaria GC* ........ 114 D 3
Tejeda de Tiétar *CC* ........ 56 L 12
Tejeda y Segoyuela *SA* ..... 43 K 11
Tejedo de Ancares *LE* ........ 14 D 9
Tejedo del Sil *LE* ........ 15 D 10
Tejera (La) *ZA* ........ 28 G 9
Tejerina *LE* ........ 16 D 14
Tejerizas *SO* ........ 33 H 22
Tejina *Tenerife TF* ........ 124 H 2
Tejina *Tenerife TF* ........ 128 C 4
Tejo *V* ........ 61 N 27
Telde
*Gran Canaria GC* ........ 115 G 3
Tella *HU* ........ 22 E 30
Telledo *O* ........ 5 C 12
Tello *AL* ........ 84 S 23
Tembleque *TO* ........ 58 M 19
Temerón *CO* ........ 93 T 16
Temijiraque (Punta de)
*El Hierro TF* ........ 109 E 2
Temiño *BU* ........ 18 E 19
Temple (El) *GR* ........ 94 U 18
Temple (El) *HU* ........ 35 G 27
Tempul *CA* ........ 99 W 12
Ten-Bel *Tenerife TF* ........ 128 E 5
Tendeñera
(Sierra de) *HU* ........ 21 D 29
Tendilla *GU* ........ 46 K 21

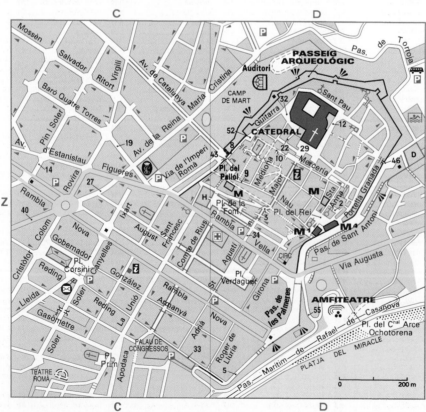

Tenebrón SA 43 K 10
Tenefé (Punta de) Gran Canaria GC 117 F 4
Teneguía (Volcán de) La Palma TF 132 C 7
Tenerife Sur (Aeropuerto) Tenerife TF 129 F 5
Teno (Punta de) Tenerife TF 126 A 3
Tenoya Gran Canaria GC 115 F 2
Tentudía BA 79 R 10
Teo C 12 D 4
Ter (El) (Riu) GI 24 F 36
Tera ZA 14 F 9
Tera SO 33 G 22
Tera (Espejo de) SO 33 G 22
Terenosa (La) O 6 C 15
Teresa CS 62 M 28
Teresa de Cofrentes V 73 O 26
Térmens L 36 G 32
Término (El) SE 92 T 14
Terminón BU 18 D 19
Teroleja GU 48 J 24
Teror Gran Canaria GC 115 E 2
Terque AL 102 V 22
Terrachán OR 27 G 5
Terrades GI 25 F 38
Terradets (Pantà del) L 23 F 32
Terradillos SA 44 J 13
Terradillos de Esgueva BU 31 G 18
Terradillos de los Templarios P 16 E 15
Terradillos de Sedano BU 17 E 18
Terrassa / Tarrasa B 38 H 36
Terrateig V 74 P 29
Terraza GU 48 J 24
Terrazas SO 33 G 22
Terrazos BU 18 E 19
Terrente GR 94 T 19
Terreorgaz CC 55 N 11
Terrer Z 34 I 24
Terreras (Las) MU 84 S 24
Terrerazo V 61 N 26
Terriente TE 61 L 25
Terriente (Puerto) TE 61 L 25
Terril SE 92 U 14
Terrinches CR 71 Q 21
Terroba LO 19 F 22
Terrón (El) H 90 U 8
Tertanga VI 18 D 20
Teruel TE 48 K 26
Terzaga GU 48 J 24
Tesejerague Fuerteventura GC 113 F 4
Tesjuates Fuerteventura GC 111 H 3
Tesoro (Cueva del) MA 101 V 17
Testa (Sierra de la) BU 18 D 19
Tetas GU 47 K 22
Tetas (Las) Gran Canaria GC 116 A 3
Tetica AL 96 U 22
Tetir Fuerteventura GC 111 H 2
Teulada A 75 P 30
Teulada V 62 N 27
Teverga (Desfiladero del) O 5 C 11
Texós OR 27 G 6
Teza BU 18 D 20
Tezanos S 7 C 18
Tharsis H 78 T 8
Tiagua Lanzarote GC 123 D 4
Tiana B 38 H 36
Tías Lanzarote GC 123 D 4
Tibi A 74 Q 28
Tibidabo B 38 H 36
Tices AL 95 U 21
Tiebas NA 11 D 25
Tiedra VA 30 H 14
Tielmes M 59 L 20
Tielve O 6 C 15
Tiemblo (El) AV 45 K 16
Tiena GR 94 U 18
Tienda AB 85 Q 25
Tiendas (Las) BA 67 P 10
Tienera Vieja (La) CA 99 W 13
Tierga Z 34 H 25
Tiermas Z 20 E 26
Tiermes SO 32 I 20
Tierra de Campos (Mirador de) P 31 F 16
Tierra del Trigo (La) Tenerife TF 126 C 3
Tierra Negra (Punta de) Lanzarote GC 123 F 4
Tierrantona HU 22 E 30
Tierz HU 21 F 28
Tierzo GU 48 J 24
Tiesa CO 80 S 13
Tietar del Caudillo CC 56 L 13
Tigaday El Hierro TF 108 C 2
Tigalate La Palma TF 132 D 6
Tiguerorte La Palma TF 132 D 6
Tijarafe La Palma TF 130 B 4
Tíjola AL 96 T 22
Tilos (Los) La Palma TF 131 D 3
Time (El) Fuerteventura GC 111 I 2
Time (El) La Palma TF 130 B 5
Tinadas GU 32 I 20
Tinajas CU 47 K 22
Tinajeros AB 72 O 24
Tinajo Lanzarote GC 122 C 3
Tinajones (Los) J 83 Q 21
Tindaya Fuerteventura GC 111 H 2
Tineo O 5 C 10
Tines C 2 C 3
Tinieblas BU 18 F 19
Tinizara La Palma TF 130 B 4
Tiñor El Hierro TF 109 D 2
Tiñosa (Punta de la) Fuerteventura GC 111 J 2
Tiñosillos AV 44 J 15
Tiñoso (Cabo) MU 97 T 26
Tirajana (Embalse de) Gran Canaria GC 117 E 3
Tiraña O 6 C 13
Tirapu NA 20 E 24
Tirez (Laguna de) TO 59 N 19
Tirgo LO 18 E 21
Tiriez AB 72 P 23
Tirig CS 50 K 30
Tirón ESP 18 F 20
Tiros BA 68 P 14
Tiros (Sierra de) BA 68 P 13
Tirteafuera CR 70 P 17
Tírvia L 23 E 33
Tiscamanita Fuerteventura GC 113 G 3
Tiscar J 83 S 20
Tiscar (Puerto de) J 83 S 20
Titaguas V 61 M 26
Tito Bustillo (Cuevas de) O 6 B 14
Titulcia M 58 L 19
Tivenys T 50 J 31
Tivissa T 50 I 32
Tivoli World MA 100 W 16
Tixera (Punta de la) Tenerife TF 128 C 4
Toba C 2 D 2
Toba (La) CU 60 L 24
Toba (La) GU 46 I 21
Toba (La) GR 93 U 17
Toba de Valdivielso BU 18 D 19
Tobalina SE 91 U 11
Tobar BU 17 E 18
Tobar (El) CU 47 K 23
Tobarra AB 72 Q 24
Tobaruela J 82 R 18
Tobed Z 34 H 25
Tobera VI 19 D 21
Tobes GU 47 I 22
Tobes y Rahedo BU 18 E 19
Tobia LO 19 F 21
Tobillas AB 84 Q 23
Tobillos GU 47 J 23
Toboso (El) TO 59 N 21
Tocina SE 80 T 12
Tocinillos BA 79 R 10
Tocón GR 94 U 19
Todolella (La) CS 49 K 29
Todoque La Palma TF 132 C 5
Todosaires CO 94 T 17
Toén OR 13 F 6
Toga CS 62 L 28
Toiriz PO 13 D 5
Toja (La) / A Toxa PO 12 E 3
Tojo (El) S 7 C 17
Tojos (Los) S 7 C 17
Tol O 4 B 9
Tola ZA 29 G 10
Tolbaños AV 45 J 16
Tolbaños de Arriba BU 32 F 20
Toldaos LU 14 D 8
Toledana (La) CR 70 O 17
Toledillo SO 33 G 22
Toledo TO 58 M 17
Tolibia de Abajo LE 16 D 13
Tolibia de Arriba LE 16 D 13
Tolilla ZA 29 G 11
Tolinas O 5 C 11
Tolivia O 6 C 13
Tollón (Laguna del) CA 91 V 11
Tollos A 74 P 29
Tolmo (Ensenada del) CA 99 X 13
Tolocirio SG 45 I 16
Toloriu L 23 E 34
Tolosa SS 10 C 23
Tolosa AB 73 O 25
Tolox MA 100 V 15
Tolva HU 22 F 31
Tomares SE 91 T 11
Tomas Maestre MU 85 S 27
Tombrio de Abajo LE 15 D 10
Tomellosa GU 46 K 21
Tomelloso CR 71 O 20
Tomillar (El) SA 44 J 13
Tomillosas (Sierra de) BA 68 Q 12
Tomiño PO 12 G 3
Tona B 38 G 36
Tondos CU 60 L 23
Tonín LE 6 C 12
Tonosas (Los) AL 96 T 23
Topares AL 84 S 23
Topas SA 43 I 13
Toques C 3 D 6
Tor L 23 E 34
Tor LU 13 E 7
Torà L 37 G 34
Toral LE 15 E 12
Toral de los Guzmanes LE 16 F 13
Toral de los Vados LE 14 E 9
Toranzo S 34 G 24
Torás CS 62 M 27
Torás Bejís (Estación de) CS 62 M 27
Torazo O 6 B 13
Torcal de Antequera (Parque Natural) MA 100 V 16
Torcas (Embalse de las) Z 34 I 26
Torcas (Las) CU 60 L 24
Torcón (Embalse del) TO 57 N 16
Tordehumos VA 30 G 14
Tordellego GU 48 J 24
Tordelpalo GU 48 J 24
Tordelrábano GU 47 I 21
Tordera B 39 G 38
Tordera (La) (Riu) B 38 G 37
Tordesillas VA 30 H 14
Tordesilos GU 48 J 25
Tordillos SA 44 J 13
Tordoia C 2 C 4
Tordómar BU 31 F 18
Tordueles BU 32 F 19
Torelló B 24 F 36
Toreno LE 15 D 10
Torerera (La) H 78 T 9
Torete GU 47 J 23
Torga O 4 D 9
Torija GU 46 J 20
Toril CC 56 M 12
Toril TE 61 L 25
Toril (El) SE 92 T 13
Torina (Embalse de) S 7 C 18
Torío LE 6 C 13
Torla HU 21 E 29
Torlengua SO 33 H 23
Tormaleo O 14 D 9
Tormantos LO 18 E 20
Torme BU 18 D 19
Tormellas AV 44 L 13
Tormillo (El) HU 36 G 29
Tormo (El) CS 62 L 28
Tormón TE 61 L 25
Tormos HU 21 F 27
Torms (Els) L 36 H 32
Torn (El) GI 24 F 37
Tornabous L 37 G 33
Tornadijo BU 18 F 19
Tornadizo (El) SA 43 K 12
Tornadizos de Ávila AV 45 K 16
Tornafort L 23 E 33
Tornajo MU 84 S 24
Tornajuelos GR 83 S 21
Tornavacas CC 56 L 12
Tornavacas (Puerto de) CC 56 L 13
Torneiros OR 27 G 5
Torneiros LU 4 C 7
La Tornera GU 46 I 19
Torneros cerca de Castrocontrigo LE 15 F 11
Torneros cerca de León LE 16 E 13
Torneros de Jamuz LE 15 F 11
Tornín O 6 C 14
Torno (El) CR 70 O 17
Torno (El) CA 99 W 12
Torno (El) CC 56 L 12
Tornos TE 48 J 25
Tornos (Alto de los) S 8 C 19
Toro ZA 30 H 13
Toro OR 14 F 7
Toro (El) H 78 S 8
Toro (El) Castelló CS 61 M 27
Toro (El) Mallorca PM 104 N 37
Toro (Mont) PM 106 M 42
Torongil BA 67 P 10
Toros de Guisando AV 45 K 16
Torote (Arroyo de) ESP 46 K 19
Torozo (Sierra del) CR 69 P 16
Torozo (Sierra del) BA 69 P 14
Torquemada P 31 F 17
Torralba CU 60 L 23
Torralba cerca de Medinaceli SO 47 I 22
Torralba cerca de Soria SO 33 H 23
Torralba de Aragón HU 35 G 28
Torralba de Calatrava CR 70 O 18
Torralba de los Frailes Z 48 I 25
Torralba de los Sisones TE 48 J 25
Torralba de Oropesa TO 57 M 14
Torralba de Ribota Z 34 H 24
Torralba del Burgo SO 32 H 21
Torralba del Pinar CS 62 M 28
Torralba del Río NA 19 E 23
Torralbilla Z 48 I 25
Torrano / Dorrao NA 19 D 23
Torraño SO 32 H 20
Torre cerca de Taboada LU 13 D 6
Torre cerca de Villalba LU 3 C 6
Torre (Brazo de la) SE 91 U 11
Torre (La) AV 44 K 15
Torre (La) MU 85 R 25
Torre (La) CA 92 V 12
Torre (La) cerca de Losilla de Aras V 61 M 26
Torre (La) cerca de Utiel V 61 M 26
Torre (Rambla de la) A 86 Q 28
Torre Abraham (Embalse) CR 70 N 17
Torre Alháquime CA 92 V 14
Torre Alta MU 85 R 26
Torre Alta V 61 L 26
Torre Arboles CO 81 S 15
Torre Cardela GR 94 T 19
Torre Castiel TE 49 J 29
Torre Cerredo LE 6 C 15
Torre de Alcotas TE 61 M 27
Torre de Arcas TE 50 J 29
Torre de Babia LE 5 D 11
Torre de Benagalbón MA 101 V 17
Torre de Cabdella (La) L 23 E 32
Torre de Claramunt (La) B 37 H 34
Torre de Cullera (La) V 74 O 29
Torre de Don Miguel CC 55 L 10
Torre de Esgueva VA 31 G 17
Torre de Esteban Hambrán (La) TO 58 L 17
Torre de Fluvià (La) L 37 G 32
Torre de Fontaubella (La) T 51 I 32
Torre de Juan Abad CR 71 Q 20
Torre de la Higuera H 91 U 10
Torre de la Horadada A 85 S 27
Torre de la Reina SE 91 T 11
Torre de la Sal CS 63 L 30
Torre de la Vall V 74 O 29
Torre de las Arcas TE 49 J 27
Torre de les Maçanes (La) A 74 Q 28
Torre de l'Espanyol (La) T 36 I 31
Torre de Miguel Sesmero BA 67 Q 9
Torre de Oristà (La) B 38 G 36
Torre de Peña NA 20 E 26
Torre de Peñafiel VA 31 H 17
Torre de Pinet A 74 P 28
Torre de Santa María CC 68 O 11
Torre del Águila SE 92 U 12
Torre del Águila (Embalse de) SE 92 U 12
Torre del Bierzo LE 15 E 11
Torre del Burgo GU 46 J 20
Torre del Campo J 82 S 18
Torre del Compte TE 50 J 30
Torre del Mar MA 101 V 17
Torre del Oro H 91 U 9
Torre del Rei CS 63 L 30
Torre del Río Real MA 100 W 15
Torre del Valle (La) ZA 15 F 12
Torre d'en Besora (La) CS 50 L 29
Torre d'en Doménec (La) CS 62 L 30
Torre en Cameros LO 19 F 22
Torre Gorda CA 98 W 11
Torre la Cárcel TE 48 K 26
Torre la Ribera HU 22 E 31
Torre los Negros TE 48 J 26
Torre Pacheco MU 85 S 27
Torre Pedro AB 84 Q 23
Torre-saura PM 106 M 41
Torre-serona L 36 G 31
Torre-soli Nou PM 106 M 42
Torre Tallada V 73 P 27
Torre Uchea AB 84 Q 25
Torre Val de San Pedro SG 45 I 18
Torreadrada SG 31 H 18
Torreagüera MU 85 S 26
Torrealba (Ermita de) CC 67 N 11
Torreandaluz SO 33 H 21
Torrearévalo SO 33 G 22
Torrebaja V 61 L 26
Torrebarrio LE 5 C 12
Torrebeleña GU 46 J 20
Torrebesses L 36 H 31
Torreblacos SO 32 G 21
Torreblanca CS 63 L 30
Torreblanca de los Caños SE 92 T 12
Torreblanca del Sol MA 100 W 16
Torreblascopedro J 82 S 19
Torrebuceit CU 60 M 22
Torrec L 37 G 33
Torrecaballeros SG 45 J 17
Torrecampo CO 81 Q 15
Torrecera CA 99 W 12
Torrechiva CS 62 L 28
Torrecica (La) AB 72 O 24
Torrecilla CR 70 P 18
Torrecilla CU 60 L 23
Torrecilla MA 100 V 14
Torrecilla de Alcañiz TE 50 J 29
Torrecilla de la Abadesa VA 30 H 14
Torrecilla de la Jara TO 57 M 15
Torrecilla de la Orden VA 30 I 14
Torrecilla de la Torre VA 30 H 14
Torrecilla de los Ángeles CC 55 L 10
Torrecilla de Valmadrid Z 35 H 27
Torrecilla del Ducado GU 47 I 22
Torrecilla del Monte BU 32 F 18
Torrecilla del Pinar SG 31 H 17
Torrecilla del Pinar GU 47 J 23
Torrecilla del Rebolar TE 48 J 26
Torrecilla del Valle VA 30 H 14
Torrecilla en Cameros LO 19 F 22
Torrecillas CO 93 T 15
Torrecillas (Las) cerca de Badajoz BA 67 P 9
Torrecillas (Las) cerca de Mengaloril BA 68 P 12
Torrecillas de la Tiesa CC 56 N 12
Torrecitores BU 31 G 18
Torreciudad HU 22 F 30
Torrecuadrada de los Valles GU 47 J 22
Torrecuadrada de Molina GU 48 J 24
Torrecuadradilla GU 47 J 22
Torrecuadros H 91 U 10
Torredembarra T 37 I 34
Torredonjimeno J 82 S 18
Torrefarrera L 36 G 31
Torrefeta L 37 G 33
Torrefrades ZA 29 H 11
Torrefresneda BA 67 P 11
Torrefuente CU 61 L 25
Torregalindo BU 32 H 18
Torregamones ZA 29 H 11
Torregrossa L 36 H 32
Torrehermosa Z 33 I 23
Torreiglesias SG 45 I 17
Torrejón CC 66 N 8
Torrejón de Ardoz M 46 K 19
Torrejón de la Calzada M 58 L 18
Torrejón de Velasco M 58 L 18
Torrejón del Rey GU 46 K 19
Torrejón el Rubio CC 56 M 11
Torrejón-Tajo (Embalse de) CC 56 M 12
Torrejón-Tiétar (Embalse de) CC 56 M 12
Torrejoncillo CC 55 M 10
Torrejoncillo del Rey CU 59 L 22
Torrelaguna M 46 J 19
Torrelameu L 36 G 32
Torrelapaja Z 33 H 24
Torrelara BU 18 F 19
Torrelavandeira C 3 C 5
Torrelavega S 7 B 17
Torrelavit B 37 H 35
Torrelengua CU 59 M 21
Torrelengua SE 92 U 12
Torrellano A 86 R 28
Torrellas Z 34 G 24
Torrelles de Foix B 37 H 34
Torrelles de Llobregat B 38 H 35
Torrelobatón VA 30 H 14
Torrelodones M 45 K 18
Torremayor BA 67 P 10
Torremegía BA 67 P 10
Torremelgarejo CA 91 V 11
Torremendo A 85 S 27
Torremenga CC 56 L 12
Torremocha CC 67 N 11
Torremocha de Ayllón SO 32 H 20
Torremocha de Jadraque GU 46 I 21
Torremocha de Jarama M 46 J 19
Torremocha de Jiloca TE 48 K 26
Torremocha del Campo GU 47 J 22
Torremocha del Pinar GU 47 J 23
Torremochuela GU 48 J 24
Torremolinos MA 100 W 16
Torremontalbo LO 19 E 21
Torremormojón P 30 G 15
Torrenostra CS 63 L 30
Torrent GI 25 G 39
Torrent V 62 N 28
Torrente de Cinca HU 36 H 31
Torrenueva CR 71 Q 19
Torrenueva GR 101 V 19
Torrenueva MA 100 W 15
Torrepadre BU 31 F 18
Torreparedones CO 81 S 16
Torreperogil J 83 R 20
Torrequebradilla J 82 S 19
Torrequemada CC 67 N 11
Torres NA 11 D 25
Torres Z 34 H 25
Torres J 82 S 19
Torres (Las) Z 34 H 26
Torres (Las) SA 43 J 13
Torres Cabrera CO 81 S 15
Torres de Albánchez J 83 Q 21
Torres de Albarracín TE 48 K 25
Torres de Alcanadre HU 35 G 29
Torres de Aliste (Las) ZA 29 G 11
Torres de Barbués HU 35 G 28
Torres de Berellén Z 34 G 26
Torres de Cotillas (Las) MU 85 R 26
Torres de la Alameda M 46 K 19
Torres de Montes HU 21 F 29
Torres de Segre L 36 H 31
Torres del Carrizal ZA 29 H 12
Torres del Obispo HU 22 F 31
Torres del Río NA 19 E 23
Torres-Torres V 62 M 28
Torresandino BU 31 G 18
Torresaviñán (La) GU 47 J 22
Torrescárcela VA 31 H 17
Torresmenudas SA 43 I 12
Torrestio LE 5 C 11
Torresuso SO 32 H 20
Torreta de l'Orri L 23 E 33
Torrevelilla TE 50 J 29

## TOLEDO

Alcántara (Puente de) ........ CX
Alfileritos .......... BY
Alfonso VI (Pl. de) .......... BX
Alfonso XII .......... BY 3
Alfonso X el Sabio .......... BY 2
América (Av. de) .......... AX
Ángel .......... AY
Ave María .......... BZ
Ayuntamiento (Pl. del) .......... BY 4
Azarquiel (Puente de) .......... CX
Cabestreros (Pas. de) .......... CZ
Cadenas .......... BY 7
Campana (Travesía) .......... BY 8
Cardenal Lorenzana .......... BY 9
Cardenal Tavera .......... BX
Carlos III (Av. de) .......... AX
Carlos V (Cuesta de) .......... BY 13
Carmelitas .......... AY 14
Cava (Av. de la) .......... AX
Cervantes .......... CY
Circo Romano (Pas. del) .......... AX
Colegio de Doncellas .......... AY 17
Comercio .......... BY
Conde (Pl. del) .......... AY 18
Consistorio (Pl. del) .......... BY 19
Cordonerías .......... BY 20
Cruz Verde (Pas. de la) .......... BZ
Duques de Lerma (Av. de los) BX
Esteban Illán .......... BY 24
Gerardo Lobo .......... BX
Hombre de Palo .......... BY 27
Honda .......... BX 28
Juanelo (Ronda de) .......... CY
Mas del Ribero (Av. de) .......... AX
Matías Moreno .......... AY
Merced .......... BY
Nuncio Viejo .......... BY 29
Núñez de Arce .......... BX 32
Padilla (Pl. y Calle de) .......... ABY 33
Padre Mariana (Pl.) .......... BY 34
Pascuales (Cuesta de los) .......... CY 36
Plata .......... BY
Pozo Amargo .......... BZ
Real del Arrabal .......... BX
Recaredo (Pas. de) .......... AX
Reconquista (Av. de la) .......... ABX
Reyes Católicos .......... AY
Rosa (Pas. de la) .......... CX
El Salvador .......... BY 22
Santa Leocadia (Cuesta de) .. AY
Santo Tomé .......... ABY
San Cristóbal (Pas.) .......... BZ 38
San Juan de Dios .......... AY 40
San Justo (Cuesta) .......... CY
San Justo (Pl.) .......... BY 41
San Marcos .......... BY 42
San Martín (Puente) .......... AY
San Román .......... BY 44
San Sebastián (Carreras de) .. BZ
San Torcuato .......... BZ
San Vicente (Pl. de) .......... BY 45
Sillería .......... BX
Sixto Ramón Parro .......... BY 46
Sola .......... BZ
Taller del Moro .......... BY 48
Tendillas .......... BY 10
Toledo de Ohio .......... BY 49
Tornerías .......... BY 50
Tránsito (Pas. del) .......... AYZ 52
Trinidad .......... BY
Venancio González .......... CX 53
Zocodover (Pl. de) .......... CY

Casa y Museo de El Greco. AY **M**[1]

Torrevicente **SO** 32 H 21
Torrevieja **A** 86 S 27
Torrevieja (Salines de) **A** 85 S 27
Torrico **TO** 57 M 14
Torrijas **TE** 61 L 27
Torrijo **Z** 34 H 24
Torrijo del Campo **TE** 48 J 25
Torrijos **TO** 58 M 17
Torroella de Fluvià **GI** 25 F 39
Torroella de Montgrí **GI** 25 F 39
Torroja del Priorat **T** 36 I 32
Torronteras **GU** 47 K 22
Torroña **PO** 12 F 3
Torrox **MA** 101 V 18
Torrox (Punta de) **MA** 101 V 18
Torrox Costa **MA** 101 V 18
Torrubia **GU** 48 J 24
Torrubia **CO** 81 Q 16
Torrubia de Soria **SO** 33 H 23
Torrubia del Campo **CU** 59 M 21
Torrubia
del Castillo **CU** 60 M 23
Tortajada **TE** 48 K 26
Tortas **AB** 72 Q 22
Tortellà **GI** 24 F 37
Tórtola **CU** 60 M 23
Tórtola de Henares **GU** 46 J 20
Tórtoles **AV** 44 K 14
Tórtoles **Z** 34 G 24
Tórtoles de Esgueva **BU** 31 G 17
Tortonda **GU** 47 J 22
Tortosa **T** 50 J 31
Tortosa (Cap de) **T** 51 J 32
Tortuera **GU** 48 J 24
Tortuero **GU** 46 J 19
Torviscal **BA** 68 O 12
Torviscal (El) **SE** 92 U 12
Torvizcón **GR** 102 V 20
Tosa d'Alp **B** 24 F 35
Tosalet **A** 75 P 30
Tosantos **BU** 18 E 20
Tosca
(Embalse de la) **CU** 47 K 23
Toscana (La) **GR** 84 S 22
Toscas (Las)
*La Gomera* **TF** 119 C 3
Toscón (El)
*Gran Canaria* **GC** 115 F 2
Toscón (El)
*Gran Canaria* **GC** 116 C 3
Tosende **OR** 27 G 6
Toses **GI** 24 F 36
Toses (Collada de) **GI** 24 E 35
Tosos **Z** 34 I 26
Tospe **O** 6 C 14
Tossa de Mar **GI** 39 G 38
Tossa de Montbui (La) **B** 37 H 34
Tossa Pelada **L** 23 F 34
Tossal (El) **A** 74 Q 29
Tossal (El) **L** 37 G 33
Tossal de la Nevera **CS** 50 K 29
Totalán **MA** 101 V 17
Totana **MU** 85 S 25
Totanés **TO** 58 M 17
Toto *Fuerteventura* **GC** 113 F 3
Toural **PO** 12 E 4
Touriñán **C** 2 C 2
Touriñán (Cabo) **C** 2 C 2
Touro **C** 13 D 5
Tourón **PO** 12 E 4
Tous **V** 74 O 28
Tous
(Embassament de) **V** 74 O 27
Tóvedas **V** 61 L 25
Tox **O** 5 B 10
Toxa (A) /
La Toja **PO** 12 E 3
Toya **J** 83 S 20
Tozalmoro **SO** 33 G 23
Tózar **GR** 94 T 18
Tozo **O** 6 C 10
Tozo (Embalse del) **CC** 56 N 11
Tozo **CC** 56 N 12
Traba **C** 2 C 2
Traba (La) **LU** 4 C 8
Trabada **LU** 4 B 8
Trabadelo **LE** 14 E 9
Trabakua
(Puerto de) **BI** 10 C 22
Trabanca **SA** 29 I 10
Trabazos **ZA** 29 G 10
Tracastro **LU** 14 E 8
Trafalgar (Cabo de) **CA** 98 X 11
Tragacete **CU** 48 K 24
Tragó **L** 23 F 33
Tragoncillo **AB** 84 R 22
Traguntía **SA** 43 J 10
Traibuenas **NA** 20 E 25
Traid **GU** 48 J 24
Traiguera **CS** 50 K 30
Trajano **SE** 92 U 12
Tramacastilla **TE** 48 K 25
Tramacastilla
de Tena **HU** 21 D 29
Tramaced **HU** 35 G 29
Tramascatiel **TE** 61 L 26
Tranco **J** 83 R 21
Tranquera
(Embalse de la) **Z** 34 I 24
Tranquera (La) **Z** 34 I 24
Trapera **CO** 80 Q 13
Trapiche **MA** 101 V 17
Tras la Sierra
(Montes de) **CC** 56 L 12
Trasancos **C** 3 B 5
Trasanquelos **C** 3 C 5
Trascastro **O** 5 C 10
Trascastro **LE** 14 D 10
Trascatro **PO** 13 D 6
Trashaedo **BU** 17 D 18
Trasierra **BA** 79 R 12
Traslaloma **BU** 8 C 19
Traslasierra **H** 79 S 10
Traslasierra **BA** 67 P 11
Trasmiras **OR** 27 F 7
Trasmonte **C** 3 C 4
Trasmonte **LU** 3 C 6
Trasmoz **Z** 34 G 24
Trasmulas **GR** 94 U 18
Trasobares **Z** 34 H 25
Traspeña **P** 17 D 16
Traspinedo **VA** 31 H 16
Travesas **C** 2 C 3
Traviesa (Sierra) **SE** 80 S 12
Traviesas **C** 3 C 4
Travieso (El) **SE** 80 S 13
Trazo **C** 2 C 4
Trebujena **CA** 91 V 11
Treceño **S** 7 C 17
Tredós **L** 23 D 32
Trefacio **ZA** 14 F 10
Treguró de Dalt **GI** 24 E 36
Trejo **CA** 92 V 14
Trelle **OR** 13 F 6
Trelles **O** 4 B 9
Tremañes **O** 6 B 12
Tremedal **AV** 43 K 13
Tremedal (Puerto) **AV** 43 K 13
Tremedal de Tormes **SA** 43 I 11
Tremor de Abajo **LE** 15 E 11
Tremor de Arriba **LE** 15 D 11
Tremp **L** 23 F 32
Tres Arroyos **BA** 67 P 9
Tres Cantos **M** 46 K 18
Tres Huelgas
(Mirador de las) **Z** 35 G 28
Tres Mares (Pico de) **P** 7 C 16
Tres Picos
(Embalse de) **H** 90 T 8
Tresabuela **S** 7 C 16
Trescares **O** 7 C 15
Trescasas **SG** 45 J 17
Tresgrandas **O** 7 B 16
Tresjuncos **CU** 59 M 21
Tresmonte **O** 6 B 14
Trespaderne **BU** 18 D 19
Tresponts
(Congost de) **L** 23 F 34
Trespuentes **VI** 19 D 21
Tresviso **S** 7 C 15
Trévago **SO** 33 G 23
Trevejo **CC** 55 L 9
Trevélez **GR** 95 U 20
Trevélez
(Horcajo de) **GR** 95 U 20
Treviana **LO** 18 E 20
Trevijano **LO** 19 F 22
Treviño **BU** 19 D 21
Triacastela **LU** 14 D 8
Triana **MA** 101 V 17
Triana
*Gran Canaria* **GC** 115 G 2
Tribaldos **CU** 59 M 21
Tricias (Las)
*La Palma* **TF** 130 B 3
Tricio **LO** 19 E 21
Trigaza **BU** 18 F 20

Trigueros H 90 T 9
Trigueros del Valle VA 31 G 16
Trijueque GU 46 J 21
Trillo GU 47 J 22
Trincheto (El) CR 70 O 17
Trinidad (La) SE 92 T 13
Triollo P 17 D 15
Triongo O 6 B 14
Triquivijate Fuerteventura GC 111 H 3
Triste HU 21 E 27
Trobajo LE 16 E 13
Trobal (El) SE 91 U 12
Trobo cerca de Cospeito LU 3 C 7
Trobo (O) cerca de Fonsagrada LU 4 C 8
Tronceda C 13 D 5
Troncedo HU 22 F 30
Troncedo O 5 B 11
Tronchón TE 49 K 28
Trubia O 5 B 12
Truchas LE 15 F 10
Truchillas LE 15 F 10
Trucios-Turtzioz BI 8 C 20
Trujillanos BA 67 P 11
Trujillo CC 56 N 12
Tubilla del Agua BU 17 D 18
Tubilla del Lago BU 32 G 19
Tubilleja BU 18 D 18
Tuca L 22 D 32
Tuda (La) ZA 29 H 12
Tudanca S 7 C 16
Tudela NA 20 F 25
Tudela GI 25 F 39
Tudela Agüeria O 5 C 12
Tudela de Duero VA 31 H 16
Tudela de Segre L 37 G 33
Tudelilla LO 19 F 23
Tudera ZA 29 H 11
Tuéjar V 61 M 26
Tuela ZA 14 F 9
Tuelas (Los) MU 85 S 25
Tuerto LE 15 E 11
Tuesta VI 18 D 20
Tuñones C 2 C 2
Tui PO 12 F 4
Tuilla O 6 C 13
Tuineje Fuerteventura GC 113 G 4
Tuiriz LU 13 E 7
Tuiza O 5 C 12
Tujena H 91 T 10
Tulebras NA 34 G 24
Tumbalejo (El) H 91 T 10
Tumbo LU 4 C 7
Tuna (Sa) GI 25 G 39
Túnez Tenerife TF 128 E 5
Tuña O 5 C 10
Tuñón O 5 C 12
Turbón HU 22 E 31
Turca GR 94 U 17
Turces C 13 D 5
Turcia LE 15 E 12
Turégano SG 45 I 17
Turieno S 7 C 16
Turienzo Castañero LE 15 E 10
Turillas AL 96 U 23
Turillas (Peñón de) AL 96 U 23
Turís V 74 N 27
Turiso VI 18 D 21
Turleque TO 58 N 19
Turmell (El) CS 50 K 30
Turmiel GU 47 I 23
Turó de l'Home B 38 G 37
Turón O 5 C 12
Turón GR 102 V 20
Turones SA 42 J 9
Turquillas (Las) SE 92 T 14
Turra de Alba SA 44 J 13
Turre AL 96 U 24
Turrilla AB 84 R 23
Turrilla MU 84 S 24
Turrillas AL 96 U 23
Turro (El) GR 94 U 18
Turrubuelo SG 32 I 19
Turruncún LO 19 F 23
Tús AB 84 Q 22
Tús (Balneario de) AB 84 Q 22
Txindoki (Pico) SS 10 C 23

## U

Ubeda A 85 Q 27
Úbeda J 82 R 19
Ubide BI 9 C 21
Ubierna BU 18 E 18
Ubiña (Peña) LE 5 C 12
Ubrique CA 99 V 13
Úcar NA 11 D 24
Uceda GU 46 J 19
Ucedo LE 15 E 11
Ucero SO 32 G 20
Uces (Las) SA 43 I 10
Ucieda S 7 C 17
Uclés CU 59 M 21
Udalla S 8 C 19
Udra (Cabo de) PO 12 E 3
Uga Lanzarote GC 122 C 4
Ugalde VI 8 C 21
Ugao-Miraballes BI 8 C 21
Ugarteberri SS 10 C 23
Ugena TO 58 L 18
Uges C 3 C 4
Ugíjar GR 102 V 20
Uharte / Huarte NA 11 D 25
Uharte-Arakil NA 10 D 24
Uitzi NA 10 C 24
Uitzi (Alto) NA 10 C 24
Ujados GU 32 I 20
Ujo O 5 C 12
Ujué NA 20 E 25
Ulea MU 85 R 26
Uleila del Campo AL 96 U 23
Ulíbarri NA 19 D 23
Ullà GI 25 F 39
Ulla (Río) C 13 D 4
Ullastrell B 38 H 35
Ullastret GI 25 F 39
Ulldecona T 50 K 31
Ulldemolins T 37 I 32
Ullíbarri (Embalse de) VI 19 D 22
Ullíbarri-Arrazua VI 19 D 22
Ullibarri-Gamboa VI 19 D 22
Ulloa LU 3 D 6
Ultramort GI 25 F 39
Ultzama NA 11 C 24
Ulzurrun (Puerto de) NA 10 D 24
Umbralejo GU 46 I 20
Umbrete SE 91 T 11
Umbría TE 49 K 28
Umbría MU 84 S 24
Umbría GR 95 V 20
Umbría (La) H 79 S 10
Umbría (Sierra de la) GR 84 S 22
Umbría de Fresnedas CR 70 Q 19
Umbría de las Lomas MU 84 S 24
Umbría del Oso CU 60 L 25
Umbrías AV 43 L 13
Umbrías MU 97 T 25
Umia PO 13 E 4
Unarre L 23 E 33
Uncastillo Z 20 E 26
Unciti NA 11 D 25
Undués de Lerda Z 20 E 26
Undués-Pintano Z 20 E 26
Undurraga BI 9 C 21
Ungilde ZA 28 F 10
Unión (La) MU 85 T 27
Unión de Campos (La) VA 30 F 14
Universales (Montes) TE 48 K 24
Unquera S 7 B 16
Unzué NA 20 E 25
Uña CU 60 L 24
Uña (La) LE 6 C 14
Uña de Quintana ZA 15 F 11
Urbanova A 86 R 28
Urbasa (Puerto de) NA 19 D 23
Urbel del Castillo BU 17 E 18
Urberuaga BI 10 C 22
Urbies O 6 C 12
Urbina VI 19 D 22
Urbión (Monte) SG 32 F 21
Urbión (Reserva nacional de) SG 33 G 21
Urbión (Sierra de) SO 33 G 21
Urcal AL 96 T 24
Urculu NA 11 C 26
Urda TO 70 N 18
Urdaburu (Monte) SS 10 C 24
Urdaitz / Urdániz NA 11 D 25
Urdanta LO 18 F 21
Urdazubi / Urdax NA 11 C 25
Urdelar SS 10 C 24
Urdiales del Páramo LE 15 E 12
Urdian NA 19 D 23
Urdilde C 12 D 3
Urdués HU 21 D 27
Urduliz BI 8 B 21
Ures GU 47 I 21
Ures de Medina SO 47 I 23
Urgell (Canal auxiliar d') L 37 G 32
Urgell (Canal d') L 37 G 33
Urgón CR 70 Q 17
Uria (Sierra de) LU 4 C 9
Uribarri-Dibiña VI 19 D 21
Urigoiti BI 9 C 21
Uritz / Úriz NA 11 D 25
Uriz LU 3 C 7
Úriz / Uritz NA 11 D 25
Urkabustaiz VI 18 D 21
Urkuleta BI 10 C 22
Urmella HU 22 E 31
Urmi CS 50 K 31
Urnieta SS 10 C 24
Urones de Castroponce VA 16 F 14
Uroz NA 11 D 25
Urquiola (Puerto) BI 10 C 22
Urraca-Miguel AV 45 J 16
Urrácal AL 96 T 22
Urrea de Gaén TE 49 I 28
Urrea de Jalón Z 34 H 26
Urrestieta-Avellaneda BI 8 C 20
Urrestilla SS 10 C 23
Urretxu SS 10 C 23
Urrexola SS 10 C 22
Urrez BU 18 F 19
Urria BU 18 D 19
Urriello (Vega de) O 6 C 15
Urriés Z 20 E 26
Urrotz NA 11 C 24
Urroz-Villa NA 11 D 25
Urrúnaga VI 19 D 22
Urrutias (Los) MU 85 S 27
Urtasun NA 11 D 25
Urturi VI 19 E 22
Urtx GI 24 E 35
Urueña VA 30 G 14
Urueñas SG 32 H 18
Uruñuela LO 19 E 21
Urús GI 24 E 35
Urz (La) LE 15 D 12
Urzainqui NA 11 D 27
Usagre BA 79 Q 11
Usana HU 22 E 30
Usanos GU 46 J 20
Usánsolo BI 9 C 21
Usategueta (Puerto de) NA 10 C 24
Uscarrés / Uskartze NA 11 D 26
Used Z 48 I 25
Used (Puerto de) Z 48 I 25
Useres (Les) CS 62 L 29
Usi NA 11 D 24
Uskartze / Uscarrés NA 11 D 26
Usón HU 35 G 29
Ustés NA 11 D 26
Usún NA 20 E 26
Usurbil SS 10 C 23
Utande GU 46 J 21
Utebo Z 35 G 27
Uterga NA 10 D 24
Utiel V 61 N 26
Utrera SE 92 U 12
Utrera BA 68 P 12
Utrilla SO 33 I 23
Utrillas TE 49 J 27
Utxesa (Pantà d') L 36 H 31
Uznayo S 7 C 16
Uzquiano BU 19 D 21
Uztárroz / Uztarroze NA 11 D 27
Uztarroze / Uztárroz NA 11 D 27

## V

Vaca (La) H 78 S 7
Vacar (El) CO 81 R 15
Vacarisses B 38 H 35
Vadiello (Embalse de) HU 21 F 29
Vadillo SO 32 G 20
Vadillo de la Gureña ZA 30 I 13
Vadillo de la Sierra AV 44 K 14
Vadillos LO 19 F 22
Vado (Embalse de El) GU 46 I 20
Vado Baena J 82 S 17
Vado del Álamo MA 100 V 15
Vadocondes BU 32 H 19
Vadofresno CO 93 U 16
Vadollano (Estación de) J 82 R 19
Vados (Los) MA 101 V 17
Vados de Torralba J 82 S 19
Vajol (La) GI 25 E 38
Val C 3 B 5
Val (Embalse de El) Z 34 G 24
Val (Río) SO 34 G 24
Val de Castillo LE 16 D 14
Val de la Sabina V 61 L 26
Val de San García GU 47 J 22
Val de San Lorenzo LE 15 E 11
Val de San Martín Z 48 I 25
Val de San Román LE 15 E 11
Val de Santa María ZA 29 G 11
Val de Santo Domingo TO 58 L 17
Val do Dubra C 2 C 4
Valacloche TE 61 L 26
Valadares C 2 D 3
Valadares PO 12 F 3
Valadouro LU 4 B 7
Valareña Z 20 F 26
Valberzoso P 17 D 17
Valboa PO 13 D 4
Valbona TE 61 L 27
Valbonilla BU 17 F 17
Valbuena SA 43 K 12
Valbuena de Duero VA 31 H 17
Valbuena de Pisuerga P 17 F 17
Valbueno GU 46 K 20
Valbuxán OR 14 F 8
Valcabadillo P 16 E 15
Valcabado ZA 29 H 12
Valcabra (Rambla de) GR 95 T 21
Valcaliente CC 56 N 12
Valcarce (Moral de) LE 14 E 9
Valcárceres (Los) BU 17 E 18
Valcarlos / Luzaide NA 11 C 26
Valcavado LE 15 F 12
Valchillón CO 81 S 15
Valcotos M 45 J 18
Valcovero P 16 D 15
Valcueva-Palazuelo (La) LE 16 D 13
Valdajos TO 59 L 20
Valdanzo SO 32 H 19
Valdanzuelo SO 32 H 19
Valdaracete M 59 L 20
Valdarachas GU 46 K 20
Valdastillas CC 56 L 12
Valdavida LE 16 E 14
Valde-Ucieza P 17 E 16
Valdeagorfa TE 50 J 29
Valdeajos BU 17 D 18
Valdealbín SO 32 G 20
Valdealcón LE 16 E 14
Valdealiso LE 16 E 14
Valdealvillo SO 32 H 21
Valdeande BU 32 G 19
Valdearcos VA 31 H 17
Valdearcos LE 16 E 13
Valdearenas GU 46 J 21
Valdeavellano GU 46 J 21
Valdeavellano de Tera SO 33 G 22
Valdeavellano de Ucero SO 32 G 20
Valdeavero M 46 K 20
Valdeaveruelo GU 46 K 20
Valdeazogues CR 69 P 16
Valdeazores TO 57 N 15
Valdebótoa BA 67 P 9
Valdecaballeros BA 69 O 14
Valdecabras CU 60 L 23
Valdecabrillas CU 60 L 22
Valdecañas CR 70 P 18
Valdecañas CU 60 L 23
Valdecañas (Centro Agronómico de) TO 56 L 14
Valdecañas (Embalse de) CC 56 M 13
Valdecañas de Campos P 31 G 17
Valdecañas de Tajo CC 56 M 13
Valdecarpinteros SA 43 K 10
Valdecarros SA 44 J 13
Valdecasa AV 44 K 14
Valdecazorla J 83 S 20
Valdecebro TE 49 K 26
Valdecevillo (Yacimientos de) LO 19 F 23
Valdecilla S 8 B 18
Valdecolmenas de Abajo CU 60 L 22
Valdecolmenas de Arriba CU 60 L 22
Valdeconcha GU 46 K 21
Valdeconejos TE 49 J 27
Valdecuenca TE 61 L 25
Valdecuenca (Puerto de) TE 61 L 25
Valdecuna O 5 C 12
Valdedíos O 6 B 13
Valdedo O 4 B 9
Valdefinjas ZA 30 H 13
Valdeflores SE 79 S 10
Valdefresno LE 16 E 13
Valdefuentes CC 67 O 11
Valdefuentes (Santuario de) CC 55 L 11
Valdefuentes de Sangusín SA 43 K 12
Valdefuentes del Páramo LE 15 F 12
Valdeganga AB 72 O 24
Valdeganga de Cuenca CU 60 M 23
Valdegeña SO 33 G 23
Valdegovía VI 18 D 20
Valdegrudas GU 46 J 20
Valdegutur LO 34 G 24
Valdehermoso de la Fuente CU 60 N 23
Valdeherreros BA 67 O 10
Valdehierro CR 70 O 17
Valdehijaderos SA 43 K 12
Valdehorna Z 48 I 25
Valdehornillo BA 68 O 12
Valdehoyas TO 58 L 18
Valdehúncar CC 56 M 13
Valdeíñigos CC 56 M 12
Valdejimena (Ermita de) SA 44 K 13
Valdelacalzada BA 67 P 9
Valdelacasa SA 43 K 12
Valdelacasa de Tajo CC 56 M 14
Valdelafuente LE 16 E 13
Valdelageve SA 43 K 12
Valdelagrana CA 98 W 11
Valdelagua M 46 K 19
Valdelagua GU 47 J 21
Valdelagua del Cerro SO 33 G 23
Valdeláguila-El Robledal M 46 K 20
Valdelaguna M 59 L 19
Valdelamadera CR 70 O 17
Valdelamusa H 78 S 9
Valdelarco H 79 S 9
Valdelatas M 46 K 17
Valdelateja BU 18 D 18
Valdelavia (Alto de) AV 45 K 16
Valdelcubo GU 33 I 21
Valdelinares TE 49 K 28
Valdelinares SO 32 G 20
Valdellosa TE 48 J 25
Valdelobos (Cañada de) AB 71 O 22
Valdelosa SA 43 I 12
Valdeltormo TE 50 J 30
Valdelugueros LE 16 D 13
Valdemadera LO 33 G 23
Valdemaluque SO 32 G 20
Valdemanco M 46 J 19
Valdemanco del Esteras CR 69 P 15
Valdemaqueda M 45 K 17
Valdemarías TO 57 M 16
Valdemarín (Casa Forestal de) J 83 R 21
Valdemeca CU 60 L 24
Valdemerilla ZA 29 F 10
Valdemierque SA 44 J 13
Valdemora LE 16 F 13
Valdemorales CC 68 O 11
Valdemorilla LE 16 F 14
Valdemorillo M 45 K 17
Valdemorillo de la Sierra CU 60 L 24
Valdemoro M 58 L 18
Valdemoro del Rey CU 59 L 22
Valdemoro Sierra CU 60 L 24
Valdenarros SO 32 H 21
Valdenebro SO 32 H 21
Valdenebro de los Valles VA 30 G 15
Valdenegrillos SO 33 G 23
Valdenoceda BU 18 D 19
Valdenoches GU 46 J 20
Valdenoguera SA 42 J 9
Valdenuño Fernández GU 46 J 19
Valdeobispo CC 55 L 11
Valdeobispo (Embalse de) CC 55 L 11
Valdeolivas CU 47 K 22
Valdeolmillos P 31 F 16
Valdeolmos M 46 K 19
Valdepalacios TO 57 M 14
Valdepares O 4 B 9
Valdepeñas CR 71 P 19
Valdepeñas de Jaén J 94 T 18
Valdepeñas de la Sierra GU 46 J 19
Valdeperales M 59 L 19
Valdeperdices ZA 29 H 12
Valdeperillo LO 33 F 23
Valdepiélago LE 16 D 13
Valdepiélagos M 46 J 19
Valdepolo LE 16 E 14
Valdeprado S 7 C 16
Valdeprado SO 33 G 23
Valdeprado del Río S 17 D 17
Valdeprados SG 45 J 17
Valderaduey CL 16 E 15
Valderas LE 30 F 13
Valderías BU 17 D 18
Valderrábano P 17 E 16
Valderrama BU 18 D 20
Valderrebollo GU 47 J 21
Valderrepisa (Puerto) CR 81 Q 16
Valderrey LE 15 E 11
Valderrobres TE 50 J 30
Valderrodilla SO 33 H 21
Valderrodrigo SA 43 I 10
Valderrosas CC 55 L 11
Valderrubio GR 94 U 18
Valderrueda SO 33 H 21
Valderrueda LE 16 D 15
Valdés MA 101 V 17
Valdesalor CC 55 N 10
Valdesamario LE 15 D 12
Valdesamario (Embalse Azud de) LE 15 D 11
Valdesaz GU 46 J 21
Valdescorriel ZA 30 F 13
Valdesimonte SG 31 I 18
Valdesoto O 6 B 13
Valdesotos GU 46 J 20
Valdespina P 17 F 16
Valdespina SO 33 H 22
Valdespino Cerón LE 16 F 13
Valdespino de Somoza LE 15 E 11
Valdesquí M 45 J 18
Valdestillas VA 30 H 15
Valdeteja LE 16 D 13
Valdeteja (Collada de) LE 16 D 13
Valdeterrazo del Marqués BA 78 Q 8
Valdetorres BA 68 P 11
Valdetorres de Jarama M 46 J 19
Valdevacas de Montejo SG 32 H 19
Valdevacas y Guijar SG 45 I 18
Valdevaqueros (Ensenada de) CA 99 X 12
Valdeverdeja TO 57 M 14
Valdevimbre LE 16 E 13
Valdezate BU 31 H 18
Valdezcaray LO 18 F 21
Valdezufre H 79 S 10
Valdilecha M 59 L 20
Valdín OR 14 F 9
Valdivia BA 68 O 12
Valdomar LU 3 C 6
Valdoré LE 16 D 14
Valdoro (Sierra de) CR 82 Q 17
Valdorros BU 18 F 18
Valdoviño C 3 B 5
Valdunciel SA 43 I 12
Valdunquillo VA 30 F 14
Valduro Nuevo BA 67 P 9
Valduvieco LE 16 E 14
Valeixe PO 13 F 5
València V 62 N 29
València (Golf de) V 62 N 29
València d'Àneu L 23 E 33
Valencia de Alcántara CC 54 N 8
Valencia de Don Juan LE 16 F 13
Valencia de las Torres BA 79 Q 12
Valencia del Mombuey BA 78 R 8
Valencia del Ventoso BA 79 R 10
Valencina de la Concepción SE 91 T 11

## VALÈNCIA

Alcade Reig BV 2
Ángel Guimerá AU 7
Burjassot (Av. de) AU 9
Campanar (Av.) AU 10
Cavanilles BU 14
Constitución (Av. de la) BU 15
Doctor Peset Aleixandre (Av.) BU 20
Doctor Tomás Sala (Av. del) AV 21
Fernando el Católico (G. Vía) AU 26
Filipinas BV 29
Gaspar Aguilar (Av. de) AV 31
General Avilés (Av.) AU 32
General Urrutia BV 36
Giorgeta (Av.) AV 37
Guadalaviar BU 38
Hermanos Maristas (Av. de) BV 42
Ingeniero Manuel Soto (Av.) CV 43
José Soto Mico AV 46
Junta de Murs y Valls BV 44
Liano de la Zaidia BU 47
Maestro Rodrigo (Av.) AU 51
Mandingora (Av. de) AV 52
Manuel de Falla (Av.) AU 53
Menéndez Pidal (Av.) AU 58
Morenas (Camino) CV 60
Pechina (Paseo) AU 68
Pérez Galdós (Av. de) AU 69
Peris y Valero (Av. de) BV 71
Pianista Martinez Carrasco (Av. del) BV 72
Plata (Av. de la) BV 76
Primado Reig (Av. del) BU 78
San josé de Calasanz AU 82
San Vicente Mártir (Av.) AV 84
Tirso de Molina (Av.) AU 92
9 de Octubre AU 99

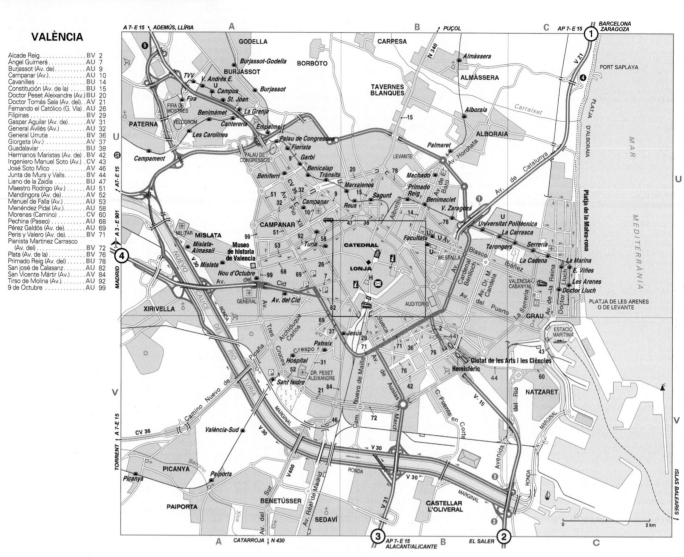

Valenoso **P** 17 E 16
Valentín **MU** 84 R 24
Valentins (Els) **T** 50 K 31
Valenzuela **CO** 81 S 17
Valenzuela de Calatrava **CR** 70 P 18
Valer **ZA** 29 G 11
Valera **BA** 79 R 10
Valera de Abajo **CU** 60 M 23
Valeria **CU** 60 M 23
Valeriano **GR** 94 T 18
Valero **SA** 43 K 12
Vales **OR** 13 E 6
Valfarta **HU** 35 H 29
Valfermoso de las Monjas **GU** 46 J 21
Valfermoso de Tajuña **GU** 46 K 21
Valfonda de Santa Ana **HU** 35 G 28
Valga **PO** 12 D 4
Valgañón **LO** 18 F 20
Valgrande **O** 15 D 12
Valhermoso **GU** 47 J 24
Valientes (Los) **MU** 85 R 26
Valiñas **PO** 12 E 4
Valjunquera **TE** 50 J 30
Vall Alto del Ter **GI** 24 F 37
Vall d'Alba **CS** 62 L 29
La Vall d'Alcalà **A** 74 P 29
Vall d'Alcalà **A** 74 P 28
Vall d'Àngel (Serra de la) **CS** 50 K 30
Vall de Almonacid **CS** 62 M 28
Vall de Bianya (La) **GI** 24 F 37
Vall de Ebo **A** 74 P 29
Vall de Gallinera **A** 74 P 29
La Vall de Laguar **A** 74 P 29
Vall de Laguart **A** 74 P 29
Vall de Varradòs **L** 22 D 32
Vall d'Uixó (La) **CS** 62 M 29
Vall Llebrera **L** 37 G 33
Vall-Llobrega **GI** 25 G 39
Vallada **V** 74 P 27
Valladares **SO** 33 I 22
Vallado **O** 5 C 10
Valladolid **VA** 30 H 15
Valladolises **MU** 85 S 26
Vallanca **V** 61 L 25
Vallarta de Bureda **BU** 18 E 20
Vallat **CS** 62 L 28
Vallbona d'Anoia **B** 37 H 35
Vallbona de les Monges **L** 37 H 33
Vallcarca **B** 38 I 35
Vallcebre **B** 23 F 35
Vallclara **T** 37 H 32
Valldan (La) **B** 24 F 35
Valldemossa **PM** 104 M 37
Valldoreix **B** 38 H 36
Valle **S** 8 C 19
Valle (El) **LE** 15 E 10
Valle (El) **CA** 99 X 12
Valle-Brosque *Tenerife* **TF** 125 J 2
Valle de Abdalajís **MA** 100 V 15
Valle de Arán (Parador de) *Vielha* **L** 22 D 32
Valle de Arriba *Tenerife* **TF** 126 C 3
Valle de Cabuerniga **S** 7 C 17
Valle de Cerrato **P** 31 G 16
Valle de Finolledo **LE** 14 D 9
Valle de Guerra *Tenerife* **TF** 124 H 2
Valle de la Serena **BA** 68 P 12
Valle de la Venta **CC** 55 L 9
Valle de la Viuda (El) **CR** 69 O 16
Valle de Lago **O** 5 C 11
Valle de las Casas (El) **LE** 16 D 14
Valle de los Caídos **M** 45 K 17
Valle de Matamoros **BA** 79 Q 9
Valle de S. Augustin (El) **O** 4 B 9
Valle de Santa Ana **BA** 79 Q 9
Valle de Santa Inés **GC** 111 G 3
Valle de Santullan **P** 17 D 16
Valle de Tabladillo **SG** 31 H 18
Valle de Trapaga **BI** 8 C 20
Valle de Vegacervera **LE** 16 D 13
Valle Gran Rey (Barranco) *La Gomera* **TF** 118 B 2
Valle Retortillo **P** 16 F 15
Vallebrón *Fuerteventura* **GC** 111 H 2
Vallecas **M** 46 K 19
Vallecillo **LE** 16 E 14
Vallecillo (El) **TE** 61 L 25
Valledor (Sierra de) **O** 4 C 9
Vallegera **BU** 17 F 17
Vallehermoso **TO** 57 M 16
Vallehermoso *La Gomera* **TF** 118 C 1
Valleja **CA** 99 V 12
Vallejera de Riofrío **SA** 43 K 12
Vallejimeno **BU** 32 F 20
Vallejo **P** 17 D 17
Vallejo de Mena **BU** 8 C 20
Vallelado **SG** 31 H 16
Valleluengo **ZA** 29 F 11
Vallequillas **M** 58 L 19
Valleruela de Pedraza **SG** 45 I 18
Valleruela de Sepúlveda **SG** 46 I 18
Valles **S** 7 B 17
Valles (Los) *Lanzarote* **GC** 123 E 3
Valles (Reserva nacional de los) **HU** 21 D 27
Valles de Ortega *Fuerteventura* **GC** 113 G 3
Valles de Palenzuela **BU** 17 F 17
Valles de Valdavia **P** 17 E 16
Vallesa **ZA** 44 I 14
Valleseco **GC** 115 E 2
Vallespinosa **T** 37 H 34
Vallespinoso de Aguilar **P** 17 D 16
Vallfogona de Balaguer **L** 36 G 32
Vallfogona de Ripolles **GI** 24 F 36
Vallfogona de Riucorb **T** 37 H 33
Vallgorguina **B** 38 H 37
Vallibierna (Pico de) **HU** 22 E 31
Vallibona **CS** 50 K 30
Vallirana **B** 38 H 35
Vallivana **CS** 50 K 30
Vallmanya *cerca de Cardona* **L** 37 G 34
Vallmanya *cerca de Lérida* **L** 36 H 31
Vallmoll **T** 37 I 33
Vallobal **O** 6 B 14
Valloria **SO** 33 F 22
Vallromanas **B** 38 H 36
Valls **T** 37 I 33
Vallter 2000 **GI** 24 E 36
Valltorta (Barranc de la) **CS** 50 K 30
Valluerca **VI** 18 D 20
Valluercanes **BU** 18 E 20
Vallunquera **BU** 17 F 17
Vallverd **L** 37 G 32
Vallverd **T** 37 H 33
Valmadrid **Z** 35 H 27
Valmala **BU** 18 F 20
Valmartino **LE** 16 D 14
Valmayor **J** 81 Q 17
Valmayor (Embalse de) **M** 45 K 17
Valmojado **TO** 58 L 17
Valmuel del Caudillo **TE** 49 I 29
Valonga **HU** 36 G 30
Válor **GR** 102 V 20
Valoria de Aguilar **P** 17 D 17
Valoria del Alcor **P** 30 G 15
Valoria la Buena **VA** 31 G 16
Valpalmas **Z** 21 F 27
Valparaiso *cerca de Cuelgamures* **ZA** 29 I 12
Valparaiso *cerca de Mombuey* **ZA** 29 G 11
Valparaíso de Abajo **CU** 59 L 22
Valparaíso de Arriba **CU** 59 L 22
Valporquero de Rueda **LE** 16 D 14
Valporquero de Torío **LE** 16 D 13
Valrío **CC** 55 L 10
Valronquillo **CR** 70 O 17
Valsain **SG** 45 J 17
Valsalabroso **SA** 43 I 10
Valsalada **HU** 21 F 28
Valsalobre **CU** 47 K 23
Valsalobre **GU** 48 J 24
Valseca **SG** 45 I 17
Valseco **LE** 15 D 10
Valsemana **LE** 16 D 12
Valsequillo **CO** 80 Q 13
Valsequillo de Gran Canaria *Gran Canaria* **GC** 115 F 3
Valtablado del Río **GU** 47 J 22
Valtajeros **SO** 33 G 23
Valtiendas **SG** 31 H 18
Valtierra **NA** 20 F 25
Valtorres **Z** 34 I 24
Valtueña **SO** 33 H 23
Valuengo **BA** 79 R 9
Valuengo (Embalse de) **BA** 79 R 10
Valvaler **O** 4 C 9
Valvenedizo **SO** 32 I 20
Valverde **BU** 32 G 19
Valverde **SO** 34 G 24
Valverde **TE** 48 J 26
Valverde **CR** 70 P 17
Valverde **A** 86 R 28
Valverde **LO** 34 G 24
Valverde *El Hierro* **TF** 109 D 2
Valverde de Alcalá **M** 46 K 20
Valverde de Burguillos **BA** 79 R 10
Valverde de Campos **VA** 30 G 14
Valverde de Júcar **CU** 60 M 23
Valverde de la Sierra **LE** 16 D 15
Valverde de la Vera **CC** 56 L 13
Valverde de la Virgen **LE** 15 E 12
Valverde de Leganés **BA** 66 P 9
Valverde de Llerena **BA** 80 R 12
Valverde de los Arroyos **GU** 46 I 20
Valverde de Mérida **BA** 67 P 11
Valverde de Valdelacasa **SA** 43 K 12
Valverde del Camino **H** 91 T 9
Valverde del Fresno **CC** 55 L 9
Valverde del Majano **SG** 45 J 17
Valverde Enrique **LE** 16 F 14
Valverdejo **CU** 60 N 23
Valverdín **LE** 16 D 13
Valverdón **SA** 43 I 12

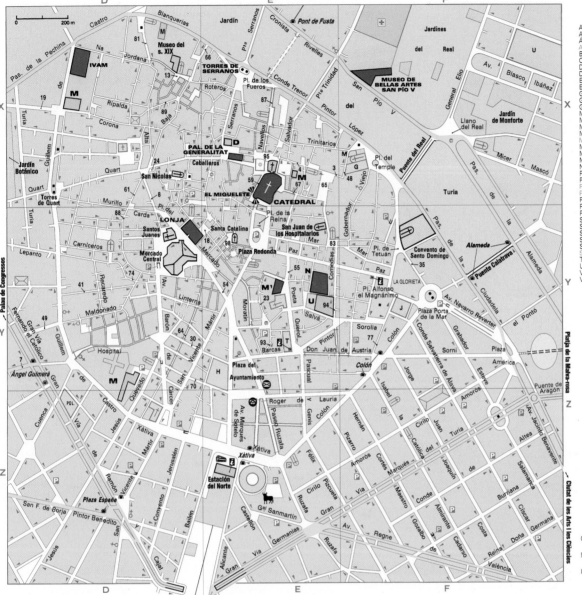

## VALÈNCIA

Almirante . . . . . . . . . . . . . . . EX 3
Almudín. . . . . . . . . . . . . . . . EX 4
Ángel Guimerá . . . . . . . . . . DY 7
Ayuntamiento (Pl. del) . . . . EY
Bolsería . . . . . . . . . . . . . . . DX 8
Carmen (Pl. del) . . . . . . . . . DX 13
Doctor Collado (Pl.) . . . . . . . EY 18
Doctor Sanchís Bergón . . . DX 19
Embajador Vich . . . . . . . . . . EY 23
Esparto (Pl. del) . . . . . . . . . DX 24
Garrigues . . . . . . . . . . . . . . DY 30
General Palanca . . . . . . . . . FY 35
Guillem Sorolla . . . . . . . . . . DY 41
Maestres . . . . . . . . . . . . . . . FX 48
Maestro Palau . . . . . . . . . . DY 49
María Cristina (Av.) . . . . . . . EY 54
Marqués de Dos Aguas . . . EY 55
Marqués de Sotelo (Av.) . . . EZ
Micalet . . . . . . . . . . . . . . . . EX 59
Moro Zeit . . . . . . . . . . . . . . DX 61
Músico Peydró . . . . . . . . . . DY 64
Nápoles y Sicilia (Pl.) . . . . . EX 65
Padre Huérfanos . . . . . . . . EX 66
Palau . . . . . . . . . . . . . . . . . EX 67
Pascual y Genís . . . . . . . . EYZ
Paz . . . . . . . . . . . . . . . . . . EFY
Periodista Azzati . . . . . . . . DY 70
Pie de la Cruz . . . . . . . . . . DY 74
Poeta Quintana . . . . . . . . . FY 77
Salvador Giner . . . . . . . . . . DX 81
Santa Ana (Muro) . . . . . . . . EX 87
Santa Teresa . . . . . . . . . . . DY 88
Santo Tomás . . . . . . . . . . . DX 89
San Vicente Ferrer (Pl.) . . . . EY 83
San Vicente Mártir . . . . . . . DY
Transits . . . . . . . . . . . . . . . EY 93
Universidad . . . . . . . . . . . . EY 94
Virgen de la Paz (Pl.) . . . . . EY 98
Virgen (Pl. de la) . . . . . . . . EX 95

Colegio del Patriarca
o del Corpus Christi . . EY **N**
Museo Nacional
de Cerámica . . . . . . . . EY **M1**
Universidad . . . . . . . . . EY **U**

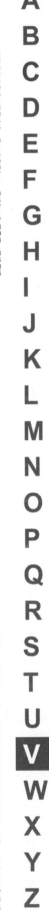

Valvieja ***SG*** ........ 32 H 19
Vanacloig ***V*** ........ 61 M 27
Vandellós ***T*** ........ 51 I 32
Vanidodes ***LE*** ........ 15 E 11
Vara ***C*** ........ 12 D 3
Vara (Alto de la) ***GU*** ........ 32 I 21
Vara de Rey ***CU*** ........ 72 N 23
Varas ***CO*** ........ 81 R 16
Varelas ***C*** ........ 13 D 5
Vargas ***S*** ........ 7 C 18
Vascos
(Ruinas romanas) ***TO*** .... 57 M 14
Veciana ***B*** ........ 37 H 34
Vecilla (La) ***LE*** ........ 16 D 13
Vecindario
*Gran Canaria* ***GC*** ........ 117 F 4
Vecinos ***SA*** ........ 43 J 12
Vedat de Torrent (El) ***V*** ...... 62 N 28
Vedra ***C*** ........ 13 D 4
Vega ***S*** ........ 7 C 18
Vega (Ermita de la) ***AV*** ...... 44 K 13
Vega (La) ***S*** ........ 7 C 16
Vega (La) ***BA*** ........ 66 O 8
Vega (La) *cerca*
*de Ribadesella* ***O*** ........ 6 B 14
Vega (La) *cerca*
*de Tineo* ***O*** ........ 5 C 11
Vega (La) *Riosa* ***O*** ........ 5 C 12
Vega (La) *Sariego* ***O*** ........ 6 B 13
Vega
de Almanza (La) ***LE*** ....... 16 D 14
Vega de Anzo ***O*** ........ 5 B 11
Vega de Bur ***P*** ........ 17 D 16
Vega de Caballeros ***LE*** ..... 15 D 12
Vega de Doña Olimpa ***P*** .... 17 E 16
Vega de Espinareda ***LE*** .... 14 D 10
Vega de Gordón ***LE*** ........ 16 D 13
Vega de Infanzones ***LE*** ..... 16 E 13
Vega
de los Viejos (La) ***LE*** ..... 15 D 11
Vega de Magaz ***LE*** ........ 15 E 11
Vega de Pas ***S*** ........ 8 C 18
Vega de Rengos ***O*** ........ 5 C 10
Vega de Río Palmas
*Fuerteventura* ***GC*** ........ 110 F 3
Vega de Ruiponce ***VA*** ....... 16 F 14
Vega de San Mateo
*Gran Canaria* ***GC*** ........ 115 E 2
Vega de Santa María ***AV*** ... 45 J 16
Vega de Tera ***ZA*** ........ 29 G 11
Vega de Tirados ***SA*** ........ 43 I 12
Vega de Valcarce ***LE*** ........ 14 E 9
Vega de Valdetronco ***VA*** .... 30 H 14
Vega de Villalobos ***ZA*** ....... 30 G 13
Vega de Yeres ***LE*** ........ 14 E 9
Vega del Castillo ***ZA*** ........ 15 F 10
Vega del Codorno ***CU*** ....... 48 K 24
Vega del Rey ***O*** ........ 5 C 12
Vega Esquivia ***TO*** ........ 70 N 18
Vegacerneja ***LE*** ........ 6 C 14
Vegacervera ***LE*** ........ 16 D 13
Vegadeo ***O*** ........ 4 B 8
Vegafría ***SG*** ........ 31 H 17
Vegalagar ***O*** ........ 4 C 10
Vegalatrave ***ZA*** ........ 29 G 11
Vegallera ***AB*** ........ 72 Q 23
Vegameoro ***O*** ........ 5 C 10
Veganzones ***SG*** ........ 45 I 18
Vegaquemada ***LE*** ........ 16 D 14
Vegarada (Puerto de) ***LE*** ..... 6 C 13
Vegarienza ***LE*** ........ 15 D 11
Vegarredonda ***O*** ........ 6 C 14
Vegas Altás ***BA*** ........ 68 O 13
Vegas de Almenara ***SE*** ..... 80 S 13
Vegas de Coria ***CC*** ........ 43 K 11
Vegas
de Domingo Rey ***SA*** ...... 43 K 10
Vegas de Matute ***SG*** ......... 45 J 17
Vegas de San Antonio
(Las) ***TO*** ........ 57 M 15
Vegas del Condado ***LE*** ..... 16 D 13
Vegaviana ***CC*** ........ 55 L 9
Veguellina de Órbigo ***LE*** ... 15 E 12
Veguilla ***S*** ........ 8 C 19
Veguillas ***GU*** ........ 46 J 20
Veguillas (Las) ***SA*** ........ 43 J 12
Veguillas
de la Sierra ***TE*** ........ 61 L 25
Veiga ***C*** ........ 3 C 4
Veiga (A) *cerca*
*de Celanova* ***OR*** ........ 13 F 6
Veiga (A) *cerca*
*de O Barco* ***OR*** ........ 14 E 9
Veiga (A) *cerca*
*de Viana do Bolo* ***OR*** ..... 14 F 8
Veiga de Logares (A) ***LU*** ...... 4 C 8
Vejer de la Frontera ***CA*** ..... 99 X 12
Vejo ***S*** ........ 7 C 15
Vela ***CO*** ........ 93 T 17
Velada ***TO*** ........ 57 M 15
Velamazán ***SO*** ........ 33 H 21
Velascálvaro ***VA*** ........ 30 I 15
Velate (Castillo de) ***NA*** ....... 11 C 25
Velayos ***AV*** ........ 45 J 16
Veldedo ***LE*** ........ 15 E 11
Velefique ***AL*** ........ 96 U 22
Veleta (Pico) ***GR*** ........ 94 U 19
Vélez Blanco ***AL*** ........ 84 S 23
Vélez
de Benaudalla ***GR*** ....... 101 V 19
Vélez Málaga ***MA*** ........ 101 V 17
Vélez Málaga
(Punta de) ***MA*** ........ 101 V 17
Vélez Rubio ***AL*** ........ 84 T 23
Velilla ***VA*** ........ 30 H 14
Velilla *cerca de San Esteban*
*de Gormaz* ***SO*** ........ 32 H 20
Velilla
*cerca de Soria* ***SO*** ......... 33 G 22
Velilla (La) ***SG*** ........ 45 I 18
Velilla de Cinca ***HU*** ........ 36 H 30
Velilla de Ebro ***Z*** ........ 35 H 28
Velilla de Jiloca ***Z*** ........ 34 I 25
Velilla de la Reina ***LE*** ........ 15 E 12
Velilla de los Ajos ***SO*** ........ 33 H 23
Velilla de los Oteros ***LE*** ..... 16 E 13
Velilla de Medinaceli ***SO*** .... 47 I 22
Velilla de San Antonio ***M*** .... 46 K 19
Velilla
de Valderaduey ***LE*** ........ 16 E 15
Velilla del Río Carrión ***P*** .... 16 D 15
Velillas ***HU*** ........ 21 F 29
Velle (Embalse de) ***OR*** ...... 13 E 6
Vellés (La) ***SA*** ........ 44 I 13
Vellila de Tarilonte ***P*** ........ 17 D 15
Vellisca ***CU*** ........ 59 L 21
Velliza ***VA*** ........ 30 H 15
Vellón (El) ***M*** ........ 46 J 19
Vellosillo ***SG*** ........ 32 I 18
Vences ***OR*** ........ 28 G 7
Vencillon ***HU*** ........ 36 G 30
Vendas da Barreira ***OR*** ..... 28 G 8
Vendelaras de Abajo ***AB*** ... 72 P 23
Vendelaras de Arriba ***AB*** ... 72 P 23
Vendrell (El) ***T*** ........ 37 I 34
Venero ***CC*** ........ 68 N 13
Veneros (Los) ***SE*** ........ 92 U 14
Venialbo ***ZA*** ........ 30 H 13
Venta (La) ***CR*** ........ 70 O 18
Venta (La)
*cerca de Almedinilla* ***CO*** 94 T 17
Venta (La)
*cerca de Baza* ***GR*** ........ 95 T 21
Venta Cerezo ***CO*** ........ 81 R 17
Venta de Ballerías ***HU*** ....... 35 G 29
Venta de Baños ***P*** ........ 31 G 16
Venta de Cañete ***SE*** ........ 92 U 14
Venta de Cárdenas ***CR*** ..... 82 Q 19
Venta de Culebrín ***BA*** ........ 79 R 11
Venta de Don Quijote ***TO*** .. 59 N 21
Venta de Gaeta (La) ***V*** ....... 73 O 27
Venta de la Muela ***J*** ........ 83 R 21
Venta de los Santos ***J*** ....... 83 Q 20
Venta de Micena ***GR*** ........ 84 S 22
Venta del Charco ***CO*** ........ 81 R 17
Venta del Cruce ***SE*** ........ 91 U 11
Venta del Fraile ***GR*** ........ 101 V 18
Venta del Moro ***V*** ........ 61 N 25
Venta del Obispo ***AV*** ........ 44 K 14
Venta del Ojo
de Mierla ***TE*** ........ 48 J 25
Venta
del Palmar (La) ***SE*** ........ 92 T 14
Venta del Peral (La) ***GR*** .... 95 T 22
Venta del Probe ***AL*** ........ 103 V 23
Venta del Puerto ***CO*** ........ 81 R 16
Venta del Tarugo ***GR*** ....... 102 V 20
Venta Nueva ***O*** ........ 5 C 10
Venta Pantalones ***J*** ........ 82 T 17
Venta Quemada ***V*** ........ 61 N 27
Venta Quemada ***GR*** ........ 96 T 22
Venta Santa Bárbara ***GR*** ... 93 U 17
Venta Valero ***CO*** ........ 94 T 17
Ventalles (Les) ***T*** ........ 50 K 31
Ventalló ***GI*** ........ 25 F 39
Ventamillo
(Congosto de) ***HU*** ........ 22 E 31
Ventamira ***V*** ........ 61 N 27
Ventana (Puerto) ***LE*** ........ 5 C 11
Ventaniella (Puerto de) ***O*** ..... 6 C 14
Ventanilla ***P*** ........ 17 D 16
Ventano del Diablo ***CU*** ...... 60 L 23

## VALLADOLID

Arco de Ladrillo (Pas. del) .... BZ 2
Arzobispo Gandásegui ...... CY 3
Bailarín Vicente Escudero ... CY 5
Bajada de la Libertad ...... BCY 6
Cadenas de San Gregorio ... CX 8
Cánovas del Castillo ....... BCY 9
Cardenal Mendoza ......... CY 10
Chancillería ............... CX 13
Claudio Moyano ........... BY 14
Colegio de Santa Cruz (Pl. ) .. CY 40
Doctrinos ................ BY 16
Duque de la Victoria ........ BY 17
España (Pl. de) ........... BY 18
Fuente Dorada (Pl. de) ...... BY 20
Gondomar ................ CX 21
Industrias ................ CY 23
Jorge Guillén ............ BXY 24
Maldonado ............... CY 25
Marqués del Duero ....... CXY 26
Miguel Iscar .............. BY 29
Pasión ................... BY 30
Portillo de Balboa .......... CX 32
Santiago ................. BY 41
Santuario ................ CY 42
Sanz y Forés ............ CXY 45
San Ildefonso ............. BY 36
San Pablo (Pl. de) .......... BX 37
Teresa Gil ................ BY
Zorrilla (Pas. de) ......... ABZ 47

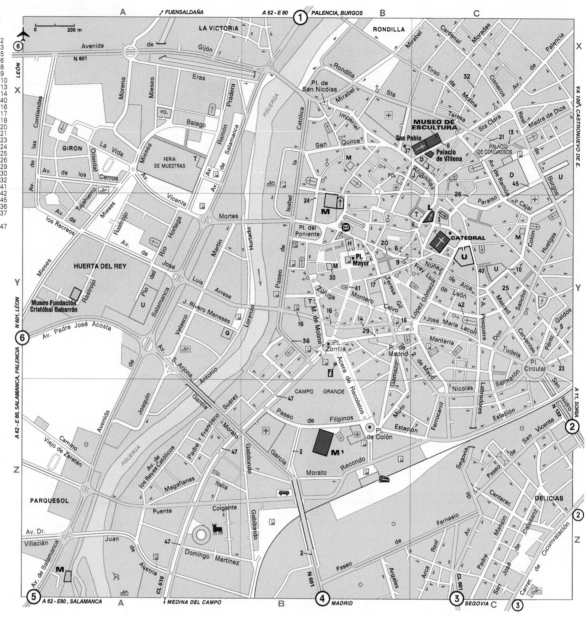

Ventas (Las) **O** ... 5 C 11
Ventas Blancas **LO** ... 19 E 23
Ventas con
Peña Aguilera **TO** ... 58 N 17
Ventas de Arriba **H** ... 79 S 10
Ventas de Huelma **GR** ... 94 U 18
Ventas de Muniesa **TE** ... 49 I 27
Ventas
de Retamosa (Las) **TO** .. 58 L 17
Ventas
de San Julián (Las) **TO** .. 56 L 14
Ventas de Zafarraya **GR** .. 101 V 17
Ventas del Carrizal **J** ... 94 T 18
Vente de las Ranas **O** ... 6 B 13
Venterros
de Balerma **GR** ... 93 U 17
Ventilla (La) **CR** ... 71 O 20
Ventilla (La) **CO** ... 80 S 14
Ventillas **CR** ... 81 Q 17
Ventín **PO** ... 13 F 4
Ventolà **GI** ... 24 F 36
Ventorrillo (El) **S** ... 7 C 17
Ventorros
de San José **GR** ... 94 U 17
Ventosa **PO** ... 13 D 6
Ventosa **GU** ... 47 J 24
Ventosa
cerca de Medinaceli **SO** 47 I 22
Ventosa *cerca*
*de Soria* **SO** ... 33 G 22
Ventosa (La) **CU** ... 60 L 22
Ventosa de
Fuentepinilla **SO** ... 33 H 21
Ventosa de la Cuesta **VA** ... 30 H 15
Ventosa de Pisuerga **P** ... 17 E 17
Ventosa
de San Pedro **SO** ... 33 F 23
Ventosa
del Río Almar **SA** ... 44 J 13
Ventosela **OR** ... 13 F 5
Ventoses (Les) **L** ... 37 G 33
Ventosilla **SO** ... 33 G 22
Ventosilla **J** ... 82 S 18
Ventosilla (La) **TO** ... 58 M 17
Ventosilla y Tejadilla **SG** ... 46 I 18
Ventoso **O** ... 4 C 8
Ventrosa **LO** ... 19 F 21
Venturada **M** ... 46 J 19
Veo **CS** ... 62 M 28
Ver **LU** ... 14 E 7
Vera **AL** ... 96 U 24
Vera **BA** ... 69 P 14
Vera (La) **CC** ... 56 L 13
Vera de Bidasoa /
Bera **NA** ... 11 C 24
Vera de Moncayo **Z** ... 34 G 24
Veracruz **J** ... 83 R 20
Veracruz **HU** ... 22 E 31
Veral **LU** ... 21 E 27
Verde **GR** ... 101 V 18
Verdegàs **A** ... 86 Q 28
Verdelpino de Huete **CU** ... 59 L 22
Verdeña **P** ... 17 D 16
Verdes (Cueva de los)
*Lanzarote* **GC** ... 121 F 3
Verdiago **LE** ... 16 D 14
Verdicio **O** ... 5 B 12
Verdú **L** ... 37 H 33
Verdugo Rio **PO** ... 12 E 4
Verea **OR** ... 13 F 6
Veredas **CR** ... 69 Q 16
Veredas **H** ... 78 S 9
Veredón **CO** ... 81 S 15
Vergaño **P** ... 17 D 16
Verger (El) **A** ... 74 P 30
Verges **GI** ... 25 F 39
Vergós **L** ... 37 H 33
Verín **OR** ... 28 G 7
Veriña **O** ... 5 B 12
Verís **C** ... 3 C 5
Verjaga **J** ... 83 Q 21
Vertavillo **P** ... 31 G 17
Vertientes (Las) **GR** ... 96 T 22
Veruela
(Monasterio de) **Z** ... 34 G 24
Vescar (Sierra El) **BA** ... 78 R 8
Vesgas (Las) **BU** ... 18 E 19
Vespella **T** ... 37 I 34
Vetaherrado **SE** ... 91 U 12
Vezdemarbán **ZA** ... 30 H 13
Viacamp **HU** ... 22 F 31
Viados **HU** ... 22 E 31
Viana **NA** ... 19 E 22
Viana de Cega **VA** ... 30 H 15
Viana de Duero **SO** ... 33 H 22
Viana de Jadraque **GU** ... 47 I 21
Viana de Mondéjar **GU** ... 47 K 22
Viana do Bolo **OR** ... 14 F 8
Viandar
de la Vera **CC** ... 56 L 13
Vianos **AB** ... 72 Q 22
Viaña **S** ... 7 C 17
Viaño Pequeño **C** ... 3 C 4
Viar **SE** ... 92 T 12
Viar (Canal del) **SE** ... 80 S 12
Viariz **LE** ... 14 E 9
Viascón **PO** ... 12 E 4
Viator **AL** ... 103 V 22
Víboras **J** ... 94 T 17
Vic **B** ... 38 G 36
Vic (Parador) **B** ... 24 G 37
Vícar **AL** ... 102 V 22
Vicario
(Embalse de El) **CR** ... 70 O 18
Vicedo **LU** ... 3 A 6
Vicente **TO** ... 57 N 16
Vicentes (Los) **A** ... 85 R 27
Vicfred **L** ... 37 G 34
Vicién **HU** ... 21 F 28
Vicinte **LU** ... 3 C 6
Vico **CA** ... 91 V 12
Vicolozano **AV** ... 45 J 16
Vicorto **AB** ... 84 Q 23
Victoria (La) **CO** ... 81 S 15
Victoria de Acentejo (La)
*Tenerife* **TF** ... 124 G 2
Vid (La) **BU** ... 32 H 19
Vid (La) **LE** ... 16 D 13
Vid
de Bureba (La) **BU** ... 18 E 20
Vid III
(Embalse de la) **CC** ... 56 M 12
Vidanes **LE** ... 16 D 14
Vidángoz / Bidankoze **NA** ... 11 D 26
Vidayanes **ZA** ... 30 G 13
Vide *cerca de Cenlle* **OR** ... 13 F 5
Vide *cerca*
*de Maceda* **OR** ... 13 F 7
Vide de Alba **ZA** ... 29 G 11
Videferre **OR** ... 27 G 7
Videmala **ZA** ... 29 H 11
Vidiago **O** ... 7 B 16
Vidio (Cabo) **O** ... 5 B 11
Vídola (La) **SA** ... 43 I 10
Vidrà **GI** ... 24 F 36
Vidreres **GI** ... 39 G 38
Vidrieros **P** ... 17 D 15
Vidrio (Sierra del) **BA** ... 67 O 10
Vidural **O** ... 5 B 10
Vieiro (Alto de) **OR** ... 13 F 6
Vieja (Cueva de la) **AB** ... 73 O 26
Vieja (Sierra) **BA** ... 67 Q 10
Viejas **CR** ... 71 O 20
Viejas (Sierra de) **CC** ... 56 N 13
Viejo (El) **TO** ... 59 N 20
Viejo (Pico) *Tenerife* **TF** ... 128 D 4
Vielha **L** ... 22 D 32
Vielha (Túnel de) **L** ... 22 E 32
Viella **O** ... 5 B 12
Viento **MA** ... 100 V 16
Viento (Puerto del) **MA** ... 92 V 14
Viento (Punta del)
*Tenerife* **TF** ... 124 G 2
Viento (Sierra del) **SE** ... 80 R 12
Viergol **BU** ... 8 C 20
Vierlas **Z** ... 34 G 24
Viernoles **S** ... 7 C 17
Viforcos **LE** ... 15 E 11
Vigaña
*cerca de Grado* **O** ... 5 C 11
Vigaña *cerca*
*de Peña Manteca* **O** ... 5 C 11
Vignemale **HU** ... 21 D 29
Vigo **PO** ... 12 F 3
Vigo **C** ... 3 C 5
Vigo (El) **BU** ... 8 C 20
Vigo (Ría de) **PO** ... 12 F 3
Viguera **LO** ... 19 F 22
Vila **L** ... 22 D 32
Vila de Bares **C** ... 3 A 6
Vila de Cruces **PO** ... 13 D 5
Vila Joiosa (La) /
Villajoyosa **A** ... 74 Q 29
Vila-real / Villarreal **CS** ... 62 M 29
Vila-rodona **T** ... 37 I 34
Vila-sacra **GI** ... 25 F 39

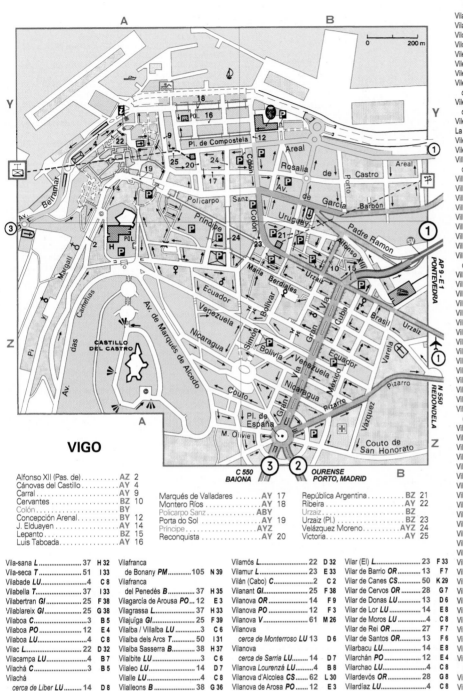

Alfonso XII (Pas. de) .......... AZ 2
Cánovas del Castillo .......... AY 4
Carral .......... AY 9
Cervantes .......... BZ 10
Colón .......... BY
Concepción Arenal .......... BY 12
J. Elduayen .......... AY 14
Lepanto .......... BZ 15
Luis Taboada .......... AY 16
Marqués de Valladares .......... AY 17
Montero Ríos .......... AY 18
Policarpo Sanz .......... ABY
Porta do Sol .......... AY 19
Príncipe .......... AYZ
Reconquista .......... AY 20
República Argentina .......... BZ 21
Ribeira .......... AY 22
Urzaiz .......... BZ
Urzaiz (Pl.) .......... BZ 23
Velázquez Moreno .......... AYZ 24
Victoria .......... AY 25

Vila-sana ***L*** ..... 37 H 32
Vila-seca ***T*** ..... 51 I 33
Vilabade ***LU*** ..... 4 C 8
Vilabella ***T*** ..... 37 I 33
Vilabertran ***GI*** ..... 25 F 38
Vilablareix ***GI*** ..... 25 G 38
Vilaboa ***C*** ..... 3 B 5
Vilaboa ***PO*** ..... 12 E 4
Vilaboa ***LU*** ..... 4 C 8
Vilac ***L*** ..... 22 D 32
Vilacampa ***LU*** ..... 4 B 7
Vilachá ***C*** ..... 3 B 5
Vilachá
*cerca de Liber* ***LU*** ..... 14 D 8
Vilachá
*cerca de Monforte* ***LU*** ..... 14 E 7
Vilachá de Mera ***LU*** ..... 3 D 7
Vilacoba ***PO*** ..... 13 F 4
Vilacova ***C*** ..... 12 D 3
Vilada ***B*** ..... 24 F 35
Viladabade ***C*** ..... 2 C 4
Viladamat ***GI*** ..... 25 F 39
Viladasens ***GI*** ..... 25 F 38
Viladavil ***C*** ..... 3 D 5
Viladecans ***B*** ..... 38 I 36
Viladecavalls ***B*** ..... 38 H 35
Vilademuls ***GI*** ..... 25 F 38
Viladequinta ***OR*** ..... 14 E 9
Viladordis ***B*** ..... 38 G 35
Viladrau ***GI*** ..... 24 G 37
Vilaesteva ***LU*** ..... 14 D 8
Vilaestrofe ***LU*** ..... 4 B 7
Vilafamés ***CS*** ..... 62 L 29
Vilafant ***GI*** ..... 25 F 38
Vilaflor
*Tenerife* ***TF*** ..... 128 E 4
Vilaformán ***LU*** ..... 4 B 8
Vilaframil ***LU*** ..... 4 B 8
Vilafranca /
Villafranca del Cid ***CS*** ..... 49 K 29
Vilafranca
de Bonany ***PM*** ..... 105 N 39
Vilafranca
del Penedès ***B*** ..... 37 H 35
Vilagarcía de Arousa ***PO*** ..... 12 E 3
Vilagrassa ***L*** ..... 37 H 33
Vilajuïga ***GI*** ..... 25 F 39
Vilalba / Villalba ***LU*** ..... 3 C 6
Vilalba dels Arcs ***T*** ..... 50 I 31
Vilalba Sasserra ***B*** ..... 38 H 37
Vilalbite ***LU*** ..... 3 C 6
Vilaleo ***LU*** ..... 14 D 7
Vilalle ***LU*** ..... 4 C 8
Vilalleons ***B*** ..... 38 G 36
Vilaller ***L*** ..... 22 E 32
Vilallobent ***GI*** ..... 24 E 35
Vilallonga ***V*** ..... 74 P 29
Vilallonga de Ter ***GI*** ..... 24 E 36
Vilallonga del Camp ***T*** ..... 37 I 33
Vilalonga ***PO*** ..... 12 E 3
Vilalpape ***LU*** ..... 14 E 7
Vilamacolum ***GI*** ..... 25 F 39
Vilamaior ***C*** ..... 3 B 5
Vilamaior ***LU*** ..... 14 D 7
Vilamaior ***OR*** ..... 27 G 6
Vilamaior de Negral ***LU*** ..... 3 D 6
Vilamajor ***B*** ..... 38 G 37
Vilamalla ***GI*** ..... 25 F 38
Vilamaniscle ***GI*** ..... 25 E 39
Vilamarín ***OR*** ..... 13 E 6
Vilamartín ***LU*** ..... 4 B 8
Vilamartín
de Valdeorras ***OR*** ..... 14 E 8
Vilamarxant ***V*** ..... 62 N 28
Vilamateo ***C*** ..... 3 B 5
Vilameá ***OR*** ..... 27 G 5
Vilameá ***LU*** ..... 4 B 8
Vilameán ***PO*** ..... 12 F 3
Vilamitjana ***L*** ..... 23 F 32
Vilamor ***C*** ..... 3 D 6
Vilamós ***L*** ..... 22 D 32
Vilamur ***L*** ..... 23 E 33
Vilán (Cabo) ***C*** ..... 2 C 2
Vilanant ***GI*** ..... 25 F 38
Vilanova ***OR*** ..... 14 F 9
Vilanova ***PO*** ..... 12 F 3
Vilanova ***V*** ..... 61 M 26
Vilanova
*cerca de Monterroso* ***LU*** 13 D 6
Vilanova
*cerca de Sarria* ***LU*** ..... 14 D 7
Vilanova *Lourenzá* ***LU*** ..... 4 B 8
Vilanova d'Alcolea ***CS*** ..... 62 L 30
Vilanova de Arosa ***PO*** ..... 12 E 3
Vilanova de Bellpuig ***L*** ..... 37 H 32
Vilanova de la Barca ***L*** ..... 36 G 32
Vilanova de l'Aguda ***L*** ..... 37 G 33
Vilanova
de les Avellanes ***L*** ..... 36 G 32
Vilanova de Meià ***L*** ..... 37 G 33
Vilanova de Prades ***T*** ..... 37 H 32
Vilanova de Sau ***B*** ..... 24 G 37
Vilanova de Segrià ***L*** ..... 36 G 31
Vilanova
d'Escornalbou ***T*** ..... 51 I 32
Vilanova i la Geltrú /
Villanueva y Geltrú ***B*** ..... 37 I 35
Vilaosende ***LU*** ..... 4 B 8
Vilapedre
*cerca de Sarria* ***LU*** ..... 14 D 7
Vilapedre
*cerca de Villalba* ***LU*** ..... 3 B 7
Vilapene ***LU*** ..... 4 C 7
Vilaplana ***T*** ..... 37 I 33
Vilaquinte ***LU*** ..... 13 E 6
Vilar ***OR*** ..... 27 G 6
Vilar
*cerca de A Cañiza* ***PO*** ..... 13 F 5
Vilar
cerca de Vigo ***PO*** ..... 12 F 4
Vilar (El) ***L*** ..... 23 F 33
Vilar de Barrio ***OR*** ..... 13 F 7
Vilar de Canes ***CS*** ..... 50 K 29
Vilar de Cervos ***OR*** ..... 28 G 7
Vilar de Donas ***LU*** ..... 13 D 6
Vilar de Lor ***LU*** ..... 14 E 8
Vilar de Moros ***LU*** ..... 4 C 8
Vilar de Rei ***OR*** ..... 27 F 7
Vilar de Santos ***OR*** ..... 13 F 6
Vilarbacu ***LU*** ..... 14 E 8
Vilarchán ***PO*** ..... 12 E 4
Vilarchao ***LU*** ..... 4 C 8
Vilardevós ***OR*** ..... 28 G 8
Vilardíaz ***LU*** ..... 4 C 8
Vilares ***LU*** ..... 3 C 6
Vilarig ***GI*** ..... 25 F 38
Vilarino de Conso
(Estación de) ***OR*** ..... 14 F 8
Vilariño ***PO*** ..... 12 E 3
Vilariño das Poldras ***OR*** ..... 13 F 6
Vilariño de Conso ***OR*** ..... 14 F 8
Vilariño Frío ***OR*** ..... 13 F 7
Vilarmeao ***OR*** ..... 14 F 8
Vilarmide ***LU*** ..... 4 C 8
Vilarrube ***C*** ..... 3 B 5
Vilarrubín ***OR*** ..... 13 E 6
Vilarxoán ***LU*** ..... 14 D 8
Vilasantar ***C*** ..... 3 C 5
Vilaseco ***OR*** ..... 14 F 8
Vilasobroso ***PO*** ..... 13 F 4
Vilasouto
(Embalse de) ***LU*** ..... 14 D 7
Vilassar de Mar ***B*** ..... 38 H 37
Vilaster ***LU*** ..... 14 E 8
Vilatán ***LU*** ..... 13 E 6
Vilatuxe ***PO*** ..... 13 E 5
Vilaür ***GI*** ..... 25 F 38
Vilaúxe ***LU*** ..... 13 E 6
Vilavella ***OR*** ..... 28 F 8
Vilavella (La) ***CS*** ..... 62 M 29
Vilaverd ***T*** ..... 37 H 33
Vilaxoán ***PO*** ..... 12 E 3
Vilches ***J*** ..... 82 R 19
Vildé ***SO*** ..... 32 H 20
Vileiriz ***LU*** ..... 14 D 7
Vilela ***C*** ..... 2 C 4
Vilela ***PO*** ..... 13 D 6
Vilela
*cerca de Ribadeo* ***LU*** ..... 4 B 8
Vilela
*cerca de Taboada* ***LU*** ..... 13 D 6
Vilella (La) ***T*** ..... 36 I 32
La Vilella Baixa ***T*** ..... 36 I 32
Vileña ***BU*** ..... 18 E 20
Vileta (La) ***PM*** ..... 104 N 37
Villa
de Don Fadrique (La) ***TO*** ..... 59 N 20
Villa de Ves ***AB*** ..... 73 O 26
Villa del Campo ***CC*** ..... 55 L 10
Villa del Prado ***M*** ..... 58 L 17
Villa del Rey ***CC*** ..... 55 N 9
Villa del Río ***CO*** ..... 81 S 17
Villabalter ***LE*** ..... 16 E 13
Villabáñez ***VA*** ..... 31 H 16
Villabaruz de Campos ***VA*** ..... 30 F 15
Villabáscones
de Bezana ***BU*** ..... 18 D 18
Villabasil ***BU*** ..... 8 C 20
Villabasta ***P*** ..... 17 E 16
Villabermudo ***P*** ..... 17 E 16
Villablanca ***H*** ..... 90 U 7
Villablino ***LE*** ..... 15 D 11
Villabona ***SS*** ..... 10 C 23
Villabona ***O*** ..... 5 B 12
Villabrágima ***VA*** ..... 30 G 14
Villabraz ***LE*** ..... 16 F 13
Villabrázaro ***ZA*** ..... 29 F 12
Villabre ***O*** ..... 5 C 11
Villabuena ***SO*** ..... 33 G 22
Villabuena ***LE*** ..... 14 E 9
Villabuena de Álava ***VI*** ..... 19 E 22
Villabuena
del Puente ***ZA*** ..... 30 H 13
Villacadima ***GU*** ..... 32 I 20
Villacalbiel ***LE*** ..... 16 E 13
Villacampo del Moral ***J*** ..... 94 T 19
Villacañas ***TO*** ..... 59 N 19
Villacarli ***HU*** ..... 22 E 31
Villacarralón ***VA*** ..... 16 F 14
Villacarriedo ***S*** ..... 7 C 18
Villacarrillo ***J*** ..... 83 R 20
Villacastín ***SG*** ..... 45 J 16
Villace ***LE*** ..... 16 E 13
Villacelama ***LE*** ..... 16 E 13
Villacián ***BU*** ..... 18 D 20
Villacibrán ***O*** ..... 5 C 10
Villacid de Campos ***VA*** ..... 30 F 14
Villacidaler ***P*** ..... 16 F 15
Villacidayo ***LE*** ..... 16 E 14
Villaciervitos ***SO*** ..... 33 G 22
Villaciervos ***SO*** ..... 33 G 22
Villacil ***LE*** ..... 16 E 13
Villacintor ***LE*** ..... 16 E 14
Villaco ***VA*** ..... 31 G 17
Villaconanció ***P*** ..... 31 G 17
Villacondide ***O*** ..... 4 B 9
Villaconejos ***M*** ..... 58 L 19
Villaconejos
de Trabaque ***CU*** ..... 47 K 23
Villacorta ***SG*** ..... 32 I 19
Villacorza ***GU*** ..... 47 I 21
Villacreces ***VA*** ..... 16 F 14
Villacuende ***P*** ..... 17 E 15
Villada ***P*** ..... 16 F 15
Villadangos
del Páramo ***LE*** ..... 15 E 12
Villadecanes ***LE*** ..... 14 E 9
Villademor
de la Vega ***LE*** ..... 16 F 13
Villadepalos ***LE*** ..... 14 E 9
Villadepán ***LE*** ..... 15 D 11
Villadepera ***ZA*** ..... 29 H 11
Villadesuso ***PO*** ..... 12 F 3
Villadevelle ***O*** ..... 4 B 8
Villadiego ***BU*** ..... 17 E 17
Villadiego de Cea ***LE*** ..... 16 E 15
Villadiezma ***P*** ..... 17 E 16
Villadonga ***LU*** ..... 4 C 7
Villadoz ***Z*** ..... 48 I 26
Villaeles de Valdavia ***P*** ..... 17 E 16
Villaescobedo ***BU*** ..... 17 D 17
Villaescusa ***S*** ..... 17 D 17
Villaescusa ***ZA*** ..... 30 I 13
Villaescusa de Haro ***CU*** ..... 59 N 21
Villaescusa
de Palositos ***GU*** ..... 47 K 22
Villaescusa de Roa ***BU*** ..... 31 G 17
Villaescusa
del Butrón ***BU*** ..... 18 D 19
Villaescusa
la Sombría ***BU*** ..... 18 E 19
Villaespasa ***BU*** ..... 32 F 19
Villaesper ***VA*** ..... 30 G 14
Villaestrigo ***LE*** ..... 15 F 12
Villafáfila ***ZA*** ..... 30 G 13
Villafalé ***LE*** ..... 16 E 13
Villafañé ***LE*** ..... 16 E 13
Villafeliche ***Z*** ..... 48 I 25
Villafeliche (Puerto de) ***Z*** ..... 48 I 25
Villafeliz
de la Sobarriba ***LE*** ..... 16 E 13
Villafer ***LE*** ..... 16 F 13
Villaferrueña ***ZA*** ..... 15 F 12
Villafiz ***LU*** ..... 3 D 6
Villaflor ***AV*** ..... 44 J 15
Villaflor ***ZA*** ..... 29 H 12
Villaflores ***SA*** ..... 44 I 14
Villaflores ***GU*** ..... 46 K 20
Villafrades
de Campos ***VA*** ..... 30 F 15
Villafranca ***NA*** ..... 20 F 24
Villafranca ***SG*** ..... 32 I 18
Villafranca
(Embalse de) ***CO*** ..... 81 S 16
Villafranca
de Córdoba ***CO*** ..... 81 S 16
Villafranca de Duero ***VA*** ..... 30 H 14
Villafranca de Ebro ***Z*** ..... 35 H 28
Villafranca
de la Sierra ***AV*** ..... 44 K 14
Villafranca
de los Barros ***BA*** ..... 67 Q 10
Villafranca
de los Caballeros ***TO*** ..... 71 N 19
Villafranca del Bierzo ***LE*** ..... 14 E 9
Villafranca
del Campo ***TE*** ..... 48 J 25
Villafranca del Castillo ***M*** ..... 45 K 18
Villafranca del Cid /
Vilafranca ***CS*** ..... 49 K 29
Villafranca-Montes
de Oca ***BU*** ..... 18 E 20
Villafranco
del Guadalhorce ***MA*** ..... 100 V 15
Villafranco
del Guadalquivir ***SE*** ..... 91 U 11
Villafranco
del Guadiana ***BA*** ..... 67 P 9
Villafranqueza ***A*** ..... 86 Q 28
Villafrechós ***VA*** ..... 30 G 14
Villafría ***VI*** ..... 19 E 22
Villafria
*cerca de Burgos* ***BU*** ..... 18 E 19
Villafria *cerca*
*de San Zardonil* ***BU*** ..... 18 D 20
Villafruel ***P*** ..... 17 E 15
Villafruela ***BU*** ..... 31 G 18
Villafuerte ***VA*** ..... 31 G 17
Villafuertes ***BU*** ..... 17 F 18
Villagalijo ***BU*** ..... 18 E 20
Villagarcía ***LE*** ..... 15 E 12
Villagarcía
de Campos ***VA*** ..... 30 G 14
Villagarcía
de la Torre ***BA*** ..... 79 R 11
Villagatón ***LE*** ..... 15 E 11
Villagellegos ***LE*** ..... 16 E 13
Villager de Laciana ***LE*** ..... 15 D 10
Villageriz ***ZA*** ..... 15 F 12
Villagómez ***BU*** ..... 18 F 18
Villágomez la Nueva ***VA*** ..... 16 F 14
Villagonzalo ***BA*** ..... 67 P 11
Villagonzalo
de Coca ***SG*** ..... 45 I 16
Villagonzalo
de Tormes ***SA*** ..... 44 J 13
Villagonzalo-
Pedernales ***BU*** ..... 18 F 18
Villagrufe ***O*** ..... 5 C 10
Villagutiérrez ***BU*** ..... 17 F 18
Villahán ***P*** ..... 31 F 17
Villaharta ***CO*** ..... 81 R 15
Villahermosa ***CR*** ..... 71 P 21
Villahermosa
del Campo ***TE*** ..... 48 I 26
Villahermosa del Río ***CS*** ..... 62 L 28
Villaherreros ***P*** ..... 17 E 16
Villahizán de Treviño ***BU*** ..... 17 E 17
Villahoz ***BU*** ..... 31 F 18
Villajimena ***P*** ..... 31 F 16
Villajoyosa /
Vila Joiosa (La) ***A*** ..... 74 Q 29
Villalaco ***P*** ..... 17 F 17
Villalacre ***BU*** ..... 8 C 19

## VITORIA-GASTEIZ

Angulema . . . . . . . . . . . . . . . . . **BZ** 2
Becerro de Bengoa . . . . . . . . . **AZ** 5
Cadena y Eleta . . . . . . . . . . . . **AZ** 8
Dato . . . . . . . . . . . . . . . . . . . . . . **BZ**
Diputación . . . . . . . . . . . . . . . . . **AZ** 12
Escuelas . . . . . . . . . . . . . . . . . . **BY** 15
España (Pl. de) . . . . . . . . . . . . . **BZ** 18
Gasteiz (Av. de) . . . . . . . . . . . **AYZ**
Herrería . . . . . . . . . . . . . . . . . . **AY** 24
Independencia . . . . . . . . . . . . . **BZ** 27
Machete (Pl. del) . . . . . . . . . . . **BZ** 30
Madre Vedruna . . . . . . . . . . . . **AZ** 33
Nueva Fuera . . . . . . . . . . . . . . **BY** 34
Ortiz de Zárate . . . . . . . . . . . . . **BZ** 36
Pascual de Andagoya (Pl. de) . . **AY** 39
Portal del Rey . . . . . . . . . . . . . **BZ** 42
Postas . . . . . . . . . . . . . . . . . . . . **BZ**
Prado . . . . . . . . . . . . . . . . . . . . **AZ** 45
Santa María (Cantón de) . . . . . **BY** 51
San Francisco . . . . . . . . . . . . . **BZ** 48
Virgen Blanca (Pl. de la) . . . . . . **BZ** 55

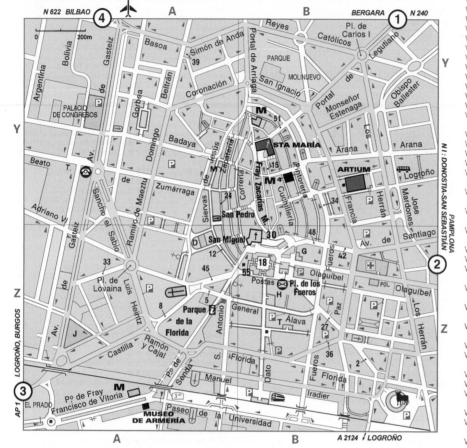

Museo "Fournier" de Naipes de Álava . . . . . . . . . . . . . . . . . . . . . . . . . **M**[4]

Villalaín **BU** 18 D 19
Villalambrús **BU** 18 D 20
Villalán de Campos **VA** 30 F 14
Villalangua **HU** 21 E 27
Villalar **O** 5 C 10
Villalar de los Comuneros **VA** 30 H 14
Villalazán **ZA** 30 H 13
Villalba **SO** 33 H 22
Villalba / Vilalba **LU** 3 C 6
Villalba (Parador de) **LU** 3 C 6
Villalba Alta **TE** 49 K 27
Villalba Baja **TE** 48 K 26
Villalba Calatrava **CR** 70 Q 19
Villalba de Adaja **VA** 30 H 15
Villalba de Duero **BU** 32 G 18
Villalba de Guardo **P** 16 D 15
Villalba de la Lampreana **ZA** 29 G 13
Villalba de la Sierra **CU** 60 L 23
Villalba de Loma **VA** 16 F 14
Villalba de los Alcores **VA** 30 G 15
Villalba de los Barros **BA** 67 Q 10
Villalba de los Llanos **SA** 43 J 12
Villalba de los Morales **TE** 48 J 25
Villalba de Losa **BU** 18 D 20
Villalba de Perejiles **Z** 34 I 25
Villalba de Rioja **LO** 18 E 21
Villalba del Alcor **H** 91 T 10
Villalba del Rey **CU** 47 K 22
Villalbarba **VA** 30 H 14
Villalbilla **BU** 18 E 18
Villalbilla **M** 46 K 20
Villalbilla de Gumiel **BU** 32 G 19
Villalbilla de Villadiego **BU** 17 E 18
Villalbilla Sobresierra **BU** 18 E 19
Villalcampo **ZA** 29 H 11
Villalcampo (Embalse de) **ZA** 29 H 11
Villalcázar de Sirga **P** 17 F 16
Villalcón **P** 16 F 15
Villaldemiro **BU** 17 F 18
Villalebrín **LE** 16 E 15
Villalfeide **LE** 16 D 13
Villalgordo del Júcar **AB** 72 O 23
Villalgordo del Marquesado **CU** 60 M 22
Villalibre de la Jurisdicción **LE** 14 E 10
Villalís **LE** 15 F 11
Villallana **O** 5 C 12
Villallano **P** 17 D 17
Villalmanzo **BU** 32 F 18
Villalobar de Rioja **LO** 18 E 21
Villalobón **P** 31 F 16
Villalobos **ZA** 30 G 13
Villalobos **J** 94 T 18
Villalómez **BU** 18 E 20
Villalón **CO** 80 S 14
Villalón de Campos **VA** 30 F 14
Villalones **MA** 92 V 14
Villalonso **ZA** 30 H 14
Villalpando **ZA** 30 G 13
Villalpardo **CU** 61 N 25
Villalquite **LE** 16 E 14
Villalta **BU** 18 D 19
Villalube **ZA** 30 H 13
Villaluenga **Z** 34 H 24
Villaluenga de la Sagra **TO** 58 L 18
Villaluenga de la Vega **P** 16 E 15
Villaluenga del Rosario **CA** 99 V 13
Villalumbroso **P** 16 F 15
Villalval **BU** 18 E 19
Villálvaro **SO** 32 H 20
Villalverde **ZA** 15 F 11
Villalveto **P** 17 D 15
Villalvilla de Montejo **SG** 32 H 19
Villamalea **AB** 73 N 25
Villamalur **CS** 62 M 28
Villamandos **LE** 16 F 13
Villamanín **LE** 16 D 13
Villamanrique **CR** 71 Q 21
Villamanrique de la Condesa **SE** 91 U 11
Villamanrique de Tajo **M** 59 L 20
Villamanta **M** 58 L 17
Villamantilla **M** 45 K 17
Villamañán **LE** 16 F 13
Villamar **LU** 4 B 8
Villamarciel **VA** 30 H 15
Villamarco **LE** 16 E 14
Villamarín **O** 5 C 11
Villamartín **BU** 8 C 18
Villamartín **A** 85 S 27
Villamartín **CA** 92 V 13
Villamartín de Campos **P** 31 F 16
Villamartín de Don Sancho **LE** 16 E 14
Villamartín de Villadiego **BU** 17 D 17
Villamayor **Z** 35 G 27
Villamayor **O** 6 B 14
Villamayor **O** 5 C 11
Villamayor **SA** 43 J 12
Villamayor **AV** 44 J 14
Villamayor de Calatrava **CR** 70 P 17
Villamayor de Campos **ZA** 30 G 13
Villamayor de los Montes **BU** 32 F 18
Villamayor de Monjardín **NA** 19 E 23
Villamayor de Santiago **CU** 59 M 21
Villamayor de Treviño **BU** 17 E 17
Villamayor del Condado **LE** 16 E 13
Villamayor del Río **BU** 18 E 20
Villambrán de Cea **P** 16 E 15
Villambrosa **VI** 18 D 20
Villambroz **P** 16 E 15
Villameca **LE** 15 E 11
Villameca (Embalse de) **LE** 15 E 11
Villamediana **P** 31 F 16
Villamediana de Iregua **LO** 19 E 22
Villamedianilla **BU** 17 F 17
Villamején **O** 5 B 11
Villamejil **LE** 15 E 11
Villamejín **O** 5 C 11
Villamejor **M** 58 M 18
Villameriel **P** 17 E 16
Villamerie l **LE** 15 D 11
Villamesías **CC** 68 O 12
Villamiel **CC** 55 L 9
Villamiel de la Sierra **BU** 18 F 19
Villamiel de Toledo **TO** 58 M 17
Villaminaya **TO** 58 M 18
Villamizar **LE** 16 E 14
Villamol **LE** 16 E 14
Villamontán de la Valduerna **LE** 15 F 12
Villamor **BU** 18 D 19
Villamor de Cadozos **ZA** 29 I 11
Villamor de la Ladre **ZA** 29 H 11
Villamor de los Escuderos **ZA** 30 I 13
Villamoratiel de las Matas **LE** 16 E 14
Villamorco **P** 17 E 16
Villamorey **O** 6 C 13
Villamorisca **LE** 16 D 15
Villamoronta **P** 17 E 15
Villamudria **BU** 18 E 20
Villamuelas **TO** 58 M 18
Villamuera de la Cueza **P** 17 F 15
Villamuñío **LE** 16 E 14
Villamuriel de Campos **VA** 30 G 14
Villamuriel de Cerrato **P** 31 G 16
Villán de Tordesillas **VA** 30 H 15
Villanañe **VI** 18 D 20
Villanasur **BU** 18 E 20
Villanázar **ZA** 29 G 12
Villandás **O** 5 C 11
Villandiego **BU** 17 E 17
Villandín **TO** 59 L 20
Villaneceriel **P** 17 E 16
Villanova **HU** 22 E 31
Villanova **LU** 14 D 8
Villanova del Pedragal **LU** 14 D 9
Villanovilla **HU** 21 E 28
Villanúa **HU** 21 D 28
Villanubla **VA** 30 G 15
Villanueva *cerca de Boal* **O** 4 B 9
Villanueva *cerca de Cangas* **O** 6 B 14
Villanueva *cerca de Luarca* **O** 5 B 10
Villanueva *cerca de Ribadedeva* **O** 7 B 16
Villanueva *cerca de Teverga* **O** 5 C 11
Villanueva *Santo Adriano* **O** 5 C 11
Villanueva de Abajo **P** 17 D 15
Villanueva de Aézkoa / Hiriberri **NA** 11 D 26
Villanueva de Alcardete **TO** 59 M 20
Villanueva de Alcorón **GU** 47 J 23
Villanueva de Algaidas **MA** 93 U 16
Villanueva de Argaño **BU** 17 E 18
Villanueva de Argecilla **GU** 46 J 21
Villanueva de Arriba **P** 16 D 15
Villanueva de Ávila **AV** 44 K 15
Villanueva de Azoague **ZA** 29 G 12
Villanueva de Bogas **TO** 58 M 19
Villanueva de Cameros **LO** 19 F 22
Villanueva de Campeán **ZA** 29 H 12
Villanueva de Cañedo **SA** 43 I 12
Villanueva de Carazo **BU** 32 G 20
Villanueva de Carrizo **LE** 15 E 12
Villanueva de Cauche **MA** 100 V 16
Villanueva de Córdoba **CO** 81 R 16
Villanueva de Duero **VA** 30 H 15
Villanueva de Franco **CR** 71 P 19
Villanueva de Gállego **Z** 35 G 27
Villanueva de Gómez **AV** 44 J 15
Villanueva de Gormaz **SO** 32 H 20
Villanueva de Guadamajud **CU** 60 L 22
Villanueva de Gumiel **BU** 32 G 19
Villanueva de Henares **P** 17 D 17
Villanueva de Jamuz **LE** 15 F 12
Villanueva de Jiloca **Z** 48 I 25
Villanueva de la Cañada **M** 45 K 17
Villanueva de la Concepción **MA** 100 V 16
Villanueva de la Condesa **VA** 16 F 14
Villanueva de la Fuente **CR** 71 P 21
Villanueva de la Jara **CU** 60 N 24
Villanueva de la Nia **S** 17 D 17
Villanueva de la Peña **S** 7 C 17
Villanueva de la Reina **J** 82 R 18
Villanueva de la Serena **BA** 68 P 12
Villanueva de la Sierra **ZA** 14 F 8
Villanueva de la Sierra **CC** 55 L 10
Villanueva de la Tercia **LE** 16 D 12
Villanueva de la Torre **GU** 46 K 20
Villanueva de la Vera **CC** 56 L 13
Villanueva de las Cruces **H** 78 T 8
Villanueva de las Manzanas **LE** 16 E 13
Villanueva de las Peras **ZA** 29 G 12
Villanueva de las Torres **GR** 95 T 20
Villanueva de los Caballeros **VA** 30 G 14
Villanueva de los Castillejos **H** 90 T 8
Villanueva de los Escuderos **CU** 60 L 23
Villanueva de los Infantes **VA** 31 G 16
Villanueva de los Infantes **CR** 71 P 20
Villanueva de los Montes **BU** 18 D 19
Villanueva de los Nabos **P** 17 E 16
Villanueva de Mena **BU** 8 C 20
Villanueva de Mesía **GR** 94 U 17
Villanueva de Odra **BU** 17 E 17
Villanueva de Omaña **LE** 15 D 11
Villanueva de Oscos **O** 4 C 9
Villanueva de Perales **M** 45 K 17
Villanueva de Puerta **BU** 17 E 18
Villanueva de San Carlos **CR** 70 Q 18
Villanueva de San Juan **SE** 92 U 14
Villanueva de San Mancio **VA** 30 G 14
Villanueva de Sigena **HU** 36 G 29
Villanueva de Tapia **MA** 93 U 17
Villanueva de Valdueza **LE** 15 E 10
Villanueva de Valrojo **ZA** 29 G 11
Villanueva de Viver **CS** 62 L 28
Villanueva de Zamajón **SO** 33 H 23
Villanueva del Aceral **AV** 44 I 15
Villanueva del Arbol **LE** 16 E 13
Villanueva del Ariscal **SE** 91 T 11
Villanueva del Arzobispo **J** 83 R 20
Villanueva del Campillo **AV** 44 K 14
Villanueva del Campo **ZA** 30 G 13
Villanueva del Conde **SA** 43 K 11
Villanueva del Duque **CO** 81 Q 14
Villanueva del Fresno **BA** 78 Q 8
Villanueva del Huerva **Z** 34 H 26
Villanueva del Pardillo **M** 45 K 18
Villanueva del Rebolar de la Sierra **TE** 49 J 26
Villanueva del Rebollar **P** 16 F 15
Villanueva del Rey **CO** 80 R 14
Villanueva del Rey **SE** 92 T 14
Villanueva del Río **SE** 80 T 12
Villanueva del Río Segura **MU** 85 R 26
Villanueva del Río y Minas **SE** 80 T 12
Villanueva del Rosario **MA** 100 V 16
Villanueva del Trabuco **MA** 93 U 16
Villanueva Soportilla **BU** 18 D 20
Villanueva y Geltrú / Vilanova i la Geltrú **B** 37 I 35
Villanuevas (Los) **TE** 62 L 28
Villanuño de Valdavia **P** 17 E 16
Villaobispo **LE** 15 E 11
Villaornate y Castro **LE** 16 F 13
Villapaderne **S** 7 C 17
Villapadierna **LE** 16 D 14
Villapalacios **AB** 71 Q 22
Villapeceñil **LE** 16 E 14
Villapedre **O** 5 B 10
Villaprovedo **P** 17 E 16
Villaquejida **LE** 16 F 13
Villaquilambre **LE** 16 E 13
Villaquirán de la Puebla **BU** 17 F 17
Villaquirán de los Infantes **BU** 17 F 17
Villar (El) **AB** 72 O 24
Villar (El) **CR** 70 Q 17
Villar (El) **H** 79 S 9
Villar (Embalse de El) **M** 46 J 19
Villar (Santuario de la Virgen del) **LO** 33 F 23
Villar da Torre **C** 2 D 3

A B C D E F G H I J K L M N O P Q R S T U V W X Y Z

Villar de Acero *LE* ...... 14  D 9
Villar de Argañán *SA* .... 42  J 9
Villar de Arnedo (El) *LO* .. 19  F 23
Villar de Cantos *CU* ..... 60  N 22
Villar de Cañas *CU* ...... 59  M 22
Villar de Chinchilla *AB* .. 73  P 25
Villar de Ciervo *SA* ..... 42  J 9
Villar de Ciervos *LE* ..... 15  E 11
Villar de Cobeta *GU* ..... 47  J 23
Villar de Corneja *AV* .... 44  K 13
Villar de Cuevas *J* ....... 82  S 18
Villar de Domingo
  García *CU* ........... 60  L 23
Villar de Farfón *ZA* ...... 29  G 11
Villar de Gallimazo *SA* ... 44  J 14
Villar de Golfer *LE* ...... 15  E 11
Villar de la Encina *CU* .... 60  N 22
Villar de la Yegua *SA* .... 42  J 9
Villar
  de las Traviesas *LE* .... 15  D 10
Villar de los Navarros *Z* .. 48  I 26
Villar de Matacabras *AV* .. 44  I 14
Villar de Maya *SO* ....... 33  F 22
Villar de Mazarife *LE* .... 15  E 12
Villar de Olalla *CU* ...... 60  L 23
Villar de Olmos *V* ....... 61  N 26
Villar de Peralonso *SA* ... 43  I 11
Villar de Plasencia *CC* ... 56  L 11
Villar de Pozo Rubio *AB* .. 72  O 24
Villar de Rena *BA* ....... 68  O 12
Villar de Samaniego *SA* .. 43  I 10
Villar
  de Santiago (El) *LE* .... 15  D 11
Villar de Sobrepeña *SG* .. 31  I 18
Villar de Tejas *V* ........ 61  N 26
Villar de Torre *LO* ....... 18  E 21
Villar del Águila *CU* ..... 60  M 22
Villar del Ala *SO* ........ 33  G 22
Villar del Arzobispo *V* .... 61  M 27
Villar del Buey *ZA* ...... 29  I 11
Villar del Campo *SO* ..... 33  G 23
Villar del Cobo *TE* ...... 48  K 24
Villar del Horno *CU* ..... 60  L 22
Villar del Humo *CU* ..... 61  M 25
Villar del Infantado *CU* .. 47  K 22
Villar del Maestre *CU* .... 60  L 22
Villar del Monte *LE* ..... 15  F 11
Villar del Olmo *M* ....... 46  K 20
Villar del Pedroso *CC* .... 57  M 14
Villar del Pozo *CR* ...... 70  P 18
Villar del Rey *BA* ....... 67  O 9
Villar del Río *SO* ........ 33  F 22
Villar del Salz *TE* ....... 48  J 25
Villar del Saz
  de Arcas *CU* ......... 60  M 23
Villar del Saz
  de Navalón *CU* ....... 60  L 22
Villaralbo *ZA* .......... 29  H 12
Villaralto *CO* .......... 81  Q 15
Villarcayo *BU* ......... 18  D 19
Villardeciervos *ZA* ...... 29  G 11
Villardefallaves *ZA* ...... 30  G 14
Villardefrades *VA* ....... 30  G 14
Villardiegua
  de la Ribera *ZA* ....... 29  H 11
Villárdiga *ZA* .......... 30  G 13
Villardompardo *J* ....... 82  S 17
Villardondiego *ZA* ....... 30  H 13
Villardondiego *AV* ....... 44  K 15
Villarejo *LO* ........... 18  E 21
Villarejo *AB* ........... 72  Q 23
Villarejo (El) *TE* ........ 61  L 25
Villarejo de Fuentes *CU* .. 59  M 21
Villarejo
  de la Peñuela *CU* ...... 60  L 22
Villarejo de Medina *GU* .. 47  J 22
Villarejo
  de Montalbán *TO* ...... 57  M 16
Villarejo de Órbigo *LE* ... 15  E 12
Villarejo de Salvanés *M* .. 59  L 20
Villarejo del Espartal *CU* . 60  L 22
Villarejo del Valle *AV* .... 57  L 15
Villarejo Periesteban *CU* .. 60  M 22
Villarejo Seco *CU* ....... 60  M 22
Villarejo Sobrehuerta *CU* . 60  L 22
Villarejos (Los) *TO* ...... 57  M 15
Villarente *LE* .......... 16  E 13
Villares *AB* ............ 84  Q 23
Villares (Los) *CR* ....... 71  P 21
Villares (Los) *CO* ....... 25  T 17
Villares (Los) *GR* ....... 94  T 20
Villares (Los)
  cerca de Andújar *J* .... 82  R 18
Villares (Los)
  cerca de Jaén *J* ....... 82  S 18
Villares de Jadraque *GU* .. 46  I 20
Villares de la Reina *SA* ... 43  I 13

Villares de Órbigo *LE* .... 15  E 12
Villares de Yeltes *SA* ..... 43  J 10
Villares del Saz *CU* ...... 60  M 22
Villargarcía
  del Llano *CU* ......... 72  O 24
Villargordo *SA* ......... 43  I 11
Villargordo *J* .......... 82  S 18
Villargordo *SE* ......... 79  T 10
Villargordo del Cabriel *V* . 61  N 25
Villargusán *LE* ......... 5   D 12
Villarías *BU* ........... 18  D 19
Villariezo *BU* .......... 18  F 18
Villarín *LE* ............ 15  E 12
Villarino *LE* ........... 15  F 10
Villarino *SA* ........... 29  I 10
Villarino de Cebal *ZA* .... 29  G 11
Villarino
  de Manzanas *ZA* ...... 29  G 10
Villarino del Sil *LE* ...... 15  D 10
Villarino
  Tras la Sierra *ZA* ...... 29  G 10
Villarluengo *TE* ........ 49  K 28
Villarluengo
  (Puerto de) *TE* ........ 49  K 28
Villarmayor *SA* ........ 43  I 12
Villarmentero
  de Campos *P* ......... 17  F 16
Villarmentero
  de Esgueva *VA* ....... 31  G 16
Villarmid *C* ........... 2   C 2
Villarmuera *LE* ......... 43  I 10
Villarmún *LE* .......... 16  E 13
Villarodrigo de Ordás *LE* . 15  D 12
Villaronte *LU* .......... 4   B 8
Villaroya
  de los Pinares *TE* ...... 49  K 27
Villarpedre *O* .......... 4   C 9
Villarquemado *TE* ...... 48  K 26
Villarrabé *P* ........... 16  E 15
Villarrabines *LE* ........ 16  F 13
Villarramiel *P* ......... 30  F 15
Villarrasa *H* ........... 91  T 10
Villarreal *BA* .......... 66  P 8
Villarreal / Vila-real *CS* .. 62  M 29
Villarreal de Huerva *Z* ... 48  I 26
Villarreal de la Canal *HU* . 21  E 27
Villarreal
  de San Carlos *CC* ..... 56  M 11
Villarrín de Campos *ZA* .. 30  G 13
Villarroañe *LE* ......... 16  E 13
Villarrobejo *P* ......... 16  E 15
Villarrobledo *AB* ....... 71  O 22
Villarrodrigo *P* ......... 16  E 15
Villarrodrigo *J* ......... 83  Q 22
Villarroquel *LE* ........ 15  E 12
Villarroya *LO* .......... 19  F 23
Villarroya de la Sierra *Z* .. 34  H 24
Villarroya del Campo *Z* .. 48  I 26
Villarrubia *CO* ......... 81  S 15
Villarrubia
  de los Ojos *CR* ....... 70  O 19
Villarrubia
  de Santiago *TO* ....... 59  M 19
Villarrubin *LE* ......... 14  E 8
Villarrubio *CU* ......... 59  M 21
Villarta *CU* ............ 61  N 25
Villarta de Escalona *TO* .. 57  L 16
Villarta
  de los Montes *BA* ..... 69  O 15
Villarta de San Juan *CR* .. 71  O 19
Villarta-Quintana *LO* .... 18  E 20
Villartelín *LU* .......... 14  D 8
Villartorey *SO* ......... 4   B 9
Villartoso *SO* .......... 33  F 22
Villartaal *HU* .......... 22  E 31
Villarueva
  de la Torre *GU* ....... 46  K 20
Villas
  de Turbón (Las) *HU* ... 22  E 31
Villas Viejas *CU* ........ 59  M 21
Villasabariego *LE* ....... 16  E 13
Villasabariego
  de Ucieza *P* .......... 17  E 16
Villasana de Mena *BU* ... 8   C 20
Villasandino *BU* ........ 17  E 17
Villasante de Montija *BU* . 8   C 19
Villasayas *SO* .......... 33  H 22
Villasbuenas *SA* ....... 42  I 10
Villasbuenas
  de Gata *CC* .......... 55  L 10
Villasdardo *SA* ......... 43  I 11
Villaseca *LO* ........... 18  E 21
Villaseca *CU* ........... 60  L 23

Villaseca *CO* ........... 81  S 14
Villaseca *SG* ........... 31  I 18
Villaseca de Arciel *SO* ... 33  H 23
Villaseca de la Sagra *TO* .. 58  M 18
Villaseca de Laciana *LE* .. 15  D 11
Villaseca de Uceda *GU* .. 46  J 19
Villasecino *LE* ......... 15  D 11
Villaseco *ZA* ........... 29  H 12
Villaseco
  de los Gamitos *SA* .... 43  I 11
Villaseco
  de los Reyes *SA* ....... 43  I 11
Villaselán *LE* .......... 16  E 14
Villasequilla *TO* ........ 58  M 18
Villasevil *S* ........... 7   C 18
Villasexmir *VA* ......... 30  H 14
Villasidro *BU* .......... 17  E 17
Villasila *P* ............. 17  E 16
Villasilos *BU* ........... 17  F 17
Villasimpliz *LE* ......... 16  D 13
Villasinde *LE* .......... 14  E 9
Villaspesa *TE* .......... 61  L 26
Villasrubias *SA* ......... 42  K 10
Villastar *TE* ........... 61  L 26
Villasur *P* ............. 17  E 15
Villasur
  de Herreros *BU* ....... 18  F 19
Villasuso *S* ........... 7   C 17
Villatobas *TO* .......... 59  M 20
Villatoro *AV* ........... 44  K 14
Villatoro *BU* ........... 18  E 18
Villatoya *AB* ........... 73  O 25
Villatresmil *O* .......... 5   B 10
Villaturde *P* ........... 17  E 15
Villaturiel *LE* .......... 16  E 13
Villaumbrales *P* ........ 31  F 16
Villaute *BU* ........... 17  E 18
Villava *NA* ........... 11  D 25
Villavaler *O* ........... 5   B 11
Villavaliente *AB* ........ 73  O 25
Villavaquerín *VA* ....... 31  H 16
Villavedón *BU* ......... 17  E 17
Villavelasco
  de Valderaduey *LE* .... 16  E 15
Villavelayo *LO* ......... 18  F 21
Villavellid *VA* .......... 30  G 14
Villavendimio *ZA* ....... 30  H 13
Villavente *LE* .......... 16  E 13
Villaventín *BU* ......... 8   C 19
Villaverde *M* .......... 46  K 18
Villaverde *O* ........... 6   B 13
Villaverde *LE* .......... 14  E 9
Villaverde
  Fuerteventura *GC* ..... 111  I 2
Villaverde de Abajo *LE* .. 16  D 13
Villaverde
  de Arcayos *LE* ........ 16  E 14
Villaverde
  de Guadalimar *AB* .... 83  Q 22
Villaverde
  de Guareña *SA* ....... 44  I 13
Villaverde de Iscar *SG* ... 31  I 16
Villaverde de Medina *VA* . 30  I 14
Villaverde
  de Montejo *SG* ....... 32  H 19
Villaverde de Pontones *S* . 8  B 18
Villaverde de Rioja *LO* ... 19  F 21
Villaverde
  de Sandoval *LE* ....... 16  E 13
Villaverde de Trucios *S* .. 8  C 20
Villaverde
  del Ducado *GU* ....... 47  I 22
Villaverde del Monte *SO* . 33  G 21
Villaverde del Monte *BU* . 17  F 18
Villaverde del Río *SE* .... 92  T 12
Villaverde la Chiquita *LE* . 16  E 14
Villaverde-Mogina *BU* ... 17  F 17
Villaverde-
  Peñahorada *BU* ....... 18  E 18
Villaverde
  y Pasaconsol *CU* ...... 60  M 23
Villaveta *BU* ........... 17  E 17
Villaveta *NA* .......... 11  D 25
Villaveza de Valverde *ZA* . 29  G 13
Villaveza del Agua *ZA* ... 29  G 12
Villavicencio
  de los Caballeros *VA* .. 30  F 14
Villaviciosa *O* .......... 6   B 13
Villaviciosa *AV* ........ 44  K 15
Villaviciosa
  de Córdoba *CO* ....... 81  R 14
Villaviciosa
  de la Ribera *LE* ....... 15  E 12
Villaviciosa de Odón *M* .. 45  K 18
Villaviciosa
  de Tajuña *GU* ........ 47  J 21

Villavieja de Muñó *BU* ... 17  F 18
Villavieja de Yeltes *SA* ... 43  J 10
Villavieja del Cerro *VA* ... 30  H 14
Villavieja del Lozoya *M* .. 46  I 18
Villaviudas *P* .......... 31  G 16
Villayón *O* ............ 4   B 9
Villayuste *LE* .......... 15  D 11
Villayuso *LE* ........... 15  D 11
Villaza *OR* ............ 28  G 7
Villazala *LE* ........... 15  E 12
Villazanzo
  de Valderaduey *LE* .... 16  E 15
Villazón *O* ............ 5   B 11
Villazopeque *BU* ....... 17  F 17
Villegar *S* ............. 7   C 18
Villegas *BU* ........... 17  E 17
Villegas o Mardos *AB* ... 73  Q 25
Villeguillo *SG* ......... 31  I 16
Villel *TE* .............. 61  L 26
Villel de Mesa *GU* ...... 47  I 24
Villela *BU* ............ 17  D 17
Villelga *P* ............. 16  F 15
Villena *A* ............. 73  Q 27
Villerías *P* ............ 30  G 15
Villeza *LE* ............ 16  F 14
Villiguer *LE* ........... 16  E 13
Villimer *LE* ........... 16  E 13
Villodre *BU* ........... 17  F 17
Villodrigo *P* ........... 17  F 17
Villoldo *P* ............ 17  F 16
Villomar *LE* ........... 16  E 13
Villora *CU* ............ 61  M 25
Villora (Cabeza de) *CU* .. 61  M 25
Villores *CS* ........... 49  J 29
Villoria *O* ............. 6   C 13
Villoria *SA* ........... 44  I 13
Villoria de Boada *SA* .... 43  J 11
Villorquite de Herrera *P* . 17  E 16
Villoruebo *BU* ......... 18  F 19
Villoruela *SA* .......... 44  I 13
Villoslada *SG* ......... 45  J 16
Villoslada
  de Cameros *LO* ...... 33  F 21
Villota del Duque *P* ..... 17  E 16
Villota del Páramo *P* .... 16  E 15
Villotilla *P* ............ 17  E 15
Villovela *BU* .......... 31  G 18
Villoviado *BU* ......... 32  G 18

Villovieco *P* ........... 17  F 16
Villuercas *CC* .......... 56  N 13
Villoalle *LU* ........... 4   B 7
Villobí d'Onyar *GI* ...... 25  G 38
Villopriu *GI* ........... 25  F 38
Viloria *O* ............. 4   B 9
Viloria *VA* ............ 19  D 23
Viloria *LE* ............ 31  H 16
Viloria de Rioja *BU* ..... 18  E 20
Vilosell (El) *L* ......... 37  H 32
Vilouriz *C* ............ 3   D 6
Vilouzás *C* ............ 3   C 5
Vilueña (La) *Z* ......... 34  I 24
Viluestre
  de los Nabos *SO* ...... 33  G 22
Vilviestre
  de Muñó *BU* ......... 17  F 18
Vilviestre del Pinar *BU* .. 32  G 20
Vilvis *TO* ............. 58  L 17
Vimbodí *T* ............ 37  H 33
Vimianzo *C* ........... 2   C 2
Vinaceite *TE* .......... 35  I 28
Vinaderos *AV* ......... 44  I 15
Vinaixa *L* ............. 37  H 32
Vinallop *T* ............ 50  J 31
Vinaròs *CS* ........... 50  K 31
Vincios *PO* ........... 12  F 3
Vindel *CU* ............ 47  K 22
Vinebre *T* ............ 36  I 31
Viniegra de Abajo *LO* ... 18  F 21
Viniegra de Arriba *LO* ... 33  F 21
Vinseiro *PO* .......... 13  D 4
Vinuesa *SO* ........... 33  G 21
Vinyoles *V* ........... 73  O 26
Vinyoles d'Oris *B* ...... 24  F 36
Vinyols *L* ............ 51  I 33
Viña *C* .............. 3   C 5
Viña (La) *GR* ......... 94  U 17
Viña (La) *J* ........... 82  R 18
Viñamala (Reserva
  nacional de) *HU* ...... 21  D 29
Viñas *ZA* ............ 29  G 10
Viñas (Las) *J* .......... 82  R 18
Viñegra *AV* ........... 44  J 14
Viñegra de Moraña *AV* .. 44  J 15
Viñón *S* ............. 7   C 16
Viñón *O* ............. 6   B 13
Viñuela *MA* .......... 101  V 17

Viñuela
  (Embalse de la) *MA* ... 101  V 17
Viñuela (La) *CR* ....... 69  P 17
Viñuela (La) *SE* ....... 80  S 13
Viñuela de Sayago *ZA* .. 29  I 12
Viñuelas *GU* ......... 46  J 20
Viñuelas (Castillo de) *M* . 46  K 19
Vírgala Mayor *VI* ...... 19  D 22
Virgen (Ermita de la) *GU* . 47  J 22
Virgen Coronada
  (Ermita de la) *BA* ..... 68  O 14
Virgen de Ara
  (Ermita) *BA* ......... 80  R 12
Virgen de Fabana
  (Ermita de la) *HU* ..... 21  F 29
Virgen de la Cabeza *GR* .. 95  T 21
Virgen de la Cabeza
  (Ermita de la) *CR* ..... 71  Q 19
Virgen de la Cabeza
  (Ermita de la) *AL* ..... 84  S 23
Virgen de la Cabeza
  (Santuario) *J* ........ 82  R 17
Virgen de la Columna *Z* .. 35  H 27
Virgen de la Estrella
  (Santuario de la) *TE* ... 49  K 29
Virgen
  de la Montaña (La) *CC* . 55  N 10
Virgen de la Muela *SO* .. 59  M 20
Virgen de la Peña
  (Ermita de la) *TE* ...... 49  K 28
Virgen de la Peña
  (Ermita de la) *H* ...... 78  T 8
Virgen de la Sierra
  (Ermita de la) *CR* ..... 70  O 18
Virgen de la Sierra
  (Santuario) *Z* ........ 34  H 24
Virgen de la Vega *CR* .... 71  Q 20
Virgen de la Vega *GU* ... 47  J 22
Virgen de la Vega
  (Ermita de la) *TE* ..... 50  J 30
Virgen
  de la Vega (La) *TE* .... 49  K 27
Virgen de Lagunas
  ... *Z* ............... 34  H 26
Virgen de las Cruces *CR* . 70  O 18
Virgen de las Viñas *CR* .. 71  O 21
Virgen de Lomos
  de Orios (La) *LO* ..... 33  F 22
Virgen de los Ángeles
  (Ermita de la) *TE* ..... 48  K 25

ZAMORA
300 m

N 630 BENAVENTE, LEÓN · VILLALPANDO · ALCAÑICES, BRAGANÇA · N 122-E 82 · San Pedro de la Nave · SALAMANCA · ARCENILLAS · A 66 · A 11-E 82: VALLADOLID · CL 605 · DUERO · Puente de Piedra · Puente de Hierro · Fermoselle · Entrepuentes

CATEDRAL · CASTILLO · PALACIO EPISCOPAL · STA MARÍA LA NUEVA · LA MAGDALENA · SAN JUAN · SANTIAGO DEL BURGO · STA MARÍA DE LA HORTA · STO TOMÉ · Puerta Nueva · Pl. de Alemania · Pl. de la Marina Española · Pl. S. Lázaro · Amargura

Alfonso IX ............... B 2
Alfonso XII .............. B 3
Antonio del Águila (Pl.) .. A 5
Arias Gonzalo (Pl. de) ... A 8
Cabañales ............... B 12
Candelaria (Pas.) ........ B 13
Catedral (Pl. de la) ...... A 15
Ciento (Pl. de los) ...... A 16
Constitución (Pl. de) .... B 18
Corral Pintado .......... B 19
Damas .................. A 20
Feria ................... B 21
Francos (Rúa de la) ...... A 22
Fray Diego de Deza (Pl.) .. A 23
Horta .................. B 27
Ignacio Gazapo ......... B 36
Leopoldo Alas Clarín .... B 40
Mayor (Pl.) ............. B 42
Morana (Cuesta de la) ... A 48
Notarios (Rúa de los) ... A 60
Príncipe de Asturias (Av.) . A 70
Puebla de Sanabria ..... A 70
Puentica (Pl. de la) ..... A 69
Riego .................. B 72
Sacramento ............. B 74
Santa Clara ............. B 84
Santa Lucía (Pl.) ........ B 86
Santiago ............... B 75
San Torcuato ........... B 78
San Tortucato
  (Ronda de) ........... B 80
San Vicente ............ B 82
Tres Cruces (Av.) ....... B 88
Víctor Gallego .......... B 90
Viriato (Pl.) ............ B 96
Zorrilla (Pl. de) ........ B 99

## ZARAGOZA

*[City map of Zaragoza — scale 0–100 m — with labels including: Paseo, Puente de Santiago, Av. de Cataluña, Jesús, Predicadores, Las Armas, Nuestra Señora del Pilar, Echegaray, Plaza, EBRO, Puente de Piedra, San Pablo, Boggiero, Torre Nueva, Sta. Isabel, Espoz y Mina, LONJA, LA SEO, Conde Aranda, Ramón y Cajal, César Augusto, Méndez Nuñez, Pl. de Sas, Alfonso I, Coso, Don Jaime I, Mayor, San Vicente de Paul, Sepulcro, Pl. de Salamero, Azoque, Pl. de España, Independencia, Cádiz, Pl. N.S. Carmen, Zurita, Miguel, Pl. S. Miguel, San Jorge, Doctor Palomar y Gamboa, Santa Engracia]*

## A

À-da-Velha *16* ... 13 F5
A de Barros *18* ... 41 J7
A-do-Pinto *02* ... 78 S7
A dos Cunhados *11* ... 64 O2
A. dos Ferreiros *01* ... 40 K4
A Ver-o-mar *13* ... 26 H3
Abaças *17* ... 27 I6
Abade de Neiva *03* ... 26 H4
Abadia (Nossa Senhora d') *03* ... 27 G5
Abambres *04* ... 28 H8
Abela *15* ... 77 S4
Abitureiras *14* ... 53 O3
Abiúl *10* ... 53 M4
Aboadela *13* ... 27 I6
Aboboreira *14* ... 53 N5
Aboim *03* ... 27 H5
Aboim da Nóbrega *03* ... 27 G4
Aboim das Choças *16* ... 26 G4
Aborim *03* ... 26 H4
Abrã *14* ... 53 N3
Abragão *13* ... 27 I5
Abrantes *14* ... 53 N5
Abreiro *04* ... 28 H8
Abrigada *11* ... 64 O2
Abrilongo (Ribeira de) ... 66 O8
Abrunheira *06* ... 53 L3
Abrunhosa-a-Velha *18* ... 41 K7
Abuxanas *14* ... 52 O3
Achada *11* ... 64 P1
Achada *20* ... 107 J20
Achada do Gamo *02* ... 78 T7
Achadas da Cruz *31* ... 88 AY
Achadinha *20* ... 107 J20
Achete *14* ... 53 O3
Acoreira *04* ... 42 I8
Adão *09* ... 42 K8
Adaúfe *03* ... 27 H4
Ade *09* ... 42 K9
Adiça (Serra da) *02* ... 78 S7
Adorigo *18* ... 27 I7
Adoufe *17* ... 27 H6
Adraga *11* ... 64 P1
Adrão *16* ... 27 G5
Afife *16* ... 26 G3
Afonsim *17* ... 27 H6
Agadão *01* ... 41 K5
Agroal *14* ... 53 M4
Agrochão *04* ... 28 G8
Água de Madeiros *10* ... 52 M2
Água de Pau *20* ... 107 J19
Água de Pau (Serra de) *20* ... 107 J19
Água de Peixes *02* ... 77 R6
Água de Pena *31* ... 88 BY
Água do Alto *20* ... 107 J19
Água Longa *13* ... 26 I4
Água Negra *02* ... 78 S7
Água Retorta *20* ... 107 J20
Água Travessa *14* ... 65 O5
Aguada de Baixo *01* ... 40 K4
Aguada de Cima *01* ... 40 K4
Agualva *20* ... 107 G14
Agualva-Cacém *11* ... 64 P2
Águas Belas *09* ... 42 K8
Águas Belas *14* ... 53 M5
Águas Boas *18* ... 41 J7
Águas de Moura *15* ... 65 Q3
Águas dos Fusos *08* ... 89 U6
Águas Frias *08* ... 89 U5
Águas Frias *17* ... 28 G7
Águas Réves-e-Castro *17* ... 28 H7
Águas Santas *13* ... 26 I4
Aguçadoura *13* ... 26 H3
Aguda *10* ... 53 M5
Águeda *01* ... 40 K4
Águeda (Rio) *01* ... 40 K4
Águeda (Rio) *09* ... 42 J9
Aguiã *16* ... 26 G4
Aguiar *07* ... 77 Q6
Aguiar (Ribeira de) *09* ... 42 J9
Aguiar da Beira *09* ... 41 J7
Aguiar de Sousa *13* ... 26 I4
Aguieira (Barragem da) ... 41 K5
Agulha (Ponta da) *20* ... 107 J18
Airães *13* ... 27 I5
Aire (Serra de) *14* ... 53 N4
Ajuda (Ponta da) *20* ... 107 J20
Alagoa *12* ... 54 N7
Alamo ... 78 Q7
Alandroal *07* ... 66 P7
Alares *05* ... 54 M8
Albarnaz (Ponta do) *20* ... 107 E2
Albergaria *10* ... 52 M3
Albergaria-a-Nova *01* ... 40 J4
Albergaria-a-Velha *01* ... 40 J4
Albergaria dos Doze *10* ... 53 M4
Albergaria dos Fusos *02* ... 77 R6
Albernoa *02* ... 77 S6
Albufeira *08* ... 89 U5
Albufeira (Lagoa de) *15* ... 64 Q2
Alburitel *14* ... 53 N4
Alcabideche *11* ... 64 P1
Alcácer do Sal *15* ... 77 Q4
Alcáçovas *07* ... 77 Q5
Alcáçovas (Estação de) *07* ... 77 Q5
Alcáçovas (Ribeira das) ... 65 Q5
Alcafozes *05* ... 54 M8
Alcaide *05* ... 54 L7
Alcains *05* ... 54 M7
Alcanede *14* ... 52 N3
Alcanena *14* ... 53 N3
Alcanhões *14* ... 53 O4
Alcantarilha *08* ... 89 U4
Alcaravela *14* ... 53 N5
Alcaraviça *07* ... 66 P7
Alcaria *02* ... 77 R6
Alcaria *05* ... 54 L7
Alcaria *10* ... 53 N3
Alcaria *perto de Boliqueime* *08* ... 89 U5
Alcaria *perto de Odeleite* *08* ... 90 T7
Alcaria Alta *08* ... 89 T6
Alcaria de Javazes *02* ... 90 T7
Alcaria do Cume *08* ... 89 U6
Alcaria Longa *02* ... 77 T6
Alcaria Ruiva *02* ... 77 S6
Alcarias *08* ... 90 U7
Alcarrache (R.) ... 78 R7
Alcobaça *10* ... 52 N3
Alcobertas *14* ... 52 N3
Alcochete *15* ... 64 P3
Alcoentre *11* ... 64 O3
Alcofra *18* ... 41 K5
Alcongosta *05* ... 54 L7
Alcorochel *14* ... 53 N4
Alcoutim *08* ... 90 T7
Alcôvo das Várzeas *06* ... 41 L6
Aldeia da Mata *12* ... 66 O6
Aldeia da Ponte *09* ... 42 K9
Aldeia da Ribeira *09* ... 42 K9
Aldeia da Ribeira *14* ... 52 N3
Aldeia da Serra *07* ... 66 P7
Aldeia da Serra *10* ... 53 M4
Aldeia da Serra *perto de São Gregório* *07* ... 65 P6
Aldeia da Tor *08* ... 89 U5
Aldeia das Amoreiras *02* ... 77 T4
Aldeia das Dez *06* ... 41 L6
Aldeia de Ana de Avis *10* ... 53 M5
Aldeia de Eiras *14* ... 53 N5
Aldeia de Irmãos *15* ... 64 Q2
Aldeia de Joanes *05* ... 54 L7
Aldeia de João Pires *05* ... 54 L8
Aldeia de Nacomba *18* ... 41 J7
Aldeia de Santa Margarida *05* ... 54 L8
Aldeia de São Francisco de Assis *05* ... 54 L6
Aldeia do Bispo *05* ... 54 L8
Aldeia do Bispo *09* ... 42 L9
Aldeia do Carvalho *05* ... 41 L7
Aldeia do Corvo *02* ... 77 T6
Aldeia do Mato *14* ... 53 N5
Aldeia do Neves *02* ... 77 T6
Aldeia do Ronquenho *02* ... 77 S5
Aldeia dos Delbas *02* ... 77 S5
Aldeia dos Fernandes *02* ... 77 T5
Aldeia dos Francos *10* ... 52 O2
Aldeia dos Grandaços *02* ... 77 T5
Aldeia dos Neves *02* ... 77 T5
Aldeia dos Palheiros *02* ... 77 T5
Aldeia dos Pescadores *10* ... 52 N2
Aldeia dos Ruins *02* ... 77 R5
Aldeia Gavinha *11* ... 64 O2
Aldeia Nova *02* ... 77 S5
Aldeia Nova *04* ... 29 H11
Aldeia Nova *08* ... 90 U7
Aldeia Nova *perto de Almeida* *09* ... 42 J9
Aldeia Nova *perto de Trancoso* *09* ... 41 J7
Aldeia Velha *09* ... 42 K9
Aldeia Velha *12* ... 65 O5
Aldeia Viçosa *09* ... 42 K8
Aldeias *02* ... 78 R6
Aldeias *09* ... 41 K7
Aldeias *18* ... 41 I6
Aldeias de Montoito *07* ... 66 Q7
Alegrete *12* ... 66 O8
Alenquer *11* ... 64 O2
Alenquer (Ribeira de) *11* ... 64 O2
Alentisca *12* ... 66 P8
Alfafar *06* ... 53 L4
Alfaião *04* ... 28 G9
Alfaiates *09* ... 42 K9
Alfambra *08* ... 88 U3
Alfândega da Fé *04* ... 28 H9
Alfarela de Jales *17* ... 27 H7
Alfarelos *06* ... 53 L4
Alfarim *15* ... 64 Q2
Alfeizerão *10* ... 52 N2
Alferce *08* ... 89 U4
Alferrarede *14* ... 53 N5
Alfrivida *05* ... 54 M7
Alfundão *02* ... 77 R5
Alfusqueiro ... 40 K4
Algaça *06* ... 40 L5
Algar do Carvão *20* ... 107 G14
Algar Seco *08* ... 89 U4
Algarvia *20* ... 107 J20
Alge (Ribeira de) *10* ... 53 M5
Algeriz *17* ... 28 H7
Algeruz *15* ... 64 Q3
Algibre (Ribeira de) *08* ... 89 U5
Algodor *02* ... 77 S6
Algodres *09* ... 42 J8
Algoso *04* ... 28 H10
Algoz *08* ... 89 U5
Alguber *11* ... 52 O2
Algueirão-Mem Martins *11* ... 64 P1
Alhadas *06* ... 40 L3
Alhais *18* ... 41 J6
Alhandra *11* ... 64 P2
Alhões *18* ... 41 J5
Alhos Vedros *15* ... 64 Q2
Alijó *17* ... 27 I7
Aljezur *08* ... 88 U3
Aljubarrota *10* ... 52 N3
Aljustrel *02* ... 77 S5
Almaça *18* ... 41 K5
Almaceda *05* ... 54 L7
Almada *15* ... 64 P2
Almada de Ouro *08* ... 90 U7
Almadafe (Ribeira do) ... 66 P6
Almádena *08* ... 88 U3
Almagreira *10* ... 53 M4
Almagreira *Azores* *20* ... 107 M20
Almalaguês *06* ... 53 L4
Almancil *08* ... 89 U5
Almargem do Bispo *11* ... 64 P2
Almargens *08* ... 89 U6
Almeida *09* ... 42 J9
Almeirim *02* ... 77 S5
Almeirim *07* ... 65 Q6
Almeirim *14* ... 65 O4
Almendra *09* ... 42 I8
Almodôvar *02* ... 89 T5
Almofala *09* ... 42 J9
Almofala *10* ... 52 N2
Almofala *18* ... 41 J6
Almograve *02* ... 76 T3
Almonda *14* ... 53 N4
Almoster *10* ... 53 M4
Almoster *14* ... 64 O3
Almourol (Castelo de) *14* ... 53 N4
Almuro (Ribeira do) *12* ... 66 P7
Alpalhão *12* ... 54 N7
Alpedrinha *05* ... 54 L7
Alpedriz *10* ... 52 N3
Alpendres de Lagares *02* ... 78 S7
Alpiarça *14* ... 65 O4
Alportel *08* ... 89 U6
Alportel (Ribeira de) *08* ... 89 U6
Alpreade (Ribeira de) *05* ... 54 M7
Alqueidão *06* ... 53 L3
Alqueidão da Serra *10* ... 53 N3
Alqueidão do Arrimal *10* ... 52 N3
Alqueva *07* ... 78 R7
Alqueva (Barragem de) ... 78 R7
Alte *08* ... 89 U5
Alter do Chão *12* ... 66 O7
Alter Pedroso *12* ... 66 O7
Alto Cávado (Barragem de) *17* ... 27 G6
Alto Ceira (Barragem do) *06* ... 54 L6
Alto Fica *08* ... 89 U5
Alto Rabagão (Barragem do) *17* ... 27 G6
Altura *08* ... 90 U7
Alturas do Barroso *17* ... 27 G6
Alva *18* ... 41 J6
Alva (Rio) ... 41 L5
Alvacar (Ribeira de) *02* ... 77 T6
Alvações do Corgo *17* ... 27 I6
Alvadia *17* ... 27 H6
Alvados *10* ... 53 N3
Alvaiade *05* ... 54 M6
Alvaiázere *10* ... 53 M4
Alvalade *15* ... 77 S4
Alvão (Serra de) *17* ... 27 H6
Alvarães *16* ... 26 H3
Alvarelhos *17* ... 28 G7
Alvarenga *01* ... 41 J5
Alvares *02* ... 77 T6
Alvares *06* ... 53 L5
Álvaro *05* ... 53 M6
Alvarrão *02* ... 78 R7
Alvarrões *12* ... 54 N7
Alvega *14* ... 53 N5
Alvelos (Serra de) *05* ... 54 M6
Alvendre *09* ... 42 K8
Alverca da Beira *09* ... 42 J8
Alverca do Ribatejo *11* ... 64 P2
Alves *02* ... 78 T7
Alviela *14* ... 53 N4
Alviobeira *14* ... 53 M4
Alvite *18* ... 41 J6
Alvito *02* ... 77 R6
Alvito (Barragem do) *02* ... 77 R6
Alvito da Beira *05* ... 54 M6
Alvoco da Serra *09* ... 41 L6
Alvoco das Várzeas *06* ... 41 L6
Alvor *08* ... 88 U4
Alvorge *10* ... 53 M4
Alvorninha *10* ... 52 N2
Amadora *11* ... 64 P2
Amarante *13* ... 27 I5
Amarela (Serra) ... 27 G5
Amareleja *02* ... 78 R8
Amares *03* ... 27 H4
Ameada *07* ... 78 R8
Amedo *04* ... 28 I8
Ameixial *08* ... 89 T6
Amêndoa *14* ... 53 N5
Amendoeira *02* ... 77 S6
Amendoeira *08* ... 89 U6
Amiães de Baixo *14* ... 53 N3
Amiães de Cima *14* ... 53 N3
Amieira *05* ... 54 M6
Amieira *07* ... 78 R7
Amieira Cova *12* ... 53 N6
Amieira do Tejo *12* ... 54 N6
Amieiro *06* ... 40 L4

## AVEIRO

Antónia Rodrigues (R.) ... Y 3
Apresentação (Largo da) ... Y 4
Belém do Pará ... Y 6
Capitão Sousa Pizarro (R.) ... Z 9
Clube dos Galitos (R.) ... Y 10
Coimbra (R.) ... Y 12
Comb. da Grande Guerra (R.) ... Z 13
Dr Lourenço Peixinho (Av.) ... Y
Eça de Queiroz (R.) ... Z 15
Eng. Pereira da Silva (R.) ... Y 17
Gustavo F. P.-Basto (R.) ... Z 18
Humberto Delgado (Pr.) ... Y 21
Jorge de Lencastre (R.) ... Y 22
José Estevão (R.) ... Y 24
José Rabumba (R.) ... Y 27
Luis de Magalhães (R. do C.) ... Y 28
Marquês de Pombal (Pr.) ... Z 31
República (Pr. da) ... Y 34
Santa Joana (R.) ... Z 37
Santo António (Largo de) ... Z 39
Viana do Castelo (R.) ... Y 42
5 de Outubro (Av.) ... Y 44
14 de Julho (Pr.) ... Y

Amieiro 17 ... 28 I7
Amonde 16 ... 26 G3
Amor 10 ... 52 M3
Amora 15 ... 64 Q2
Amoreira 08 ... 89 T6
Amoreira 09 ... 42 K8
Amoreira 10 ... 52 N2
Amoreira 14 ... 53 N5
Amoreira (Aqueduto da) 12 ... 66 P8
Amoreira da Gândara 01 ... 40 K4
Amoreiras 02 ... 77 S4
Amoreirinha 12 ... 66 P8
Amorim 13 ... 26 H3
Amorosa 16 ... 26 H3
Anadia 01 ... 40 K4
Ançã 06 ... 40 L4
Ancas 01 ... 40 K4
Âncora 16 ... 26 G3
Andam 10 ... 52 N3
Andorinha 06 ... 40 L4
Andrães 17 ... 27 I6
Andreus 14 ... 53 N5
Anelhe 17 ... 27 G7
Angeja 01 ... 40 J4
Angra do Heroísmo 20 ... 107 H14
Angueira 04 ... 29 H10
Angueira (Rio) ... 29 H10
Anhões 16 ... 12 G4
Anissó 03 ... 27 H5
Anjos 41 ... 107 L20
Anobra 06 ... 53 L4
Anreade 18 ... 41 I6
Ansiães 04 ... 28 I8
Ansião 10 ... 53 M4
Antanhol 06 ... 53 L4
Antas *perto de Fornos de Algodres* 18 ... 41 K7
Antas *perto de Penedono* 18 ... 42 J7
Apostiça 15 ... 64 Q2
Apúlia 03 ... 26 H3
Arada 01 ... 40 J4
Arada (Serra da) ... 41 J5
Aradas 01 ... 40 K4
Arade (Barragem de) 08 ... 89 U4
Arades (Ribeira de) 05 ... 55 M9
Aranhas 05 ... 54 L8
Aravil (Ribiera do) 05 ... 54 M8
Arazede 06 ... 40 L4
Arca 18 ... 41 K5
Arcas 04 ... 28 H8
Arcas 18 ... 41 J6
Arco da Calheta 31 ... 88 AY
Arco de Baulhe 03 ... 27 H6
Arco de São Jorge 31 ... 88 BY
Arcos 07 ... 66 P7
Arcos 17 ... 27 G6
Arcos 18 ... 41 I7
Arcos de Valdevez 16 ... 27 G4
Arcossó 17 ... 27 H7
Arcozelo 09 ... 41 K7
Arcozelo das Maias 18 ... 41 J5
Arcozelos 18 ... 41 J7
Arda 01 ... 41 J5
Ardãos 17 ... 27 G7
Ardila ... 78 R7
Arega 10 ... 53 M5
Areia 12 ... 53 N6
Areia de Baixo 14 ... 53 N5
Areias 14 ... 53 M4
Areias de Vilar 03 ... 26 H4
Arelho 10 ... 52 N2
Areosa 16 ... 26 G3
Arez 12 ... 54 N6
Arga (Serra de) 16 ... 26 G3
Arganil 06 ... 41 L5
Arganil 14 ... 53 M6
Argemil 17 ... 28 H7
Argomil 09 ... 42 K8
Argozelo 04 ... 28 H10
Aricera 18 ... 41 I7
Arieiro 31 ... 64 Q2
Arieiro *Pico* 15 ... 88 BY
Ariz 18 ... 41 J7
Armação de Pêra 08 ... 89 U4
Armada 17 ... 27 G6
Armadouro 06 ... 54 L6
Armamar 18 ... 41 I6
Armil 03 ... 27 H5
Armona 08 ... 89 U6
Armona (Ilha de) 08 ... 89 U6
Arnas 18 ... 41 J7
Arneiro 12 ... 54 N6
Arneiro 14 ... 53 M4
Arneiro das Milhariças 14 ... 53 N3
Arnel (Ponta do) 20 ... 107 J20
Arnoso 03 ... 26 H4
Arões 01 ... 41 J5
Arões 03 ... 27 H5
Arosa 03 ... 27 H5
Arouca 01 ... 41 J5
Arrabal 10 ... 53 M3
Arrábida (Parque Natural da) 15 ... 65 Q3
Arrábida (Serra da) 15 ... 64 Q2
Arraiolos 07 ... 65 P6
Arranhó 11 ... 64 P2
Arreciadas 14 ... 53 N5
Arrentela 15 ... 64 Q2
Arrepiado 14 ... 53 N4
Arrifana 01 ... 40 J4
Arrifana 06 ... 41 L5
Arrifana 08 ... 88 U3
Arrifana 08 ... 88 U3
Arrifana 09 ... 42 K8
Arrifes 20 ... 107 J18
Arronches 12 ... 66 O8
Arrouquelas 14 ... 64 O3
Arruda dos Pisões 14 ... 52 O3
Arruda dos Vinhos 11 ... 64 P2
Arunca ... 53 M4
Árvore 13 ... 26 H3
Arzila 06 ... 53 L4
Assafarge 06 ... 53 L4
Assafora 11 ... 64 P1
Asseca 14 ... 52 O3
Asseca (Ribeira de) ... 66 P7
Asseiceira *perto de Rio Maior* 14 ... 52 O3
Asseiceira *perto de Tomar* 14 ... 53 N4
Assentiz 14 ... 53 N4
Assentiz *perto de Rio Maior* 14 ... 64 O3
Assumar 12 ... 66 O7
Assureira 17 ... 27 G6
Atalaia 05 ... 54 M7
Atalaia 07 ... 77 Q6
Atalaia 09 ... 42 K8
Atalaia 11 ... 64 O2
Atalaia 12 ... 54 N6
Atalaia 14 ... 53 N4
Atalaia 15 ... 64 P3
Atalaia (Monte) 08 ... 88 U3
Atalaia (Monte) 15 ... 76 R4
Atalaia (Ponta da) *perto de Aljezur* 08 ... 88 U3
Atalaia do Campo 05 ... 54 L7
Atei 17 ... 27 H6
Atenor 04 ... 29 H10
Atouguia da Baleia 10 ... 52 N2
Avanca 01 ... 40 J4
Avantos 04 ... 28 H8
Ave ... 27 H5
Aveiras de Baixo 11 ... 64 O3
Aveiras de Cima 11 ... 64 O3
Aveiro 01 ... 40 K4
Aveiro (Ria de) 01 ... 40 J3
Avelanoso 04 ... 29 H10
Avelar 10 ... 53 M4
Avelãs da Ribeira 09 ... 42 J8
Avelãs de Caminho 01 ... 40 K4
Avelãs de Cima 01 ... 40 K4
Aveleda 04 ... 28 G9
Aveledas 17 ... 28 G7
Aveloso 09 ... 42 J8
Avenal 10 ... 52 N2
Aves 13 ... 26 H4
Avessadas 13 ... 27 I5
Avidagos 04 ... 28 H8
Avidos 03 ... 26 H4
Avintes 13 ... 26 I4
Avis 12 ... 65 O6
Avô 06 ... 41 L6
Azambuja 11 ... 64 O3
Azambuja (Ribeira da) 07 ... 65 Q6
Azambuja (Vala da) ... 65 O3
Azambujeira 14 ... 65 O3
Azaruja 07 ... 66 P6
Azeitada 14 ... 65 O3
Azenha 06 ... 53 L3
Azenhas do Mar 11 ... 64 P1
Azere 06 ... 41 K5
Azervadinha 14 ... 65 P4
Azevedo 16 ... 26 G3
Azevel 07 ... 66 Q7
Azevo 09 ... 42 J8
Azias 16 ... 27 G4
Azibo 04 ... 28 H9
Azibo (Barragem do) 04 ... 28 H9
Azinhaga 14 ... 53 N4
Azinhal 02 ... 77 S6
Azinhal 08 ... 90 U7
Azinheira 14 ... 52 O3
Azinheira dos Barros 15 ... 77 R4
Azinheiro 08 ... 89 U6
Azinhoso 04 ... 28 H9
Azoia 10 ... 53 M3
Azóia 15 ... 64 Q2
Azóia de Baixo 14 ... 53 O3
Azóia de Cima 14 ... 53 N3
Azul (Lagoa) 20 ... 107 J18
Azurara 13 ... 26 H3

## B

Babe 04 ... 28 G10
Baçal 04 ... 28 G9
Bacalhoa (Quinta da) 15 ... 65 Q3
Badamalos 09 ... 42 K9
Bagueixe 04 ... 28 H9
Baião 13 ... 27 I5
Bairrada 05 ... 53 M6
Bairro 14 ... 53 N4
Baixa da Banheira 15 ... 64 Q2
Baixo ou da Cal (Ilhéu de) 32 ... 89 CX
Balancho 07 ... 66 Q7
Balazar 13 ... 26 H4
Baldos 18 ... 41 J7
Baleal 10 ... 52 N1
Baleizão 02 ... 77 R6
Balsa 17 ... 27 H7
Balsemão 04 ... 28 H9
Balugães 03 ... 26 H4
Balurco 08 ... 90 T7
Balurcos 08 ... 90 T7
Bandeiras 20 ... 107 H10
Bando dos Santos 14 ... 53 N6
Baraçal 09 ... 42 J8
Barão de São João 08 ... 88 U3
Barão de São Miguel 08 ... 88 U3
Barbacena 12 ... 66 P8
Barbaído 05 ... 54 M7
Barca (Ponta da) 20 ... 107 F11
Barca de Alva 09 ... 42 I9
Barcarena 11 ... 64 P2
Barcel 04 ... 28 H8
Barcelinhos 03 ... 26 H4
Barcelos 03 ... 26 H4
Barco 05 ... 54 L7
Barcos 18 ... 41 I7
Barcouço 01 ... 40 L4
Bardeiras 07 ... 65 P6
Barosa 10 ... 52 M3
Barqueiro 10 ... 53 M4
Barqueiros 03 ... 26 H3
Barra de Mira 06 ... 40 K3
Barracão 10 ... 53 M3
Barrada 07 ... 66 Q7
Barrada 08 ... 89 T6
Barrada 14 ... 53 N5
Barrancão 15 ... 65 Q4
Barranco 02 ... 89 T6
Barranco Velho 08 ... 89 U6
Barrancos 02 ... 78 R9
Barreira 09 ... 42 J8
Barreira 10 ... 53 M3
Barreiras 12 ... 65 O5
Barreiro 10 ... 53 M4
Barreiro 15 ... 64 Q2
Barreiros 10 ... 52 M3
Barreiros 18 ... 41 J6
Barreta (Ilha da) 08 ... 90 V6
Barril 11 ... 64 O1
Bárrio 16 ... 26 G4
Barrô 18 ... 27 I6
Barro Branco 07 ... 66 P7
Barroca 05 ... 54 L6
Barrocal 07 ... 66 Q7
Barrocal do Douro 04 ... 29 H11
Barrocaria 14 ... 53 M4
Barroças e Taias 16 ... 12 F4
Barrosa 14 ... 65 P3
Barrosa 20 ... 107 J19
Barroselas 16 ... 26 H3
Barrosinha 15 ... 77 Q4
Barroso (Serra do) 17 ... 27 H6
Barrossas 13 ... 27 I5
Barulho 12 ... 66 O8
Batalha 10 ... 53 N3
Batocas 09 ... 42 K9
Bebedouro 06 ... 40 L3
Beberriqueira 14 ... 53 N4
Beça 17 ... 27 G6
Beça (Rio) 17 ... 27 H6
Beijós 18 ... 41 K6
Beirã 12 ... 54 N7
Beira *São Jorge* 20 ... 107 G11
Beja 02 ... 77 R6
Belas 11 ... 64 P2
Belazaima 01 ... 40 K4
Belém 11 ... 64 P2
Beliche 08 ... 90 U7
Beliche (Barragem de) 08 ... 90 U7
Belide 06 ... 53 L4
Belinho 03 ... 26 H3
Belmeque 02 ... 78 R7
Belmonte 05 ... 42 K7
Belo 02 ... 77 T6
Belver 12 ... 53 N6
Belver (Barragem de) 12 ... 53 N6
Bemposta 04 ... 29 I10
Bemposta 05 ... 54 L8
Bemposta 14 ... 53 N5
Bemposta (Barragem de) 04 ... 29 I10
Benafim 08 ... 89 U5
Benavente 14 ... 64 P3
Benavila 12 ... 66 O6
Bencatel 07 ... 66 P7
Bendada 09 ... 42 K8
Benedita 10 ... 52 N3
Benespera 09 ... 42 K8
Benfeita 06 ... 41 L6
Benfica do Ribatejo 14 ... 65 O3
Benquerença 05 ... 54 L8
Benquerenças 05 ... 54 M7
Bens 02 ... 78 T7
Bensafrim 08 ... 88 U3
Beringel 02 ... 77 R6
Berlenga 10 ... 52 N1
Beselga 14 ... 53 N4
Besteiros 04 ... 28 I8
Besteiros 08 ... 89 U6
Bicada 02 ... 77 T6
Bicas 14 ... 53 N5
Bico 01 ... 40 J4
Bico 16 ... 26 G4
Bicos 02 ... 77 S4
Bigas 18 ... 41 J6
Bigorne 18 ... 41 I6
Bigorne (Serra de) 18 ... 41 J6
Bilhó 17 ... 27 H6
Biscoitos 02 ... 107 G14
Bismula 09 ... 42 K9
Bitarães 13 ... 27 I5
Bizarril 09 ... 42 J8
Boa Aldeia 18 ... 41 K5
Boa Ventura 31 ... 88 BY
Boa Viagem 06 ... 40 L3
Boa Vista 10 ... 53 M3
Boa Vista (Miradouro da) 18 ... 27 I6
Boalhosa 16 ... 26 G4
Boavista do Paiol 15 ... 76 S3
Boavista dos Pinheiros 02 ... 76 T4
Bobadela 06 ... 41 K6
Bobadela 17 ... 27 G7
Bobadela *perto de Águas Frias* 17 ... 28 G8
Boca do Inferno 11 ... 64 P1
Boco 01 ... 40 K4
Bodiosa 18 ... 41 J6
Boelhe 13 ... 27 I5
Bogalhal 09 ... 42 J8
Bogas de Baixo 05 ... 54 L6
Bogas de Cima 05 ... 54 L6
Boialvo 01 ... 40 K4
Boiças 14 ... 52 O3
Boivão 16 ... 12 F4
Boleiros 14 ... 53 N4
Bolfiar 01 ... 40 K4
Boliqueime 08 ... 89 U5
Bom Jesus do Monte 03 ... 27 H4
Bombarral 10 ... 52 O2
Bombel ... 65 P4
Bombel (Estação de) 07 ... 65 P4
Borba 07 ... 66 P7
Borba da Montanha 03 ... 27 H5
Borbela 17 ... 27 I6
Bordeira 08 ... 88 U3
Bornes 04 ... 28 H8
Borralha 01 ... 40 K4
Borralha 17 ... 27 H6
Borralhal 18 ... 41 K5
Botão 06 ... 40 L4
Boticas 17 ... 27 G7
Bouça 04 ... 28 H8
Bouçã (Barragem da) ... 53 M5
Bouças 15 ... 76 R4
Bouceguedim 01 ... 41 J5
Bouceiros 10 ... 53 N3
Bouçoães 17 ... 28 G8
Bouro 03 ... 27 H5
Boxinos 05 ... 54 L6
Bracial 15 ... 76 S3
Braga 03 ... 26 H4
Bragadas 17 ... 27 H6
Bragado 17 ... 27 H7
Bragança 04 ... 28 G9
Branca 14 ... 65 P4
Brasfemes 06 ... 40 L4
Bravães 16 ... 26 G4
Bravo 05 ... 53 M5
Bravura (Barragem da) 08 ... 88 U3
Brejão 02 ... 76 T3
Brejeira (Serra da) 02 ... 88 T4
Brejo 15 ... 77 R4
Brenha 06 ... 40 L3
Brenhas 02 ... 78 R7
Bretanha 20 ... 107 J18
Bretanha (Ponta da) 20 ... 107 J18
Brinches 02 ... 78 R7
Brinço 04 ... 28 H8
Briteiros 03 ... 27 H5
Britelo 16 ... 27 G5
Britiande 18 ... 41 I6
Brito 03 ... 27 H4
Brogueira 14 ... 53 N4
Brotas 07 ... 65 P5
Bruçó 04 ... 28 I9
Brufe 03 ... 27 G5
Brunheda 04 ... 28 I7
Brunheira 15 ... 77 R4
Brunheiras 02 ... 76 S3
Brunhós 06 ... 53 L3
Brunhosinho 04 ... 29 H10
Brunhoso 04 ... 28 H9
Buarcos 06 ... 40 L3
Buarcos (Monte) 06 ... 40 L3
Buçaco 01 ... 40 K4
Bucelas 11 ... 64 P2
Bucos 03 ... 27 H5
Budens 08 ... 88 U3
Bugio 15 ... 64 Q2
Bugios 05 ... 54 M6
Bunheira 08 ... 88 T3
Bunheiro 01 ... 40 J4
Burga 04 ... 28 H8
Burgau 08 ... 88 U3
Burgo 01 ... 41 J5
Burinhosa 10 ... 52 M3
Bustelo 17 ... 28 G7
Bustelo 18 ... 41 I5
Bustos 01 ... 40 K4

## C

Cabaços 10 ... 53 M4
Cabaços 16 ... 26 G4
Cabaços 18 ... 41 I7
Cabana Maior 16 ... 27 G4
Cabanas 08 ... 90 U7
Cabanas 18 ... 41 K6
Cabanas de Torres 11 ... 64 O2
Cabanões 18 ... 41 K6
Cabeça 09 ... 41 L6
Cabeça Alta 09 ... 41 K7
Cabeça Boa 04 ... 28 I8
Cabeça da Velha 09 ... 41 K6
Cabeça das Pombas 10 ... 53 N3
Cabeça de Carneiro 07 ... 66 Q7
Cabeça do Velho 09 ... 41 K7
Cabeça Gorda 02 ... 77 S6
Cabeção 07 ... 65 P5
Cabeças 10 ... 53 M5
Cabeceiras de Basto 03 ... 27 H6
Cabeço 06 ... 40 K3
Cabeço Alto 05 ... 55 M8
Cabeço Alto 17 ... 27 G6
Cabeço da Neve 18 ... 41 K5
Cabeço de Vide 12 ... 66 O7
Cabeçudo 05 ... 53 M5
Cabouco 20 ... 107 J19
Cabração 16 ... 26 G4
Cabras (Ribeira das) ... 42 K8
Cabreira 06 ... 53 L5
Cabreira (Serra da) 03 ... 27 H5
Cabreiro 16 ... 27 G4
Cabreiro (Monte) 17 ... 27 H7
Cabrela 07 ... 65 Q4
Cabril 06 ... 54 L6
Cabril 17 ... 27 G5
Cabril 18 ... 41 J5
Cabril (Barragem do) ... 53 M5
Caçarelhos 04 ... 29 H10
Caçarilhe 03 ... 27 H5
Cacela Velha 08 ... 90 U7
Cachão 04 ... 28 H8
Cachopo 08 ... 89 U6
Cachorro 20 ... 107 H10
Cacia 01 ... 40 J4
Cacilhas 15 ... 64 P2
Cadafais 11 ... 64 O2
Cadafaz 06 ... 53 L5
Cadafaz 12 ... 53 N6
Cadaval 11 ... 64 O2
Cadima 06 ... 40 L4
Cadraço 18 ... 41 K5
Caeirinha 15 ... 65 Q5
Caeiro 02 ... 88 T4
Cafede 05 ... 54 M7
Caia (Barragem do) 12 ... 66 P8
Caia e São Pedro 12 ... 66 P8
Caiada 02 ... 77 T6
Caíde de Rei 13 ... 27 I5
Caima 01 ... 40 J4
Caixeiro 12 ... 66 P7
Caldas da Cavaca 09 ... 41 J7
Caldas da Felgueira 18 ... 41 K6
Caldas da Rainha 10 ... 52 N2
Caldas das Taipas 03 ... 27 H4
Caldas de Aregos 18 ... 41 I5
Caldas de Manteigas 09 ... 41 K7
Caldas de Monchique 08 ... 88 U4
Caldas de Vizela 03 ... 27 H5
Calde 18 ... 41 J6
Caldeira *Faial* 20 ... 107 H9
Caldeira *São Miguel* 20 ... 107 J20
Caldeira *Terceira* 20 ... 107 G14
Caldeirão 20 ... 107 D2
Caldeirão (Serra do) ... 89 T5
Caldeiras 20 ... 107 J19
Caldelas 03 ... 27 G4
Calhariz 15 ... 64 Q2
Calheiros 16 ... 26 G4
Calheta 31 ... 88 AY
Calheta de Nesquim 20 ... 107 H11
Calhetas 20 ... 107 J19
Caloura 20 ... 107 J19
Calvão 01 ... 40 K3
Calvão 17 ... 27 G7
Calvaria de Cima 10 ... 52 N3
Calvelhe 04 ... 28 H9
Calvos 03 ... 27 H5
Camacha 31 ... 88 BY
Camacha 32 ... 89 CX
Camachos 02 ... 76 T4
Câmara de Lobos 31 ... 88 BZ
Cambas 05 ... 54 L6
Cambra 18 ... 41 J5
Cambres 18 ... 27 I6
Caminha 16 ... 26 G3
Campanário 31 ... 88 AY
Campelo 10 ... 53 L5
Campelos 11 ... 64 O2
Campilhas (Barragem de) 15 ... 76 S4
Campilhas (Ribeira de) ... 77 S4
Campinho 07 ... 78 Q7
Campo 18 ... 41 J6
Campo *perto de Roriz* 13 ... 27 H4
Campo *perto de Valongo* 13 ... 26 I4
Campo de Besteiros 18 ... 41 K5
Campo de Cima 32 ... 89 CX
Campo de Víboras 04 ... 29 H10
Campo do Gerês 03 ... 27 G5
Campo Maior 12 ... 66 O8
Campo Redondo 02 ... 76 S4
Campos 16 ... 26 G3
Campos 17 ... 27 H6
Camposa 13 ... 26 I4
Canadelo 13 ... 27 I6
Canal-Caveira (Estação) 15 ... 77 R4
Canas de Santa Maria 18 ... 41 K5
Canas de Senhorim 18 ... 41 K6
Canaveses 17 ... 28 H7
Canaviais 07 ... 65 Q6
Candal 06 ... 53 L5
Candal 10 ... 53 M4
Candedo 17 ... 28 H7
Candeeiros (Serra dos) 10 ... 53 N3
Candelária 20 ... 107 J18
Candelária 20 ... 107 H10
Candemil 13 ... 27 I6
Candemil 16 ... 26 G3
Candosa 06 ... 41 K6
Caneças 11 ... 64 P2

## BRAGA

| | | |
|---|---|---|
| Abade Loureira (R.) | Y | 3 |
| Biscainhos (R. dos) | Y | 4 |
| Caetano Brandão (R.) | Y | 6 |
| Capelistas (R. dos) | Y | 7 |
| Carmo (R. do) | Y | 9 |
| Central (Av.) | Y | 10 |
| Chãos (R. dos) | Y | 12 |
| Conde de Agrolongo (Pr.) | Y | 13 |
| Dom Afonso Henriques (R.) | Z | 15 |
| Dom Diogo de Sousa (R.) | YZ | 16 |
| Dom Gonç. Pereira (R.) | Z | 18 |
| Dom Paio Mendes (R.) | Z | 19 |
| Dr Gonçalo Sampaio (R.) | Z | 21 |
| Franc. Sanches (R.) | Z | 22 |
| General Norton de Matos (Av.) | Y | 24 |
| Nespereira (Av.) | Y | 25 |
| São João do Souto (Pr.) | Z | 27 |
| São Marcos (R.) | YZ | 28 |
| São Martinho (R. de) | Z | 30 |
| São Tiago (Largo de) | Z | 31 |
| Souto (R. do) | YZ | 33 |

**Map labels:** PONTE DE LIMA CALDELAS — CHAVES — CALDELAS, N 101 — R. F. Castiço — AV. T. A. — Macedo — R. da Feira — Pr. do Comércio — R. G. P. de Castro — R. S. Vicente — R. Consº Januário — R. Dr D. Soares — R. B. Miguel — R. de Santa Margarida — R. de S. Domingos — R. de S. Marcos — R. de S. Víctor — Pr. Mousinho de Albuquerque — L. da S. a-Branca — Rua da Boavista — JARDIM DE STª BÁRBARA — TÚNEL — TORRE — GNR — M — R. A. Corvo — Campo das Hortas — SÉ — C — i — T — R. Nova da Estação — R. de S. Geraldo — R. do Anjo — POL — G — U — Imaculada Conceição — Rua do Fujacal — R. Monsenhor Airosa — Av. Conde D. Henrique — Avenida da Liberdade — R. do Conselheiro Lobato — Rua do Raio — Avenida João XXI de Janeiro — R. André Soares — Rua dos Barbosas — R. Stº Adrião — L. S. João da Ponte — PARQUE DA PONTE — GUIMARÃES, N 101 — N 103 — VIANA DO CASTELO — A 3 PORTO / A 11 BARCELOS — R. do Caires — Pr. do Condestável — N 14 — ESTE — Bom Jesus do Monte — Monte Sameiro N 309

| | | | |
|---|---|---|---|
| Canedo 01 | 40 | I 4 |
| Canedo de Basto 03 | 27 | H 6 |
| Caneiro 14 | 53 | N 4 |
| Canelas 01 | 41 | J 5 |
| Canha 15 | 65 | P 4 |
| Canha (Ribeira de) | 65 | P 4 |
| Canhas 31 | 88 | A Y |
| Canhestros 02 | 77 | R 5 |
| Caniçada 03 | 27 | H 5 |
| Caniçada (Barragem de) 03 | 27 | H 5 |
| Caniçal 31 | 88 | B Y |
| Caniceira 06 | 40 | K 3 |
| Caniço 31 | 88 | B Z |
| Canidelo 13 | 26 | I 4 |
| Cano 12 | 66 | P 6 |
| Cantanhede 06 | 40 | K 4 |
| Cantanhede (Dunas de) 06 | 40 | K 3 |
| Canto 10 | 53 | M 3 |
| Caparica 14 | 64 | Q 2 |
| Caparrosa 18 | 41 | K 5 |
| Capela 12 | 66 | O 7 |
| Capela 13 | 27 | I 4 |
| Capela 14 | 53 | N 6 |
| Capelas 20 | 107 | J 18 |
| Capelinhos 20 | 107 | H 9 |
| Capelins 07 | 66 | Q 7 |
| Capelo 20 | 107 | H 9 |
| Capeludos 17 | 27 | H 6 |
| Capinha 05 | 54 | L 7 |
| Caramulinho 18 | 41 | K 5 |
| Caramulo 18 | 41 | K 5 |
| Caramulo (Serra do) 18 | 41 | K 5 |
| Caranguejeira 10 | 53 | M 3 |

| | | | |
|---|---|---|---|
| Carapacho 20 | 107 | F 12 |
| Carapeços 03 | 26 | H 4 |
| Carapetosa 05 | 54 | M 7 |
| Carapinha (Serra da) 08 | 89 | T 4 |
| Carapinheira 06 | 40 | L 4 |
| Carapito 09 | 41 | J 7 |
| Caratão 06 | 53 | L 5 |
| Caravelas 04 | 28 | H 8 |
| Carção 04 | 28 | H 10 |
| Carcavelos 11 | 64 | P 1 |
| Cardanha 18 | 28 | I 8 |
| Cardigos 14 | 53 | M 5 |
| Cardosa 03 | 54 | M 7 |
| Caria 05 | 42 | L 7 |
| Caria 18 | 41 | J 7 |
| Caria (Ribeira de) 05 | 42 | L 7 |
| Caridade 07 | 66 | Q 7 |
| Carlão 17 | 28 | I 7 |
| Carmões 11 | 64 | O 2 |
| Carnaxide 11 | 64 | P 2 |
| Carneiro 13 | 27 | I 6 |
| Carnicães 09 | 42 | J 8 |
| Carnide 06 | 53 | M 3 |
| Carnide (Rio de) 06 | 53 | M 3 |
| Carnota 11 | 64 | O 2 |
| Carqueijo 01 | 40 | L 4 |
| Cárquere 18 | 41 | I 6 |
| Carragosa 04 | 28 | G 9 |
| Carralcova 04 | 13 | F 4 |
| Carrapatas 04 | 28 | H 9 |
| Carrapateira 08 | 88 | U 3 |
| Carrapatelo 07 | 66 | O 7 |
| Carrapatelo (Barragem de) 13 | 41 | I 5 |

| | | | |
|---|---|---|---|
| Carrapichana 09 | 41 | K 7 |
| Carrascais 15 | 77 | R 5 |
| Carrascal 14 | 54 | N 6 |
| Carrazeda de Ansiães 04 | 28 | I 8 |
| Carrazede 04 | 53 | N 4 |
| Carrazedo 04 | 28 | G 9 |
| Carrazedo de Montenegro 17 | 28 | H 7 |
| Carreço 16 | 26 | G 3 |
| Carregado 11 | 64 | O 3 |
| Carregal 18 | 41 | J 7 |
| Carregal do Sal 18 | 41 | K 6 |
| Carregosa 01 | 41 | I 5 |
| Carregueira 14 | 53 | N 4 |
| Carregueiros 14 | 53 | N 4 |
| Carreiras 12 | 54 | N 7 |
| Carreiras (Ribeira de) 02 | 89 | T 6 |
| Carriço 10 | 53 | M 3 |
| Carril 18 | 41 | I 5 |
| Carroqueiro 05 | 54 | L 8 |
| Carros 02 | 77 | T 6 |
| Cartaxo 14 | 64 | O 3 |
| Carva 17 | 27 | H 7 |
| Carvalha 18 | 41 | J 6 |
| Carvalhais 04 | 28 | H 8 |
| Carvalhais 06 | 53 | L 3 |
| Carvalhais 17 | 27 | G 6 |
| Carvalhais 18 | 41 | J 6 |
| Carvalhais (Rio de) 04 | 28 | H 8 |
| Carvalhal 02 | 76 | T 3 |
| Carvalhal 06 | 53 | L 5 |
| Carvalhal 10 | 52 | O 2 |
| Carvalhal 14 | 53 | N 5 |

| | | | |
|---|---|---|---|
| Carvalhal 15 | 76 | R 3 |
| Carvalhal perto de Belmonte 05 | 42 | L 8 |
| Carvalhal perto de Castro Daire 18 | 41 | J 6 |
| Carvalhal perto de Guarda 09 | 42 | K 8 |
| Carvalhal perto de Mêda 09 | 42 | J 8 |
| Carvalhal perto de Sertã 05 | 53 | M 5 |
| Carvalhal perto de Viseu 18 | 41 | J 6 |
| Carvalhal Benfeito 10 | 52 | N 2 |
| Carvalhal de Vermilhas 18 | 41 | K 5 |
| Carvalhal do Estanho 18 | 41 | K 5 |
| Carvalhal Redondo 18 | 41 | K 6 |
| Carvalhelhos 17 | 27 | G 6 |
| Carvalho 03 | 27 | H 5 |
| Carvalho 06 | 40 | L 5 |
| Carvalho de Egas 04 | 28 | I 8 |
| Carvalhos 13 | 40 | I 4 |
| Carvalhosa 13 | 27 | I 4 |
| Carvalhoso 04 | 28 | I 9 |
| Carvão 20 | 107 | J 18 |
| Carvas 17 | 27 | H 7 |
| Carvela 17 | 28 | G 7 |
| Carviçais 04 | 28 | I 9 |
| Carvoeira perto de Mafra 11 | 64 | P 1 |
| Carvoeira perto de Torres Vedras 11 | 64 | O 2 |
| Carvoeiro 09 | 89 | U 4 |

| | | | |
|---|---|---|---|
| Carvoeiro 14 | 54 | N 6 |
| Carvoeiro (Cabo) 08 | 89 | U 4 |
| Carvoeiro (Cabo) 10 | 52 | N 1 |
| Casa Branca 07 | 65 | Q 5 |
| Casa Branca 12 | 66 | P 6 |
| Casa Branca 15 | 77 | R 3 |
| Casa Branca 15 | 77 | R 4 |
| Casa Nova 15 | 76 | S 4 |
| Casais 08 | 88 | U 4 |
| Casais 14 | 53 | N 4 |
| Casais do Chafariz 10 | 52 | O 2 |
| Casal Comba 01 | 40 | K 4 |
| Casal de Cinza 09 | 42 | K 8 |
| Casal de Ermio 06 | 53 | L 5 |
| Casal dos Bernardos 14 | 53 | M 4 |
| Casal Novo 06 | 53 | L 5 |
| Casal Novo 10 | 53 | M 3 |
| Casal Velho 10 | 52 | N 2 |
| Casalinho 14 | 65 | O 4 |
| Casas 08 | 89 | U 5 |
| Casas de Fonte Cova 10 | 53 | M 3 |
| Casas Louras 14 | 53 | N 5 |
| Casas Novas 12 | 66 | P 8 |
| Cascais 11 | 64 | P 1 |
| Cascalho 06 | 53 | L 5 |
| Casebres 15 | 65 | Q 4 |
| Casegas 05 | 54 | L 6 |
| Casével 02 | 77 | S 5 |
| Casével 14 | 53 | N 4 |
| Castainço 18 | 41 | J 7 |
| Castanheira 04 | 28 | H 10 |
| Castanheira 09 | 42 | K 8 |
| Castanheira 17 | 27 | G 6 |
| Castanheira perto de Trancoso 09 | 42 | J 7 |
| Castanheira de Pêra 10 | 53 | L 5 |
| Castanheira do Ribatejo 11 | 64 | P 3 |
| Castanheira do Vouga 01 | 40 | K 4 |
| Castanheiro 06 | 40 | L 3 |
| Castanheiro do Sul 18 | 41 | I 7 |
| Castedo 04 | 28 | I 8 |
| Castedo 17 | 27 | I 7 |
| Casteição 09 | 42 | J 8 |
| Castelãos 04 | 28 | H 9 |
| Casteleiro 09 | 42 | L 8 |
| Castelejo 05 | 54 | L 7 |
| Castelhanas 10 | 53 | M 3 |
| Castelhanos 08 | 89 | T 6 |
| Castelo 06 | 53 | M 5 |
| Castelo 14 | 53 | N 5 |
| Castelo 18 | 41 | I 7 |
| Castelo (Pico do) 32 | 89 | D X |
| Castelo (Ponta do) 08 | 89 | U 5 |
| Castelo (Ponta do) 20 | 107 | M 20 |
| Castelo Bom 09 | 42 | K 9 |
| Castelo Branco 04 | 28 | I 9 |
| Castelo Branco 05 | 54 | M 7 |
| Castelo Branco 20 | 107 | H 9 |
| Castelo de Bode (Barragem do) 14 | 53 | N 5 |
| Castelo de Maia 13 | 26 | I 4 |
| Castelo de Paiva 01 | 41 | I 5 |
| Castelo de Vide 12 | 54 | N 7 |
| Castelo do Neiva 16 | 26 | H 3 |
| Castelo Melhor 09 | 42 | I 8 |
| Castelo Mendo 09 | 42 | K 9 |
| Castelo Novo 05 | 42 | K 8 |
| Castelo Rodrigo 09 | 42 | J 9 |
| Castelões 01 | 40 | J 4 |
| Castrelos 04 | 28 | G 9 |
| Castro Daire 18 | 41 | J 6 |
| Castro de Avelãs 04 | 28 | G 9 |
| Castro Laboreiro 16 | 13 | F 5 |
| Castro Marim 08 | 90 | U 7 |
| Castro Verde 02 | 77 | S 5 |
| Castro Verde-Almodôvar (Estação) 02 | 77 | S 5 |
| Castro Vicente 04 | 28 | H 9 |
| Catalão 07 | 65 | Q 4 |
| Cativelos 09 | 41 | K 6 |
| Catrão 05 | 54 | L 7 |
| Cava 05 | 53 | M 5 |
| Cavadoude 09 | 42 | K 8 |
| Cavaleiro 02 | 76 | T 3 |
| Cavalinhos 10 | 52 | M 3 |
| Caveira (Ponta da) 20 | 107 | E 2 |
| Cavernães 18 | 41 | J 6 |
| Cavês 03 | 27 | H 6 |
| Caxarias 11 | 53 | M 4 |
| Caxias 11 | 64 | P 2 |
| Cebolais de Baixo 05 | 54 | M 7 |
| Cebolais de Cima 05 | 54 | M 7 |
| Cedães 04 | 28 | H 8 |
| Cedillo (Barragem de) | 54 | N 7 |

| | | | |
|---|---|---|---|
| Cedovim 09 | 42 | I 8 |
| Cedrim 01 | 40 | J 4 |
| Cedros 20 | 107 | H 9 |
| Cegonhas Novas 05 | 54 | M 8 |
| Ceira 06 | 53 | L 4 |
| Ceira (Rio) | 53 | L 4 |
| Ceivães 16 | 13 | F 4 |
| Cela 10 | 52 | N 2 |
| Cela Velha 10 | 52 | N 2 |
| Celas 04 | 28 | G 9 |
| Celavisa 06 | 53 | L 5 |
| Celeirós 03 | 26 | H 4 |
| Celeirós 17 | 27 | I 7 |
| Celorico da Beira 09 | 42 | K 7 |
| Celorico de Basto 03 | 27 | H 6 |
| Centum Cellas 05 | 42 | K 8 |
| Cepães 03 | 27 | H 5 |
| Cepões 01 | 40 | J 4 |
| Cepões 18 | 41 | J 6 |
| Cepos 06 | 53 | L 6 |
| Cerca (Ribeira da) 08 | 88 | U 3 |
| Cercal 10 | 53 | M 5 |
| Cercal 11 | 64 | O 2 |
| Cercal 15 | 76 | S 3 |
| Cercal (Serra do) 02 | 76 | S 3 |
| Cercio 04 | 29 | H 11 |
| Cerdal 16 | 12 | G 4 |
| Cerdeira 09 | 42 | K 8 |
| Cerdeira 14 | 41 | L 6 |
| Cerdeirinhas 03 | 27 | H 5 |
| Cerejais 04 | 28 | I 9 |
| Cernache 06 | 53 | L 4 |
| Cernache de Bonjardim 05 | 53 | M 5 |
| Cerro perto de Alte 08 | 89 | U 5 |
| Cerro perto de Loulé 08 | 89 | U 5 |
| Cerro da Vila 08 | 89 | U 5 |
| Cerros 20 | 78 | Q 7 |
| Cerva 17 | 27 | H 6 |
| Cervães 03 | 26 | H 4 |
| Cervos 17 | 27 | G 6 |
| Cete 13 | 27 | I 4 |
| Cetóbriga (Ruínas Romanas de) 15 | 64 | Q 3 |
| Cevadais 12 | 66 | O 8 |
| Chã 17 | 27 | I 7 |
| Chacim 03 | 27 | H 6 |
| Chacim 04 | 28 | H 9 |
| Chamusca 14 | 53 | N 4 |
| Chança 12 | 66 | O 6 |
| Chança (Estação de) 12 | 66 | O 6 |
| Chança (Rio) | 78 | S 7 |
| Chancelaria 14 | 53 | N 4 |
| Chão da Parada 10 | 52 | N 2 |
| Chão da Vã 05 | 54 | M 7 |
| Chão da Velha 12 | 54 | N 6 |
| Chão das Servas 05 | 54 | M 6 |
| Chão de Codes 14 | 53 | N 5 |
| Chão de Couce 10 | 53 | M 4 |
| Chão de Lopes 14 | 53 | N 5 |
| Chãos 14 | 53 | M 4 |
| Charneca 02 | 78 | S 7 |
| Chãs 09 | 42 | J 8 |
| Chãs (Monte) 18 | 41 | J 5 |
| Chãs de Tavares 18 | 41 | K 7 |
| Chaves 17 | 28 | G 7 |
| Cheleiros 11 | 64 | P 2 |
| Choça Queimada 08 | 90 | U 7 |
| Chorente 03 | 26 | H 4 |
| Chosendo 18 | 41 | J 7 |
| Chouto 14 | 65 | O 4 |
| Ciborro 07 | 65 | P 5 |
| Cicouro 04 | 29 | H 11 |
| Cid Almeida 02 | 78 | R 7 |
| Cidade 10 | 52 | N 2 |
| Cidadelhe 09 | 42 | J 8 |
| Ciladas 07 | 66 | P 6 |
| Cima (Ilhéu de) 32 | 89 | D X |
| Cimadas Fundeiras 05 | 53 | M 6 |
| Cimbres 18 | 41 | I 6 |
| Cinco Vilas 09 | 42 | J 9 |
| Cinfães 13 | 41 | I 5 |
| Cintados 08 | 90 | U 7 |
| Cintrão (Ponta do) 20 | 107 | J 19 |
| Cisterna 04 | 28 | G 9 |
| Clarines 18 | 90 | T 7 |
| Clérigo (Ponta do) 31 | 88 | B Y |
| Côa (R.) | 42 | L 8 |
| Cobres (Ribeira de) 02 | 77 | T 5 |
| Codaval 17 | 27 | H 7 |
| Codeçais 04 | 28 | I 8 |
| Codeçoso 03 | 27 | H 5 |
| Codessoso 17 | 27 | H 6 |
| Coelheira 18 | 41 | J 5 |

A B C D E F G H I J K L M N O P Q R S T U V W X Y Z

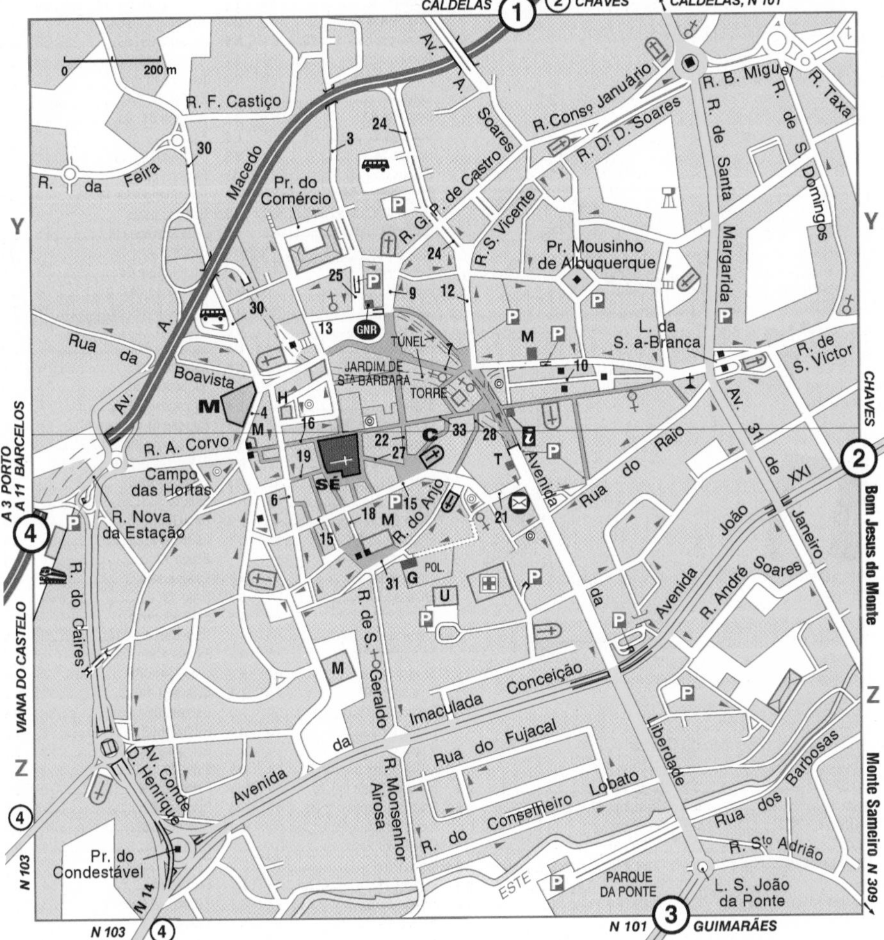

## COIMBRA

Ameias (Largo) ............... Z 2
Antero de Quental (R.) ........ V 3
Borges Carneiro (R.) .......... Z 10
Colégio Novo (R. do) .......... Y 12
Comércio (P. do) ............. Z
Coutinhos (R.) ............... Y 15
Dr João Jacinto (R.) .......... Y 18
Fernandes Tomás (R.) ......... Z 25
Fernão de Magalhães (Av.) ..... Y
Ferreira Borges (R.) .......... Z 27
Guilherme Moreira (R.) ........ Z 31
José Falcão (R.) .............. Z 35
Manutenção Militar (R.) ....... Y 37
Portagem (Largo da) .......... Z 42
Quebra-Costas (Escadas do) ... Z 44
Saragoça (R. de) ............. Y 50
Sobre Ribas (R. de) .......... Z 52
Sofia (R. de) ................ Y
Visconde da Luz (R.) ......... Y 54
8 de Maio (Pr.) .............. Y 56

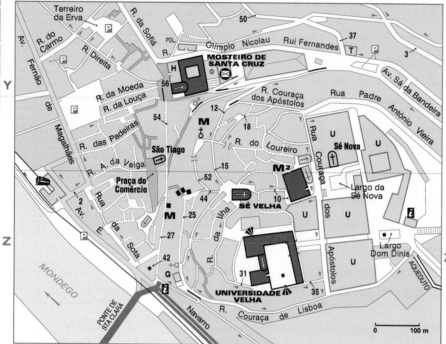

Mosteiro de Santa Cruz ..................... Y
Museu Nacional Machado de Castro ........... Z M²

Coelhoso *04* ........ 28 H 10
Coentral *10* ........ 53 L 5
Cogula *09* ........ 42 J 8
Coimbra *06* ........ 40 L 4
Coimbrão *10* ........ 52 M 3
Coina *15* ........ 64 Q 2
Coito *08* ........ 90 T 7
Coja *06* ........ 41 L 6
Coja (Ribeira de) ........ 41 J 7
Colar de Perdizes *15* ........ 65 P 3
Colares *11* ........ 64 P 1
Colcorinho (Monte) ........ 41 L 6
Colmeal *05* ........ 42 K 8
Colmeal *06* ........ 53 L 5
Colmeias *10* ........ 53 M 3
Colorada *02* ........ 78 R 9
Colos *02* ........ 77 S 4
Comeira *10* ........ 52 M 3
Comenda *12* ........ 54 N 6
Comporta *15* ........ 64 Q 3
Concavada *14* ........ 53 N 5
Conceição *02* ........ 77 S 5
Conceição *perto de Faro* *08* ........ 89 U 6
Conceição *perto de Tavira* *08* ........ 90 U 7
Condeixa-a-Nova *06* ........ 53 L 4
Condeixa-a-Velha *06* ........ 53 L 4
Congro (Lagoa do) *20* ........ 107 J 19
Conímbriga *06* ........ 53 L 4
Conlelas *04* ........ 28 G 9
Cónqueiros *05* ........ 54 M 6
Consolação *10* ........ 52 O 1
Constância *14* ........ 53 N 4
Constantim *04* ........ 29 H 11
Constantim *17* ........ 27 I 6
Contenda *12* ........ 66 O 8
Contendas (Ponta das) *20* ........ 107 H 14
Contensas de Baixo *18* ........ 41 K 6
Corchas (Portela das) *08* ........ 88 T 4
Cordinhã *06* ........ 40 K 4
Corgas *05* ........ 54 M 6
Corgas (Barragem de) *05* ........ 54 M 6
Corgo *03* ........ 27 H 6
Coriscada *09* ........ 42 J 8
Coroa *04* ........ 28 G 8
Coroa (Serra da) *04* ........ 28 G 8
Corona (Ribeira de) *15* ........ 77 S 4
Coronado *13* ........ 26 I 4
Correias *14* ........ 53 N 3
Correlha *16* ........ 26 G 4
Corroios *15* ........ 64 Q 2
Corte *18* ........ 41 K 5
Corte Brique *02* ........ 77 T 4
Corte da Velha *02* ........ 77 S 6
Corte de São Tomé *08* ........ 90 T 7
Corte do Gago *08* ........ 90 U 7
Corte Figueira *02* ........ 89 T 5
Corte Gafo de Baixo *02* ........ 77 S 6
Corte Gafo de Cima *02* ........ 77 S 6
Corte João Marques *08* ........ 89 T 6
Corte Pequena *02* ........ 78 S 7
Corte Pequena *02* ........ 77 S 6
Corte Pinto *02* ........ 78 S 7
Corte Serranos *08* ........ 89 T 6
Corte Sines *02* ........ 78 S 7
Corte Tabelião *08* ........ 90 T 7
Corte Vicente Eanes *02* ........ 77 S 5
Corte Zorrinha *02* ........ 77 T 5
Cortegaça *01* ........ 40 J 4
Cortegaça *18* ........ 41 K 5
Cortelha *08* ........ 90 U 7
Cortelha *08* ........ 89 U 6
Cortes *02* ........ 78 R 8
Cortes *05* ........ 41 L 7
Cortes *10* ........ 53 M 3
Cortes de Baixo *02* ........ 77 R 6
Cortes Pereiras *08* ........ 90 T 7
Cortiçada *09* ........ 41 J 7
Cortiçadas do Lavre *07* ........ 65 P 4
Cortiçó da Serra *09* ........ 41 K 7
Cortiços *04* ........ 28 H 8
Coruche *14* ........ 65 P 4
Corujeira *06* ........ 40 K 3
Corujeira *18* ........ 41 J 6
Corujos *08* ........ 90 U 7
Corva *15* ........ 64 Q 2
Corval *07* ........ 66 Q 7
Corveira *18* ........ 41 K 5
Corvo (Ilha do) *20* ........ 107 D 2
Costa de Caparica *15* ........ 64 Q 2
Costa de Lavos *06* ........ 52 L 3
Costa de Santo André *15* ........ 76 R 3
Costa Nova *01* ........ 40 K 3
Costa Nova (Ria da) *01* ........ 40 K 3
Costa Verde ........ 26 H 2
Cota *18* ........ 41 J 6
Cotelo *18* ........ 41 I 6
Cótimos *09* ........ 42 J 8
Couço *14* ........ 65 P 5
Coudelaria de Alter *12* ........ 66 O 6
Coura *16* ........ 26 G 4
Coura (Rio) ........ 26 G 3
Courelas *07* ........ 78 R 7
Courelas do Vale *07* ........ 65 Q 4
Cousso *16* ........ 13 F 5
Couto *13* ........ 26 I 4
Couto de Esteves *01* ........ 41 J 5
Couto de Mosteiro *18* ........ 41 K 5
Cova da Iria *14* ........ 53 N 4
Cova da Piedade *15* ........ 64 Q 2
Covão de Lobo *01* ........ 40 K 4
Covão do Feto *14* ........ 53 N 3
Covão dos Mendes *10* ........ 53 M 3
Covas *06* ........ 41 K 6
Covas *16* ........ 26 G 3
Covas de Barroso *17* ........ 27 H 6
Covas do Douro *17* ........ 27 I 7
Covas do Monte *18* ........ 41 J 5
Covas do Rio *18* ........ 41 J 5
Covelães *17* ........ 27 G 6
Covelas *03* ........ 27 H 5
Covelo *06* ........ 41 L 5
Covelo *13* ........ 26 I 4
Covelo *18* ........ 41 J 5
Covelo de Gerês *17* ........ 27 G 6
Covilhã *05* ........ 41 L 7
Covinhos (Ponta dos) *10* ........ 52 N 2
Covoada *20* ........ 107 J 18
Covões *06* ........ 40 K 4
Coz *10* ........ 52 N 3
Crasto *16* ........ 26 G 4
Crato *12* ........ 66 O 7
Crestuma *13* ........ 40 I 4
Crestuma (Barragem de) *13* ........ 40 I 4
Crias *03* ........ 26 H 3
Cristelo *03* ........ 26 H 3
Cristo (Convento de) *14* ........ 53 N 4
Criz *18* ........ 41 K 5
Cruz (Ponta do) *31* ........ 88 B Y
Cruz da Légua *10* ........ 52 N 3
Cruz de João Mendes *15* ........ 76 R 4
Cruzamento de Pegões *15* ........ 65 P 4
Cruzes *18* ........ 41 J 5
Cuba *02* ........ 77 R 6
Cubalhão *16* ........ 13 F 5
Cuine (Sierra do) *20* ........ 107 G 14
Cujó *18* ........ 41 J 6
Culatra (Ilha da) *08* ........ 90 V 6
Cumeada *05* ........ 53 M 5
Cumeada *08* ........ 89 U 4
Cumeira *10* ........ 52 N 3
Cumiada *07* ........ 78 Q 7
Cumieira *06* ........ 53 M 4
Cumieira *17* ........ 27 I 6
Cunha *16* ........ 26 G 4
Cunha *18* ........ 41 J 7
Cunha Baixa *18* ........ 41 K 6
Cunheira *12* ........ 66 O 6
Curalha *17* ........ 27 G 7
Curia *01* ........ 40 K 4
Curral da Velha (Ribeira do) *02* ........ 77 T 6
Curral das Freiras *31* ........ 88 B Y
Curros *17* ........ 28 H 7
Curros (Rio) *17* ........ 28 H 7
Curvos *03* ........ 26 H 3
Custóias *09* ........ 42 I 8

### D

Dadim *17* ........ 28 G 8
Dão ........ 41 J 7
Dardavaz *18* ........ 41 K 5
Darque *16* ........ 26 G 3
Dáspera *05* ........ 54 M 6
Decermilo *18* ........ 41 J 7
Degebe ........ 66 Q 6
Degolados *12* ........ 66 O 8
Degracias *06* ........ 53 L 4
Deilão *04* ........ 28 G 10
Delães *03* ........ 26 H 4
Deocriste *16* ........ 26 G 3
Derreada Cimeira *10* ........ 53 M 5
Destriz *18* ........ 41 K 5
Divor (Barragem do) *07* ........ 65 P 6
Divor (Ribeira de) ........ 65 P 4
Dogueno *02* ........ 89 T 6
Dois Portos *11* ........ 64 O 2
Domingos da Vinha *12* ........ 53 N 6
Dominguizo *05* ........ 54 L 7
Dona Maria *02* ........ 78 R 7
Donai *04* ........ 28 G 9
Dornelas *09* ........ 41 J 7
Dornelas do Zêzere *06* ........ 54 L 6
Dornes *14* ........ 53 M 5
Douro ........ 29 H 11
Duas Igrejas *04* ........ 29 H 10
Dunas de Ovar *01* ........ 40 J 3
Durão *04* ........ 42 I 9

### E

Edral *04* ........ 28 G 8
Edrosa *04* ........ 28 G 9
Edroso *04* ........ 28 H 9
Ega *06* ........ 53 L 4
Eira de Calva *06* ........ 53 L 5
Eirado *09* ........ 41 J 7
Eiras *06* ........ 40 L 4
Eiras Maiores *04* ........ 28 G 9
Eirinha *02* ........ 77 T 6
Eirinhas *02* ........ 78 R 7
Eirogo *03* ........ 26 H 4
Eixo *01* ........ 40 K 4
Elvas *12* ........ 66 P 8
Encarnacão *11* ........ 64 O 1
Encumeada (Boca da) *31* ........ 88 A Y
Entradas *02* ........ 77 S 5
Entre Ambososrios *16* ........ 27 G 5
Entre-os-Rios *13* ........ 41 I 5
Entroncamento *14* ........ 53 N 4
Envendos *14* ........ 54 N 6
Enxabarda *05* ........ 54 L 7
Enxara do Bispo *11* ........ 64 P 2
Enxoé *02* ........ 78 S 7
Enxoé (Barragem do) *02* ........ 78 S 7
Enxofre (Furna do) *20* ........ 107 F 12
Enxofre (Furnas do) *20* ........ 107 G 14
Erada *05* ........ 41 L 7
Ereira *14* ........ 64 O 3
Erges (Río) ........ 55 M 9
Ericeira *11* ........ 64 P 1
Ermelo *16* ........ 27 G 5
Ermelo *17* ........ 27 H 6
Ermesinde *13* ........ 26 I 4
Ermida *05* ........ 53 M 6
Ermida *06* ........ 40 K 3
Ermida *16* ........ 27 G 5
Ermida (Barragem da) *06* ........ 53 L 5
Ermidas-Aldeia *15* ........ 77 S 4
Ermidas-Sado *15* ........ 77 R 4
Erra *14* ........ 65 P 4
Erra < (Ribeira da) ........ 65 O 4
Ervas Tenras *09* ........ 42 J 8
Ervedal *06* ........ 41 K 6
Ervedal *12* ........ 66 O 6
Ervededo *17* ........ 27 G 7
Ervedeira *12* ........ 65 O 5
Ervedosa *04* ........ 28 G 8
Ervedosa *09* ........ 42 J 8
Ervedosa do Douro *18* ........ 27 I 7
Ervideira *10* ........ 52 M 3
Ervidel *02* ........ 77 S 5
Ervões *17* ........ 28 H 7
Escalhão *09* ........ 42 J 9
Escalos de Baixo *05* ........ 54 M 7
Escalos de Cima *05* ........ 54 M 7
Escalos do Meio *10* ........ 53 M 5
Escanxinhas *08* ........ 89 U 5
Escarigo *05* ........ 42 L 8
Escarigo *09* ........ 42 J 9
Escariz *01* ........ 40 J 4
Escariz *03* ........ 26 H 4
Escariz *17* ........ 27 H 6
Escaroupim *14* ........ 65 O 3
Escudeiros *03* ........ 26 H 4
Escuro (Monte) *20* ........ 107 J 19
Escurquela *18* ........ 41 I 7
Escusa *perto de Castelo de Vide* *12* ........ 54 N 7
Escusa *perto de Ponte de Sor* *12* ........ 53 N 6
Esfrega *05* ........ 54 M 6
Esmoriz *01* ........ 40 J 4
Espadanedo *04* ........ 28 H 9
Espargal *08* ........ 89 U 5
Especiosa *04* ........ 29 H 10
Esperança *12* ........ 66 O 8
Esperança (Pico da) *20* ........ 107 H 11
Espiche *08* ........ 88 U 3
Espichel (Cabo) *15* ........ 64 Q 2
Espinhaço de Cão (Serra do) *08* ........ 88 U 3
Espinhal *06* ........ 53 L 4
Espinheira *07* ........ 66 Q 6
Espinheiro *14* ........ 53 N 3
Espinho *01* ........ 40 I 4
Espinho *perto de Caramulo* *18* ........ 41 K 5
Espinho *perto de Mangualde* *18* ........ 41 K 6
Espinho *perto de Mortágua* *18* ........ 41 K 5
Espinho (Alto do) ........ 27 I 6
Espinhosela *04* ........ 28 G 9
Espinhoso *04* ........ 28 G 8
Espírito Santo *02* ........ 78 T 7
Espite *14* ........ 53 M 4
Espiunca *01* ........ 41 J 5
Esporões *03* ........ 26 H 4
Esposende *03* ........ 26 H 3
Espragosa *02* ........ 77 T 6
Estação de Ourique *02* ........ 77 S 5
Estação de Viana *07* ........ 77 Q 5
Estanqueiro *14* ........ 65 P 3
Estarreja *01* ........ 40 J 4
Este *03* ........ 27 H 4
Este (Rio) ........ 26 H 4
Esteiro *06* ........ 54 L 6
Estela *13* ........ 26 H 3
Estelas *10* ........ 52 N 1
Ester *18* ........ 41 J 5
Estevais *perto de Cardanha* *04* ........ 28 I 8
Estevais *perto de Est. de Freixo* *04* ........ 28 I 9
Esteveira *14* ........ 53 N 5
Esteves *05* ........ 54 M 6
Estibeira *02* ........ 76 T 3
Estiramantens *08* ........ 89 U 6
Estói *08* ........ 89 U 6
Estômbar *08* ........ 89 U 4
Estorãos *03* ........ 27 H 5
Estorãos *16* ........ 26 G 4
Estoril *11* ........ 64 P 1
Estorninhos *08* ........ 90 U 7
Estreito *05* ........ 54 M 6
Estreito da Calheta *31* ........ 88 A Y
Estreito de Câmara de Lobos *31* ........ 88 B Y
Estrela *02* ........ 78 R 7
Estrela (Parque Natural da Serra da) ........ 41 K 7
Estrela (Serra da) *09* ........ 41 L 6
Estremoz *07* ........ 66 P 7
Eucisia *04* ........ 28 I 8
Évora *07* ........ 65 Q 6
Évora de Alcobaça *10* ........ 52 N 3
Évoramonte *07* ........ 66 P 6
Extremo *16* ........ 26 G 4

### F

Facha *16* ........ 26 G 4
Facho *10* ........ 52 N 2
Fadagosa *12* ........ 54 N 7
Fadagosa *14* ........ 53 N 6
Fadagosa (Termas da) *14* ........ 53 N 6
Fafe *03* ........ 27 H 5
Fagilde (Barragem de) *18* ........ 41 K 6
Faia *03* ........ 27 H 6
Faial *31* ........ 88 B Y
Faial (Canal do) *20* ........ 107 H 10
Faial (Ilha do) *20* ........ 107 H 9
Faial (Ponta do) *20* ........ 107 J 20
Faial da Terra *20* ........ 107 J 20
Fail *18* ........ 41 K 6
Failde *04* ........ 28 G 9
Faiões *17* ........ 28 G 7
Fajã da Ovelha *31* ........ 88 A Y
Fajã de Cima *20* ........ 107 J 19
Fajã do Ouvidor *20* ........ 107 G 11
Fajã dos Cubres *20* ........ 107 H 12
Fajã Grande *20* ........ 107 E 2
Fajão *06* ........ 54 L 6
Fajãzinha *20* ........ 107 E 2

## ÉVORA

Álvaro Velho (Largo) ............ BZ 3
Aviz (R. de) ............ BY 4
Bombeiros Voluntários de Évora (Av.) ............ CZ 6
Caraça (Trav. da) ............ BZ 7
Cenáculo (R. do) ............ BY 9
Combatentes da Grande Guerra (Av. dos) ............ BZ 10
Conde de Vila-Flor (Largo) ............ BY 12
Diogo Cão (R.) ............ BZ 13
Freiria de Baixo (R. da) ............ BY 15
Giraldo (Pr. do) ............ BZ
João de Deus (R.) ............ AY 16
José Elias Garcia (R.) ............ AY 18
Lagar dos Dizimos (R. do) ............ BZ 19
Luís de Camões (Largo) ............ AY 21
Marquês de Marialva (Largo) ............ BY 22
Menino Jesus (R. do) ............ BY 24
Misericórdia (Largo) ............ BZ 25
Penedos (Largo dos) ............ AY 28
República (R. da) ............ BZ
Santa Clara (R. de) ............ AZ 30
São Manços (R. de) ............ BZ 31
São Miguel (Largo de) ............ BY 32
Senhor da Pobreza (Largo) ............ CZ 33
Torta (Trav.) ............ AZ 34
Vasco da Gama (R.) ............ BY 36
1_ de Maio (Pr.) ............ BZ
5 de Outubro (R.) ............ BYZ 37

Museu de Évora ............ BY M1
Paço dos Duques de Cadaval .. BY P

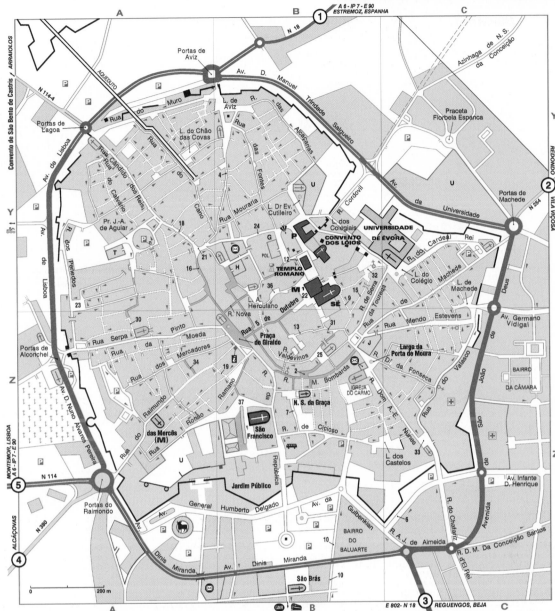

Fajões *01* ........ 40 J 4
Falca *10* ........ 52 N 2
Falcoeiras *07* ........ 66 Q 7
Famalicão *09* ........ 42 K 7
Famalicão *10* ........ 52 N 2
Fanhais *10* ........ 52 N 2
Fanhões *11* ........ 64 P 2
Fão *03* ........ 26 H 3
Faria *03* ........ 26 H 4
Farilhões *10* ........ 52 N 1
Farminhão *18* ........ 41 K 5
Faro *08* ........ 89 U 6
Faro (Ilha de) *08* ........ 89 V 6
Faro (Monte do) *16* ........ 12 F 4
Faro do Alentejo *02* ........ 77 R 6
Farropa *05* ........ 54 M 7
Fataunços *18* ........ 41 J 5
Fatela *05* ........ 54 L 7
Fátima *14* ........ 53 N 4
Favacal *06* ........ 53 M 4
Favaios *17* ........ 27 I 7
Fazamões *18* ........ 41 I 6
Fazenda *12* ........ 65 O 6
Fazendas de Almeirim *14* ........ 65 O 4
Febres *06* ........ 40 K 4
Feira *18* ........ 41 J 5
Feiteira *08* ........ 89 U 6
Felgar *04* ........ 28 I 9
Felgueira *01* ........ 41 J 5
Felgueiras *04* ........ 28 I 8
Felgueiras *04* ........ 28 H 9
Felgueiras *13* ........ 27 H 5
Felgueiras *18* ........ 41 I 6
Fenais da Ajuda *20* ........ 107 J 20
Fenais da Luz *20* ........ 107 J 19
Fermelã *01* ........ 40 J 4
Fermentelos *01* ........ 40 K 4
Fermil *03* ........ 27 H 6
Fernandilho *08* ........ 89 U 6
Fernão Ferro *15* ........ 64 Q 2
Fernão Joanes *09* ........ 42 K 7
Ferradosa *04* ........ 28 I 9
Ferragudo *08* ........ 88 U 4
Ferral *17* ........ 27 G 6
Ferraria (Ponta da) *20* ........ 107 J 18
Ferrarias *07* ........ 78 Q 8
Ferreira *04* ........ 28 H 9
Ferreira *13* ........ 27 I 4
Ferreira *16* ........ 26 G 4
Ferreira (Rio) *13* ........ 26 I 4
Ferreira-a-Nova *06* ........ 40 L 3
Ferreira de Aves *18* ........ 41 J 7
Ferreira do Alentejo *02* ........ 77 R 5
Ferreira do Zêzere *14* ........ 53 M 5
Ferreiras *08* ........ 89 U 5
Ferreirim *perto de Lamego* *18* ........ 41 I 6
Ferreirim *perto de Penedono* *18* ........ 41 J 7
Ferreirós do Dão *18* ........ 41 K 5
Ferrel *10* ........ 52 N 2
Ferro *05* ........ 41 L 7
Ferro (Ilhéu de) *32* ........ 89 C X
Fervença *03* ........ 27 H 5
Fervença *10* ........ 52 N 3
Fervidelas *17* ........ 27 G 6
Feteiras *20* ........ 107 J 18
Fiães *01* ........ 40 J 4
Fiães *09* ........ 42 J 7
Fiães *16* ........ 13 F 5
Fiães *17* ........ 28 G 8
Fiães do Rio *17* ........ 27 G 6
Fialho *02* ........ 89 T 6
Figueira *04* ........ 28 I 9
Figueira *05* ........ 54 M 6
Figueira *08* ........ 88 U 3
Figueira *12* ........ 66 O 8
Figueira *18* ........ 41 I 6
Figueira *perto de Portimão* *08* ........ 88 U 4
Figueira (Ribeira da) *02* ........ 77 R 5
Figueira da Foz *06* ........ 53 L 3
Figueira de Castelo Rodrigo *09* ........ 42 J 9
Figueira de Lorvão *06* ........ 40 L 4
Figueira dos Cavaleiros *02* ........ 77 R 5
Figueira e Barros *12* ........ 66 O 6
Figueiras *02* ........ 77 S 5
Figueiras *14* ........ 53 O 4
Figueiredo *05* ........ 53 M 6
Figueiredo de Alva *18* ........ 41 J 6
Figueirinha *02* ........ 77 T 6
Figueirinha *08* ........ 89 U 6
Figueiró *18* ........ 41 K 6
Figueiró (Ribeira de) *12* ........ 54 N 6
Figueiró da Granja *09* ........ 41 K 7
Figueiró da Serra *09* ........ 41 K 7
Figueiró do Campo *06* ........ 53 L 4
Figueiró dos Vinhos *10* ........ 53 M 5
Fiolhoso *17* ........ 27 H 7
Flamengos *20* ........ 107 H 10
Flor da Rosa *12* ........ 66 O 7
Flores (Ilha das) *20* ........ 107 E 2
Fogo (Lagoa do) *20* ........ 107 J 19
Fóia *08* ........ 89 U 4
Fóios *09* ........ 42 L 9
Folgado *07* ........ 66 P 7
Folgosa *18* ........ 27 I 6
Folgosinho *09* ........ 41 K 7
Folhadela *17* ........ 27 I 6
Folques *06* ........ 41 L 5
Fontainhas *13* ........ 26 H 4
Fontainhas *15* ........ 76 R 3
Fontão Fundeiro *10* ........ 53 M 5
Fonte Arcada *18* ........ 41 J 7
Fonte da Aldeia *04* ........ 29 H 10
Fonte da Telha *15* ........ 64 Q 2
Fonte Ladrão *04* ........ 29 H 10
Fonte Limpa *06* ........ 53 L 5
Fonte Longa *04* ........ 28 I 8
Fonte Santa *05* ........ 54 M 7
Fonte Serne (Barragem) *15* ........ 77 S 4
Fontelas *17* ........ 27 I 6
Fontes *14* ........ 53 N 5
Fontes *17* ........ 27 I 6
Fontes da Matosa *08* ........ 89 U 4
Fontinha *02* ........ 76 T 3
Fontinha *10* ........ 53 L 3
Fontoura *16* ........ 26 G 4
Forcalhos *09* ........ 42 K 9
Forjães *03* ........ 26 H 3
Formigais *14* ........ 53 M 4
Formosa (Ria) *08* ........ 90 V 6
Fornalhas Novas *02* ........ 77 S 4
Fornalhas Velhas *02* ........ 77 S 4
Fornelos *03* ........ 27 H 5
Fornelos *16* ........ 26 G 4
Fornelos *18* ........ 41 I 5
Fornilhos *02* ........ 78 R 8
Forninhos *09* ........ 41 J 7
Forno Telheiro *09* ........ 42 J 7
Fornos *04* ........ 28 I 9
Fornos de Algodres *09* ........ 41 K 7
Fornos do Pinhal *17* ........ 28 H 8
Foros da Adúa *07* ........ 65 Q 5
Foros da Caiada *02* ........ 77 S 4
Foros da Fonte de Pau *14* ........ 65 P 4
Foros da Fonte Seca *07* ........ 66 Q 7
Foros da Salgueirinha *14* ........ 65 P 4
Foros das Malhadinhas *14* ........ 65 P 3
Foros das Pombas *07* ........ 66 Q 6
Foros de Benfica *14* ........ 65 O 4
Foros de Casa Nova *15* ........ 77 S 4
Foros de Vale de Figueira *07* ........ 65 P 5
Foros do Arrão *12* ........ 65 O 5
Foros do Baldio *07* ........ 65 Q 4
Foros do Biscaínho *14* ........ 65 P 4
Foros do Cortiço *07* ........ 65 P 5
Foros do Freixo *07* ........ 66 P 7
Foros do Mocho *12* ........ 65 O 5
Foros do Queimado *07* ........ 66 Q 6
Forte da Graça *12* ........ 66 P 8
Fortes *08* ........ 90 T 7
Fortios *12* ........ 66 O 7
Foupana (Ribeira da) *08* ........ 89 T 6
Foz *14* ........ 65 O 5
Foz de Alge *10* ........ 53 M 5
Foz de Arouce *06* ........ 53 L 5
Foz de Odeleite *08* ........ 90 T 7
Foz do Arelho *10* ........ 52 N 2
Foz do Arroio *08* ........ 88 T 4
Foz do Douro *13* ........ 26 I 3
Foz do Farelo *08* ........ 88 T 4
Foz do Lisandro *11* ........ 64 P 1
Foz do Sabor *04* ........ 28 I 8
Foz Giraldo *05* ........ 54 L 6
Fradelos *03* ........ 26 H 4
Fradizela *04* ........ 28 H 8
Fraga Negra *03* ........ 27 G 5
Fragosela *18* ........ 41 K 6
Fragoso *03* ........ 26 H 3
Fráguas *14* ........ 52 N 3
Fráguas *18* ........ 41 J 6
França *04* ........ 28 G 9
Franco *04* ........ 28 H 7
Franqueada *08* ........ 89 U 5
Franzilhal *17* ........ 28 I 7
Fratel *05* ........ 54 N 6
Fratel (Barragem de) ........ 54 N 6
Frazão *13* ........ 26 I 4
Freamunde *13* ........ 27 I 4
Frechas *04* ........ 28 H 8
Freches *09* ........ 42 J 7
Fregil (Barragem de) *18* ........ 41 I 5
Freineda *09* ........ 42 K 9
Freiria *11* ........ 64 O 2
Freiria *17* ........ 27 H 7
Freixeda *04* ........ 28 H 8

## FUNCHAL

Alfândega (R. da) ............ BZ 3
Aljube (R. do) ............ BZ 4
Aranhas (R. dos) ............ ABZ 6
Autonomia (Pr. da) ............ CZ 7
Bettencourt (R. do) ............ CY 9
Brigadeiro Oudinot (R.) ............ CY 10
Carmo (Pr. do) ............ CY 20
Carne Azeda (R. da) ............ BY 12
Carvalho Araújo (R.) ............ AZ 15
Casa da Luz (R.) ............ CZ 16
Chafariz (Largo do) ............ CZ 19
Conceição (R. da) ............ CY 22
Conselheiro Aires Ornelas (R.) . CY 24
Conselheiro José Silvestre Ribeiro (R.) ............ BZ 25
Dr Fernão de Ornelas (R.) ............ CZ 28
Encarnação (Calç da) ............ BY 30
Hospital Velho (R. do) ............ CYZ 34
Imperatriz D. Amélia (R. da) ... AZ 36
Ivens (R.) ............ BZ 37
João Tavira (R.) ............ BZ 39
Latino Ceolho (R.) ............ CZ 40
Lazareto (Caminho do) ............ DZ 42
Maravilhas (R. das) ............ AZ 46
Marquês do Funchal (R.) ............ BY 49
Miguel Carvalho (R.) ............ CY 51
Mouraria (R. da) ............ BY 52
Phelps (Largo do) ............ CY 58
Ponte de S. Lázaro (R.) ............ AZ 60
Pretas (R. das) ............ BY 61
Ribeirinho (R.) ............ CY 63
Sabão (R. do) ............ CZ 66
Santa Clara (Calç.) ............ BY 67
São Francisco (R. de) ............ BZ 69
Saúde (Calç.) ............ BY 72
Til (R. do) ............ BY 73
Visconde do Anadia (R.) ............ CYZ 78
Zarco (Av.) ............ BZ 81

Freixeda ***17*** ............ 27 H 7
Freixeda do Torrão ***09*** ............ 42 J 8
Freixedas ***09*** ............ 42 J 8
Freixedelo ***04*** ............ 28 G 9
Freixial ***07*** ............ 66 P 7
Freixial do Campo ***05*** ............ 54 M 7
Freixianda ***14*** ............ 53 M 4
Freixieiro ***16*** ............ 26 G 3
Freixiel ***04*** ............ 28 I 8
Freixiosa ***04*** ............ 29 H 11
Freixiosa ***18*** ............ 41 K 6
Freixo ***09*** ............ 42 K 8
Freixo ***16*** ............ 26 H 4
Freixo ***18*** ............ 41 K 5
Freixo de Espada a Cinta ***04*** ............ 42 I 9
Freixo de Numão ***09*** ............ 42 I 8
Frende ***13*** ............ 27 I 6
Fresulfe ***04*** ............ 28 G 9
Fridão ***13*** ............ 27 I 5
Friestas ***16*** ............ 12 F 4
Friões ***17*** ............ 28 G 7
Friúmes ***06*** ............ 41 L 5
Fronhas (Barragem de) ***06*** ............ 41 L 5
Fronteira ***12*** ............ 66 O 7
Frossos ***01*** ............ 40 K 4
Funchal ***31*** ............ 88 B Z
Funcheira ***02*** ............ 77 S 4
Funcho (Barragem do) ***08*** ............ 89 U 4
Fundada ***05*** ............ 53 M 5
Fundão ***05*** ............ 54 L 7
Fungalvaz ***14*** ............ 53 N 4
Furadouro ***01*** ............ 40 J 3
Furadouro ***06*** ............ 53 L 4
Furnas ***20*** ............ 107 J 20
Furnas (Lagoa das) ***20*** ............ 107 J 20
Furnas do Enxofre ***20*** ............ 107 G 14
Furnazinhas ***08*** ............ 90 T 7
Furtado ***12*** ............ 53 N 6
Fuzeta ***08*** ............ 89 U 6

### G

Gaeiras ***10*** ............ 52 N 2
Gafanha da Boa Hora ***01*** ............ 40 K 3
Gafanha da Encarnacão ***01*** ............ 40 K 3
Gafanha da Nazaré ***01*** ............ 40 K 3
Gafanha do Carmo ***01*** ............ 40 K 3
Gafanhoeira ***07*** ............ 65 P 5
Gáfete ***12*** ............ 54 N 6
Gagos ***09*** ............ 42 K 8
Gaia ***09*** ............ 42 K 8
Gaiate ***06*** ............ 53 L 5
Gala ***06*** ............ 53 L 3
Galafura ***17*** ............ 27 I 6
Galera (Ponta da) ***20*** ............ 107 J 19
Galizes ***06*** ............ 41 L 6
Galveias ***12*** ............ 65 O 6
Gamil ***03*** ............ 26 H 4
Gândara ***10*** ............ 53 M 3
Gândara de Espariz ***06*** ............ 41 L 5
Gandarela ***03*** ............ 27 H 5
Gandra ***13*** ............ 26 I 4
Gandra *perto de Ponte de Lima* ***16*** ............ 26 G 4
Garajau (Ponta do) ***31*** ............ 88 B Z
Garça (Ponta da) ***20*** ............ 107 J 19
Garcia ***08*** ............ 89 U 6
Garcia ***10*** ............ 52 M 3
Gardete ***14*** ............ 54 N 6
Gardunha (Serra da) ***05*** ............ 54 L 7
Garfe ***03*** ............ 27 H 5
Garvão ***02*** ............ 77 S 4
Gatão ***02*** ............ 89 T 6
Gateira ***09*** ............ 42 J 8
Gatões ***06*** ............ 40 L 3
Gaula ***31*** ............ 88 B Y
Gave ***16*** ............ 13 F 5
Gavião ***03*** ............ 26 H 4
Gavião ***05*** ............ 54 M 6
Gavião ***12*** ............ 53 N 6
Gaviãozinho ***05*** ............ 54 M 6
Gavieira ***16*** ............ 27 G 5
Gebelim ***04*** ............ 28 H 9
Geira ***03*** ............ 27 G 5
Gema (Ribeira da) ***02*** ............ 77 S 4
Genísio ***04*** ............ 29 H 10
Geraldes ***10*** ............ 52 O 1
Geraz do Lima ***16*** ............ 26 G 3
Gerês ***03*** ............ 27 G 5
Gerês (Serra do) ***03*** ............ 27 G 5
Germil ***16*** ............ 27 G 5
Gestaçô ***13*** ............ 27 I 6
Gesteira ***06*** ............ 53 L 4
Gestosa ***04*** ............ 28 G 8
Gestoso ***18*** ............ 41 J 5
Gia ***17*** ............ 41 I 5
Gibraltar ***11*** ............ 64 O 2
Giesteira ***01*** ............ 40 K 4
Giesteiras ***05*** ............ 54 M 6
Giestoso ***16*** ............ 13 F 5
Gilvrazino ***08*** ............ 89 U 5
Gimonde ***04*** ............ 28 G 9
Ginetes ***20*** ............ 107 J 18
Giões ***08*** ............ 89 T 6
Giraldos ***02*** ............ 77 S 5
Girão (Cabo) ***31*** ............ 88 A Z
Glória ***07*** ............ 66 P 7
Glória do Ribatejo ***14*** ............ 65 O 4
Godeal ***07*** ............ 65 P 5
Godelim (R.) ............ 78 R 8
Godinhanços ***03*** ............ 26 G 4
Góis ***06*** ............ 53 L 5
Golegã ***14*** ............ 53 N 4
Golfeiras ***04*** ............ 28 H 8
Gomes Aires ***02*** ............ 77 T 5
Gonça ***03*** ............ 27 H 5
Gonçalo ***09*** ............ 42 K 7
Gonçalo Bocas ***09*** ............ 42 K 8
Gondar ***03*** ............ 27 H 4
Gondar ***13*** ............ 27 I 5
Gondarém ***16*** ............ 26 G 3
Gondelim ***06*** ............ 41 L 5
Gondelim ***16*** ............ 26 G 4
Gondemaria ***14*** ............ 53 M 4
Gondiães ***03*** ............ 27 H 6
Gondomar ***13*** ............ 26 I 4
Gondomil ***16*** ............ 12 F 4
Gondoriz ***16*** ............ 27 G 4
Gontifelos ***03*** ............ 26 H 4
Gorda (Serra) ***20*** ............ 107 J 18
Gordo (Monte) ***11*** ............ 64 P 2
Gorjão ***14*** ............ 65 O 5
Gorjoes ***08*** ............ 89 U 6
Gosende ***18*** ............ 41 I 6
Gostei ***04*** ............ 28 G 9
Gouvães da Serra ***17*** ............ 27 H 6
Gouveia ***04*** ............ 28 I 9
Gouveia ***11*** ............ 64 P 1
Gouveia *perto de Freixedas* ***09*** ............ 42 K 8
Gouveia *perto de Seia* ***09*** ............ 41 K 7
Gouvinhas ***17*** ............ 27 I 7
Gove ***13*** ............ 27 I 5
Graça ***10*** ............ 53 M 5
Graciosa (Ilha da) ***20*** ............ 107 F 11
Gradil ***11*** ............ 64 P 2
Gradiz ***09*** ............ 41 J 7
Gralhas ***17*** ............ 27 G 6
Gralheira (Serra da) ***01*** ............ 40 J 4
Gralhos ***04*** ............ 28 H 9
Gralhos ***17*** ............ 27 G 6
Graminhais (Planalto dos) ***20*** ............ 107 J 20
Grande (Ribeira) ***12*** ............ 66 O 6
Grândola ***15*** ............ 77 R 4
Grândola (Ribeira de) ***15*** ............ 77 R 4
Grândola (Serra de) ***15*** ............ 77 R 4
Granho ***14*** ............ 65 O 4
Granho Novo ***14*** ............ 65 P 3
Granja ***04*** ............ 29 H 10
Granja ***07*** ............ 78 R 8
Granja ***13*** ............ 40 I 4
Granja ***17*** ............ 27 I 7
Granja do Ulmeiro ***06*** ............ 53 L 4
Granja Nova ***18*** ............ 41 I 6
Granjal ***18*** ............ 41 J 7
Grau ***10*** ............ 52 M 3
Grijó ***04*** ............ 28 H 9
Grijó ***13*** ............ 40 I 4
Grijó de Parada ***04*** ............ 28 G 9
Grocinas ***06*** ............ 53 M 4
Guadalupe ***07*** ............ 65 Q 5
Guadalupe ***20*** ............ 107 F 11
Guadiana ............ 66 Q 8
Guadramil ***04*** ............ 29 G 10
Guarda ***09*** ............ 42 K 8
Guarda do Norte ***10*** ............ 53 M 3
Guardeiras ***13*** ............ 26 I 4
Guedelhas ***02*** ............ 89 T 6
Guerreiro ***02*** ............ 77 S 6
Guerreiros do Rio ***08*** ............ 90 T 7
Guia ***08*** ............ 89 U 5
Guia ***10*** ............ 53 M 3
Guide (Rio de) ***04*** ............ 28 H 8
Guilhabreu ***13*** ............ 26 I 4
Guilheiro ***09*** ............ 42 J 7
Guilheta ***03*** ............ 26 H 3
Guilhofrei ***03*** ............ 27 H 5
Guimarães ***03*** ............ 27 H 5
Guisande ***01*** ............ 40 J 4
Guiso ***02*** ............ 78 S 7

### H

Homem (Portela do) ***03*** ............ 27 G 5
Homem (R.) ***03*** ............ 27 G 5
Horta ***09*** ............ 42 I 8
Horta ***20*** ............ 107 H 10
Horta da Vilariça ***04*** ............ 28 I 8
Hortas ***08*** ............ 90 U 7
Hortinhas ***07*** ............ 66 Q 7

### I

Idanha (Barragem da) ***05*** ............ 54 M 8
Idanha-a-Nova ***05*** ............ 54 M 8
Idanha-a-Velha ***05*** ............ 54 M 8
Ifanes ***04*** ............ 29 H 11
Igreja Nova ***11*** ............ 64 P 2
Igreja Nova do Sobral ***14*** ............ 53 M 5
Igrejinha ***07*** ............ 65 P 6
Ilha (Ponta da) ***20*** ............ 107 H 11
Ilhas ***07*** ............ 65 P 6
Ílhavo ***01*** ............ 40 K 3
Ilhéus (Ponta dos) ***20*** ............ 107 E 2
Infantado ***14*** ............ 65 P 3
Inferno (Poço do) ***09*** ............ 41 K 7
Inguias ***05*** ............ 42 L 8
Insalde ***16*** ............ 26 G 4
Isna ***05*** ............ 54 M 6
Isna (Ribeira da) ***05*** ............ 53 M 5
Izeda ***04*** ............ 28 H 9

### J

Janeiro de Baixo ***06*** ............ 54 L 6
Janeiro de Cima ***05*** ............ 54 L 6
Jardim do Mar ***31*** ............ 88 A Y
Jardo ***09*** ............ 42 K 9
Jarmelo ***09*** ............ 42 K 8
Javali ***08*** ............ 89 U 6
Jazente ***13*** ............ 27 I 5
João Antão ***09*** ............ 42 K 8
João Bom ***20*** ............ 107 J 18
João Serra ***02*** ............ 77 S 6
Jolda ***16*** ............ 26 G 4
Jou ***17*** ............ 28 H 7
Jovim ***13*** ............ 26 I 4
Juizo ***09*** ............ 42 J 8
Junca ***09*** ............ 42 J 9
Juncais ***09*** ............ 41 K 7
Juncal ***05*** ............ 54 N 6
Juncal ***10*** ............ 52 N 3
Juncal do Campo ***05*** ............ 54 M 7
Junceda ***03*** ............ 27 G 5
Junceira ***14*** ............ 53 N 5
Jungeiros ***02*** ............ 77 S 5
Junqueira ***01*** ............ 41 J 5
Junqueira ***04*** ............ 28 H 10
Junqueira ***08*** ............ 90 U 7
Junqueira ***13*** ............ 26 H 3
Juromenha ***07*** ............ 66 P 8

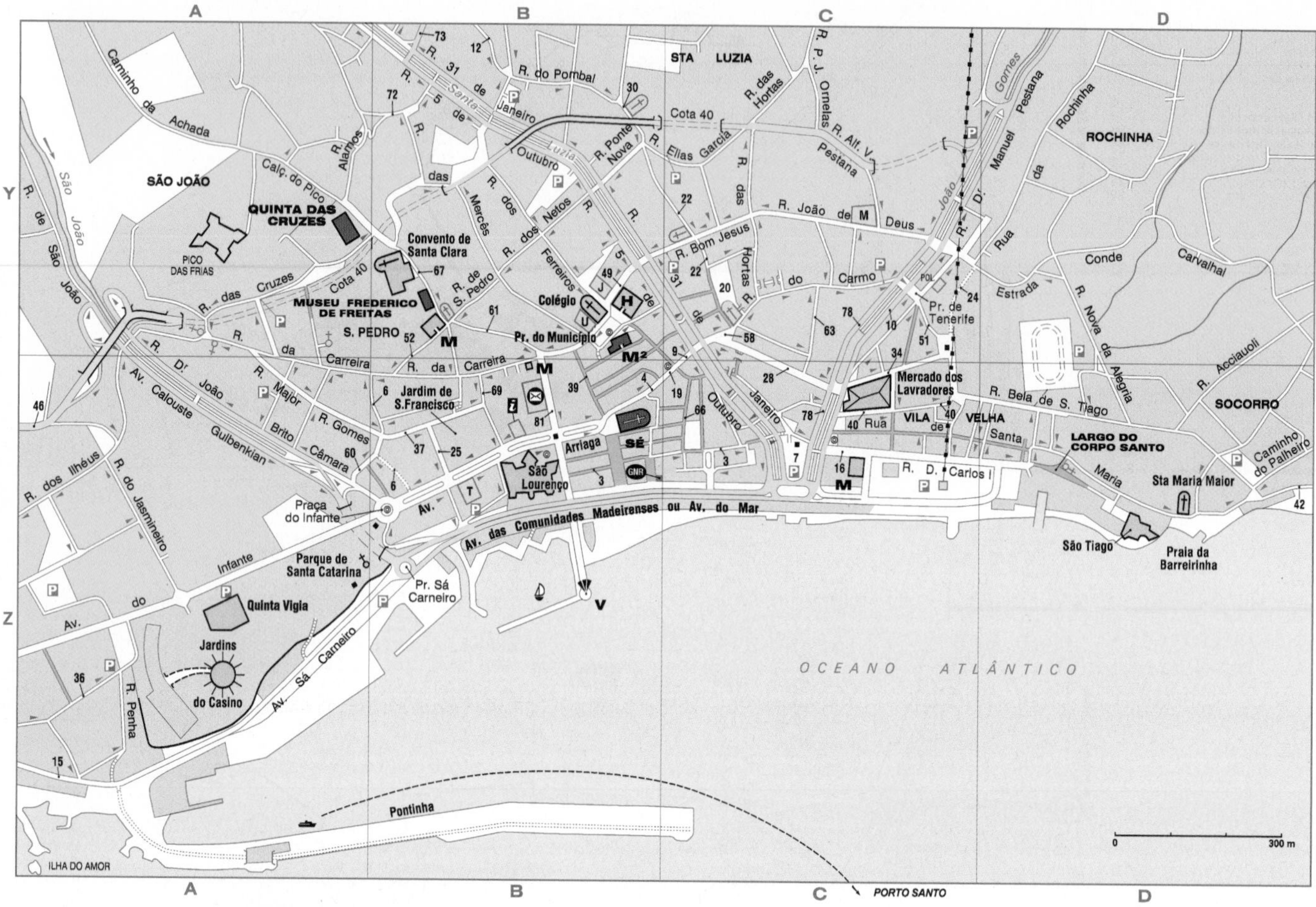

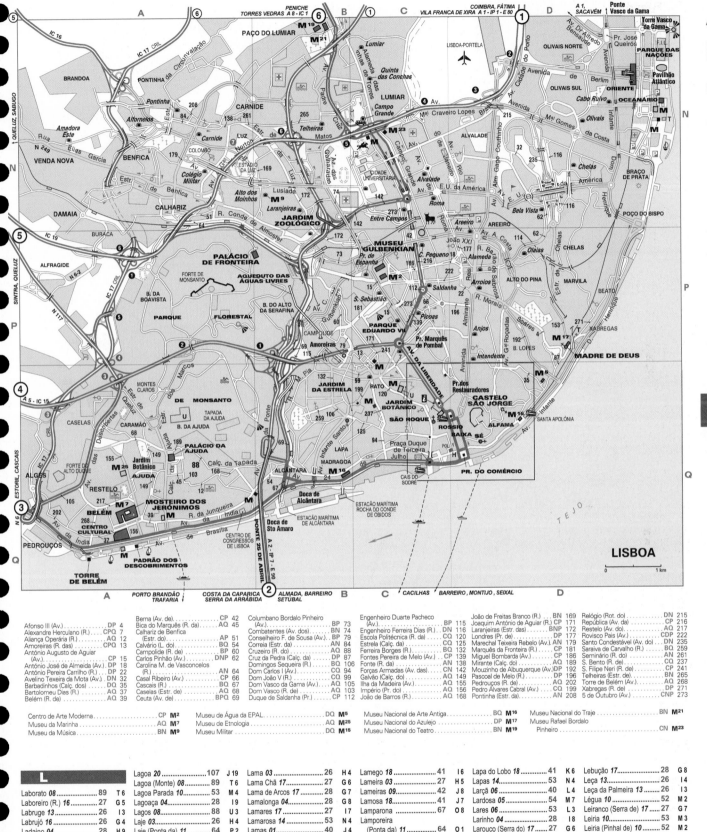

A B C D E F G H I J K L M N O P Q R S T U V W X Y Z

LISBOA

0 1 km

## LISBOA

Alfândega (R. da) .......... LZ 10
António Maria Cardoso (R.) .... JZ 21
Atalaia (R. da) .......... JY 28
Augusta (R.) .......... KY
Augusto Rosa (R.) .......... LY 31
Barão (R. do) .......... LY 33
Bartolomeu de Gusmão (R.) .... LY 36
Cais de Santarém (R. do) .... LZ 49

Carmo (R. do) .......... KY 63
Chafariz de Dentro (L. do) .. MY 71
Chão da Feira (R. do) .......... LY 70
Chiado (L. do) .......... KY 72
Conceição da Glória (R.) .... JX 75
Correeiros (R. dos) .......... KY 82
Corvos (R. dos) .......... MX 85
Cruzes da Sé (R.) .......... LZ 90
Diário de Notícias (R.) .... JY 91
Dom João da Câmara (Pr.) .. KX 97
Escolas Gerais (R. das) .... LY 118

Fanqueiros (R. dos) .......... KY 127
Funil (Trav. do) .......... LY 148
Garrett (R.) .......... KY
Glória (Calç. da) .......... JX 151
Graça (Calç. da) .......... LX 152
Guilherme Braga (R.) .......... LY 154
Instituto Bacteriológico
(R.) .......... KV 160
Jardim do Tabaco (R. do) .. MY 165
Limoeiro (R. do) .......... LY 175
Martim Moniz (L.) .......... KX 184

Misericórdia (R. da) .......... JY 190
Norberto de Araújo (R.) .... LY 193
Norte (R. do) .......... JY 194
Ouro (R. do) .......... KY
Portas do Sol (L. das) .... JX 210
Prata (R. da) .......... KY
Regueira (R. da) .......... LY 214
Rodrigues de Freitas
(L.) .......... LX 220
Sacramento (Calç. do) .... KY 225
Salvador (R. do) .......... LY 226

Santa Catarina (R. de) .... JY 228
Santa Justa (R. de) .......... KY 229
Santa Luzia (Trav. de) .... LY 231
Santo António da Sé
(L.) .......... LY 233
Santo António dos Capuchos
(R.) .......... KV 234
Santo Estêvão (Escadinhas de) MY 236
Sapateiros (R. dos) .......... KY 258
Serpa Pinto (R.) .......... KZ 262
S. Domingos (L. de) .......... KX 240

S. Francisco (Calç. de) .... KZ 243
S. João da Praça (R. de) .. LY 246
S. Miguel (R. de) .......... LY 249
S. Pedro de Alcântara
(R. de) .......... JX 252
S. Pedro (R. de) .......... LY 250
S. Tiago (R. de) .......... LY 253
S. Tomé (R. de) .......... LY 255
S. Vicente (Calç. de) .... LX 256
Terreiro do Trigo (R. do) .. LZ 267
Vigário (R. do) .......... MY 270

Alto de Santa Catarina ........................ JZ **A¹**
Casa do Alentejo ........................ KX **C⁴**
Igreja da Conceição Velha ........................ LZ **D¹**
Igreja do Carmo-Museu Arqueológico ........................ KY **M⁴**
Miradouro de Santa Luzia ........................ LY **L¹**
Museu de Artes Decorativas ........................ LY **M¹³**
Museu de Arte Sacra de São Roque ........................ JXY **M¹¹**
Museu Nacional do Chiado ........................ KZ **M¹⁸**

Liceia 06 .......... 40 L 3
Ligares 04 .......... 42 I 9
Lijó 03 .......... 26 H 4
Lima (R.) .......... 26 G 4
Limãos 04 .......... 28 H 9
Limas (Ribeira de) 02 .......... 78 S 7
Limões 17 .......... 27 H 6
Lindoso 16 .......... 27 G 5
Linhaceira 14 .......... 53 N 4
Linhares 04 .......... 28 I 7
Linhares 09 .......... 41 K 7
Lisboa 11 .......... 64 P 2
Livramento 08 .......... 89 U 6
Livramento 20 .......... 107 J 19
Lixa 13 .......... 27 I 5
Liz 10 .......... 52 M 3
Lobão da Beira 18 .......... 41 K 5
Lodões 04 .......... 28 I 8

Loivos 17 .......... 27 H 7
Loivos do Monte 13 .......... 27 I 6
Lomba da Fazenda 20 .......... 107 J 20
Lomba de Maia 20 .......... 107 J 19
Lombador 02 .......... 77 T 6
Lombardos 02 .......... 78 T 7
Lombo 04 .......... 28 H 9
Lombomeão 01 .......... 40 K 3
Longos 03 .......... 27 H 4
Longos Vales 16 .......... 13 H 4
Longra 13 .......... 27 H 5
Longroiva 09 .......... 42 I 7
Lordelo 03 .......... 27 H 4
Lordelo 03 .......... 26 I 4
Lordosa 18 .......... 41 K 6
Loriga 09 .......... 41 L 6
Lorvão 06 .......... 40 L 5
Lotão 08 .......... 89 T 6
Louçainha 06 .......... 53 L 5

Loulé 08 .......... 89 U 5
Louredo 01 .......... 40 J 4
Louredo 17 .......... 27 I 6
Louredo (Rio) 17 .......... 27 H 6
Loureira 10 .......... 53 M 4
Loureira 01 .......... 40 J 4
Loureira 06 .......... 53 L 4
Loureiro de Silgueiros 18 .......... 41 K 6
Loures 11 .......... 64 P 2
Lourical 10 .......... 53 L 3
Lourical do Campo 05 .......... 54 L 7
Lourinhã 11 .......... 52 O 2
Louro 03 .......... 26 I 4
Lourosa 01 .......... 40 J 4
Lourosa 06 .......... 41 L 6
Lousa 04 .......... 28 I 8
Lousa 07 .......... 54 M 7
Lousã 06 .......... 53 L 5

Lousa 11 .......... 64 P 2
Lousã (Serra da) .......... 53 L 5
Lousada 13 .......... 27 I 5
Lousadela 18 .......... 41 J 6
Lousado 03 .......... 26 H 4
Lovelhe 16 .......... 26 G 3
Lucefecit (Ribeira de) 07 .......... 66 Q 7
Ludares 17 .......... 27 I 7
Ludo 08 .......... 89 U 6
Luso 01 .......... 40 K 4
Lustosa 13 .......... 27 H 5
Lustosa 18 .......... 41 J 6
Luz 07 .......... 78 Q 7
Luz 20 .......... 107 F 12
Luz Lagos 08 .......... 88 U 3
Luz (Monte) 04 .......... 29 H 11
Luz de Tavira 08 .......... 89 U 6
Luzianes 02 .......... 77 T 4
Luzim 13 .......... 27 I 5

Maçainhas 05 .......... 42 K 8
Mação 14 .......... 53 N 6
Maçãs (R.) .......... 29 G 10
Maçãs de Caminho 10 .......... 53 M 4
Maçãs de Dona Maria 10 .......... 53 M 5
Macedo 01 .......... 40 J 4
Macedo de Cavaleiros 04 .......... 28 H 9
Macedo do Mato 04 .......... 28 H 9
Macedo do Peso 04 .......... 28 H 10
Maceira 10 .......... 52 M 3
Machados 02 .......... 78 R 7
Machados 08 .......... 89 U 6
Machico 31 .......... 88 B Y
Machio 06 .......... 53 L 5
Macieira 01 .......... 40 J 4
Macieira 03 .......... 26 H 4

Macieira 17 .......... 27 H 6
Macieira 18 .......... 41 J 5
Macieira da Maia 13 .......... 26 H 4
Macieira de Alcoba 01 .......... 41 K 5
Maçores 04 .......... 42 I 8
Maçussa 11 .......... 64 O 3
Madalena 05 .......... 26 I 4
Madalena 14 .......... 53 N 4
Madalena 20 .......... 107 H 10
Madalena do Mar 31 .......... 88 A Y
Madeirã 05 .......... 53 M 5
Madrugada (Ponta da) 20 .......... 107 J 20
Mafra 11 .......... 64 P 2
Magoito 11 .......... 64 P 1
Magos (Barragem de) 14 .......... 65 P 3
Magueija 18 .......... 41 I 6
Maia 13 .......... 26 I 4
Maia 20 .......... 107 J 19

### Map labels

SAPADORES

JARDIM BOTÂNICO

Parque Mayer

Campo dos Mártires da Pátria

MIRADOURO DA SENHORA DO MONTE

GRAÇA

Largo da Graça

Convento N.S. da Graça

Praça do Príncipe Real

ELEVADOR DO LAVRA

SÃO JOSÉ

COLISEU DOS RECREIOS

Martim Moniz

ELEVADOR DA GLÓRIA

Palácio Foz

Pr. dos Restauradores

Restauradores

MOURARIA

São Vicente de Fora

CAMPO DE STA CLARA

SANTA ENGRÁCIA

SANTA APOLÓNIA

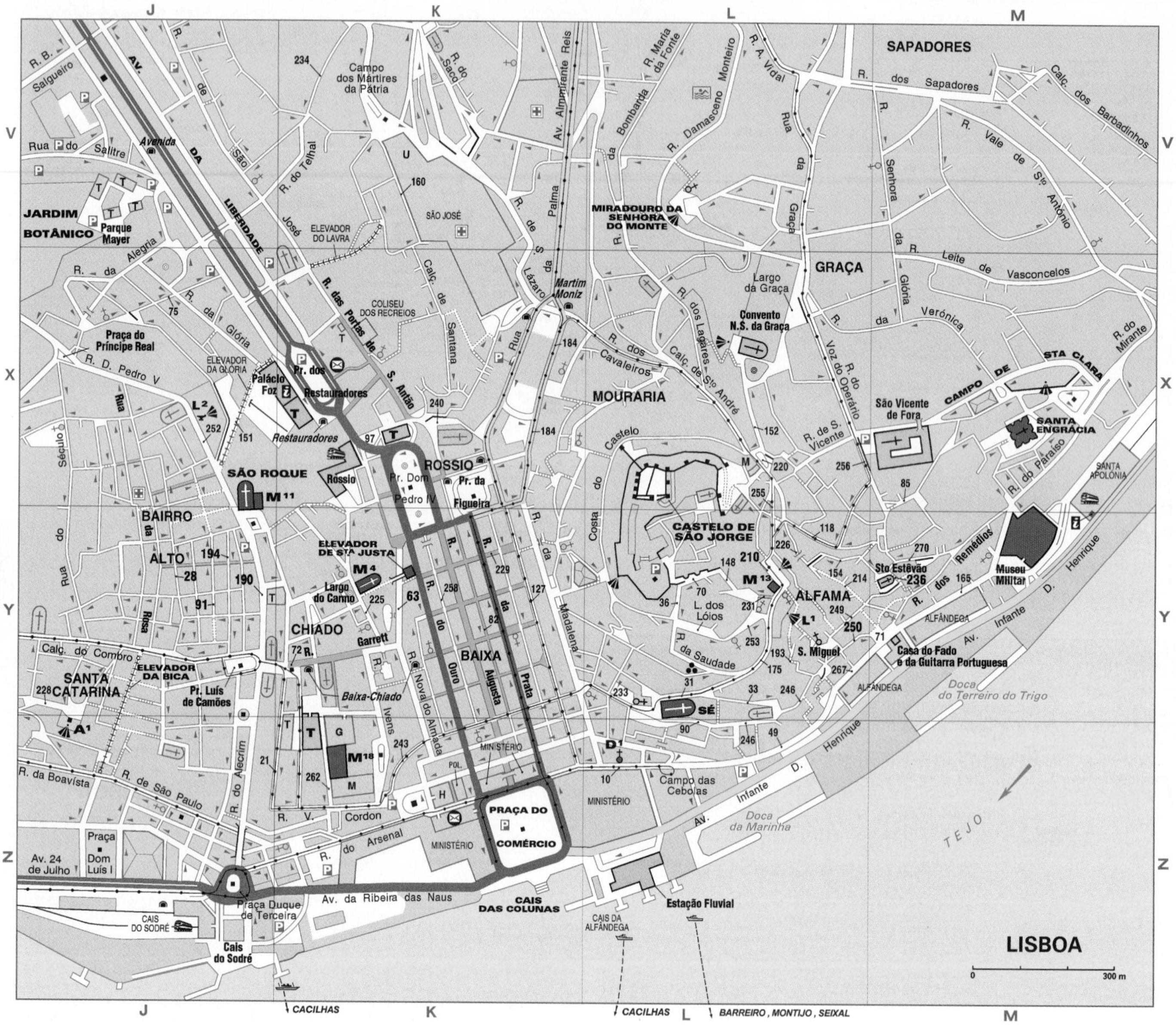

SÃO ROQUE

Rossio

Pr. Dom Pedro IV

ROSSIO

Pr. da Figueira

CASTELO DE SÃO JORGE

Museu Militar

BAIRRO ALTO

ELEVADOR DE STA JUSTA

Largo do Carmo

ALFAMA

Sto Estêvão

L. dos Lóios

CHIADO

Garrett

BAIXA

Ouro  Augusta  Prata

S. Miguel

SÉ

Casa do Fado e da Guitarra Portuguesa

SANTA CATARINA

ELEVADOR DA BICA

Pr. Luís de Camões

Baixa-Chiado

Doca do Terreiro do Trigo

Praça Dom Luís I

MINISTÉRIO

PRAÇA DO COMÉRCIO

Campo das Cebolas

MINISTÉRIO

TEJO

Praça Duque de Terceira

Av. da Ribeira das Naus

CAIS DAS COLUNAS

CAIS DA ALFÂNDEGA

Estação Fluvial

Doca da Marinha

CAIS DO SODRÉ

Cais do Sodré

LISBOA

CACILHAS

BARREIRO, MONTIJO, SEIXAL

0          300 m

Maia *Santa Maria* 20 ... 107 M 20
Maiorca 06 ... 53 L 3
Maiorga 10 ... 52 N 3
Mairos 17 ... 28 G 7
Malarranha 07 ... 65 P 6
Malcata 09 ... 42 L 8
Malcata (Serra de) ... 42 L 9
Malhada 12 ... 66 P 8
Malhada 18 ... 41 J 6
Malhada Alta 07 ... 66 P 7
Malhada Sorda 09 ... 42 K 9
Malhadal 05 ... 53 M 6
Malhadas 04 ... 29 H 11
Malhão 08 ... 89 U 6
Malhão (Serra do) ... 89 T 5
Malhou 14 ... 53 N 3
Malpartida 09 ... 42 J 9
Malpensado 02 ... 76 S 3
Malpica do Tejo 05 ... 54 M 7
Malpique 02 ... 78 R 7
Malta 09 ... 42 J 8
Malveira *perto de Estoril* 11 ... 64 P 1
Malveira *perto de Mafra* 11 ... 64 P 2
Mamarrosa 01 ... 40 K 4
Mamodeiro 01 ... 40 K 4
Mamouros 18 ... 41 J 6
Manadas 20 ... 107 H 11
Mancelos 13 ... 27 I 5
Mancoca 02 ... 77 S 5
Mangualde 18 ... 41 K 6
Manhouce 18 ... 41 J 5
Manigoto 09 ... 42 J 8
Manique do Intendente 11 ... 64 O 3
Mansores 01 ... 40 J 4
Manteigas 09 ... 41 K 7
Manuel Galo 02 ... 77 T 6
Maqueda 14 ... 52 N 3
Mar 03 ... 26 H 3
Maranhão 12 ... 65 O 6
Maranhão (Barragem de) 12 ... 65 O 6
Marão (Serra do) 13 ... 27 I 6
Marateca 15 ... 65 Q 4
Marateca (Ribeira de) ... 65 Q 4
Marchil 08 ... 89 U 6
Marco 12 ... 66 O 8
Marco de Canaveses 13 ... 27 I 5
Margalha 12 ... 54 N 6
Maria Vinagre 08 ... 88 T 3
Marialva 09 ... 42 J 8
Marianos 14 ... 65 O 4
Marinha das Ondas 06 ... 53 L 3
Marinha Grande 10 ... 52 M 3
Marinhais 14 ... 65 O 3
Marinhas 03 ... 26 H 3
Marmelar 02 ... 78 R 7
Marmeleira 14 ... 64 O 3
Marmeleira 18 ... 41 K 5
Marmeleiro 05 ... 53 M 5
Marmeleiro 09 ... 42 K 8
Marmelete 08 ... 88 U 3
Marmelos 04 ... 28 H 8
Marofa 09 ... 42 J 8
Maroto 02 ... 77 R 5
Maroufenha 02 ... 76 T 3
Marrancos 03 ... 26 G 4
Marrazes 10 ... 53 M 3
Martianas 05 ... 54 L 8
Martim 03 ... 26 H 4
Martim Branco 05 ... 54 M 7
Martim Longo 08 ... 89 T 6
Martinchel 14 ... 53 N 5
Martingança 10 ... 52 M 3
Mártires 07 ... 66 P 7
Marvão 12 ... 54 N 7
Marvila 10 ... 53 M 5
Marzagão 04 ... 28 I 8
Mascarenhas 04 ... 28 H 8
Massueime 09 ... 42 J 8
Mata 05 ... 54 M 7
Mata 14 ... 53 N 4
Mata da Rainha 05 ... 54 L 8
Mata de Lobos 09 ... 42 J 9
Mata Mourisca 10 ... 53 M 3
Matacães 11 ... 64 O 2
Matança 09 ... 41 J 7
Matela 04 ... 28 H 10
Mateus 17 ... 27 I 6
Mato 16 ... 26 H 4
Mato de Miranda 14 ... 53 N 4
Matoeira 10 ... 52 N 2
Matos 02 ... 77 R 6
Matosinhos 13 ... 26 I 3
Maxiais 05 ... 54 M 7
Maxial 05 ... 54 L 6
Maxial 11 ... 64 O 2
Maxieira 14 ... 53 N 6
Mazes 18 ... 41 I 6
Mazouco 04 ... 42 I 9
Meadela 16 ... 26 G 3
Mealhada 01 ... 40 K 4
Meca 11 ... 64 O 2
Mêda 09 ... 42 J 8
Medelim 05 ... 54 L 8
Medrões 17 ... 27 I 6
Meia Praia 08 ... 88 U 4
Meimão 05 ... 42 L 8
Meimoa 05 ... 54 L 8
Meimoa (Barragem de) 05 ... 42 L 8
Meimoa (Ribeira da) ... 54 L 7
Meinedo 13 ... 27 I 5
Meirinhos 04 ... 28 I 9
Meixedo 04 ... 28 G 9
Meixedo 17 ... 27 G 6
Meixide 17 ... 27 G 7
Meixões de Cima 03 ... 27 G 5
Meixomil 13 ... 26 I 4
Melgaço 16 ... 13 F 5
Melhe 04 ... 28 G 9
Melides 15 ... 76 R 3
Melres 13 ... 40 I 4
Melriça 05 ... 53 M 5
Memória 10 ... 53 M 4
Mendiga 10 ... 52 N 3
Mendro (Serra de) ... 77 R 6
Mente (R.) ... 28 G 8
Mentiras 07 ... 78 R 8
Mentrestido 16 ... 26 G 3
Mercês (Barragem das) 02 ... 78 R 8
Mértola 02 ... 78 T 7
Merufe 16 ... 13 F 4
Mesão Frio 03 ... 27 H 5
Mesão Frio 17 ... 27 I 6
Mesquita 02 ... 78 T 7
Mesquitela 09 ... 41 K 7
Messangil 02 ... 78 S 7
Messejana 02 ... 77 S 5
Messines 08 ... 89 U 5
Mestras 02 ... 89 T 5
Mexilhoeira Grande 08 ... 88 U 4
Mezio 16 ... 27 G 5
Mezio 18 ... 41 J 6
Midões 06 ... 41 K 6
Milagres 10 ... 53 M 3
Milhão 04 ... 28 G 10
Milharadas 02 ... 77 T 4
Milharado 11 ... 64 P 2
Milhazes 03 ... 26 H 4
Milreu 05 ... 53 N 5
Milreu (Ruinas de) 08 ... 89 U 6
Mina da Caveira 15 ... 77 R 4
Mina da Juliana 02 ... 77 S 5
Mina de São Domingos 02 ... 78 S 7
Mina de São João do Deserto 02 ... 77 S 5
Mina do Bugalho 07 ... 66 P 8
Mina do Lousal 15 ... 77 R 4
Minas do Carris 03 ... 27 G 5
Minde 14 ... 53 N 3
Mindelo 13 ... 26 I 3
Minheu 17 ... 27 H 6
Minhocal 09 ... 42 J 7
Miões 08 ... 89 U 5
Mira 06 ... 40 K 3
Mira (Rio) ... 89 T 5
Mira de Aire 10 ... 53 N 3
Miradezes 04 ... 28 H 8
Miragaia 11 ... 64 O 2
Miramar 13 ... 40 I 4
Miranda 16 ... 26 G 4
Miranda (Barragem de) 04 ... 29 H 11
Miranda do Corvo 06 ... 53 L 5
Miranda do Douro 04 ... 29 H 11
Mirandela 04 ... 28 H 8
Miróbriga (Ruinas Romanas de) 15 ... 76 R 3
Miuzela 09 ... 42 K 8
Moçarria 14 ... 53 O 3
Modivas 13 ... 26 I 3
Mões 18 ... 41 J 6
Mofreita 04 ... 28 G 9
Mogadouro 04 ... 28 H 9
Mogadouro 10 ... 53 M 4
Mogadouro (Serra de) ... 28 I 9
Mogo de Ansiães 04 ... 28 I 8
Mogofores 01 ... 40 K 4
Moimenta 04 ... 28 G 9
Moimenta da Beira 18 ... 41 J 7
Moimenta da Serra 09 ... 41 K 7
Moimenta de Maceira Dão 18 ... 41 K 6
Moinhola 07 ... 65 Q 4
Moinhos Velhos 10 ... 53 N 3
Moita 15 ... 64 Q 3
Moita *perto de Castanheira de Pêra* 10 ... 53 M 5
Moita *perto de Marinha Grande* 10 ... 52 M 3
Moita da Roda 10 ... 53 M 3
Moita do Boi 10 ... 53 M 3
Moita dos Ferreiros 11 ... 52 O 2
Moitas Venda 14 ... 53 N 4
Moitinhas 02 ... 88 T 4
Moldes 01 ... 41 J 5
Moledo 18 ... 41 J 6
Moledo do Minho 16 ... 26 G 3
Molelos 18 ... 41 K 5
Molianos 10 ... 52 N 3
Mombeja 02 ... 77 R 5
Monção 16 ... 12 F 4
Moncarapacho 08 ... 89 U 6
Monchique 08 ... 88 U 4
Monchique (Serra de) 08 ... 88 U 3
Mondego ... 41 K 7
Mondego (Cabo) 06 ... 40 L 3
Mondim da Beira 18 ... 41 I 6
Mondim de Basto 17 ... 27 H 6
Monfebres 17 ... 28 H 7
Monforte 12 ... 66 O 7
Monforte da Beira 05 ... 54 M 8
Monfortinho 05 ... 55 L 9
Monfurado 07 ... 65 Q 5
Moninho 06 ... 54 L 6
Monsanto 05 ... 54 L 8
Monsanto 14 ... 53 N 3
Monsanto (Monte) 05 ... 54 L 8
Monsaraz 07 ... 66 Q 7
Monsul 03 ... 27 H 5
Montaivo 02 ... 78 S 7
Montalegre 17 ... 27 G 6
Montalvão 12 ... 54 N 7
Montalvo 14 ... 53 N 5
Montargil 12 ... 65 O 5
Montargil (Barragem de) 12 ... 65 O 5
Monte 01 ... 40 J 4
Monte 03 ... 27 H 5
Monte 31 ... 88 B Y
Monte Alto 08 ... 89 U 5
Monte Brasil 20 ... 107 H 14
Monte Carvalho 12 ... 66 O 7
Monte Claro 12 ... 54 N 6
Monte Córdova 13 ... 26 I 4
Monte da Estrada 02 ... 76 S 4
Monte da Foz 14 ... 64 P 3
Monte da Guia 20 ... 107 H 10
Monte da Laje 02 ... 78 S 7
Monte da Pedra 12 ... 54 N 6
Monte da Rocha (Barragem de) 02 ... 77 S 5
Monte das Flores 07 ... 65 Q 6
Monte das Piçarras 07 ... 65 Q 4
Monte de Aldeia 07 ... 78 R 8
Monte de Baixo Grande 08 ... 90 U 7
Monte de Goula 05 ... 54 M 6
Monte de São Gens de Cidaĩ 13 ... 26 I 4
Monte do Outeiro 07 ... 66 Q 7
Monte do Trigo 07 ... 78 Q 6
Monte dos Corvos 02 ... 78 T 7
Monte Fernandes 02 ... 78 T 7
Monte Fidalgo 05 ... 54 M 7
Monte Gordo 05 ... 54 M 6
Monte Gordo 08 ... 90 U 7
Monte Grande 02 ... 77 S 5
Monte Grande 08 ... 89 U 6
Monte Juntos 07 ... 66 Q 7
Monte Margarida 09 ... 42 K 8
Monte Novo 15 ... 65 Q 4
Monte Novo (Barragem do) 07 ... 66 Q 6
Monte Real 10 ... 52 M 3
Monte Redondo 10 ... 53 M 3
Monte Redondo 11 ... 64 O 2
Monte Velho 02 ... 78 R 7
Monte Viegas 02 ... 77 S 6
Montechoro 08 ... 89 U 5
Monteiras 18 ... 41 J 6
Monteiros 17 ... 27 H 6
Montejunto (Serra de) 11 ... 64 O 2
Montelavar 11 ... 64 P 1
Montemor-o-Novo 07 ... 65 Q 5
Montemor-o-Velho 06 ... 40 L 3
Montemuro 18 ... 41 J 5
Montemuro (Serra de) 18 ... 41 J 5
Montes 14 ... 53 N 5
Montes da Senhora 05 ... 54 M 6
Montes de Cima 08 ... 88 U 4
Montes Novos 08 ... 89 U 6
Montesinho 04 ... 28 G 9
Montesinho (Parque Natural de) 04 ... 28 G 9
Montesinho (Serra de) 04 ... 28 G 9
Montevil 15 ... 65 Q 4
Montijo 15 ... 64 P 3
Montinho 12 ... 66 O 8
Montinho da Dourada 12 ... 66 O 6
Montoito 07 ... 66 Q 7
Montouto 04 ... 28 G 9
Mora 04 ... 29 H 10
Mora 07 ... 65 P 5
Morais 04 ... 28 H 9
Moreanes 02 ... 78 T 7
Moreira 16 ... 12 F 4
Moreira de Rei 09 ... 42 J 8
Moreira do Castelo 03 ... 27 H 5
Moreira do Rei 03 ... 27 H 5
Moreiras 17 ... 28 H 7
Morgade 17 ... 27 G 6
Morgadinho 02 ... 89 T 5
Morgavel (Barragem de) 15 ... 76 S 3
Mortágua 18 ... 41 K 5
Mós 09 ... 42 I 8
Mós 18 ... 41 J 5
Mós *perto de Bragança* 04 ... 28 G 9
Mós *perto de Torre de Moncorvo* 04 ... 28 I 9
Mós (Ribeira de) 04 ... 42 I 9
Moscavide 11 ... 64 P 2
Mosteiro 02 ... 77 S 6
Mosteiro 05 ... 53 M 6
Mosteiro 09 ... 41 J 7
Mosteiro 10 ... 53 M 5
Mosteiros 12 ... 66 O 8
Mosteiros 20 ... 107 J 18
Motrinos 07 ... 66 Q 7
Mouçós 17 ... 27 I 6
Moura 02 ... 78 R 7
Mourão 04 ... 28 I 8
Mourão 07 ... 78 Q 7
Mourão (Albufeira de) 07 ... 78 Q 8
Mouraz 18 ... 41 K 5
Moure *perto de Barcelos* 03 ... 26 H 4
Moure *perto de Vila Verde* 03 ... 26 H 4
Mourilhe 17 ... 27 G 6
Mouriscas 14 ... 53 N 5
Mouriz 13 ... 27 I 4
Mouro 16 ... 13 F 4
Mouronho 06 ... 41 L 5
Moutedo 01 ... 40 K 4
Moz de Celas 04 ... 28 G 9
Mozelos 18 ... 41 J 6
Mu 02 ... 89 T 5
Muda 15 ... 76 S 3
Muge 14 ... 65 O 3
Muge (Ribeira de) 14 ... 65 O 4
Mundão 18 ... 41 J 6
Muradal (Serra do) 05 ... 54 M 6
Murça 09 ... 42 I 8
Murça 17 ... 28 H 7
Murgeira 11 ... 64 P 2
Múrias 04 ... 28 H 8
Muro 13 ... 26 I 4
Murtede 06 ... 40 K 4
Murteirinha 05 ... 54 M 6
Murtigão (Barragem de) ... 78 R 8
Murtosa 01 ... 40 J 4
Musgos 07 ... 78 R 7
Muxagata 09 ... 42 I 8

**N**

Nabais 09 ... 41 K 7
Nabão ... 53 M 4
Nabo 04 ... 28 I 8
Nadadouro 10 ... 52 N 2
Nagosa 18 ... 41 I 7
Nagozelo do Douro 18 ... 28 I 7
Namorados 02 ... 77 T 6
Nantes 17 ... 28 G 7
Nariz 01 ... 40 K 4
Navais 13 ... 26 H 3
Nave 09 ... 42 K 9
Nave 12 ... 66 O 8
Nave de Haver 09 ... 42 K 9
Nave Redonda 02 ... 89 T 4
Nave Redonda 09 ... 42 J 9
Nazaré 10 ... 52 N 2
Negrões 17 ... 27 G 6
Neiva 16 ... 26 H 3
Nelas 18 ... 41 K 6
Nesperal 05 ... 53 M 5
Nespereira 03 ... 27 H 5
Neves (Serra das) 02 ... 77 S 4
Nevolgide 03 ... 26 H 4
Nine 03 ... 26 H 4
Ninho do Açor 05 ... 54 M 7
Nisa 12 ... 54 N 7
Nisa (Ribeira de) 12 ... 54 N 7
Noéme 09 ... 42 K 8
Nogueira 04 ... 28 G 9
Nogueira 13 ... 26 I 4
Nogueira (Serra de) 04 ... 28 H 9
Nogueira da Montanha 17 ... 28 H 7
Nogueira do Cima 01 ... 40 J 4
Nogueira do Cravo 06 ... 41 K 6
Nora 07 ... 66 P 7
Nordeste 20 ... 107 J 20
Nordestinho 20 ... 107 J 20
Norte Grande 20 ... 107 G 11
Norte Pequeno 20 ... 107 H 11
Nossa Senhora da Boa Fé 07 ... 65 Q 5
Nossa Senhora da Graça 17 ... 27 H 6
Nossa Senhora da Graça do Divor 07 ... 65 Q 6
Nossa Senhora da Penha 12 ... 54 N 7
Nossa Senhora da Penha 15 ... 77 R 4
Nossa Senhora da Pineda 16 ... 27 G 5
Nossa Senhora da Serra 04 ... 28 G 9
Nossa Senhora da Taude 01 ... 40 J 4
Nossa Senhora da Torega 07 ... 65 Q 5
Nossa Senhora das Neves 02 ... 77 R 6
Nossa Senhora de Ares 07 ... 77 Q 6
Nossa Senhora de Machede 07 ... 66 Q 6
Nossa Senhora do Assunção 13 ... 26 H 4
Nossa Senhora do Cabo 15 ... 64 Q 2
Nossa Senhora dos Remédios 18 ... 41 I 6
Noura 17 ... 28 H 7
Nova da Baronia (Ribeira) ... 77 R 5
Nozelos 04 ... 28 I 8
Nozelos 17 ... 28 G 8
Numão 09 ... 42 I 8
Nunes 04 ... 28 G 9

**O**

O Sítio 10 ... 52 N 2
Óbidos 10 ... 52 N 2
Óbidos (Lagoa de) 10 ... 52 N 2
Ocreza ... 54 M 7
Odearce (Ribeira de) 02 ... 77 R 6
Odeceixe 08 ... 88 T 3
Odeleite 08 ... 90 T 7
Odeleite (Ribeira de) 08 ... 89 U 6
Odelouca (Ribeira de) 08 ... 89 U 4
Odemira 02 ... 76 T 4
Odiáxere 08 ... 88 U 4
Odivelas 02 ... 77 R 5
Odivelas 11 ... 64 P 2
Odivelas (Barragem de) 02 ... 77 R 5
Odivelas (Ribeira de) ... 77 R 5
Oeiras 11 ... 64 P 2
Oeiras (Ribeira de) 02 ... 77 T 6
Ofir 03 ... 26 H 3
Oiã 01 ... 40 K 4
Olalhas 14 ... 53 N 5
Olas 18 ... 42 I 8
Oldrões 13 ... 27 I 5
Oledo 05 ... 54 M 8
Oleiros 01 ... 40 J 4
Oleiros 02 ... 88 T 3
Oleiros 05 ... 54 M 6
Olhalvo 11 ... 64 O 2
Olhão 08 ... 89 U 6
Olho Marinho 10 ... 52 O 2
Olivais 10 ... 53 M 3
Olivais 11 ... 64 P 2
Olival 14 ... 53 M 4
Oliveira 03 ... 26 H 4
Oliveira de Azeméis 01 ... 40 J 4
Oliveira de Barreiros 18 ... 41 K 6
Oliveira de Frades 18 ... 41 J 5
Oliveira do Bairro 01 ... 40 K 4
Oliveira do Conde 18 ... 41 K 6
Oliveira do Douro 18 ... 41 I 5
Oliveira do Hospital 06 ... 41 K 6
Oliveira do Mondego 06 ... 41 L 5
Oliveirinha 01 ... 40 K 4
Olmos 04 ... 28 H 9
Olo 13 ... 27 H 6
Onor (R.) 04 ... 28 G 10
Orada 02 ... 78 R 7
Orada 07 ... 66 P 7
Orada (Convento da) 07 ... 66 Q 7
Orbacém 16 ... 26 G 3
Orca 05 ... 54 L 7
Ordem 02 ... 78 R 6
Oriola 07 ... 77 R 6
Oriz 03 ... 27 G 4
Orjais 05 ... 41 K 7
Ortiga 14 ... 53 N 5
Ortigosa 10 ... 53 M 3
Orvalho 05 ... 54 L 6
Ossa (Serra de) 07 ... 66 P 6
Ota 11 ... 64 O 3
Ota (Ribeira de) 11 ... 64 O 2
Ouca 01 ... 40 K 4
Ouguela 12 ... 66 O 8
Oura 17 ... 27 H 7
Oural 03 ... 26 G 4
Ourém 14 ... 53 N 4
Ourentã 06 ... 40 K 4
Ourique 02 ... 77 T 5
Ourondo 05 ... 54 L 6
Ourozinho 18 ... 42 J 7
Outão 15 ... 64 Q 3
Outeiro 04 ... 28 G 10
Outeiro 07 ... 66 Q 7
Outeiro 10 ... 53 M 4
Outeiro 16 ... 26 G 3
Outeiro 17 ... 27 G 6
Outeiro Alvo 16 ... 13 F 5
Outeiro da Cabeça 11 ... 64 O 2
Outeiro da Cortiçada 14 ... 52 O 3
Outeiro de Gatos 09 ... 42 J 8
Outeiro Seco 17 ... 28 G 7
Outiz 03 ... 26 H 4
Ouzilhão 04 ... 28 G 9
Ovadas 18 ... 41 I 6
Ovar 01 ... 40 J 4
Ovar (Canal de) ... 40 J 3
Ovelha ... 27 I 5

**P**

Paço 04 ... 28 G 9
Paço de Arcos 11 ... 64 P 2
Paço de Sousa 13 ... 27 I 4
Paço dos Negros 14 ... 65 O 4
Paços de Ferreira 13 ... 27 I 4
Paços de Gaiolo 13 ... 27 I 5
Paços Novos 14 ... 65 O 4
Paços Velhos 14 ... 65 O 4
Padeiro 14 ... 65 P 4
Paderne 08 ... 89 U 5
Paderne 16 ... 13 F 5
Padim de Graça 03 ... 26 H 4
Padornelo 16 ... 26 G 4
Padrão 02 ... 77 S 6
Padrão 05 ... 54 N 6
Padrão 10 ... 53 M 3
Padrão de Moreira 13 ... 26 I 4
Padrela 17 ... 27 H 7
Padrela (Serra da) 17 ... 27 H 7
Padroso 17 ... 27 G 6
Pai Penela 09 ... 42 J 8
Pai Torto 04 ... 28 H 8
Paiágua 05 ... 54 M 6
Paialvo 14 ... 53 N 4
Paião 06 ... 53 L 3
Pailobo 09 ... 42 K 9
Paio Mendes 14 ... 53 M 5
Paio Pires 15 ... 64 Q 2
Paiva ... 41 J 6
Pala 09 ... 42 J 8
Pala 18 ... 41 K 5

A B C D E F G H I J K L M N O P Q R S T U V W X Y Z

**PORTO**

0       1 km

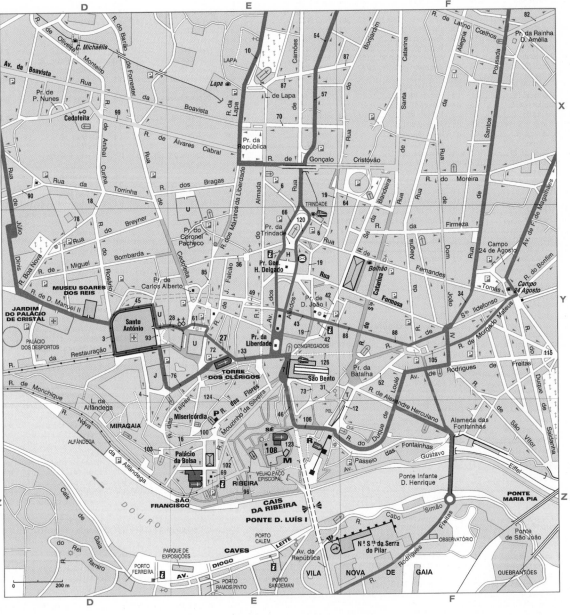

## PORTO

Alberto Aires Gouveia (R. de) ........ DY 3
Albuquerque (R. Af. de) ... DYZ 4
Alferes Malheiro (R. do) .. EXY 6
Almada (R. do) .......... EXY
Almeida Garrett (Pr. de) ..... EY 7
Antero de Quental (R.de) .... EX 10
Augusto Rosa (R. de) ....... FZ 12
Belomonte (R. de) .......... EZ 16
Boa Hora (R. da) ......... DXY 18
Bonjardim (R. do) ......... EXY 19
Carmelitas (R. das) ......... EY 27
Carmo (R. do) ............ DEY 28
Cimo da Vila (R. de) ....... EY 31
Clérigos (R. dos) ........... EY 33
Coelho Neto (R. de) ........ FY 34
Dom Afonso Henriques (Av.) .......... EYZ 46
Dona Filipa de Lencastre (Pr. de) ........ EY 49
Dr António Emílio de Magalhães (R. do) ........ EY 42
Dr Magalhães Lemos (R. do) EY 43
Dr Tiogo de Almeida (R. do). DY 45
Entreparedes (R. de) ........ FY 52
Faria Guimarães (R. de) ..... EX 54
Fernandes Tomás (R. de). . EFY
Flores (R. das) ............ EYZ
Fonseca Cardoso (R. de) .... EX 57
Formosa (R.) .............. EFY
Gomes Teixeira (Pr. de) ..... EY 61
Guedes de Azevedo (R. de) ........ FXY 64
Heróis e Mártires de Angola (R. dos) ........ EY 66
Infante Dom Henrique (Pr. e R. do) ........ EZ 69
João das Regras (R. de) ..... EX 70
Lisboa (Pr. de) ............. EY 72
Loureiro (R. do) ............ EY 73
Mártires da Pátria (Campo dos) ........ DEY 76
Maternidade (R. da) ........ DY 78
Nova de São Crispim (R.) .... FX 82
Oliveiras (R. das) .......... EY 85
Paraíso (R. do) ........... EFX 87
Passos Manuel (R. de) ...... FY 88
Piedade (R. da) ............ DX 90
Prov. Vincente José de Carvalho (R. do) ........ DY 93
Ribeira (Pr. da) ............ EZ 96
Sacadura Cabral (R.) ........ DX 99
Santa Catarina (R. de) ..... FXY
São Domingos (L. de) ....... EZ 100
São João Novo (Pr. de) ...... DZ 103
São João (R. de) ........... EZ 102
São Lázaro (Passeio de) ..... FY 105
Saraiva de Carvalho (R. de) . . EZ 106
Sá da Bandeira (R. de) ..... FXY
Sé (Terreiro da) ........... EZ 108
Soares dos Reis (L. de) ..... FY 115
Trindade (R. da) ........... EY 120
Vimara Peres (Av.) ......... EZ 123
Vitória (R. da) ............ EYZ 124
31 de Janeiro (R. de) ....... EY 126

Pêro Viseu *05* ..... 54 L 7
Peroguarda *02* ..... 77 R 5
Perozinho *13* ..... 40 I 4
Pesinho *05* ..... 54 L 7
Peso *02* ..... 78 R 6
Peso *04* ..... 28 H 10
Peso *05* ..... 54 L 7
Peso *16* ..... 13 F 5
Peso da Régua *17* ..... 27 I 6
Pessegueiro *06* ..... 53 L 5
Pessegueiro *08* ..... 89 T 6
Peta *14* ..... 65 O 4
Peva *09* ..... 42 J 9
Peva *18* ..... 41 J 6
Pião *07* ..... 78 Q 8
Pias *02* ..... 78 R 7
Pias *07* ..... 66 Q 7
Pias *14* ..... 53 M 5
Pias *16* ..... 12 F 4
Picão *18* ..... 41 J 6
Piçarras *02* ..... 77 T 5
Picarrel *07* ..... 66 Q 7
Pico *20* ..... 107 H 10
Pico (Ilha do) *20* ..... 107 H 10
Pico Alto *20* ..... 107 M 20
Pico da Pedra *20* ..... 107 J 19
Pico de Regalados *03* ..... 26 G 4
Picões *04* ..... 28 I 9
Picoitos *02* ..... 78 T 7
Picote *04* ..... 29 H 10
Picote (Barragem de) *04* ... 29 H 10
Picoto *13* ..... 40 I 4
Piedade *01* ..... 40 K 4
Piedade *20* ..... 107 H 11
Piedade (Ponta da) *08* ..... 88 U 3
Pilado *10* ..... 52 M 3
Pindelo dos Milagres *18* ..... 41 J 6
Pinela *04* ..... 28 G 9
Pinelo *04* ..... 29 H 10
Pingarelhos *10* ..... 53 L 3
Pinhal do Norte *04* ..... 28 I 7
Pinhal Novo *15* ..... 64 Q 3
Pinhancos *09* ..... 41 K 6
Pinhão *17* ..... 27 I 7
Pinheiro *03* ..... 27 H 5
Pinheiro *09* ..... 41 J 7
Pinheiro *13* ..... 27 I 5
Pinheiro *15* ..... 65 Q 3
Pinheiro *perto de Castro Daire* *18* ..... 41 J 6
Pinheiro *perto de Mortágua* *18* ..... 41 K 5
Pinheiro *perto de Oliveira de Frades* *18* ..... 41 J 5
Pinheiro (Estação de) *15* ... 65 Q 3
Pinheiro da Bemposta *01* ..... 40 J 4
Pinheiro de Coja *06* ..... 41 L 6
Pinheiro Grande *14* ..... 53 N 4
Pinheiro Novo *04* ..... 28 G 8
Pinhel *09* ..... 42 J 8
Pinhel *14* ..... 53 N 4
Pinho *17* ..... 27 H 7
Pinho *18* ..... 41 J 5
Pinoucas ..... 41 K 5
Pintado *14* ..... 53 N 4
Pínzio *09* ..... 42 K 8
Piódão *06* ..... 41 L 6
Pipas *07* ..... 78 Q 7
Pisão *01* ..... 40 L 4
Pisão *12* ..... 66 O 7
Pisco *09* ..... 41 J 7
Pisões *10* ..... 52 N 3
Pisões *17* ..... 27 G 6
Pisões-Moura *02* ..... 78 R 7
Pitões das Júnias *17* ..... 27 G 6
Pó *10* ..... 52 O 2
Pocariça *06* ..... 40 K 4
Poceirão *15* ..... 64 Q 3
Pocinho *09* ..... 42 I 8
Pocinho (Barragem do) *04* ..... 42 I 8
Poço Barreto *08* ..... 89 U 4
Poço dos Cães *10* ..... 53 M 4
Poços *02* ..... 77 S 5
Podence *04* ..... 28 H 9
Podentes *06* ..... 53 L 4
Poiares *04* ..... 42 I 9
Poiares *17* ..... 27 I 6
Poio (Barragem do) *12* ..... 54 N 7
Poiso *31* ..... 88 B Y
Poldra *08* ..... 88 U 3
Polvoeira *10* ..... 52 M 2
Pomar *05* ..... 54 M 6
Pomarão *02* ..... 78 T 7
Pomares *06* ..... 41 L 6
Pomares *09* ..... 42 K 8
Pombal *04* ..... 28 I 7
Pombal *10* ..... 53 M 4
Pombalinho *06* ..... 53 L 4
Pombalinho *14* ..... 53 N 4
Pombeiro da Beira *06* ..... 41 L 5
Pondras *17* ..... 27 G 6
Ponsul (R.) ..... 54 L 8
Ponta *32* ..... 89 C X
Ponta da Calheta *32* ..... 89 C X
Ponta Delgada *20* ..... 107 J 18
Ponta Delgada *20* ..... 107 E 2
Ponta do Mistério *20* ..... 107 H 11
Ponta do Pargo *31* ..... 88 A Y
Ponta do Sol *31* ..... 88 A Y
Pontal (Cabo) *08* ..... 88 U 3
Pontal (Gruta) *08* ..... 89 U 4
Pontão *10* ..... 53 M 4
Ponte *03* ..... 27 G 4
Ponte da Barca *16* ..... 27 G 4
Ponte de Lima *16* ..... 26 G 4
Ponte de Sor *12* ..... 65 O 5
Ponte de Vagos *01* ..... 40 K 3
Ponte Delgada *31* ..... 88 B Y
Ponte do Abade *18* ..... 41 J 7
Ponte do Rol *11* ..... 64 O 2
Ponte Nova *13* ..... 27 I 5
Ponte Vasco da Gama *15* . 64 Q 2
Pontével *14* ..... 64 O 3
Porches *08* ..... 89 U 4
Portagem *12* ..... 54 N 7
Portalegre *12* ..... 66 O 7
Portalegre (Estação de) *12* ..... 66 O 7
Porteirinhos *02* ..... 77 T 5
Portel *07* ..... 78 R 6
Portela *08* ..... 89 U 6
Portela *10* ..... 64 O 2
Portela *16* ..... 26 G 4
Portela de Santa Eulália *17* ..... 27 H 6
Portela de Vade *03* ..... 27 G 4
Portela do Fojo *06* ..... 53 M 5
Portelas *08* ..... 88 U 3
Portelo *04* ..... 28 G 9
Portimão *08* ..... 88 U 4
Portinho da Arrábida *15* ..... 64 Q 3
Porto *13* ..... 26 I 4
Porto Alto *14* ..... 64 P 3
Porto Carvoeiro *13* ..... 40 I 4
Porto Covo *15* ..... 76 S 3
Porto da Balça *06* ..... 54 L 6
Porto da Cruz *31* ..... 88 B Z
Porto da Espada *12* ..... 54 N 7
Porto das Barcas *02* ..... 76 T 3
Porto de Barcas *11* ..... 64 O 1
Porto de Lagos *08* ..... 88 U 4
Porto de Mós *10* ..... 53 N 3
Porto de Ovelha *09* ..... 42 K 9
Porto de Sines *15* ..... 76 S 3
Porto do Carro *10* ..... 52 N 3
Porto do Codeço *18* ..... 41 J 6
Porto Formoso *20* ..... 107 J 19
Porto Moniz *31* ..... 88 A Y
Portos *16* ..... 13 F 5
Portunhos *06* ..... 40 L 4
Possacos *17* ..... 28 H 8
Pousada *09* ..... 42 K 8
Pousada da Ria *01* ..... 40 J 3
Pousadas Vedras *10* ..... 53 M 4
Pousaflores *10* ..... 53 M 4
Pousafoles do Bispo *09* ..... 42 K 8
Pousos *10* ..... 53 M 3
Póvoa *04* ..... 29 H 11
Póvoa *18* ..... 41 J 6
Póvoa (Barragem da) *12* ... 54 N 7
Póvoa d'El-Rei *09* ..... 42 J 8
Póvoa da Atalaia *05* ..... 54 L 7
Póvoa da Isenta *14* ..... 65 O 3
Póvoa das Quartas *06* ..... 41 K 6
Póvoa de Lanhoso *03* ..... 27 H 5
Póvoa de Midões *06* ..... 41 K 6
Póvoa de Penela *18* ..... 42 I 7
Póvoa de Rio de Moinhos *05* ..... 54 M 7
Póvoa de Santa Iria *11* ..... 64 P 2
Póvoa de Santarém *14* ..... 53 O 3
Póvoa de São Miguel *02* ..... 78 R 8
Póvoa de Varzim *13* ..... 26 H 3

Póvoa do Concelho 09 ... 42 J8
Póvoa e Meadas 12 ... 54 N7
Povoação 20 ... 107 J20
Povolide 18 ... 41 K6
Pracana (Barragem de) ... 54 N6
Prado 03 ... 26 H4
Prado Gatão 04 ... 29 H10
Prados *perto de Celorico da Beira* 09 ... 42 K7
Prados *perto de Freixedas* 09 ... 42 J8
Pragança 11 ... 64 O2
Praia 20 ... 107 M20
Praia 20 ... 107 F12
Praia Azul 11 ... 64 O1
Praia da Aguda 13 ... 40 I4
Praia da Alagoa 08 ... 90 U7
Praia da Areia Branca 11 ... 52 O1
Praia da Árvore 13 ... 26 I3
Praia da Barra 01 ... 40 K3
Praia da Bordeira 08 ... 88 U3
Praia da Calada 11 ... 64 O1
Praia da Carreagem 08 ... 88 T3
Praia da Cordama 08 ... 88 U3
Praia da Falesia 08 ... 89 U5
Praia da Galé 08 ... 89 U5
Praia da Ilha 15 ... 76 S3
Praia da Ilha de Faro 08 ... 90 V6
Praia da Ilha de Tavira 08 ... 90 U7
Praia da Manta Rota 08 ... 90 U7
Praia da Oura 08 ... 89 U5
Praia da Rocha 08 ... 88 U4
Praia da Tocha 06 ... 40 L3
Praia da Vagueira 01 ... 40 K3
Praia da Vieira 10 ... 52 M3
Praia da Vitória 20 ... 107 G14
Praia das Maçãs 11 ... 64 P1
Praia de Agudela 13 ... 26 I3
Praia de Areinho 01 ... 40 J3
Praia de Boa Nova 13 ... 26 I3
Praia de Cabadelo 16 ... 26 G3
Praia de Cabanas 08 ... 90 U7
Praia de Caparica 15 ... 64 Q2
Praia de Cascais 11 ... 64 Q1
Praia de Comporta 15 ... 64 Q3
Praia de Cortegaça 01 ... 40 J4
Praia de Dona Ana 08 ... 88 U4
Praia de Ericeira 11 ... 64 P1
Praia de Esmoriz 01 ... 40 J4
Praia de Espinho 01 ... 40 J3
Praia de Faro 08 ... 89 U6
Praia de Furadouro 01 ... 40 J3
Praia de Fuseta 08 ... 89 U6
Praia de Labruge 13 ... 26 I3
Praia de Lavadores 13 ... 26 I4
Praia de Leirosa 06 ... 52 L3
Praia de Magoito 11 ... 64 P1
Praia de Maria Luisa 08 ... 89 U5
Praia de Melides 15 ... 76 R3
Praia de Mira 06 ... 40 K3
Praia de Monte Branco 01 ... 40 J3
Praia de Monte Clérigo 02 ... 88 T3
Praia de Morgavel 15 ... 76 S3
Praia de Odeceixe 08 ... 88 T3
Praia de Porto Covo 15 ... 76 S3
Praia de Quiaios 06 ... 40 L3
Praia de Ribeiro 11 ... 64 O1
Praia de Samarra 11 ... 64 P1
Praia de Santa Cruz 11 ... 64 O1
Praia de Santo André 15 ... 76 R3
Praia de São Lourenço 11 ... 64 O1
Praia de São Sebastião 11 ... 64 P1
Praia de São Torpes 15 ... 76 S3
Praia de Suave Mar 03 ... 26 H3
Praia do Castelejo 08 ... 88 U3
Praia do Guincho 11 ... 64 P1
Praia do Martinhal 08 ... 88 U3
Praia do Norte 20 ... 107 H9
Praia do Porto Novo 11 ... 64 O1
Praia do Rei Cortiço 10 ... 52 N2
Praia do Ribatejo 14 ... 53 N4
Praia do Salgado 10 ... 52 N2
Praia dos Mouranitos 08 ... 88 U3
Praia dos Tres Irmãos 08 ... 88 U4
Praia Grande 11 ... 64 P1
Praia Nova 10 ... 52 N2
Praia Velha 10 ... 52 M2
Praias de Albufeira 08 ... 89 U4
Prainha 20 ... 107 H11
Prazeres 12 ... 66 P7
Prazeres 31 ... 88 AY
Préstimo 01 ... 40 K4
Proença-a-Nova 05 ... 54 M6
Proença-a-Velha 05 ... 54 L8
Prova 09 ... 42 J7
Provença 15 ... 76 S3
Provesende 17 ... 27 I7
Pussos 10 ... 53 M4

## Q

Quadrazais 09 ... 42 L9
Quarteira 08 ... 89 U5
Quartos 08 ... 89 U5
Quatrim do Sul 08 ... 89 U6
Quebradas 11 ... 64 O3
Queimada (Ponta da) 20 ... 107 H11
Queimadela 03 ... 27 H5
Queimado (Ponta do) 43 ... 107 G13
Queirã 18 ... 41 J5
Queiriga 18 ... 41 J6
Queiriz 09 ... 41 J7
Quelfes 08 ... 89 U6
Queluz 11 ... 64 P2
Querença 08 ... 89 U6
Quiaios 06 ... 40 L3
Quiaios (Dunas de) 06 ... 40 L3
Quintã 01 ... 40 K3
Quintã 02 ... 89 T6
Quinta da Corona 15 ... 77 S4
Quintã de Pêro Martins 09 ... 42 J8
Quinta de Santa Maria 07 ... 77 R5
Quinta do Anjo 15 ... 64 Q3
Quinta do Lago 08 ... 89 U5
Quinta do Pinheiro 12 ... 66 O6
Quinta Nova 09 ... 42 J8
Quintanilha 04 ... 28 G10
Quintãs 01 ... 40 K4
Quintas da Torre 05 ... 54 L8
Quintas do Norte 01 ... 40 J3
Quintela de Azurara 18 ... 41 K6
Quintela de Lampacas 04 ... 28 H9
Quintos 02 ... 77 S6
Quirás 04 ... 28 G8

## R

Rã 07 ... 65 Q5
Rabaça 12 ... 66 O8
Rabaçal 06 ... 53 L4
Rabaçal 09 ... 42 J8
Rabaçal (Rio) ... 28 G8
Rabal 04 ... 28 G9
Rabo de Peixe 20 ... 107 J19
Raia (Ribeira da) ... 65 P5
Raimonda 13 ... 27 I5
Rainha (Cabeço) 05 ... 54 M6
Raiva 01 ... 41 I4
Raiva (Barragem de) 06 ... 41 L5
Ramalhais 10 ... 53 M4
Ramalhal 11 ... 64 O2
Raminho 20 ... 107 G14
Ramo Alto 07 ... 66 Q7
Ranhados 09 ... 42 J8
Raposa 14 ... 65 O4
Raposeira 08 ... 88 U3
Rapoula do Côa 09 ... 42 K8
Rãs 13 ... 27 I5
Rãs 18 ... 41 J7
Raso (Cabo) 11 ... 64 P1
Rates 13 ... 26 H3
Real 01 ... 41 I5
Rebolia 06 ... 53 L4
Rebolosa 09 ... 42 K9
Rebordainhos 04 ... 28 H9
Rebordãos 04 ... 28 G9
Rebordelo 01 ... 40 J4
Rebordelo 04 ... 28 G8
Rebordelo 13 ... 27 H6
Rebordões 13 ... 26 H4
Rebordões 16 ... 26 G4
Reboreda 16 ... 26 G3
Reboredo (Serra do) ... 42 I9
Recarei 13 ... 26 I4
Redinha 10 ... 53 L4
Redondelo 17 ... 27 G7
Redondo 07 ... 66 Q7
Réfega 04 ... 28 G10
Refoios do Lima 16 ... 26 G4
Regadas 03 ... 27 H5
Regadas 13 ... 27 I5
Rego 03 ... 27 H5
Rego (Monte) 07 ... 66 P8
Rego da Barca 04 ... 28 I8
Rego da Murta 10 ... 53 M4
Regueira de Pontes 10 ... 53 M3
Reguenga 13 ... 26 I4
Reguengo 07 ... 65 Q5
Reguengo 12 ... 66 O7
Reguengo do Fetal 10 ... 53 N3
Reguengo Grande 11 ... 52 O2
Reguengos de Monsaraz 07 ... 78 Q7
Reigada 09 ... 42 J9
Reigoso 17 ... 27 G6
Relíquias 02 ... 77 S4
Reliquias 07 ... 66 P7
Relva 20 ... 107 J18
Relva da Louça 05 ... 53 M6
Relvas 06 ... 54 L6
Remal 31 ... 88 AY
Remédios 10 ... 52 N1
Remédios 20 ... 107 J18
Remelhe 03 ... 26 H4
Remondes 04 ... 28 H9
Rendo 09 ... 42 K8
Rendufe 03 ... 27 H4
Requeixo 01 ... 40 K4
Reriz 18 ... 41 J6
Resende 18 ... 41 I6
Retaxo 05 ... 54 M7
Retiro 12 ... 66 P8
Retorta 02 ... 78 S7
Revel 17 ... 27 H7
Reveladas 12 ... 66 N7
Rexaldia 14 ... 53 N4
Ria Formosa (Parque Natural da) 08 ... 90 V6
Riachos 14 ... 53 N4
Riba d'Ave 03 ... 26 H4
Riba de Mouro 16 ... 13 F5
Ribadouro 13 ... 41 I5
Ribafeita 18 ... 41 J6
Ribafria 10 ... 52 O2
Ribalonga 04 ... 28 I7
Ribalonga 17 ... 27 H7
Ribamar *perto de Ericeira* 11 ... 64 O1
Ribamar *perto de Lourinhã* 11 ... 64 O1
Ribamondego 09 ... 41 K7
Ribeira 01 ... 40 J4
Ribeira 06 ... 53 L5
Ribeira (Ponta da) 20 ... 107 J20
Ribeira Brava 31 ... 88 AY
Ribeira Cha 20 ... 107 J19
Ribeira da Janela 31 ... 88 AY
Ribeira de Fraguas 01 ... 40 J4
Ribeira de Pena 17 ... 27 H6
Ribeira do Seissal 02 ... 76 S4
Ribeira dos Carinhos 09 ... 42 K8
Ribeira Grande 20 ... 107 J19
Ribeira Quente 20 ... 107 J20
Ribeira Seca 20 ... 107 J19
Ribeira Seca 20 ... 107 H12
Ribeiradio 18 ... 41 J5
Ribeirão 03 ... 26 H4
Ribeiras 20 ... 107 H11
Ribeirinha 04 ... 28 H8
Ribeirinha 20 ... 107 J19
Ribeirinha 20 ... 107 G14
Ribeiro Frio 31 ... 88 BY
Ribolhos 18 ... 41 J6
Rio de Couros 14 ... 53 M4
Rio de Mel 09 ... 42 J7
Rio de Moinhos 02 ... 77 S5
Rio de Moinhos 07 ... 66 P7
Rio de Moinhos 14 ... 53 N5
Rio de Moinhos 15 ... 77 R5
Rio de Moinhos 18 ... 41 J6
Rio de Mouro 11 ... 64 P1
Rio de Onor 04 ... 28 G10
Rio Douro 03 ... 27 H6
Rio Frio 04 ... 28 G10
Rio Frio 15 ... 64 P3
Rio Frio 16 ... 26 G4
Rio Maior 14 ... 52 N3
Rio Mau 03 ... 26 G4
Rio Mau 13 ... 26 H3
Rio Milheiro 18 ... 41 K5
Rio Seco 08 ... 90 U7
Rio Torto 09 ... 41 K7
Rio Torto 17 ... 28 H8
Rio Vide 06 ... 53 L5
Riodades 18 ... 41 I7
Roca (Cabo da) 11 ... 64 P1
Rocamondo 09 ... 42 K8
Rocas do Vouga 01 ... 40 J4
Rocha dos Bordões 20 ... 107 E2
Rochoso 09 ... 42 K8
Roda Grande 14 ... 53 N4
Rogil 08 ... 88 T3
Rogodeiro 04 ... 28 H8
Rojão 18 ... 41 K5
Rolão 02 ... 77 S6
Roliça 10 ... 52 O2
Romã 11 ... 64 O2
Romarigães 16 ... 26 G4
Romariz 01 ... 40 J4
Romãs 18 ... 41 J7
Romeira 14 ... 53 O3
Romeu 04 ... 28 H8
Roncão 02 ... 78 T7
Ronfe 03 ... 27 H4
Roriz 03 ... 26 H4
Roriz 13 ... 27 H4
Roriz 18 ... 41 J6
Rosais 20 ... 107 G11
Rosais (Ponta dos) 20 ... 107 G11
Rosário 02 ... 77 T5
Rosário 07 ... 66 Q7
Rosmaninhal 05 ... 54 M8
Rosmaninhal 12 ... 53 O6
Rossão 18 ... 41 J6
Rossas 01 ... 41 J5
Rossas 03 ... 27 H5
Rossio ao Sul do Tejo 14 ... 53 N5
Rouças 16 ... 27 G5
Roxo (Barragem do) 02 ... 77 S5
Roxo (Ribeira do) ... 77 S4
Rua 18 ... 41 J7
Rubiães 16 ... 26 G4
Ruivães 03 ... 27 G5
Ruivo 02 ... 77 R5
Ruivo (Pico) 31 ... 88 BY
Ruivo do Paúl 31 ... 88 AY
Runa 11 ... 64 O2
Ruvina 09 ... 42 K8

## S

Sá 17 ... 28 G7
Sabacheira 14 ... 53 M4
Sabóia 02 ... 77 T4
Sabor ... 28 G9
Sabrosa 17 ... 27 I7
Sabroso 17 ... 27 H7
Sabugal 09 ... 42 K8
Sabugal (Barragem do) 09 ... 42 K8
Sabugo 11 ... 64 P2
Sabugosa 18 ... 41 K5
Sabugueiro 07 ... 65 P5
Sabugueiro 09 ... 41 K7
Sacavém 11 ... 64 P2
Sado (R.) 15 ... 77 S4
Sado Morgavel (Canal do) 15 ... 77 S4
Safara 02 ... 78 R8
Safira 07 ... 65 Q5
Safurdão 09 ... 42 K8
Sago 16 ... 12 F4
Sagres 08 ... 88 U3
Sagres (Ponta de) 08 ... 88 V3
Salamonde 03 ... 27 G5
Salavessa 12 ... 54 N7
Saldanha 04 ... 28 H10
Saldonha 04 ... 28 H9
Salema 08 ... 88 U3
Salgueirais 09 ... 41 K7
Salgueiro 01 ... 40 K4
Salgueiro 04 ... 28 I9
Salgueiro 05 ... 42 L8
Salgueiro 10 ... 52 O2
Salgueiro do Campo 05 ... 54 M7
Salgueiros 02 ... 78 T7
Salgueiros 17 ... 28 H7
Salir 08 ... 89 U5
Salir do Porto 10 ... 52 N2
Salreu 01 ... 40 J4
Salsas 04 ... 28 H9
Salselas 04 ... 28 H9
Salto 02 ... 77 S6
Salto 17 ... 27 H6
Salto de Cavalo 20 ... 107 J20
Salvada 02 ... 77 S6
Salvador 05 ... 54 L8
Salvador 14 ... 65 O4
Salvador do Monte 13 ... 27 I5
Salvaterra de Magos 14 ... 64 O3
Salvaterra do Extremo 05 ... 55 M9
Salzedas 18 ... 41 I6
Samardã 17 ... 27 H6
Sambade 04 ... 28 H9
Sambado 05 ... 53 M5
Sameice 09 ... 41 K6
Sameiro 09 ... 41 K7
Sameiro (Monte) 03 ... 27 H4
Samil 04 ... 28 G9
Samões 04 ... 28 I8
Samora Correia 14 ... 64 P3
Samouco 15 ... 64 P2
Samouqueira 08 ... 88 T3
Sampaio *perto de Mogadouro* 04 ... 28 H9
Sampaio *perto de Vila Flor* 04 ... 28 I8
Sampriz 16 ... 27 G4
Samuel 06 ... 53 L3
San Julião 12 ... 66 O8
San Martinho 05 ... 54 M7
San Martinho do Peso 04 ... 28 H10
San Pedro do Corval 07 ... 66 Q7
San Salvador 12 ... 54 N7
Sande 03 ... 27 H4
Sande 13 ... 27 I5
Sandim 04 ... 28 G8
Sandim 13 ... 40 I4
Sandomil 09 ... 41 K6
Sanfins 17 ... 28 G8
Sanfins do Douro 17 ... 27 I7
Sangalhos 01 ... 40 K4
Sanguedo 01 ... 40 I4
Sanguinhal 10 ... 52 O2
Sanhoane 04 ... 28 H10
Sanjurge 17 ... 27 G7
Santa Antão 20 ... 107 H12
Santa Bárbara 02 ... 88 T4
Santa Bárbara 20 ... 107 M20
Santa Bárbara 20 ... 107 G13
Santa Barbara *São Miguel* 20 ... 107 J18
Santa Bárbara de Nexe 08 ... 89 U6
Santa Bárbara de Padrões 02 ... 77 T6
Santa Catarina 08 ... 88 U4
Santa Catarina 10 ... 52 N2
Santa Catarina 15 ... 65 Q4
Santa Catarina da Fonte do Bispo 08 ... 89 U6
Santa Catarina da Serra 10 ... 53 M3
Santa Cita 14 ... 53 N4
Santa Clara 06 ... 40 L4
Santa Clara (Barragem de) 02 ... 77 T4
Santa Clara-a-Nova 02 ... 89 T5
Santa Clara-a-Velha 02 ... 77 T4
Santa Clara do Louredo 02 ... 77 S6
Santa Comba 09 ... 42 J8
Santa Comba 13 ... 26 I4
Santa Comba 16 ... 26 G4
Santa Comba Dão 18 ... 41 K5
Santa Comba de Rosas 04 ... 28 G9
Santa Comba de Vilariça 04 ... 28 H8
Santa Combinha 04 ... 28 H9
Santa Cristina 18 ... 41 K5
Santa Cruz 02 ... 89 T6
Santa Cruz 15 ... 76 R3
Santa Cruz 31 ... 88 BY
Santa Cruz da Graciosa 20 ... 107 F11
Santa Cruz da Trapa 18 ... 41 J5
Santa Cruz das Flores 20 ... 107 E2
Santa Cruz do Douro 13 ... 27 I5
Santa Eufémia 09 ... 42 J8
Santa Eufémia 10 ... 53 M3
Santa Eugénia 17 ... 28 H7
Santa Eulália 03 ... 26 H4
Santa Eulália 03 ... 27 H5
Santa Eulália 09 ... 41 K6
Santa Eulália 11 ... 64 P2
Santa Eulália 12 ... 66 P8
Santa Iria 02 ... 78 S7
Santa Iria da Azóia 11 ... 64 P2
Santa Justa 07 ... 66 P6
Santa Justa 08 ... 89 T6
Santa Justa 14 ... 65 O5
Santa Leocádia 13 ... 27 I5
Santa Leocádia 18 ... 27 I7
Santa Luzia 02 ... 77 S4
Santa Luzia 02 ... 78 R7
Santa Luzia 05 ... 54 L7
Santa Luzia 16 ... 26 G3
Santa Luzia 20 ... 107 H10
Santa Luzia (Barragem de) 06 ... 54 L6
Santa Luzia (Basílica) 16 ... 26 G3
Santa Luzia (Forte de) 12 ... 66 P8
Santa Luzia (Monte) 02 ... 78 S7
Santa Margarida da Coutada 14 ... 53 N5
Santa Margarida da Serra 15 ... 76 R4
Santa Margarida do Sádão 02 ... 77 R4
Santa Maria 03 ... 26 H4
Santa Maria 18 ... 41 I6
Santa Maria (Barragem de) 09 ... 42 J9
Santa Maria (Cabo de) 08 ... 90 V6
Santa Maria (Ilha de) 20 ... 107 L20
Santa Maria da Feira 01 ... 40 J4
Santa Maria de Aguiar (Antiguo Convento de) 09 ... 42 J9
Santa Maria de Émeres 17 ... 28 H7
Santa Maria Madalena 03 ... 27 H4
Santa Marina (Couto de) 05 ... 54 M8
Santa Marinha 09 ... 41 K7
Santa Marinha 16 ... 13 F4
Santa Marinha do Zêzere 13 ... 27 I6
Santa Marta 08 ... 90 T7
Santa Marta da Montanha 17 ... 27 H6
Santa Marta de Penaguião 17 ... 27 I6
Santa Marta de Portuzelo 16 ... 26 G3
Santa Quitéria 13 ... 27 H5
Santa Sofia 07 ... 65 Q5
Santa Susana 07 ... 66 Q7
Santa Susana 15 ... 65 Q4
Santa Valha 17 ... 28 G8
Santa Vitória 02 ... 77 S5
Santa Vitória do Ameixial 07 ... 66 P6
Santalha 04 ... 28 G8
Santana 06 ... 40 L3
Santana 07 ... 77 R6
Santana 15 ... 64 Q2
Santana 31 ... 88 BY
Santana da Serra 02 ... 77 T5
Santana de Cambas 02 ... 78 T7
Santana do Campo 07 ... 65 P5
Santar 18 ... 41 K6
Santarém 14 ... 65 O3
Santiago 04 ... 28 H10
Santiago 09 ... 41 K6
Santiago 12 ... 66 O7
Santiago 18 ... 41 I6
Santiago da Guarda 10 ... 53 M4
Santiago de Besteiros 18 ... 41 K5
Santiago de Cassurrães 18 ... 41 K6
Santiago de Litém 10 ... 53 M4
Santiago de Ribeira de Alhariz 17 ... 28 H7
Santiago do Cacém 15 ... 76 R3
Santiago do Escoural 07 ... 65 Q5
Santiago dos Velhos 11 ... 64 P2
Santiago Maior 07 ... 66 Q7
Santiais 10 ... 53 M4
Santo Aleixo 12 ... 66 P7
Santo Aleixo da Restauração 02 ... 78 R8
Santo Aleixo de Além Tâmega 17 ... 27 H6
Santo Amador 02 ... 78 R8
Santo Amaro 09 ... 42 I8
Santo Amaro 12 ... 66 P7
Santo Amaro *São Jorge* 20 ... 107 G11
Santo Amaro de Oeiras 11 ... 64 P2
Santo André 15 ... 76 R3
Santo André 17 ... 27 G7
Santo André (Lagoa de) 15 ... 76 R3
Santo André das Tojeiras 05 ... 54 M6
Santo Antão do Tojal 11 ... 64 P2
Santo António 31 ... 88 BZ
Santo António 20 ... 107 J18
Santo António 20 ... 107 G11

## SANTARÉM

Alex Herculano (R.) A 3
Alf. de Santarém (R.) B 4
Braamcamp Freire (R.) B 6
Cândido dos Reis (Largo) A 7
Capelo Ivens (R.) AB 9
G. de Azevedo (R.) A 10
João Afonso (R.) A 12
Miguel Bombarda (R.) B 13
Piedade (Largo da) A 15
São Martinho (R. de) B 16
Serpa Pinto (R.) AB
Teixeira Guedes (R.) A 18
Tenente Valadim (R.) B 19
Vasco da Gama (R.) A 21
Zeferino Brandão (R.) A 22
1_ de Dezembro (R.) B 24
5 de Outubro (Av.) B 25
31 de Janeiro (R.) A 27

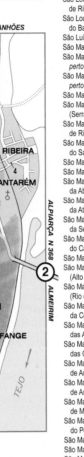

Santo António 20 ... 107 H 10
Santo António da Serra 31 ... 88 B Y
Santo António das Areias 12 ... 54 N 8
Santo António de Alcôrrego 12 ... 65 O 6
Santo Antonio de Baldio 07 ... 66 Q 7
Santo António de Monforte 17 ... 28 G 7
Santo António de Outeiro 02 ... 78 R 7
Santo António Velho 02 ... 78 S 7
Santo Espírito 20 ... 107 M 20
Santo Estêvão 03 ... 27 H 5
Santo Estêvão 07 ... 66 P 7
Santo Estêvão 08 ... 89 U 6
Santo Estêvão 09 ... 42 L 8
Santo Estêvão 14 ... 65 P 3
Santo Estêvão 17 ... 28 G 7
Santo Estêvão (Ribeira de) ... 65 P 3
Santo Estêvão das Galés 11 ... 64 P 2
Santo Ildefonso 12 ... 66 P 8
Santo Isidoro 11 ... 64 P 1
Santo Isidro de Pegões 15 ... 65 P 4
Santo Tirso 13 ... 26 H 4
Santos *perto de Alcanena* 14 ... 53 N 3
Santos *perto de Mação* 14 ... 53 N 6
Santos Evos 18 ... 41 K 6
Santulhão 04 ... 28 H 10
São Barnabé 02 ... 89 T 5
São Bartolomeu 02 ... 89 T 6
São Bartolomeu 12 ... 53 N 6
São Bartolomeu *perto de Bragança* 04 ... 28 G 9
São Bartolomeu *perto de Outeiro* 04 ... 28 H 10
São Bartolomeu da Serra 15 ... 76 R 4
São Bartolomeu de Messines 08 ... 89 U 5
São Bartolomeu do Outeiro 07 ... 77 Q 6
São Bartolomeu dos Galegos 11 ... 52 O 2
São Bento 10 ... 53 N 3
São Bento 16 ... 26 G 4
São Bento (Pousada de) 03 ... 27 H 5
São Bento de Castris (Convento) 07 ... 65 Q 6
São Bento do Ameixial 07 ... 66 P 7
São Bento do Cortiço 07 ... 66 P 7
São Bernardino 10 ... 52 O 1
São Brás 02 ... 78 S 7
São Brás *São Miguel* 20 ... 107 J 19
São Brás de Alportel 08 ... 89 U 6
São Brás do Regedouro 07 ... 65 Q 5
São Brissos 02 ... 77 R 6
São Brissos 07 ... 65 Q 5
São Cipriano 18 ... 41 K 6
São Cosme 03 ... 26 H 4
São Cristóvão 07 ... 65 Q 5
São Cristóvão (Ribeira de) ... 65 Q 4
São Domingos 14 ... 53 N 5
São Domingos 15 ... 77 S 4
São Domingos (Ribeira de) 15 ... 77 S 4
São Domingos da Ordem 07 ... 66 Q 6
São Domingos de Ana Loura 07 ... 66 P 7
São Domingos de Rana 11 ... 64 P 1
São Facundo 14 ... 53 N 5
São Félix 18 ... 41 J 5
São Félix da Marinha 13 ... 40 I 4
São Francisco da Serra 15 ... 76 R 4
São Frutuoso de Montélios 03 ... 26 H 4
São Gemil 18 ... 41 K 6
São Gens 07 ... 66 P 7
São Geraldo 07 ... 65 P 5
São Gonçalo 04 ... 28 H 9
São Gonçalo 31 ... 88 B Z
São Gonçalo (Pousada de) 13 ... 27 I 6
São Gregório 07 ... 65 P 6
São Gregório 16 ... 13 F 5
São Gregório da Fanadia 10 ... 52 N 2
São Jacinto 01 ... 40 K 3
São Jerónimo (Pousada de) 18 ... 41 K 5
São Joanico 04 ... 29 H 10
São Joaninho *perto de Castro Daire* 18 ... 41 J 6
São Joaninho *perto de Santa Comba Dão* 18 ... 41 K 5
São João 15 ... 64 Q 2
São João 20 ... 107 H 10
São João (Ribeira de) 12 ... 54 N 7
São João da Boa Vista 06 ... 41 K 5
São João da Corveira 17 ... 28 H 7
São João da Madeira 01 ... 40 J 4
São João da Pesqueira 18 ... 28 I 7
São João da Ribeira 14 ... 52 O 3
São João da Serra 18 ... 41 J 5
São João da Tahla 11 ... 64 P 2
São João da Venda 08 ... 89 U 6
São João das Lampas 11 ... 64 P 1
São João de Areias 18 ... 41 K 5
São João de Loure 01 ... 40 K 4
São João de Negrilhos 02 ... 77 S 5
São João de Tarouca 18 ... 41 J 6
São João de Ver 01 ... 40 J 4
São João do Campo 06 ... 40 L 4
São João do Monte *perto de Caramulo* 18 ... 41 K 5
São João do Monte *perto de Nelas* 18 ... 41 K 6
São João do Peso 05 ... 53 M 5
São João dos Caldeireiros 02 ... 77 T 6
São João dos Montes 11 ... 64 P 2
São Jomil 04 ... 28 G 8
São Jorge 01 ... 40 J 4
São Jorge 10 ... 52 N 3
São Jorge 16 ... 27 G 4
São Jorge 31 ... 88 B Y
São Jorge (Canal de) 20 ... 107 H 11
São Jorge (Ilha de) 20 ... 107 G 11
São Jorge (Ponta de) 31 ... 88 B Y
São Jorge da Beira 05 ... 54 L 6
São José da Lamarosa 14 ... 65 O 4
São José das Matas 14 ... 54 N 6
São Julião de Palácios 04 ... 28 G 10
São Julião do Tojal 11 ... 64 P 2
São Leonardo 07 ... 78 Q 8
São Lourenço 04 ... 28 I 7
São Lourenço 08 ... 89 U 5
São Lourenço 17 ... 28 G 7
São Lourenço (Baia do) 20 ... 107 M 20
São Lourenço (Ponta de) 31 ... 88 C Y
São Lourenço de Mamporcão 07 ... 66 P 7
São Lourenço de Ribapinhão 17 ... 27 I 7
São Lourenço do Bairro 01 ... 40 K 4
São Luís 02 ... 76 S 4
São Macário 18 ... 41 J 5
São Mamede *perto de Batalha* 10 ... 53 N 3
São Mamede *perto de Óbidos* 10 ... 52 O 2
São Mamede (Pico) 12 ... 66 O 7
São Mamede (Serra de) 12 ... 66 O 7
São Mamede de Ribatua 17 ... 28 I 7
São Mamede do Sado 15 ... 77 R 4
São Manços 07 ... 66 Q 6
São Marcos 08 ... 89 U 7
São Marcos da Abóbada 07 ... 65 Q 6
São Marcos da Ataboeira 02 ... 77 S 6
São Marcos da Serra 08 ... 89 T 4
São Marcos do Campo 07 ... 78 Q 7
São Martinho 31 ... 88 B Z
São Martinho (Alto de) 10 ... 52 N 2
São Martinho (Rio de) ... 65 Q 4
São Martinho da Cortiça 06 ... 41 L 5
São Martinho das Amoreiras 02 ... 77 T 4
São Martinho das Chãs 18 ... 41 I 7
São Martinho de Angueira 04 ... 29 H 10
São Martinho de Antas 17 ... 27 I 7
São Martinho de Mouros 18 ... 41 I 6
São Martinho do Porto 10 ... 52 N 2
São Mateus 20 ... 107 H 14
São Mateus 20 ... 107 H 10
São Matias 02 ... 77 R 6
São Matias 07 ... 65 Q 5
São Miguel 11 ... 89 U 6
São Miguel (Ilha de) 20 ... 107 J 18
São Miguel de Acha 05 ... 54 L 8
São Miguel de Machede 07 ... 66 Q 6
São Miguel de Poiares 06 ... 41 L 5
São Miguel de Vila Boa 18 ... 41 J 6
São Miguel do Mato 01 ... 40 J 4
São Miguel do Outeiro 18 ... 41 K 5
São Miguel do Pinheiro 02 ... 77 T 6
São Miguel do Rio Torto 14 ... 53 N 5
São Paio 09 ... 41 K 7
São Paio da Farinha Podre 06 ... 41 L 5
São Paulo de Frades 06 ... 40 L 4
São Pedro 04 ... 28 H 8
São Pedro 07 ... 78 R 6
São Pedro 17 ... 27 G 6
São Pedro da Cadeira 11 ... 64 O 1
São Pedro da Cova 13 ... 26 I 4
São Pedro da Torre 16 ... 12 G 4
São Pedro das Cabeças 02 ... 77 S 5
São Pedro de Açor 06 ... 54 L 6
São Pedro de Agostém 17 ... 27 G 7
São Pedro de Alva 06 ... 41 L 5
São Pedro de Balsemão 18 ... 41 I 6
São Pedro de Moel 10 ... 52 M 2
São Pedro de Rio Seco 09 ... 42 K 9
São Pedro de Serracenos 04 ... 28 G 9
São Pedro de Solis 02 ... 89 T 6
São Pedro de Veiga de Lila 17 ... 28 H 8
São Pedro do Esteval 05 ... 54 N 6
São Pedro do Sul 18 ... 41 J 5
São Pedro Fins 13 ... 26 I 4
São Pedro Santa Luzia 08 ... 89 U 7
São Pedro Velho 04 ... 28 G 8
São Pedro Velho (Monte) 18 ... 41 J 5
São Romão 09 ... 41 K 6
São Romão *perto de Montemor-o-Novo* 07 ... 65 Q 5
São Romão *perto de Vila Viçosa* 07 ... 66 P 8
São Romão do Sado 15 ... 77 R 4
São Roque 31 ... 88 B Y
São Roque 20 ... 107 J 19
São Roque do Pico 20 ... 107 H 11
São Salvador 04 ... 28 H 8
São Saturnino 12 ... 66 O 7
São Sebastião 06 ... 53 L 4
São Sebastião 20 ... 107 H 14
São Sebastião da Giesteira 07 ... 65 Q 5
São Sebastião dos Carros 02 ... 77 T 6
São Simão de Litém 10 ... 53 M 4
São Teotónio 02 ... 76 T 3
São Tomé do Castelo 17 ... 27 H 6
São Torcato 03 ... 27 H 5
São Torcato 14 ... 65 P 4
São Vicente 07 ... 77 R 5
São Vicente 13 ... 27 I 5
São Vicente 17 ... 28 G 8
São Vicente 31 ... 88 A Y
São Vicente (Cabo de) 08 ... 88 U 3
São Vicente da Beira 05 ... 54 L 7
São Vicente da Chã 17 ... 27 G 6
São Vicente de Ferreira 20 ... 107 J 19
São Vicente de Lafões 18 ... 41 J 5
São Vicente de Pereira Juza 01 ... 40 J 4
São Vicente do Paúl 14 ... 53 N 4
São Vicente do Pigeiro 07 ... 66 Q 7
São Vicente e Ventosa 12 ... 66 P 8
Sapataria 11 ... 64 P 2
Sapelos 17 ... 27 G 7
Sapiãos 17 ... 27 G 7
Sapos 02 ... 78 T 7
Sapos 02 ... 77 T 6
Sardão 04 ... 28 I 9
Sardão (Cabo) 02 ... 76 T 3
Sardeiras de Baixo 05 ... 54 M 6
Sardoal 14 ... 53 N 5
Sarilhos Grandes 15 ... 64 P 3
Sarnadas 08 ... 89 U 5
Sarnadas de Ródão 05 ... 54 M 7
Sarnadas de São Simão 05 ... 54 M 6
Sarraquinhos 17 ... 27 G 7
Sarzeda 18 ... 41 J 7
Sarzedas 05 ... 54 M 6
Sarzedela 10 ... 53 M 4
Sarzedo 05 ... 41 K 7
Sarzedo 18 ... 41 I 7
Sátão 18 ... 41 J 6
Sazes da Beira 09 ... 41 K 6
Seara Velha 17 ... 27 G 7
Sebadelhe 09 ... 42 I 8
Sebadelhe da Serra 09 ... 42 J 7
Sebal 06 ... 53 L 4
Secarias 06 ... 41 L 5
Seco (R.) 09 ... 42 J 9
Seda 12 ... 66 O 6
Seda (Ribeira de) 12 ... 66 O 6
Sedielos 17 ... 27 I 6
Segirei 17 ... 28 G 8
Segões 18 ... 41 J 6
Segura 05 ... 55 M 9
Seia 09 ... 41 K 6
Seia (Rio) ... 41 K 6
Seiça 14 ... 53 M 4
Seixa 17 ... 27 H 6
Seixal 15 ... 64 Q 2
Seixal 31 ... 88 A Y
Seixas 04 ... 28 G 8
Seixas 09 ... 42 I 8
Seixas 16 ... 26 G 3
Seixe (Ribeira de) 08 ... 88 T 3
Seixo Amarelo 09 ... 42 K 7

## SETÚBAL

Alexandre Herculano (Av. de) ... BY 3
Almirante Reis (P. do) ... AZ 4
Almocreves (R. dos) ... BZ 6
Álvaro Castelões (R.) ... BZ 7
António Girão (R.) ... BZ 9
Arronches Junqueiro (R.) ... BZ 12
Augusto Cardoso (R. de) ... BZ 13
Bela Vista (Travessa da) ... AZ 15
Bocage (Pr. do) ... BZ 16
Bocage (R. do) ... BZ 18
Ciprestes (Estrada dos) ... CY 19
Clube Naval (R.) ... AZ 20
Combatentes da Grande Guerra (Av. dos) ... AZ 21
Defensores da República (Largo dos) ... CZ 22
Dr António J. Granjo (R.) ... BZ 24
Dr Paula Borba (R.) ... BZ 25
Exército (Pr. do) ... BZ 27
Machado dos Santos (Pr.) ... AZ 31
Major Afonso Pala (R. do) ... BZ 33
Mariano de Carvalho (Av.) ... BY 34
Marquês da Costa (R.) ... AZ 36
Marquês de Pombal (Pr.) ... AZ 37
Mirante (R. do) ... CY 38
Ocidental do Mercado (R.) ... AZ 39
Paulino de Oliveira (R. de) ... AZ 40
República de Guiné-Bissau (Av.) ... BY 42
Santo António (Largo de) ... BZ 43
Tenente Valadim (R.) ... AZ 44
Trabalhadores do Mar (R. Dos) ... AZ 45
22 de Dezembro (Av.) ... BY 46

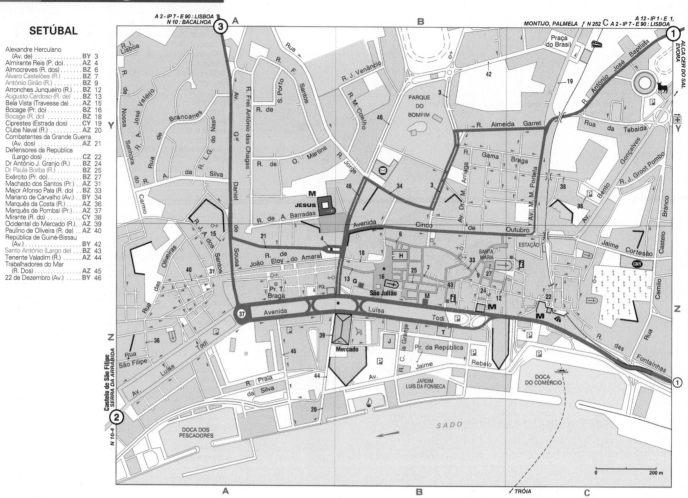

Seixo da Beira *06* ... 41 K 6
Seixo de Ansiães *04* ... 28 I 8
Seixo de Gatões *06* ... 40 L 3
Seixo de Manhoses *04* ... 28 I 8
Seixo do Côa *09* ... 42 K 8
Selho *03* ... 27 H 4
Selmes *02* ... 77 R 6
Semblana *02* ... 77 T 6
Semide *06* ... 53 L 4
Semideiro *14* ... 53 O 5
Sendas *04* ... 28 H 9
Sendim *04* ... 29 H 10
Sendim *13* ... 27 I 7
Sendim *17* ... 27 G 6
Sendim da Ribeira *04* ... 28 I 9
Sendim da Serra *04* ... 28 I 9
Senhora da Ajuda *12* ... 66 P 8
Senhora da Cola *02* ... 77 T 5
Senhora da Conceição *15* ... 77 R 4
Senhora da Graça de Padrões *02* ... 77 T 6
Senhora da Laje *01* ... 41 J 5
Senhora da Mó *01* ... 41 J 5
Senhora da Orada *05* ... 54 L 7
Senhora da Póvoa *05* ... 42 L 8
Senhora da Ribeira *04* ... 28 I 8
Senhora da Rocha *08* ... 89 U 4
Senhora de Mércules *05* ... 54 M 7
Senhora de Monte Alto *06* ... 41 L 5
Senhora do Almurtão *05* ... 54 M 8
Senhora do Bom Sucesso *05* ... 55 L 8
Senhora do Desterro *09* ... 41 K 6
Senhora do Monte *20* ... 107 J 20
Senhora do Nazo *04* ... 29 H 10
Senhora do Rosário *12* ... 66 O 8
Senhorim *18* ... 41 K 6
Senouras *09* ... 42 K 9
Sentieiras *14* ... 53 N 5
Sentinela *08* ... 90 U 7
Sepins *06* ... 40 K 4
Serapicos *04* ... 28 H 9
Serapicos *17* ... 28 H 7
Serdedelo *16* ... 26 G 4
Sernada *01* ... 40 J 4
Sernadas *18* ... 41 K 5
Sernancelhe *18* ... 41 J 7
Seroa *13* ... 26 I 4
Serpa *02* ... 78 S 7
Serpins *06* ... 53 L 5
Serra *14* ... 53 N 5
Serra d'El-Rei *10* ... 52 N 2
Serra de Água *31* ... 88 A Y
Serra de Bornes *04* ... 28 H 8
Serra de Dentro *32* ... 89 D X
Serra de Santo António *14* ... 53 N 3
Serra do Bouro *10* ... 52 N 2
Serra do Mouro *10* ... 53 M 4
Serrado (Eira do) *31* ... 88 B Y
Serras de Aire e Candeeiros (Parque Natural das) ... 53 N 3
Serrazola (Ribeira de) *12* ... 66 O 6
Serreta *20* ... 107 G 13
Serrinha *12* ... 66 O 8
Serrinha (Monte) *15* ... 65 Q 4
Serro Ventoso *10* ... 52 N 3
Sertã *05* ... 53 M 5
Sertã (Ribeira da) ... 54 M 6
Serves *11* ... 64 P 2
Serzedelo *03* ... 27 H 5
Sesimbra *15* ... 64 Q 2
Sesmarias *15* ... 77 R 4
Sete *02* ... 77 T 6
Sete Cidades *20* ... 107 J 18
Sete Cidades (Caldeira das) *20* ... 107 J 18
Setil *14* ... 65 O 3
Setúbal *15* ... 64 Q 3
Setúbal (Baia de) ... 65 Q 3
Sever do Vouga *01* ... 40 J 4
Sezelhe *17* ... 27 G 6
Sezulfe *04* ... 28 H 8
Sezures *18* ... 41 J 7
Sicó (Serra de) *10* ... 53 M 4
Silva *04* ... 29 H 10
Silvalde *01* ... 40 J 3
Silvares *03* ... 27 H 5
Silvares *05* ... 54 L 6
Silvares *13* ... 27 I 5
Silveira *11* ... 64 O 1
Silveirona *07* ... 66 P 7
Silveiros *03* ... 26 H 4
Silves *08* ... 89 U 4
Sines *15* ... 76 S 3
Sines (Cabo de) *15* ... 76 S 3
Sintra *11* ... 64 P 1
Sintra (Serra de) *11* ... 64 P 1
Sistelo *16* ... 27 G 4
Sítio das Éguas *08* ... 89 U 5
Sizandro *11* ... 64 O 1
Soajo *16* ... 27 G 5
Soajo (Serra do) *16* ... 27 G 5
Soalhães *13* ... 27 I 5
Soalheira *05* ... 54 L 7
Soalheiras *05* ... 54 M 8
Sobradelo da Goma *03* ... 27 H 5
Sobradinho *08* ... 89 U 5
Sobrado *13* ... 26 I 4
Sobrainho dos Gaios *05* ... 54 M 6
Sobral *05* ... 53 M 5
Sobral *18* ... 41 K 5
Sobral da Abelheira *11* ... 64 P 1
Sobral da Adiça *02* ... 78 R 8
Sobral da Lagoa *10* ... 52 N 2
Sobral da Serra *09* ... 42 K 8
Sobral de Casegas *05* ... 54 L 6
Sobral de Monte Agraço *11* ... 64 O 2
Sobral do Campo *05* ... 54 L 7
Sobral Fernando *05* ... 54 M 6
Sobral Pichorro *09* ... 41 J 7
Sobral Valado *06* ... 54 L 6
Sobreira *13* ... 26 I 4
Sobreira Formosa *05* ... 54 M 6
Sobreiro *01* ... 40 J 4
Sobreiro de Cima *04* ... 28 G 8
Sobreposta *03* ... 27 H 4
Sobrosa *02* ... 78 R 8
Sobrosa *13* ... 27 I 4
Soeima *04* ... 28 H 9
Soeira *04* ... 28 G 9
Sol Posto *15* ... 76 S 4
Solveira *17* ... 27 G 6
Somouqueira *08* ... 88 U 3
Sonim *17* ... 28 G 8
Sopo *16* ... 26 G 3
Sor (Ribeira de) ... 54 N 6
Sorraia ... 65 P 4
Sortelha *09* ... 42 K 8
Sortelhão *09* ... 42 K 8
Sortes *04* ... 28 G 9
Sosa *01* ... 40 K 4
Soudes *08* ... 90 T 7
Soure *06* ... 53 L 4
Souro Pires *09* ... 42 J 8
Sousa *13* ... 27 I 5
Sousel *12* ... 66 P 6
Sousel (Ribeira de) ... 66 O 6
Souselas *06* ... 40 L 4
Souselo *18* ... 41 I 5
Soutelinho *17* ... 27 H 6
Soutelinho da Raia *17* ... 27 G 7
Soutelo *01* ... 40 J 4
Soutelo *03* ... 26 H 4
Soutelo *04* ... 28 H 9
Soutelo *perto de Chaves* 17 ... 27 G 7
Soutelo *perto de Vila Real* 17 ... 27 I 6
Soutelo de Aguiar *17* ... 27 H 6
Soutelo do Douro *18* ... 28 I 7
Soutelo Mourisco *04* ... 28 G 9
Soutilha *04* ... 28 G 8
Souto *01* ... 40 J 4
Souto *09* ... 42 K 9
Souto *14* ... 53 N 5
Souto *16* ... 26 G 4
Souto *18* ... 42 I 7
Souto da Carpalhosa *10* ... 53 M 3
Souto da Casa *05* ... 54 L 7
Souto da Velha *04* ... 28 I 9
Souto de Aguiar da Beira *09* ... 41 J 7
Souto de Escarão *17* ... 27 H 7
Souto Maior *17* ... 27 I 7
Suções *04* ... 28 H 8
Sul *18* ... 41 J 5
Sul (Rio) ... 41 J 5
Sume *12* ... 54 O 6

## T

Taberna Seca *05* ... 54 M 7
Taboeira *01* ... 40 K 4
Taboeiras *06* ... 40 K 3
Tábua *06* ... 41 K 5
Tabuaço *18* ... 41 I 7
Tabuadelo *03* ... 27 H 5
Tabuado *13* ... 27 I 5
Tadim *03* ... 26 H 4
Taião *16* ... 12 G 4
Taipadas *15* ... 65 P 4
Talabita *02* ... 78 R 7
Talefe *11* ... 64 O 1
Talhadas *01* ... 41 K 5
Talhas *04* ... 28 H 9
Tâmega (R.) ... 28 G 7
Tancos *14* ... 53 N 4
Tanganhal *15* ... 77 R 4
Tanganheira *15* ... 76 S 3
Tangil *16* ... 13 F 4
Tapada *14* ... 65 O 4
Tapada Grande (Barragem da) *02* ... 78 S 7
Tapéus *06* ... 53 L 4
Tarouca *18* ... 41 I 6
Tarouquela *18* ... 41 I 5
Taveiro *06* ... 40 L 4
Tavila *05* ... 54 M 6
Tavira *08* ... 89 U 7
Tavira (Ilha de) *08* ... 89 U 6
Távora *16* ... 26 G 4
Távora *18* ... 41 I 7
Távora (Rio) ... 42 J 7
Tazem *17* ... 27 H 7
Tedo (R.) *18* ... 41 I 7
Teira *14* ... 52 N 3
Teixeira *04* ... 29 H 10
Teixeira *06* ... 54 L 6
Teixeira *09* ... 41 L 6
Teixeira *13* ... 27 I 6
Teixelo *18* ... 41 J 6
Teixoso *05* ... 41 L 7
Teja (Ribeira de) *09* ... 42 J 8
Tejo ... 54 M 7
Telhada *06* ... 53 L 3
Telhadela *01* ... 40 J 4
Telhado *05* ... 54 L 7
Telheiro *02* ... 76 T 4
Telheiro *07* ... 66 Q 7
Telões *17* ... 27 H 6
Tendais *18* ... 41 I 5
Tenencia *08* ... 90 T 7
Tentúgal *06* ... 40 L 4
Tera (Ribeira de) *07* ... 66 P 6
Terceira (Ilha) *20* ... 107 G 14
Terena *07* ... 66 Q 7
Terges (Ribeira de) ... 77 S 6
Termas *18* ... 41 J 5
Termas de Alcafache *18* ... 41 K 6
Termas de Monfortinho *05* ... 55 M 9
Terras de Bouro *03* ... 27 G 5
Terreiro das Bruxas *09* ... 42 L 8
Terrenho *09* ... 42 J 7
Terrugem *11* ... 64 P 1
Terrugem *12* ... 66 P 7
Tinalhas *05* ... 54 M 7
Tinhela *17* ... 28 G 8
Tinhela (Rio) *17* ... 27 H 7
Tinhela de Baixo *17* ... 27 H 7
Tó *04* ... 28 I 10
Tocha *06* ... 40 L 3
Tojal *07* ... 65 Q 5
Tojal (Estação de) *07* ... 65 Q 5
Toledo *11* ... 64 O 2
Tolosa *12* ... 54 N 6
Tomadias *09* ... 42 J 8
Tomar *14* ... 53 N 4
Tonda *18* ... 41 K 5
Tondela *18* ... 41 K 5
Topo *20* ... 107 H 12
Topo (Ponta do) *20* ... 107 H 12
Topo (Serra do) *20* ... 107 H 12
Torgal (Ribeira de) *02* ... 76 T 4
Torgueda *17* ... 27 I 6
Tornada *10* ... 52 N 2

Torrados *13* 27 H5
Torrais (Ponta) *20* 107 D2
Torrão *12* 54 N6
Torrão *15* 77 R5
Torrão do Lameiro *01* 40 J4
Torre *05* 55 M9
Torre *09* 42 K8
Torre *15* 76 Q3
Torre *16* 26 G3
Torre (Monte) *09* 41 L7
Torre da Gadanha *07* 65 Q5
Torre das Vargens *12* 65 O6
Torre de Aspa *08* 88 U3
Torre de Bolsa *12* 66 P8
Torre de Coelheiros *07* 77 Q6
Torre de Dom Chama *04* 28 H8
Torre de Moncorvo *04* 28 I8
Torre de Pinhão *17* 27 H7
Torre de Vale
de Todos *10* 53 M4
Torre do Terrenho *09* 42 J7
Torre Vã *02* 77 S4
Torredeita *18* 41 K5
Torreira *01* 40 J3
Torres *09* 42 J8
Torres Novas *14* 53 N4
Torres Vedras *11* 64 O2
Torrinheiras 27 H6
Torroal *15* 76 R3
Torrozelas *06* 53 L6
Torrozelo *09* 41 K6
Torto (Rio) *05* 54 L8
Torto (Rio) *17* 28 H7
Torto (Rio) 27 I7
Tortosendo *05* 41 L7
Touca *05* 54 L7
Touça *09* 42 I8
Touguinha *13* 26 H3
Toulica (Barragem) *05* 54 M8
Toulões *05* 55 M8
Tourém *17* 27 G6
Tourigo *18* 41 K5
Touril *02* 76 T3
Touro *18* 41 J6
Tourões (Ribeira de) *09* 42 K9
Toutalga 78 R7
Toutosa *13* 27 I5
Touvedo *16* 27 G4
Trafaria *15* 64 P2
Trafeiras *02* 77 S6
Tramaga *12* 65 O5
Tramagal *14* 53 N5
Trancoso *09* 42 J7
Travanca *13* 27 I5
Travanca *perto*
*de Mogadouro04* 29 H10
Travanca *perto*
*de Vinhais04* 28 G9
Travanca de Lagos *06* 41 K6
Travanca de Tavares *18* 41 K7
Travanca
do Mondego *06* 41 L5
Travancas *17* 28 G8
Travassô *01* 40 K4
Travassós *03* 27 H5
Travassos *perto de Povoa*
*de Lanhoso03* 27 H5
Travessa *02* 78 R8
Treixedo *18* 41 K5
Tremês *14* 53 N3
Tresminas *17* 27 H7
Tresouras *13* 27 I6
Trevim (Alto de) 53 L5
Trevões *18* 42 I7
Trezói *18* 40 K5
Trigaches *02* 77 R6
Trigais *05* 41 L6
Trigo (Monte) *20* 107 G11
Trindade *02* 77 S6
Trindade *04* 28 H8
Trinta *09* 42 K7
Tripeiro *05* 54 M7
Tristão (Ponta do) *31* 88 AY
Trofa *01* 40 K4
Trofa *13* 26 H4
Tróia *15* 64 Q3
Tróia (Península de) *15* 65 Q3
Tronco *17* 28 G8
Troporiz *16* 12 F4
Troviscais *02* 76 T3
Troviscal *01* 40 K4
Troviscal *05* 53 M5
Tua *04* 28 I7
Tua (Rio) 28 H8
Tuella (R.) 28 G8
Tuido-Gandra *16* 12 F4
Tuizelo *04* 28 G8
Tunes *08* 89 U5
Turcifal *11* 64 O2
Turquel *10* 52 N3

**U**

Ulme *14* 53 O4
Umbrias de Camacho *08* 90 U7
Unhais da Serra *05* 41 L7
Unhais-o-Velho *06* 54 L6
Unhos *11* 64 P2
Urqueira *14* 53 M4
Urra *12* 66 O7
Urrós *perto*
*de Brunhozinho 04* 29 H10
Urros *perto*
*de Ligares 04* 42 I8
Urso (Pinhal do) *10* 52 M3
Urza *02* 77 T5
Urzelina *20* 107 H11
Uva *04* 29 H10

**V**

Vacariça *01* 40 K4
Vagos *01* 40 K3
Vaiamonte *12* 66 O7
Vairão *13* 26 H4
Valada *14* 65 O3
Valadares *13* 26 I4
Valadas *02* 78 S7
Valadas *05* 53 N5
Valado dos Frades *10* 52 N2
Valbom *05* 54 M7
Valbom *09* 42 J8
Valbom *10* 53 M5
Valdigem *18* 27 I6
Valdreu *03* 27 G5
Valdrez *04* 28 H9
Valdujo *09* 42 J8
Vale *16* 27 G4
Vale Alto *14* 53 N4
Vale Beijinha *02* 76 S3
Vale Benfeito *04* 28 H9
Vale Covo *02* 78 S7
Vale Covo *10* 52 O2
Vale da Madre *04* 28 H9
Vale da Mó *01* 40 K4
Vale da Mua *05* 54 M6
Vale da Mula *09* 42 J9
Vale da Pinta *14* 64 O3
Vale da Rosa *08* 89 U6
Vale da Seda *12* 66 O6
Vale da Senhora
da Povoa *05* 42 L8
Vale da Telha *08* 88 U3
Vale da Torre *05* 54 L7
Vale da Ursa *05* 54 M6
Vale da Vinha *12* 54 N6
Vale das Fontes *04* 28 G8
Vale das Mós *14* 53 N5
Vale de Açor *02* 77 S6
Vale de Açor *12* 65 O6
Vale de Açor *14* 53 N5
Vale de Afonsinho *09* 42 J8
Vale de Água *02* 77 S5
Vale de Água *15* 76 S4
Vale de Albuquerque *12* 66 P8
Vale de Anta *17* 27 G7
Vale de Asnes *04* 28 H8
Vale de Azares *09* 42 K7
Vale
de Bispo Fundeiro *12* 65 O6
Vale de Cambra *01* 40 J4
Vale de Cavalos *12* 66 O8
Vale de Cavalos *14* 53 O4
Vale de Cobrão
(Ribeira de) 65 P3
Vale de Couço *04* 28 H8
Vale de Ebros *08* 90 U7
Vale de Espinho *09* 42 L9
Vale de Estrela *09* 42 K8
Vale de Ferro *02* 76 S4
Vale de Figueira *14* 53 O4
Vale de Figueira *18* 42 I7
Vale de Frades *04* 29 H10
Vale de Gaio
(Barragem de) *15* 77 R5
Vale de Gaviões *12* 54 N6
Vale de Gouvinhas *04* 28 H8
Vale de Guiso *15* 77 R4
Vale de Ílhavo *01* 40 K4
Vale de Janeiro *04* 28 G8
Vale de Maceiras *12* 66 O7
Vale de Madeira *09* 42 J8
Vale de Moinhos *04* 28 H9
Vale de Moura *07* 65 Q6
Vale de Nogueira *04* 28 H9
Vale de Ossos *15* 77 R4
Vale de Paio *12* 65 O6
Vale de Pereiros *09* 42 J8
Vale de Prazeres *05* 54 L7
Vale de Rocins *02* 77 S6
Vale de Salgueiro *04* 28 H8
Vale de Santarém *14* 65 O3
Vale de Santiago *02* 77 S4
Vale de Telhas *04* 28 H8
Vale de Torno *04* 28 I8
Vale de Vaide *06* 53 L5
Vale de Vargo *02* 78 S7
Vale de Vilão *12* 65 O5
Vale de Zebro *15* 77 S5
Vale do Arco *12* 53 N6
Vale do Côa (Parque
arqueológico de) *09* 42 I8
Vale do Coelheiro *05* 54 M6
Vale do Homem *05* 54 M6
Vale do Judeu *08* 89 U5
Vale do Lobo *08* 89 U5
Vale do Paraíso *11* 64 O3
Vale do Pereiro *07* 66 P6
Vale do Peso *12* 54 N7
Vale do Rio *10* 53 M5
Vale do Seixo *09* 42 J8
Vale dos Reis *15* 65 Q4
Vale Feitoso *05* 55 L9
Vale Figueira *08* 89 U5
Vale Flor *09* 42 J8
Vale Formoso *02* 78 R8
Vale Frechoso *04* 28 H8
Vale Furado *10* 52 M2
Vale Pereiro *04* 28 H9
Vale Verde *04* 28 H8
Vale Verde *09* 42 J9
Vale Vinagre *15* 77 S4
Válega *01* 40 J4
Valeira
(Barragem de) *04* 28 I7
Valença do Douro *18* 27 I7
Valença do Minho *16* 12 F4
Vales *02* 77 S4
Vales *04* 28 H9
Vales *05* 54 M6
Vales *08* 89 U6
Vales *perto de Aljezur 08* 88 U3
Vales Mortos *02* 78 S7
Valezim *09* 41 K6
Valhascos *14* 53 N5
Valhelhas *09* 41 K7
Valongo *12* 66 O6
Valongo *13* 26 I4
Valongo de Milhais *17* 28 H7
Valongo do Vouga *01* 40 K4
Valongo dos Azeites *18* 42 I7
Valoura *17* 27 H7
Valpaços *17* 28 H8
Valugas *17* 27 H7
Valverde *04* 28 I9
Valverde *05* 54 L7
Valverde *07* 65 Q5
Valverde *09* 41 J7
Valverde *14* 52 N3
Valverde (Ribeira de) *07* 65 Q5
Vaqueiro *17* 27 H6
Vaqueiros *08* 89 T6
Vara (Pico da) *20* 107 J20
Varadouro *20* 107 H9
Varge *04* 28 G9
Vargem *12* 66 O7
Vargens *02* 89 T6
Variz *04* 28 H10
Várzea *14* 53 O3
Várzea *16* 27 G5
Várzea *20* 107 J18
Várzea Cova *03* 27 H5
Várzea da Ovelha *13* 27 I5
Várzea de Serra *18* 41 J6
Várzea de Trevões *18* 41 I7
Várzea
dos Cavaleiros *05* 53 M5
Várzeas *10* 53 M3
Varziela *06* 40 K4
Vascão (Ribeira do) 89 T6
Vasconha *18* 41 J5
Vascoveiro *09* 42 J8
Vassal *17* 28 H7
Vau *10* 52 N2
Veiga de lila *17* 28 H8
Veiros *01* 40 J4
Veiros *07* 66 P7
Vela *09* 42 K8
Vela (Lagoa da) *06* 40 L3
Velada *12* 54 N6
Velão (Alto de) *17* 27 I6
Velas *20* 107 G11
Velosa *09* 42 K8
Venade *16* 26 G3
Venda *07* 66 Q7
Venda do Cepo *09* 42 J7
Venda do Pinheiro *11* 64 P2
Venda do Preto *10* 53 M4
Venda Nova *17* 27 G6
Venda Nova
*perto de Mação14* 54 N6
Venda Nova
*perto de Tomar14* 53 N4
Venda Nova
(Barragem de) *17* 27 G6
Vendas Novas *07* 65 P4
Vendinha *07* 66 Q7
Ventosa *03* 27 H5
Ventosa *perto*
*de Alenquer11* 64 O2
Ventosa *perto*
*de Torres Vedras11* 64 O2
Ventosa do Bairro *01* 40 K4
Vera Cruz *07* 78 R6
Verde (Lagoa) *20* 107 J18
Verdelhos *05* 41 K7
Vergeira *15* 76 S4
Verigo *10* 53 M4
Vermelha *11* 52 O2
Vermelhos *08* 89 T5
Vermiosa *09* 42 J9
Vermoil *10* 53 M4
Vermoim *03* 26 H4
Verride *06* 53 L3
Vez (R.) *16* 27 G5
Viade de Baixo *17* 27 G6
Vialonga *11* 64 P2
Viana do Alentejo *07* 77 R5
Viana do Castelo *16* 26 G3
Viatodos *03* 26 H4
Vidago *17* 27 H7
Vidais *10* 52 N2
Vide *09* 41 L6
Videmonte *09* 42 K7
Vidigal *05* 54 M6
Vidigal *15* 65 P4
Vidigueira *02* 77 R6
Vidual *06* 54 L6
Viegas *02* 78 S7
Vieira de Leiria *10* 52 M3
Vieira do Minho *03* 27 H5
Vieirinhos *10* 53 L3
Vigia *02* 77 T4
Vigia (Barragem da) *07* 66 Q7
Vila Alva *02* 77 R6
Vila Azeda *02* 77 R6
Vila Baleira *32* 89 DX
Vila Boa
de Ousilhão *04* 28 G9
Vila Boa do Bispo *13* 27 I5
Vila Boim *12* 66 P8
Vila Chã *03* 26 H3
Vila Chã *04* 29 H10
Vila Chã *09* 41 K7
Vila Chã *10* 53 M4
Vila Chã *13* 26 I3
Vila Chã *16* 27 G5
Vila Chã *17* 27 I7
Vila Chã *18* 41 K6
Vila Chã de Braciosa *04* 29 H10
Vila Chã de Ourique *14* 65 O3
Vila Chão *13* 27 I5
Vila Cortês da Serra *09* 41 K7
Vila Cova *17* 27 I6
Vila Cova a Coelheira *18* 41 J6
Vila Cova de Alva *06* 41 L6
Vila Cova do Covelo *18* 41 J7
Vila da Ponte *17* 27 G6
Vila da Ponte *18* 41 J7
Vila de Ala *04* 28 I10
Vila de Cucujães *01* 40 J4
Vila de Frades *02* 77 R6
Vila de Punhe *16* 26 H3
Vila de Rei *05* 53 M5
Vila do Bispo *08* 88 U3
Vila do Conde *13* 26 H3
Vila do Conde *17* 27 H7
Vila do Porto *20* 107 M20
Vila do Touro *09* 42 K8
Vila Facaia *10* 53 M5
Vila Fernando *09* 42 K8
Vila Fernando *12* 66 P8
Vila Flor *04* 28 I8
Vila Flor *12* 54 N6
Vila Formosa *12* 66 O6
Vila Franca *16* 26 G3
Vila Franca da Serra *09* 41 K7
Vila Franca
das Naves *09* 42 J8
Vila Franca de Xira *11* 64 P3
Vila Franca
do Campo *20* 107 J19
Vila Franca
do Rosário *11* 64 P2
Vila Fresca
de Azeitão *15* 64 Q3
Vila Garcia *perto*
*de Guarda09* 42 K8
Vila Garcia *perto*
*de Trancoso09* 42 J8
Vila Longa *18* 41 J7
Vila Meã *13* 27 I5
Vila Moinhos (Sobral) *18* 41 K5
Vila Moreira *14* 53 N3
Vila Nogueira
de Azeitão *15* 64 Q2
Vila Nova *06* 53 L5
Vila Nova *08* 90 U7
Vila Nova *14* 53 N5
Vila Nova da Barca *06* 53 L3
Vila Nova da Baronia *02* 77 R5
Vila Nova
da Barquinha *14* 53 N4
Vila Nova da Rainha *11* 64 O3
Vila Nova de Anços *06* 53 L4
Vila Nova de Cacela *08* 90 U7
Vila Nova
de Cerveira *16* 26 G3
Vila Nova de Corvo *49* 107 D2
Vila Nova
de Famalicão *03* 26 H4
Vila Nova
de Foz Côa *09* 42 I8
Vila Nova de Gaia *13* 26 I4
Vila Nova
de Milfontes *02* 76 S3
Vila Nova
de Monsarros *01* 40 K4
Vila Nova de Paiva *18* 41 J6
Vila Nova de Poiares *06* 41 L5
Vila Nova
de Santo André *15* 76 R3
Vila Nova
de São Bento *02* 78 S7
Vila Nova
de São Pedro *11* 64 O3
Vila Nova de Tazem *09* 41 K6
Vila Nova do Ceira *06* 53 L5
Vila Nune *03* 27 H6
Vila Pouca da Beira *06* 41 L6
Vila Pouca de Aguiar *17* 27 H7
Vila Praia de Âncora *16* 26 G3
Vila Real *17* 27 I6
Vila Real
de Santo António *08* 90 U7
Vila Ruiva *02* 77 R6
Vila Ruiva *18* 41 K6
Vila Seca *03* 26 H3
Vila Seca *06* 53 L4
Vila Seca *18* 27 I7
Vila Velha de Ródão *05* 54 N6
Vila Verde *03* 26 H4
Vila Verde *04* 28 G9
Vila Verde *06* 53 L3
Vila Verde da Raia *17* 28 G7
Vila Verde de Ficalho *02* 78 S8
Vila Verde
dos Francos *11* 64 O2
Vila Verdinho *04* 28 H8
Vila Viçosa *07* 66 P7
Vilamoura *08* 89 U5
Vilar *03* 27 G5
Vilar *11* 64 O2
Vilar *17* 27 H6
Vilar *18* 41 J6
Vilar (Barragem de) *18* 41 J7
Vilar Barroco *05* 54 M6
Vilar Chão *04* 28 H9
Vilar da Lomba *04* 28 G8
Vilar da Veiga *03* 27 G5
Vilar de Amargo *09* 42 J8
Vilar de Arca *18* 41 I5
Vilar de Boi *05* 54 N6
Vilar de Cunhas *03* 27 H6
Vilar de Ferreiros *17* 27 H6
Vilar de Ledra *04* 28 H8
Vilar de Maçada *17* 27 I7
Vilar de Mouros *16* 26 G3
Vilar de Murteda *16* 26 G3
Vilar de Ossos *04* 28 G8
Vilar de Paraiso *13* 26 I4
Vilar de Perdizes *17* 27 G7
Vilar de Peregrinos *04* 28 G8
Vilar de Pinheiro *13* 26 I4
Vilar de Rei *04* 28 I9
Vilar do Monte *04* 28 H9
Vilar do Ruivo *05* 53 M5
Vilar dos Prazeres *14* 53 N4
Vilar Formoso *09* 42 K9
Vilar Maior *09* 42 K9
Vilar Seco *04* 29 H10
Vilar Seco de Lomba *04* 28 G8
Vilar Torpim *09* 42 J9
Vilarandelo *17* 28 H8
Vilarelho (Serra de) *17* 27 H7
Vilarelho da Raia *17* 28 G7
Vilarelhos *04* 28 H8
Vilares *04* 28 H8
Vilares *09* 42 J8
Vilares *17* 27 H7
Vilariça (Ribeira de) 28 I8
Vilarinha *08* 88 U3
Vilarinho *04* 28 G9
Vilarinho *06* 53 L5
Vilarinho *13* 26 H3
Vilarinho *17* 27 G6
Vilarinho *18* 41 J5
Vilarinho
da Castanheira *04* 28 I8
Vilarinho
das Azenhas *04* 28 H8
Vilarinho
das Cambas *03* 26 H4
Vilarinho das Furnas
(Barragem) *03* 27 G5
Vilarinho
de Agrochão *04* 28 G8
Vilarinho de Cotas *17* 27 I7
Vilarinho
de Samardã *17* 27 H6
Vilarinho
de São Luís *01* 40 J4
Vilarinho
de São Romão *17* 27 I7
Vilarinho do Bairro *01* 40 K4
Vilarinho
dos Galegos *04* 28 I10
Vilarinho Seco *17* 27 G6
Vilarouco *18* 42 I7
Vilas Boas *04* 28 H8
Vilas do Pedro *10* 53 M5
Vilas Ruivas *05* 54 N6
Vilela do Tâmega *17* 27 G7
Vilela Seca *17* 28 G7
Vilharinhos *08* 89 U6
Vimeiro *10* 52 N2
Vimeiro *11* 64 O2
Vimieiro *07* 66 P6
Vimioso *04* 29 H10
Vinha da Rainha *06* 53 L3
Vinhais *04* 28 G8
Vinhas *04* 28 H9
Vinte e Dois
(Barragem dos) *15* 64 Q3
Virtudes *11* 64 O3
Viseu *18* 41 K6
Viseus *02* 77 T6
Viso (Nossa
Senhora do) *03* 27 H5
Vista Alegre *01* 40 K3
Viuvas *02* 89 T6
Viveiro *17* 27 G6
Volta do Vale *14* 65 P4
Vouga 41 J6
Vouguinha *18* 41 J6
Vouzela *18* 41 J5
Vreia de Bornes *17* 27 H7
Vreia de Jales *17* 27 H7

**X**

Xarrama 66 Q6
Xartinho *14* 52 N3
Xerez de Baixo *07* 78 Q7
Xévora 67 O8

**Z**

Zambujal *06* 53 L4
Zambujal *08* 89 T7
Zambujal *15* 65 Q3
Zambujal de Cima *15* 64 Q2
Zambujeira do Mar *02* 76 T3
Zambujeiras *02* 76 S4
Zambujeiro *07* 66 Q7
Zava *04* 28 I9
Zavial *08* 88 U3
Zebreira *05* 54 M8
Zebro (Ribeira do) 78 R7
Zedes *04* 28 I8
Zêzere (Rio) 42 K7
Zêzere
(Vale Glaciário do) *09* 41 K7
Zibreira *14* 53 N4
Zimão *17* 27 H7
Zoio *04* 28 G9

# Cartografía

## Carretera

Autopista - A
Autovía
Enlaces: co
Números de
Carretera de                    al o nacional
Carretera de                al o alternativo
Carretera as
Carretera en mal estado
Camino agrícola - Sendero
Autopista, carretera en construcción
(en su caso: fecha prevista de entrada en servicio)

## Ancho de las carreteras

Calzadas separadas
Cuatro carriles - Dos carriles anchos
Dos carriles - Un carril

## Distancias (totales y parciales)

Tramo de peaje en autopista
Tramo libre en autopista

en carretera

## Numeración - Señalización

E 54     A 96    Carretera europea - Autopista
N IV    N 301   Carretera nacional radial - Carretera nacional
C 437   SE 138  Otras carreteras

## Obstáculos

Pendiente Pronunciada (las flechas indican el sentido del ascenso)

Puerto - Altitud
Recorrido difícil o peligroso
Pasos de la carretera:
a nivel, superior, inferior
Tramo prohibido - Carretera restringida
Barrera de peaje - Carretera de sentido único
Vado
Nevada: Período probable de cierre

## Transportes

Línea férrea - Estación de viajeros
Transporte de coches:
por barco
por barcaza (carga máxima en toneladas)
Barcaza para el paso de peatones
Aeropuerto - Aeródromo

## Alojamiento - Administración

Localidad con plano en LA GUÍA MICHELIN

Parador (España) - Pousada (Portugal)
(establecimiento hotelero administrado por el Estado)
Capital de división administrativa
Límites administrativos
Frontera

## Deportes - Ocio

Plaza de toros - Golf
Refugio de montaña
Puerto deportivo - Playa
Teleférico, telesilla
Funicular - Línea de cremallera

## Curiosidades

Edificio religioso - Castillo - Ruina
Cueva - Monumento megalítico
Otras curiosidades
Vista panorámica - Vista parcial
Recorrido pintoresco

## Signos diversos

Edificio religioso - Castillo - Ruinas
Cueva - Monumento megalítico
Transportador industrial aéreo
Torreta o poste de telecomunicación
Industrias - Central eléctrica
Refinería - Pozos de petróleo o de gas
Mina - Cantera
Faro - Presa
Parque nacional - Reserva de caza

# Planos de ciudades

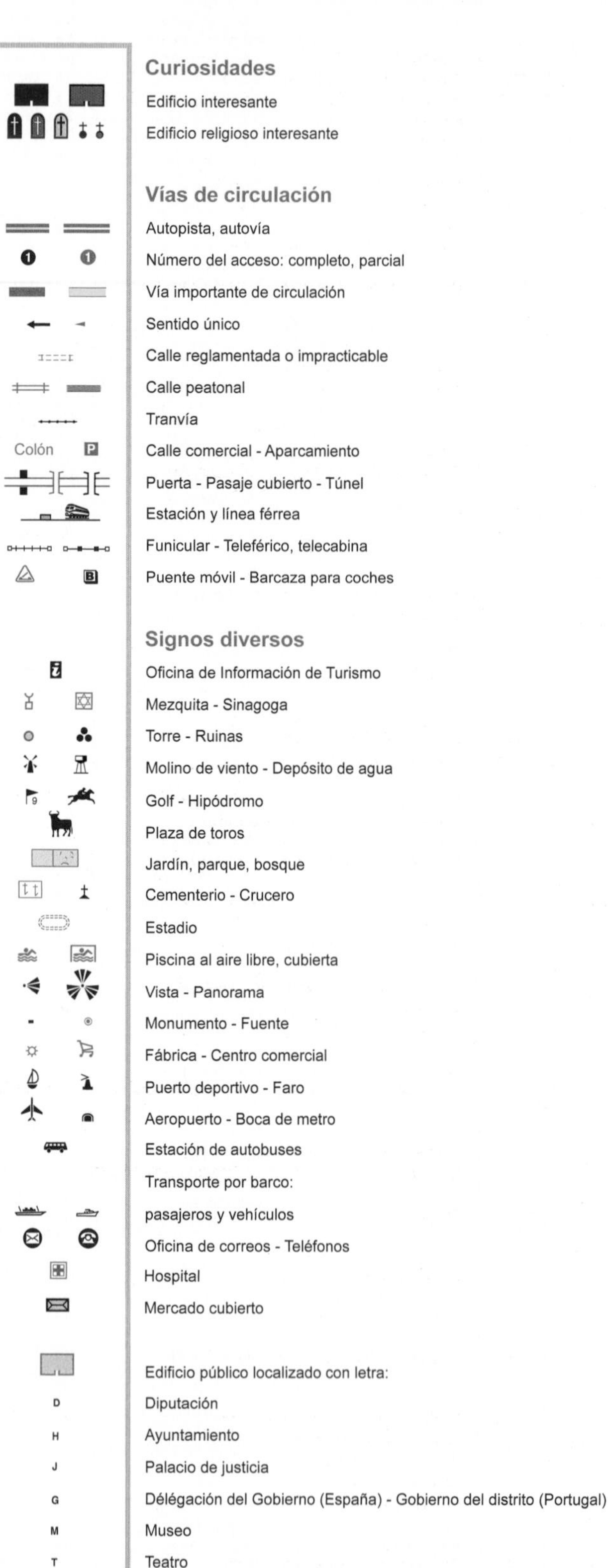

## Curiosidades

Edificio interesante
Edificio religioso interesante

## Vías de circulación

Autopista, autovía
Número del acceso: completo, parcial
Vía importante de circulación
Sentido único
Calle reglamentada o impracticable
Calle peatonal
Tranvía
Calle comercial - Aparcamiento
Puerta - Pasaje cubierto - Túnel
Estación y línea férrea
Funicular - Teleférico, telecabina
Puente móvil - Barcaza para coches

## Signos diversos

Oficina de Información de Turismo
Mezquita - Sinagoga
Torre - Ruinas
Molino de viento - Depósito de agua
Golf - Hipódromo
Plaza de toros
Jardín, parque, bosque
Cementerio - Crucero
Estadio
Piscina al aire libre, cubierta
Vista - Panorama
Monumento - Fuente
Fábrica - Centro comercial
Puerto deportivo - Faro
Aeropuerto - Boca de metro
Estación de autobuses
Transporte por barco:
pasajeros y vehículos
Oficina de correos - Teléfonos
Hospital
Mercado cubierto

Edificio público localizado con letra:

D    Diputación
H    Ayuntamiento
J    Palacio de justicia
G    Délégación del Gobierno (España) - Gobierno del distrito (Portugal)
M    Museo
T    Teatro
U    Universidad, Escuela Superior

POL  Policía (en las grandes ciudades: Jefatura)
Guardia Civil (España)
Guarda Nacional Republicana (Portugal)

# Cartografia

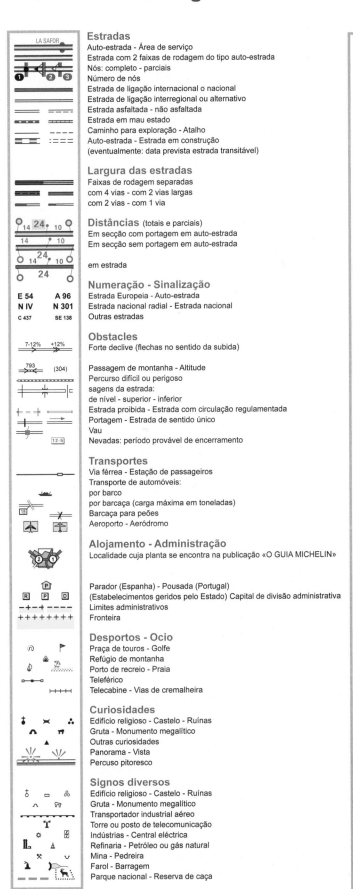

### Estradas
Auto-estrada - Área de serviço
Estrada com 2 faixas de rodagem do tipo auto-estrada
Nós: completo - parciais
Número de nós
Estrada de ligação internacional o nacional
Estrada de ligação interregional ou alternativo
Estrada asfaltada - não asfaltada
Estrada em mau estado
Caminho para exploração - Atalho
Auto-estrada - Estrada em construção
(eventualmente: data prevista estrada transitável)

### Largura das estradas
Faixas de rodagem separadas
com 4 vias - com 2 vias largas
com 2 vias - com 1 via

### Distâncias (totais e parciais)
Em secção com portagem em auto-estrada
Em secção sem portagem em auto-estrada

em estrada

### Numeração - Sinalização
E 54   A 96
N IV   N 301
C 437   SE 138
Estrada Europeia - Auto-estrada
Estrada nacional radial - Estrada nacional
Outras estradas

### Obstacles
7-12%   +12%
Forte declive (flechas no sentido da subida)

793   (304)
Passagem de montanha - Altitude
Percurso difícil ou perigoso
sagens da estrada:
de nível - superior - inferior
Estrada proibida - Estrada com circulação regulamentada
Portagem - Estrada de sentido único
Vau
Nevadas: período provável de encerramento
12-5

### Transportes
Via férrea - Estação de passageiros
Transporte de automóveis:
por barco
por barcaça (carga máxima em toneladas)
Barcaça para peões
Aeroporto - Aeródromo

### Alojamento - Administração
Localidade cuja planta se encontra na publicação «O GUIA MICHELIN»

Parador (Espanha) - Pousada (Portugal)
(Estabelecimentos geridos pelo Estado) Capital de divisão administrativa
Limites administrativos
Fronteira

### Desportos - Ocio
Praça de touros - Golfe
Refúgio de montanha
Porto de recreio - Praia
Teleférico
Telecabine - Vias de cremalheira

### Curiosidades
Edifício religioso - Castelo - Ruínas
Gruta - Monumento megalítico
Outras curiosidades
Panorama - Vista
Percuso pitoresco

### Signos diversos
Edifício religioso - Castelo - Ruínas
Gruta - Monumento megalítico
Transportador industrial aéreo
Torre ou posto de telecomunicação
Indústrias - Central eléctrica
Refinaria - Petróleo ou gás natural
Mina - Pedreira
Farol - Barragem
Parque nacional - Reserva de caça

# Plantas das cidades

### Curiosidades
Edifício interessante
Edifício religioso interessante

### Estradas
Auto-estrada, estrada com faixas de rodagem separadas
Nós numerados: completo, parcial
Grande via de circulação
Sentido único
Rua impraticável, regulamentada
Via reservada aos peões
Eléctrico
Colón   P   Rua comercial - Parking
Porta - Passagem sob arco - Túnel
Estação e via férrea
Funicular - Teleférico, telecabine
Ponte móvel - Barcaça para automóveis

### Signos diversos
Informação turística
Mesquita - Sinagoga
Torre - Ruínas
Moínho de Vento - Castelo de Água
Golfe - Hipódromo
Praça de touros
Jardim, parque, bosque
Cemitério - Calvário
Estádio
Piscina ao ar livre, coberta
Vista - Panorama
Monumento - Fonte
Fábrica - Centro Comercial
Porto desportivo - Farol
Aeroporto - Estação de metro
Estação de autocarros
Transporte de automóveis:
passageiros e automóveis
Estação de correios - Telefône
Hospital
Mercado coberto

Edifício indicado por letra:
D   Conselho provincial
H   Câmara municipal
J   Palacio de justiça
G   Delegação do Governo (Espanha) - Governo civil (Portugal)
M   Museu
T   Teatro
U   Universidade, Grande Escola

POL   Polícia (esquadra central)
Guardia Civil (Espanha)
GNR   Guarda Nacional Republicana (Portugal)

# Cartographie

## Routes

LA SAFOR

Autoroute - Aires de service
Double chaussée de type autoroutier
Échangeurs : complet - partiels
Numéros d'échangeurs
Route de liaison internationale ou nationale
Route de liaison interrégionale ou de dégagement
Route revêtue - non revêtue
Route en mauvais état
Chemin d'exploitation - Sentier
Autoroute - Route en construction
(le cas échéant : date de mise en service prévue)

## Largeur des routes

Chaussées séparées
4 voies - 2 voies larges
2 voies - 2 voies étroites

## Distances (totalisées et partielles)

Section à péage sur autoroute
Section libre sur autoroute

sur route

## Numérotation - Signalisation

E 54        A 96
N IV        N 301
C 437      SE 138

Route européenne - Autoroute
Route nationale radiale - Route nationale
Autres routes

## Obstacles

7-12%    +12%

Forte déclivité (flèches dans le sens de la montée)

793        (304)

Col - Altitude
Parcours difficile ou dangereux
Passages de la route :
à niveau - supérieur - inférieur
Route interdite - Route réglementée
Barrière de péage - Route à sens unique
Gué

12-5

Enneigement : période probable de fermeture

## Transports

Voie ferrée - Station voyageurs
Transport des autos :
par bateau

15

par bac (charge maximum en tonnes)
Bac pour piétons
Aéroport - Aérodrome

## Hébergement - Administration

Localité possédant un plan dans le Guide MICHELIN

Parador (Espagne) - Pousada (Portugal)
(établissement hôtelier géré par l'état)
Capitale de division administrative
Limites administratives
Frontière

## Sports - Loisirs

Arènes (plaza de toros) - Golf
Refuge de montagne
Port de plaisance - Plage
Téléphérique, télésiège
Funiculaire - Voie à crémaillère

## Curiosités

Édifice religieux - Château - Ruine
Grotte - Monument mégalithique
Autres curiosités
Panorama - Point de vue
Parcours pittoresque

## Signes divers

Édifice religieux - Château - Ruines
Grotte - Monument mégalithique
Transporteur industriel aérien
Tour ou pylône de télécommunications
Industries - Centrale électrique
Raffinerie - Puits de pétrole ou de gaz
Mine - Carrière
Phare - Barrage
Parc national - Réserve de chasse

# Plans de ville

## Curiosités

Bâtiment intéressant
Édifice religieux intéressant

## Voirie

Autoroute, route à chaussées séparées
Échangeurs numérotés : complet, partiel
Grande voie de circulation
Sens unique
Rue réglementée ou impraticable
Rue piétonne
Tramway

Colón        P

Rue commerçante - Parking
Porte - Passage sous voûte - Tunnel
Gare et voie ferrée
Funiculaire - Téléphérique, télécabine
Pont mobile - Bac pour autos

## Signes divers

Information touristique
Mosquée - Synagogue
Tour - Ruines
Moulin à vent - Château d'eau
Golf - Hippodrome
Arènes
Jardin, parc, bois
Cimetière - Calvaire
Stade
Piscine de plein air, couverte
Vue - Panorama
Monument - Fontaine
Usine - Centre commercial
Port de plaisance - Phare
Aéroport - Station de métro
Gare routière
Transport par bateau :
passagers et voitures
Bureau de poste - Téléphone
Hôpital
Marché couvert

Bâtiment public repéré par une lettre :

D        Conseil provincial
H        Hôtel de ville
J        Palais de justice
G        Délégation du gouvernement (Espagne) - Gouvernement du district (Portugal)
M        Musée
T        Théâtre
U        Université, grande école

POL      Police (commissariat central)
         Gendarmerie (Espagne)
GNR      Gendarmerie (Portugal)

# Mapping

# Town plans

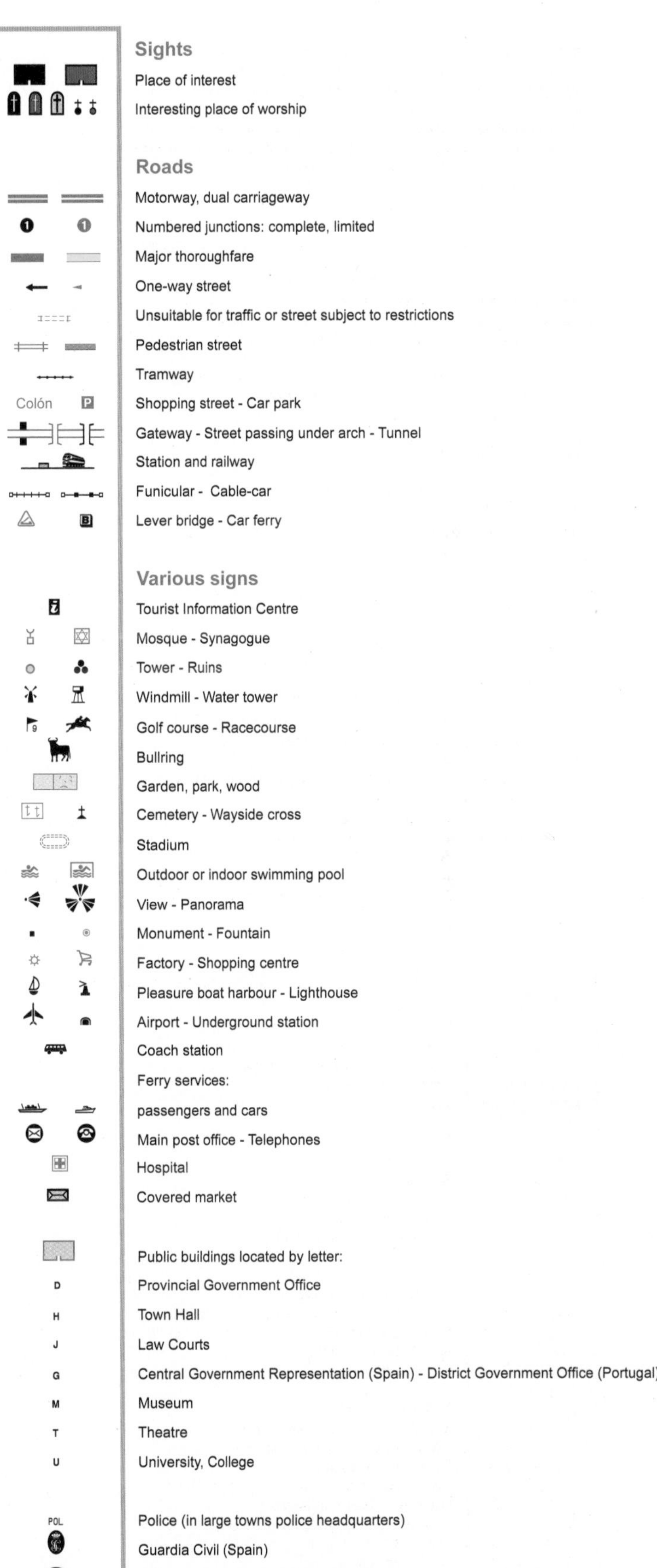

## Roads
LA SAFOR

Motorway - Service areas
Dual carriageway with motorway characteristics
Interchanges: complete, limited
Interchange numbers
International and national road network
Interregional and less congested road
Road surfaced - unsurfaced
Road in bad condition
Rough track - Footpath
Motorway / Road under construction
(when available: with scheduled opening date)

## Road widths
Dual carriageway
4 lanes - 2 wide lanes
2 lanes - 1 lane

## Distances (total and intermediate)
Toll roads on motorway
Toll-free section on motorway

on road

## Numbering - Signs
E 54    A 96
N IV    N 301
C 437   SE 138

European route - Motorway
National radial - National road
Other roads

## Obstacles
Steep hill (ascent in direction of the arrow)

Pass - Altitude
Difficult or dangerous section of road
Level crossing:
railway passing, under road, over road
Prohibited road - Road subject to restrictions
Toll barrier - One way road
Ford
Snowbound, impassable road during the period shown

## Transportation
Railway - Passenger station
Transportation of vehicles:
by boat
by ferry (load limit in tons)
Passenger ferry
Airport - Airfield

## Accommodation-Administration
Town plan featured in THE MICHELIN GUIDE

Parador (Spain) - Pousada (Portugal)
(hotel run by the state)
Administrative district seat
Administrative boundaries
National boundary

## Sport & Recreation Facilities
Bullring - Golf course
Mountain refuge hut
Pleasure boat harbour - Beach
Cable car, chairlift
Funicular - Rack railway

## Sights
Religious building - Historic house, castle - Ruins
Cave - Prehistoric monument
Other places of interest
Panoramic view - Viewpoint
Scenic route

## Other signs
Religious building - Castle - Ruins
Cave - Prehistoric monument
Industrial cable way
Telecommunications tower or mast
Industrial activity - Power station
Refinery - Oil or gas well
Mine - Quarry
Lighthouse - Dam
National park - Game reserve

## Sights
Place of interest
Interesting place of worship

## Roads
Motorway, dual carriageway
Numbered junctions: complete, limited
Major thoroughfare
One-way street
Unsuitable for traffic or street subject to restrictions
Pedestrian street
Tramway
Colón    Shopping street - Car park
Gateway - Street passing under arch - Tunnel
Station and railway
Funicular - Cable-car
Lever bridge - Car ferry

## Various signs
Tourist Information Centre
Mosque - Synagogue
Tower - Ruins
Windmill - Water tower
Golf course - Racecourse
Bullring
Garden, park, wood
Cemetery - Wayside cross
Stadium
Outdoor or indoor swimming pool
View - Panorama
Monument - Fountain
Factory - Shopping centre
Pleasure boat harbour - Lighthouse
Airport - Underground station
Coach station
Ferry services:
passengers and cars
Main post office - Telephones
Hospital
Covered market

Public buildings located by letter:
D    Provincial Government Office
H    Town Hall
J    Law Courts
G    Central Government Representation (Spain) - District Government Office (Portugal)
M    Museum
T    Theatre
U    University, College

POL    Police (in large towns police headquarters)
Guardia Civil (Spain)
GNR    Guarda Nacional Republicana (Portugal)

# Kartographie

## Straßen

Autobahn - Tankstelle mit Raststätte
Schnellstraße mit getrennten Fahrbahnen
Anschlussstellen: Voll - bzw. Teilanschlussstellen
Anschlussstellennummern
Internationale bzw. nationale Hauptverkehrsstraße
Überregionale Verbindungsstraße oder Umleitungsstrecke
Straße mit Belag - ohne Belag
Straße in schlechtem Zustand
Wirtschaftsweg - Pfad
Autobahn, Straße im Bau
(ggf. voraussichtliches Datum der Verkehrsfreigabe)

## Straßenbreiten

getrennte Fahrbahnen
4 Fahrspuren - 2 breite Fahrspuren
2 Fahrspuren - 1 Fahrspur

## Straßenentfernungen (Gesamt- und Teilentfernungen)

Mautstrecke auf der Autobahn
Mautfreie Strecke auf der Autobahn

auf der Straße

## Nummerierung - Wegweisung

E 54    A 96
N IV    N 301
C 437   SE 138

Europastraße - Autobahn
Radiale Nationalstraße - Nationalstraße
Sonstige Straßen

## Verkehrshindernisse

7-12%    +12%

Starke Steigung (Steigung in Pfeilrichtung)

793    (304)

Pass - Höhe
Schwierige oder gefährliche Strecke
Bahnübergänge:
schienengleich - Unterführung - Überführung
Gesperrte Straße - Straße mit Verkehrsbeschränkungen
Mautstelle - Einbahnstraße
Furt

12-5

Eingeschneite Straße: voraussichtl. Wintersperre

## Verkehrsmittel

Bahnlinie - Haltestelle
Autotransport:
per Schiff

15

per Fähre (Höchstbelastung in t)
Personenfähre
Flughafen - Flugplatz

## Unterkunft - Verwaltung

2  1

Orte mit Stadtplan im MICHELIN-FÜHRER

P
R  P  D

Parador (Spanien) - Pousada (Portugal)
(staatlich geleitetes Hotel)
Verwaltungshauptstad
Verwaltungsgrenzen
Staatsgrenze

## Sport - Freizeit

Stierkampfarena - Golfplatz
Schutzhütte
Yachthafen - Badestrand
Seilbahn, Sessellift
Standseilbahn - Zahnradbahn

## Sehenswürdigkeiten

Sakral-Bau - Schloss, Burg - Ruine
Höhle - Vorgeschichtliches Steindenkmal
Sonstige Sehenswürdigkeit
Rundblick - Aussichtspunkt
Landschaftlich schöne Strecke

## Sonstige Zeichen

Sakralbau - Schloss, Burg - Ruine
Höhle - Vorgeschichtliches Steindenkmal
Industrieschwebebahn
Funk-, Sendeturm
Industrieanlagen - Kraftwerk
Raffinerie - Erdöl-, Erdgasförderstelle
Bergwerk - Steinbruch
Leuchtturm - Staudamm
Nationalpark - Jagdgebiet

# Stadtpläne

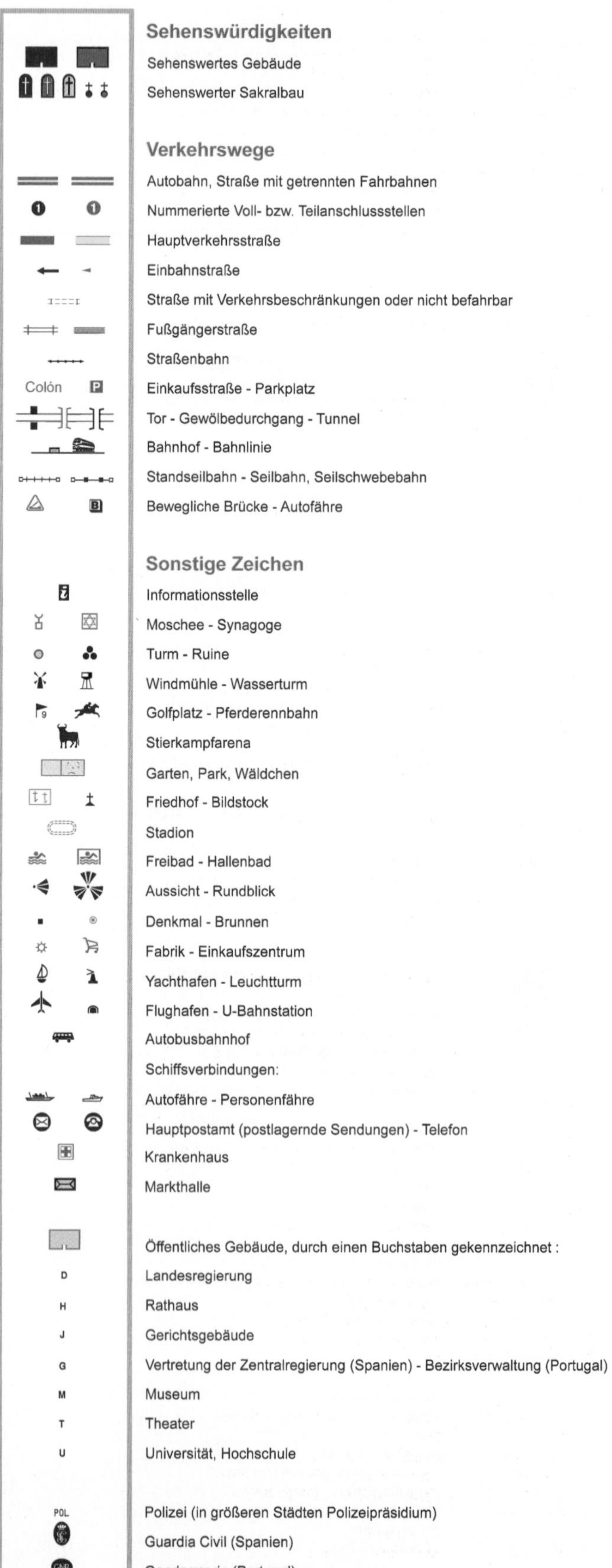

## Sehenswürdigkeiten

Sehenswertes Gebäude
Sehenswerter Sakralbau

## Verkehrswege

Autobahn, Straße mit getrennten Fahrbahnen
Nummerierte Voll- bzw. Teilanschlussstellen
Hauptverkehrsstraße
Einbahnstraße
Straße mit Verkehrsbeschränkungen oder nicht befahrbar
Fußgängerstraße
Straßenbahn

Colón    P

Einkaufsstraße - Parkplatz
Tor - Gewölbedurchgang - Tunnel
Bahnhof - Bahnlinie
Standseilbahn - Seilbahn, Seilschwebebahn
Bewegliche Brücke - Autofähre

## Sonstige Zeichen

Informationsstelle
Moschee - Synagoge
Turm - Ruine
Windmühle - Wasserturm
Golfplatz - Pferderennbahn
Stierkampfarena
Garten, Park, Wäldchen
Friedhof - Bildstock
Stadion
Freibad - Hallenbad
Aussicht - Rundblick
Denkmal - Brunnen
Fabrik - Einkaufszentrum
Yachthafen - Leuchtturm
Flughafen - U-Bahnstation
Autobusbahnhof
Schiffsverbindungen:
Autofähre - Personenfähre
Hauptpostamt (postlagernde Sendungen) - Telefon
Krankenhaus
Markthalle

Öffentliches Gebäude, durch einen Buchstaben gekennzeichnet :

D    Landesregierung
H    Rathaus
J    Gerichtsgebäude
G    Vertretung der Zentralregierung (Spanien) - Bezirksverwaltung (Portugal)
M    Museum
T    Theater
U    Universität, Hochschule

POL    Polizei (in größeren Städten Polizeipräsidium)

Guardia Civil (Spanien)

GNR    Gendarmerie (Portugal)

# Kaarten

## Wegen
Autosnelweg - Serviceplaatsen
Gescheiden rijbanen van het type autosnelweg
Aansluitingen: volledig, gedeeltelijk
Afritnummers
Internationale of nationale verbindingsweg
Interregionale verbindingsweg
Verharde weg - onverharde weg
Weg in slechte staat
Landbouwweg - Pad
Autosnelweg in aanleg - Weg in aanleg
(indien bekend: datum openstelling)

## Breedte van de wegen
Gescheiden rijbanen
4 rijstroken - 2 brede rijstroken
2 rijstroken - 1 rijstrook

## Afstanden (totaal en gedeeltelijk)
gedeelte met tol op autosnelwegen
tolvrij gedeelte op autosnelwegen

op andere wegen

## Wegnummers - Bewegwijzering
E 54   A 96
N IV   N 301
C 437   SE 138
Europaweg - Autosnelweg
Radiale nationale weg - Nationale weg
Andere wegen

## Hindernissen
Steile helling (pijlen in de richting van de helling)

Pas - Hoogte
Moeilijk of gevaarlijk traject
Wegovergangen:
gelijkvloers - overheen - onderdoor
Verboden weg - Beperkt opengestelde weg
Tol - Weg met eenrichtingsverkeer
Wad
Sneeuw : vermoedelijke sluitingsperiode

## Vervoer
Spoorweg - Reizigersstation
Vervoer van auto's:
per boot
per veerpont (maximum draagvermogen in t.)
Veerpont voor voetgangers
Luchthaven - Vliegveld

## Verblijf - Administratie
Plaats met een plattegrond in DE MICHELIN GIDS

Parador (Spanje) - Pousada (Portugal)
(hotel dat door de staat wordt beheerd)
Hoofdplaats van administratief gebied
Administratieve grenzen
Staatsgrens

## Sport - Recreatie
Arena voor stierengevechten - Golfterrein
Berghut
Jachthaven - Strand
Kabelbaan, stoeltjeslift
Kabelspoor - Tandradbaan

## Bezienswaardigheden
Kerkelijk gebouw - Kasteel - Ruïne
Grot - Megaliet
Andere bezienswaardigheden
Panorama - Uitzichtpunt
Schilderachtig traject

## Diverse tekens
Kerkelijk gebouw - Kasteel - Ruïne
Grot - Megaliet
Kabelvrachtvervoer
Telecommunicatietoren of -mast
Industrie - Elektriciteitscentrale
Raffinaderij - Olie- of gasput
Mijn - Steengroeve
Vuurtoren - Stuwdam
Nationaal park - Jachtreservaat

# Plattegronden

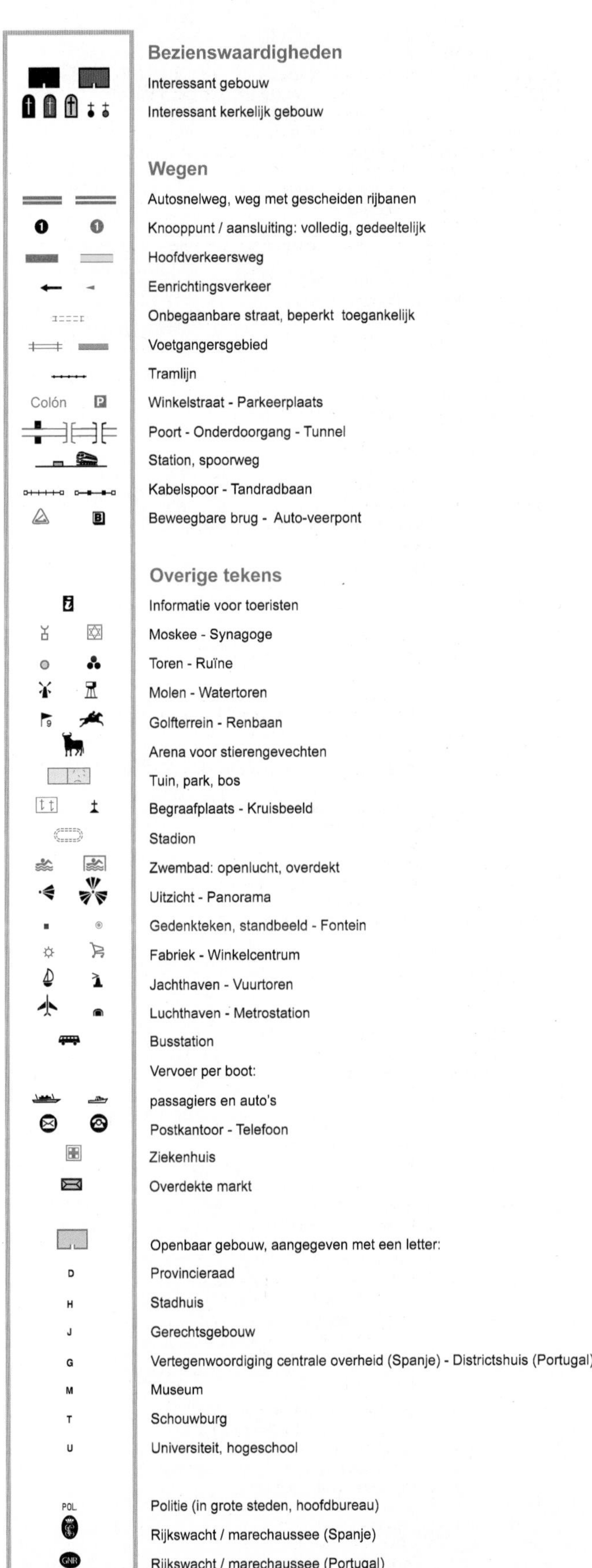

## Bezienswaardigheden
Interessant gebouw
Interessant kerkelijk gebouw

## Wegen
Autosnelweg, weg met gescheiden rijbanen
Knooppunt / aansluiting: volledig, gedeeltelijk
Hoofdverkeersweg
Eenrichtingsverkeer
Onbegaanbare straat, beperkt toegankelijk
Voetgangersgebied
Tramlijn
Colón   Winkelstraat - Parkeerplaats
Poort - Onderdoorgang - Tunnel
Station, spoorweg
Kabelspoor - Tandradbaan
Beweegbare brug - Auto-veerpont

## Overige tekens
Informatie voor toeristen
Moskee - Synagoge
Toren - Ruïne
Molen - Watertoren
Golfterrein - Renbaan
Arena voor stierengevechten
Tuin, park, bos
Begraafplaats - Kruisbeeld
Stadion
Zwembad: openlucht, overdekt
Uitzicht - Panorama
Gedenkteken, standbeeld - Fontein
Fabriek - Winkelcentrum
Jachthaven - Vuurtoren
Luchthaven - Metrostation
Busstation
Vervoer per boot:
passagiers en auto's
Postkantoor - Telefoon
Ziekenhuis
Overdekte markt

Openbaar gebouw, aangegeven met een letter:
D   Provincieraad
H   Stadhuis
J   Gerechtsgebouw
G   Vertegenwoordiging centrale overheid (Spanje) - Districtshuis (Portugal)
M   Museum
T   Schouwburg
U   Universiteit, hogeschool

POL   Politie (in grote steden, hoofdbureau)
Rijkswacht / marechaussee (Spanje)
Rijkswacht / marechaussee (Portugal)

# EL EXPERTO CERCA DE TI

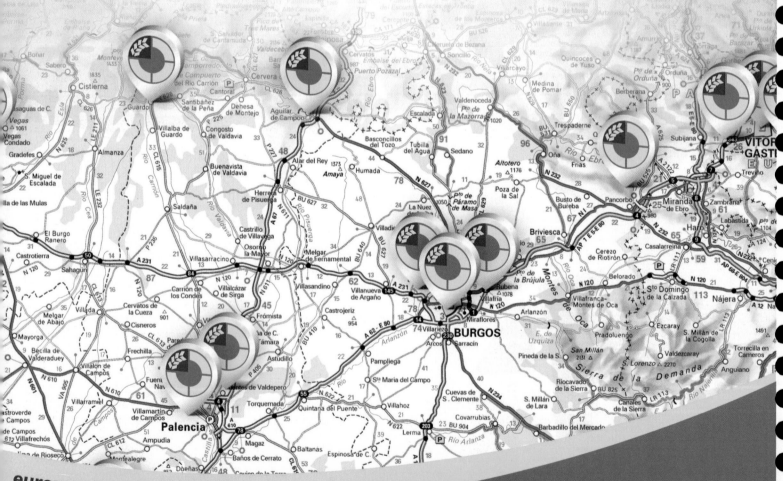

euromaster.com

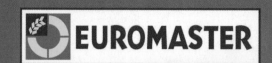

922954

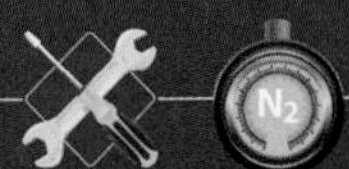

## 20€ PLAN MANTENIMIENTO + NITRÓGENO
(INFLADO DE $N_2$ EN 4 CUBIERTAS)

**CHEQUE DESCUENTO**

LOS NEUMÁTICOS NECESITAN EXPERTOS

---

922955

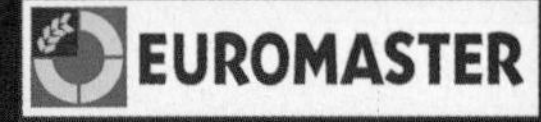

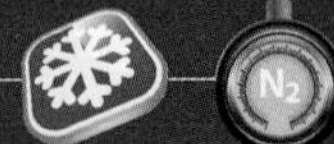

## 20€ AIRE ACONDICIONADO + NITRÓGENO
(INFLADO DE $N_2$ EN 4 CUBIERTAS)

**CHEQUE DESCUENTO**

LOS NEUMÁTICOS NECESITAN EXPERTOS

---

922956

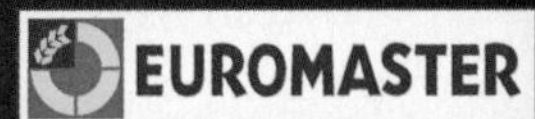

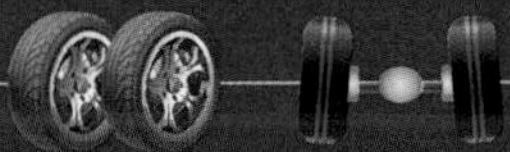

## 20€ COMPRA DE NEUMÁTICOS + ALINEACIÓN
COMPRA MÍNIMA 2 NEUMÁTICOS

**CHEQUE DESCUENTO**

LOS NEUMÁTICOS NECESITAN EXPERTOS

---

922957

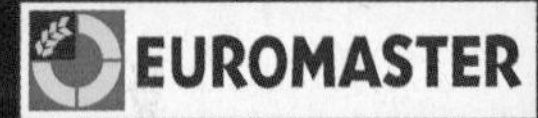

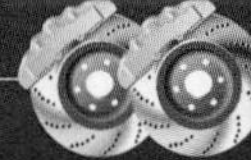

## 20€ CAMBIO DE PASTILLAS DE FRENO Y DISCOS (MISMO EJE)

**CHEQUE DESCUENTO**

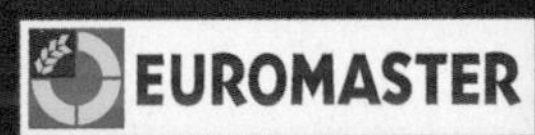

LOS NEUMÁTICOS NECESITAN EXPERTOS

---

922958

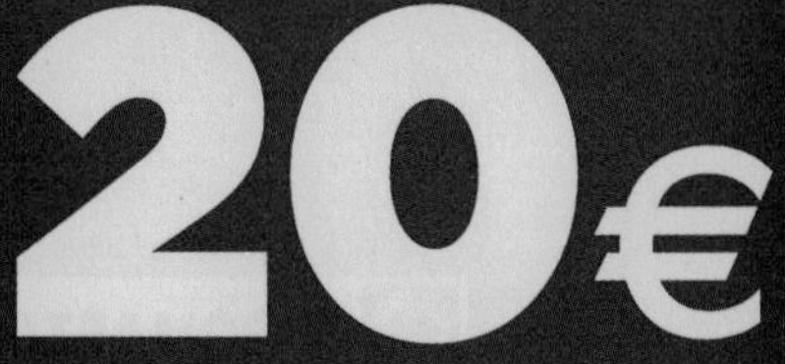

## 20€ CAMBIO DE AMORTIGUADORES
COMPRA MÍNIMA 2 AMORTIGUADORES.

**CHEQUE DESCUENTO**

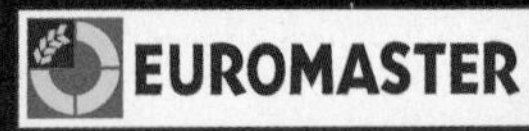

LOS NEUMÁTICOS NECESITAN EXPERTOS

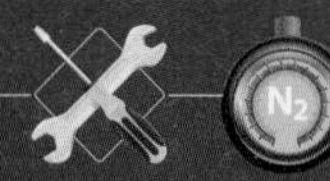

922954

CUPONES ATLAS MICHELIN, válidos hasta el 31/10/2012. Acumulables a regalos y sorteos, pero no a campañas de precio. Dos cupones del mismo tipo o de diferentes campañas no son acumulables, pero sí se pueden usar en una misma factura varios cupones diferentes de la misma campaña CUPONES ATLAS MICHELIN.
Talonarios válidos en cualquier centro Euromaster adherido a la campaña. Los 20€ de descuento de cada cupón, incluyen IVA. El valor de los cupones no es canjeable por dinero en metálico.

---

922955

CUPONES ATLAS MICHELIN, válidos hasta el 31/10/2012. Acumulables a regalos y sorteos, pero no a campañas de precio. Dos cupones del mismo tipo o de diferentes campañas no son acumulables, pero sí se pueden usar en una misma factura varios cupones diferentes de la misma campaña CUPONES ATLAS MICHELIN.
Talonarios válidos en cualquier centro Euromaster adherido a la campaña. Los 20€ de descuento de cada cupón, incluyen IVA. El valor de los cupones no es canjeable por dinero en metálico.

---

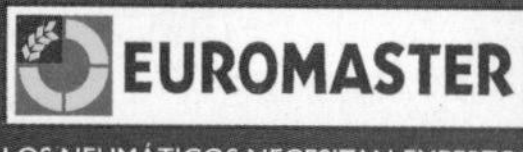

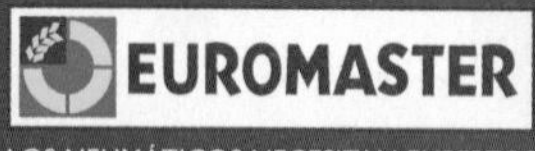

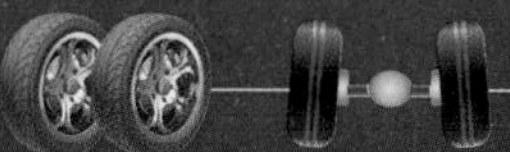

922956

CUPONES ATLAS MICHELIN, válidos hasta el 31/10/2012. Acumulables a regalos y sorteos, pero no a campañas de precio. Dos cupones del mismo tipo o de diferentes campañas no son acumulables, pero sí se pueden usar en una misma factura varios cupones diferentes de la misma campaña CUPONES ATLAS MICHELIN.
Talonarios válidos en cualquier centro Euromaster adherido a la campaña. Los 20€ de descuento de cada cupón, incluyen IVA. El valor de los cupones no es canjeable por dinero en metálico.

---

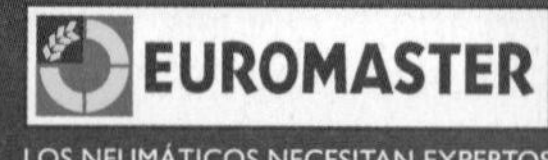

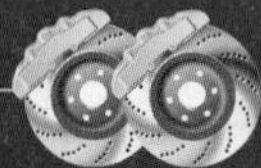

922957

CUPONES ATLAS MICHELIN, válidos hasta el 31/10/2012. Acumulables a regalos y sorteos, pero no a campañas de precio. Dos cupones del mismo tipo o de diferentes campañas no son acumulables, pero sí se pueden usar en una misma factura varios cupones diferentes de la misma campaña CUPONES ATLAS MICHELIN.
Talonarios válidos en cualquier centro Euromaster adherido a la campaña. Los 20€ de descuento de cada cupón, incluyen IVA. El valor de los cupones no es canjeable por dinero en metálico.

---

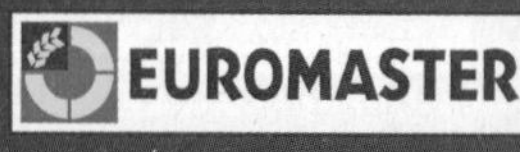

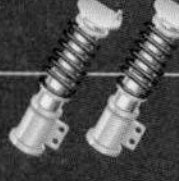

922958

CUPONES ATLAS MICHELIN, válidos hasta el 31/10/2012. Acumulables a regalos y sorteos, pero no a campañas de precio. Dos cupones del mismo tipo o de diferentes campañas no son acumulables, pero sí se pueden usar en una misma factura varios cupones diferentes de la misma campaña CUPONES ATLAS MICHELIN.
Talonarios válidos en cualquier centro Euromaster adherido a la campaña. Los 20€ de descuento de cada cupón, incluyen IVA. El valor de los cupones no es canjeable por dinero en metálico.

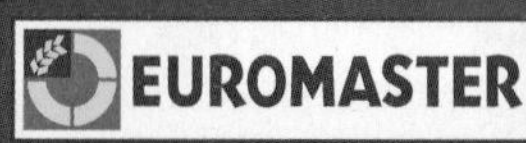